D1202818

HISTORIA Y CRÍTICA
DE LA
LITERATURA HISPANOAMERICANA

I

ÉPOCA COLONIAL

PÁGINAS
DE
FILOLOGÍA
Director: FRANCISCO RICO

CEDOMIL GOIC

HISTORIA Y CRÍTICA
DE LA
LITERATURA HISPANOAMERICANA

I

ÉPOCA COLONIAL

II

DEL ROMANTICISMO AL MODERNISMO

III

ÉPOCA CONTEMPORÁNEA

CEDOMIL GOIC

HISTORIA Y CRÍTICA
DE LA
LITERATURA HISPANOAMERICANA

I

ÉPOCA COLONIAL

EDITORIAL CRÍTICA
Grupo editorial Grijalbo
BARCELONA

Esta edición ha merecido una subvención de la Dirección General del Libro y Bibliotecas del Ministerio de Cultura.

Diseño de la cubierta:
Enric Satué
© 1988 de la presente edición para España y América:
Editorial Crítica, S. A., Aragó, 385, 08013 Barcelona
ISBN: 84-7423-350-X
Depósito legal: B. 10.420 - 1988
Impreso en España
1988. — Hurope, S. A., Recaredo, 2, 08005 Barcelona

*Para Juan Miguel, Mariana,
Lucas y Amanda*

HISTORIA Y CRÍTICA DE LA LITERATURA HISPANOAMERICANA

INTRODUCCIÓN

I

Historia y crítica de la literatura hispanoamericana responde al mismo plan, diseñado por Francisco Rico, para la *Historia y crítica de la literatura española* y, *mutatis mutandis*, quiere ser, como ella en su campo, una historia nueva de la literatura hispanoamericana. Una historia que no se conforme con resúmenes y catálogos, sino que considere las contribuciones más importantes que la crítica de más calidad y desde los más variados puntos de vista ha dedicado a diversos aspectos de las obras, autores, géneros y períodos y a los problemas fundamentales de las letras hispanoamericanas. En casi quinientos años de literatura en lengua española en América —serán quinientos en 1992 y ya nos preparamos para celebrarlos—, creación e investigación y crítica literaria corren parejas ofreciendo su realidad mudable al lector. He tomado la tarea de llevar a cabo estos propósitos casi exclusivamente sobre mis hombros e intentado, por una parte, proveer la mejor y más actual información hoy día a nuestra disposición, y, por otra, justipreciar y rendir tributo a quienes han contribuido más significativamente en cada asunto a enriquecer la comprensión de nuestra historia literaria y de sus grandes autores y obras. En la selección de artículos, ensayos, o fragmentos de libros, he intentado proporcionar una imagen adecuada y actual de las grandes cumbres y momentos de la historia de la literatura hispanoamericana y dar cabida a una variedad de enfoques diferentes. El lector podrá beneficiarse de su lectura para una visión de conjunto o para la consulta útil sobre un asunto particular. Conseguir esto en la literatura hispanoamericana no es siempre fácil, aparte de las limitaciones obvias, por la falta en varios dominios de materiales adecuados para esa construcción. En ediciones futuras, contando con la buena acogida de los lectores, podríamos acercarnos a una meta de mejor y más completa elaboración de las diversas partes de esta obra.

Por ahora, *Historia y crítica de la literatura hispanoamericana* (*HCLH*) intenta concertar dos tipos de elementos:

1. Por un lado, una selección de textos que se ordenan cronológica y temáticamente para trazar la trayectoria histórica de la literatura hispanoamericana, en una visión centrada en los grandes géneros, autores y obras, épocas y cuestiones principales, de acuerdo a la crítica de mayor solvencia. Esos textos, además de ordenarse en una secuencia histórica, constituyen una verdadera antología de los estudios más valiosos en torno a la literatura hispanoamericana realizados en los últimos años.

2. Por otro, los capítulos en que esos textos se distribuyen se abren con una introducción y un registro bibliográfico pertinente al asunto. La introducción pasa revista a los escritores, obras o temas correspondientes; y, ya sea simultáneamente o a continuación, ofrece un panorama selectivo del estado actual de los trabajos sobre el asunto en cuestión, señalando los problemas más debatidos y las respuestas que proponen los más diversos estudiosos y escuelas, las aportaciones más destacadas, las tendencias y criterios en auge... Como norma general, la bibliografía —nunca exhaustiva, antes cuidadosamente elegida— no pretende tener entidad propia, sino que ha de manejarse con la guía de la introducción, que la clasifica, criba y evalúa.

II

Entre los destinatarios posibles y esperados de este libro está el estudiante de Letras de España y en especial el de Filología Hispánica, quien tendrá acaso la oportunidad de seguir junto con sus cursos de literatura española algún curso de literatura hispanoamericana. O si no ha tenido esa oportunidad, es bien posible que su curiosidad y apetito de saber le lleven a preguntarse y a conocer algo de la literatura en lengua castellana al otro lado del océano, especialmente a propósito de un gran autor o de una obra recientemente leída.

Pero hay que pensar, principalmente, en el estudiante hispanoamericano de Letras que toma, además de la literatura española, toda una secuencia de cursos de literatura hispanoamericana y de su literatura nacional. La exigencia de lectura será, de seguro, considerable, y difícil o imposible pedirle que, además de leer los textos primarios, se familiarice con la bibliografía básica. Por otra parte, sería perjudicial dirigirlo a un manual para que busque los datos y las referencias imprescindibles con las que no es posible agobiarlo. Equidistante entre los extremos del manual y de la bibliografía básica, *HCLH* es útil y provechosa para el estudiante en esta etapa de sus estudios. Encontrará en ella secciones que abordan los textos primarios y variada información que puede usar de modo gradual y selectivo.

El estudiante de un nivel más avanzado ya no se matriculará en cursos tan amplios o panorámicos como «Literatura hispanoamericana colonial», o «Literatura moderna» o «contemporánea», sino presumiblemente en otros de objeto más reducido y atención más intensa: «La poesía épica», «El Modernismo», «Rubén Darío», «Borges», «Pablo Neruda» o «La novela contemporánea». En este caso, los capítulos correspondientes de *HCLH* le permitirán entrar con facilidad en la materia monográfica de su interés con el apoyo de los textos críticos y la reseña del estado de la cuestión. Encontrará, además, en el resto del volumen un contexto que le ayudará, sin el esfuerzo de tener que procurárselo por sí mismo, a situar el asunto estudiado.

Para el estudiante titulado o licenciado, que va a enseñar como profesor de lengua y literatura en la enseñanza media o en un nivel docente similar, que ya no tiene el tiempo que quisiera para preparar sus clases, lejos de una biblioteca mediana o mínima y sin recursos económicos para adquirir nuevos libros, *HCLH* le ayudará a resolver las dificultades de decidir por dónde abordar una explicación o una lectura en forma adecuada para futuros bachilleres. El joven profesor encontrará en *HCLH* incitaciones y apoyos para enseñar literatura de una manera más atractiva y adecuada que la usual. El mismo profesor veterano encontrará en ella la oportunidad de refrescar ciertos temas o enriquecer su experiencia explorando nuevos caminos. El estudiante que sigue una maestría o un doctorado sabrá sacar partido de introducciones, bibliografías y textos críticos para orientar sus investigaciones.

El estudiante norteamericano de pregrado en español, que toma un *survey* o un curso avanzado, acostumbrado al empleo de un *course pack*, encontrará los materiales, la orientación general y la información bibliográfica que le permitirán el uso gradual y selectivo de los textos críticos y de la biblioteca universitaria generalmente bien provista. Para el estudiante de la maestría o que debe escribir un trabajo o preparar una *reading list* para el examen de grado, y el del doctorado que se prepara para sus exámenes preliminares y aun el que escribe su *prospectus* para una tesis doctoral y quiere dedicarse a la docencia universitaria, hallarán de qué beneficiarse en *HCLH*.

El especialista de una área particular encontrará en esta obra la oportunidad de informarse sobre la situación de los estudios en otro campo y beneficiarse de la información o la comparación. Y no le faltará en las introducciones, al lado del comentario de los aportes ajenos, observaciones y juicios de valor propio que pueden ser la oportunidad de acceso a investigaciones originales y anticipación de investigaciones inéditas.

Esperamos que para el especialista *HCLH* será una incitación a meditar sobre la situación de la disciplina que cultiva; una oportunidad para apreciarla en su conjunto con sus logros y sus lagunas, sus protagonistas individuales y colectivos, en un cuadro que difícilmente encontrará compendiado en otro lugar. No sólo la síntesis ofrecida por las introducciones, sino también los textos críticos seleccionados marcan ciertas instancias definidas de la crítica hispanoamericana o hispanoamericanista y pueden abrir nuevas perspectivas.

Por último, no es absolutamente impensable la posibilidad de que *HCLH* llegue a lectores ajenos al *curriculum*, pero que hombres o mujeres cultos de formación universitaria compartan con los anteriores el interés por la literatura. Ni lo es que tras disfrutar de la lectura de algunas de las grandes obras de la literatura hispanoamericana —*La Araucana, Martín Fierro, La Vorágine* o *Cien años de soledad*, la poesía de Neruda o un cuento de Borges o Cortázar o de asistir a una función de teatro— se sienta movido a saber más sobre el autor o la obra y confrontar su opinión con la de los expertos.

A un público así de variado y amplio aspira *HCLH* a alcanzar y servir.

III

1. El núcleo de *HCLH* son las obras, autores, movimientos, tradiciones... de primera magnitud y mayor vigencia para el lector de

hoy. No hemos escatimado, sin embargo, referencias a escritores, obras, géneros o movimientos relativamente menores, pero se hace hincapié siempre en los mayores, y a la dirección que ellos desarrollan se confía la organicidad del conjunto. No siempre fue fácil compaginar la importancia de las obras y autores con el volumen y valor de la bibliografía existente. En algunos casos obras de importancia han sido objeto de escaso estudio, mientras otras de relieve secundario han merecido una atención mayor. Esto es particularmente notorio en la literatura colonial, donde encontramos obras de importancia carentes de estudios, y lo es también en la contemporánea, donde la falta de discriminación de los valores de primer rango entre las promociones más jóvenes los muestra sin estudios de importancia, mientras tanta figura secundaria aparece largamente estudiada. Estudiada o no, hemos concedido más espacio a la figura de mayor magnitud. Del mismo modo, en ocasiones había que distinguir si el relieve regional del autor se correspondía con su estimación en el nivel continental. Cuando ha parecido necesario hemos dejado constancia, en las introducciones, de estas diferencias y procurado realizar una cuidadosa selección de textos.

2. La materia se ha distribuido en tres volúmenes, de 10 y 12 capítulos que no van titulados con un concepto único y sistemático. Epígrafes como *Época colonial, Del Romanticismo al Modernismo* o *Época contemporánea* no son muy satisfactorios y rompen la pertinencia objetiva con criterios desigualmente políticos, artístico-literarios o puramente cronológicos, que son, por lo demás, la plaga universal de la historiografía literaria. Pero nos han parecido preferibles a otros de mera indicación cronológica. En todo caso, los problemas de «épocas», «períodos» y «generaciones» se consideran en detalle en cada tomo y capítulo donde parece necesario. En los títulos de los capítulos me he contentado con identificar *grosso modo* el ámbito de que trata, en la esperanza de que sean juzgados más por el contenido que por el título mismo, necesariamente limitado.

3. Para resolver en qué volumen insertar ciertos temas o autores o cómo representar su ubicación propia o la multiplicidad de su obra hemos decidido con criterio flexible. Por una parte, hemos incluido en el tomo I la disolución de la época colonial y el comienzo de la época nacional, dejando la consideración de los antecedentes románticos para el tomo II. Esto ha significado separar, por ejemplo, a Andrés Bello del tomo y del capítulo en que se estudian sus compañeros de genera-

ción. En este caso, la trascendencia de la obra de Bello después de 1830, y prolongada hasta 1865 —fecha en que muere—, dictaba la posibilidad y la conveniencia de tratarlo en el tomo II. También era objeto de consideración la posibilidad de tratar a autores como Balbuena o Sor Juana, o Borges por los géneros que cultivan y dividir su tratamiento en varios capítulos o estudiar en uno de ellos el conjunto de su producción. De acuerdo a la norma, hemos preferido, por una parte, conceder un capítulo a las *opera omnia* de cada escritor de importancia y situarlo en el volumen o capítulo correspondiente a los años decisivos, y, por otra, no dejar de hacer referencia a sus contribuciones al hablar del género correspondiente. El Modernismo, a su vez, no dejaba de tener las dificultades más que conocidas para su delimitación; en este caso hemos dejado la traza de su tratamiento por la crítica como época, pero lo hemos abordado con la más ceñida distinción de las generaciones. En este sentido hemos optado por poner a Del Casal y J. A. Silva en una primera generación, en consideración a que su obra comprende los años de iniciación, pero no la vigencia de la generación de Darío. Herrera y Reissig, por otro lado, epígono del Modernismo, lo hemos situado en su generación a pesar de su muerte temprana. ¿Dónde situar al sorprendente Macedonio Fernández? Lo más adecuado parecía tratarlo en los años correspondientes a su difusión y a su recepción tardía. Hemos tratado, en cada caso, de dar la visión más amplia posible, aunque ciertas limitaciones eran necesarias para dar cuenta, en una visión coherente, sin caer en la confusión ni el fárrago, de las múltiples direcciones y niveles de la historia de la literatura.

4. Los trabajos históricos y críticos examinados en las introducciones, registrados en las bibliografías y antologados en el cuerpo de cada capítulo no abarcan, desde luego, el curso entero, a través de los siglos, de los estudios en torno a la literatura hispanoamericana. Aunque se encontrarán las referencias generales, no se discutirán ni se incluirán aquí las opiniones de Cervantes o Lope, o de unos poetas o escritores hispanoamericanos sobre otros, como Darío sobre Martí o Neruda sobre Huidobro. Aunque sí, inevitablemente, algo de Medina, sobre literatura colonial, y de Menéndez Pelayo sobre ésta y la literatura del siglo XIX. Para la mayoría de las cuestiones abordadas en los tomos I y II, la *vulgata* de la historia literaria ha sido establecida por la obra crítica e historiográfica de P. Henríquez Ureña, J. Leguizamón, A. Torres Rioseco, L. A. Sánchez, E. Anderson Imbert y J. J. Arrom.

Su contribución ha orientado primero la selección de los valores literarios de Hispanoamérica, los autores y las obras de mayor magnitud, y luego la comprensión de tendencias y sus principales corrientes literarias, su periodización y sus problemas. A partir del contexto historiográfico que han elaborado, la crítica ha trasladado su énfasis en nuevas direcciones que intentamos ilustrar parcialmente en la presente obra. En la literatura hispanoamericana la línea que demarca lo actual de lo pasado se inicia merced a la importancia adquirida por la estilística romance y la obra personal de Amado Alonso —especialmente su estudio sobre Neruda, el primero sobre un poeta contemporáneo— y su gestión en la dirección del Instituto de Filología de la Universidad de Buenos Aires, hace unos cincuenta años. Las tendencias estructuralistas de los años sesenta, con su crítica de la estilística romance, y, más tarde, las distintas tendencias caracterizadoras del postestructuralismo, constituyen las nuevas orientaciones contemporáneas. En general, estas nuevas orientaciones marcan un énfasis en el estudio de la obra particular, que ha caracterizado visiblemente los estudios literarios dentro de una gran variedad de enfoques. Sin embargo, el viejo y constante interés en la comprensión de la obra y de la literatura situada en el contexto social, conserva un lugar permanente en la crítica y se deja modificar por nuevas orientaciones teóricas y metodológicas.

Hemos prescindido de la crítica impresionista y de los abundantes testimonios anecdóticos en favor de una crítica de contribución documental o de análisis o interpretación significativa. Al seleccionar los textos hemos puesto el acento dominante en esta crítica. Por otra parte, acogiendo en parte una sugerencia de Francisco Rico, en los capítulos 5 y 9 del tomo I, el lector encontrará una síntesis de la poética colonial; mientras en los capítulos 11, del tomo II, y 12, del tomo III, se encontrará la presentación de la crítica literaria junto con el ensayo. En esta parte el lector tendrá oportunidad de conocer el desarrollo de las principales tendencias y de las figuras sobresalientes de la crítica hispanoamericana de la época correspondiente.

5. En las introducciones, al esbozar el estado actual de los trabajos sobre cada asunto, he procurado mantener el número de referencias dentro de los límites estrictamente imprescindibles. He citado los principales estudiosos y tendencias y realzado los libros y artículos de mayor valor insistiendo en lo positivo. Aunque era conveniente reducirse a un número limitado, a un centenar de entradas, me he excedido en algunos casos con el afán de dar una visión más completa y variada

allí donde no es fácil encontrar bibliografías organizadas sobre determinados asuntos o autores. Es posible que el lector se sienta desilusionado aun en el caso de los autores a quienes dedicamos un capítulo entero y donde debían ser aplicados los mismos criterios señalados. El establecimiento de una bibliografía fundamental era nuestro objetivo. En las introducciones he puesto, por otra parte, cierto énfasis, que me pareció necesario y espero que no resulte ni excesivo ni desprovisto de interés para el lector, en el registro de la producción del autor con el máximo de precisión para identificar primeras ediciones y otras significativas. Las limitaciones para procurarse esta información son casi insalvables, y al mismo tiempo nada parece tan importante como determinar con detalle el corpus literario de un autor de relieve.

6. En cuanto a la selección de textos, el ideal era que ésta formara un conjunto bien armado que pudiera leerse como un todo y para la consulta de algún asunto particular. He tratado, donde esto ha sido posible, de reunir en cada capítulo trabajos que proporcionaran una visión de conjunto, con otros de análisis de obras particulares y trabajos de fina erudición. No siempre ha sido posible, no sólo debido a inhabilidad, sino por las considerables lagunas que existen en la bibliografía hispanoamericana y por la dificultad, muchas veces, de aislar dentro de una obra de importancia un fragmento que conservara la necesaria coherencia interna. Espero que la selección tal como queda hecha sirva a los propósitos enunciados. El estado actual de la bibliografía en cuestión en cada caso es el que ha dictado la forma de cada capítulo. En cada uno de ellos he intentado incluir diversas orientaciones sin excluir deliberadamente ninguna.

7. *HCLH* es una primera aproximación a una meta ambiciosa y nace con la promesa de renovarse cada pocos años, si es posible, en ediciones íntegramente rehechas. Para este objeto, será inestimable para mí recibir la ayuda que se me preste para este fin en la forma de comentarios, referencias, publicaciones...

IV

Esta obra no habría sido posible sin la generosa invitación de Francisco Rico ni sin la orientación y el concepto general del tipo de libro concebido por él para esta serie de *Historia y crítica*, que él diseñó para el caso de la literatura española, *HCLE*, y que ha servido de modelo para nuestra *HCLH*. He seguido con la máxima fidelidad que me era posible las instrucciones generales impartidas para la serie. En la determinación preliminar del número, contenido y designación de los volúmenes y de los capítulos y la discusión de ellos, mi trabajo encontró en Francisco Rico la colaboración necesaria y la oportunidad de un diálogo productivo. De la confrontación del hispanoamericanista y el especialista peninsular —hemos coincidido en algunas cosas y en otras discrepado— espero que el beneficiado sea el lector. Pero debo señalar sin equívoco que la responsabilidad intelectual de los tres volúmenes de la obra y de la redacción de los capítulos, la elaboración de las bibliografías y la selección de textos críticos que acompañan a cada capítulo es enteramente mía.

Aunque sujeta a error como toda obra humana y de cierta envergadura, espero que esta obra, a pesar de su extensión y del número y la variedad de la información manejada, resulte bien defendida en lo fundamental tanto en la interpretación —ciertamente la parte más vulnerable—, cuanto en la información, la bibliografía y la selección de textos. Las imperfecciones que el lector perciba en cualesquiera de estos aspectos de *HCLH* son debidas a mis limitaciones y de mi sola y entera responsabilidad.

Este trabajo se redactó entre mayo de 1983 y diciembre de 1985; durante este tiempo y el tiempo corrido hasta la publicación de la obra, han aparecido varios trabajos de importancia que enriquecen el campo de la investigación y los estudios de la literatura hispanoamericana. De esta manera el cuadro de cada capítulo se ve afectado por los nuevos aportes de la crítica en algunos aspectos de su actualidad. En relación a diversos temas no he vacilado en considerar trabajos en prensa, cuyos textos me eran conocidos y cuya importancia me pareció cierta. De las publicaciones que hayan escapado a mi atención daré cuenta en publicaciones posteriores de estos volúmenes, si el público lector los acoge como deseamos. Agradezco a los colegas y amigos que me facilitaron sus obras, artículos y manuscritos y agradeceré cumplidamente en el futuro a quienes me remitan sus obras y sus observaciones para mejorar este trabajo.

Debo y doy especiales gracias a los autores que han accedido a la reproducción de sus textos seleccionados en las condiciones que imponía el carácter de esta obra. Agradezco a Walter D. Mignolo, colega y amigo, su valiosa colaboración en parte del tomo III de esta obra preparando el capítulo 6 dedicado a Borges. Mi gratitud va una vez más a Francisco Rico por el generoso ofrecimiento que me hizo de confiar a mi cargo esta tarea y a Gonzalo Pontón, por el diálogo constructivo que ha hecho posible llevarla a buen fin. Debo dar gracias también a la Editorial Crítica por su decisión de emprender este proyecto hispanoamericano. Finalmente, estoy en deuda con Mercedes Quílez, Anna Prieto y M.ª Paz Ortuño, quienes han corregido las pruebas con implacable rigor.

Considerando la extensa elaboración de esta obra y el largo tiempo invertido en ella, no puedo dejar de agradecer aquí a mi familia, que soportó con paciencia y amor la alteración de la vida doméstica que significó. Agradezco especialmente a Maggie, mi mujer, su ayuda en la corrección de las erratas del manuscrito de esta obra; a mi hijo Jorge, quien facilitó con sus conocimientos técnicos y su consejo el procesamiento del original de esta obra en la computadora electrónica; y a mi hijo Nicolás, su entusiasmo y su espontánea y constante ayuda en la recolección de materiales para los diversos volúmenes.

Cedomil Goic

The University of Michigan, Ann Arbor

NOTAS PREVIAS

1. A lo largo de cada capítulo (y particularmente en la introducción), cuando el nombre de un autor va asociado a un año entre paréntesis rectangulares, [ ], debe entenderse que se trata del envío a una ficha de la bibliografía correspondiente, donde el trabajo así aludido figura bajo el nombre en cuestión y en la entrada de la cual forma parte el año indicado.* En la bibliografía, las publicaciones de cada autor se relacionan cronológicamente; si hay varias que llevan el mismo año, se las identifica, en el resto del capítulo, añadiendo a la mención del año una letra (*a*, *b*, *c*...) que las dispone en el mismo orden adoptado en la bibliografía. Igual valor de remisión a la bibliografía tienen los paréntesis rectangulares cuando encierran referencias como *en prensa* o análogas. El contexto aclara suficientemente algunas minúsculas excepciones o contravenciones a tal sistema de citas. Las abreviaturas o claves empleadas ocasionalmente se resuelven siempre en la bibliografía.

2. En muchas ocasiones, el título de los textos seleccionados se debe a mí o al responsable del capítulo; el título primitivo, en su caso, se halla en la ficha que, a pie de la página inicial, consigna la procedencia del fragmento elegido. Si lo registrado

---

* Normalmente ese año es el de la primera edición o versión original (regularmente citadas, en la mayoría de los casos, en la bibliografía), pero a veces convenía remitir a la reimpresión dentro de unas obras completas, a una edición revisada (o más accesible), a una traducción notable, etc., y así se ha hecho.

en esa ficha es un artículo (o el capítulo de un libro, etc.), se señalan las páginas que en el original abarca todo él y a continuación, entre paréntesis, aquellas de donde se toman los pasajes reproducidos. En el presente tomo I, cuando no se menciona una traducción española ya publicada o no se especifica otra cosa, los textos originariamente en lengua extranjera han sido traducidos por mí.

3. En los textos seleccionados, los puntos suspensivos entre paréntesis rectangulares, [...], denotan que se ha prescindido de una parte del original. Corrientemente, sin embargo, no ha parecido necesario marcar así la omisión de llamadas internas o referencias cruzadas («según hemos visto», «como indicaremos abajo», etc.) que no afecten estrictamente el fragmento reproducido.

4. Entre paréntesis rectangulares van asimismo los cortos sumarios con que los responsables de *HCLH* han suplido a veces párrafos por lo demás omitidos. También de ese modo se indican pequeños complementos, explicaciones o cambios del editor (traducción de una cita o substitución de ésta por sólo aquella, glosa de una voz arcaica, aclaración sobre un personaje, etc.). Sin embargo, con frecuencia hemos creído que no hacía falta advertir el retoque, cuando consistía sencillamente en poner bien explícito un elemento indudable en el contexto primitivo (copiar entero un verso allí aludido parcialmente, completar un nombre o introducirlo para desplazar un pronombre en función anafórica, etc.).

5. Con escasas excepciones, la regla ha sido eliminar las notas de los originales (y también las referencias bibliográficas intercaladas en el cuerpo del trabajo). Las notas añadidas por los responsables de la antología —a menudo para incluir algún pasaje procedente de otro lugar del mismo texto seleccionado— se insertan entre paréntesis rectangulares.

VOLUMEN I

ÉPOCA COLONIAL

1. TEMAS Y PROBLEMAS DE LA LITERATURA HISPANOAMERICANA COLONIAL

La historia de la literatura hispanoamericana colonial se desarrolla entre dos acontecimientos excepcionales que abren y cierran respectivamente el campo objetivo de su estudio, coincidente con los tiempos modernos: el descubrimiento de América y la independencia hispanoamericana. En el lapso de tres siglos tiene lugar la apropiación e hispanización del Nuevo Mundo por España y el establecimiento de una sociedad organizada y desarrollada en íntima relación con la historia y la cultura de la península, pero modificada por las circunstancias americanas. Éstas comprenden un nuevo paisaje y clima, y, principalmente, el contacto con otras culturas con componentes indígenas bien diferenciados y en consecuencia, lenguas, costumbres, creencias, usos tradicionales, que interactúan en formas imprevistas y determinantes. Finalmente, se cierra con la violenta disolución de los lazos políticos que la unían, como patrimonio del rey, a España. En este fenómeno influyen determinantes internos y externos en los cuales se representan los factores de continuidad y discontinuidad que afectarán la vida futura del mundo hispanoamericano. La visión de una literatura colonial encierra un obvio supuesto político que el siglo XIX postuló sistemáticamente desde el momento de la independencia. Esto condujo a los historiadores liberales y positivistas del siglo pasado a la afirmación de una literatura nacional, surgida de la independencia, con menosprecio y deformación política de la comprensión de la historia anterior vista como sujeción, opresión despótica, oscurantismo cultural y fanatismo religioso. Los historiadores del siglo XIX P. Herrera [1860], Vergara y Vergara [1867], Amunátegui [1870-1872], J. T. Medina [1878] repiten esta visión menoscabante, al tiempo que exploran los repertorios y datos de la historia literaria de las regiones que abordan. Más allá de la determinación objetiva del estatuto jurídico y político de los pueblos americanos, es decir, de si éstos eran real y efectivamente, desde ese punto de vista, colonias de España, la designación subsiste y se alimenta actualmente con las teorías de la dependencia económica para su explicación (véase J. Franco

[1973]). Un hábito irreflexivo impide hoy en día modificar la designación política que ha determinado la visión de esta larga sección de la historia literaria hispanoamericana, realizada desde el punto de vista nacional. El hecho de que ésta sea una parte de la literatura española, en la que se afirma la esencial continuidad histórica y cultural entre península y continente americano, y el que sea a la vez una forma modificada de la historia y cultura española en América, hace que se configure como un objeto de estudio doble: uno, de seleccionados valores que el historiador incluye como expresión de la cultura española en América (Ercilla, el Inca Garcilaso, sor Juana, Alarcón), y, otro, de ésos y otros valores importantes y secundarios que conforman el conjunto de autores que el crítico considera en el campo especial de la literatura hispanoamericana. Vistos desde su tiempo, el mundo y la literatura hispanoamericanos son españoles, son una parte de España. Hasta que los españoles americanos deciden dejar de serlo y ser solamente americanos en el breve lapso de una generación.

Antes de ser un objeto de estudio independiente la literatura hispanoamericana fue un capítulo de la literatura española (véase De Torre [1963, 1968]). Así fue sostenido por la crítica tradicional de Hispanoamérica. Todavía es visto así en las obras de Á. del Río [1948], Pfandl [1952] y Valbuena Prat-Valbuena Briones [1962]. En la historia literaria se observa esta diferencia sólo a partir de la *Historia de la poesía hispano-americana* de Menéndez Pelayo [1911] y en Coester [1916] y Wagner [1924], que dedican sendas obras al estudio de la literatura hispanoamericana. Luego será P. Henríquez Ureña [1960], en sus *Seis ensayos en busca de nuestra expresión* (1928), quien planteó por primera vez las posiciones existentes como europeístas y americanistas y definió algunas de las condiciones para nuestra historia literaria. Su obra sobre *Las corrientes literarias en la América Hispánica* [1949] intenta la realización de un programa. Torres Rioseco [1945, 1960], Leguizamón [1945] y luego más tarde Anderson Imbert [1954, 1970], Arrom [1963, 1977] y Grossmann [1969, 1972], proponen los problemas de periodización y de selección de valores de la historia de la literatura hispanoamericana que orientan hasta hoy los estudios de la especialidad.

La constitución del estudio de la literatura hispanoamericana como disciplina encuentra una primera dificultad en el nombre que la designa. Los nombres América Hispánica, y los gentilicios iberoamericana, hispanoamericana, latinoamericana son modificativos que hablan de una imprecisión fundamental de la identidad objetiva de esta literatura. En efecto, la entidad llamada de estas variadas maneras, si bien designa una identidad geográfico-lingüística e histórico-cultural, carece de la fácil determinación filológico-política que acompaña las literaturas nacionales de Europa, en las que lengua y nacionalidad se identifican. Rodríguez-Moñino [1968] ha exteriorizado su disconformidad y el escaso sentido de la designación como latinoamericana de esta literatura, en especial cuando se refiere al período colonial. Phelan [1968] ha precisado los orígenes político-ideológicos de esa denominación ligada a la intervención francesa en México. Para la adscripción filológica de esta literatura en la Romania como hace Henríquez Ureña [1960] no es necesario recurrir a un concepto vago y tortuoso de una América Latina. El uso más generalizado continúa siendo entre los especialistas: de la América Hispánica o más simplemente en sus varias grafías: hispano-americana o hispanoamericana. Iberoamericana, como en Torres Rioseco [1945] y A. Castro [1954], se siente necesario, equivocadamente —la noción de *Hispania* comprende los dos ámbitos lingüísticos de la península—, para señalar que se incluyen las literaturas de lengua española y portuguesa de América. Del mismo modo, en un sentido más específico, literatura latinoamericana adquiere valor diacrítico cuando se refiere a literaturas que incluyen al lado de las de lengua española y portuguesa las de lengua francesa de América, como ocurre en el *Diccionario de literatura latinoamericana* (Unión Panamericana, Washington, 1951-1962). La formulación de una literatura indoamericana sólo se refiere específicamente a las «literaturas» indígenas de América. El uso excepcional de Sánchez [1944] de literatura «americana» para referirse en conjunto a todas las literaturas de todas las lenguas que se escriben en América, de una engañosa unidad, encuentra su respuesta en la nueva edición de su obra que agrega al título la noción de literatura comparada. Entre los fundamentos teóricos de la formulación inicial de Sánchez puede verse un eco de la llamada teoría de Bolton, que postula el objeto común de la historia americana, esto es, de los Estados Unidos e Hispanoamérica, dada la superposición y la interdependencia, cualquiera que sea su signo, que caracterizan sus desarrollos históricos. En el extremo opuesto deben verse las obras que ante la inexistencia de una unidad política hispanoamericana proceden bajo la designación hispanoamericana a tratar de las literaturas nacionales independientemente como hace Lazo [1965]. Paz [1967] adopta un punto de vista enteramente diferente: «el nacionalismo —escribe— no sólo es una aberración moral; también es una estética falaz»; de hecho, frente a la artificialidad de la desmembración política, «la existencia de una literatura hispanoamericana es, precisamente, una de las pruebas de la unidad histórica de nuestras naciones». En todo caso, no puede menos de constatarse que entre los americanistas la confusión de las denominaciones se ha generalizado, en particular, cuando se refieren al siglo xix y al xx, donde parecen encontrar su justificación política, primero, y cultural, después (véase Fernández Moreno [1972]). No así, como puede verse, entre los críticos e historiadores de la literatura, entre quienes predomina el uso de hispanoamericana. Lo mismo ocurre en las obras de los especialistas norteamericanos o alemanes —salvo Grossmann— e italianos y aun franceses. No se puede ignorar, sin embargo, el uso generalizado que hacen los profesores norteamericanos de las expresiones *Latin America, Latin American*, América Latina y latinoamericano, y el modo cómo gravitan en los especialistas de los Estados Unidos.

El primer tratamiento de la literatura hispanoamericana colonial como objeto específico o diferenciado corresponde a Moses [1922; 1961] seguido de obras de variada significación de Pirotto [1937] y, más importante, de Picón-Salas [1944, 1958], que intenta una visión del desarrollo y de las etapas de la literatura y la cultura hispanoamericanas. Una obra de conjunto que saca ventajas de la investigación regional y de los estudios sobre autores y obras individuales, así como de los períodos históricos e histórico-literarios de esta época, es la de Iñigo-Madrigal [1982]. Entre las compilaciones, la de Chang-Rodríguez [1978], reúne un grupo interesante de trabajos sobre el período. Entre las obras de interés regional, no pueden dejarse de lado las obras de J. T. Medina [1878] sobre la literatura colonial de Chile, ni las de J. M. Vergara y Vergara [1867] sobre la literatura neogranadina, ni P. Herrera [1860] sobre la literatura ecuatoriana, ni los variados estudios de J. M. Gutiérrez [1865, 1957] sobre escritores de la época, que han prestado la base para los estudios más modernos. Entre éstos deben destacarse las obras de Reyes [1948], para la Nueva España, obra valiosa, como de quien viene, pero que hace sensible la falta de un estudio ambicioso que aborde, a la luz de las nuevas investigaciones, la literatura mexicana colonial. Las obras de mayor relieve vienen a ser las de Sánchez [1951, 1966] sobre la literatura peruana colonial; las de Rojas [1948] y Arrieta [1958] sobre la literatura argentina, en los volúmenes correspondientes de sus historias; de Gómez Restrepo [1938] sobre Colombia; Solar Correa [1945], sobre Chile; Remos [1958] sobre la literatura cubana; Henríquez Ureña [1960] sobre las letras de Santo Domingo [1936]; Barrera [1955] sobre Ecuador; Zum Felde [1941] sobre Uruguay; Picón Salas [1940, 1945] sobre Venezuela.

La ordenación de repertorios bibliográficos que permiten establecer el corpus de la literatura española en América se remonta al primer monumento de la bibliografía hispanoamericana de Antonio de León Pinelo, su *Epítome* (Madrid, 1629; otra ed.: Unión Panamericana, Washington, D.C., 1958, con un estudio preliminar de A. Millares Carlo); y se extiende en su parte colonial a las bibliografías de Eguiara y Eguren y de José Mariano Beristain de Souza. Después de la consolidación positivista de la bibliografía americanista con Harrise, cabe a J. T. Medina un lugar de excepción en el establecimiento seguro de los repertorios bibliográficos. Se le deben también diversos estudios auxiliares para la historia y el conocimiento de la literatura hispanoamericana y de la cultura del continente. Sus bibliografías, estudios sobre las imprentas de México, Guatemala, Lima, y sus trabajos sobre la Inquisición en América, son de magnitud excepcional para un solo hombre. Ha contribuido además a perfilar las relaciones sobre las literaturas de los dos mundos con sus trabajos sobre los poetas americanos elogiados en las obras de Cervantes y Lope de Vega y de las obras derivadas de *La Araucana* y del *Arauco domado* en el teatro español. Otras de sus contribuciones abarcan un diccionario colonial y otras monografías históricas y literarias. Entre ellas, debe destacarse su *Historia de la literatura colonial de Chile* (1878), que, después de un siglo, no ha encontrado parangón. Todas suman una extraordinaria contribución del más grande polígrafo americano del siglo pasado. Un breve manual que orienta sobre el libro en Hispanoamérica es el de Martínez [1984]. Para la información bibliográfica de 1930 a esta parte, el mejor instrumento es la bien clasificada y anotada bibliografía del *Handbook of Latin American Studies*. Una fuente de consulta útil aunque sumaria es la *Bibliografía general de la literatura latinoamericana* (Unesco, París, 1972), cuya parte colonial ha sido preparada por Lohman Villena y Luis Jaime Cisneros. Numerosos temas encuentran material clasificado en J. Simón Díaz, *Manual de bibliografía de la literatura española* (Gredos, Madrid, 1980). En la *Revista Hispánica Moderna* puede hallarse bibliografía clasificada entre los años 1956 y 1969; a partir de esa fecha la sección fue lamentablemente interrumpida. La bien clasificada bibliografía de la *PMLA* provee con su regularidad y frecuencia anual una información fresca de lo que la crítica produce. La *Revista Interamericana de Bibliografía* provee información regular y con frecuencia se la encuentra también en la *Revista Iberoamericana*. La *Latin American Theatre Review* suele publicar artículos sobre temas teatrales de la época colonial. Otras fuentes importantes de información son las revistas de historia: *Revista de Indias* y *Hispanic American Historical Review*. Bibliografías y guías útiles para el conocimiento de la literatura histórica son las excelentemente preparadas por Keniston [1920], Moses [1922], Sánchez Alonso [1952], Griffin [1971] y Wilgus [1975]. Todas proveen repertorios y fuentes secundarias indispensables. Para la interpretación y clasificación de esta literatura se cuenta con las importantes contribuciones de Sánchez Alonso [1941] y Esteve Barba [1964]. El *Repertorio bibliográfico de la literatura hispanoamericana* (Santiago de Chile, 1955), de Sánchez [1955, 1969], con cinco volúmenes y varios fascículos publicados es una contribución importante, aunque incompleta.

Uno de los determinantes de la singularidad de la literatura española en América es la lengua que, por un lado, hispanizó el Nuevo Mundo y dio nombres españoles a cosas nuevas en atención a su semejanza con lo conocido por el descubridor y conquistador, y, por otra, fue americanizada al admitir las voces indígenas desde la primera hora del descubrimiento —*canoa*, recogida en el *Vocabulario* de Nebrija en 1493, y *bohío, caníbal, cacao, chocolate, hamaca, huracán, maíz, patata, tabaco, toma-*

te, etc.—Traen todas una nueva eufonía a la lengua literaria. El estudio
de la lengua natural ha sido mucho más importante. El español de América es visto por Menéndez Pidal [1944] como un factor moderador de la
prosa española del siglo XVI que contribuye a definir los rasgos del llamado período de Garcilaso. Pocos estudios, aunque crecientes en número,
hay sobre la lengua literaria; destacan los de Alvar [1970] sobre americanismos en Bernal Díaz y en J. de Castellanos. La lengua española o
castellana de América, que de las dos maneras suele y puede decirse, ha
suscitado algunas consideraciones de A. Alonso [1942] sobre la designación —castellano, español, idioma nacional—, que en Hispanoamérica
ha tenido sectarios de una y otra a partir de la era nacional. Como quiera
que sea, representa una variedad dentro de la general unidad del idioma.
Estudios generales sobre la lengua española en América son los de Wagner [1949], Zamora Vicente [1960] y Lope Blanch [1968]. Sobre el
sustrato indígena R. Lenz sostuvo el origen araucano de los sonidos del
español de Chile, tesis que ha sido rebatida por Wagner y Alonso [1961].
Las bases demográficas de este sustrato y del mestizaje han sido estudiadas
por Rosenblat [1945], y encuentran su forma más acabada en los trabajos de Cook y Borah [1971] y de Boyd-Bowman [1964, 1968]. Las lenguas indígenas han influido, principalmente, en el léxico, pero también han
afectado a la entonación y, en menor grado, a la fonética, a la morfología
y a la sintaxis. Malmberg [1947-1948, 1966] considera sólo las modificaciones de éstas últimas como verdaderas manifestaciones del sustrato,
no así los préstamos léxicos. Su tendencia es explicar por los determinantes socioculturales las peculiaridades del español de América, que se
mantiene fiel al sistema fonético español. Morínigo [1956, 1964, 1966] y
Rosenblat [1967] han discutido esta tesis. Sobre los indigenismos americanos han hecho variadas contribuciones Morínigo [1956, 1964, 1966],
Rosenblat [1977], Alvar [1970], Grace [1980], Mejías [1980], al estudio de la apropiación del mundo americano a través de los préstamos
léxicos reconocibles en la literatura colonial. Las lenguas americanas han
sido objeto de estudio de A. Tovar [1961]. El debate que ha concentrado la atención de los especialistas ha sido el del supuesto andalucismo
del español de América, sostenido inicialmente por Wagner, en 1920, y
que Henríquez Ureña [1976] rebatió, en 1921, sosteniendo la peculiaridad americana del fenómeno. Henríquez Ureña se fundaba en una información insuficiente sobre la importancia de la base andaluza de la población
americana. Llegó a convencer a Wagner [1949], e influyó en Entwistle
(*The Spanish Language*, Londres, 1936) y otros. Los nuevos estudios
demográficos aludidos más arriba han demostrado lo contrario. Alonso
[1961] sostuvo la peculiaridad americana, datada antes de cualquier otra
información española, en relación al «yeísmo». En relación al «seseo»
descubre más tarde que, en ciertos casos, puede documentarse ya en el

siglo XIV, aunque afirma la heterogeneidad y discontinuidad de estos fenómenos. Sólo la confusión de -r y -l fue admitida como andalucismo por Alonso [1961]. Las características del español de América son descritas por Alonso [1961] como el resultado de una lengua de intercambio. Catalán [1959], por su parte, desarrolla la tesis del español atlántico para explicar el seseo y su origen andalucista y aun sevillano. El mismo Catalán [1960], Menéndez Pidal [1962] y Lapesa [1956, 1985] lo han mostrado como un fenómeno debido a causas históricas que trazan el puente entre Sevilla y América pasando por las islas Canarias, y que significativamente afecta a las zonas costeras. Guitarte [1958, 1959] ha historiado la polémica. El estado de la cuestión es presentado por Lapesa [1964]. Los estudios de conjunto de aspectos determinados abordan: la pronunciación americana, en trabajos de Alonso [1961] y Canfield [1962]; el léxico del siglo XVI, por Boyd-Bowman [1971], Baldinger [1983]; la morfología y sintaxis por Kany [1945, 1962], Wagner [1950] y Morínigo [1956]. Diccionarios de americanismos de importancia son los de Malaret [1946], Frederici [1960], en la reedición de su viejo libro, y Morínigo [1966]. Kany [1962] aborda la semántica hispanoamericana. Sobre afroamericanismos, Becco [1952] y Granda [1973]. Los americanismos de origen marinero han sido considerados por Guillén [1948] y Garasa [1952]. Los arcaísmos, por Lerner [1974].

La comprensión de las tres colonias —los siglos XVI, XVII y XVIII— ha recibido una atención preferente de los historiadores, a quienes se debe gran parte de nuestro conocimiento sobre la literatura de la época. Todavía marchan muy juntos los especialistas de la historia y de la literatura, que mutuamente se necesitan. El contexto histórico y cultural de la edad colonial se presenta bien elaborado en los manuales de historia de la América colonial como los de Sánchez [1965], Konetzke [1971], Morales Padrón [1975], o de obras más abarcadoras como la de Vicens Vives [1971], que son un apoyo regular para el crítico. Especial interés tienen los trabajos de Durand [1953] sobre la transformación social del conquistador, de Torre Revello [1940], sobre el libro y la imprenta, y la importante obra de Leonard [1953] sobre los libros del conquistador. Este autor registra no sólo sus lecturas, sino también el movimiento de libros hacia las Indias durante los siglos coloniales, que viene a modificar la idea de la efectividad de las reiteradas órdenes reales que prohibían llevar a América libros de ficción. En las obras de Haring [1966], Foster [1962] y Zavala [1967], se pueden encontrar visiones de conjunto de gran utilidad. La Inquisición española en Indias ha sido estudiada por Medina [1952] en obras fundamentales de información que todavía son de consulta indispensable. El régimen de la tierra ha sido abordado por Chevalier [1963] y las revoluciones hispanoamericanas por Savelle [1974] y Lynch [1978]. La población americana por los trabajos de

Rosenblat [1945], Boyd-Bowman [1964, 1968], Cook y Borah [1971] y Sánchez Albornoz [1974].

Aspectos especiales de la vida social y de los ritos de público homenaje aparecen íntimamente relacionados con la concepción y la función que se atribuyen a la literatura durante los siglos coloniales. En México, los festejos relacionados con el acceso al trono de un nuevo monarca o con su fallecimiento o el de algún miembro de la familia real; o bien, la llegada de un nuevo gobernante o los días del virrey, daban lugar a certámenes literarios y a la ornamentación de arcos con versos de circunstancia, emblemas y empresas que forman una parte importante de la expresión literaria en la que colaboraron los más destacados poetas y escritores. Buxó [1959] ha estudiado arcos y certámenes; Maza [1946], piras funerarias en la historia y en el arte; Benítez [1953] aborda diversos aspectos culturales de la vida criolla. La vida literaria aparece a una nueva luz cuando se considera, como Méndez Bejarano [1929], a los poetas españoles que vivieron en América. La concurrencia de poetas españoles y criollos queda registrada en el manuscrito de *Flores de baria poesía*, descrito por Rosaldo [1951, 1952] y por Rodríguez-Moñino [1976], quien además describe otros manuscritos que amplían el corpus de las letras hispanoamericanas con nuevas piezas aún no publicadas. *Flores de baria poesía* (UNAM, México, 1980) ha sido publicado recientemente por M. Peña. Fondos importantes en bibliotecas públicas y privadas de España y Europa, de los Estados Unidos y de Hispanoamérica están sin explorar o revelan de vez en vez una sorpresa. Todavía subsiste el problema de la falta de ediciones críticas y anotadas de gran parte de los textos de la literatura colonial, la mayor parte de ellos editados durante el siglo pasado sin aparato crítico alguno. En Perú, Miró Quesada [1962] ha escrito la biografía e historia del primer virrey poeta, el conde de Montesclaros, que preside la época más brillante de la literatura virreinal en el Perú, y Tauro [1948] investiga la identidad de los miembros de la Academia Antártica. Aparte el libro de J. Sánchez [1951], dedicado a las academias y sociedades literarias de México, cortes, academias y salones de los siglos XVII y XVIII, carecen fundamentalmente de nuevos estudios. La imprenta en América ha sido estudiada en diversas regiones por Medina [1907, 1908, 1909, 1910]. Numerosos manuscritos conocidos están sin publicarse y otros sin ser ubicados o descubiertos.

La literatura hispanoamericana colonial ofrece a los críticos variados problemas de periodización desde la Edad Media, de cuya fase tardía recibe inequívocas herencias, hasta la Ilustración dieciochesca y los comienzos de la Edad Contemporánea. Entre los críticos que han abordado las manifestaciones de la Edad Media en América está Weckmann [1983], quien ha desarrollado durante años tenazmente esta investigación. Una visión subjetiva tiene Sánchez Albornoz [1983]. Con las expresiones medievales en el arte trata Moreno Villa [1948], quien sorprende una suerte de mestizaje artístico de estilos derogados que denomina con la palabra mexicana *tequitqui*, término que ha servido a los críticos para referirse a particularidades equivalentes de la literatura. La visión del Renacimiento en América, como manifestación del renacentismo español y de la época del descubrimiento del hombre y del mundo, y la comprensión del conquistador como tipo del Renacimiento, se hallan dispersas en la interpretación de autores y obras particulares y en la periodización de la literatura de Henríquez Ureña [1949], Arrom [1963, 1977] y Anderson Imbert [1954, 1970]. Grossmann [1969] discute la propiedad de la noción como movimiento americano. Goic [1975] distingue la época renacentista con tres períodos distintos: Gótico florido, Renacimiento, Manerismo. La comprensión del manerismo como momento de disolución del equilibrio renacentista y transición hacia el barroco ha sido abordada por Goic [1975], Carilla [1982] y recientemente en una compilación sobre el manerismo en el arte en la que Buxó [1980] hace la contribución literaria. Ciertamente ha sido el Barroco la época que ha suscitado mayor interés y variedad de puntos de vista en relación a la literatura hispanoamericana colonial. Está en todos los autores de historias manuales y en obras especiales de Picón Salas [1944, 1958], Leonard [1959] y Carilla [1972], así como en estudios particulares sobre autores coloniales, igualmente poetas épicos, líricos, dramáticos, cronistas y novelistas. Goic [1975] ha propuesto para la época la distinción de tres períodos —Barroco, Barroquismo tardío—, que traducen la extensión, uniformidad relativa y derivación diferenciada de la época. Finalmente, en la aparición de la época contemporánea Carilla [1982] ha distinguido el Rococó como un período inicial, lo mismo que hace Goic [1975] y antes señalan Anderson Imbert y Arrom [1962, 1977]. Éste va seguido del Neoclasicismo, tendencia del período que cierra la edad colonial y abre la nueva vida independiente y la edad nacional. Épocas, períodos y generaciones aparecen como niveles diferenciados en diversas obras y propuestos como duraciones de extensión variada en Goic [1975].

Entre las tendencias ideológicas destacadas por los críticos en el Renacimiento debe mencionarse el erasmismo en los trabajos de Bataillon [1950], quien dedica parte de su notable libro a la presencia del erasmismo en América. Las ideas escatológicas ligadas al descubrimiento y a la colonización españolas son estudiadas por Phelan [1970] y Góngora [1975]. Entre las tendencias literarias, el petrarquismo en la lírica ha sido estudiado por Fucilla [1960] y Núñez [1968]. El influjo de Camoens ha sido abordado por Núñez [1972] en relación al Perú. El manerismo de la concepción de la realidad y de la verdad en los cronistas ha sido abordado por Frankl [1963], y en el arte y literatura en la compilación de Manrique [1980]. El gongorismo ha sido estudiado por Sánchez, en 1927,

Carilla [1946] en el estudio más amplio con atención sobre el léxico, los temas y los centones. Buxó [1960] amplía el estudio a procedimientos estilísticos. El estudio particular de Perelmuter Pérez [1982] aclara la extensión justa de los cultismos y del hipérbaton en sor Juana y a todo el tema del influjo gongorista. El barroco americano, como un fenómeno distintivo y caracterizador del arte y la literatura, ha merecido atención especulativa de Wagner de Reyna [1954], en la afirmación hispanista y religiosa: Lezama Lima [1969] como expresión americana que alcanza su punto más alto en sor Juana, y Sarduy [1974], que lo proyecta como forma de exceso, juego y rebeldía, sobre las letras del siglo xx. La Ilustración recibe diversas precisiones en los trabajos recopilados por Whitaker [1963] y Aldridge [1971]. La época de la independencia lo logra con los trabajos de Urbina [1946], Picón Salas [1944, 1958] y Carilla [1969]. El Neoclasicismo ha sido abordado por Carilla [1964].

La corriente literaria popular se manifiesta durante la época colonial de variadas formas. Una de ellas a través de las coplas de la conquista que dan origen a un debate popular oral o escrito en las paredes. La más importante modalidad la constituye el romancero noticiero de los hechos de la conquista o de sucesos particulares y el romancero tradicional, cuyas formas perviven hasta el presente en todo el mundo hispanohablante de América. A ella se suma la sátira popular, que suele mezclarse con elementos retóricos cultos. La décima, forma métrica y estrófica culta en España, se convierte en América en el vehículo de la poesía popular por excelencia. Villancicos y glosas revelan la misma cualidad popular. Una manifestación especial es el teatro indígena y, otra, el teatro popular, que se prolongan desde el siglo XVI hasta nuestros días en los casos del *Gueguence,* por un lado, o, por otro, de los *Doce pares de Francia* o de *Moros y cristianos* y de otras representaciones sacras y pastoriles pertenecientes al acervo popular de América. Una forma particular estudiada con excepcional rigor y con recopilaciones de importancia es el cuento folklórico. Lida de Malkiel [1941], Pino Saavedra [1960-1963], Chertudi [1968] y Foresti [1982] han hecho importantes contribuciones al estudio, clasificación y recopilación de estos relatos populares. La mezcla de formas cultas y populares se extiende a los orígenes de la poesía gauchesca durante esta edad, en diálogos y cielitos, y a la trasposición del yaraví peruano en la poesía del Neoclasicismo.

Los géneros literarios y su interrelación han suscitado diversas consideraciones de la crítica. Por un lado, Reyes [1948] ha sustentado la idea del predominio de la crónica y el teatro sobre todos los demás géneros de la literatura colonial. La crónica aparece en casos señeros como historia de refutación frente a la narración de otros cronistas españoles o americanos en apasionado o riguroso escrutinio. En otros, sus peculiaridades retóricas orientadas a la ornamentación o a la persuasión han puesto crónica y novela en cercanía ambigua, como ocurre en los estudios dedicados a este tema por Arrom [1971, 1982] y Pupo-Walker [1982]. O han conducido, como en el mismo Pupo-Walker, a la afirmación de una escritura americana peculiar, rebelde a la repetición de formas tradidas y abierta a la innovación y a la afirmación de su singularidad. La crónica es por otra parte, fuente de información que porta el registro documental de obras poéticas, dramáticas, descripciones de festejos y ceremonias o contiene a veces completas relaciones dentro de su texto. En el siglo XVII, bajo la mezcla de estilos y el inclusionismo barroco, hay obras que hacen concurrir la crónica con el memorial, la novela, la composición en verso, el sermón, los ejemplos y otros elementos en obras de compleja estructura. La poesía épica, particularmente la de Ercilla, tiene una proyección que dialoga constantemente con toda la poesía épica ulterior de los ciclos araucano, cortesiano y otros, que se prolonga hasta el siglo XVII (véase el capítulo 4 de este volumen). También presta a la crónica y a la narración novelística la poesía de los idilios indígenas, creada por el poeta de *La Araucana*. De esta obra y de los mismos idilios surge una proyección sobre el romancero nuevo. Los romances derivados de *La Araucana* han sido estudiados por Medina [1918], Cossío [1954, 1960], Rodríguez-Moñino [1970] y Lerzundi [1978] (véase la bibliografía del capítulo 8 de este volumen). La crónica, a su vez, fecunda el poema de Ercilla y éste a la crónica ulterior. La novela y la epopeya de Balbuena recogen la poesía descriptiva de la grandeza mexicana originada en la lírica de Juan de la Cueva y Eugenio de Salazar, que han destacado Méndez Plancarte [1942] y Buxó [1975] (véase la bibliografía del capítulo 5 de este volumen). El libro de viajes del siglo XVIII recibirá el impacto de la novela picaresca española y del ensayismo contemporáneo de Feijoo, del diálogo, de la relación geográfica o descripción y de otros tratados hispanoamericanos.

La educación durante la edad colonial comprende dos planos diferentes que han interesado por igual a los estudiosos. El primero es el de la educación indígena: el gigantesco proceso de la evangelización de las masas indígenas de América, que han estudiado Ricard [1933] y Kobayashi [1974] en relación a México y a la acción particular de los franciscanos. El proceso comprende la producción de gramáticas y vocabularios de las lenguas indígenas y de los métodos de adoctrinamiento, en los cuales el teatro misional ocupa un lugar de importancia. El segundo es el de la educación de españoles, criollos, mestizos e indios en la enseñanza superior. Esta educación contempla la acción de los jesuitas, principalmente, y de la *Ratio Studiorum*. El análisis de los estudios superiores de latinidad, retórica y poética, ha sido abordado por Osorio Romero [1976, 1979, 1980, 1983] en excelentes trabajos y compilaciones que ponen en un pie enteramente nuevo los estudios de la enseñanza latina en México. Tareas comparables no se han desarrollado todavía en relación a otras regiones, salvo la de Rivas Sacconi [1949] en relación a Colombia. Se echa de menos un trabajo comparable de la enseñanza superior en el Perú y de los estudios de retórica, gramática y poética en esa y otras regiones del continente. El lugar de la mujer en la educación ha sido discutido, a propósito de sor Juana, por Benassy-Berling [1983].

Para la historia de las ideas —mesianismo, milenarismo, utopismo, galicanismo, Ilustración católica— las obras de Bataillon [1976], Baudot [1977], Frankl [1963], Phelan [1970], Góngora [1975, 1980] y Levene [1956] son contribuciones de extraordinaria calidad. Reyes [1942, 1960] y, en días recientes, Cro [1983] abordan específicamente el utopismo americano. Mientras, las particularidades de la educación y del desarrollo de la ciencia en el siglo XVIII encuentran notables aportes en las obras de Lanning [1956] y las compilaciones de Whitaker [1963] y Aldridge [1971]. Para la independencia son de indispensable consulta las obras de Levene [1956] y Góngora [1975, 1980]. También se encontrará valiosa orientación y lecturas en la compilación de Romero [1977] y su excelente introducción (véase capítulo 10 de este volumen).

En cuanto se refiere al estudio de la métrica en la literatura colonial faltan por completo los trabajos especiales. En general se encontrará información útil en los trabajos de Navarro Tomás [1956, 1966], que contemplan ejemplos hispanoamericanos para cada uno de los períodos históricos que corresponden a nuestro cuadro. Además, en artículos especiales, ha dedicado estudios a la versificación en Ercilla y en sor Juana. Sobre esta última también ha escrito Clarke [1951] (véase capítulo 5 de este volumen). A pesar de ello, faltan estudios de importancia y de carácter monográfico sobre la versificación de los poetas hispanoamericanos de la época colonial. Henríquez Ureña [1961] ha hecho importantes contribuciones sobre el endecasílabo, con ejemplos de Ercilla.

Las figuras máximas de la literatura colonial continúan gravitando en la historia hispanoamericana. Garcilaso sobre el indigenismo; Garcilaso, Balbuena y sor Juana, sobre la expresión americana; Ercilla sobre el indigenismo y la visión heroica; Alarcón sobre el mexicanismo y el teatro psicológico. Su actualidad es en cada caso un acto de afirmación del pasado hispanoamericano, memoria ancestral y fuente de continuidad e identificación. Crítica del pasado colonial, singularidad de la escritura en oposición a las convenciones tradicionales que a la luz contemporánea se convierten en escrituras americanas, un *ethos* disidente, inconformista e innovador en la crítica de Pupo-Walker [1982]; o en voluntad de ruptura frente a la dependencia colonial en la visión de Chang-Rodríguez [1982]. Al renovarse en años recientes la periodización del XVII, surge la revaloración de Balbuena en Buxó [1980] y Rama [1983] en el contexto literario de un manerismo hispanoamericano que redefine los antiguos términos atribuidos al barroco (véase bibliografía del capítulo 4 de este volumen). El barroco por su parte adquiere carta de ciudadanía americana en las visiones variadas y contradictorias de Wagner de Reyna [1954], Lezama Lima [1969] y Sarduy [1974].

Una parte significativa de la crítica hispanoamericana está volcada en la tarea de determinar o reconocer, cuando no de defender, la identidad propia del Nuevo Mundo. Las monografías sobre estos temas generales incluyen estudios que comprenden desde el punto de vista del economicismo hasta la antropología filosófica y la ontología. La teoría de la dependencia cultural como consecuencia de la dependencia económica, en una visión retroactiva de anticolonialismo, rastrea los signos de descontento indígena y criollo o los signos de identidad y afirmación social y política a medida que nos acercamos al siglo XIX. Tiene ecos en varios estudios literarios, pero carece hasta ahora de una obra importante. La idea de América ha sido un punto debatido desde muy diversas perspectivas. La comprensión de América y de las tensiones entre el europeísmo y el americanismo como las tendencias dominantes ha sido abordada por Henríquez Ureña [1960], en *Plenitud de América: seis ensayos en busca de nuestra expresión*; Alfonso Reyes [1960], desde el punto de vista de la utopía de América; O'Gorman [1958] aborda una investigación del ser de América; Zea [1953], de la conciencia de América. Mayz Vallenilla [1957], desde una ontología del problema de América —«No-ser-siempre-todavía», con resonancias de Heidegger y de Machado—; Schwartzmann [1953], desde una antropología filosófica. Desde el punto de vista de la historia de la cultura, Picón Salas [1944, 1958] propone una visión de los períodos que se ordenan desde la conquista a la independencia. Desde el punto de vista de un psicoanálisis social, Paz [1950] traza, fundándose en México, una visión que puede extenderse a otras regiones y a la totalidad del fenómeno de la conquista. América como tema de la historia natural, la concepción negativa de los naturalistas europeos y la disputa del Nuevo Mundo son tratadas extensamente por Gerbi [1960].

Los escritores del siglo XIX, tradicionistas como Ricardo Palma, y novelistas abordaron asuntos coloniales. J. de J. Galván, en *Enriquillo*, trata el asunto de la rebelión indígena de Santo Domingo tomando como fuente principal la narración de Las Casas en su *Historia de las Indias*. Otros temas libertarios se inspiran en las persecuciones de la Inquisición como en los folletines de V. F. López y Manuel Bilbao o las narraciones de Lastarria, *El alférez Alfonso Díaz de Guzmán*, que trata de la Monja Alférez, Catalina de Erauso, tema abordado también por los narradores europeos, que se basan en la relación autobiográfica del personaje. *El alférez real*, de E. Palacios, toma su asunto de la historia de Nueva Granada en el siglo XVIII; otro tanto hace la *Marquesa de Yolombó*, del gran novelista regional Tomás Carrasquilla. *La gloria de don Ramiro*, de Enrique Larreta, tal vez sea la novela más importante que trata, en su segunda mitad, del mundo virreinal del Perú y de Santa Rosa de Lima. En general, el mundo colonial interesó a románticos para proyectar el punto de vista liberal sobre el pasado colonial en consonancia con los historiadores liberales y positivistas. Las leyendas indígenas y los idilios inspirados en el modelo de *La Araucana* fueron una definida preferencia de la poesía romántica que puede verse desde los idilios de Sanfuentes hasta el *Tabaré* de J. Zorrilla de San Martín. En el teatro ocurre otro tanto con G. Blest Gana y su *Diego de Almagro*. La presencia de América en la literatura del Siglo de Oro ha sido abordada por De Pedro [1954] y Franco [1954]. En el teatro de Lope, por Morínigo [1946]. Los escritores de la época de la independencia y de las luchas de liberación concentraron el interés patriótico en el pasado cercano, cuando no lo fijaron en el pasado indígena que presentaban como el propio, como una manera de desligarse del hispanismo tradicional en un vano propósito de ruptura hispanófoba. Los narradores y los poetas contemporáneos establecen un diálogo textual con la literatura de crónicas y antiguos poemas épicos en las obras de Asturias, Carpentier, Cortázar, Fuentes, García Márquez, Reynaldo Arenas, y en la poesía de Mistral, Neruda, Paz, Cardenal y Cisneros, y en el teatro contemporáneo de Usigli, Ribeyro y Viñas. El movimiento es ahora diferente y se orienta más bien hacia la búsqueda de raíces al menos de ciertas raíces fundamentales, indígenas e hispánicas, dentro de la compleja realidad hispanoamericana.

BIBLIOGRAFÍA

Abreu Gómez, Ermilo, *Semblanza de sor Juana*, Ediciones Letras de México, México, 1938.

Agüero Chávez, Arturo, *El español en América*, San José de Costa Rica, 1960.

—, *El español de América y Costa Rica*, San José de Costa Rica, 1962.

Aldridge, A. W., ed. *The Ibero-American Enlightenment*, University of Illinois Press, Urbana, 1971.

Alonso, Amado, *Castellano, español, idioma nacional*, Losada (Biblioteca Contemporánea, 101), Buenos Aires, 1942.

—, *Estudios lingüísticos: temas hispanoamericanos*, Gredos, Madrid, 1961.

—, *De la pronunciación medieval a la moderna en español*, Gredos, Madrid, 1967-1969.

Alvar, Manuel, *Americanismos en la «Historia» de Bernal Díaz del Castillo*, CSIC (*RFE*, Anejo 89), Madrid, 1970.

Álvarez Nazario, Manuel, *El elemento afronegroide en el español de Puerto Rico. Contribución al estudio del negro en América*, San Juan de Puerto Rico, 1961.

Amunátegui, Miguel Luis, *Los precursores de la independencia de Chile*, Imprenta de J. Núñez, Santiago, 1870-1872, 3 vols.

Anderson Imbert, Enrique, *Historia de la literatura hispanoamericana*, Fondo de Cultura Económica, México, 1954; otra ed., 1970, tomo I; otra ed., 1982, 2 vols.

Arrieta, Rafael Alberto, ed., *Historia de la literatura argentina, desde los orígenes hasta 1950*, Peuser, Buenos Aires, 1958-1960.

Arrom, José Juan, *Esquema generacional de las letras hispanoamericanas. Ensayo de un método*, Instituto Caro y Cuervo (Publicaciones del Instituto Caro y Cuervo, 39), Bogotá, 1963; 1977².

—, «Hombre y mundo en dos cuentos del Inca Garcilaso», *Certidumbre de América*, Gredos, Madrid, 1971, pp. 27-53.

—, ed., «Prólogo» a J. de Acosta, *Peregrinación de Bartolomé Lorenzo*, Petro-Perú, Ediciones Code, Lima, 1982, pp. 9-26.

Baader, Horst, «La conquista de América en la literatura española: mito e ilustración», *Romanische Forschungen*, 90:2-3 (1978), pp. 159-175.

Baldinger, Kurt, «Vocabulario de Cieza de León. Contribución a la historia de la lengua española en el Perú del siglo XVI», *Lexis*, 7:1 (1983), pp. 1-131.

Barrera, Isaac J., *Historia de la literatura ecuatoriana*, Colección Clásicos Ecuatorianos, Quito, 1955, 4 vols.

Bataillon, Marcel, *Erasmo en España*, Fondo de Cultura Económica, México, 1950, 2 vols.

—, «L'idée de la découverte de l'Amerique chez les espagnols du XVIᵉ siècle», *Bulletin Hispanique*, 1:55 (1953), pp. 23-55.

—, «Historiografía oficial de Colón: de Pedro Mártir a Oviedo y Gomara», *Imago Mundi*, 1:5 (1954).

—, «Las Casas frente al pensamiento aristotélico sobre la esclavitud», en *Platon et Aristotle à la Renaissance*, Vrin, París, 1976.

—, *Estudios sobre Bartolomé de las Casas*, Ediciones Península, Barcelona, 1976.

Baudot, George, *Utopie et histoire au Mexique. Les premiers chroniquers de la civilization mexicaine (1520-1569)*, Privat, Toulouse, 1977.

Becco, Horacio Jorge, *Lexicografía religiosa de los afroamericanos,* Buenos Aires, 1952.

Benassy-Berling, Marié-Cécile, *Humanismo y religión en sor Juana Inés de la Cruz*, UNAM, México, 1983.

Benítez, Fernando, *La vida criolla en el siglo XVI*, El Colegio de México, México, 1953.

Beristáin y Souza, José Mariano, *Biblioteca Hispanoamericana Septentrional*, Antocamoca, 1883.

Boyd-Bowman, Peter, *Índice geobiográfico de cuarenta mil pobladores de América en el siglo XVI, 1493-1519,* Instituto Caro y Cuervo, Bogotá, 1964; vol. II: 1520-1539, Jus, México, 1968.

—, *Léxico hispanoamericano del siglo XVI*, Tamesis Books, Londres, 1971.

Buesa Oliver, Tomás, *Indoamericanismos léxicos en español*, CSIC (Monografías de Ciencia moderna, 73), Madrid, 1965.

Burma, John H., *Spanish Speaking Groups in the United States*, Duke University Press, 1954.

Buxó, José Pascual, *Arco y certamen de la poesía mexicana colonial (Siglo XVII)*, Universidad Veracruzana (Cuadernos de la Facultad de Filosofía y Letras), México, 1959.

—, *Góngora en la poesía novohispana*, Imprenta Universitaria, México, 1960.

—, *Muerte y desengaño en la poesía novohispana (siglos XVI y XVII)*, UNAM (Instituto de Investigaciones Filológicas. Centro de Estudios Literarios), México, 1975.

—, «Bernardo de Balbuena o el manierismo plácido», en varios autores, *La dispersión del manierismo (Documentos de un coloquio)*, UNAM, México, 1980, pp. 113-146.

Camacho Guizado, E., *Estudios sobre literatura colombiana, siglos XVI y XVII*, Tercer Mundo, Bogotá, 1965.

Canfield, D. Lincoln, *La pronunciación del español en América*, Instituto Caro y Cuervo, Bogotá, 1962.

Carilla, Emilio, *El gongorismo en América*, Universidad de Buenos Aires, Buenos Aires, 1946.

—, *La literatura de la independencia hispanoamericana (Neoclasicismo y prerromanticismo)*, EUDEBA, Buenos Aires, 1964.

—, *Hispanoamérica y su expresión literaria. Caminos del americanismo*, EUDEBA, Buenos Aires, 1969.

—, *La literatura barroca en Hispanoamérica*, Anaya, Madrid, 1972.

—, *Poesía de la Independencia*, Biblioteca Ayacucho (Biblioteca Ayacucho, 59), Caracas, 1980.

—, «La lírica hispanoamericana colonial», en L. Íñigo Madrigal, ed., *Historia de la literatura hispanoamericana*. I: *Época colonial*, Cátedra, Madrid, 1982, pp. 237-274.

—, *Manierismo y barroco en las literaturas hispánicas*, Gredos, Madrid, 1983.

Castro, Américo, *Iberoamérica, su historia y su cultura*, Dryden Press (Modern Language Publications), Nueva York, 1954³.

Catalán, Diego, «Génesis del español atlántico. Ondas varias a través del Océano», en *Simposio de Filología Románica*, Universidade de Brasil, Río de Janeiro, 1959, pp. 233-242.

—, «El español canario. Entre Europa y América», *Boletim de Filologia*, 19 (Lisboa, 1960), pp. 317-337.

Clarke, Dorothy Clotelle, «Importancia de la versificación de sor Juana», *Revista Iberoamericana*, 17 (1951), pp. 27-31.

Cock Hincapié, Olga, *El seseo en el Nuevo Reino de Granada*, Instituto Caro y Cuervo, Bogotá, 1969.

Coester, Alfred, *The Literary History of Spanish America*, Nueva York, 1916; trad. cast.: *Historia literaria de la América española*, Madrid, 1929.

Colin Smith, C., «Los cultismos literarios del renacimiento: pequeña adición al *Diccionario Crítico Etimológico* de Corominas», *Bulletin Hispanique*, 61 (1959), pp. 236-272.

Concha, Jaime, «La literatura colonial hispanoamericana: problemas e hipótesis», *Neohelicon*, 4:1-2 (1976), pp. 31-50.

Contreras García, Edna, *Los certámenes literarios en México en la época colonial*, México, 1949.

Cook, Sherburne F., y Woodrow Borah, *Essays in Population History. Mexico and the Caribbean*, University of California Press, Berkeley, 1971.

Cossío, José María, «Romances sobre *La Araucana*», *Estudios dedicados a Menéndez Pidal*, Madrid, 1954, tomo V, pp. 201-229.

—, «Notas a romances», *Studia Philologica. Homenaje ofrecido a Dámaso Alonso*, Gredos, Madrid, 1960, tomo I, pp. 413-429.

Cro, Stelio, «Cervantes, el *Persiles* y la historiografía indiana», *Anales de literatura hispanoamericana*, 4 (1975), pp. 5-25.

—, «La correspondencia epistolar entre el Cardenal Bembo y Fernández de Oviedo. Implicaciones históricas», en *América y la España del siglo XVI*, CSIC, Madrid, 1982, pp. 53-64.

—, *Realidad y utopía en el descubrimiento y conquista de la América Hispana (1492-1682)*, International Book Publishers/Fundación Universitaria Española, Troy, Michigan/Madrid, 1983.

Chang-Rodríguez, Raquel, ed., *Prosa hispanoamericana virreinal*, Hispam, Barcelona, 1978.

Chaunu, Pierre, *L'Amérique et les Amériques de la préhistoire à nos jours*, París, 1964.

Chaunu, H., y P., *Seville et l'Atlantique, 1504-1650*, París, 1955-1960, 8 vols.

Chávez, Ezequiel A., *Ensayo de psicología de sor Juana Inés de la Cruz*, Araluce, Barcelona, 1931.

Chertudi, Susana, *El cuento folklórico regional argentino*, Fondo Nacional de las Artes (Compilaciones especiales), Buenos Aires, 1963.

—, «Los cuentos de Pedro Urdemalas en el folklore de Argentina y Chile», *Cuadernos del Instituto Nacional de Antropología*, 7 (Buenos Aires, 1968-1971), pp. 33-73.

Chevalier, F., *Land and Society in Colonial Mexico: the Great «Hacienda»*, University of California, Berkeley, 1963.

Chiappelli, Fredi, ed., *The First Images of America. The Impact of the New World on the Old*, University of California Press, Berkeley, 1976, 2 vols.

Danesi, Marcel, «The Case for *Andalusismo* Re-examined», *Hispanic Review*, 45 (1977), pp. 181-193.

Durán Luzio, Juan, «Hacia los orígenes de una literatura colonial», *Revista Iberoamericana*, 40:89 (1974), pp. 651-658.

Durand, José, *La transformación social del conquistador*, Robredo, México, 1953, 2 vols.

Esteve Barba, F., *Historia de la historiografía indiana*, Gredos, Madrid, 1964.

Fernández del Castillo, F., *Libros y libreros en el siglo XVI*, Fondo de Cultura Económica, México, 1982.

Fernández Moreno, César, ed., *América latina en su literatura*, UNESCO-Siglo XXI, México, 1972.

Fontanella de Weinberg, María Beatriz, *La lengua española fuera de España*, Buenos Aires, 1976.

Foresti Serrano, Carlos, *Cuentos de la tradición oral chilena. 1: Veinte cuentos de magia*, Ínsula, Madrid, 1982.

Foster, George M., *Cultura y conquista. La herencia española de América*, Xalapa, México, 1962.

Franco, Ángel, *El tema de América en los autores españoles del siglo de Oro*, Madrid, 1954.

Franco, Jean, *Spanish American literature since Independence*, Ernest Benn Ltd., Londres; Barnes and Noble, Nueva York, 1973. Trad. cast.: *Historia*

de la literatura hispanoamericana a partir de la independencia, Ariel (Letras
e ideas: Instrumenta, 7), Barcelona, 1975.

Frankl, Victor, *El «Antijovio» de Gonzalo Jiménez de Quesada y las concepciones de realidad y de verdad en la época de la Contrarreforma*, Instituto
de Cultura Hispánica, Madrid, 1963.

Friederici, Georg, *Hilfsworterbuch für den Amerikanisten. Lehnworter aus in-
dianer Sprachen und Erklarungen Altertumlicher Ausdruck. Deutsche-Spa-
nisch-Englisch*, La Haya, 1926; otra ed., Hamburgo, 1947.

—, *Amerikanistisches Worterbuch un Hilfsworterbuch für den Amerikanisten*,
Hamburgo, 1960.

Fucilla, John G., *Estudios sobre el petrarquismo en España*, CSIC, Madrid, 1960.

Gallegos Rocafull, José María, *El pensamiento mexicano en los siglos XVI
y XVII*, UNAM, México, 1951.

Gaos, José, «O'Gorman y la idea del descubrimiento de América», *Historia
Mexicana*, 1:3 (1952).

Garasa, Delfín L., «Voces náuticas en Tierra Firme», *Filología*, 4 (1952-1953),
pp. 169-209.

García Icazbalceta, Joaquín, y Agustín Millares Carlo, *Bibliografía mexicana del
siglo XVI*, Fondo de Cultura Económica, México, 1954.

Gerbi, Antonello, *La disputa del Nuevo Mundo*, Fondo de Cultura Económica,
México, 1960.

Gibson, Charles, *The Aztecs Under Spanish Rule*, Stanford University Press, Stanford, 1964.

—, *España en América*, Grijalbo, Barcelona, 1976.

Goic, Cedomil, «La périodisation dans l'histoire de la littérature hispano-améri-
caine», *Études Littéraires*, 8:2-3 (1975), pp. 269-284.

Gómez de Cervantes, Gonzalo, *La vida económica y social de Nueva España al
finalizar el siglo XVI*, Robredo, México, 1944.

Gómez Restrepo, Antonio, *Historia de la literatura colombiana*, Bogotá, 1938;
Bogotá, 1946²; Ministerio de Educación, Bogotá, 1953³; otra ed., Biblioteca
de Autores Colombianos, Bogotá, 1956.

Góngora, Mario, *Studies in Latin American Colonial History*, Cambridge University Press, Cambridge, 1975.

—, *Estudios de historia de las ideas y de historia social*, Ediciones Universitarias
de Valparaíso, Chile, 1980.

González Casanova, Pablo, *La literatura perseguida en la crisis de la Colonia*, El
Colegio de México, México, 1958.

Grace, Lee Ann, «Los mestizos y los indigenismos: México, 1500-1600», en Gary
E. Scavnicky, ed., *Dialectología hispanoamericana. Estudios actuales*, Georgetown University Press, Washington D.C., 1980, pp. 113-127.

Granda, Germán de, «Papiamento en Hispanoamérica, siglos XVII-XIX», *Thesaurus*, 28:1 (1973), pp. 1-13.

Griffin, C. C., ed., *Latin America. A Guide to historical literature*, University of
Texas Press, Austin, 1971.

Grossmann, Rudolf, *Geschichte und Probleme der Lateinamerikanischen Literatur*, Max Hueber Verlag, Munich, 1969; trad. cast.: *Historia y problemas de
la literatura latinoamericana*, Revista de Occidente, Madrid, 1972.

Guillén Tato, Julio, «Algunos americanismos de origen marinero», *Anuario de Estudios Americanos*, 5 (1948), pp. 615-634.

Guitarte, Guillermo L., «Cuervo, Henríquez Ureña y la polémica sobre el andalucismo dialectal de América», *Vox Romanica*, 17 (1859), pp. 363-416; reimpreso en *Thesaurus*, 14 (1959), pp. 20-81.

—, *La constitución de una norma del español general: el seseo*, Instituto Caro y Cuervo (Publicaciones del Instituto Caro y Cuervo), Bogotá, 1967.

—, «Notas para la historia del yeísmo», en *Sprache und Geschichte. Festschrift fur H. Maier zum 65 Eseburstag*, Munich, 1971, pp. 179-198.

Gutiérrez, Juan M., *Escritores coloniales americanos*, Raigal, Buenos Aires, 1957.

—, *Estudios biográficos y críticos sobre algunos poetas sudamericanos anteriores al siglo XIX*, Buenos Aires, 1965.

Haring, Clarence H., *El imperio hispánico en América*, Hachette, Buenos Aires, 1966.

Henríquez Ureña, Pedro, *Sobre el problema del andalucismo dialectal de América*, Universidad de Buenos Aires (Biblioteca de Dialectología Hispanoamericana, Anejo I), Buenos Aires, 1932.

—, *Historia de la Cultura en la América Hispánica*, Fondo de Cultura Económica (Tierra Firme, 28), México, 1947.

—, *Las corrientes literarias en la América Hispánica*, Fondo de Cultura Económica (Biblioteca Americana, 9), México, 1949.

—, *Obra crítica*, Fondo de Cultura Económica (Biblioteca Americana, 37), México, 1960.

—, *Estudios en versificación española*, Universidad de Buenos Aires (Publicaciones del Instituto de Filología Hispánica), Buenos Aires, 1961.

—, *Observaciones sobre el español en América y otros estudios filológicos*, Compilación y prólogo de Juan Carlos Ghiano, Academia Argentina de Letras, Buenos Aires, 1976.

Herrera, Pablo, *Ensayo sobre la historia de la literatura ecuatoriana*, Quito, 1860; otra ed., Quito, 1889.

Iñigo-Madrigal, Luis, ed., *Historia de la literatura hispanoamericana. I: Época colonial*, Cátedra, Madrid, 1982.

Jiménez Rueda, Julio, *Herejías y supersticiones en la Nueva España. Los heterodoxos en México*, Imprenta Universitaria, México, 1946.

Kany, Charles E., *American Spanish Syntax*, University of Chicago Press, Chicago, 1945; trad. cast.: *Sintaxis hispanoamericana*, Gredos, Madrid, 1964.

—, *American Spanish Semantics*, University of California Press, Berkeley, 1960; trad. cast.: *Semántica hispanoamericana*, Aguilar, 1962.

—, *American Spanish Euphemisms*, University of California Press, Berkeley, 1960.

Keniston, Hayward, *List of Works for the Study of Hispanic-American History*, The Hispanic Society of America, Nueva York, 1920.

Kobayashi, José María, *La educación como conquista. Empresa franciscana en México*, El Colegio de México, México, 1974.

Konetzke, Richard, *América latina. II: La época colonial*, Siglo XXI, Madrid, 1971.

Lanning, John Tate, *The Eighteen-Century Enlightenment in the University of San Carlos de Guatemala*, Cornell University Press, Ithaca, Nueva York, 1956.

—, *Academic Culture in the Spanish Colonies*, Oxford University Press, Nueva York, 1960.

Lapesa, Rafael, «El andaluz y el español de América», en *Presente y futuro de la lengua española. Actas de la Asamblea de Filología del I Congreso de Instituciones Hispánicas*, Ediciones Cultura Hispánica, Madrid, 1964, II, pp. 173-182.

—, *Historia de la lengua española*, Gredos, Madrid, 1980[8].

—, «Orígenes y expansión del español atlántico», *Rábida*, 2 (Huelva, 1985), pp. 43-54.

Lazo, Raimundo, *Historia de la literatura hispanoamericana*, Porrúa, México, 1965.

Leguizamón, Julio A., *Historia de la literatura hispanoamericana*, Buenos Aires, 1945, 2 vols.

—, «Sobre el ceceo y el seseo en Hispanoamérica», *Revista Iberoamericana*, 21 (1956), pp. 409-416.

Leonard, Irving A., *Los libros del conquistador*, Fondo de Cultura Económica, México, 1953.

—, *Baroque Times in Old Mexico*, University of Michigan, Ann Arbor, 1959; otra ed., 1966; trad. cast.: *La época barroca en el México colonial*, Fondo de Cultura Económica (Colección popular, 129), México, 1974.

Lerner, Isaías, *Arcaísmos léxicos del español de América*, Ediciones Ínsula, Madrid, 1974.

Lerzundi, Patricio, *Romances basados en «La Araucana»*, Playor (Nova Scholar), Madrid, 1978.

Levene, Ricardo, *El mundo de las ideas y la revolución hispanoamericana de 1810*, Editorial Jurídica, Santiago de Chile, 1956.

Lezama Lima, José, *La expresión americana*, Editorial Universitaria, Santiago de Chile, 1969; otra ed., Alianza Editorial, Madrid, 1969.

Lida de Malkiel, María Rosa, *El cuento popular hispanoamericano y la literatura*, Editorial Losada, Buenos Aires, 1941.

Lope Blanch, Juan M., *El español de América*, Ediciones Alcalá, Madrid, 1968.

—, *La filología hispánica en México: Tareas más urgentes*, UNAM, México, 1969.

—, *Investigaciones sobre dialectología mexicana*, UNAM, México, 1979.

—, ed., *Perspectivas de la investigación lingüística en Hispanoamérica*, UNAM, México, 1980.

—, *Estudios sobre el español de México*, UNAM, México, 1972; 1983[2].

Lynch, John, *The Spanish American Revolution, 1808-1826*, Weidenfeld and Nicolson, Londres, 1973; trad. cast.: *Las revoluciones hispanoamericanas*, Ariel, Barcelona, 1978.

Macrí, Oreste, «Alcune aggiunte al Dizionario di Joan Corominas», *Revista de Filología Española*, 40 (1956), pp. 127-170.

Malaret, A., *Diccionario de americanismos*, Emecé, Buenos Aires, 1946.

Malkiel, Yakov, *Linguistics and Philology in Spanish America: A Survey, 1925-1970*, Mouton, La Haya, 1972.

Malmberg, Bertil, «L'espagnol dans le Nouveau Monde —probleme de linguistique générale», *Studia Linguistica*, 1 (Lund, 1947), pp. 79-116; 2 (Lund, 1948), pp. 1-36.

—, «Tradición hispánica e influencia indígena en la fonética hispanoamericana», en *Presente y futuro de la lengua española*, Ediciones Cultura Hispánica, Madrid, 1964, tomo II, pp. 227-244.

—, *La América hispanohablante. Unidad y diferenciación del castellano*, Ediciones Istmon (Colección Fundamentos, 3), Madrid, 1966.

Manrique, Jorge Alberto, ed., *La dispersión del manierismo (Documentos de un coloquio)*, UNAM, México, 1980.

Martí, Antonio, *La preceptiva retórica española en el Siglo de Oro*, Gredos, Madrid, 1972.

Martinengo, Alessandro, «La mitologia classica come repertorio stilistico dei concettisti ispano-americani», *Studi di Letteratura Ispano-Americana*, 1 (Milán, 1968).

Martínez, José Luis, *El libro en Hispanoamérica. Origen y desarrollo*, Fundación Germán Sánchez Ruipérez, Madrid, 1984; otra ed. (Serie «Minor», Biblioteca del Libro), 1986.

Mayz Vallenilla, Ernesto, *El problema de América (Apuntes para una filosofía americana)*, Caracas, 1957.

Maza, Francisco de la, *Las piras funerarias en la historia y en el arte de México*, UNAM, México, 1946.

—, *La mitología clásica en el arte colonial de México*, UNAM, México, 1968.

Mead, R. G., «La historiografía literaria hispanoamericana, 1949-1954», *Revista de Filología Española*, 11:4 (1957), pp. 1-6.

Medina, José Toribio, *Historia de la literatura colonial de Chile*, Imprenta de la Librería del Mercurio, Santiago de Chile, 1878, 3 vols.

—, *Biblioteca hispano-americana, 1493-1810*, impreso y grabado en Casa del Autor, Santiago de Chile, 1898-1907, 7 vols.; edición facsimilar, Fondo Histórico y Bibliográfico José Toribio Medina, Santiago de Chile, 1958-1962, 2 vols.

—, *La imprenta en México, 1539-1821*, Santiago de Chile, 1907-1912, 8 vols.

—, *La imprenta en Puebla de los Ángeles, 1640-1821*, Cervantes, Santiago de Chile, 1908.

—, *La imprenta en Guatemala, 1600-1821*, Santiago de Chile, 1910.

—, *Los romances basados en «La Araucana»*, Imp. Elzeviriana, Santiago de Chile, 1918.

—, *Historia de la Real Universidad de San Felipe de Santiago de Chile*, Santiago de Chile, 1928.

—, *Historia del tribunal del Santo Oficio*, Santiago, 1952.

—, *Historia de la imprenta en los antiguos dominios españoles en América y Oceanía*, Santiago de Chile, 1958, 2 vols.

Mejías, Hugo, *Préstamos de lenguas indígenas en el español americano del siglo XVII*, UNAM, México, 1980.

Méndez Bejarano, Mario, *Poetas españoles que vivieron en América*, Madrid, 1929.

Méndez Plancarte, Alfonso, *Poetas novohispanos*, UNAM, México, 1942.

Menéndez Pelayo, M., *Historia de la poesía hispano-americana*, Aldus (Obras completas, 27-28), Santander, 1948, 2 vols.

Menéndez Pidal, Ramón, «La lengua española del siglo XVI», *La lengua de Colón*, Espasa-Calpe (Colección Austral, 280), Buenos Aires, 1944.

—, «Sevilla frente a Madrid: algunas precisiones sobre el español de América», en *Miscelánea Homenaje a André Martinet*, Universidad de La Laguna, La Laguna, Canarias, 1962, III, pp. 99-165.

Miró Quesada, Aurelio, *América en el teatro de Lope de Vega*, Lima, 1935.

—, *El primer virrey-poeta en América (Don Juan de Mendoza y Luna, Marqués de Montes Claros)*, Gredos, Madrid, 1962.

—, *Lope de Vega y el Perú*, P. L. Villanueva, Lima, 1962.

Montes Giraldo, José J., *Dialectología general e hispanoamericana*, Instituto Caro y Cuervo (Publicaciones del Instituto Caro y Cuervo, 63), Bogotá, 1982.

Morales Padrón, Francisco, *Historia de América*, Espasa-Calpe, Madrid, 1975, 2 vols.

Moreno Villa, José, *Lo mexicano en las artes plásticas*, El Colegio de México, México, 1948.

Morínigo, Marcos, A., *América en el teatro de Lope de Vega*, Universidad de Buenos Aires, Instituto de Filología (*RFH*, Anejo, II), Buenos Aires, 1946.

—, *Programa de filología hispánica*, Nova, Buenos Aires, 1956.

—, «La penetración de los indigenismos americanos en el español», *Presente y futuro de la lengua española*, Ediciones Cultura Hispánica, Madrid, 1964, II, pp. 217-226.

—, *Diccionario manual de americanismos*, Muchnik, Buenos Aires, 1966.

Moses, Bernard, *Spanish Colonial Literature in South America*, Hispanic Society of America, Nueva York, 1922; nueva edición (Hispanic American Series, 1), 1961.

Navarro, Tomás, *Métrica española. Reseña histórica y descriptiva*, Syracuse University Press, Syracuse, 1956; otra ed.: Las Americas Publishing Company, Nueva York, 1966.

Núñez, Estuardo, *Las letras de Italia en el Perú*, Universidad Nacional Mayor de San Marcos, Lima, 1968.

—, *Camoens en el Perú*, P. L. Villanueva, Lima, 1972.

O'Gorman, Edmundo, *La invención de América*, Fondo de Cultura Económica, México, 1958.

Orjuela, Héctor H., *Literatura hispanoamericana. Ensayos de interpretación y crítica*, Instituto Caro y Cuervo, Bogotá, 1980.

Ortega y Medina, Juan A., «El indio absuelto y "Las Indias" condenadas en las *Cortes de la Muerte*, auto popular español del siglo XVI», *Ensayos, tareas y estudios históricos*, Universidad Veracruzana (Cuadernos de la Facultad de Filosofía y Letras, 12), Xalapa, 1962, pp. 89-123.

Osorio Romero, Ignacio, *Tópicos sobre Cicerón en México*, UNAM (Cuadernos del Centro de Estudios Clásicos, 4), México, 1976.

—, *Colegios y profesores jesuitas que enseñaron latín en Nueva España (1572-1767)*, UNAM (Cuadernos del Centro de Estudios Clásicos, 8), México, 1979.

—, *Floresta de gramática, poética y retórica en Nueva España (1521-1767)*, UNAM (Cuadernos del Centro de Estudios Clásicos, 9), México, 1980.

—, «Jano o la cultura neolatina de México», en *Cultura clásica y cultura mexicana*, UNAM (Cuadernos del Centro de Estudios Clásicos, 17), México, 1983, pp. 11-46.

—, «La retórica en Nueva España», *Dispositio*, 22-23 (1983), pp. 65-86.

Payró, Roberto P., *Historias de la literatura americana*, Unión Panamericana, Washington, 1950.

Paz, Octavio, *El laberinto de la soledad*, Fondo de Cultura Económica, México, 1950.

—, «Literatura de fundación», *Puertas al campo*, UNAM, México, 1967², pp. 11-19.

Pedro, Valentín de, *América en las letras españolas del Siglo de Oro*, Sudamericana, Buenos Aires, 1954.

Perelmuter Pérez, Rosa, *Noche intelectual: la oscuridad idiomática en el «Primero sueño»*, UNAM (Letras del siglo XVI al XVIII), México, 1982.

Pfandl, Ludwig, *Historia de la literatura nacional española en el Siglo de Oro*, Gili, Barcelona, 1952; 1.ª ed., Araluce, Barcelona, 1929.

Phelan, John L., *The Milennial Kingdom of the Franciscans in New Spain*, University of California Press, Berkeley, 1956; 1970²; trad. cast.: *El milenario de los franciscanos en el Nuevo Mundo*, UNAM, México, 1972.

—, «Pan-Latinism, French Intervention in Mexico (1861-1867) and the Genesis of the Idea of Latin America», *Conciencia y autenticidad históricas. Escritos en homenaje a Edmundo O'Gorman*, UNAM, México, 1968, pp. 279-298.

Picón-Salas, Mariano, *Formación y proceso de la literatura en Venezuela*, Ed. Cecilio Acosta (Biblioteca de Escritores Venezolanos), Caracas, 1940.

—, *De la conquista a la independencia: tres siglos de historia cultural*, Fondo de Cultura Económica, México, 1944; otra ed.: 1958.

—, *Literatura venezolana*, Las Novedades, Caracas, 1945.

Pino Saavedra, Yolando, *Cuentos folklóricos de Chile*, Universidad de Chile, Santiago de Chile, 1963, 3 vols.

Pirotto, Armando D., *La literatura en América: el coloniaje*, Sociedad del Libro Rioplatense, Buenos Aires-Montevideo, 1937.

Portuondo, José Antonio, «Periodos y generaciones en la historiografía literaria hispanoamericana», *Cuadernos Americanos*, 7:3 (1948), pp. 231-252.

—, *La historia y las generaciones*, Santiago de Cuba, 1958.

Pozuelo Ivancos, José María, «El epíteto conceptista», *Revista de Literatura*, 39: 77-78 (1978), pp. 7-25.

Pupo-Walker, Enrique, *La vocación literaria del pensamiento histórico en América*, Gredos, Madrid, 1982.

Rama, Ángel, «Fundación del manierismo hispanoamericano por Bernardo de Balbuena», *University of Dayton Review*, 16:2 (1983), pp. 13-22.

Remos y Rubio, J. J., *Historia de la literatura cubana*, Cárdenas, La Habana, 1945; otra ed., Guadarrama, Barcelona, 1958.

Reyes, Alfonso, *Ultima Tule*, Imp. Universitaria, México, 1942; reimpreso en *Obras completas*, Fondo de Cultura Económica, México, 1960, tomo XI.

—, *Letras de la Nueva España*, Fondo de Cultura Económica, México, 1948.

Ricard, Robert, *La conquête spirituelle du Mexique*, París, 1933.

Río, Ángel del, *Historia de la literatura española*, Dryden Press (Modern Language Publications), Nueva York, 1948, 2 vols.

Rivas Sacconi, José, *El latín en Colombia. Bosquejo histórico del humanismo colombiano*, Instituto Caro y Cuervo, Bogotá, 1949.

Rodríguez-Moñino, Antonio, «Manuscritos literarios peruanos en la biblioteca de Solórzano Pereira», *Caravelle*, 7 (1966), pp. 93-125.

—, «Sobre poetas hispanoamericanos de la época virreinal», *Papeles de Son*

Armadans, 14 (1968), pp. 5-36; reimpreso en *La transmisión de la poesía española en los Siglos de Oro*, Ariel, Barcelona, 1976, pp. 163-188.

—, «Nueva cronología sobre los romances de *La Araucana*», *Romance Philology*, 24 (1970), pp. 90-96; reimpreso en *La transmisión de la poesía española en los Siglos de Oro*, Ariel, Barcelona, 1976, pp. 243-251.

Rojas, Ricardo, *Historia de la literatura argentina. Los coloniales*, Losada, Buenos Aires, 1948.

Romeo, Mario, *Le scoperte americane nella concienza italiana del Cinquecento*, Ricciardi, Milán-Nápoles, 1971.

Romero, José Luis, «Prólogo» a *Pensamiento político de la emancipación*, Biblioteca Ayacucho (Biblioteca Ayacucho, 23-24), Caracas, 1977, 2 vols.

Rosaldo, Renato, «*Flores de baria poesía*: apuntes preliminares para el estudio de un cancionero mexicano del siglo XVI», *Hispania*, 34:1 (1951).

—, «*Flores de baria poesía*: estudio preliminar de un cancionero inédito mexicano del siglo XVI», *Abside*, 15:3 (1951), pp. 523-550; y 16:1 (1952), pp. 91-122.

Rosenblat, Ángel, *La población indígena de América y el mestizaje desde 1492 hasta la actualidad*, Instituto Cultural Español, Buenos Aires, 1945.

—, *La primera visión de América y otros ensayos*, Ministerio de Educación, Caracas, 1965, 1969².

—, *El castellano de España y el castellano de América. Unidad y diferenciación*, Universidad Central de Venezuela (Cuadernos del Instituto de Filología «Andrés Bello»), Caracas, 1965².

—, *La población de América en 1492. Viejos y nuevos cálculos*, El Colegio de México, 1967.

—, *Lengua literaria y lengua popular en América*, Universidad Central de Venezuela (Cuadernos del Instituto de Filología «Andrés Bello»), Caracas, 1969.

—, *Los conquistadores y su lengua*, Universidad Central de Venezuela (Colección Arte y Literatura, 5), Caracas, 1977.

Sáez Godoy, Leopoldo, «Voces de origen indígena en la *Crónica* de Gerónimo de Bibar (1558). Materiales de estudio», *Ibero-Romania*, 16 (1982), pp. 1-22.

Sánchez, José, *Academias y sociedades literarias de México*, University of North Carolina, Chapel Hill, 1951.

Sánchez, Luis Alberto, *Nueva historia de la literatura americana desde sus orígenes hasta nuestros tiempos*, Americalee, Buenos Aires, 1944.

—, *Los poetas de la Colonia y de la Revolución*, PTCM, Lima, 1947².

—, *La literatura peruana*, Guarania, Buenos Aires, 1950; otra ed., 1966; P. L. Villanueva, Lima, 1975⁴, 5 vols.

—, *Repertorio bibliográfico de la literatura latinoamericana*, Universidad de Chile, Santiago de Chile, 1955-1962, 3 vols.

—, *Breve historia de América*, Losada, Buenos Aires, 1965.

—, *Historia comparada de las literaturas americanas*, Editorial Losada, Buenos Aires, 1973-1976, 4 vols. Vol. I: *Desde los orígenes hasta el Barroco*.

—, et al., *Contribución a la bibliografía de la literatura peruana*, Universidad Nacional Mayor de San Marcos, Lima, 1969.

Sánchez Albornoz, Claudio, *La Edad Media Española y la Empresa de América*, Cultura Hispánica del ICC, Madrid, 1983.

Sánchez-Albornoz, Nicolás, *The Population of Latin America. A History*, University of California Press, Berkeley, 1974.

Sánchez Alonso, B., *Fuentes de la historia española e hispanoamericana*, Centro de Estudios Históricos, Madrid, 1919; otras eds.: 1919, 1927, 1952.

—, *Historia de la historiografía española*, C.S.I.C., Madrid, 1941-1950.

Sarduy, Severo, *Barroco*, Sudamericana (Colección perspectivas), Buenos Aires, 1974.

Savelle, Max, *Empires to Nations: Expansion in America, 1713-1824*, University of Minnesota Press (*Europe and the World in the Age of Expansion*, vol. V), Minneapolis, 1974.

Schons, Dorothy, «The Influence of Góngora on Mexican Literature during the Seventeenth Century», *Hispanic Review*, 7 (1939), pp. 23-34.

Schwartzmann, Félix, *El sentimiento de lo humano en América*, Universidad de Chile, Santiago de Chile, 1953, 2 vols.

Serís, Homero, *Bibliografía de la lingüística española*, Instituto Caro y Cuervo, Bogotá, 1964.

Simón Díaz, José, *Manual de bibliografía de la literatura española*, Gredos, Madrid, 1980.

Sobejano, Gonzalo, *El epíteto en la lírica española*, Gredos, Madrid, 1956.

Solar Correa, Eduardo, *Semblanzas de la Colonia*, Nascimento, Santiago de Chile, 1933; otra ed.: Difusión, Santiago de Chile, 1945.

—, *Las tres colonias (Ensayo de interpretación histórica)*, Imp. San Francisco, Santiago de Chile, 1943.

Solé, Carlos A., *Bibliografía sobre el español en América, 1920-1967*, Georgetown University Press, Georgetown, 1970.

Stoetzer, O. Carlos, *The Scholastic Roots of the Spanish American Revolution*, Fordham University Press, Nueva York, 1979.

Tauro, Alberto, *Esquividad y gloria de la Academia antártica*, Editorial Huascarán, Lima, 1948.

Torre, Guillermo de, *Tres conceptos de la literatura hispanoamericana*, Losada, Buenos Aires, 1963.

—, *Claves de la literatura hispanoamericana*, Losada (Biblioteca clásica y contemporánea), Buenos Aires, 1968.

Torres Rioseco, Arturo, *La gran literatura iberoamericana*, Emecé, Buenos Aires, 1945; otra ed.: *Nueva historia de la gran literatura iberoamericana*, Emecé, Buenos Aires, 1960.

Tovar, Antonio, *Catálogo de las lenguas de la América del Sur*, Sudamericana, Buenos Aires, 1961.

Urbina, Luis G., *La vida literaria de México y la literatura mexicana durante la independencia*, Porrúa, México, 1946.

Valbuena Prat, A., y A. Valbuena Briones, *Historia de la literatura española e hispanoamericana*, Gili, Barcelona, 1962, tomo IV; otra ed.: 1965.

Vásquez, Josefina, Zoraida, *La imagen del indio en el español del siglo XVI*, Universidad Veracruzana (Cuadernos de la Facultad de Filosofía y Letras, 16), Xalapa, 1962.

Vergara y Vergara, José María, *Historia de la literatura en Nueva Granada (1538 a 1820)*, Bogotá, 1867; otra ed.: Biblioteca de la Presidencia de Colombia, Bogotá, 1958.

Vicens Vives, Jaime, *Historia social y económica de España y América*, Teide, Barcelona, 1971, 6 vols.

Wagner, Max-Leopold, *Die spanisch-amerikanische Literatur in ihren Hauptstromungen*, Leipzig-Berlín, 1924.

—, *Lingua e dialetti della America Spagnola*, La Lingua Estera, Florencia, 1949.

—, «Apuntaciones sobre el caló bogotano», *Thesaurus*, 6 (1950), pp. 181-213.

Wagner de Reyna, Alberto, *Destino y vocación de Iberoamérica*, Prólogo de Gonzague de Reynolds, Cultura Hispánica, Madrid, 1954.

Weckmann, Luis, «The Middle Ages in the Conquest of America», *Speculum*, 26:1 (1951), pp. 130-141.

—, *La herencia medieval de México*, Fondo de Cultura Económica, México, 1983, 2 vols.

Whitaker, Arthur P., *Latin America and the Enlightenment*, Nueva York, 1942; otra ed.: Great Seal Books, Ithaca, Nueva York, 1963.

Wilgus, A. Curtis, *Histories and Historians of Hispanic America*, Cooper Square Publishers, Nueva York, 1965.

—, *The Historiography of Latin America: A Guide to Historical Writing, 1500-1800*, The Scarecrow Press, Metuchen, N.J., 1975.

Worcester, Donald E., y Wendell C. Schaeffer, *The Growth and Culture of Latin America*, Oxford University Press, Nueva York, 1956.

Zamora Munne, J. Cl., *Indigenismos en la lengua de los conquistadores*, Universidad de Puerto Rico, San Juan, 1976.

Zamora Vicente, Alonso, *Dialectología española*, Gredos, Madrid, 1960.

Zavala, Silvio, *El mundo americano en la época colonial*, Porrúa, México, 1967, 2 vols.

Zea, Leopoldo, *Dialéctica de la Conciencia Americana*, Alianza, México, 1953; otra ed.: Alianza, Madrid, 1976.

—, *América en la historia*, Fondo de Cultura Económica, México, 1957.

Zum Felde, Alberto, *Índice crítico de la literatura hispanoamericana. Los ensayistas*, Guarania, México, 1954; 1941[1].

—, *Proceso intelectual del Uruguay y crítica de su literatura*, Montevideo, 1967[3].

PEDRO HENRÍQUEZ UREÑA

EL NUEVO MUNDO EN LA IMAGINACIÓN DE EUROPA

Los pensadores y escritores europeos del siglo XVI no leyeron los relatos de descubrimientos y viajes en busca de nuevas formas de cultura que pudieran contrastarse con las suyas propias. Su principal preocupación era la Naturaleza. Colón, Vespucio, Pedro Mártir, Las Casas, les habían informado acerca de salvajes que vivían en «estado de naturaleza», en una edad de inocencia. La oposición filosófica entre naturaleza y cultura, la comparación entre el hombre natural y el civilizado, se nutre del inagotable material con que le provee el Nuevo Mundo. Persiste y crece cada vez más complejo al correr de los siglos.

En España, rara vez se menciona al indio en este sentido; su defensa hubiera significado cuando menos un repudio teórico de la conquista, y las autoridades habrían visto con disgusto, probablemente, semejante actitud, una vez que la controversia iniciada por los frailes dominicos había quedado zanjada con disposiciones legales. El indio aparece, pues, sólo como una figura exótica y pintoresca en obras como la trilogía de los Pizarros de Tirso de Molina, en donde se introducen las Amazonas; rasgo de fantasía que no deja de sorprender en un poeta que había vivido realmente en el Nuevo Mundo. ¿Pudo creer acaso seriamente, como Spencer, que «el gran río de las Amazonas» había «resultado verdad»? En general, América ocupa mucho menos espacio en la literatura de España y Portugal de lo que podía haberse esperado.

Pedro Henríquez Ureña, *Las corrientes literarias en la América Hispánica*, Fondo de Cultura Económica, México, 1949, pp. 26-31.

Aun cuando seguía en pie la controversia sobre el indio, los humanistas españoles no consideraron al salvaje como la personificación de la naturaleza frente a la cultura; volviéronse, en cambio, hacia el campesino, labrador o pastor, de acuerdo con la tradición clásica —por ejemplo, Antonio de Guevara, en su *Reloj de príncipes* (1528), con su famoso cuento del villano del Danubio, y en su *Menosprecio de corte y alabanza de aldea* (1539). El sueño de una vida perfecta y sencilla, especie de utopía que adopta una amplia variedad de formas, invade la literatura española en el siglo XVI, desde Juan y Alfonso de Valdés hasta fray Luis de León. Cuando concluye el Renacimiento y comienza la era prosaica típicamente moderna, Lope de Vega, poeta nacido en la ciudad, que amó el esplendor de las ciudades, sintió también la fascinación de la vida del campo y contrapuso muchas veces las virtudes sencillas y heroicas del campesino a la orgullosa tiranía del noble y la duplicidad intrigante del cortesano. En ocasiones fue más lejos: el tema familiar de la edad de oro reaparece cuando introduce salvajes en obras como *Los guanches de Tenerife*, *El Nuevo Mundo* y el *Arauco domado*. Con dramática imparcialidad, Lope pone en boca de los salvajes que defienden sus derechos argumentos que hubiera aprobado Las Casas. También Cervantes, que no se hace ilusiones en cuanto a las perfecciones de la sociedad moderna, añora el ideal caballeresco de la Edad Media y el ideal culto del Renacimiento, y vuelve de vez en cuando los ojos hacia la edad de oro, como en el famoso discurso de Don Quijote a los cabreros. Y Quevedo, amargo censor de su época, escribe un elogio de la *Utopía* de Moro, traducida al español por su amigo Jerónimo de Medinilla (1627). Por último, Gracián presenta en su *Criticón* (1651-1657) un «hombre natural», de acuerdo con el modelo inventado por Abén Tofail, en su *Filósofo autodidacto*. El Andrenio de Gracián no conoce ninguna sociedad, ni aun la de los salvajes, ni lenguaje alguno; después que Critilo le enseña a hablar, muestra que en su soledad había descubierto los principios morales y religiosos más altos y sencillos. La isla desierta de Andrenio no está en el Nuevo Mundo (¿lo haría Gracián intencionadamente?), sino cerca de África; es la de Santa Elena.

En Francia, el tema indio se discutió con mayor libertad. Los franceses habían obtenido poco o ningún éxito en sus primeras aventuras coloniales. André Thévet, que vino al Brasil con la expedición de Villegaignon (1555), en sus *Singularidades de la Francia antártica* (1558), con más piedad que enojo, describe a los indios como «gente maravillosamente extraña y salvaje, sin fe, sin ley, sin religión ni civilidad alguna, que viven como animales irracionales, tal y como la naturaleza los ha hecho». Pero Jean de Léry, que acompañó también a Villegaignon, se plantea la pregunta de si muchas de nuestras razones para despreciar a los indios no son simples prejuicios, y aun confiesa que su desnudez es casta, pensamiento atrevido para un teólogo calvinista. Y Jodelle, que escribió un poema laudatorio para el libro de Thévet, hace notar que si la barbarie existe en Río de Janeiro, en la «Francia antártica», también se da, bajo otra forma, en su propia «Francia ártica». Ronsard, comentando la expedición de Villegaignon en su *Discours contre fortune* (1559), condena toda conquista y todo intento de imponer la civilización europea a los salvajes. Los indios viven en una edad de oro; ¿a qué enseñarles «el terror de la ley que nos hace vivir con temor»? Déjeseles vivir felices: «Yo bien quisiera vivir así».

La discusión alcanza su mayor altura con Montaigne, en dos ensayos famosos —uno sobre los caníbales, el otro sobre los carruajes— y en muchas observaciones dispersas. Montaigne llevó la crítica de la civilización europea, en comparación con el estado salvaje, a sus consecuencias extremas. Había leído unas cuantas crónicas de viajes y conquistas; además, había conversado con viajeros, marineros, mercaderes, y aun con salvajes brasileños llevados a Ruán durante el reinado de Carlos IX. «Creo —dice en su ensayo *Sobre los caníbales* (I, 30)— que nada hay en esa nación que sea bárbaro o salvaje, sino que cada cual suele llamar barbarie a aquello que no le es común ... Son salvajes así como llamamos salvajes a aquellos frutos que la naturaleza por sí misma y por su natural progreso ha producido, cuando en verdad es a aquellos que nosotros mismos hemos alterado con nuestras artes y mudado de su orden común a los que con más propiedad debíamos designar salvajes. En aquéllos se hallan vivas y vigorosas las verdaderas y más provechosas virtudes y propiedades naturales, que en éstos hemos bastardeado, aplicándolas solamente al placer de nuestro gusto corrompido.»

Y más adelante: «Es una nación en la que no hay especie alguna de tráfico, ningún conocimiento de letras, ninguna ciencia de números, nombre ninguno de magistrado, ni de superioridad política; ningún empleo de servicio, ni de riqueza o pobreza; ni contratos, ni sucesiones, ni particiones, ni otra ocupación que el ocio; ningún otro respeto del parentesco que el común, ni vestimenta alguna, ni agricultura, ni minería, ni empleo del vino, ni del trigo». Shakespeare, como es bien sabido, adoptó este pasaje en *La tempestad*, obra que tanto refleja las lecturas de viajes, para describir la utópica república de Gonzalo (¡Utopía otra vez!). [...]

«Las palabras mismas —sigue diciendo Montaigne— que significan mentira, falsía, traición, disimulo, codicia, envidia, maledicencia y perdón, jamás se oyeron entre ellos»; como, andando el tiempo, habían de ser también desconocidas entre los caribes de Surinam de Aphra Behn o los «houyhnhnmos» de Swift. Es cierto que comen carne humana, pero «no es que me duela el que nos cuidemos del bárbaro horror que hay en semejante acción, sino que, escudriñando tan de cerca sus faltas, estemos tan ciegos para las nuestras». De hecho, «podemos llamarlos bárbaros en consideración a las reglas de la razón, pero no con respecto a nosotros, que los sobrepasamos en toda clase de barbarie».

La defensa del salvaje, como vemos, beneficia no sólo a las tribus pacíficas, como los taínos que encontró Colón en las Antillas; incluye atrevidamente también a los caníbales. Y Montaigne, que no pasa por alto ningún problema, refiere que cuando habló con los salvajes brasileños en Ruán le dijeron «que habían visto que había hombres entre nosotros colmados de toda clase de comodidades, mientras otros, desfallecidos de hambre y desnudos con pobreza y necesidad, pedían limosna a sus puertas: y encontraban extraño que esos otros hombres tan necesitados pudieran soportar tamaña injusticia, y que no cogieran a los otros por la garganta, o pusieran fuego a sus casas».

En su ensayo *Sobre los carruajes* (III), dice: «Nuestro mundo ha descubierto otro últimamente ...». Condena, con el mismo espíritu que Las Casas, la invasión europea: «La parte más rica y más hermosa del mundo, trastornada por el tráfico de perlas y pimienta. ¡Oh victorias mecánicas, oh baja conquista!». Y comprende —como muy pocos europeos en su tiempo— que había grandes civilizaciones en América cuando llegaron los españoles. Ensalza estas civilizaciones como pocos hombres lo han hecho antes del siglo xx: «Ni Grecia, ni Roma, ni Egipto pueden, ya sea en provecho o dificultad, igualar ninguna de sus obras». Pero, con el presentimiento de que las civilizaciones son mortales (según el dicho de Paul Valéry), dice: «Y, como nosotros, así juzgaron ellos que este Universo estaba próximo a su fin: y tomaron la desolación que nosotros les llevamos como signo de ello». Y aventura una profecía tremenda: «Este mundo no saldrá a luz sino cuando el nuestro caiga en la oscuridad».

Las meditaciones de Montaigne marcan el paso de futuras lucubraciones. Durante los dos siglos siguientes, el tema de América no ocupa un lugar destacado en la literatura francesa de imaginación, a pesar de la *Alzire* y de *L'ingénu* (1767), de Voltaire; de *Les incas* de Marmontel (1777) y del *Camiré* de Florian; ni tampoco en la literatura inglesa, a pesar del *Indian Emperor* de Dryden (1665) —quien, dicho sea de paso, parece haber sido el inventor del término *noble savage* en su *Conquest of Granada* (1670)—. Pero la literatura de viajes y descripción de nuevas tierras sigue en aumento; todavía nos son familiares los nombres de muchos exploradores franceses: Champlain, Lescarbot, Claude d'Abbeville, Ives d'Evreux, Mocquet, Sagard, Lejeune, Brébeuf, Du Tertre, Marquette, Hennepin, Lahontan, Charlevoix. Vienen tras ellos La Condamine y Bougainville, dotados de una visión estrictamente científica.

Todos estos libros describían la vida de los indios, y los juicios de los autores seguían con frecuencia la tradición de Montaigne. Ya fuesen favorables o adversos a los salvajes, dieron nuevo sustento al ávido pensamiento filosófico. En el siglo XVIII, el espíritu europeo posesionábase al fin de la tierra y observaba a la humanidad, desde China hasta el Perú. Sabemos cómo la antigua disputa en torno a la naturaleza y la cultura se convirtió entonces en contienda apasionada. Diderot y Raynal, sin renunciar a los beneficios de la cultura europea, expresaron profunda simpatía por los pueblos oprimidos; Voltaire, igual que el Dr. Johnson en Inglaterra, se mostró activo defensor de la vida civilizada, desdeñando las virtudes atribuidas a los salvajes; frente a ellos, Rousseau es el gran negador de la civilización europea, aun cuando sus «hombres naturales» tienen sólo una superioridad negativa, debida a la falta de incitaciones al mal dentro de su medio; ni son lobos, como en Hobbes, ni corderos, como en Locke, dos de los maestros que le enseñaron la doctrina del contrato social. El ideal de Rousseau no es el salvaje, sino el hombre que, como su Emilio, se educa en armonía con los dictados de la naturaleza. Y ésta fue la luz que llevó, por un camino, a la concepción romántica de la vida y del arte y, por otro, a la revolución social y política. Más generoso que cualquiera de sus predecesores, Condorcet, poco antes de morir en la guillotina, afirmó en su *Esquisse d'un tableau historique des progrès de l'esprit humain* (1794) su fe inquebrantable en el futuro y propuso a las naciones civilizadas un plan para la ilustración pacífica de los pueblos atrasados.

La disputa entre naturaleza y cultura continuó durante todo el siglo XIX, y todavía sigue en pie.

Alfonso Reyes

LA HISPANIZACIÓN

La conquista política y la conquista espiritual de la Nueva España corresponden a Carlos V y a Felipe II. Mientras aquélla, confiada al Estado y a las armas, adelanta por sus caminos y logra su forma definitiva a mediados del siglo XVI con el virreinato y sus capitanías, la Iglesia emprende la evangelización.

La creación de la cultura en la Nueva España se aprecia por la obra de sus dos factores, los institucionales y los humanos. Los humanos comprenden, en primer lugar, a la gente española o europea al servicio de España que se trasladó a nuestro país —misioneros, cronistas, maestros y huéspedes literarios—, e inmediatamente después, a la gente mexicana que se incorporó en la civilización de la colonia: criollos, mestizos e indios ya latinados. La separación entre estas tres clases irá borrándose gradualmente para la vida del espíritu, al paso de la unificación institucional y nacional que, por descontado, antecede a la independencia política. Por último, llegará el día en que un mexicano, Ruiz de Alarcón, pueda disputar su sitio en pleno Madrid, sumado a las fastos de la comedia.

Los factores institucionales son, de modo eminente, el Estado y la Iglesia; de modo inmediato, la educación y la imprenta. Estas diferentes agencias se entremezclan, como se percibe nítidamente en los primeros pasos de la evangelización y la enseñanza destinadas al indígena.

El injerto de la cultura española en cepa mexicana supone un incidente previo: la comunicación de la lengua, mutuo aprendizaje entre las dos personas del diálogo, cuyo símbolo sería la Malinche, traductora de Hernán Cortés. Tal paso era primero en tiempo, si no en derecho. Tenía que preceder a la misma cristianización, con ser ésta la meta ideal de aquella Cruzada y, desde luego, el objeto por excelencia de la instrucción que recibieron los indios al día siguiente de la conquista. Los ministros de la religión —frailes y misioneros—, más bravos que la gente de letras y más obligados al sacrificio, alzaron tienda

Alfonso Reyes, *Letras de la Nueva España*, Fondo de Cultura Económica, México, 1948, pp. 299-305.

entre los escombros y dieron comienzo a la tarea. Estos improvisados maestros, en su patética premura, pretendieron alguna vez comunicar al discípulo en un solo acto la nueva lengua y la nueva fe, siquiera valiéndose de la mímica. Y una misteriosa confianza, algo supersticiosa, en las virtudes de la lengua eclesiástica y en los poderes de la oración, quiso enseñar a los mexicanos, aun antes de que poseyeran ninguna lengua europea, el padrenuestro, el avemaría, el credo y la salve nada menos que en latín, exorcismo preparatorio a las aguas sacramentales.

Sin texto el maestro, sin letras los discípulos, el trabajo era verbal y se valía de mil subterfugios. Para ir adquiriendo su léxico, los frailes tenían que «volverse niños con los niños» y acompañarlos en sus juegos. ¿Que averiguaban de algún chico español criado ya en el ambiente del habla náhuatl? ¡Pues a traerlo de intérprete e instructor para indios y para misioneros! Tal fue el futuro filólogo fray Alonso de Molina. Años después, todavía el francés fray Jacobo de Tastera —cuyo método no parece extraño a la pedagogía de Luis Vives, que confiaba en la absorción inconsciente de los resúmenes de gramática colgados en el aula—, mientras adquiría la lengua de los naturales o comunicaba a éstos la española, mandó pintar los misterios de la fe en unos lienzos, utilizando el hábito de los jeroglíficos, para que un discípulo aventajado fuera descifrando los símbolos y enseñando a los demás los dogmas rudimentales. A fines del siglo xvi, el obispo Moya de Contreras hacía representar con figuras las bulas que aún no circulaban en su feligresía. Y fray Juan Bautista las hacía grabar para los indios. Todo lo cual resultó en una mixtura de jeroglifo y alfabeto, de que Icazbalceta conservaba curiosas muestras.

La lengua iba entrando sin sangre. Es de creer que se usaban ya algunos apuntes manuscritos. Naturalmente, se acabaron, como bien fungible, en manos de los niños. Lo mismo aconteció para las cartillas con que se inició nuestra imprenta. En la bibliografía de todo el primer siglo nada queda que se parezca a un texto impreso para la enseñanza del castellano. Sin duda se usaban al efecto las muchas *doctrinas* bilingües que entonces se imprimieron, y que precisamente podían servir para simultanear el doble aprendizaje de habla y creencia. En todo caso, si en 1523, a la llegada de los primeros misioneros, ni un solo indio conocía las letras, ya en 1544 Zumárraga habla de los muchos indios que saben leer. El indio don Antonio Valeriano sorprenderá a sus propios maestros por su excelente oratoria ciceroniana.

Los primeros trances de la cultura fueron confiados en administración exclusiva a las órdenes religiosas. El mérito de aquellos piadosos varones parece mayor si se considera que alternaban la función pedagógica con el desempeño eclesiástico: «... extirpar la idolatría, decir misa, rezar el oficio divino, predicar, catequizar, bautizar inmenso número de niños y adultos, confesar, casar, asistir a los enfermos, enterrar a los difuntos; y para todo, recorrer a pie largas distancias». Y sobre eso, luchar con la oposición de la casta conquistadora, que no deseaba muy instruidos a quienes sólo quería esclavos.

Por su orden, de 1523 en adelante, arribaron a México franciscanos, dominicos, agustinos y jesuitas. Primeros en la hazaña, los franciscanos venían en grupo de doce, al mando de fray Martín de Valencia. Se encontraron con que los habían precedido tres religiosos flamencos: fray Juan de Tecto —Universidad de París—, fray Juan de Ayora —lo dan por pariente del rey de Escocia— y el célebre fray Pedro de Gante, por cuyas venas aseguran que corría sangre de emperadores. Cuando, hacia 1524, fray Martín, a su llegada, pregunta a los flamencos cómo no habían sido capaces de desterrar la idolatría y aun los sacrificios humanos, en casi un año de labor apostólica que ya llevaban por delante, Tecto, como el más autorizado, le contesta: «Aprendemos la teología que de todo punto ignoró san Agustín». Es decir, las indispensables lenguas indígenas.

Agrúpase primero la enseñanza en torno al Colegio-Templo de San Francisco, fundado por Gante y regentado por él durante medio siglo —donde se enseñaba a los naturales lo que les convenía, prescindiendo de aquello «que no tienen necesidad de saber»—; y luego se extiende y diversifica a través de nuevas instituciones escolares: Santa Cruz de Tlaltelolco, creación del obispo Zumárraga (1936), que soñaba con un colegio en cada obispado, donde los discípulos eminentes acabaron por suplir en ocasiones a los frailes —por primera vez la raza conquistada dio allí maestros a los conquistadores— y donde enseñaban Arnaldo de Basacio, Francisco de Bustamante, García de Cisneros, Juan Focher, Juan de Gaona, Andrés de Olmos, Bernardino de Sahagún; Tiripitío (Michoacán), fundado por los agustinos para peninsulares y criollos (1540); San Pedro y San Pablo, el Seminario de San Gregorio (1576), para naturales, y los de San Miguel y de San Bernardo (1575), fundidos después en el Colegio de San Ildefonso (1583), todos de los jesuitas que, llegados en 1572 y acusados de preferir lo urbano a lo silvestre, extendieron por el occidente y norte un catequismo famoso en los anales misionarios, abarcaron

Michoacán y Guadalajara, Puebla y Veracruz, establecieron estudios prácticos de lenguas indígenas en Tepozotlán, en breve competirán con la universidad y un día dictarán la educación al país; Santa María de Todos Santos (1573), con diez becas para alumnos pobres y distinguidos, etc. Fray Alonso de la Veracruz crea por sí el Colegio de San Pablo de los Agustinos (1575), al que dotó de una biblioteca, como antes lo hizo con el convento de Tiripitío (1536), primer fondo importante de libros llegados a la Nueva España, todos, según aseguran, leídos y anotados por mano del donador. Durán menciona cursos de danzas dirigidos por los eclesiásticos en Tezcoco, México y Tlacopan.

En los primeros pasos de la enseñanza, percibimos los latidos de una sociedad en formación y los extremos de la amalgama étnica. Con claro sentido práctico, los misioneros proceden a una serie de selecciones. Ante todo, hay un programa rudimental femenino, igual para todas las clases. Las niñas —decía un religioso— «no se enseñaban más que para ser casadas, y que supiesen coser y labrar». Después, para los varones, el programa se gradúa de menor a mayor, según la condición de los educandos y el tiempo de que disponen para el aprendizaje; primero, adultos, el pasado, generación en cierto modo ya irredimible y sujeta al trabajo constante que exige el conquistador; segundo, niños plebeyos, porvenir aún redimible, pero clase que pronto será llamada a ganarse el sustento; tercero, niños nobles, destinados a mayores responsabilidades y con más holgura para el estudio; cuarto, los más aptos eran objeto de cuidado especial, justa economía donde había una docena de maestros para millares de indios. Los desconfiados señores que, al principio, en vez de enviar a sus hijos a los colegios sólo enviaban a los hijos de sus criados, acabaron por reconocer los beneficios de la educación.

La áspera vida militar, la ola de aventureros («los de la capa al hombro») que, desembarcados en Ulúa, venían a buscar fortuna, y la falta de mujeres españolas, produjeron en pocos años una multitud de niños mestizos y abandonados. Para ellos abrió el virrey Mendoza el Colegio de San Juan de Letrán (1553), regido por tres teólogos que se alternaban en la dirección y tenían encargo —aunque no salieron de él con gloria— de componer gramáticas y diccionarios indígenas. Esta institución alcanzó categoría de Escuela normal. Pues había dos clases de alumnos: los que sólo aprendían primeras letras y un oficio, en tres años, y los seis alumnos escogidos para continuar, en seis años, las letras divinas y humanas.

Por último, pronto hubo varias escuelas privadas para los criollos, donde un Br. González Vázquez de Valverde fue nombrado profesor de gramática por 1536, y donde hacia mediados de siglo enseñaba un Br. Diego Díaz. En alguna de ellas comenzó su carrera de catedrático en México el eminente Francisco Cervantes de Salazar, que ya había enseñado retórica en Osuna.

Se hizo indispensable establecer una universidad, la primera de Tierra Firme, al modelo de la salmantina. Será pontificia; vivirá tres siglos. Tuvo que reclutar a algunos de sus primeros maestros entre los mismos religiosos de los colegios y los profesores de las escuelas particulares. Inaugurada el 23 de enero de 1553, se abrió el 3 de junio siguiente con una oración latina de Cervantes de Salazar. Lo acompañaban en la cátedra el neoescolástico renacentista fray Alonso de la Veracruz, adicto de fray Luis de León; Negrete, maestro en Artes por París; el jurisconsulto Frías de Albornoz, impugnador de la trata de negros y muy estimado por el Brocense; Melgarejo, traductor de Persio y canonista. A la Teología, Sagrada Escritura, Cánones, Decreto, Leyes e Instituta, Artes, Retórica y Gramática, se añadieron sucesivamente Medicina y Lenguas Indígenas. Habían pasado solamente treinta y dos años desde la llegada de Hernán Cortés a Tenochtitlán.

La universidad era una solemne casa sonora. Dice Justo Sierra:

Los indígenas, que bogaban en sus largas canoas planas, henchidas de verduras y flores, oían atónitos el murmullo de voces y el bullaje de aquella enorme jaula, en que magistrados y dignidades de la Iglesia regenteaban cátedras concurridísimas, donde explicaban densos problemas teológicos, canónicos, jurídicos y retóricos, resueltos ya, sin revisión posible de los fallos, por la autoridad de la Iglesia. Nada quedaba que hacer a la universidad en materia de adquisición científica; poco, en materia de propaganda religiosa, de que se encargaban con brillante suceso las comunidades; todo, en materia de educación por medio de las selecciones lentas en el grupo colonial. Era una escuela verbalizante; el «psitacismo», que dice Leibniz, reinaba en ella. Era la palabra, y siempre la palabra latina, por cierto, la lanzadera prestigiosa que iba y venía sin cesar en aquella urdimbre infinita de conceptos dialécticos. En las puertas de la universidad, podemos decir de las universidades de entonces, hubiera debido inscribirse la exclamación del príncipe danés: palabras, palabras, palabras.

Estas líneas del Maestro, tan expresivas y vivaces, nos dan sólo una imagen de bulto. Como él mismo lo declara, aquella universidad no era única en su carácter. Pues ¿qué otra cosa hacía la madrina de Salamanca? La lógica deductiva, bastardeada en la descendencia, olvidaba el contacto fertilizador con los hechos, de que tanto caso hizo su fundador, Aristóteles, y pretendía extraer del seno de una terminología taumatúrgica todas las cosas del universo. Pero no podríamos repetir, si nos transportamos al ambiente mismo de la época, que «la Muralla China del Consejo de Indias» haya impedido la circulación de las ideas renacentistas. ¡Era la fuerte idiosincrasia española, tan reacia en las colonias como en la Metrópoli! No es lícito exagerar ni en más ni en menos. Como decía Carlos Pereyra, «convertir leyendas negras en leyendas blancas es tan ilegítimo para la crítica como lo contrario». Aunque seguramente se procuraba redoblar las censuras para una sociedad en formación, que se entendía bajo tutela y sometida a los excesivos cuidados de una infancia étnica, y que se consideraba amenazada por posibles recaídas en la gentilidad anterior, la mente hispánica siempre ha dejado ciertas filtraciones a la libertad y al buen sentido. Ni es conciliable el cubrir de coronas, como siempre se hizo, los nombres de aquellos abuelos de la cátedra mexicana, y negar al mismo tiempo los méritos de la casa de estudios.

Urbina, con su habitual hechizo, sonríe levemente ante la poesía académica que se fraguaba en la universidad, poesía montada con piezas traídas de los talleres de Alcalá o Salamanca, a la cual faltaban los siete espíritus que sólo la magia de la inspiración logra encerrar en el tintero. Cierto, certísimo. La universidad, entregada a sus propias fuerzas, sólo engendra poesía escolar; su obligación es hacer ejercicios de gramática y no poetas. ¡Afortunadamente! ¿Y cuándo y dónde se vio otra cosa? ¡Peras al olmo! La universidad debe crear —la nuestra lo cumplió— un nivel medio de cultura, que fue el nivel medio de la Metrópoli. Sobre él, respirándolo a pesar suyo e ignorándolo muchas veces, o hasta en rebeldía, los poetas se alzan por sus medios. Que «donde no hay naturaleza, / Salamanca no aprovecha».

Irving A. Leonard

LOS LIBROS SIGUEN AL CONQUISTADOR

La increíble rapidez con que los conquistadores y los exploradores extendieron su dominio por el inmenso continente americano, venciendo a poderosas huestes indígenas y formando un imperio que cambió de raíz las nociones geográficas, será eternamente una de las epopeyas supremas del valor, de la energía y de la perseverancia humanos. La emoción que aún se experimenta al leer estas sorprendentes hazañas tiende, no obstante, a dejar la impresión de que la conquista sólo fue una espectacular orgía de destrucción o, si acaso, una formidable victoria militar lograda por bandas de aventureros sin ley y sin miedo.

Por más brillante que haya sido este proceso de europeización del globo, palidece ante la fase constructiva de la organización y la colonización que llevaron a cabo los españoles. No había terminado Cortés de planear las campañas que siguieron a la conquista de México, cuando ya un municipio español se estaba consolidando sobre las ruinas de la capital azteca, con todas las instituciones, leyes y prácticas que tan firmemente existían en la propia España. Una multitud de misioneros, funcionarios, mercaderes, artesanos y simples aventureros se derramó sobre el reino que acababa de reorganizarse; procedían de las Antillas y de la madre patria, y estaban llenos de la ambición de reproducir rápidamente en las nuevas tierras las bendiciones de la civilización europea, que incluía, por supuesto, distinciones y recompensas personales. Inmediatamente tomó forma la vida ciudadana, y mientras continuaba la febril búsqueda de tesoros, empezaron a operar sistemas menos espectaculares de explotación de la riqueza. Pronto la minería, la ganadería, las empresas agrícolas y las artes industriales —actividades todas que los nativos aprendieron con habilidad y presteza— estaban produciendo más ganancias por capital y energía invertidos que las expediciones que se lanzaban locamente a la aventura a través de los misterios de tierra adentro.

Pero aun antes de que estas sensatas ocupaciones dieran resultados

Irving A. Leonard, *Los libros del conquistador*, Fondo de Cultura Económica, México, 1953, pp. 89-95.

prácticos, ya los mercaderes, los buhoneros y los traficantes que seguían de cerca a los conquistadores y aun los acompañaban estaban atareados en operaciones de trueque y actuaban como intermediarios. Entonces, como en todos los tiempos, «el comercio siguió a la bandera», las tierras que iba sometiendo el conquistador abrieron inmensas y provechosas oportunidades para la venta de las mercancías españolas y la compra de los productos locales. Inmediatamente se desarrolló un mercado para los manufactureros de la península, y su explotación precipitó una rebatiña por el control monopolístico, según las teorías mercantilistas de la época. Quizá la prueba más elocuente de la rapidez con que la civilización española y el sistema europeo de comercio arraigaron en el Nuevo Mundo es el hecho de que desde muy al principio, las importaciones de la península incluyeron libros de diversos géneros. Desde 1501, y quizás aun antes, el clero llevó consigo misales, breviarios, biblias y otras clases de libros religiosos, gramáticas y diccionarios; la literatura popular llegó de seguro casi al mismo tiempo, merced a la intervención de los del estado seglar. El conocimiento evidente que tenían Bernal Díaz del Castillo y otros soldados de Cortés de los libros de caballerías permite suponer que desde un principio podían encontrarse tales obras de ficción en las Antillas, especialmente en Santo Domingo y en Cuba, que era de donde procedía buena parte de las expediciones hacia la Tierra Firme. La multitud de colonos que vivían ociosos en esas islas gracias al trabajo de indios y de negros tenía de sobra oportunidades para hojear las fascinantes páginas de los libros que importaban los dinámicos comerciantes, y sin duda las descripciones de tierras exóticas avivaron el deseo de estos inquietos españoles de penetrar los secretos de la fabulosa Tierra Firme, de donde partía toda clase de rumores y cada vez en mayor abundancia.

Ya hemos sugerido la posibilidad nada remota de que algunos ejemplares de estos libros hayan ido entre el equipaje de los hombres de Cortés y de las demás expediciones que exploraron la América continental. No faltan algunas pruebas de positivo valor; se sabe, por ejemplo, que el jefe de la desgraciada empresa del Río de la Plata, Pedro de Mendoza, llevaba un pequeño número de volúmenes en su equipaje personal. Eran obras de Virgilio, Petrarca y, aunque parezca increíble, de Erasmo de Rotterdam. Y casi al mismo tiempo, el virrey de México Antonio de Mendoza trajo entre sus efectos personales una caja con doscientos libros, que dicho sea de paso, fue dispensada por la reina de pagar los impuestos respectivos. Se recordará que esta soberana era la misma regente que exhortó al virrey a poner en vigor el decreto que prohibía el *Amadís* y las obras de su género en las Indias. Por desgracia, no se conocen los títulos o la naturaleza de los volúmenes que importó Mendoza en su biblioteca. Considerando los gustos en boga en ese tiempo, es razonable suponer que en ella figuraban algunos «libros de entretenimiento», a los que en parte puede deberse la inmediata credulidad con que el señor de Mendoza aceptó los informes relativos a las «Siete ciudades de Cíbola», que le llevó desde las tierras de los indios pueblo el no menos cándido fray Marcos de Niza. Este incidente, como se recordará, motivó la inútil expedición de Vázquez de Coronado, que anduvo dos años en busca de las famosas ciudades empedradas de esmeraldas. Este episodio estrictamente histórico, que incluye el descubrimiento del Gran Cañón de Colorado y de otras maravillas del suroeste de Estados Unidos, excede con creces a las narraciones de los mismísimos libros de caballerías.

Muchos conquistadores y privados que tuvieron la fortuna de que la Corona les otorgase «encomiendas» en pago de sus servicios pudieron retirarse a sus haciendas, donde hacían trabajar a los indios. Este ocio señorial permitía a los menos iletrados solazarse en la lectura de sus inciertas campañas. Este núcleo de lectores aumentó considerablemente con la llegada de funcionarios y de cazadores de fortuna, ampliándose el mercado para la literatura de ficción y aun para obras más serias. Ni cortos ni perezosos, los comerciantes atendieron a la demanda. Se conoce el caso concreto de un librero a quien en la primera década de la conquista atrajo la posibilidad de comerciar con México. [...] Pero una prueba más clara aún del lucrativo tráfico de libros entre España y América deriva de la historia de la familia Cromberger, que desde mucho antes se dedicaba a la publicación de libros y que intervino activamente en la fundación de la primera imprenta que hubo en el hemisferio occidental.

Ninguna ciudad de España se benefició más con el descubrimiento y explotación del Nuevo Mundo en el siglo XVI que Sevilla, la pintoresca capital andaluza. Siendo el único puerto autorizado para el comercio transoceánico, por ella pasaba toda la corriente comercial y migratoria entre la península y las colonias. Poco después del descubrimiento de Colón, su población creció rápidamente con la llegada de artesanos, manufactureros, trabajadores y aventureros. [...] Los comerciantes del puerto se volvieron ricos y poderosos, y ejercieron cierta influencia en la política comercial de la Corona, y la Casa de

Contratación, cuya misión era dirigir este comercio colonial, llegó a tener un numerosísimo personal burocrático. De varias partes del imperio europeo de los Habsburgo arribaron a Sevilla extranjeros que ambicionaban sacar beneficios de aquella prosperidad, y a menudo contribuyeron con sus conocimientos técnicos al desarrollo de nuevas artes e industrias, entre otras la impresión de libros, que pronto adquirió gran importancia al expandirse los mercados de ultramar. En el siglo XVII, impresores sevillanos sin escrúpulos hicieron verdaderas fortunas exportando a las colonias grandes cantidades de libros no autorizados, en especial piezas de teatro en tres actos —que eran enormemente populares— y ediciones de trabajos mediocres falsamente atribuidos a conocidos escritores. Sin embargo, durante la era de los conquistadores la influencia de los impresores en la capital andaluza llevó el arte tipográfico a un grado de perfección sin precedentes. Probablemente la más famosa de estas industrias era la casa de Cromberger, que durante muchos años gozó de derechos exclusivos para proveer de libros a la vasta región que Cortés conquistó para la Corona, concesión que producía una ganancia del 100 por 100.

El jefe de esta familia, Jacobo Cromberger, de origen alemán, era un experto en tipografía y un astuto negociante que llegó a Sevilla en 1500; estableció una imprenta allí, y más tarde otras en Lisboa y Évora. [...]

Valiéndose quién sabe de qué medios, la firma Cromberger obtuvo del emperador la concesión monopolística del comercio de libros con México, privilegio del que gozó desde 1525; no se sabe que la Corona haya otorgado una concesión similar para ningún otro país americano. En 1527, Juan Cromberger, hijo del fundador de la casa, rompió la sociedad que tenía con su padre y fundó su propio establecimiento. Cuando dos años después murió el viejo Cromberger, se hizo un inventario de sus propiedades. Este documento, que lleva fecha de 7 de junio de 1529, incluye una extensa lista de libros, de la cual escogemos algunos para dar idea de las obras que debían gozar de mayor favor en aquel tiempo: 398 *Amadises*, valuados en 44.376 maravedís; otros 80 *Amadises* (probablemente tomos distintos del primero), valuados en 12.000 maravedís; 320 *Don Clarián*, en 34.676; 1.501 *Rey Canamor*, en 21.014; 162 «séptimos de Amadís» (*Lisuarte de Grecia*), en 9.234; 405 *Oliveros*, en 6.885; 209 *Cancioneros generales*, en 22.347; 95 *Caballeros de la Cruz*, en 6.650, y 5.500 «pliegos de coplas», valuados en sólo 1.500 maravedís. Puesto que Jacobo Cromberger tenía derechos exclusivos de venta en México, no es temerario suponer que muchos de estos libros estaban destinados a ese mercado colonial, y que muchos otros ejemplares de éstos y de otros títulos del mismo género ya habían sido enviados a su destino antes de la fecha del citado inventario.

Juan Cromberger, que alrededor de 1539 se asoció con Juan Pablos —nativo de Lombardía— para establecer la primera imprenta en la ciudad de México, obtuvo del virrey y del arzobispo de la Nueva España el privilegio exclusivo de vender «las cartillas y otros materiales impresos y libros de todas clases» a una ganancia neta de 100 por 100. Cuando murió en 1540, su viuda y sus hijos rogaron a Carlos V que les ampliara este monopolio a veinte años más; el emperador cedió, aunque disminuyendo el plazo a diez años, posiblemente a causa de las protestas de otros editores de Sevilla, que veían con envidia la posición privilegiada de los Cromberger en el próspero comercio de ultramar. [...]

El inventario de las existencias de libros que dejó Juan Cromberger a su muerte en 1540, es aun más impresionante que el de las propiedades de su padre, levantado once años atrás; no sólo ofrece una variedad mayor de obras de ficción sino que especifica un número mayor de títulos. Los derechos exclusivos de que gozaban ambos impresores hacen suponer que parte considerable de todos estos libros se destinaba al mercado colonial. De aquí que esta lista pueda servir como una indicación de las lecturas preferidas por los conquistadores y sus compañeros hacia mediados del siglo XVI; su significado crece si se considera en conjunción con los esfuerzos que hacía la Corona en la misma época para prohibir la exportación del «Amadís y sus similares» a las Indias. Una vez más se encuentra una prueba de que el apasionado gusto de los lectores de ultramar por la literatura ligera y el interés de los comerciantes en aprovecharse de ello, cooperaron para anular casi por completo la legislación prohibitiva, por más que ésta se reiterase. Según este extenso documento, y a juzgar por el número de ejemplares en existencia, los libros favoritos eran:

N.º de ejemplares	Títulos	N.º de ejemplares	Títulos
446	Amadís de Gaula	823	Doncella Teodor
1.017	Espejo de caballerías	409	Tablantes (Crónica de... Caballeros Tablante)
156	Palmerín		
10	Séptimos de Amadís (Lisuarte de Grecia)	730	Alexos
		377	Cid Ruy Díaz
171	Oncenos de Amadís (Crónica de Florisel de Niquea)	370	Siete Sabios (de Roma; o Grecia)
		281	Conde Fernán González

N.º de ejemplares	Títulos	N.º de ejemplares	Títulos
228	*Trapisondas (de Don Reynaldos)*	557	*Robertos (el Diablo)*
167	*Caballero de la Cruz*	194	*Flores y Blancaflor*
696	*Rey Canamor*	372	*Magalona (Libro de la linda Magalona)*
550	*Oliveros (Caballeros Oliveros de Castilla)*	800	*Troyanas (Crónica Troyana)*
325	*Celestina (Tragicomedia de Calisto y Melibea)*		

Para el tiempo de que se trata, este número de libros en existencia representa una cifra respetable, porque además había reservas de cantidades más reducidas de otros libros, y sugiere que existía una demanda más o menos constante de ellos. También hacen suponer que los embarques de libros hacia las colonias durante las dos décadas que siguieron a la conquista de la capital azteca, ascendieron a millares de volúmenes. Las pingües ganancias monetarias que este comercio producía, importaban a los libreros mucho más que el peligro de que «los indios y otros habitantes» de la América pudiesen confundir a los caballeros andantes con héroes históricos de carne y hueso, y las fabulosas hazañas inventadas con los milagros de los santos católicos. Así pues, desde un principio, libros serios y de ficción circularon por igual por las colonias del Nuevo Mundo: con razón se quejaba la Corona de la inobservancia de sus decretos prohibitorios.

RAFAEL LAPESA

ORÍGENES Y EXPANSIÓN DEL ESPAÑOL ATLÁNTICO

El término «español atlántico» fue acuñado por Diego Catalán en 1958 a raíz de que estudios míos, corroborados por otros de don Ramón Menéndez Pidal y de Catalán mismo, replantearan el proble-

Rafael Lapesa, «Orígenes y expansión del español atlántico», *Rábida*, 2 (Huelva, 1985), pp. 43-54 (43-44, 46-48, 50-52).

ma del andalucismo como factor decisivo en la formación del español de América. La nueva denominación fue un acierto, pues engloba el andaluz occidental, el canario y el español americano, tan diverso, pero con tantos caracteres comunes a los veinte países del Nuevo Continente donde hoy se habla. En el momento presente el español atlántico es la variedad más extendida de nuestra lengua: lo usa el 90 por 100 de los hispanohablantes. La proximidad del V Centenario del Descubrimiento invita a considerar cuáles fueron sus orígenes y cómo se produjo su expansión. Su génesis sólo se comprende como consecuencia del especial proceso de la Reconquista, la lenta recuperación del suelo peninsular para la civilización cristiana europea; y su expansión es fruto de otra enorme empresa, la de incorporar a esa misma civilización el Nuevo Mundo, el mundo americano.

El español atlántico es el resultado, último hasta la fecha, de la más que milenaria evolución seguida por el dialecto neolatino que a lo largo de los siglos VIII al X nació en la doble vertiente de la cordillera cántabra: al Norte, en la Trasmiera y probablemente en las Encartaciones vizcaínas; al Sur, en los valles del Alto Ebro y Alto Pisuerga, con la primitiva Castilla Vieja en el centro y con Álava y Campoo a uno y otro flanco.

En el año 804 Alfonso II el Casto concedía al obispo Juan tierras alavesas y del Norte hoy burgalés para que instalara su sede en Valpuesta; en 824 el conde castellano Nuño Núñez otorgaba fueros a los foramontanos que, procedentes del Campoo de Yuso, se habían aventurado a remontar las sierras y establecerse en el extremo septentrional de la actual provincia de Palencia, en Brañosera, «inter ossibus et venationes». Entre el bárbaro latín de los correspondientes documentos emergen formas romances que responden ya a la fonética del castellano incipiente, en cuya constitución confluyeron dos factores poderosos: la condición fronteriza de aquellas comarcas y la vecindad o convivencia con el vascuence.

Castilla, frontera oriental del reino asturiano, recibía con especial violencia y reiteración los ataques de las expediciones moras, que llegaban fácilmente allí siguiendo el curso del Ebro. [...] El vivir azaroso, impuesto por las aceifas y por las réplicas cristianas, fomentaba una actitud vital enérgica, improvisadora, rápida en la decisión; reclamaba una sociedad más pendiente de la urgencia inmediata que del pasado más igualitaria que la de las lejanas cortes ovetense o leonesa gustaba de poesía épica celebradora de proezas recientes y cercanas, cuyo ejemplo tensara los ánimos y su lenguaje —como aprendimos de Menéndez Pidal— se hizo también igualitario y progresivo, rebasando en su evolución las etapas en que se detenían los dialectos románicos aledaños —astur-leonés, navarro-aragonés y mozárabe— y haciendo suyos los·rasgos innovadores procedentes de ellos.

Por otra parte, en la repoblación de Castilla hubo de ser importantísimo el contingente vasco. [...] Al adstrato vasco se debe el que las nueve vocales del latín vulgar se redujeran a las cinco castellanas: el que el castellano sustituyese la /f/ inicial (y a veces la medial) latina por /h/ aspirada (/farina/ > /harina/) o la omitiese por completo (/arina/): el que pronunciara bilabial la /v/, confundiéndola con la /b/: el que no sonorizase las sibilantes que en otros dialectos románicos peninsulares lo hacían, etc.

En un principio el castellano hubo de ser un conjunto de hablas locales no reducidas a unidad; pero desde fines del siglo IX, Burgos, capital del condado había de absorber a los demás, fue el primer centro nivelador de lenguaje. Frente a la Castilla primitiva —cántabra y vascona— se asentó la Castilla burgalesa, la de Fernán González, Sancho II y el Cid. Burgos asumió y consolidó peculiaridades innovadoras de la Castilla primitiva. [...]

La nivelación lingüística no fue exclusiva de Castilla ni de la época de orígenes: cada avance de un romance norteño hacia el Sur fue acompañado por un proceso nivelador. La repoblación de las comarcas reconquistadas hacía confluir en ellas gentes de diversa procedencia, cuya mezcla fortaleció poco a poco los rasgos más generales y eliminó localismos. Veamos ahora las sucesivas nivelaciones acaecidas en el territorio castellano según se iba extendiendo hacia el Mediodía.

La reconquista de Toledo en 1085 trajo consigo una situación nueva. [Los mozárabes] eran muy numerosos, se sentían herederos de la doble tradición cultural hispano-goda y árabe, y hablaban un dialecto románico propio, vigoroso todavía. La castellanización del reino de Toledo fue lenta, gradual y con importantes concesiones; a lo largo del siglo XII y comienzos del XIII, madrileños, toledanos y alcarreños fueron abandonando las soluciones mozárabes *aradeiro, civeira, parello, muller, oitava, peitar*, y adoptando las burgalesas *aradero, civera, parejo* (= /parežo/), *mujer* (= /mužer/), *ochava, pechar*; pero de momento no aceptaron la reducción castellana de *-iello* a *-illo*, de modo que *Castiella, capiella, portiello, cuchiello*, etc., siguieron preferidos por la lengua escrita hasta muy avanzado el siglo XIV. La sustitución castellana de la *f* inicial por *h* tampoco prosperó en la escritura hasta más tarde aún, con predominio de la *f* hasta fines del siglo XV; y aunque entonces en Castilla la Vieja —salvo en la Montaña— la aspiración de esa *h* había desaparecido ya, se conservó en la pronunciación toledana hasta fines del siglo XVI. [...]

Pero, aparte de filtrar el castellano burgalés, el toledano conservó rasgos de segura o probable base mozárabe que habían de alcanzar amplio desarrollo en todo el español meridional: así, desde los siglos XII y XIII se documenta en Toledo, Madrid y Ocaña la confusión de -*r* y -*l* finales de sílaba o de palabra. [...] Desde los alrededores de 1400 se registran casos de yeísmo. [...] Por último, la caducidad de la -*s* implosiva se manifiesta en el siglo XII toledano con el «nolo digo» por «vos lo digo» del *Auto de los Reyes Magos*. [...]

El castellano de Toledo, menos radical que el de Burgos y más afín a las hablas mozárabes, se propagó a las comarcas reconquistadas por Castilla en los siglos XII y XIII: la Mancha, Cuenca, Plasencia, Trujillo y Medellín, Los Pedroches, Jaén y Murcia. Apoyado por la cancillería y escritos alfonsíes sentó la norma del lenguaje literario. El habla toledana, modelo del buen decir para Isabel la Católica, lo fue de la cortesanía en tiempo de Carlos V: los interlocutores de Juan de Valdés en el *Diálogo de la lengua* le reconocen autoridad «como hombre criado en el reyno de Toledo y en la corte de Spaña». Sin embargo, a pesar de su prestigio, la pronunciación toledana hubo de ceder nuevamente ante el empuje de la castellana vieja. La instalación de la corte en Madrid (1560-1562) bajo Felipe II provocó la afluencia de funcionarios y otros inmigrantes venidos de Valladolid, la Montaña, Vascongadas, Burgos, etc. Madrid se convirtió en un enclave de fonología norteña, con lo cual el uso cortesano se desvinculó del tradicional de Toledo; y éste, influido por el uso de la nueva corte, abandonó las peculiaridades que más lo separaban del castellano viejo. En tal victoria no intervinieron sólo factores histórico-sociales: al nuevo prestigio de la dicción septentrional, triunfadora en la corte, se añadió su mejor economía fonológica: eliminaba los elementos menos útiles del sistema fonológico y, al simplificarlo, le daba mayor claridad. Esa poda no sólo triunfó en Toledo: el ensordecimiento de las sibilantes sonoras y la igualación fonética de *b* y *v* se extendieron a todo el español del Sur peninsular, al de Canarias y al de América. La aspiración de la *h* se perdió en Castilla la Nueva, Murcia, Jaén y zonas andaluzas colindantes, pero subsistió en Extremadura, la mayor parte de Andalucía, Canarias, las Antillas, América Central, Colombia, Venezuela, y costas de algunos otros países del Nuevo Continente.

Esta revolución fonológica del siglo XVI se completó con la transformación de las antiguas sibilantes palatales *g* o *j*, que dejó de articularse como *j* francesa o portuguesa, y *x*, que dejó de sonar como *sh* inglesa; ambas pasaron a pronunciarse al fondo de la boca: como fricativa sorda velar /x/ (esto es, como la *j* actual de las dos Castillas, León, Navarra, Aragón, etc.), allí donde dejó de aspirarse la *h* procedente de *f*; donde esta aspiración se conservó con más pujanza, *g, j,* y *x* se convirtieron en *h* aspirada (*hente, muher, dehar*); y donde la aspiración procedente de *f* está en decadencia, es frecuente que se articule con la misma /x/ que *g, j* (*jierro, ajumar, jambre*). [...] La aspiración procedente de *f* latina se conserva también en el Este del leonés septentrional: hoy subsiste en el Occidente de la provincia de Santander; con más energía y regularidad en el Oriente de Asturias, hasta incluir los términos de Ribadesella y Cangas de Onís; y en el rincón Nordeste de León, los de Oseja de Sajambre y Cofiñal, hasta llegar al límite de conservación de la *f* cerca de Boñar. [...] Los testimonios literarios suplen a los documentales ventajosamente, y hacen pensar que hubo continuidad geográfica, de la aspiración desde el occidente montañés hasta el andaluz, aunque tal continuidad se rompiera por el influjo castellano, progresivamente contrario a la *h* aspirada. [...] Por la misma vía que la aspiración de la *h* han llegado al habla andaluza otros leonesismos: uno es el intercambio de *r* y *l* agrupadas con la consonante que las precede (*branco, abrandar, crima, diabro, groria, frauta, prato* «plato», etc., e inversamente *ablazar, blasero, reflán, vinagle, climen* «crimen», *plado* «prado»). El fenómeno, general en gallego, portugués y leonés, tiene amplia difusión en Andalucía. Su especial intensidad en Málaga, Sur de Córdoba, Granada y Occidente de Almería ha de atribuirse a la gran cantidad de leoneses y gallegos asentados allí para repoblar las tierras abandonadas tras la rebelión de los moriscos en 1568-70 y tras su expulsión en el siglo XVII. Como en leonés, es frecuente en andaluz la *d-* protética en los indefinidos *dalguno, dalguien* y en el verbo *dir*: y el léxico andaluz tiene en común con el Occidente peninsular vocablos como *esmorecerse* «desmayarse, trasponerse de ira», *tojo* «aulaga», *canga* «yunta» (en gallego «yugo», en asturiano «collar para el cuello de los animales» y con otras acepciones en Sayago y la Ribera salmantina), etc.

Meridionalismos como el *yeísmo*, la aspiración u omisión de las *-s* implosiva y la confusión de *r* y *l* finales de sílaba o de palabra, viejos en Toledo —según hemos visto—, dominan hoy en la mayor parte de Extremadura y en Andalucía, donde cuentan con testimonios antiguos. No es forzoso suponer que en andaluz sean resultado de importación, ya que en las tres regiones pudo operar el común rescoldo mozárabe. Aunque el fanatismo de almorávides y almohades había deportado o ahuyentado a gran parte de la población cristiana, ésta no había desaparecido por completo, ni su romance tampoco: el árabe granadino conservó multitud de mozarabismos y no faltan en el andaluz actual. Es de suponer que lo ocurrido en el vocabulario tuviese paralelo en la fonética. El caso del yeísmo es ilustrativo: el primer testimonio que conocemos de él en la Andalucía reconquistada es tardío, de 1492, año en que las actas del Ayuntamiento de Alcalá la Real (Jaén) figura un «Antonio *Ballo*», clara ultracorrección por «Bayo»; [...] y antes de 1539 Fernando Colón suministra el primer ejemplo conocido de consonante ensordecida por la aspiración de -*s* precedente, pues escribe *Sofoniſa* por «Sophonisba», como hoy se dice en todo el español meridional *reſalar* y la *ſotah* por «resbalar» y «las botas». En cambio no son tan antiguas como las toledanas las muestras andaluzas del intercambio entre -*r* y -*l* implosivas, pues no las hay —que sepamos— anteriores a un «abril los cimientos» de 1384-1392, Sevilla; después, el *Cancionero de Baena*, que contiene otros andalucismos, ofrece *arguarismos* por «alguarismos, cálculos» y *Guardarfaxara* por «Guadalhajara»; en un poema de Antón de Montoro surge «*solviendo* los vientos» por «sorbiendo»; y en el siglo XVI los ejemplos son muy abundantes.

Hasta aquí hemos visto rasgos lingüísticos del andaluz occidental procedentes del leonesismo de gran parte de los reconquistadores, y coincidencias o comunidad de caracteres andaluces con otras variedades del español meridional (toledano o castellano nuevo, extremeño y murciano). Nos queda por tratar la peculiaridad más llamativa del andaluz, la que más lo distingue de las otras variedades del castellano e incluso de las demás lenguas y dialectos románicos: me refiero a lo que hoy denominamos *ceceo* o *seseo* según matices de articulación y timbre, pero que en el siglo XVI, y aún en el XVIII, recibía con más propiedad los nombres de *ceceo* o *çeçeo* y de *zezeo*. Con más propiedad, sí, porque consistía en pronunciar la ese apicoalveolar sorda de *siento, sirio, grassa, priessa* como la c, ç predorsodental, sorda también, de *ciento, cirio, caça, liça*, y la apicoalveolar sonora de *coser, poso, risa* como la z predorsodental, asimismo sonora, de *cozer, pozo y ceniza*.

El punto de partida hubo de ser el aflojamiento de las antiguas afri- cadas dentales /ŝ/ (*ciento, caça*, etc.) y /ẑ/ (*cozer, pozo*, etc.), que se des- pojaron de su cierre inicial, convirtiéndose en fricativas: de este modo se asemejaron peligrosamente a las apicoalveolares, fricativas de origen, se confundieron con ellas y acabaron sustituyéndolas. En esta primera etapa la evolución de las sibilantes andaluzas fue la misma que tuvieron sus correspondientes en el portugués del Sur y del Centro, en judeo-español y en francés: el portugués —salvo el norteño hoy dialectal— pronuncia igual, con predorsal sorda, *cegar* y *segar*, *paço* y *passo*; pero con predorsal sonora *cozer* y *coser*, también equiparados. El judeo-español tiene para *sinkwenta* «cincuenta», *alkansar* y *mansevo* la misma articulación predorsal sorda que para *sin kwento*, *asar*, *enseñar*; y para *kozina*, *dezir*, *vezino*, la misma predorsal sonora de *kosir* «coser», *pezo* «peso», *bezar* «besar». El francés tampoco distingue la sibilante de *cent*, *cire*, *celle*, *grâce* de la de *saint*, *sire*, *selle*, *grasse*, ni la de *faisant*, voisin, raisin, raison de la de *baisant*, *prise*, *rose*, *écluse*, *église*; pero mantiene firme la oposición entre sorda y sonora, según evidencian *poisson* y *poison*, *rassurer* y *rasurer*, *russe* y *ruse*, *pousser* y *épouser*. Como se ve, hay completa coincidencia en reducir los cuatro fonemas sibilantes originarios eliminando los apicoalveolares y dejando solamente los dos dentales en posición bilateral de sordez o sonoridad. Pero el andaluz no se detuvo en esta primera reducción, sino que llevó a cabo otra nueva al participar del ensordecimiento de las sibilantes sonoras propagado desde el Norte peninsular: en efecto, no sólo el castellano viejo, sino todos los romances norteños, salvo el catalán, ensordecieron las sibilantes sonoras y mantuvieron la oposición entre la apicoalveolar /ŝ/ de *siento* y *casa*, y la apicointerdental /θ/ de *ciento* y *caza*. La extensión del ensordecimiento a Madrid, Toledo, Extremadura y Murcia no se limitó en Andalucía a los Pedroches, la mayor parte de Jaén y el Nordeste de Granada y Almería, sino que penetró también en las comarcas cercanas: de este modo la sibilante predorsodental sonora (/ẓ/) de *casa*, *lisa* (uva) *pasa*, «yo *oso dezir*», *vezino*, *plazer*, se convirtió en la correspondiente sorda /ṣ/, la misma de *caça*, *liça*, *pasar*, *osso* (< *ursus*), *crecer*, *hacina*, *plaça*. Los cuatro fonemas sibilantes primitivos quedaron reducidos a uno solo, /ṣ/, en el Oeste y Sur andaluces: la poda había sido radical. Sólo en el gallego de las zonas costeras se da algo semejante. [...]

A finales del siglo xv el andaluz tenía ya casi todas sus peculiaridades actuales: las heredadas de Castilla, Toledo y León; los meridionalismos de origen mozárabe comunes en Toledo, Extremadura y en gran parte de Murcia; y añadido, pujante y contagioso, el *ceceo-seseo*. Había nacido una variedad del castellano dotada de extraordinaria vitalidad.

En la Andalucía reconquistada, en la Castilla novísima, se repitió así lo ocurrido en la Castilla cántabra y burgalesa cinco siglos atrás:

la creación de nuevas formas de vida, de organización social, de mentalidad y de lenguaje, como consecuencia de la condición fronteriza. «Andalucía» era el nombre heredado del «Andalus» árabe, desdibujada reliquia del lejano embarque de los vándalos hacia las costas africanas. [Andalucía contaba con un centro urbano de potencia y prestigio singulares: Sevilla.] De Sevilla y Cádiz procedían los repobladores de Málaga y el Suroeste granadino; gentes del reino de Sevilla dieron cima a la conquista de las Islas Canarias; en La Rábida tomó cuerpo el proyecto de Colón, y de Palos salieron las carabelas que lo pusieron en obra. Tanto la afirmación individualista de la persona como el espíritu de aventura fomentaron en los andaluces el triunfo de las tendencias lingüísticas más innovadoras.

Mucho se ha discutido sobre el influjo andaluz en el español de América; pero aunque todas las regiones de España contribuyeron a la colonización, el contingente andaluz fue mayoritario en los primeros años del período antillano (1493-1508), al formarse el sedimento inicial de la sociedad colonial; después la emigración andaluza sumó el doble o triple que la de cualquiera de las regiones más aportadoras. Entre 1509 y 1579 más de la mitad de las mujeres que pasaron a Indias fueron andaluzas, y en su gran mayoría, sevillanas. En consecuencia, entre 1521 y 1539 se registran en Puerto Rico, México y Cuba *causión* «caución», *concejo* «consejo», *hasiendas, calsas, razo, sinquenta, curto* «surto» *oçequias* «obsequias, exequias», y otras muchas confusiones de eses y cedillas o zetas, abundantes en toda la América española desde mediados del siglo XVI. Lo mismo ocurre con el yeísmo (*ayá* «allá» «*hoyando* las tierras», *cogoio*); con el intercambio y pérdida de -*r* y -*l* implosivas (*Aznal* «Aznar», *mercadel*, servidó, *Guayaquí*, ultracorrecciones *Panamar,* «no puedo *olvidad*»); con la aspiración y omisión de -*s* («los *quale, démole, decanso, que tará* «que estará», *mimo* «mismo»); con la aspiración de *h, x* y *g, j* (*gecho* «hecho», *muher, rrehistro, mahestad, San Hosed*) y con la relajación de *g* y *d* intervocálicas (*ahua* «agua», *calsaos, perdío, to, deseá* «deseada»), más intensa en el Mediodía peninsular que en otras regiones de España.

La mayor parte de estos ejemplos corresponde a cartas de sevillanos incultos escritas entre 1549 y 1635 en lugares muy distanciados, desde el Norte de la Nueva España hasta Lima, Arequipa, El Cuzco y Potosí. Ahora bien: no todos los andalucismos atestiguados en tales misivas arraigaron después en las zonas americanas donde se escribieron: reflejan la expansión inicial de la pronunciación andaluza por toda la América hispana, pero no la consolidación de cada uno de sus rasgos. La distribución actual de ellos es, en cambio, resultado de afincamiento definitivo, con distinta proporción de colonos de las diversas procedencias en cada región, con mayor o menor influjo de las lenguas indígenas respectivas, y con diferentes condiciones de vida y cultura. De los andalucismos y meridionalismos españoles enumerados sólo el *seseo/ceceo* se ha generalizado en toda Hispanoamérica; el dominio del *yeísmo* es muy vasto, pero a lo largo de los Andes hay zonas discontinuas donde se distinguen *ll* e *y* por influjo de los adstratos quechua, aimara y araucano, lenguas poseedoras de *ll*; también hay distinción entre *ll* e *y* en el Nordeste argentino y en el Paraguay, sin duda porque el guaraní conserva la *ll* en las palabras españolas que ha adoptado. Los otros meridionalismos hispánicos se concentran en Nuevo México, Norte de México, las Antillas, litoral del Caribe, Centroamérica, zonas costeras del Pacífico y llanos del interior; la aspiración de la *-s* se extiende además por todo Chile y países del Río de la Plata. En las altiplanicies de México, Ecuador, Perú y Bolivia el habla se aproxima a la de Castilla mucho más que la de las costas y tierras bajas. De las diversas hipótesis que se han formulado para explicar estas diferencias, la más plausible es la de que andaluces y castellanos preferirían instalarse definitivamente donde la altura y el clima correspondieran mejor a las dos respectivas regiones españolas. De hecho, caracteres fonéticos y sintácticos de la sierra boliviana, del Norte argentino y del Paraguay se han relacionado con el origen castellano viejo o vasco de los primeros colonizadores.

El elemento andaluz no es, por lo tanto, único en la formación del español americano: su influjo en éste se ha visto refrenado por el de otras variedades del español peninsular. Pero ha sido factor principal, y su actividad no se limitó a los primeros tiempos de la colonización. Dos coincidencias posteriores inclinan a pensar así: no puede ser casual el hecho de que *vosotros* haya desaparecido prácticamente, sustituido por *ustedes,* en la Andalucía occidental, Canarias y toda Hispanoamérica, aunque ejemplos de vacilación entre ambos tratamientos surjan en escritores no andaluces del siglo XVII; ni tampoco parece fruto del azar el que las acentuaciones *háyamos, váyamos, téngamos, háyais, váyais, téngais,* etc., compartidas por el andaluz occidental con algunas hablas leonesas, se den con amplia extensión y arraigo en Canarias y América. El español atlántico no es, según vemos, uniforme;

pero sus numerosas variedades tienen unos cuantos rasgos comunes que los distinguen del español peninsular de otras regiones; y esos rasgos han tenido en la Andalucía occidental su punto de partida, con seguridad en unos casos, muy probablemente en otros.

José Pascual Buxó

LA VUELTA A GÓNGORA

Ya para 1931 los nuevos estudios de la obra de Góngora iban abriéndose paso en la «crítica oficial». En su *Ensayo de psicología de sor Juana Inés de la Cruz* [1931], Ezequiel Chávez adoptaba una posición ecléctica entre la reserva y el entusiasmo. Para Chávez, sor Juana, al escribir su *Primero sueño*, «se dejó arrastrar por el alambicamiento que durante largos años cundió a través de todas las tierras de habla castellana», pero a pesar de «las transposiciones no siempre felices» o las alusiones mitológicas que «para ser entendidas, requieren familiaridad con los recuerdos que intiman», encontraba también «originalidad y fuerza» en las expresiones más netamente gongorinas. Por otra parte, su acertado y profundo análisis del máximo poema sorjuaniano inició —quizá sin él proponérselo— las investigaciones serenas y cuidadosas de la literatura mexicana colonial.

Con todo, si antes, cuando se entendía el gongorismo como una aberración literaria y se pensaba que su influjo cristalizó en toda esa serie de composiciones y títulos extravagantes, los poetas novohispanos habían sido despreciados como un tumulto de infames versificadores, ahora, entendido Góngora como un estupendo poeta, un renovador de la poesía castellana y hasta como precursor de la poesía pura, los novohispanos nos son presentados como torpes o despistados imitadores del gran cordobés, y, a excepción de sor Juana, totalmente ayunos de su revolución estética.

Así, Ermilio Abreu Gómez, en una *Semblanza de sor Juana* [1938], llena también de apreciaciones atinadísimas, afirmó que los novohispanos tomaron las normas del gongorismo sólo «como ejemplos

José Pascual Buxó, *Góngora en la poesía novohispana*, Imprenta Universitaria, México, 1960, pp. 18-22.

realizados, carentes de sentido evolutivo», sin recordar que en España la certera visión de un poeta, Góngora, se congeló también en sus imitadores. No es —supongo— que los poetas mexicanos aceptasen las normas gongorinas «por capricho por disciplina» y «no por seducción estética»; es que esas normas, de haberse alterado en lo más mínimo, hubieran perdido su excepcional virtud, hubieran dejado de ser gongorinas; y el interés de esos poetas estaba precisamente en no dejar de serlo. No me parece, pues —como quiere Abreu Gómez— que «las causas que impulsan el movimiento barroco español, o no fueron percibidas en México, o no pudieron fijarse con inteligencia clara ni sus elementos históricos ni sus órdenes artísticos». Por el contrario, espero que podrá advertirse claramente cómo esos «órdenes artísticos» estuvieron siempre presentes.

Trabajando con un material desconocido por los historiadores que la precedieron; conociendo sin duda los trabajos de Thomas, Reyes y Alonso, Dorothy Schons [1939] llegó, sin embargo, a conclusiones insostenibles en su artículo sobre la influencia de Góngora en la literatura mexicana. Ningún poeta, salvo sor Juana —afirmaba Dorothy Schons—, imitó realmente la sintaxis gongorina. «A veces se encuentra el hipérbaton en Sigüenza y Góngora o en Ramírez de Vargas, pero no se halla por ninguna parte la asombrosa carencia de orden y de continuidad que son tan importantes en la forma de *Soledades*» (*sic*). «Los escritores mexicanos —proseguía— se limitaron a alguna ocasional inversión dentro de un verso, pero casi nunca lo extendieron a toda la estrofa.» Afirmaciones como la que precede resultan totalmente incongruentes desde el momento en que la propia investigadora cita textos, como éste de la *Primavera indiana* de Sigüenza y Góngora, en los que el hipérbaton no desaparece un solo momento: «Si merecí, Calíope, tu acento / de divino furor mi mente inspira, / y en acorde compás da a mi instrumento, / que de marfil canoro, a trompa aspira, / tu dictamen».

De la misma manera, suponía que los poetas mexicanos del siglo XVII «tampoco se preocuparon por atrapar y determinar la belleza real de su imaginería» (la de Góngora), y que «no apreciaron las relevantes cualidades estéticas de su obra». En fin, concluía su minucioso trabajo con la más sorprendente de las afirmaciones: la imitación de Góngora por parte de los novohispanos «se limitó a las exterioridades y nunca vino a ser parte integrante del pensamiento o del arte mexicano».

Muy otras son las conclusiones a que se llega después de una lectura atenta de la poesía mexicana del siglo XVII, que descubre una imitación muy minuciosa de todas aquellas peculiaridades lingüísticas y estéticas del gran poeta de las *Soledades*.

De todos conocida, la labor de Alfonso Méndez Plancarte como investigador erudito e historiador puntual es inapreciable. Sus ediciones y estudios de la poesía mexicana de los siglos XVI y XVII vinieron a descubrir —especialmente por lo que se refiere a este último siglo— un enorme caudal literario hasta hace muy poco enteramente ignorado. Es explicable, por tanto, que Méndez Plancarte, irritado por todos aquellos juicios gratuitos y absurdos, trazase un panorama exaltado de las letras coloniales y tuviera una visión «lúcida de optimismo glorioso» de una literatura que —para ser justos— se empleó con aterradora frecuencia en festejar los acontecimientos sociales del día, aunque no sea por ello necesariamente deleznable.

Partiendo de una moderna y más justa valoración del Barroco, Méndez Plancarte hizo suyas las opiniones de los más aventajados estudiosos de Góngora, especialmente las de Dámaso Alonso. Así, el poeta cordobés será comprendido como «la síntesis y la condensación intensificada de la lírica del Renacimiento» (Alonso) y su poesía difícil pero no ininteligible no tendrá en su raíz «ningún sádico gusto por lo tenebroso y lo retorcido», sino, más concretamente, «un delirio de perfecciones» (Alfonso Reyes) que precisa de una sintaxis latinizante para conseguir ese enriquecimiento de su lengua poética y esa excepcional armonía que lo convierte en «un gran poeta, con sutiles virtudes, muy modernas, que lo emparentan a un Mallarmé o al Valery de "Charmes"…».

Es cierto que, cuando juzga a esa multitud de poetas que le deben segunda vida, Méndez Plancarte suele ocultar piadosamente los defectos y ponderar muy amistosamente las cualidades; pero el hecho es que, gracias a él, la literatura novohispana ya no se reduce a unos cuantos poetas del *Triunfo parténico*, ya no es una cárcel de oscuridad y temores irracionales, sino un nutrido conjunto de habilísimos versificadores y, ¿por qué no?, también de poetas interesantes.

Claro que entre esa «muchedumbre de panegiristas» hay, como pudo decir Alfonso Reyes [1948], «mucha peluquería de la misma tijera», muchos certámenes de más valor histórico que literario, muchos arcos triunfales en los que abundan los lugares comunes y los elogios nada recatados, muchas glorias eclesiásticas y civiles, mucha ruidosa superficialidad. De acuerdo; pero aun hoy ese menosprecio ha impedido que sepamos a ciencia cierta cómo son gongorinos los novohispanos y hasta dónde llegaron en esa imitación.

LOS CULTISMOS GONGORINOS 77

Es verdad que ahora nadie habla de los imitadores gongorinos como de un tropel de locos o de necios, pero es el caso que nadie se ha preocupado tampoco por averiguar en qué reside la gracia o la desgracia de esa imitación; cuando más, parece que ésta se redujo a sacarle a Góngora los versos de su lugar, copiarle al pie de la letra sus expresiones más características, hacer las mismas alusiones mitológicas que le complacían o tomarle en préstamo —abaratándolas— sus metáforas sorprendentes. Tan es así, que aun en el mejor estudio sobre *El gongorismo en América*, Emilio Carilla [1946] suele limitarse a poner frente por frente versos de Góngora y de sus imitadores americanos para que se perciban las evidentes semejanzas de léxico o de tema, pero no se detiene, si no es que muy de pasada, a estudiar la influencia de Góngora en otros aspectos —los estilísticos— que revelarían mucho más que esa superficial semejanza: la absoluta comprensión de cada uno de sus recursos y tácticas fundamentales, de cada una de sus intenciones estéticas, y la correspondiente réplica en sus discípulos de ultramar.

Naturalmente que lo deseable no hubiese sido una imitación tan nimia, un pupilaje tan respetuoso y coartador; pero puesto que sólo algunos partieron de las enseñanzas del maestro para alzarse a una expresión auténtica en ellos y personal, quédales a los otros, a los «misacantanos de glorias eclesiásticas y civiles», el mérito de ser artífices habilísimos y no poetas dudosos o casuales; la fortuna de ser recordados precisamente por lo que supieron tomar de Góngora, y no la injusticia de ser despreciados por eso mismo.

Rosa Perelmuter Pérez

LOS CULTISMOS GONGORINOS

Cuando en 1960 José Pascual Buxó estudia los cultismos en la poesía novohispana del siglo XVII, lo hace a base de dos obras que juzga representativas: el *Triunfo parténico*, colección de composicio-

Rosa Perelmuter Pérez, *Noche intelectual: la oscuridad idiomática en el «Primero sueño»*, UNAM (Letras del siglo XVI al XVIII), México, 1982, pp. 44-49.

nes a cargo de Sigüenza y Góngora, y el *Primero sueño*. [...] Buxó
[1960, p. 26] apunta únicamente «algunos casos entresacados», explicando que una lista «habría resultado sustancialmente igual a las que
figuran en el libro de Dámaso Alonso» [*La lengua poética de Góngora*]. Sin embargo, nuestro estudio de las voces cultas en el *Primero
sueño* nos ha permitido confirmar que tal lista habría mostrado mayor
diversidad de la sospechada. En la silva sorjuanina solamente, hay más
de 600 cultismos que *no* figuran en las listas de Alonso. De los aproximadamente 200 que sí están en ellas, sólo poco más de la mitad proviene de la de «Vocablos cultos de la "Soledad Primera"», aunque, a
juzgar por lo que se ha dicho de la semejanza entre las silvas, se pen-
saría que el número sería más alto. Aun cotejando el léxico del poema
con el vocabulario gongorino en su totalidad, observamos que la correspondencia no es tan estrecha como se ha supuesto: casi 300 de los
cultismos empleados por sor Juana en su poema más «exageradamente
gongorino» nunca fueron utilizados por Góngora. Palabras como:

*abstraer, agregado, ambiente, ampo, anhelo, antipatía, aparatoso, aparente,
apetecer, apolíneo, apreciar, arterial, artificial, asilo, asociar, atemperar,
atropar, brecha, cálculo, cantidad, caos, carena, catálogo, categoría, céntrico, cerebro, certamen, científico, cíngulo, circular, circunscribir, circuns-
pecto, combinar, comprimir, confección, confederar, confinante, conglobar,
contagio, conticinio, craso, cuantidad, dimensión dimidiar, diminución,
distintivo, distribuir, diurno, diuturno, elación, elevación, empírico, ente,
entronizado, estatura, estimativa, excepción, excesivo, explicar* ('desplegar'), *exterior, fidelidad, flemático, gravoso, Harpócrates, hemistiquio, historiador, horroroso, húmedo* (sust.), *impeler, impuesto, inanimado, incu-
rrir, independiente, inmaterial, inmunidad, innato, inobediente, inordinado, insensiblemente, integrante, intelectivo, intencional, intercadente, línea,
longa, mansión, maternal, máxima, membrana, mensura, musculoso, Nic-
timene, nocivo, noticia, nutrimento, obstáculo, ornato, pautar, perenne,
perfeccionante, pernicioso, perspicaz, potestad, primogénito, pulmón, quilo,
racional, recto, recuperado, reducción, regio, respirante, serie, signífero,
silencioso, simetría, similitud, sublunar, substancia, sumiso, superficie, susurro, universo, vegetativo.*

son ajenas al vocabulario de Góngora.

La variada gama de palabras en este muestrario pone de manifiesto
la divergencia entre el vocabulario de sor Juana y el de Góngora: hay
términos de la escolástica (*categoría, ente, estimativa, inmaterial, integrante, intelectivo, perfeccionante*, etc.); tecnicismos cosmográficos y

geométricos (*céntrico, circular, circunscribir, confinante, conglobar, conticinio, cuantidad, dimensión, dimidiar, diurno, elevación, estatura, línea, recto, reducción, simetría, sublunar, superficie, universo*, etc.); términos de la música (*intercadente, longa, máxima, mensura, pautar*); de la medicina (*arterial, cerebro, científico, contagio, empírico, flemático, húmedo, membrana, musculoso, pulmón, quilo, respirante*); y otros de uso general (*ambiente, anhelo, aparente, apetecer, apreciar, exterior, mansión, susurro*, etc.).

Si bien no podemos decir [...] que el *PS* acaba por no tener casi nada que ver con Góngora (después de todo, más de 500 cultismos sí aparecen en sus obras), el estudio de los vocablos cultos nos permite comprobar que el poema no es ni «imitación servil» ni «extensa imitación» de Góngora, y que la presencia de cultismos en sí no demuestra la total dependencia de su modelo.

Poco más de 300 de los vocablos cultos en el *PS* son epítetos. De éstos, más de la tercera parte (111) no se encuentra en el léxico de Góngora. En cuanto a la repetición de epítetos, los típicamente gongorinos, o «identificativos de su estilo», como los llama Sobejano [1956], apenas figuran más de una vez en el poema. Por ejemplo, *canoro* o *purpúreo*, que se repiten siete y seis veces, respectivamente, en la *Soledad primera*, sólo aparecen una vez en el *PS*. Los adjetivos que aparecen más de tres veces son los siguientes (entre paréntesis indico la frecuencia con que figuran): *leve* (8), *claro* (7), *natural* (7), *dulce* (6), *inmenso* (6), *segundo* (6), *propio* (5), *vano* (5), *confuso* (4), *continuado* (4), *eminente* (4), *formado* (4), *funesto* (4), *humano* (4), *ignorado* (4), *luminoso* (4), *mental* (4), *opaco* (4), *pavoroso* (4), *tardo* (4), *último* (4). Según se puede apreciar, ninguno es lo suficientemente distintivo como para merecer el título de «archisorjuanino». Algunos pertenecen al acervo común de la lírica clásica o renacentista española (*leve, dulce, vano*, etc.); otros, aunque en la línea renacentista tradicional, fueron renovados por Góngora y pasaron a considerarse característicos de él (*claro, natural, eminente, tardo*, etc.).

Como era de esperar, los proverbiales esdrújulos, favoritos de Góngora, no habían de faltar. Más del 10 por 100 de los epítetos cultos en el poema son esdrújulos, pero sólo la mitad de éstos (18) forma parte del léxico gongorino: *atónito, bárbaro, bélico, cerúleo, cóncavo, dulcísimo, ebúrneo, esférico, húmedo, incógnito, lánguido, político, próvido, purpúreo, sacrílego, tímido, trémulo, último*. El resto es nuevo en sor Juana: *apolíneo, céntrico, científico, Elíseo, empírico, equívoco, evangélico, flemático, ínfimo, longísimo, mágico, ménfico, metafísico, mortífero, rápido, signífero, soporífero, súbito*. Como se podrá observar, son mayormente vocablos derivados de las ciencias (*céntrico, científico, empírico, equívoco, flemático*, etc.), de la mitología (*apolíneo, Elíseo, ménfico*), así como compuestos típicos de Mena (*mortífero, signífero, soporífero*).

Un buen número de los epítetos cultos (20) pertenece al grupo de palabras provenientes del latín con terminaciones *-alis, ales*, vocablos que resultaban muy novedosos en aquel momento. De hecho, 2/3 de estos adjetivos no se encuentran en Góngora. A continuación los enumero, indicando los que son ajenos a Góngora por medio de un asterisco: *arterial*, artificial*, celestial, corporal*, general*, inmaterial*, intelectual*, intencional*, manual, marcial*, material*, maternal*, mental, natural, piramidal*, racional*, temporal*, universal, visual*, vital*. También figuran prominentemente (cerca del 10 por 100) los adjetivos con terminaciones *-ans, antis; -ens, entis*, del participio de presente. De ellos, 12 no están en Góngora (también los he señalado por medio de un asterisco): *aparente*, arrogante, competente, confinante*, constante, diferente, diligente, distante, eminente, fragrante, fulminante, incesante*, independiente*, indicante*, inobediente*, inocente, insolente, integrante*, intercadente*, obediente, perfeccionante*, respirante*, resplandeciente, rutilante, transmontante*, transparente, tremolante, vacilante, ventilante*, vigilante*. A estos adjetivos deverbales se podrían añadir los numerosos participios pasivos empleados como adjetivos puros (24), de los cuales más de la tercera parte no se encuentra en el vocabulario gongorino: *continuado, dilatado, elevado, entronizado*, esclarecido, extenuado*, fatigado*, fingido, formado, ignorado, iluminado, inadvertido*, inanimado*, inordinado*, limitado*, plumado*, preciado, proporcionado, recuperado*, repetido, reportado, segregado*, suspendido, triplicado*.

La predilección de sor Juana por los participios adjetivales (tanto los de presente como los pasivos) sugiere la filiación del epíteto culto en el *PS* con el «epíteto conceptista», así llamado por Pozuelo Ivancos [1978] para distinguirlo de aquél manejado por Góngora. Una de las notas más características de la epítesis conceptista es, precisamente, el empleo sistemático del participio adjetival, que da cuenta del 25 por 100 de los epítetos en el poema. Esto, unido a las otras divergencias entre los epítetos cultos en la obra de Góngora y en el *Primero sueño,* desmiente una vez más esa «total adhesión» de sor Juana con respecto a su maestro.

Los diccionarios de Corominas, del todo punto indispensables para el presente trabajo, han sido y continúan siendo reseñados y actualizados, especialmente en el terreno de la documentación, a medida que se van estudiando los léxicos de autores medievales y renacentistas. La

«Pequeña adición» de Colin Smith [1959] nace a raíz de un estudio del vocabulario de Góngora; los «Aggiunte» y las «Nuevas adiciones» de Macrí [1956] se desprenden de su interés por la lengua de Herrera. [...] Como resultado de este estudio del léxico del *Primero sueño* también han salido a relucir ciertas adiciones (vocablos que no han tenido entrada en el *Breve diccionario etimológico de la lengua castellana* ni en el *Diccionario crítico etimológico*) y correcciones (adelantos en la fecha de entrada), que podrán verse discutidas en detalle a lo largo de la lista. A continuación enumero algunos de estos artículos para verlos de conjunto:

1. Adiciones: *desatento, inadvertido, inobediente, inordinado, instable, invisible, maquinosa, perfeccionante, rectriz, refleja* (sust.), *sublunar, transmontante, undoso, ventilante*.

2. Adelantos:

a. Palabras ya presentes en *PS*, o sea aproximadamente 1688 (la fecha de entrada según Corominas va entre paréntesis): *asociar* (1726), *atemperar* (princ. s. xviii), *dimidiar* (s. xviii), *horroroso* (1702), *impuesto* (siglo xviii), *intencional* (1923), *perspicaz* (1737), *trasuntar* (1739).

b. Palabras cuya documentación se puede antedatar (primero va la fecha según Corominas; luego la del testimonio que la adelanta): *acción* (h. 1490; ya h. 1250), *antípoda* (med. s. xv; ya med. s. xiii), *elación* (1636; ya h. 1441), *inculcar* (1639; ya 1604), *indicar* (1693; ya princ. s. xvii), *material* / sust. / (1633; ya 1613), *neutralidad* (1640; ya 1604), *obelisco* (1624; ya 1499), *obstáculo* (1607; ya 1604), *opaco* (1515; ya 1490), *panteón* (1611; ya s. xvi), *pernicioso* (1611; ya 1590), *político* / adj. / (2.º cuarto s. xv; ya s. xiii), *preciso* (1574; ya 1562), *pretexto* (princ. s. xvii; ya 1580), *próvido* (s. xviii; ya 1590), *resistencia* (h. 1525; ya h. 1440), *sacro* (h. 1440; ya fines s. xiv), *sirte* (h. 1435; ya 1425), *triaca* (s. xvi; ya 1251), *último* (h. 1440; ya 1279), *vario* (h. 1440; ya fines s. xiv), *vigilante* (h. 1580; ya 1490), *vulgo* (2.º cuarto s. xv; ya fines s. xiii).

Ignacio Osorio Romero

LA RETÓRICA EN NUEVA ESPAÑA

La enseñanza de la retórica en los primeros tiempos, al inicio del segundo cuarto del siglo XVI, debió reflejar en la colonia las luces y las sombras de la contradictoria realidad española del momento. Su enseñanza estuvo a cargo de las órdenes religiosas que educaban a los novicios en sus conventos y, principalmente, de los franciscanos que sustentaban el Colegio de Santa Cruz de Tlatelolco (6-I-1536) para niños indígenas. En él, el primer maestro de retórica fue fray Juan de Gaona, alumno distinguido de la Universidad de París y brillante maestro de las de Burgos y Valladolid. No es el momento de hacer el recuento que el magisterio de éste y otros frailes produjo entre los indios. Baste sólo mencionar, como ejemplo de ellos, a Antonio Valeriano, «uno de los mejores latinos y retóricos ... que parecía un Cicerón o Quintiliano». La teoría retórica que enseñaron debió oscilar entre la tradición y la ruptura, pues la influencia de Erasmo entre los frailes de los primeros tiempos, especialmente entre los franciscanos, fue grande. Además, muchos de ellos provenían de los conventos de Alcalá y Salamanca que participaban de las inquietudes de estas universidades.

Al abrir sus puertas la Real y Pontificia Universidad de México, en 1553, inauguró la cátedra de retórica un maestro ávido de fortuna que había enseñado la misma materia en la Universidad de Osuna: Francisco Cervantes de Salazar. El más renacentista, quizá, de nuestros conquistadores. Su mayor timbre de gloria será haber sido discípulo de Luis Vives y haber reeditado, en 1554, año en que «el Brocense» principió su docencia en Salamanca, para uso de sus alumnos novohispanos, las *Excertitationes linguae latinae* del valenciano, acompañando la edición con siete diálogos más escritos por su propia mano.

La edición de Vives en Nueva España habla, ciertamente, del pensamiento renacentista de Cervantes; no es ésta, sin embargo, la primera ocasión que lo manifiesta. Años antes, todavía en España, tradujo al español y publicó la *Introductio ad sapientiam* (Sevilla, 1544)

Ignacio Osorio Romero, «La retórica en Nueva España», *Dispositio*, 22-23 (1983), pp. 65-86.

del mismo Vives; dos años después la reeditó (Alcalá, 1546) junto con una glosa del *Apólogo de la ociosidad y el trabajo* de Luis Mejía y el *Diálogo de la dignidad del hombre*, al que añadió «más de dos tantos», de Fernán Pérez de Oliva. Las *Exercitationes linguae latinae* (primera edición en 1538), que ahora Cervantes anotó y editó, es un manual de conversación latina para uso de los estudiantes que estaban obligados a hablarlo a todas horas. El texto, sin embargo, tiene su miga: Erasmo había publicado unos *Colloquia familiaria* (Basilea, 1518) con el mismo fin. La obra resultó una importante sátira a las costumbres de la época; principalmente de los eclesiásticos. En ella dialogan libremente hombres, mujeres y monjes de todas condiciones sobre los problemas de su tiempo. Vives, espíritu más ortodoxo, la recomendó frecuentemente; pero siempre consideró que debía leerse selectivamente. Al fin, puso mano a estos diálogos que, menos heterodoxos, paulatinamente sustituyeron a los *Colloquia* de Erasmo en los dominios españoles. Así pues, la obra que editó Cervantes, aunque manifiesta a las claras su filiación renacentista, se sitúa, sin embargo, en la vertiente española del humanismo.

La catástrofe demográfica que sufrieron los indios y el aumento de la población española invirtió, al iniciarse el último cuarto del siglo XVI, la orientación y el sentido de la educación novohispana. El indio fue marginado. En fecha relativamente temprana, en 1554, por ejemplo, para Cervantes de Salazar el problema del indio no existe; sólo es un elemento folklórico en el mundo español de sus *Diálogos*. Al fracasar el Colegio de Santa Cruz de Tlatelolco, o por ello mismo, estuvo negado el ingreso del indígena a la educación. La universidad fue ya un primer indicio; nació con el fin de solucionar el problema educativo de la juventud criolla; aunque sus estatutos, por lo menos teóricamente, no impedían el ingreso de indios y mestizos.

Hay datos para suponer, sin embargo, que esta aparente «democracia» no gustó del todo a la aristocracia colonial. Aún más, procuraron la instalación de colegios de la Compañía de Jesús. El sentido cultural aristocratizante de éstos, en especial de sus actos escolares, y del uso exclusivo del latín en la enseñanza, llenaba sus aspiraciones. En 1572 llegaron a la ciudad de México los jesuitas. A poco fundaron su primer colegio, el Máximo de San Pedro y San Pablo (1574). En los años siguientes fueron instalando otros en las ciudades más importantes del virreinato. En 1599 Gonzalo Gómez de Cervantes juzga, no sin cierta ironía, los 27 años de labor jesuítica transcurridos: «han recogido y recogen allí (en los colegios) todos los hijos de vecinos de esta tierra, de que resultan muy notables daños, como es encarecer las colegiaturas y subillas todos los años y tener por pupilos los hijos de Oidores, Regidores, Caballeros, Oficiales bajos y altos; con que no tiene dificultad cosa a que se opongan, y aunque otras Religiones han pretendido poner colegios, se lo han contradicho, y así tienen grandes rentas de esto y la Ciencia se da por estanco».

Y no sólo se opusieron a otras órdenes. También orillaron a la universidad a cerrar la cátedra de Gramática. En 1776, año de su expulsión, 195 años después de su arribo, contaban con 30 colegios y monopolizaban, prácticamente, la enseñanza del latín en Nueva España. Esta política no era nueva ni exclusiva. La aplicaron lo mismo en América que en Europa. Por eso su influencia caló tan hondo. Fueron ellos quienes educaron el gusto literario de la capa ilustrada novohispana.

Derrotada en España la corriente renovadora, la retórica recupera el *mos maiorum* y la aceptación acrítica de la doctrina tradicional. De ahí el papel que los jesuitas asignan a las humanidades en la perspectiva de su ideal educativo: el fin de las humanidades es formar al estudiante en la elocuencia; pero ésta, a su vez, constituye para ellos el ideal de la cultura intelectual. Las humanidades proporcionan al hombre, por tanto, una cultura ideal. Pero, nosotros nos preguntamos ¿qué proponen en el campo de la retórica esta cultura y estas humanidades así entendidas? La respuesta es evidente: pensar como Aristóteles y hablar como Cicerón. El Concilio de Trento, en la predicación, y los jesuitas, en la docencia, serán sus principales promotores.

El método y el contenido de la enseñanza jesuítica estuvieron determinados desde Europa por la *Ratio studiorum* (1599); la inmensa mayoría de los textos fueron importados del Viejo Mundo. Naturalmente no fueron otros que los empleados por la Compañía en sus escuelas europeas: Cipriano Suárez (1524-1593), Bartolomé Bravo (1554-1607), Francisco Pomey (1618-1673), Miguel Radau (1617-1689), José de Jouvancy (1643-1719), Gabriel Francisco Le Jay (1657-1737), etc.

El método fue excelente: desterrar el verbalismo y, en cambio, poner énfasis en la práctica, en la redacción y en el comentario de textos. En estos ejercicios muchos de los mejores escritores de nuestro idioma adquirieron oficio y aprendieron a pulir el estilo. Para dar una idea de los ejercicios extraescolares a que eran sometidos los estudiantes reproduciré un punto del informe que, a sólo tres años de distancia del colegio de San Pedro y San Pablo, daba Vicente Lanuchi:

En este año cada ocho días los retóricos practicaron con destreza admirada por los oyentes y los alumnos o poemas panegíricos escritos sin ayuda, o algún discurso por ellos mismos compuesto para la fiesta de algún santo. Cada dos meses (principalmente en el tiempo en el cual se interrumpen las clases) dos oradores, con un tema o cuestión propuesto por otro, acostumbraron que elegante y elocuentemente uno y otro se ejercitara en la declamación o alabando o vituperando, o persuadiendo o disuadiendo; en fin, o acusando o defendiendo; después quien hacía de justísimo juez sobre el asunto propuesto y tratado, desde un lugar muy adornado y elevado del gimnasio, dictaba la sentencia; de la misma manera, el mismo día se levantaban a continuación dos elegantísimos poetas que recitaban a tantos doctísimos varones presentes sus panegíricos escritos de su propia inspiración a la vida del santo que casualmente en ese día se celebraba.

Los temas propuestos podían ser del tenor siguiente: la muerte, el palacio y la rusticidad; el hombre, los cinco sentidos y las virtudes teologales; la elocuencia, el campo y la guerra, etc.

Durante el siglo XVI los jesuitas novohispanos se propusieron un interesante plan de ediciones que tendía a satisfacer las necesidades de las diferentes disciplinas que enseñaban. Lo presentaron al virrey Martín Enríquez, quien lo aprobó en 1577. En él se contemplaba, con miras a la retórica, la edición de obras de Luis Vives, Lorenzo Valla (1407-1457), Andrés Alciato (1492-1550), Cicerón y otros autores clásicos. Sólo parcialmente, sin embargo, se pudo cumplir. Quizá su incumplimiento se haya debido a la inestabilidad en los programas, la cual surgía de la indefinición de la *Ratio studiorum* anterior a 1599, o las dificultades de impresión en la Nueva España. Sin embargo, los alumnos de retórica pudieron hacer uso de los *Emblemas* (1577) de Alciato y de las *Tristes* (1577) de Ovidio salidas de las prensas de Antonio Ricardo.

Durante este mismo siglo, algún jesuita, cuyo nombre ignoro, pero que fue, sin duda, maestro de retórica en el Colegio de San Pedro y San Pablo, escribió un *In totius Rhetoricae libros* (Biblioteca Nacional de México, manuscrito número 1631), hasta ahora inédito, pero que merece mejor suerte. El texto, basado en Aristóteles, Cicerón y Cipriano Suárez, trata toda la materia de la retórica; a mi juicio, es la exposición más metódica de la retórica tradicional que se haya escrito en la Nueva España. Por esta época Pedro Flores (s. XVI-s. XVII), también maestro de retórica en San Pedro y San Pablo, escribió un *De arte Rhetorica libri duo,* por desgracia perdido. No ha faltado a algunos la tentación de atribuir a Flores el trabajo anónimo de la Biblioteca Nacional a que antes nos hemos referido, pero Beristáin [1883] es muy claro al señalar que el tratado de Flores consta de *libri duo* y el de la Nacional tiene tres.

En 1569 apareció en Sevilla la primera edición del *De arte Rhetorica libri tres, ex Cicerone et Quintiliano praecipue deprompti* de Cipriano Suárez. La obra sobresale entre los otros textos jesuíticos por el orden en la exposición y el excelente resumen de los preceptos clásicos. La Compañía, de inmediato, la convirtió en texto oficial para la clase de retórica y así lo señaló en la *Ratio studiorum.* Amparado en esta autoridad el libro logró gran difusión e innumerables reediciones. En la Nueva España su influencia fue grande tanto en las aulas como entre los escritores. Además de incontables ediciones europeas que circularon en los colegios de estas tierras, apareció un compendio de la obra que tuvo cuatro reediciones: 1604, 1620, 1693 y 1756. El compilador fue el célebre Bernardino de Llanos (1559-1639), promotor y organizador de los estudios literarios de la Compañía en México. La primera vez que lo incluyó fue en una antología de textos de retórica, titulada *Illustrium autorum collectanea* (México, 1604), espigados de diversos autores europeos. Ahí reunió, además del de Suárez, dos textos del también jesuita español Bartolomé Bravo: *Liber de conscribendis epistolis* (primera edición: Segovia, 1591) y *De optimo genere poematis* que es el «Liber secundus» del *Liber de arte poetica* (primera edición: Medina del Campo, 1596); también incluyó unos ejercicios retóricos, titulados *Progymnasmata* (primera edición: Zaragoza, 1596), del célebre retórico y helenista valenciano Pedro Juan Núñez (1525-1602); por último, añadió el *De recta latini sermonis structura et ordine* del francés Francisco Silvio (? -1530). Como es evidente, la compilación comprende casi toda la temática desarrollada en la clase de retórica y los textos incluidos fueron tomados de publicaciones europeas muy recientes. Por ello fue muy bien recibida por los colegiales novohispanos; volvió a reeditarse en 1620; pero en esta segunda edición Llanos suprimió el opúsculo de Francisco Silvio.

Tomás González (1598-1659), quien duró más de 29 años como maestro de latín en el Colegio de San Pedro y San Pablo, fue el sucesor de Llanos como animador de los estudios literarios; incluso modificó y reeditó algunas de sus obras. También escribió otras originales. Entre estas últimas se encuentra un tratado de retórica que con el nombre *De arte Rhetorica libri tres* apareció en México en 1646. Tres reediciones, en 1652, 1683 y 1714, hablan de su éxito. González, sin embargo, consideró que debía escribir un compendio más al alcance de los estudiantes en el que, a la manera jesuítica, éstos encontraran ordenadas las reglas de la materia. En el mismo año de 1646 publicó, también en México, una *Summa totius Rhetoricae* que reeditó en 1653.

Más de cien años pasaron, la segunda mitad del siglo XVII y la primera del XVIII, para que volviera a aparecer otra obra de retórica en Nueva España. Este hecho nos permite insistir en el tremendo inmovilismo de la teoría retórica en manos de los jesuitas. Mientras tanto, los estudiantes recurrieron a las obras de González cuyas reediciones hemos señalado o a los autores jesuíticos cuyas obras eran importadas. Se editó, también, por cinco veces —1711, 1715, 1726 y dos sin año en la portada— un extracto, el que trata de la definición de la retórica y de sus partes, del *Novus candidatus Rhetoricae* del jesuita francés Francisco Pomey (1618-1673).

Hasta 1753 no vuelve a aparecer otra obra sobre retórica en que puso mano un novohispano. Cierto que no es una obra original; pero el texto fue ampliamente modificado para esta edición. Se trata del *De arte Rhetorica* (primera edición: Palermo, 1725) del jesuita siciliano Pedro María Latorre (1691-1724). José Mariano Vallarta (1719-1790) fue el novohispano que la modificó: le añadió la teoría poética y reestructuró la parte retórica. Con el título *De arte Rhetorica et poetica institutiones* (México, 1753) la imprimió en las prensas del Colegio de San Ildefonso de la Ciudad de México. El influjo de la obra duró algún tiempo. José Toribio Medina escribe que Vallarta publicó la obra por vez primera el año de 1735; pero ninguna constancia aporta. En cambio, conocemos la reedición que en 1784 Vallarta hizo en la ciudad de Bolonia, donde se encontraba desterrado. Pedro Rodríguez de Arizpe (1715- ?), profesor de retórica en el Seminario Conciliar de México, perteneciente a ese gran número de intelectuales medios, ni muy brillantes ni excepcionales, pero cuyo trabajo fundamentó el ambiente cultural novohispano, vio en la obra de Vallarta un excelente auxiliar para las clases y, a su vez, le compendió en un *Artis Rheto-*

ricae syntagma (México, 1761). Por último, ya en el siglo xix, pocos
años antes de consumarse la independencia, pero ya en la guerra contra la Corona, el franciscano Ignacio del Castillo, maestro de latín en
el convento de Tehuacán, publicó unos *Elementos de retórica* (México, 1812).

2. NARRACIONES HISTÓRICAS DEL DESCUBRIMIENTO, CONQUISTA Y COLONIZACIÓN DE AMÉRICA

Las narraciones históricas —diarios, cartas, crónicas, historias generales y particulares, historias naturales, etc.— con que comienza la literatura hispanoamericana le prestan cuerpo a lo largo de los tres siglos coloniales. En sí mismas representan un fenómeno único por su importancia, sus dimensiones y la variada riqueza de sus géneros y de sus manifestaciones individuales. En ellas queda representado el origen del Nuevo Mundo y la forma que adquiere a los ojos de Europa, y, luego, el entero curso de su historia. Sus autores fueron españoles y extranjeros, que escribieron en su lengua o en latín, habiendo estado o no en el Nuevo Mundo. Luego, escribieron criollos, mestizos e indios. La historia general aspiró a la síntesis acumulativa del enorme proceso; la historia particular se diversificó de acuerdo a las regiones, para constituir una crónica mexicana, peruana, neogranadina y chilena, entre las provistas de mayor continuidad; y se modificó en el tiempo de acuerdo al desarrollo del descubrimiento y conquista y a la colonización, presentando variantes significativas en cada uno de los tres siglos coloniales. Los diversos aspectos de esta literatura condicionarán la visión ulterior de América con rasgos que proyectan sus consecuencias hasta nuestros días. Seglares y religiosos escribieron obras que, aparte de interesar a la historia y a la literatura, han resultado reveladoras para la moderna antropología y en cierta medida su anticipación como disciplina.

Las formas hispánicas tradicionales de estas narraciones históricas experimentan modificaciones significativas cuando se aplican a la representación de los asuntos americanos, alterando el canon clásico y admitiendo como protagonistas de la fama al individuo, noble o no, y al grupo de soldados, y no ya, o no solamente, a la figura regia, en la narración de asuntos hispánicos. En la narración de las antigüedades de los indios, la ordenación del relato conforme a la serie de gobernantes se muestra como indicio de la crónica tradicional frente a la innovación del contenido de la fama. Unos y otros asuntos determinaron un efecto moderador sobre la prosa del período, dominada por la fantasía y la artificiosidad del lenguaje de las novelas de caballerías (véase Menéndez Pidal [1940]).

Entre los objetivos de esta literatura histórica pueden señalarse varios propósitos convergentes. Por una parte respondían, en obediencia a capitulaciones, cédulas reales, instrucciones o memoriales, a quienes les ordenaban informar sobre los descubrimientos y conquistas, con variado énfasis: desde el deseo personal, expreso y puntual, hasta el elaborado cuestionario oficial. Servían también a la narración de los propios hechos y a la descripción del mundo explorado y conquistado, como contribución al servicio del príncipe y a la grandeza del imperio. En este sentido, esta literatura adquiere el carácter de una «probanza» de méritos y servicios. Su valor histórico quedaba fundamentalmente acreditado por la experiencia de lo «visto y vivido» —adtestatio rei visae—, frente a la obra de elaboración retórica y de fuentes literarias o escritas. No es el propósito menor de estas obras el conservar para la fama la gloria de los protagonistas o los grandes hechos españoles. El perseguir esta perduración a través de la lengua española es otro de los objetivos que afecta a todo el conjunto de estas obras. Finalmente, conocer el secreto de los indios averiguando y perfeccionando el conocimiento de su historia y de sus creencias, está también entre estos objetivos. En su conjunto, esta literatura histórica presenta finalidades cognoscitivas y utilitarias íntimamente confundidas.

Entre los contenidos de las narraciones históricas, el descubrimiento prolonga una actitud admirativa ante la novedad y extrañeza del Nuevo Mundo, acompañada de cierta impotencia expresiva —en el fondo: una manera de ponderación entre los tópicos de la alabanza—, que disminuye gradualmente a medida que desaparece la curiosidad y se completa la exploración de los territorios. Por su parte, la conquista comunica aliento heroico a la narración de encuentros y batallas, en la que la exageración épica aparece como un dato de la realidad efectiva. El contenido apologético ordena la visión del mundo con el fin de hacer coherente la comprensión del Nuevo Mundo con un providencialismo sistemático. La historia se ordena en momentos históricos sometidos a un gradualismo que despliega diversos esquemas: primera edad, comprendida como edad dorada o como edad ferina, la tercera edad, el cuarto reino, el milenio, la translatio imperii. Todos estos contenidos se alteran con el tiempo perdiendo su carácter inicial y modificándose en direcciones nuevas durante el siglo XVII. Una vez perdidos los énfasis admirativos y épicos, dominarán los contenidos particulares de sucesos anecdóticos y novelescos y aumentará el énfasis apologético con una intensa moralización retórica deliberativa. El valor documental de las obras históricas y la consideración de los aspectos enumerados ocupa el interés de los investigadores al lado de la estimación de las cualidades estético-literarias. Por una parte se presenta como la convergencia de planos diversos de análisis: lo estrictamente histórico y lo retórico u ornamental que afecta, con variada intensidad, a todo el conjunto y caracteriza la historiografía de la época. Por otra, suele inducir a un concepto relajado de la disciplina histórica y a la convicción de que los criterios de verdad están modificados en ella, como una característica de la historiografía hispanoamericana, cuando no se aplican parcialmente al uso retórico de ciertos relatos incluidos por razones de composición, o de entretenimiento o edificación moral, como a los aspectos literarios de los que hay que tratar.

En lo que sigue se incluye la literatura histórica de los siglos XVI y XVII. En el capítulo sobre el siglo XVIII de este volumen (véase capítulo 9) se podrá ver la extensión de esta literatura hasta ese siglo. Se describen aquí las manifestaciones de la crónica y otros géneros del Renacimiento y del Barroco, correspondientes a la historiografía indiana del Siglo de Oro. La figura principal de esta historiografía la estudiamos en capítulo aparte (véase capítulo 3: el Inca Garcilaso de la Vega). La situación actual de esta literatura presenta todavía los problemas inherentes a la existencia de manuscritos inéditos y de conocida importancia, a la falta de ediciones críticas, a la inexistencia de estudios que contribuyan a la crítica textual y mejoren nuestro conocimiento de las obras. Muchos de los textos que componen este corpus han sido editados modernamente, mucho después de su fecha original de redacción. Otros, aunque editados en el siglo pasado, fueron extensamente conocidos en sus manuscritos originales o en copias o versiones.

Las fuentes de información sobre la historiografía indiana han sido ordenadas por Sánchez Alonso [1919], quien ha hecho también la historia de la disciplina [1952] dando un lugar de relieve a la crónica indiana. Ya Fueter [1965] le había dado un lugar de importancia en la historiografía moderna. Guías útiles son las de Keniston [1920], Moses [1922] y, más recientemente, Wilgus [1975]. La obra de conjunto más extensa y elaborada es la de Esteve Barba [1964]. Entre las publicaciones periódicas que proporcionan información bibliográfica razonada y estudios pueden consultarse el *Handbook of Latin American Studies* (a partir de 1930) y la *Historia y Bibliografía Indianistas* (a partir de 1954). Entre los estudiosos que proporcionan visiones de conjunto debe mencionarse a Iglesia [1944] y las diversas compilaciones dirigidas por él: *Estudios de historiografía de la Nueva España* (México, 1945) y *Estudios de historia de América* (México, 1948). Ciertos temas en particular han merecido la atención preferente de los especialistas. Arnoldsson [1965], Phelan [1970], Baudot [1977], Góngora [1975, 1980] estudian diversos capítulos de historia de las ideas referentes a la periodización. Frankl [1963] traza la confluencia de concepciones de la realidad y de verdad en la historiografía del siglo XVI. El impacto del descubrimiento sobre el mundo europeo es estudiado por Elliott [1972]. La visión de los vencidos tiene en León Portilla [1964, 1966] y en Wachtel [1971] un tratamiento tan nuevo como riguroso. Leonard [1953] y Durand [1953] han actualizado con nuevos datos la comprensión del conquistador y de su transformación social. La imagen del indio en la crónica indiana es el objeto de estudio de J. Z. Vázquez [1962]. Schevill Bonilla [1943], Cioranescu [1966], Hernández Sánchez-Barba [1960], Gilman [1961] han volcado su interés sobre las relaciones entre libros de caballería y crónica indiana. Nuevos enfoques a la luz de la teoría del texto han sido desarrollados por Mignolo [1981, 1982], con una visión de conjunto, y por Pupo-Walker [1982], desde las dimensiones literarias o imaginativas de la historia. Chang-Rodríguez [1982], desde el punto de vista de la historia contestataria, y, más recientemente, Pastor [1983]. Un novedoso estudio hace Todorov [1982] desde el punto de vista de la hermenéutica y el conocimiento del otro. Entre las compilaciones de estudios son de interés los recogidos por Chang-Rodríguez [1975].

Dentro de la gigantesca historiografía hispanoamericana, los investigadores han prestado atención especial a ciertos autores y se han concentrado principalmente en el siglo XVI. Esta época reúne junto con la novedad y la riqueza de los asuntos el mayor número de individuos y de obras de excepcional importancia. La primera de esas personalidades es la de Cristóbal Colón (1451-1506). Su *Diario de navegación* es el primer monumento de la literatura hispanoamericana, el texto que marca la generación de la rama americana que se separa del tronco español y la apertura gradual a la extrañeza del Nuevo Mundo y a la apropiación de la realidad por el lenguaje. Su texto perdido se conoce solamente por la versión del padre Las Casas en su *Historia de las Indias*. De la *Carta* del primer viaje a Luis de Santángel (Talleres de Pedro Posa, Barcelona, 1493), con una segunda edición en español (Valladolid, 1497), hubo varias ediciones en latín, de la traducción de Leander del Cosco, en 1493: en Barcelona (3), Amberes, Basilea, París (3), y una en 1494, en Basilea. Traducida al italiano por Giuliano Dati, en la forma de un *poemetto* en octava rima, tuvo tres ediciones, una en Roma y dos en Florencia. Con estas traducciones el mundo europeo tomó conciencia del descubrimiento de las Indias. De la carta del segundo viaje (1594) se conserva un manuscrito y la transcripción de Las Casas de la carta del tercer viaje (1498). Del cuarto viaje (Jamaica, 7 de julio de 1503) se conserva una copia y la versión italiana conocida como *Lettera rarissima*. Para los escritos de Colón son importantes la colección de viajes de Fernández Navarrete y la fundamental *Raccolta* de C. de Lollis, así como las ya mencionadas versiones de Las Casas. Hoy en día se cuenta con una edición popular de los textos colombinos preparada por Varela [1982], con excelente prólogo y cuidadosa crítica textual. Del

Diario hay las ediciones de Arce (A. Tallone, Alpignano, 1971) y de Alvar (Cabildo Insular de Gran Canaria, Las Palmas, 1976). La edición de Sanz (Madrid, 1962) trae reproducción facsimilar y transcripción del texto del padre Las Casas. El mismo Sanz ha reunido en un cuaderno las diecisiete ediciones de la *Carta* del primer viaje en reproducción facsimilar. Los estudios biográficos y de conjunto sobre Colón tienen su tratamiento más moderno en Morison [1945], Ballesteros Beretta [1945], E. de Gandia [1950] y en los más recientes estudios de Manzano [1964, 1976] y Verlinden y Pérez-Embid [1967]. Los aspectos más tratados por la investigación colombina moderna se centran en la idea del descubrimiento en O'Gorman [1951, 1958] y su polémica con Bataillon [1953, 1955], de la cual hay ecos en Gerbi [1975, 1978]. La visión de la naturaleza y la descripción son discutidas por Olschki [1937, 1941], Palm [1948], Cioranescu [1967] y Gerbi [1978]. La lengua de Colón ha concentrado el interés de Menéndez Pidal [1940] en sus rasgos portuguesistas; Guillén [1951] ordena el léxico náutico y Arce [1971, 1974] analiza los genovesismos. Rosenblat [1965] considera la hispanización del Nuevo Mundo a través del lenguaje. Miliani [1973] aborda la lengua escrita en su conjunto y Varela [1982] sintetiza los diversos aspectos de la lengua colombina y avanza algunas respuestas a lecturas dudosas. Rico [1983] sitúa la génesis del descubrimiento en convergencia con los estudios geográficos de Nebrija y otros humanistas españoles e italianos. Estudios recientes de Jitrik [1983] y Todorov [1982] tratan de la escritura y de la percepción fallida del otro en la hermenéutica del descubridor. Entre los coetáneos de Colón, Américo Vespucio [1451-1512] es ampliamente estudiado por Levillier [1948, 1966], Pedro Mártir de Anglería [1455-1526] por O'Gorman [1972] y Salas [1959]. Arrom ha editado la *Historia de la invención de las Indias* (Instituto Caro y Cuervo, Bogotá, 1965), de Hernán Pérez de Oliva (¿1494?-1531).

Contemporáneo de Colón fue el sevillano fray Bartolomé de las Casas (1474-1566), cuya figura atrajo en vida y continúa suscitando hasta hoy intensas controversias. Recibió órdenes menores antes de viajar a América, como doctrinero de indios, en 1502. Fue encomendero hasta 1512, fecha en la que decide desprenderse de sus posesiones y emprender la defensa de los indios frente a los encomenderos. En 1515 viaja a España, junto con fray Antonio de Montesinos, cuyo sermón inició el largo proceso de crítica de la institución colonial. En 1521, Las Casas inicia la colonización pacífica de Cumaná, en la costa de Venezuela, que fracasa rotundamente. En 1542 se promulgan las leyes nuevas como resultado de los debates de las Juntas de Valladolid, en las que participa activamente. En 1544 se le designa obispo de Chiapas. En 1558, fracasa la colonización pacífica con labradores en la Vera Paz. En los últimos años de su vida, Las Casas concluye la *Historia de las Indias* y la *Apologética historia*, en las que trabajó hasta

sus últimos días. Lega sus papeles al convento de San Gregorio, en donde
residía, y deja expresamente prohibida la publicación por diez años de su
Historia. Muere en 1566, a los noventa y dos años de edad. Su vida es
la de un activista tenaz e informado y la de un humanista de pluma infatigable. De sus numerosos escritos interesan sus obras históricas de ambi-
ciosas dimensiones, que permanecieron sin publicarse hasta la época moderna. De su obra publicada, la *Brevísima relación de la destrucción de
las Indias* (Sevilla, Sebastián Trujillo, 1552) es la más editada y traducida, y la piedra fundamental de la leyenda negra de la colonización española de América. La *Historia de las Indias* se publicó por primera vez,
por el marqués de Fuensanta (Madrid, 1875-1876), luego por Vigil (México, 1877), Reparaz (Madrid, 1926-1927), pero sólo la edición de A. Millares Carlo, con estudio de L. Hanke (Fondo de Cultura Económica, México, 1951, 3 vols.) es la primera que se basa en el manuscrito original.
La *Apologética historia de las Indias* fue editada por Serrano Sanz y
Bailly-Baillière (BAE, 130, Madrid, 1909) y, más recientemente, por
J. Pérez de Tudela (BAE, 95, 96, 105, 106, 110, Madrid, 1957-1958),
edición de *Obras escogidas.* La vida y obra de Las Casas ha sido estudiada extensamente en nuestros días por Giménez Fernández [1954],
Hanke [1949, 1952], Bataillon [1965]. La concepción historiográfica de
Las Casas ha sido analizada por Hanke [1951], en relación a la *Historia
de Indias,* y por O'Gorman [1972], en relación a la *Apologética historia.*
Cioranescu [1966*b*] analiza la prohibición de editar la *Historia,* Bataillon [1965] considera principalmente las fracasadas empresas de Cumaná y la Vera Paz, Hanke [1949, 1968] desarrolla un amplio estudio sobre la lucha por la justicia en la conquista de América. Hanke [1958],
también, aborda la concepción aristotélica de la servidumbre natural y las
polémicas de Las Casas con G. de Sepúlveda. El pensamiento filosófico-
jurídico ha sido estudiado por Queraltó [1976]. Friede [1974] aborda
la significación anticolonialista de Las Casas. El utopismo y la visión del
imperio cristiano han sido enfocados por Phelan [1974], Maravall [1974]
y Bataillon [1974]. En su proyección literaria lo ve Marcus [1966].
Entre los críticos más negativos de Las Casas está Menéndez Pidal [1963],
que destaca el valor de la obra historiográfica, pero considera paranoica la
crítica de la conquista y la defensa de los indios. Entre los críticos más
recientes véanse los trabajos de Salas [1959], Avalle-Arce [1961], Losada
[1970], Saint-Lu [1974, 1981], Durán Luzio [1979] y André-Vincent
[1980] y la importante compilación de Friede y B. Keen [1971]. Para
la bibliografía lascasiana son importantes los trabajos de Giménez Fernández y Hanke [1954] y Marcus [1971].

El madrileño Gonzalo Fernández de Oviedo (1478-1557) sirvió desde
niño en la corte del príncipe Don Juan, donde fue compañero de los hijos
de Colón, Diego y Fernando. En 1514, pasó por primera vez a Indias

como veedor de la fundición del oro en la expedición de Pedrarias Dávila, y regresó a España al cabo de un año. Por este tiempo escribe el *Claribalte* (véase capítulo 8). Más adelante ocupó en Indias los cargos de gobernador de Santa Marta, regidor perpetuo de Santa María la Antigua y gobernador de Cartagena, antes de ser designado alcaide de la fortaleza de Santo Domingo. Fue el primer cronista oficial de Indias, designado por Carlos V en 1533, y un infatigable escritor de larga pluma, autor de obras genealógicas, nobiliarias y morales, aparte de su significativa y gigantesca obra historiográfica. El *Sumario de la historia natural de las Indias* (Ramón de Petras, Sevilla, 1526), escrito para solaz e información del emperador, describe la novedad de la naturaleza americana en contraposición a los datos conocidos de la realidad europea y a la visión de Plinio el Viejo. Su *Historia general y natural de las Indias* (Sevilla, Cronberger, 1535) se publicó en diecinueve libros, en vida del autor. El *Libro XX de la segunda parte de la General historia* (Fernández de Córdoba, Valladolid, 1557), apareció después de la muerte del autor quedando interrumpida la publicación de la obra. Las tres partes, sin concluir, las editó Amador de los Ríos (Academia de la Historia, Madrid, 1851-1854), reproducidas por N. González en su edición (Guarania, Asunción, 1944). El *Sumario*, del cual hay versión latina e italiana del siglo XVI, tiene ediciones modernas de N. González Barcia (*Historiadores primitivos de Indias*, I, BAE, Madrid, 1849), de Álvarez López (Suma, Madrid, 1942), J. Miranda (Fondo de Cultura Económica, México, 1950) y de Avalle-Arce (Anaya, Salamanca, 1963). La más reciente edición de la *Historia* es la de J. Pérez de Tudela (BAE, 117-121, Madrid, 1959). Una excelente antología es la de O'Gorman, *Suceso y diálogo de la Nueva España* (UNAM, México, 1946). La bibliografía razonada ha sido hecha por Turner [1966]. Entre los críticos destacados de la obra de Oviedo, O'Gorman [1972] se ha preocupado de su concepción historiográfica y del análisis de la historia general y natural como géneros, aspectos en los que abundan Salas [1959], Pérez de Tudela [1959] y Gerbi [1978]. Vázquez [1962] analiza la imagen del indio en la obra de Oviedo, aspecto central de las discrepancias de éste con Las Casas y del mutuo intercambio de vituperios. Asensio [1949] contribuye con un artículo sobre la carta al cardenal Bembo sobre el Amazonas, y Avalle-Arce [1961, 1968-1969, 1972, 1978, 1980] dedica pacientes estudios sobre algunos tratados inéditos. Las contribuciones de Otte [1957, 1958], Peña y Cámara [1957], Pérez de Tudela [1959] en la investigación documental harán posible una biografía, todavía insuficiente, del cronista.

Obras de más breve extensión, relaciones históricas de la conquista, son escritas por narradores —*narratores non exornatores rerum*— protagonistas de los hechos que cuentan y que llevan a la inmediata aproximación a la obra de Julio César —ya formulada por Colón al precisar el género de su escritura—. Éstos pertenecen a una generación más joven que la anterior y más identificada con las características del mundo renacentista. Hernán Cortés (1485-1547), el conquistador de México, es el principal representante. Es autor de cinco cartas de relación, la primera de las cuales está perdida y se la remplaza por la «Carta de la Justicia mayor y regimiento de Villa Rica de la Veracruz», enviada al mismo tiempo que la de Cortés (20 de julio de 1519). La más importante es la *Segunda carta de relación* (Cronberger, Sevilla, 1522), datada en Segura de la Frontera a 30 de octubre de 1520. La tercera (Cronberger, Sevilla, 1523) data de Coyoacán, a 11 de mayo de 1522. La cuarta relación (Toledo, G. de Ávila, 1525) data de Tenochtitlán a 15 de octubre de 1526. De la quinta, fechada en Tenochtitlán a 3 de septiembre de 1526, no existe edición contemporánea. Entre las ediciones modernas destaca la de Ch. Gibson, facsímil del *Codex Vindobonensis* (Akademische Druck. Verlagsanstalt, Graz, 1960). Entre las ediciones más recientes son dignas de mención las de J. Coronado (Emecé, Buenos Aires, 1946) y E. Guzmán (Orión, México, 1966). La bibliografía de Cortés ha sido reactualizada en la edición de Feliú Cruz de la obra de Medina [1952] y los trabajos de Valle [1953] y Reynolds [1978]. S. de Madariaga [1941], Pereyra [1942]), Iglesia [1944], Wagner [1969], ofrecen una variada visión de conjunto de la personalidad y la obra del conquistador. Los aspectos referentes a la idea imperial de Cortés son tratados por Menéndez Pidal [1942], Frankl [1962, 1963], el legalismo de la conquista por Valero [1965] y White [1971]. Las relaciones son estudiadas por Ferrer Canales [1955], Alcalá [1956] y Salvadorini [1963]. Flasche [1959, 1970] aborda el estudio de la estructura sintáctica de la prosa cortesiana. A la geografía dedican estudios Gil Bermejo [1963] y Benítez [1974]. Un nuevo enfoque puede verse en Todorov [1982]. Dos importantes compilaciones son los *Estudios cortesianos* (CSIC, Madrid, 1948) y el *Homenaje a Hernán Cortés* (Diputación Provincial, Badajoz, 1948), publicadas con motivo del cuarto centenario de su muerte.

Pedro de Valdivia (1500-1553), conquistador de Chile, extremeño de Castuera, es autor de una serie de *Cartas* al emperador Carlos V que sólo llegaron a publicarse en este siglo. Las principales ediciones son las de J. T. Medina (Sevilla, 1929) reeditada por J. Eyzaguirre (Santiago de Chile, 1953), la de F. Esteve Barba en *Crónicas del Reino de Chile* (BAE, 131, Madrid), y dos buenas ediciones populares del mismo Eyzaguirre (Editorial del Pacífico, Santiago de Chile, 1955) y de M. Ferreccio (Editorial Universitaria, Santiago de Chile, 1970), parcialmente anotada. El estudio de conjunto más importante es el de Eyzaguirre [1946]. Pérez Bustamante [1953] considera a Valdivia en sus cartas y Oroz [1959] analiza la lengua y el estilo del conquistador.

El infortunado Álvar Núñez Cabeza de Vaca (1507-1559), quien fue tesorero y alguacil mayor de la expedición de Pánfilo de Narváez a la Florida, vivió náufrago y cautivo durante diez años (1527-1537), peregrinando entre Tampa y México. Al cabo de ese tiempo no tiene otro servicio que ofrecer al emperador que no sea la memoria y el relato de aquellos años y sus notables experiencias. Escribió *La relación de lo acaescido en las Indias en la armada donde iba por gobernador Panphilo de Narvaez* (Zamora, 1542), de la cual hay una segunda edición (Valladolid, Francisco Fernández de Córdoba, 1555), con el título *La Relación y comentarios del gobernador*, estos últimos obra de su secretario Pero Hernández. La *Relación* es más conocida como los *Naufragios*. Hay numerosas ediciones modernas. Entre los estudios recientes que muestran el interés de los críticos están los de Zubizarreta [1957], Lagmanovich [1978], Pranzetti [1980], Molloy [1982], Lewis [1982], Lastra [1984] y Dowling [1984].

La crónica popular está representada por la obra de Bernal Díaz del Castillo (1495-1564), nacido en Medina del Campo, soldado de Cortés, encomendero y regidor en Guatemala, cuando escribe a sus ochenta años la *Historia verdadera de la conquista de la Nueva España* (Imprenta del Reyno, Madrid, 1632), tardíamente publicada por el mercedario fray A. Remón. De ésta se hicieron al menos cinco ediciones. La edición de G. García (Porrúa, México, 1904-1905) es la primera en seguir el manuscrito de Guatemala, que también sigue Ramírez Cabañas (Robredo, México, 1939), con adiciones del manuscrito de Murcia o manuscrito Alegría. Este último sirve de base para la edición crítica preparada por R. Iglesia (CSIC, Madrid, 1940), de la cual se publicó sólo el primer tomo, concluida por C. Pereyra. La edición más rigurosa es la de Sáenz de Santa María (Madrid, 1966), quien remata una larga preocupación por la crítica textual de la obra [1967]. La biografía de Bernal Díaz ha sido hecha por Cunninghame Graham [1943], Wagner [1945] y J. J. Madariaga [1966]. Iglesia [1944] ha analizado la concepción historiográfica y el popularismo; Gilman [1961], las relaciones entre Bernal y el *Amadís*. Alvar [1968, 1970] ha abordado el estudio de la lengua en los aspectos léxicos y sintácticos de su americanismo. Barbón Rodríguez [1974] y Rublúo [1969] tratan aspectos literarios y retóricos de su obra.

Entre los últimos historiadores del siglo XVI, los críticos han prestado gran atención a la significación intelectual de la obra del padre José de Acosta (1539-1600) cuya *Historia natural y moral de las Indias* (Juan de León, Sevilla, 1590) ha sido modernamente editada por O'Gorman (Fondo de Cultura Económica, México, 1940) y por F. Mateos (BAE, 73, Madrid, 1954). Una antología de la obra se debe a O'Gorman (*Vida religiosa y civil de los indios*, México, 1963). La historia moral ha sido considerada por Lopetegui [1940], Bataillon [1966] y O'Gorman [1972], mientras la historia natural y los supuestos historiográficos han sido estudiados por Moreyra Paz Soldán [1940], Álvarez López [1943], Aguirre [1957] y O'Gorman [1972].

Las ediciones de Keniston del *Libro de la vida y costumbres de Don Alonso Henríquez de Guzmán* (BAE, 126, Madrid, 1960), «el caballero desbaratado» (1499-¿1547?), la de L. E. Valcárcel de la *Miscelánea antártica* (Universidad Nacional Mayor de San Marcos, Lima, 1951), la de I. A. Leonard de la *Crónica y relación copiosa y verdadera de los Reynos de Chile* (Santiago de Chile, 1966), de Gerónimo de Vivar, y la de L. Sáez Godoy (Colloquium Verlag, Berlín, 1979) de la misma crónica, son contribuciones importantes que abren nuevos campos de estudios en la historia del siglo XVI. La edición más reciente de la *Nueva crónica y buen gobierno*, de Felipe Huamán Poma de Ayala (¿1530-1615?) de J. V. Murra y R. Adorno (Siglo XXI, México, 1980) refleja un interés creciente en el conocimiento de esta singular obra y una revaloración frente a las reservas guardadas ante su lenguaje por la crítica precedente.

La crónica del siglo XVII marca el apogeo de la historia de sucesos particulares. El primitivo contenido y el carácter testimonial que comunicaban a la crónica del siglo XVI su temple admirativo y heroico se pierden y son substituidos por la novelización y por un nuevo énfasis en la moralización con que regularmente se comentan los casos o ejemplos novelescos o anecdóticos. Todo ello bajo el espíritu del Barroco y de su normativa religiosa. Los historiadores son por lo general hombres de letras cuya prosa carece de la complicación estilística que domina la prosa española de la época. Hay una presencia disminuida de la historia general. Pocos autores de este período ven publicadas sus obras. Los estudios modernos y las ediciones señalan la orientación de la crítica en casos bien específicos. Ninguna obra ha atraído la atención como la *Conquista y descubrimiento del Nuevo Reino de Granada*, de 1636, llamada *El Carnero*. Se publicó por primera vez en Bogotá (Imprenta de Pisano y Pérez, 1859). Hubo tres ediciones de la obra en el siglo pasado. Lleva a la fecha una docena de ediciones y una traducción al inglés. Entre las ediciones más recientes están las de M. Aguilera (*El Carnero*, Ministerio de Educación Nacional, Biblioteca de Cultura Colombiana, Bogotá, 1963; otra ed., Editorial Bedout, Bolsilibros Bedout, 23, Medellín, 1976) y una de las últimas y mejores es la de D. Achury Valenzuela (Biblioteca Ayacucho, 66, Caracas, 1979). Hay una versión antológica de Orjuela con el título de *Ficciones de El Carnero* (Ediciones la Candelaria, Biblioteca Colombia Literaria, Bogotá, 1974). Entre los estudios, que se ocupan esencialmente de su composición y de sus aspectos narrativos debe señalarse los de Giraldo Jaramillo [1940], Curcio Altamar [1957], Martinengo [1964] en un trabajo finamente elaborado, Camacho Guizado [1965], Latcham [1965], Ramos [1966], Benso [1977], Orjuela [1980] y Herman [1983].

La edición de la *Histórica relación del Reino de Chile* (Instituto de

Literatura Chilena, Santiago de Chile, 1969), del padre Alonso de Ovalle (1601-1652), debe leerse con los presupuestos editoriales señalados por M. Ferreccio [1970]. Se trata de una edición crítica que considera las variantes de diversos ejemplares de la primera edición (Roma, 1646). El más grande prosista del período, Antonio de Solís (1610-1686), cuya *Historia de la conquista de México* (Imprenta de Bernardo de Villa-Diego, Madrid, 1684) tiene numerosas ediciones y traducciones hasta el presente, ha sido estudiado magistralmente por Arocena [1963]. En trabajos de reciente publicación López Grigera [1986] estudia los dos manuscritos existentes de la *Historia*. Hay edición moderna de la obra en la Colección Austral, 699 (Espasa-Calpe, Buenos Aires, 1947) y otra, más reciente de O'Gorman (Porrúa, México, 1968). Las publicaciones emprendidas por R. Acuña para hacer disponibles los textos de las *Relaciones geográficas del siglo XVI* (UNAM, México, 1981) inician una significativa contribución a la que se ha agregado la publicación facsimilar de la *Descripción de la ciudad y provincia de Tlaxcala* (UNAM, México, 1981) de Diego de Muñoz Camargo. M. Ballesteros Gaibrois ha publicado un manuscrito inédito de la *Historia general del Perú* (Madrid, 1962) de fray Martín de Murúa, cuyas narraciones intercaladas han sido el objeto de estudio de Arrom [1973].

BIBLIOGRAFÍA

Aguirre, E., «Una hipótesis evolucionista en el siglo XVI. El padre José de Acosta y el origen de las especies americanas», *Arbor*, 36 (1957), pp. 176-187.

Alcalá, M., «Los *Comentarios* de Julio César y las *Cartas de relación* de Hernán Cortés», *Acta Salmaticensia. Filosofía y Letras*, 10 (1956), pp. 63-67.

Alvar, Manuel, *El mundo americano de Bernal Díaz del Castillo*, Santander, 1968.

—, *Americanismos en la «Historia» de Bernal Díaz del Castillo*, CSIC (RFE, Anejo, 89), Madrid, 1970.

Álvarez López, E., «La filosofía natural del padre Acosta», *Revista de Indias*, 4 (1943), pp. 305-322.

André-Vincent, Ph., *Bartolomé de las Casas, prophete du Nouveau Monde*, prólogo de André Saint-Lu, Librairie Jules Tellandier, París, 1980.

Arce, Joaquín, «Significado lingüístico-cultural del diario de Colón», introducción a C. Colón, *Diario de a bordo*, A. Tallone, Alpignano, 1971.

—, «Problemi linguistici inerenti il *Diario* di Cristoforo Colombo», *Convegno Internazionale di Studi Colombiani*, Génova, 1974, pp. 53-75.

Arnoldsson, Sverker, *Los momentos históricos de América según la historiografía hispano-americana del período colonial*, Ínsula, Madrid, 1965.

Arocena, Luis A., *Antonio de Solís, cronista indiano. Estudio sobre las formas historiográficas del Barroco*, EUDEBA, Buenos Aires, 1963.

Arrom, J. J., ed., Hernán Pérez de Oliva, *Historia de la invención de las Indias*, Instituto Caro y Cuervo, Bogotá, 1965.

—, «Precursores coloniales del cuento hispanoamericano: Fray Martín de Murúa y el idilio indianista», en E. Pupo-Walker, *El cuento hispanoamericano ante la crítica*, Castalia, Madrid, 1973, pp. 24-36.

Asensio, E., «La carta de Gonzalo Fernández de Oviedo y Valdés al cardenal Bembo sobre la navegación del Amazonas», *Revista de Indias*, 37-38 (1949), pp. 569-577.

Avalle-Arce, J. B., «Las hipérboles del padre Las Casas» (1961), «Las Memorias de Gonzalo Fernández de Oviedo» (1968-69), «El novelista Gonzalo Fernández de Oviedo» (1972), en *Dintorno de una época dorada*, Porrúa, Madrid, 1978, pp. 73-100, 119-136, 101-117.

—, «Oviedo a media luz», *Nueva Revista de Filología Hispánica*, 29:1 (1980), pp. 138-151.

Ballesteros Beretta, A., *Cristóbal Colón y el descubrimiento de América*, Salvat (Historia de América, V), Barcelona, 1945.

Barbón Rodríguez, J. A., «Bernal Díaz del Castillo, ¿idiota y sin letras?», *Studia Hispanica in Honorem Rafael Lapesa*, Madrid, 1974, II, pp. 89-104.

Bataillon, M., *Études sur Bartolomé de las Casas réunies avec la collaboration de Raymond Marcus*, Centre de Recherches de l'Institut d'Études Hispaniques, París, 1965.

—, «L'unité du genre humain: du P. Acosta au P. Clavijero», en *Mélanges à la Memoire de Jean Sarraihl*, París, 1966, I, pp. 75-95.

—, «Las Casas, ¿un profeta?», *Revista de Occidente*, 141 (1974), pp. 279-291.

—, «Las Casas frente al pensamiento aristotélico sobre la esclavitud», en *Platon et Aristote à la Renaissance*, Vrin, París, 1976.

—, y André Saint-Lu, *Las Casas et la défense des indiens*, Juillard (Collection Archives), París, 1971; trad. cast.: Ariel, Barcelona, 1976.

—, y Edmundo O'Gorman, *Dos concepciones de la tarea histórica*, UNAM, México, 1955.

Baudot, Georges, *Utopie et histoire au Méxique. Les premiers chroniquers de la civilization mexicaine (1520-1569)*, Privat, Toulouse, 1977.

Benítez, Fernando, *La ruta de Hernán Cortés*, Fondo de Cultura Económica, México, 1974.

Benso, Silvia, «La técnica narrativa de Juan Rodríguez Freyle», *Thesaurus*, 32:1 (1977), pp. 95-165.

Camacho Guizado, E., «Juan Rodríguez Freyle», *Estudios sobre literatura colombiana: siglos XVI-XVII*, Universidad de los Andes, Bogotá, 1965, pp. 39-56.

Carbia, Rómulo D., *La crónica oficial de las Indias Occidentales*, Buenos Aires, 1940.

Cioranescu, A., «La conquista de América y la novela de caballerías», *Estudios de literatura española y comparada*, Universidad de La Laguna, 1966, pp. 29-46.

—, «La *Historia de las Indias* y la prohibición de editarla», *Anuario de Estudios Americanos*, 23 (1966), pp. 363-376.

—, *Colón humanista. Estudios de humanismo atlántico*, Prensa Española, Madrid, 1967.

Cunninghame Graham, R. B., *Bernal Díaz del Castillo. Semblanza de su personalidad a través de su «Historia verdadera de la conquista de la Nueva España»*, Inter-Americana, Buenos Aires, 1943.

Curcio Altamar, A., *Evolución de la novela en Colombia*, Instituto Caro y Cuervo (Publicaciones del Instituto Caro y Cuervo, 11), Bogotá, 1957.

Chang-Rodríguez, Raquel, *Prosa hispanoamericana virreinal*, HISPAM (Colección Blanquerna, 12), Barcelona, 1975.

—, *Violencia y subversión en la prosa colonial hispanoamericana (Siglos XVI y XVII)*, José Porrúa Turanzas, Madrid, 1982.

Delgado, Jaime, «Introducción» a J. Rodríguez Freyle, *Conquista y descubrimiento del Nuevo Reino de Granada*, Historia 16 (Crónicas de América, 18), Madrid, 1986, pp. 7-50.

Dowling, Lee H., «Story versus discourse in the chronicle of the Indies: Alvar Núñez Cabeza de Vaca's *Relación*», *Hispanic Journal*, 5:2 (1984), pp. 89-100.

Duque Díaz de Ceiro, Juan, «Shakespeare y América», *Revista de Indias*, 92 (1982), pp. 9-39.

Durán Luzio, Juan, *Creación y utopía. Letras de Hispanoamérica*, EUNA (Colección Barva), Costa Rica, 1979.

Durand, José, *La transformación social del conquistador*, Robredo, México, 1953, 2 vols.

Elliott, John H., *The Old World and the New, 1492-1650*, Cambridge University Press, Cambridge, 1972; trad. cast.: *El viejo mundo y el nuevo, 1492-1650*, Alianza (Libro de Bolsillo, Humanidades, 410), Madrid, 1972.

Esteva Fabregat, Claudio, «Introducción» a fray Toribio de Benavente, *Historia de los indios de la Nueva España*, Historia 16 (Crónicas de América, 16), Madrid, 1985, pp. 7-48.

Esteve Barba, F., *Historiografía indiana*, Gredos, Madrid, 1964.

Eyzaguirre, Jaime, *Ventura de Pedro de Valdivia*, Espasa-Calpe (Colección Austral, 641), Buenos Aires, 1946.

Fernando, Roberto, «Introducción» a Alvar Núñez Cabeza de Vaca, *Naufragios y Comentarios*, Historia 16 (Crónicas de América, 3), Madrid, 1984, pp. 7-38.

Ferreccio, Mario, «Presupuestos para una edición crítica de la *Histórica relación del Reino de Chile*, de Alonso de Ovalle», *Revista Chilena de Literatura*, 2-3 (1970), pp. 7-41.

Ferrer Canales, J., «La segunda carta de Cortés», *Historia Mexicana*, 4 (1955), pp. 398-406.

Flasche, H., «Syntaktische Strukturprobleme des Spanischen in den Briefen des Hernan Cortes an Karl V», *Spanische Forschungen der Gorresgesellschaft*, Munster, 1959, pp. 1-18; trad. cast.: «Problemas de estructura sintáctica que presentan las cartas de Hernán Cortés, dirigidas a Carlos V», *Románica*, 3 (La Plata, Argentina, 1970), pp. 140-161.

Frankl, Victor, «Hernán Cortés y la tradición de las *Siete partidas* (Un comentario jurídico histórico a la llamada "Primera carta de relación" de Hernán Cortés», *Revista de Historia de América*, 53-54 (1962), pp. 9-74.

—, «Imperio particular e imperio universal en las *Cartas de relación*, de Hernán Cortés», *Cuadernos Hispanoamericanos*, 165 (1963), pp. 443-482.

—, *El «Antijovio» de Gonzalo Jiménez de Quesada y las concepciones de realidad y de verdad en la época de la Contrarreforma*, Instituto de Cultura Hispánica, Madrid, 1963.

Friede, Juan, *La censura española del siglo XVI y los libros de Historia de América*, Cultura, México, 1959.

—, *Bartolomé de las Casas, precursor del anticolonialismo. Su lucha y derrota*, Siglo XXI, México, 1974.

—, y Benjamin Keen, *Bartolomé de las Casas in History. Toward and Understanding of the Man and his Work*, Northern Illinois University Press, De Kalb, 1971.

Fueter, E., *Historia de la historiografía moderna*, Nova, Buenos Aires, 1965.

Gandia, Enrique de, *Historia de Colón. Análisis crítico de las fuentes documentales y de los problemas colombinos*, Claridad, Buenos Aires, 1950.

Gerbi, Antonello, *La natura delle Indie Nove da Cristoforo Colombo a Gonzalo Fernández de Oviedo*, Ricardo Ricciardi, Milán, 1975; trad. cast.: *La naturaleza de las Indias Nuevas de Cristóbal Colón a Gonzalo Fernández de Oviedo*, Fondo de Cultura Económica, México, 1978.

Gil Bermejo, J., «La geografía de México en las cartas de Cortés», *Revista de Indias*, 23 (1963), pp. 123-203.

Gilman, Stephen, «Bernal Díaz del Castillo and *Amadís de Gaula*», en *Studia Philologica (Homenaje ofrecido a Dámaso Alonso)*, Gredos, Madrid, 1961, II, pp. 99-114.

Giménez Fernández, M., *Bartolomé de las Casas*, Escuela de Estudios Hispanoamericanos, Sevilla, 1953-1960, 2 vols.

—, *Breve biografía de fray Bartolomé de las Casas*, Sevilla, 1966.

—, y Lewis Hanke, *Bartolomé de las Casas, 1474-1566. Bibliografía crítica y cuerpo de materiales para el estudio de su vida, escritos, actuación y polémicas que suscitaron durante cuatro siglos*, Fondo Histórico y Bibliográfico J. T. Medina, Santiago de Chile, 1954.

Giraldo Jaramillo, G., «Don Juan Rodríguez Freyle y *La Celestina*», *Boletín de Historia y Antigüedades*, 17 (Bogotá, 1940), pp. 582-586.

Góngora, Mario, *Studies in Latin American Colonial History*, Cambridge University Press, Cambridge, 1975.

—, *Estudios de historia de las ideas y de historia social*, Ediciones Universitarias de Valparaíso, Chile, 1980.

Guillén Tato, J. F., *La parla marinera en el Diario del primer viaje de Cristóbal Colón*, Instituto Histórico de Marina, Madrid, 1951.

Hanke, Lewis, *Bartolomé de las Casas, pensador, político, historiador, antropólogo*, Sociedad Económica de Amigos del País, La Habana, 1949.

—, *La lucha por la justicia en la conquista de América*, Sudamericana, Buenos Aires, 1949.

—, «Introducción» a Bartolomé de las Casas, *Historia de las Indias*, Fondo de Cultura Económica, México, 1951.

—, *Bartolomé de las Casas historian. An essay in Spanish Historiography*, University of Florida Press, Gainesville, 1952.

—, *Bartolome de las Casas, Bookman, Scholar and Propagandist*, University of Pennsylvania Press, Filadelfia, 1952.

—, *Aristotle and the American Indians*, Hollis and Carter, Londres, 1958.

—, *La lucha por la justicia en la conquista de América*, Aguilar, Madrid, 1958.

—, *Estudios sobre fray Bartolomé de las Casas y sobre la lucha por la justicia en la conquista española de América*, Universidad Central de Venezuela, Caracas, 1968.

Henríquez Ureña, Pedro, *Las corrientes literarias en la América Hispánica*, Fondo de Cultura Económica, México, 1949.

Herman, Susan, «*Conquista y descubrimiento del Nuevo Reino de Granada*», *Boletín Cultural y Bibliográfico*, 20:1 (Bogotá, 1983), pp. 77-85.

Hernández Sánchez-Barba, Mario, «La influencia de los libros de caballerías sobre el conquistador», *Estudios Americanos*, 19:102 (1960), pp. 235-256.

Iglesia, Ramón, *El hombre Colón*, El Colegio de México, México, 1944.

—, *Cronistas e historiadores de la conquista de México. El ciclo de Hernán Cortés*, Fondo de Cultura Económica, México, 1944.

Invernizzi, Lucía, «La representación de la tierra de Chile en cinco textos de los siglos XVI y XVII», *Revista Chilena de Literatura*, 23 (1984), pp. 5-37.

Jitrik, Noé, *Los dos ejes de la cruz. La escritura de apropiación en el Diario, el Memorial, las Cartas y el Testamento del enviado real Cristóbal Colón*, Universidad Autónoma de Puebla (Colección Signo y Sociedad, 7), 1983.

Keniston, Hayward, *List of Works for the Study of Hispanic-American History*, The Hispanic Society of America, Nueva York, 1920.

Lagmanovich, D., «Los *Naufragios* de Álvar Núñez como construcción narrativa», *Kentucky Romance Quarterly*, 25:1 (1978), pp. 27-37.

Lastra, Pedro, «Espacios de Álvar Núñez: las transformaciones de una escritura», *Revista Chilena de Literatura*, 23 (1984), pp. 89-102.

Latcham, Ricardo A., «Una crónica del barroco hispanoamericano: *El Carnero* de Juan Rodríguez Freyle», *Mapocho*, 3 (1965), pp. 5-10.

León Portilla, M., *El reverso de la conquista*, Joaquín Mortiz, México, 1964.

—, *Visión de los vencidos*, Instituto de Investigaciones Históricas, México, 1966.

Leonard, Irving A., *Los libros del conquistador*, Fondo de Cultura Económica, México, 1953.

Levillier, R., *América la bien llamada*, Kraft, Buenos Aires, 1948.

—, *Américo Vespucio*, Cultura Hispánica, Madrid, 1966.

Lewis, Robert E., «Los *Naufragios* de Álvar Núñez: historia y ficción», *Revista Iberoamericana*, 120-121 (1982), pp. 681-694.

Lopetegui, L., «Vocación de Indias del P. José de Acosta», *Revista de Indias*, 1 (1940), pp. 83-102.

—, «Padre José de Acosta. Datos cronológicos», *Archivum Historicum Societatis Iesu*, 9 (1940), pp. 121-131.

López Grigera, Luisa, «Para la edición crítica de la *Historia de la Conquista de México* de Antonio de Solís», en *Homenaje a José Antonio Maravall*, Centro de Investigaciones Sociológicas, Madrid, 1986, pp. 487-497.

Losada, A., *Fray Bartolomé de las Casas a la luz de la moderna crítica histórica*, Tecnos, Madrid, 1970.

Madariaga, J. J., *Bernal Díaz y Simón Ruiz, de Medina del Campo*, Cultura Hispánica, Madrid, 1966.

Madariaga, S. de, *Hernán Cortés*, Sudamericana, Buenos Aires, 1941.

Manzano y Manzano, J., *Cristóbal Colón. Siete años decisivos de su vida, 1485-1492*, Cultura Hispánica, Madrid, 1964.

—, *Colón y su secreto*, Cultura Hispánica, Madrid, 1976.

Maravall, J. A., *Antiguos y modernos. La idea de progreso en el desarrollo inicial de una sociedad*, Sociedad de Estudios y Publicaciones, Madrid, 1966.

—, «Utopía y primitivismo en el pensamiento de Las Casas», *Revista de Occidente*, 141 (1974), pp. 311-388.

Marcus, Raymond, «La transformación literaria de Las Casas en Hispanoamérica», *Anuario de Estudios Hispanoamericanos*, 23 (1966), pp. 247-265.

—, «Las Casas: A Selective Bibliography», en Juan Friede y Benjamin Keen, *Bartolomé de las Casas in History. Toward and Understanding of the man and his work*, Northern Illinois University Press, De Kalb, 1971, pp. 603-616.

Martinengo, Alessandro, «La cultura literaria de Juan Rodríguez Freyle. Ensayo sobre las fuentes de una crónica bogotana del seiscientos», *Thesaurus*, 19:2 (1964), pp. 274-299.

Medina, José Toribio, *Ensayo bio-bibliográfico sobre Hernán Cortés*, Introducción de Guillermo Feliú Cruz, Fondo Histórico y Bibliográfico J. T. Medina, Santiago de Chile, 1952.

Menéndez Pidal, R., «La lengua de Cristóbal Colón», *Bulletin Hispanique*, 42:1 (1940), pp. 1-28; reimpreso en *La lengua de Cristóbal Colón, el estilo de Santa Teresa y otros estudios sobre el siglo XVI*, Espasa-Calpe, Madrid, 1940.

—, *Idea imperial de Carlos V*, Espasa-Calpe (Colección Austral, 172), Buenos Aires, 1942.

—, *El padre Las Casas y Vitoria, con otros temas de los siglos XVI y XVII*, Espasa-Calpe (Colección Austral, 1.286), Buenos Aires, 1958.

—, *El padre Las Casas. Su doble personalidad*, Espasa-Calpe, Madrid, 1963.

Mignolo, Walter D., «El metatexto historiográfico y la historiografía indiana», *Modern Language Notes*, 96 (1981), pp. 358-402.

—, «Cartas, crónicas y relaciones del descubrimiento y la conquista», en Luis Iñigo Madrigal, *Historia de la literatura hispanoamericana*. I: *Época colonial*, Cátedra, Madrid, 1982, pp. 57-116.

Miliani, Virgil I., *The Written Language of Christopher Columbus*, State University of New York, Buffalo, 1973.

Millares Carlo, A., ed., fray Bartolomé de las Casas, *Historia de las Indias*, Fondo de Cultura Económica, México, 1951, 3 vols.

Molloy, Sylvia, «Formulación y lugar del yo en los *Naufragios* de Álvar Núñez Cabeza de Vaca», *Actas del Séptimo Congreso de la Asociación Internacional de Hispanistas*, Bulzoni, Roma, 1982, II, pp. 761-766.

Moreyra y Paz Soldán, M., «El P. José de Acosta y su labor intelectual», *Mercurio peruano*, 22 (1940), pp. 546-553.

Morison, Samuel E., *El Almirante de la Mar Oceana*, Librería Hachette, Buenos Aires, 1945.

Moses, Bernard, *Spanish Colonial Literature in South America*, The Hispanic Society of America, Londres-Nueva York, 1922.

O'Gorman, Edmundo, *Idea del descubrimiento de América. Historia de esa interpretación y crítica de sus fundamentos*, UNAM, México, 1951.

—, *La invención de América. El universalismo de la cultura de Occidente*, Fondo de Cultura Económica, México, 1958.

—, *Cuatro historiadores de Indias. Siglo XVI: Pedro Mártir de Anglería, Gonzalo Fernández de Oviedo, fray Bartolomé de las Casas, Joseph de Acosta*, Secretaría de Educación Pública (SepSetentas, 51), México, 1972.

Olschki, L., *Storia letteraria delle scoperte geographiche*, Florencia, 1937.

—, «What Columbus saw on landing in the West Indies», en *Proceedings of the American Philosophical Society*, 84 (1941), pp. 639-649.

Orjuela, Héctor H., *«El Carnero», Literatura hispanoamericana*, Instituto Caro y Cuervo (Publicaciones del Instituto Caro y Cuervo, 56), Bogotá, 1980, pp. 43-56.

Oroz, Rodolfo, «La lengua de Pedro de Valdivia», *Boletín de Filología*, 9 (1959), pp. 150-155.

Otte, E. de, «Aspiraciones y actividades heterogéneas de Gonzalo Fernández de Oviedo, cronista», *Revista de Indias*, 17 (1957), pp. 603-705.

—, «Documentos inéditos sobre la estancia de Gonzalo Fernández de Oviedo en Nicaragua», *Revista de Indias*, 18 (1958), pp. 627-652.

Palm, Erwin Walter, «España ante la realidad americana», *Cuadernos Americanos*, 38:2 (1948), pp. 135-167.

Pastor, Beatriz, *Discurso narrativo de la Conquista de América*, Casa de las Américas (Premio Casa de las Américas 1983), La Habana, 1983.

Peña y Cámara, J. de la, «Contribuciones documentales y críticas para una biografía de Gonzalo Fernández de Oviedo», *Revista de Indias*, 17 (1957), pp. 603-705.

Pereyra, Carlos, *Hernán Cortés*, Espasa-Calpe (Colección Austral, 236), Buenos Aires, 1942.

Pérez Bustamante, Ciriaco, «Valdivia en sus cartas», *Revista de Indias*, 13 (1953), pp. 9-23.

Pérez de Tudela, Juan, «Estudio preliminar» a fray Bartolomé de las Casas, *Obras escogidas*, Atlas (BAE, 95), Madrid, 1957.

—, «Estudio preliminar» a Gonzalo Fernández de Oviedo, *Historia general y natural de las Indias*, Atlas (BAE, 117), Madrid, 1959.

Phelan, John L., *The Milennial Kingdom of the Franciscans in New Spain*, University of California Press, Berkeley y Los Ángeles, 1970.

—, «El imperio cristiano de Las Casas, el imperio español de Sepúlveda y el imperio milenario de Mendieta», *Revista de Occidente*, 141 (1974), pp. 292-310.

Pranzetti, Luisa, «Il naufragio metafora (a proposito delle relazioni di Cabeza de Vaca», *Letterature d'America*, 1 (1980).

Pupo-Walker, E., *La vocación literaria del pensamiento histórico en América*, Gredos, Madrid, 1982.

Queraltó Moreno, R. J., *El pensamiento filosófico jurídico de Bartolomé de las Casas*, Escuela de Estudios Hispanoamericanos, Sevilla, 1976.

Ramos, Óscar Gerardo, *«El Carnero*, libro de tendencia cuentista», *Boletín Cultural y Bibliográfico*, 9 (1966), pp. 2.178-2.185; reimpreso como «*El Carnero*: libro único de la colonia», en J. Rodríguez Freyle, *El Carnero*, Editorial Bedout, Medellín, 1973, pp. 31-46.

Reyes, Alfonso, *Letras de la Nueva España*, Fondo de Cultura Económica, México, 1948.

Reynolds, Winston A., *Hernán Cortés en la literatura del Siglo de Oro*, Centro Iberoamericano de Cooperación-Editora Nacional, Madrid, 1978.

Rico, Francisco, «El nuevo mundo de Nebrija y Colón. Notas sobre la geografía humanística en España y el contexto intelectual del descubrimiento de América», en *Nebrija y la introducción del Renacimiento en España* (*Actas de la*

Academia Literaria Renacentista, III), Universidad de Salamanca, Salamanca, 1983, pp. 157-185.

Robles, Humberto, «The first voyage around the world: from Pigafetta to García Márquez», *History of European Ideas*, 6:4 (1985), pp. 385-404.

Rosenblat, Ángel, *La primera visión de América y otros estudios*, Ministerio de Educación, Caracas, 1965.

Rublúo, Luis, *Estética de la «Historia verdadera» de Bernal Díaz del Castillo*, Universidad Autónoma de Hidalgo, Pachuca, 1969.

Sáenz de Santa María, C., *Introducción crítica a la «Historia verdadera» de Bernal Díaz del Castillo*, CSIC, Madrid, 1967.

Saint-Lu, André, *La Vera Paz. Esprit évangelique et colonisation*, Centre d'Études Hispaniques, París, 1968.

—, «Significación de la denuncia lascasiana», *Revista de Occidente*, 141 (1974), pp. 389-402.

—, «La marque de Las Casas dans le *Journal de la découverte* de Christophe Colomb», *Les langues neo-latines*, 239 (1981), pp. 123-134.

Salas, Alberto M., *Tres cronistas de Indias: Pedro Mártir de Anglería, Gonzalo Fernández de Oviedo y fray Bartolomé de las Casas*, Fondo de Cultura Económica, México, 1959.

—, *Crónica florida del mestizaje de las Indias*, Losada, Buenos Aires, 1960.

Salvadorini, V., «Las relaciones de Hernán Cortés», *Thesaurus*, 18:1 (1963), pp. 77-97.

Sánchez Alonso, B., *Fuentes de la historia española e hispanoamericana*, Centro de Estudios Históricos, Madrid, 1919, 1927, 1952.

—, *Historia de la historiografía española*, CSIC, Madrid, 1941-1950.

Schevill, Rudolph, «La novela histórica, las crónicas de Indias y los libros de caballerías», *Revista de Indias*, 59-60 (1943), pp. 173-196.

Todorov, Tzvetan, *La conquête de l'Amérique. La question de l'autre*, Éditions du Seuil, París, 1982.

Turner, Daymond, *Gonzalo Fernández de Oviedo, An Annotated Bibliography*, University of North Carolina Press, Chapel Hill, 1966.

Valcárcel, Luis E., «Prólogo» a Miguel Cabello Balboa, *Miscelánea antártica, una historia del Perú*, Universidad Nacional Mayor de San Marcos, Lima, 1951.

Valero Silva, J., *El legalismo de Hernán Cortés como instrumento de su conquista*, UNAM, México, 1965.

Valotta, Mario A., «Introducción» a Pedro de Cieza de León, *Descubrimiento y conquista del Perú*, Zero-Jamkana, Madrid-Buenos Aires, 1984, pp. 5-90.

Valle, Rafael H., *Bibliografía de Hernán Cortés*, Jus, México, 1953.

Varela, Consuelo, «Prólogo» a Cristóbal Colón, *Textos y documentos completos. Relaciones de viaje, cartas y memoriales*, Alianza (Alianza Universidad, 320), Madrid, 1982.

Vázquez, Germán, «Introducción» a Diego Muñoz Camargo, *Historia de Tlaxcala*, Historia 16 (Crónicas de América, 26), Madrid, 1986, pp. 7-65.

Vázquez, J. Z., *La imagen del indio en el español del siglo XVI*, Universidad Veracruzana (Cuadernos de la Facultad de Filosofía, Letras y Ciencias, 16), Xalapa, 1962.

Verlinden, Charles, y Florentino Pérez-Embid, *Cristóbal Colón y el descubrimiento de América*, Rialp, Madrid, 1967.

Wachtel, Nathan, *La vision des vaincus. Les indiens du Pérou devant la conquête espagnole, 1530-1570*, Gallimard, París, 1971.

Wagner, Henry R., *The Rise of Fernando Cortés*, The Cortes Society, Berkeley, 1944; reimpresión: Kraus, Nueva York, 1969.

—, «The Family of Bernal Díaz del Castillo, Notes on Writings by and about Bernal Díaz del Castillo», *Hispanic American Historical Review*, 25 (1945), pp. 191-211.

—, y H. R. Parish, *The Life and the Writings of Bartolomé de las Casas*, The University of New Mexico Press, Albuquerque, 1967.

White, Hayden, *Tropics of Discourse. Essays in Cultural Criticism*, The Johns Hopkins University Press, Baltimore y Londres, 1978.

White, John M., *Cortés and the Downfall of the Aztec Empire. A Study in a Conflict of Cultures*, Hamish Hamilton, Londres, 1971.

Wilgus, A. Curtis, *The Historiography of Latin America: A Guide to Historical Writing, 1500-1800*, The Scarecrow Press, Metuchen, N. J., 1975.

Zavala, S., *La filosofía política en la conquista de América*, Fondo de Cultura Económica, México, 1947.

Zubizarreta, C., *Capitanes de aventura. I: Cabeza de Vaca, el infortunado. II: Irala, el predestinado*, Instituto de Cultura Hispánica, Madrid, 1957.

PEDRO HENRÍQUEZ UREÑA

LA *CARTA DEL DESCUBRIMIENTO*

Siglos antes de que la busca de la expresión llegase a ser un esfuerzo consciente de los hombres nacidos en la América hispánica, Colón había hecho el primer intento de interpretar con palabras el nuevo mundo por él descubierto. Como navegante, lo abrió a exploradores y conquistadores; como escritor, lo descubrió para la imaginación de Europa, o, para decirlo con palabras del doctor Johnson, «dio un mundo nuevo a la curiosidad europea». De él proceden dos ideas que pronto llegaron a ser lugares comunes: América como tierra de la abundancia, y el indio como «noble salvaje». Con lenguaje espontáneo y pintoresco, describe en su *Carta sobre el descubrimiento* (1493) las islas del archipiélago Caribe como un paraíso de abundancia y de eterna primavera:

Esta isla (Española) y todas las otras son fertilísimas en demasiado grado, y ésta en extremo. En ella hay muchos puertos en la costa de la mar y hartos ríos y buenos y grandes que es maravilla. Las tierras de ellas son altas y en ellas hay muchas sierras y montañas altísimas ... Todas son hermosísimas, de mil hechuras y todas andables y llenas de árboles de mil maneras y altas, y parecen que llegan al cielo; y tengo por dicho que jamás pierden la hoja según lo que puedo comprender, que los vi tan verdes y tan hermosos como son por mayo en España. De ellos están floridos, de ellos con frutos y de ellos en otro término según es su calidad: y cantaba el ruiseñor y otros pájaros de mil manera en el mes de noviembre por allí donde yo andaba. Hay palmas de seis o de ocho maneras que

Pedro Henríquez Ureña, *Las corrientes literarias en la América Hispánica*, Fondo de Cultura Económica, México, 1949, pp. 10-15.

es admiración verlas por la disformidad hermosa de ellas, mas así como los otros árboles y frutos y hierbas. En ella (la isla) hay pinares a maravilla, y hay campiñas grandísimas, y hay miel y muchas maneras de aves y frutas muy diversas ... La Española es maravilla; las sierras y las montañas y las vegas y las campiñas y las tierras tan hermosas y gruesas para plantar y sembrar, para criar ganados de todas suertes, para edificios de villas y lugares ... Ésta es para desear y vista es para nunca dejar.

En su *Diario* de viaje del descubrimiento —o lo que queda de él en los extractos hechos por el padre Las Casas— Colón se muestra en continuo arrobamiento ante el paisaje del Nuevo Mundo. La descripción de la primera isla, Guanahaní, sorprende por su concisión, quizá porque Las Casas la abrevió: «Puestos en tierra (los marineros) vieron árboles muy verdes y aguas muchas y frutas de diversas maneras». Al día siguiente (13 de octubre), Colón describe más extensamente la isla, y por fortuna conservamos sus propias palabras, sin recorte alguno: «Esta isla es bien grande y muy llana, y de árboles muy verdes, y muchas aguas, y una laguna en medio muy grande, sin ninguna montaña, y toda ella verde, que es placer de mirarla». Luego, cuatro días más tarde, la pequeña isla Fernandina:

«es isla muy verde y fertilísima, y no pongo duda que todo el año siembran panizo y cogen, y así todas otras cosas; y vide muchos árboles muy disformes de los nuestros, y de ellos muchos que tenían los ramos de muchas maneras y todo en un pie, y un ramito es de una manera y otro de otra, y tan disforme, que es la mayor maravilla del mundo cuánta es la adversidad de una manera a la otra, verbigracia, un ramo tenía las hojas a manera de cañas y otros de manera de lentisco; y así en un solo árbol de cinco o seis de estas maneras; y todos tan diversos; ni estos son enjeridos, porque se pueda decir que el enjerto lo hace, antes son por los montes, ni cura de ellos esta gente.»

En esta afirmación, Colón se dejó engañar por el gran número de plantas parásitas que puede padecer un árbol tropical. Añade después: «Aquí son los peces tan disformes de los nuestros, que es maravilla. Hay algunos hechos como gallos de las más finas colores del mundo, azules, amarillos, colorados y de todas colores, y otros pintados de mil maneras; y las colores son tan finas, que no hay hombre que no se maraville y no tome gran descanso a verlos». Una y otra vez reaparece el tono hiperbólico, como por ejemplo (19 de octubre): «vide este cabo de allá tan verde y tan hermoso, así como todas las otras cosas y tierras de estas islas, que yo no sé adónde me vaya primero, ni me sé cansar los ojos de ver tan hermosas verduras y tan diversas yerbas ... Y llegando yo aquí a este cabo vino el olor tan bueno y suave de flores o árboles de la tierra, que era la cosa más dulce del mundo». O, más adelante (21 de octubre): «el cantar de los pajaritos es tal que parece que el hombre nunca se querría partir de aquí, y las manadas de los papagayos oscurecen el sol». Luego, hablando de Cuba (28 de octubre), dice que «es aquella isla la más hermosa que ojos hayan visto». Y de la Española (11 de diciembre), que es «la más hermosa cosa del mundo».

Colón describe a los isleños de las Bahamas y de las Grandes Antillas como seres sencillos, felices y virtuosos. En su *Carta del descubrimiento* dice: «la gente de estas islas andan todos desnudos, hombres y mujeres, así como sus madres los paren». Esta desnudez fue una de las cosas que más le sorprendieron, como a todos los exploradores que llegaron tras él, acostumbrados a una Europa vestida con exceso. Añade luego: «No tienen hierro ni acero ni armas ni son para ello. No porque no sea gente bien dispuesta y de hermosa estatura, salvo que son muy temerosos a marvilla ... Son tanto sin engaño y tan liberales de lo que tienen, que no lo creerá sino el que lo viese. Ellos de cosas que tengan pidiéndoselas jamás dicen que no; antes convidan a la persona con ello y muestran tanto amor que darían los corazones ... No conocían ninguna secta ni idolatría, salvo que todos creen que las fuerzas y el bien es en el cielo; y creían muy firme que yo con estos navíos y gente venía del cielo y en tal acatamiento me reciben en todo cabo después de haber perdido el miedo. Y esto no procede porque sean ignorantes, salvo de muy sutil ingenio y hombres que navegan todas aquellas mares que es maravilla la buena cuenta que ellos dan de todo, salvo porque nunca vieron gente vestida ni semejantes navíos».

Y en el *Diario del descubrimiento* (11 de octubre): «son muy bien hechos, de muy hermosos cuerpos, y muy buenas caras ... No traen armas ni las cognocen, porque les amostré espadas y las tomaban por el filo, y se cortaban con ignorancia». Luego (13 de octubre): «gente muy hermosa: los cabellos no crespos, salvo corredíos y gruesos como sedas de caballo ... y los ojos muy hermosos y no pequeños, y de ellos ninguno prieto, salvo de la color de los canarios (los antiguos guanches) ... las piernas muy derechas ... y no barriga, salvo muy bien hecha». Y más adelante (16 de octubre): «No les conozco secta ninguna, y creo que muy presto se tornarían cristianos, porque ellos son de muy buen entender». Y en su *Diario*, imaginando ya cómo habría de referir su descubrimiento a los soberanos (25 de diciembre), escribió: «Certifico a Vuestras Altezas que en el mundo creo que no hay mejor gente ni mejor tierra: ellos aman a sus prójimos como a sí mismos y tienen un habla la más dulce del mundo, y mansa, y siempre con risa».

No todos los indios eran, en verdad, «nobles salvajes» como los taínos que encontró en las Antillas. Por ellos supo de sus enemigos, las feroces tribus de las pequeñas islas del Sur, de quienes se decía que comían carne humana. El nombre de esas tribus guerreras —caribes, o canibes, o caníbales— llegó a convertirse, andando el tiempo, en un símbolo de espanto.

Toda Europa leyó la carta de Colón sobre el descubrimiento. En 1493, inmediatamente después de su publicación en castellano, fue traducida al latín por el catalán Leandro de Cosco y tuvo por lo menos ocho ediciones, amén de una paráfrasis en verso italiano hecha por el teólogo florentino Giuliano Dati.

La imaginación de los europeos halló en estas descripciones, entre tantas nuevas extrañas, la confirmación de fábulas y sueños inmemoriales, *la merveille unie à vérité*, según la bella expresión arcaica de Mellin de Saint-Gelais. El mismo Colón había visitado nuestras islas tropicales con la imaginación llena de reminiscencias platónicas y en sus viajes recordaba una y otra vez cuanto había oído o leído de tierras y hombres reales o imaginarios: leyendas y fantasías bíblicas, clásicas o medievales, y particularmente las maravillas narradas por Plinio y Marco Polo. Toma a los manatíes, en el mar, por sirenas, aun cuando no le parecen «tan hermosas como las pintan». Imagina que los indios le cuentan de amazonas, cíclopes u hombres con cara de perro, hombres con cola, hombres sin cabellos. Hasta el canto de un pájaro tropical se convierte, para él, en el canto del ruiseñor.

Mucho se ha elogiado a Colón por sus descripciones de la naturaleza en los trópicos. Todo un maestro en ese mismo arte, Alexander von Humboldt, encuentra en ellas «belleza y simplicidad de expresión», y un «hondo sentimiento de la naturaleza». Menéndez y Pelayo les atribuye la «espontánea elocuencia de un alma inculta a quien grandes cosas dictan grandes palabras». Pero Cesare de Lollis, en su edición crítica del texto de Colón, las juzga monótonas y superficiales; según él, Colón, por un entusiasmo forzado, trata de probar la importancia de su descubrimiento. Hay, sin duda, una nota de exceso en los escritos de Colón, pero es congénita en él. También es cierto que en sus cartas a los soberanos y a sus protectores Santángel y Sánchez —cartas que, prácticamente, no son más que una— no menciona para nada las características desagradables de las islas; en su *Diario* habla aquí y allá del incómodo calor que sufrió en las Bahamas, pero en sus cartas no se refiere a ello. Y su lenguaje peca en ocasiones de monótono, con repeticiones de fórmulas hiperbólicas, porque no era hombre de letras y no disponía de un gran caudal de palabras; pero consigue efectos deliciosos con su escaso vocabulario, como cuando habla de árboles que «dejaban de ser verdes y se tornaban negros de tanta verdura», o de «el canto de los grillos a lo largo de la noche», o de la sonrisa que acompaña el habla de los isleños, o cuando dice simplemente «cantaba el ruiseñor». Igualmente, sus descripciones podrán parecer artificiales, pero sólo porque las hace siguiendo la moda literaria de su época, a la que prestaba obediencia, aun cuando no era gran lector. Todo paisaje, para ser perfecto, tenía que ser un jardín de eterna primavera. El Paraíso mismo no se había concebido de otra manera durante muchos siglos. Y la verdad es que las islas del Caribe son verdes y están llenas de flores, frutos y pájaros que cantan durante todo el año, aun mientras en Europa es invierno.

Como sus descripciones se ajustaban al ideal de belleza natural entonces al uso, impresionaron vivamente la imaginación europea. Más tarde se vieron confirmadas y ampliadas por muchos cronistas. El Nuevo Mundo, o al menos su zona tropical, ha conservado en la imaginación de la mayoría de los hombres los rasgos esenciales que aparecen en la famosa carta de 1493: una riqueza y una fertilidad sin límite, y esa primavera eterna de los trópicos que experiencias más prosaicas han venido a cambiar en un verano perenne y no muy grato. Después de Colón se descubrieron y exploraron muchas otras regiones; los hombres vieron que en América había también desiertos, maniguas, praderas sin árboles, cordilleras formidables, dos zonas con rotación de estaciones y hasta una región polar. Pero el cambio, en la concepción popular, ha sido muy lento. En la actualidad, se considera que Norteamérica es, en términos generales, parecida a Europa, en cuanto al clima; el resto, los vastos y abigarrados territorios de Centro y Sudamérica, suele concebirse vagamente como un revoltillo de tierras más o menos tórridas, por más que la altura o la latitud hagan que una porción considerable de ellas sea templada. Buena parte de la sociología popular descansa sobre esta falsa concepción geográfica.

El retrato que hace Colón de los taínos como nobles salvajes es en parte una figura poética, compuesta bajo la influencia de una tradición literaria y con el deseo de realzar el valor del descubrimiento. Pero es el caso que el retrato se les parecía mucho. No tuvo igual fortuna que sus descripciones del paisaje; pero llevaba dentro la semilla del complejo problema del «hombre natural» que ocupó el pensamiento europeo durante trescientos años. En él encontramos hasta una preferencia por los nativos de América, basada en su belleza física, en contraposición a los nativos de África Central, preferencia que se repite en muchas vindicaciones de los indios y que sigue siendo bastante común, a pesar del elocuente elogio de la belleza negra hecho por el conde de Keyserling.

Erwin Walter Palm

ESPAÑA ANTE LA REALIDAD AMERICANA

El momento del descubrimiento de América coincide con la crisis decisiva del mundo gótico. Mientras en el Norte de Europa aquellos decenios significan la descomposición de las formas de vida medievales y la adaptación al nuevo clima preparado por el Renacimiento italiano, en la misma Italia el *Quattrocento* se apaga con una repentina llamarada gótica, que por un instante transfigura los ideales del tiempo pasado: fe y caballería.

Mientras tanto, España, después de haber pasado por unas crisis profundas en tiempos de los Trastámaras, recobra —absorbida en la última cruzada de Europa— un vigor y optimismo tales que parece no darse cuenta del mundo en torno a ella, llevando la ola medieval hasta los primeros años de Carlos V.

La atmósfera de la metrópoli hace que la grandiosa empresa del descubrimiento se presente, en un primer momento, como una extensión del mundo medieval. La nueva realidad es comprendida bajo las formas ópticas de la baja Edad Media. Son conocidos los primeros testimonios del Nuevo Mundo, las cartas de Colón y el *extracto* de su *Diario de navegación* conservado por Las Casas... Como de la larga y tremenda espera ante horizontes vacíos, mantenida por las endebles promesas de juncos, hierbas, cañas o palos flotantes, y por el vuelo ominoso de alcatraces, solitarias gaviotas y del «rabiforcado, que hace

Erwin Walter Palm, «España ante la realidad americana», *Cuadernos Americanos*, 38:2 (1948), pp. 135-167 (135-141).

gomitar a los alcatraces lo que comen para comerlo ella», surge la tierra de Guanahaní. Y como desde este momento se suceden los relatos de una naturaleza gaya, inocente y feliz.

Ya el 14 de octubre, el diario apunta: «... güertas de árboles las más hermosas que yo vi, e tan verdes y con sus hojas como las de Castilla en el mes de Abril y de Mayo, y mucha agua». Y en las mismas Lucayas: «Aquí es unas grandes lagunas, y sobre ellas y a la rueda es el arboledo en maravilla, y aquí y en toda la isla son todos verdes y las yerbas como en el Abril en el Andalucía; y el cantar de los pajaritos que parece que el hombre nunca se querría partir de aquí, y las manadas de los papagayos que oscurecen el sol; y aves y pajaritos de tantas maneras y tan diversas de las nuestras, que es maravilla; y después ha árboles de mil maneras, y todos de su manera fruto, y todos huelen que es maravilla, que yo estoy el más penado del mundo de no los cognoscer, porque soy bién cierto que todos son cosa de valía ...». Luego en la Juana: «aves y pajaritos y el cantar de los grillos en toda la noche con que se holgaban todos: los aires sabrosos y dulces de toda la noche ni frío ni caliente». Y pocos días más tarde: «vieron también ansares muchos y naturales ruiseñores que muy dulcemente cantaban» y —añade Las Casas— «es bien de considerar que haya tierra en que por el mes de Noviembre los ruiseñores cantan».

Desde el principio, los elementos invariables que componen este paisaje, están fijados: árbol, agua, brisa y canto de pájaros: la constelación del paisaje literario provenzal, la del *dolce stile nuovo*, la del *Decamerone*. Significativamente, la noticia del 14 de octubre habla de «huertas». Desde hace tiempo, los críticos de Colón libran una batalla, o increpando las descripciones del Almirante como «atonia di colori e monotonia di expressioni», o subrayando su don de observación y elogiando su «sentido helénico de la sorpresa ante lo nuevo». Pero la polémica, de cierto modo, no da en el blanco, puesto que la óptica del Almirante es predeterminada por una tradición, que selecciona la realidad a describir y que le hace reducirla a los cuatro elementos del paisaje culto de los trovadores y de la lírica y novela italianas, es decir, del paisaje que aún sigue siendo el paisaje ideal de aquella época, probablemente no sin sugerir consciente e inconscientemente un color paradisíaco. [...]

Las, si bien contadas, observaciones de gran exactitud acerca de palmas, algodón o del aspecto violentamente tropical del *cupey,* no rompen la unidad de una naturaleza preconcebida sino que caben perfectamente en la tradición del paisaje ideal, abierto al realismo del detalle desde su creación por la Antigüedad clásica. Más bien, denotan la curiosidad del viajero confundido ante las nuevas plantas aún sin nombrar.

Cinco días después del descubrimiento de San Salvador, Colón anota en el *diario*: «*... los árboles todos están tan disformes de los nuestros como el día de la noche; y así las frutas, y así las yerbas y las piedras y todas las cosas.* Verdad es que algunos árboles eran de la naturaleza de otros que hay en Castilla, por ende había muy gran diferencia, *y los otros árboles de otras maneras eran tantos que no hay persona que lo pueda decir ni asemejar a otros de Castilla*». Es ésta, aún hoy en día, la reacción casi típica de quien llega por vez primera al trópico. Luego, en la carta a Santángel, que es la que anunció al mundo el descubrimiento —carta escrita ya en el viaje de regreso—, la «diformidad fermosa», según el fin del relato sucinto menos especificada que en las notas del *Diario*, adquiere ya aquel brillo exclusivo que borra paulatinamente la frescura del encuentro original. En cuanto al ruiseñor, tan obligado como riachuelo, aire y árbol —ya el 16 de septiembre, a un mes de distancia de las costas americanas, «hallaron aires temperantísimos; que era placer grande el gusto de las mañanas, *que no faltaba sino oír ruiseñores*». [...]

En fin, no es tanto la cuestión del contraste entre reminiscencia y realidad —según la acertada definición de Olschki [1937, 1941], descubrir significó «en primer lugar reconocer en la realidad lo que la imaginación y una fe tradicional daban por existente»— sino de lo que integra el paisaje ideal de Colón, que, justo es admitirlo, tiene a su vez no menos fuerza de convicción que las primaveras florentinas de Fra Angélico.

Característico es lo que Colón calla: los esteros pantanosos de los ríos; su color nada idilíaco (lo desconsolado e infernal del río de La Isabela, del Bahabonico, por ejemplo); las profundas sombras azules y violáceas que hubieran encantado a un Leonardo, un Giorgione o Dosso Dossi, lo mismo que la hermosa humedad que vela las lejanías del trópico o aquellas tremendas nubaradas de polvo del paisaje de *guazábara de Montecristi* (visitado durante el primer viaje) que ha de plegarse a la euforia general del paisaje colombiano. [...] La misma *lettera rarissima* dirigida a los Reyes después del naufragio en Jamaica que descubre aquel otro trópico enemigo y abismal, lluvia, viento y relámpagos, cuyas descripciones son celebradas como originales frente a la «monotonía» del paraíso antillano —los lectores de la *Divina comedia* suelen preferir el *Infierno*— arraigan en asociaciones no menos concretas, bíblicas y patrísticas («la mar fecha sangre», «no vide el sol ni las estrellas»).

En el primer viaje, lo asustante, por inesperado que sea, apenas recibe la atención de unas pocas palabras secas. Aparece la primera iguana: «andando así en cerco de una destas lagunas vide una sierpe, la cual matamos y traigo el cuero a vuestras Altezas. Ella como nos vido se echó en la laguna, y nos le seguimos dentro, porque no era muy fonda fasta que con lanzas la matamos; es de siete palmos en largo …». Las Casas, al transcribir el resumen, siente la necesidad de ser más explícito para con su público en España: «… Esta sierpe, verdaderamente sierpe, y cosa espantable, cuasi es manera de cocodrilo o como un lagarto … Tiene un cerro desde las narices hasta lo último de la cola, de espinas grandes, que la hacen muy terrible». [...]
Sólo a veces la «huerta» se trueca por otro efecto, cuando Colón «certifica a los Reyes, que las montañas que desde antier ha visto por estas costas (de Cuba) y las destas islas que le parece que no las hay más altas en el mundo, ni tan hermosas y claras, sin niebla ni nieve». Las formas apuntadas de las cadenas de montes evocan un paisaje emotivo, a la manera de Patinir: «algunas dellas (islas), que parecía que llegan al cielo y hechas como puntas de diamante, otras que, sobre su gran altura, tienen encima como una mesa, y al pie dellas fondo grandísimo».

En cambio, cuando Colón abandona la convención literaria, sólo hay lugar —noticia del 12 de octubre— para las «muchas yerbas y muchos árboles que valen mucho en España para tinturas y para medicinas de especería» respecto a los cuales hubo de repetir, con idéntico pesar, dos días más tarde, «mas yo no los cognozco, de que llevo grande pena». Es decir, que al lado de la ficción asoma bruscamente la realidad de los fines de esta navegación. Las plantas útiles y los nombres exóticos que pronto llenarán el vocabulario español, y a través de él la curiosidad de toda Europa, constituyen una segunda realidad puramente mercantil y desprovista de todo romanticismo, sin otra transición al paraíso antillano sino la anticipación de la abundancia. La distinción radical de las dos esferas, conciliadas en la percepción emocionada del Descubridor, indica una yuxtaposición condicionada por el estilo particular de ver de la baja Edad Media. Inaugura así los esfuerzos plinianos de la *Historia natural de las Indias* como la de Oviedo, y por siglos impidió una efectiva asimilación del paisaje tropical de América. [...]

Efectivamente, la visión de Colón ha definido la percepción del trópico. Y no sólo la de los contemporáneos del Descubridor (con razón se ha observado que el suyo aún es el concepto corriente de nuestros días, y que inspira hasta los paisajes de idealización comercial de los cartelones de las grandes agencias viajeras).

Antonello Gerbi

GONZALO FERNÁNDEZ DE OVIEDO
Y LA NATURALEZA DE LAS INDIAS

Menéndez Pelayo observa muy atinadamente que «fue ventaja para Oviedo el ser extraño a la física oficial de su tiempo, tan apartada todavía de la realidad, tan formalista y escolástica, o tan supersticiosamente apegada al texto de los antiguos». Pero hay que añadir al punto que en eso precisamente se muestra Oviedo a la altura de los tiempos, y como un precursor casi. Precisamente por estar «entregado a los solos recursos de su observación precientífica» y por ser devoto de un método «enteramente empírico» (expresiones limitativas del mismo Menéndez Pelayo), Oviedo hacía dar un gran paso adelante a las ciencias naturales.

Inculto, tal vez, pero no sólo no atrasado, sino llevado, en el espíritu y en la invasora curiosidad, por la oleada más alta del progreso europeo a tajar la pupila en las remotas tierras americanas, Oviedo, cuando trabaja con su experiencia y prescinde de los esquemas envejecidos de la física escolástica, es un abanderado, no un afortunado ignorante. [...] En la forma expositiva, Oviedo se mantiene bastante cerca de los «bestiarios» medievales: describe un animal (o una planta) y luego otro, y otro, sin buscar afinidades genéticas, y sin un méto-

Antonello Gerbi, *La naturaleza de las Indias Nuevas de Cristóbal Colón a Gonzalo Fernández de Oviedo*, Fondo de Cultura Económica, México, 1978, pp. 332-340.

do seguro —salvo seguir en general el orden pliniano de animales terrestres, acuáticos y volátiles, más uno como apéndice para los insectos—, pero con una constante preocupación utilitaria y a veces con el agregado final de «moralejas» de neto sabor medievalizante.

Parece incluso que en este terreno, al contrario de lo que se ha observado en el caso de la historia «general», las partes más viejas son las más moralizantes, mientras que las más tardías, redactadas por el administrador y colonizador de las nuevas tierras, abandonan los floreos edificantes en favor de las noticias prácticas sobre los usos y costumbres de los animales y las virtudes terapéuticas de palos y hojas y frutas. En el *Sumario*, por ejemplo, quizá todavía bajo la influencia de la tradición literaria de los bestiarios, la admirable descripción de los peces voladores y de las gaviotas termina en parábola cristiana:

> Yo me acuerdo que una noche, estando la gente toda del navío cantando la Salve, hincados de rodillas en la más alta cubierta de la nao, en la popa, atravesó cierta banda de estos pescados voladores, y íbamos con mucho tiempo corriendo, y quedaron muchos de ellos por la nao, y dos o tres cayeron a par de mí, que yo tove en las manos vivos y los pude muy bien ver ... Y estando por allí cerca (en las inmediaciones de las Bermudas) vi un contraste de estos peces voladores, y de las doradas, y de las gaviotas, que en verdad me paresce que era la cosa de mayor placer que en mar se podía ver de semejantes cosas. Las doradas iban sobreaguadas, y a veces mostrando los lomos, y levantaban estos pescadillos voladores, a los cuales seguían por los comer, lo cual huían con el vuelo suyo, y las doradas proseguían corriendo tras ellos a do caían; por otra parte las gaviotas o gavinas en el aire tomaban muchos de los peces voladores, de manera que ni arriba ni abajo no tenían seguridad; y este mismo peligro tienen los hombres en las cosas de esta vida mortal, que ningún seguro hay para el alto ni bajo estado de la tierra; y esto solo debería bastar para que los hombres se acuerden de aquella segura folganza que tiene Dios aparejada para quien le ama, y quitar los pensamientos del mundo, en que tan aparejados están los peligros, y los poner en la vida eterna, en que está la perpetua seguridad. [...]

En la *Historia* hay desde luego un capítulo (el cuarto del libro XIII; I, 427) dedicado a los «pexes voladores», pero sin esa vívida pintura, sin la cola de la moraleja también, y en cambio con la advertencia de que esos peces se ven sólo «viniendo de España a estas Indias», y con una significativa modificación de las pocas frases que se corresponden. En el *Sumario*, Oviedo había escrito de los peces voladores: «que yo tove en las manos vivos, y los pude muy bien ver ...»; en la *Historia* escribe: «e yo los he tenido vivos en las manos *e los he comido* ...». En el *Sumario* había escrito que el espectáculo era «la cosa de mayor placer que en mar se podía ver»; en la *Historia* anota dos veces su uso alimenticio: «Y son muy buen pescado al sabor ... Es muy buen pescado de comer, aunque tienen muchas espinas». El interés utilitario se sobrepone al estético. [...]

Uno de los detalles que más impresionaron a los europeos, en cuanto leyeron las primerísimas relaciones de las Antillas, fue la falta en estas islas de cuadrúpedos comestibles. Ya Colón anota, hablando de la isla de Cuba, que sus exploradores «bestias de quatro pies no hallaron, salvo perros que no ladraban» (*Diario*, 6 de noviembre de 1492). Y ya la bula de Alejandro VI (4 de mayo de 1493) caracterizaba a los habitantes de las «remotísimas islas» descubiertas por Colón como pacíficos, desnudos, «nec *carnibus* vescentes». En el memorial de 30 de enero de 1494, dirigido desde La Isabela a los soberanos, el Almirante atribuía las enfermedades de sus hombres a la falta de «carnes frescas», y les suplicaba enviar bestias de carne y de labor, «que acá ninguna de estas animalias hay de que hombre se pueda ayudar ni valer». Cuando, en el promontorio de Paria, Colón encuentra cuadrúpedos de gran tamaño, ciervos, puercos monteses, etc., inmediatamente saca de allí argumento para concluir que ha tocado de verdad el continente, la tierra firme de Asia, probablemente recordando la célebre duda agustiniana (*De Civitate Dei*, XVI, 6-7) sobre cómo los animales, y en particular los cuadrúpedos no domésticos, pudieron llegar a las islas. Veinte años más tarde, Giustiniani, en su vida de Colón (1516), repite, hablando de la isla Española, que «no se encuentran ahí animales quadrúpedes, a no ser algunos perros de pequeña estatura». No menos elocuente es lo que refiere Oviedo de la expedición de Juan de Grijalva, a quien Diego Velázquez había mandado con un bergantín como avanzada, para esperarlo en el cabo San Antonio (Cuba); pero cuando llegó allí con el grueso de sus fuerzas no encontró a nadie, y algunos de sus hombres, que saltaron a tierra, «hallaron colgada una calabaça de un árbol, e dentro della una carta que deçía assí: "Los que aquí vinieron con el vergantín se tornaron con él, porque *no tenían qué comer*"».

La amarga observación, dictada por evidentes preocupaciones logísticas, tenía que pesar en el correr de los siglos sobre toda la fauna de América: pareció la primera señal de una inferioridad orgánica, de una pobreza esencial, que se formuló en algunos casos como una teoría de decadencia o de inmadurez física, y en otros, con mayor atención a la realidad original, como una falta de alimento, o sea como un hambre crónica de los americanos, perdonables, en consecuencia, si se entregan a la antropofagia.

[Al punto de vista culinario seguía inmediatamente el utilitario terapéutico. Las plantas habían sido *ab antiquo* la gran farmacia de la humanidad, y en las Indias pululaban en especies y variedades nunca vistas.]

Es precisamente a propósito de las plantas, pero expresándose en términos tan generales que pueden aplicarse a cualquiera de los elementos de la naturaleza, como Oviedo afirma la universal adoptabilidad de todo cuanto se encuentra en las Indias. En otras palabras, sostiene que toda la realidad es amiga del hombre, sin más límite que la ignorancia del hombre mismo. Si la fe de Oviedo en la universal bondad de la naturaleza no radicara en uno de los primeros versículos de la Biblia («viditque Deus cuncta quae fecerat, et erant valde bona», *Génesis*, I, 31), se podría advertir en sus palabras un acento digno casi de Giordano Bruno o de Tommaso Campanella: «y lo que más es de espantar es que ninguna cosa vemos inútil ni que dexe de ser nesçessaria, sólo aquellas de que los hombres yñoran sus secretos y la fuerça de la natura en ellas, o para qué son apropiadas todas estas cosas».

[Puesto delante de una naturaleza todavía desconocida, pero indispensable, el español trató de domeñarla con los instrumentos que tenía a su disposición, trató de reducirla a sus módulos, para entenderla, y de confrontarla con la familiar y europea, para mejor utilizarla. El motor cognoscitivo llevaba a subrayar las afinidades sustanciales de la naturaleza americana con la del Viejo Mundo. El motivo práctico llevaba a estudiar y destacar sus aspectos singulares, insólitos, desconcertantes o milagrosos. Oviedo rechaza la polaridad de los dos mundos, evita asimismo la unilateralidad de esos dos momentos ideales de un mismo proceso cognoscitivo. Sin teorizar, porque es sólo un hombre de sentido común, y no un filósofo, Oviedo *sabe* que la naturaleza es una, en Europa y en América, y *sabe* que la naturaleza de América es distinta de la de Europa.]

La técnica descriptiva de Oviedo refleja con claridad esa doble convicción suya. Al hablar de cada animal y de cada planta comienza por decirnos en qué es igual a los de España (si no otra cosa, aplícándole, al menos provisionalmente, el nombre de la correspondiente criatura europea), pero después nos informa de inmediato en qué difiere —y el acento recae de ordinario en las diferencias, en las peculiaridades de las criaturas ultramarinas.

Oviedo sigue así un método de «aproximaciones sucesivas»: primero una burda asimilación, después una distinción particularizada —que no sólo servía de eficacísimo estímulo a la curiosidad europea (la cual en el primer momento se mostró lenta en interesarse por las particularidades del Nuevo Mundo, inclinada como estaba a verlo *in toto*, como naturaleza virgen y prodigiosa opulencia), y que no sólo era el único posible para representarles a las mentes europeas la fauna y la flora de tan nuevas regiones, sino que anticipa, como queda dicho, en forma empírica y burda los métodos más modernos y rigurosos de clasificación por afinidades genéricas y diferencias específicas.

[La primera de las maravillas, y la más constante, es que esas plantas y esos animales, con todo y ser parecidos a los de Europa, son sin embargo diferentes. Apenas ha puesto Oviedo sobre una criatura americana el cartelito de una denominación familiar, se arrepiente y se lo quita precipitadamente. Apenas ha bautizado una bestia o un árbol (y «bautizado» no está dicho sin razón, puesto que de hecho, al imponerles nombres europeos, Oviedo los incluye en la órbita común de la civilización cristiana), lo asalta la duda de si el bautismo no será abusivo, fraudulento casi y al punto descubre en este procedimiento una fuente inagotable de errores y la raíz de las vanaglorias de las naciones y de los doctos.]

Un caso particular de este escrúpulo de precisión es la crítica constante de los topónimos aplicados a las Indias. Si los animales podían *parecerse* de algún modo a los europeos, los promontorios, las costas, los golfos, los montes de América tenían en cambio una personalidad propia, autónoma y no asimilable, absolutamente, a los «prototipos» familiares del Mundo Antiguo. Los nombres con que se les bautizó están todos equivocados: «no guardar los nombres primeros es hacer confusión en todo», lo que obviamente refuerza su crítica perpetua de los cosmógrafos. Pero los soldados y marineros españoles, en su ignorancia, han hecho precisamente eso: de manera arbitraria han cambiado los nombres indígenas, descuidando los datos geográficos más elementales, la altura, la longitud y la latitud, y han hecho un grandísimo revoltijo, que sólo con el tiempo y más exactas observaciones podrá desembrollarse.

Sus motivos han sido la devoción a los santos y a la Virgen en sus diversas advocaciones, o la maliciosa ambición de hacerse pasar por los primeros descubridores, y quitarle así la gloria a quien verdaderamente ha sido el primero en revelar esas tierras, «lo cual no entiendo yo sufrir en mis historias, ni quitar a ninguno sus méritos».

Por lo tanto, el uso local es siempre el que hay que preferir; de manera subordinada, es mejor el nombre dado por quien primero estuvo en el sitio en cuestión; como tercera posibilidad, habría que añadir por lo menos una especificación, para distinguir el lugar de otros homónimos, como se hace en España con los muchos lugares que se llaman Alcalá o Villanueva. En cambio, por ejemplo, los marineros de Pedro de Heredia llamaron simplemente Cartagena la ciudad por él fundada, en recuerdo del seguro puerto de Cartagena en España; pero esto fue «muy fuera de propósito», más aún, «un disparate de marineros», porque hoy se podría pensar que los antiguos cartagineses llegaron a estar en las Indias (!). [...]

La crítica oviediana fue repetida por Fernando Colón y por el padre Acosta, y más tarde, en el siglo XVIII, por Buffon, el cual observó además que «des noms imposés par les peuples simples —¡los nombres indígenas queridos de Oviedo!— ont rapport aux propriétés de la chose nommée»; y un eco pintoresco y sarcástico se escucha todavía en el padre Mier, que carga a los santos con estas y otras culpas: sus nombres «confunden los lugares, convierten la geografía de América a letanía o calendario, embarazan la prosa e imposibilitan la belleza a las musas americanas».

ALBERTO M. SALAS

LA OBRA DE LAS CASAS

Toda la obra de Las Casas es pragmática, encaminada concretamente a un fin humano y cristiano: salvar a los indios de la condición

Alberto M. Salas, *Tres cronistas de Indias: Pedro Mártir de Anglería, Gonzalo Fernández de Oviedo y fray Bartolomé de las Casas*, Fondo de Cultura Económica, México, 1959, pp. 295-301.

afligente en que los había colocado la conquista española. Sus páginas no son de ocio ni de distracción, de entretenimiento ni gasto de sobra de tiempo, ni el intento de buscar fama y notoriedad de escritor. Por eso son pobres de nominativos, de belleza de recreación, de literatura, que mal parecía avenirse con la urgencia de su causa, con su austeridad. Por eso, sin dudas, por su carácter mismo de batallador, de discutidor y de hombre fervoroso, ha preferido el horror y la acusación, la denuncia enérgica y encendida, a la vez que llena de un rigor lógico que sorprende. Sólo cuando habla de los indios y compone algunas páginas de su *Historia* y otras de la *Apologética*, se ablanda su prosa y cobra ternura, que falta totalmente en cuanto se refiere a los hechos españoles en Indias.

Aunque no creemos que Las Casas fuera un hombre que supiera manejar con elegancia, riqueza y soltura el idioma, aunque es evidente que en sus escritos es duro, retorcida la construcción de su frase, larguísimos sus períodos, con los verbos perdidos y hasta de hallazgo sorpresivo, pensamos que Las Casas desdeñó un poco lo que podemos llamar literatura y todo adorno. De allí, en parte, por lo menos, esas alusiones a las «parlerías», los ripios y los nominativos que usaba Oviedo. De allí también la ausencia de descripciones, de la naturaleza misma en tanto que ella no es apologética ni convenga a su tesis; por eso también la ausencia de la flora y de la fauna, como si el autor no hubiera atendido a otro contorno que el humano, su único interés. Los densos capítulos de su *Historia* se escribieron para informar y denunciar, para defender a los indios, no para amontonar, como hizo Oviedo, bellezas y cosas monstruosas, cosas gustosas y llenas de novedad como hizo Pedro Mártir. Sólo hay una preocupación, un tema, sostenido a través de largos años en numerosísimos escritos, tema que acaba por darle toda una belleza trascendente y suprema.

Si no es en algunos de sus folletos polémicos, Las Casas, como es costumbre en la época, ha gustado argumentar autoridades, transcribirlas y hasta comentarlas extensamente. La *Historia* es un buen ejemplo de esta tendencia, lo mismo que la *Apologética*, y en menor grado el *Del único modo*. Aun cuando las autoridades argumentadas son las que dan verdad y oportunidad a los razonamientos, las que fundamentan las opiniones y las tesis, constituyen ahora, para el lector de nuestros días, la mayor dificultad. Una cantidad enorme de autores, preferentemente padres de la Iglesia, son citados sin fatiga y sin la menor concesión a la limpieza del texto a la amenidad de la lectura. Las Casas hace bastante poco caso de esta circunstancia y nada concede al lector, si no es de vez en cuando algunas ironías o unos escasos juegos de palabras. Áspero, ríspido, por momentos aburrido y denso, difícil de seguir en la construcción retorcida de su frase, sólo busca expresar sus ideas sin ningún adorno, dentro de lineamientos que nos parecen barrocos por su ofuscación. Prosa seca, dura, retorcida como un sarmiento, sin color, sin matices, sin sensualidad ni recuerdos. El latín de las autoridades, el rigor del silogismo cristiano que plantea, su austeridad y la tesis final, negadora de la épica y de la lucha, parecen conjugarse para restarle lectores en nuestra época. Su llamada falta de realidad, vale decir, de consentimiento de la realidad habitual e imperante, el compromiso riguroso en que coloca al lector por el mero hecho de leerlo, la prueba que realiza con cada uno de sus lectores, imperfectos y cómodos cristianos como nosotros, seguirá eliminando muchas posibilidades de frecuentación y de relectura. [...]

La *Historia de las Indias* nos parece en definitiva que ha sido construida como un largo sermón —la continuación y amplificación del sermón de Montesinos—, encaminado a rehabilitar al hombre en la libertad, la dignidad y la justicia.

Las opiniones y la prédica de Las Casas siguen siendo materia de controversia y de disputa. Siguen aún suscitando la polémica, negando la objetividad y la serenidad —condiciones cuya falta tanto se ha reprochado a Las Casas— y exigiendo el ardor a todo aquel que se aproxime a ellas. Sus críticas y sus afirmaciones rotundas y tremendas, que no molestaron a Carlos V ni a Felipe II, siguen inquietando a quienes piensan, no sabemos por qué, que la mayor obra cumplida por España es la conquista de América, sin advertir que están limitando todas las posibilidades de trascendencia histórica de un pueblo a un hecho que no se puede presentar con la pureza de un ideal, sino con la compleja turbulencia de una realidad. No podemos dejar de reconocer ni de recordar que la conquista es una verdadera gesta. Pero a la vez, no podemos olvidar que como toda gesta se cumplió con crueldad, con avideces y con una tremenda injusticia hacia los pueblos americanos. Al decir esto no intentamos sumarnos fácilmente a ninguna tendencia indigenista y sólo deseamos recordar que la conquista española es una conquista de tantas y que como todas es un hecho cruento, de fuerza y de violencia, que si bien prueba una vez más el valor y la constancia de los españoles en la empresa, no puede conducirnos a construir en torno de él la mayor gloria de España. Si por algo hay que optar, preferimos hallar esa gloria en los decididos y netos valores del espíritu, más que en las obras cumplidas por una turbulenta realidad que las Leyes de Indias no alcanzaron a encauzar. [...]

Las Casas ha sido negado, además, porque puso en tela de juicio todas las heroicidades americanas, toda la justicia alegada de la conquista, porque se rió y burló de los derechos de España para usar la fuerza con los infieles americanos, para encomendarlos y repartirlos y aun para esclavizarlos. Se le ha negado y aún se le niega porque hizo caer el castillo de naipes de la impulsión religiosa de la conquista y nos mostró a unos conquistadores hombres, no apóstoles ni misioneros, llenos de ansias y de deseos. Y aun exageró esas ansias y esos deseos para hacer más eficaz la argumentación, así como exageró e idealizó a las culturas americanas. Lo que nos parece claro e indudable, en definitiva, es que la impulsión religiosa estaba en las Leyes de Indias, en la voluntad de algunos reyes y funcionarios, en los misioneros; pero que no se alojaba en el corazón de Pedrarias.

[La conquista es un coraje sostenido, una lucha llena de constancia que asombra, un sumergirse en grandes mapas de trazado difuso; pero es también, y hay que recordarlo siempre, el miedo y el terror, el abatimiento, poblaciones diezmadas por defender su libertad, su cultura, sus modos de vida. En este sentido Las Casas es el primer castigo de nacionalismos que conoce España. En plena época de expansión imperial y triunfante, Las Casas le sale al frente con sus críticas y sus impugnaciones, pone en duda toda aquella misión trascendente que inflaba los prólogos de Oviedo, niega los justos títulos para la conquista, y echa al orgullo español el primer balde de agua fría.] La conquista deja de ser para él una empresa deslumbrante y llena de audacia y de acento profundamente épico. No es más que una crueldad infinita, una forma de cobardía y de abuso, de avidez truculenta. Y abre las puertas del infierno para todos aquellos que disculpándose en la tarea trascendente y cristiana lograron tierras y riquezas de hombres que tenían señorío indiscutible. Abre de par en par las puertas del infierno a los que iniciaron la práctica de los repartimientos, de las encomiendas, de la esclavitud, del trabajo abusivo de los infieles cuyas almas venían a salvar, a todos los que degollaron a los inocentes.

Resulta imposible, ahora más que nunca, evadir un juicio ante la posición no sólo historiográfica de Las Casas, sino humana y ética, que es mucho más importante, a nuestro juicio. Su postura es profundamente positiva y constructiva a pesar de lo ortodoxo de sus principios;

trascendente y perdurable a través del tiempo en su clara y definida lucha contra la violencia, la injusticia, la discriminación racial y cultural. Trascendente y perdurable en tanto un solo hombre siga deseando, añorando la libertad. Positiva, no sólo por negar la validez de la fuerza, ya no en su realidad histórica, que denuncia enérgicamente, sino por afirmar, lleno de fe, la perfectibilidad del hombre. Positiva por negar la fuerza como sucedáneo del derecho natural y de gentes. Por eso parecen repugnarle los nominativos de Oviedo, aplicados a las preciosas descripciones, mientras a su alrededor la crueldad hace riza entre los indios y hasta en los españoles. Positiva y perdurable por cuanto defiende al hombre como un solo hombre del atropello y la brutalidad. [...] Defiende la ilusión más permanente y más constante de la humanidad a través de todos los tiempos, la superación última de la cultura en las formas puras del derecho y de la justicia.

[Nos resulta hasta increíble que aún ahora la actitud de Las Casas pueda ser discutida, incomprendida en su proyección última. Así, muchos autores, mientras se empeñan en defender a España de las acusaciones de Las Casas lo único que han logrado es hacer una apología de la violencia. Las Casas en su época ya les reprochó a esos hombres su falta de sensibilidad. Subsisten, pues, las mismas características, sin advertir el horror y la crueldad que justifican e incitan.]

En definitiva, la postura positiva y optimista de Las Casas abrió las puertas a todas las posibilidades humanas del indio americano. No vio en ellos vicios, lacras ni abominaciones que les pertenecieran de manera específica y no se asustó ni de su infidelidad ni de su idolatría, como ocurrió a tantos recios conquistadores poco evangélicos. Procuró sobre la base de su total racionalidad darle la total dignidad humana, esa misma dignidad que ahora nadie puede negarle, aun cuando hay lugares en que sigue siendo una posibilidad teórica. La tarea cumplida por Las Casas en este sentido ha sido profundamente útil y diríamos que práctica. No práctica en el sentido de que él mismo proyectó sus ideas sobre la realidad imperante. [La eficacia y la proyección de Las Casas, como la de todos los pensadores, fue mayor aun cuanto más puro e ideal fue su pensamiento. Pensamiento crítico y realidad operante son dos planos que se inducen, pero que difícilmente se amoldan a la perfección. Pareciera, en principio, que se trata de planos decididamente impenetrables, particularmente inaccesible la realidad por la doctrina, la teoría de la bondad, de la hermandad y de la paz, que constituye el nudo del pensamiento del Fraile. Teorizaciones como la suya, utopías más o menos semejantes a las de un cristianismo puro, eran de difícil aplicación en la realidad ya estructurada del Nuevo Mundo.]

Sus caballeros de espuelas doradas no pasaban de ser un mito, un mito que ni siquiera se cumplió en su etapa meramente formal y figurativa. Un mito también sus labradores, que en cuanto los dejó solos por unos meses se convirtieron rápidamente en conquistadores, en salteadores de indios. Un mito la libertad de los indios, no porque ellos no fueran capaces, sino porque era inútil pensar que el contorno español fuera a respetar esa libertad, prescindiendo de tan rica mano de obra, fácilmente explotable, y que era la mayor riqueza que proporcionaba entonces la tierra de América. Las Casas anduvo detrás de sus mitos porque era un gran optimista con respecto del hombre, y hasta creyó que los Jerónimos habrían de declarar la libertad de los indígenas. Pero cuando el clérigo se lanzó a la acción misma, y procuró la realización de sus ideas fracasó de manera lamentable, no sólo porque no pudo vencer a la realidad sino porque él mismo, por hacer algo, por lograr algún resultado abandonó su ortodoxia, hizo acuerdos y convenios con la Corona, con los funcionarios de Santo Domingo, prometiendo ganancias. Y luego huyó acobardado de la acción, fracasado por ella, irremediablemente derrotado. Él mismo destruyó sus construcciones teóricas llevándolas a la práctica, demostrando que eran inaplicables, y enseñando que esos planteos no podían proyectarse directamente sobre la realidad, por la naturaleza de la realidad misma, por Las Casas mismo que no estaba hecho para la acción ni para tolerarla.

Sin embargo, si la realidad no pudo ser abordada por él de esta manera directa, acabó Las Casas por abrir en ella un amplio camino, merced a la pujanza misma de su doctrina, sin necesidad de confrontarla con la acción. Y triunfó en cuanto mantuvo con ortodoxia y sin desmayo esa prédica, mientras no claudicó uno solo de sus principios, mientras volcó su personalidad en furibundas arengas a los señores del Consejo, a la majestad de Carlos V; triunfó en cuanto describió a la Conquista como un juego de horrores, y a los indios como a las criaturas más maravillosas que produjo la humanidad. Cuando no claudicó una sola de sus exageraciones, uno solo de sus entusiasmos, Las Casas fue Las Casas, el hombre que movió la conciencia de aquellos funcionarios a los cuales sin temor les prometía una condenación eterna o la simple violencia de sus respuestas. Y de esta manera, hablando, escribiendo, derrotando a Sepúlveda, escribiendo que del hombre sólo una es la definición, bramando contra la encomienda, los repartimientos y todos los excesos que se cometieron en Indias, Las Casas suscitó el problema, la conciencia de culpa, logró moderar leyes y crueldades.

La acción de Las Casas, como la de todos los críticos de esa envergadura, ha sido y es de una eficacia total y absoluta, ya que sin su fe, sin el ardor incansable de su polémica, la acción correría cada día más libremente por los caminos impiadosos y habituales.

Alfonso Reyes

LAS *CARTAS* DE HERNÁN CORTÉS

Nuestra literatura es hecha en casa. Sus géneros nacientes son la crónica y el teatro misionario o de evangelización.

Si la cultura indígena, vistosa y frágil como la flor, se contentó con vivir al día, la hispánica, como todas las europeas, vive de preservarse. De aquí una temprana acumulación de materiales, arranque de nuestra historiografía, único momento que aquí nos concierne.

La crónica primitiva no corresponde por sus fines a las bellas letras, pero las inaugura y hasta cierto instante las acompaña. Fue empeño de conquistadores, deseosos de perpetuar su fama; de misioneros que, en contacto con el alma indígena y desdeñosos de la notoriedad, ni siquiera se apresuraron muchas veces a publicar sus libros, y a quienes debemos cuanto nos ha llegado de la antigua poesía autóctona; y en fin, de los primeros escritores indígenas que, incorporados ya en la nueva civilización, y aún torturados entre dos lenguas, no se resignaban a dejar morir el recuerdo de sus mayores. Pronto aparecen tal o cual encomendero reciente que distraía, escribiendo, los ocios de su bienestar, o algún catedrático universitario comisionado para juntar noticias.

La historia de la conquista fue inaugurada por los mismos con-

Alfonso Reyes, *Letras de la Nueva España*, Fondo de Cultura Económica, México, 1948, pp. 313-317.

quistadores. Ellos representan aquella tradición, ilustrada en los Quinientos por tantos guerreros españoles como escribieron con buena mano el relato de sus episodios, patentes en las crónicas del Gran Capitán y cortejo teórico a la superioridad de las infanterías imperiales.

Hernán Cortés, en sus cinco famosas *Cartas de relación* dirigidas al emperador de 1519 a 1526, cubre el panorama completo, desde el arribo a Cozumel hasta la expedición a las Hibueras. Pudo haber escrito unos secos partes militares; movido de su índole epistolar, nos legó un documento apasionador y lleno de vida, en su aparente objetividad y mesura.

Acostumbró el conquistador escribir siempre con llaneza, atropellamientos de lengua hablada, sabores de locución casera y aun proverbios —no obstante que sus epístolas iban enderezadas a la persona imperial— y, en suma, esa estilística viva que Vossler justifica en su estudio sobre Benvenuto Cellini. Con todo el respeto que nos merece una de las autoridades críticas que más veneramos, nada encontramos en el rasgo de aquella pluma que pueda llamarse «rápido» y «nervioso». Al contrario, lo sorprendente es aquella manera solazada y lenta, en medio de las alarmas militares.

Gracián, preciosista extremado para quien el enigma es condición estética y «el jugar a juego descubierto ni es de utilidad ni de gusto», dice que Cortés, magnífico en las armas, si llega a consagrarse a las letras nunca hubiera pasado de una discreta medianía, que es juzgar de lo que no existió. Quevedo afirma que se equivoca quien llamó hermanas las letras y las armas, «pues no hay más diferentes linajes que hacer y decir». Lo desmienten muchos ejemplos, y más cuando se dice lo que se supo hacer, de cuyos aciertos están llenos los libros.

Desde luego, el antiguo estudiante de Salamanca, que conocía sus latines, era algo poeta; según Díaz del Castillo, se manifestaba con muy buena retórica en sus charlas con los entendidos, sembraba sus arengas de heroicidades romanas —amén de su ingénito dón de convencer y atraer—, y no carecía de letras. Y a ellas volverá en la desengañada vejez, fundando en su propia casa la primera academia al modo italiano que se conozca en España, donde se congregaban, en busca de plática sustanciosa, hombres eminentes en humanidades y en gobiernos. [...]

Con ojo y pincel maravillados, retrata Cortés la vida y costumbres del país, sus ciudades, sus artes, sus ceremonias; a todo lo cual comunica una animación y da un tratamiento minucioso que nunca concede a sus propios actos. Pues, en rara armonía de cálculo y temperamento, se explica poco sobre sí mismo y acepta con sobriedad y sin embriaguez sus éxitos y sus reveses. Viajero dispuesto a entender, no se desconcierta ante lo exótico. Narrador incomparable, descriptivo de singular nitidez, no disimula su pasmo ante la cultura indígena. Sus *Cartas* resultan un himno a la «grandeza mexicana», tan expresivo en su prosa espesa y embarazada de artejos como el que más tarde entonará, con atuendo artístico y sonoras sílabas contadas, el elegante Bernardo de Balbuena; y acaso también sea más sincero. La emoción auténtica ante las maravillas del Nuevo Mundo —advertía Humboldt— se nota mejor en los cronistas que en los poetas.

Pero, a poco que un rasgo o una circunstancia, por inesperados que sean, acomode en sus planes y le ofrezca alguna utilidad, y aunque hoy a nosotros nos parezca una de las fantasías mayores de la historia —así cuando Moctezuma, temblando de pavores místicos y transido por la angustia de los presagios, le revela aquellas profecías de Quetzalcóatl que lo han desarmado moralmente, nuevo rey Latino ante Eneas, el emisario de la fatalidad—, Cortés se queda al instante frío y fríamente mueve la pieza en su ajedrez. Se apagan sus ojos, se le seca el alma, ya no ve más que su provecho. El orden de la acción, o mejor el orden cerebral, domina al orden contemplativo. Es el espíritu de conquista que reclama sus fueros.

Esta alternativa corresponde a las dos etapas de la campaña, discernidas por la perspicacia de Mora. La primera etapa es de persuasión, de encantamiento; se cierra con la llegada a Tenochtitlán, y a lo largo de toda ella Cortés ha venido soñando en un posible arreglo, en quedarse acaso con su presa mediante la sola astucia. En el abrazo con que Cortés se acercaba a su conquista, si hay sangre, también hay amor, y él mismo se siente conquistado. Por eso se ha dicho que, si las *Cartas* son nuestros *Comentarios de las Galias*, Cortés, incapaz de medirse con César en la pureza de un estilo profesional, lo supera por el entusiasmo y la simpatía. Hasta se lo ve ilusionado con una quimera política tan inmensa, que relega al segundo plano el primer impulso de la codicia. Más tarde, y a pesar de los contratiempos que lo esperan, esta quimera —tal vez acariciada en la intimidad de la familia, al punto que pudo inspirar las ambiciones de autonomía en el corazón de sus hijos— asume la figura de un vasto orbe chino-mexicano que hubiera mudado la gravitación de la historia y que el virreinato corrige con preciso dibujo.

Pero, al sobrevenir la segunda etapa, cuando se levanta Tenochtitlán como una fiera que despierta y Cortés tiene que escapar precipitadamente, en fuga desastrosa; cuando comprende que tampoco él está en un lecho de rosas y no todo había de ser «vida y dulzura»; cuando cae la venda de sus ojos y, desde lo alto del templo de Tacuba, se lo oye suspirar contemplando a la ciudad perdida, padece la crisis más amarga de su existencia; reacciona como el amante que, ciego y egoísta ante el ajeno albedrío, se halla de pronto amante engañado. Y empieza la etapa propiamente militar. Sucede al seductor el guerrero. Ya no ve delante de sus ojos más camino que la violencia.

Tal es la dinámica de la conquista en las disyuntivas de su ánimo. Ellas explican crueldades e imprudencias, que más de una vez desgarran la malla tejida astutamente durante su ascensión hacia la meseta de México; ellas, la impaciencia con que quiere colmar aquel abismo de la religión que lo separaba del objeto deseado, como si la decisión de un solo hombre en un solo instante bastara para realizar el portento en que se agotaron las misiones. Cortés acusa de todo al error que significó la expedición de Narváez, al celo de Velázquez para sostener su endeble principio de autoridad. Pues las reyertas entre unos y otros españoles corrompieron el prestigio, casi divino, de que ya empezaban a gozar los Hijos del Sol entre aquellos recelosos testigos de su conducta. Pero la culpa es más honda: está en el desaire de Cortés para el sentimiento religioso y nacional del pueblo indígena; en su desconocimiento, a veces, de aquella energía fundamental que se llama de mil maneras y que nos subleva contra todo empeño de sujeción a la voluntad extraña.

RAMÓN IGLESIA

BERNAL DÍAZ DEL CASTILLO Y EL POPULARISMO

En pleno Renacimiento, reinando los Reyes Católicos, cuando la historia trata de elevar su nivel imitando los modelos de la Antigüe-

Ramón Iglesia, «Bernal Díaz del Castillo y el popularismo en la historiografía española», *El hombre Colón*, El Colegio de México, México, 1944, pp. 62-70.

dad clásica —con lo cual lo único que consigue es inundar el relato de discursos farragosos, como ocurre en la crónica de Hernando del Pulgar—, surge un magnífico representante del relato directo, de tipo popular, en Andrés Bernáldez, cura de Los Palacios. No desdeñará éste decirnos que escribe el libro a instancias de una abuela suya. [...] Ni omitirá que la reina Isabel se tiró de los pelos al saber la actitud de rebeldía en que estaba colocado el arzobispo de Toledo don Alonso Carrillo.

«Y el arzobispo con mal seso le envió a decir a la reina que supiese certificadamente que si allá iba, que entrando ella en Alcalá por una puerta, que él se iría huyendo por la otra. Y como esto supo la reina estando oyendo misa, la misa acabada, obo tanto enojo, que echó mano a sus cabellos.» El alba de una nueva España apuntará en las notas sencillas de una canción infantil. «Después que se comenzaron las guerras en Castilla entre el rey Don Enrique e los caballeros de sus reinos, e antes que el rey Don Fernando casase con la reina Doña Isabel, se decía un cantar en Castilla, que decían las gentes nuevas, a quien la música suele aplacer, a muy buena sonada: "Flores de Aragón, dentro de Castilla son". E los niños tomaban pendoncitos chiquitos, y caballeros en cañas, jineteando, decían: "¡Pendón de Aragón, pendón de Aragón!" E yo lo decía y dije más de cinco veces. Pues bien podemos decir aquí, según la experiencia que adelante se siguió: *Domine, ex ore infantium et lactantium perfecisti laudem ...*». Sin abandonar este tono familiar escribe Bernáldez páginas insuperables sobre la toma de Granada, la expulsión de los judíos y el descubrimiento de América. Sobradamente conocida es su semblanza de Cristóbal Colón.

Mientras en España hace estragos la tendencia historiográfica erudita, que nos da enrevesados relatos de la vida del Gran Capitán, textos latinos sobre la de Cisneros y multitud de esbozos y acopios de materiales para la de Carlos V, se vuelca y desborda en América el español iletrado, con su gozoso afán de contemplar escenarios nunca vistos y de realizar hazañas descomunales. Ahora ya no son reyes ni nobles quienes llevan a cabo los hechos heroicos, sino cualquier caudillo o soldado de expedición conquistadora, y en consonancia cambia el nivel social de temas y autores de crónicas. Fernández de Oviedo precisa que se trata de un hecho típicamente español.

Rara cosa y presçioso don de la natura, y no visto en otra nación alguna tan copiosa y generalmente conçedida como a la gente española; porque en Italia, Francia y en los más reinos del mundo, solamente los caballeros son especial o naturalmente exerçitados e dedicados a la guerra, o los inclinados e dispuestos para ella; y las otras gentes populares e los que son dados a las artes mecánicas e a la agricultura e gente plebea, pocos dellos son los que se ocupan en las armas o las quieren entre los extraños. Pero en nuestra nación española no paresçe sino que comúnmente todos los hombres della nasçieron prinçipal y espeçialmente dedicados a las armas y a su exerçiçio, y les son ellas e la guerra tan apropiada cosa, que todo lo demás les es açessorio, e de todo se desocupan de grado para la miliçia. Y desta causa, aunque pocos en número, siempre han hecho los conquistadores españoles en estas partes lo que no pudieron aver hecho ni acabado muchos de otras nasçiones.

Es un extranjero —Friederici— quien nos dice que no hay en ningún país cantidad tan grande de soldados cronistas como en el nuestro. Característico es en ellos el desprecio por la erudición libresca, si bien procuran exhibir ingenua y repetidamente la poca que poseen. Representante genuino de esta actitud es Gonzalo Fernández de Oviedo, quien a cada paso dice no sirven de nada la elegancia del estilo y la erudición si no se ha vivido lo que se quiere relatar. Sus ataques se dirigen contra Pedro Mártir, cronista palatino, que escribió sus *Décadas de Orbe Novo* sin moverse de España. [...]

Si en el fondo Oviedo sentía temor al pensar que su cultura era insuficiente, mayor lo había de sentir el capitán Bernal Díaz del Castillo, uno de los guerreros que más se distinguieron en la conquista de México. Él mismo nos dice que dejó de escribir su crónica cuando llegó a sus manos la de Gómara, el capellán de Cortés. Sin embargo, felizmente para nosotros, reanudó el trabajo al convencerse de las falsedades en que incurría el clérigo panegirista del caudillo. Bernal Díaz adopta frente a Gómara la misma actitud que Oviedo frente a Pedro Mártir. Y aunque su obra ofrece calidades estupendas y únicas la posteridad no ha hecho justicia a sus méritos, dando por bueno el juicio adverso de Antonio de Solís, el cronista del siglo XVII que, amparado en la maravilla de su prosa, ha dado la versión clásica del relato de la conquista de México por los españoles. Solís dice lo siguiente de la obra de Bernal:

Passa hoy por historia verdadera, ayudándose del mismo desaliño y poco adorno de su estilo para parecerse a la verdad y acreditar con algunos la sinceridad del escritor; pero aunque la assiste la circunstancia de aver visto lo que escrivió, se conoce de su misma obra que no tuvo la vista libre de passiones para que fuesse bien governada la pluma: muéstrase tan satisfecho de su ingenuidad como quexoso de su fortuna; andan entre sus renglones muy descubiertas la embidia y la ambición; y paran muchas vezes estos afectos destemplados en quexas contra Hernán Cortés, principal héroe desta historia, procurando penetrar sus designios para deslucir y enmendar sus consejos; y diziendo muchas veces como infalible, no lo que ordenava y disponía su capitán, sino lo que murmuravan los soldados; en cuya república hay tanto vulgo como en las demás, siendo en todas de igual peligro que se permita el discurrir a los que nacieron para obedecer.

Los juicios de los historiadores sobre la crónica de Bernal suelen limitarse a insistir en lo dicho por Solís, y todos hablan de la rudeza de estilo, de la soberbia, e incluso de la animosidad contra Cortés de nuestro cronista. Todo ello es inexacto. El estilo de Bernal es difícilmente superable en fuerza descriptiva y en la gracia de la narración. Tiene el sentido del detalle preciso, para lo cual le ayuda una memoria sorprendente. [Sin embargo, los detalles menudos, por vivos y sabrosos que sean, no bastan para hacer de Bernal un gran artista. Su pluma conserva la exactitud y el brío cuando se trata de relatos amplios, y lo mismo describe las peripecias de un combate que el barullo del gran mercado mexicano o el género de vida de Moctezuma. Por eso, tras la lectura de sus textos no se concibe el juicio adverso de un historiador de la talla de Prescott: «Los méritos literarios de la obra son de índole muy humilde, como podría esperarse de la condición del escritor».] Y es Prescott también quien nos habla de la vulgar vanidad de Bernal, que irrumpe con ostentación verdaderamente cómica en cada página de su obra. Extraña idea debía de tener de la naturaleza humana el gran historiador norteamericano si, según él, hechos como la conquista de México no pueden engendrar orgullo en quienes los realizan. Los conquistadores tienen una conciencia plena de la perspectiva histórica de sus actos, y frases como éstas son frecuentes en Bernal:

Y a lo que, señores, dezís, que jamás capitán romano de los muy nombrados an acometido tan grandes hechos como nosotros, dizen verdad. E agora y adelante, mediante Dios, dirán en las istorias que desto harán memoria mucho más que de los antepasados ... ¿Qué honbres á avido en el mundo que osasen entrar quatroçientos soldados, y aun no llegamos a ellos, en una fuerte çibdad como es México, qu'es mayor que Venençia, estando apartados de nuestra Castilla sobre más de mill y quinientas leguas, y prender a un tan gran señor, y hazer justiçia de sus capitanes delante dél?

Si lo que se discute es la participación personal de nuestro cronista en la gran empresa, deben leerse los últimos capítulos de su libro, en especial la estupenda «Memoria de las batallas y encuentros en que me he hallado». Bien podía decir quien tales hechos tenía en su haber, sin que le tachemos de vanidad vulgar: «Y entre los fuertes conquistadores mis compañeros, puesto que los hubo muy esforzados, a mí me tenían en la cuenta dellos, y el más antiguo de todos. Y digo otra vez que yo, yo y yo, dígolo tantas vezes, que yo soy el más antiguo, y lo he servido como muy buen soldado a Su Magestad».

Sylvia Molloy y David Lagmanovich

LOS *NAUFRAGIOS* DE ÁLVAR NÚÑEZ

I.   Ni escrito sobre la marcha para convencer a la autoridad, ni escrito con distancia para convencer a los lectores que han llegado después, los *Naufragios* es sobre todo —o por lo menos así lo veo— celebración personal en más de un sentido del término.

[Se indican aquí] algunos aspectos de la primera persona —diferentes inflexiones del *yo*— en el texto de Cabeza de Vaca. Primero señalo la situación que le permite establecerse: el desafío entre el gobernador y su tesorero, entre Narváez y el autor de los *Naufragios*. Más de una vez se señala la primera persona en el texto como el que «más le importunaba» (24) al gobernador. Habrá que tomar aquí *importunidad* en su sentido más lato. [...] Álvar Núñez participa en

I.   Sylvia Molloy, «Formulación y lugar del yo en los *Naufragios* de Álvar Núñez Cabeza de Vaca», *Actas del Séptimo Congreso de la Asociación Internacional de Hispanistas*, Bulzoni, Roma, 1982, tomo II, pp. 761-766. Las citas del texto de Álvar Núñez corresponden a la edición de *Naufragios y comentarios* de Espasa-Calpe (Austral), Madrid, 1957. El número de página va entre paréntesis.

II.   David Lagmanovich, «Los *Naufragios* de Álvar Núñez como construcción narrativa», *Kentucky Romance Quarterly*, 25:1 (1978), pp. 27-37 (30-32).

una empresa notablemente desquiciada, de la que nadie —y menos aún Pánfilo de Narváez— quiere hacerse cargo. La «falta de puerto» —que al comienzo del texto es también falta de dirección por parte de la figura paternal y autoritaria de Narváez— se aclara en el capítulo X, titulado «De la refriega que nos dieron los indios». Después de dicha refriega, por primera vez se consulta —es decir: Pánfilo de Narváez consulta— a Álvar Núñez, como interlocutor válido: «me preguntó qué me parescía que debíamos hacer» (39). Hay en este capítulo, por parte del personaje de Álvar Núñez, un maravilloso ejercicio de paciencia. Hace lo que se le ha pedido, agota todas las posibilidades de la orden que le ha sido dada hasta que comprueba su ineficacia. Entonces, sí, recurre al que emitió el mandato: «Yo le dije pues vía la poca posibilidad que en nosotros había para poder seguirle y hacer lo que había mandado, que me dijese qué era lo que me mandaba que yo hiciese» (40). Pregunta harto importuna; la respuesta: «El me respondió que ya no era tiempo de mandar unos a otros; que cada uno hiciese lo que mejor le paresciese que era para salvar la vida» (40).

A partir de este momento, Álvar Núñez queda solo; es decir solo con *sus* hombres. (Como luego —al revés— dirá *mis* indios.) Entonces toma la expedición en mano, entonces se permite usar una primera persona insólita, ya no apéndice de la expedición de Narváez. Después de la ruptura con Narváez —recuérdese que Narváez lo ha abandonado, partiendo con la mejor barca y los mejores marineros—, es Álvar Núñez quien *toma el leme* —leme: timón—, quien se hace cargo de la expedición.

Tomar el leme, y en más de un sentido: el relato de Cabeza de Vaca se libera considerablemente a partir de la desaparición provisoria de Pánfilo de Narváez, cuya muerte queda registrada en el capítulo XVII de los *Naufragios*: *Tomar el leme* es, en este caso, hacerse cargo no sólo de una expedición o de lo que queda de ella sino —ya que Álvar Núñez escribe a distancia— de las repercusiones de esa excursión que a distancia evoca, que *anota*. *Tomar el leme*, en una palabra, es escribir.

¿Cómo se presenta la primera persona en esta crónica? A partir de la desaparición de Narváez, sin duda como figura principal. El lector moderno habrá de habituarse a un *yo* no totalmente enfático —«Yo, vista su voluntad», «yo como vi esto» (40)—; y a la vez habrá de habituarse a un *yo* que se desliga del discurso de la crónica para hacerse cargo de sí mismo. El *yo, yo* que se opone a Narváez se transforma: literalmente se desviste. Cuando el gobernador lo abandona, Álvar Núñez y quienes están en su barca se confían a los indios. Y entonces, porque había que tratar de desenterrar una barca, «fue menester que nos desnudásemos todos» (42). Este desnudamiento es significativo: ocurre justo después del abandono de Narváez. Será cifra de una nueva *persona*, de un *yo* que actúa como sus compañeros, «desnudos como nascimos y perdido todo lo que traíamos, y aunque todo valía poco, para entonces valía mucho» (43). [...]

Contacto con lo otro. No fue fácil para Álvar Núñez, quien acusa muy temprano sus límites. Cuenta, sí, cómo otros comieron caballos, cómo otros comieron seres humanos, cómo Esquivel que al «último que murió ... lo hizo tasajos, y comiendo de él se mantuvo hasta primero de marzo» (57). Aun en el recuerdo que ha durado quince años, Álvar Núñez rescata el rechazo: «De mí sé decir que desde el mes de mayo pasado yo no había comido otra cosa que maíz tostado, y algunas veces me vi en necesidad de comerlo crudo; porque aunque se mataron los caballos entretanto que las barcas se hacían, yo nunca pude comer de ellos» (44).

La declaración ocurre en el capítulo XII, cuando Álvar Núñez acaba de desprenderse de Narváez. En cambio el capítulo XXIII de los *Naufragios* lleva por título «Como nos partimos después de haber comido los perros», y comienza de la siguiente manera: «Después que comimos los perros, paresciéndonos que teníamos algún esfuerzo para poder ir adelante» (72). La declaración es significativa —signo del proceso de aculturación y de desnudamiento que caracteriza el texto de Cabeza de Vaca— pero hay signos previos de esa aculturación en los *Naufragios*. Por ejemplo, en el capítulo XI, relata Álvar Núñez cómo los indios les daban, a él y a sus escasos compañeros, un pedazo de carne. Ellos no la asaban porque el olor —dice Álvar Núñez— tentaría a los indios. Pero, y sobre todo porque de ser algo asado «no lo podíamos tan bien pasar como crudo» (71).

Aculturación, desnudamiento, reconocimiento: en el capítulo XV cuenta Álvar Núñez cómo él y sus compañeros impostaron la función de *físicos*. Les fue dada por los indios porque pensaban «que nosotros, que éramos hombres, cierto era que teníamos mayor virtud y poder» (49). Estos físicos que no saben curar, estos *hombres*, operan al principio por mímica: de algún modo soplar, santiguar porque así sea. Y por lo visto —según el texto de los *Naufragios*— así *es*. Se invierte aquí el orden de las tres etapas que ve Lévi-Strauss: las exigencias colectivas —lo que se necesita de estos hombres para que sean útiles— dictan, retroactivamente, la creencia en sus técnicas y, por fin, la creencia del propio físico en sus dones. La función de físico, cuando se la atribuye por primera vez, es para Álvar Núñez objeto de burla. La eficacia de su práctica lo hace por fin creer en la impostura que lleva a cabo. Así esa curación del capítulo XXIX, donde ya no se trata de soplar, ni de santiguar, sino de operar, y Álvar Núñez opera «usando de mi oficio de medicina» (84), y acudiendo a una práctica empírica en la que ahora —después de la impostura— cree.

Reconocimiento y diferencia: los dos aumentan a medida que Álvar Núñez, a veces solo, a veces con otros, sigue su recorrido. Reconocimiento: uno de los pasajes más elocuentes de los *Naufragios* cifra el aprendizaje del otro: «... y aquella noche llegamos adonde había cincuenta casas, y se espantaban de vernos y mostraban mucho temor; y después que estuvieron sosegados de nosotros, allegabannos con las manos al rostro y al cuerpo, y después traían ellos sus mismas manos por sus caras y sus cuerpos, y así estuvimos aquella noche» (72).

Diferencia: la que ocurre hacia el final del texto, entre cristianos. Los «cuatro cristianos de caballo» que lo ven, apenas vestido y distinto: «... recebieron gran alteración de verme tan extrañamente vestido y en compañía de indios. Estuvieron mirando mucho espacio de tiempo, tan atónitos, que ni me hablaban ni acertaban a preguntarme nada» (98). Creo que hay pocos silencios, anotados en un texto, tan elocuentes como éste. [...]

Dejo de lado un interrogante obvio. ¿Para quién escribe Álvar Núñez? Si se miden las referencias al emperador se verá que ocurren al principio —antes de la separación de Narváez— y al final, cuando se pisa tierra de cristianos. Entre esos dos momentos se da un yo liberado, solo, que escribe para todos o para sí mismo. Un yo que no desconoce, por cierto, un plano narrativo; de quien podría decirse que lo descubre, a medida que avanza en su relato. Pienso en la narración que promete la mención de un objeto, de un detalle circunstancial que invita a un desarrollo posterior. Hay en Álvar Núñez —primera persona consciente de la ficción que teje— la mención de una sonaja de oro, de un manto de martas cebelinas, de un sueño, de calabazas horadadas, también de «una hebilleta de talabarte de espada, y en ella cosido un clavo de herrar» (94). Es un lujo: con menos —o con más— se podría hablar de ficción.

II. Como en otros documentos histórico-literarios de la misma época (por ejemplo, las *Cartas de relación* de Hernán Cortés), encontramos en los *Naufragios* de Álvar Núñez un hilo conductor, el de la cronología, en contrapunto con una serie de episodios de considerable autonomía funcional. El gran hilo conductor, que es la imagen o metáfora del viaje (de oriente a occidente, de la civilización al salvajismo y nuevamente a la civilización, de la visión europeocéntrica a la ecuménica, por ejemplo) se escinde periódicamente para permitir la aparición de un núcleo narrativo menor en el que, en lugar de dominar los acontecimientos, domina sobre todo la visión personal del cronista. Examinemos, primeramente, las formas generales de la concepción lineal.

La reducción de esa estructura lineal a la sustancia que podemos llamar histórica es una simplificación innecesaria y una ocultación de la naturaleza del texto. Es verdad que, como punto de partida, los *Naufragios* son el relato de una expedición. Pero el hecho de que en esta crónica participan elementos heredados de la tradición literaria más general no puede escapar al analista cuidadoso. ¿Ha notado alguien la función literaria del presagio en este texto? Cuando todavía está la expedición frente al puerto cubano de la Trinidad, «comenzó el tiempo a no dar buena señal» (I) y, habiendo bajado el autor a tierra con algunos hombres, «en esta tempestad y peligro anduvimos toda la noche» (I), al paso que «todas las casas e iglesias se cayeron, y era necesario que anduviésemos siete u ocho hombres abrazados unos con otros para podernos amparar que el viento no nos llevas» (I); en medio de esta horrible tempestad, «oímos toda la noche, especialmente desde el medio de ella, mucho estruendo y grande ruido de voces, y grande sonido de cascabeles y de flautas y tamborinos y otros instrumentos, que duraron hasta la mañana, que la tormenta cesó» (I). «En estas partes nunca otra cosa tan medrosa se vio» (I), prosigue el cronista: es como si, en efecto, las deidades indígenas hubieran convocado a un *areito* infernal, que presagia, en el desastre inmediato, el desastre final de la expedición.

[La narración lineal, pues, es puesta en marcha bajo el poderoso signo de este presagio; y a este recurso narrativo se suma otro que, no menos que aquél, evoca precedentes épicos y novelescos: el del reconocimiento, ya directamente, ya a través de una prenda u objeto.] Dos veces, en forma simétrica, aparece este recurso: la primera cuando Álvar Núñez, después de haber quedado totalmente aislado con posterioridad a la desastrosa permanencia en la isla de Mal Hado, se encuentra con los otros tres sobrevivientes: «Ya que llegué cerca de donde tenían su aposento, Andrés Dorantes salió a ver quién era, porque los indios le habían también dicho cómo venía un cristiano; y cuando me vio fue muy espantado, porque había muchos días que me tenían por muerto, y los indios ansí lo habían dicho» (XVII). El segundo reconocimiento, situado hasta el final así como el que acabamos de mencionar lo estaba en el justo medio del relato, va a anunciar la proximidad de cristianos a través del clásico motivo de la prenda ajena reconocida en especiales circunstancias: «En este tiempo, Castillo vio al cuello de un indio una hebilleta de talabarte de espada, y en ella cosido un clavo de herrar; tomósela y preguntámosle qué cosa era aquella, y dijéronnos que habían venido del cielo. Preguntámosle más, que quién la había traído de allá, y respondieron que unos hombres que traían barbas como nosotros» (XXXII), con lo cual se confirma la proximidad de los españoles que saliendo de México, están explorando esos territorios y, según Álvar Núñez, aterrorizando a los indios.

A estas formas generales de la concepción lineal —el viaje, el presagio, el reconocimiento— pueden sumarse, como elementos que hacen mucho por la tensión narrativa, lo que podemos llamar los mecanismos de inversión. Permítasenos reseñarlas brevemente:

en el capítulo XIV se nos presenta el contraste entre indios humanos y cristianos antropófagos («y cinco cristianos que estaban en rancho en la costa llegaron a tal extremo, que se comieron los unos a los otros, hasta que quedó uno solo, que por ser solo no hubo quien lo comiese», XIV; mas «de este caso se alteraron tanto los indios, y hubo entre ellos tan gran escándalo, que sin duda si al principio ellos lo vieran, los mataran, y todos nos viéramos en grande trabajo», XIV). En el capítulo XVIII (aunque la falta de exactitud cronológica de esta división en capítulos es uno de los defectos más serios del texto) se presenta una segunda inversión, que es la de los españoles como esclavos de los indios («y los cristianos se quedaron con aquellos indios, y acabaron con ellos que los tomasen por esclavos, aunque estando sirviéndoles fueron tan maltratados de ellos, como nunca esclavos ni hombres de ninguna suerte lo fueron»). Por último, la culminación de estas líneas de inversión puede verse en el capítulo XXXIII, en el total desacostumbramiento a la civilización producido por estas dilatadas aventuras, lo cual quizá explique el efecto claramente anticlimático del encuentro de los sobrevivientes con los cristianos: «otro día de mañana alcancé cuatro cristianos de caballo, que recebieron gran alteración de verme tan extrañamente vestido y en com-

pañía de indios. Estuviéronme mirando mucho espacio de tiempo, tan atónitos, que ni me hablaban ni acertaban a preguntarme nada» (XXXIII);
cuando por fin comienzan a vivir nuevamente entre españoles, y el gobernador de la Nueva Galicia, Nuño de Guzmán, los recibe, «de lo que
tenía nos dio de vestir; lo cual yo por muchos días no pude traer, ni
podíamos dormir sino en el suelo» (XXXVI). Antes que lograr la conversión de los indígenas a la civilización, Álvar Núñez y sus compañeros
se han convertido ellos mismos en indios.

Las inversiones rápidamente reseñadas pueden describirse exclusivamente en términos estructurales; de un alcance más general, que
hace a la semántica de la obra, es lo que podemos llamar la evolución
que, en la misma, sufre la visión que el español tiene del indígena.
Primero, en base a la escasa experiencia existente, el indio mexicano
es tomado como modelo general del indio americano («pregunté a
los cristianos, y dije que, si a ellos parescía, rogaría a aquellos indios
que nos llevasen a sus casas; y algunos de ellos que habían estado en
la Nueva España respondieron que no se debía hablar en ello, porque
si a sus casas nos llevaban, nos sacrificarían a sus ídolos», XII). La
vida entre las tribus indígenas de la América del Norte permite luego
a Álvar Núñez formular una larga serie de observaciones objetivas de
la realidad del mundo indígena, sin prejuicios etnocéntricos por lo general: desde la creencia en el poder mágico de los sueños («matan sus
mismos hijos por sueños», XVIII) hasta sus condiciones políticas
(«toda es gente de guerra y tienen tanta astucia para guardarse de sus
enemigos como ternían si fuesen criados en continua guerra», XXIV),
pasando por un sinfín de otras observaciones siempre interesantes. Si
un paso hay del terror al conocimiento, hay otro desde éste a la apología del indio que se produce hacia el final del relato, como una reacción contra los excesos que Álvar Núñez ve cometer a otros españoles: los indios, dice, son monoteístas, y ha de ser fácil cristianizarlos,
y así ellos «asentarían sus pueblos si los cristianos los dejaban; y yo
así lo digo y afirmo por muy cierto, que si no lo hicieren será por culpa de los cristianos» (XXXIV). Aquí culmina esta línea de americani-
zación de la visión narrativa, que en su identificación con la suerte del
indígena anticipa intuitivamente lo que una década más tarde vendría
a sostener el padre Las Casas.

[En resumen:] la narración lineal, en la obra considerada, se basa
en el modelo general del viaje, heredado de la tradición literaria (que
es a la vez un viaje en el espacio, de este a oeste siguiendo el «camino

del maíz», XXXI, y un viaje en el tiempo, de la civilización europea del siglo XVI a la Edad de Piedra), y se estructura en lo formal, con ayuda de los recursos literarios del presagio y el reconocimiento. A lo largo de ese viaje, por otra parte, se producen una serie de inversiones de la realidad comúnmente aceptada según la óptica del lector convencional, bajo el signo general de una progresiva identificación del autor con el mundo indígena que había partido para sojuzgar. Entre otras cosas, los *Naufragios* son el relato de una conversión.

EDMUNDO O'GORMAN

HISTORIA NATURAL E HISTORIA MORAL. CONCEPTO DE LA HISTORIA EN JOSEPH DE ACOSTA

Si recogemos y ordenamos los múltiples pasajes del libro de Acosta, donde aparece empleada la voz *historia*, encontramos, por lo menos, tres sentidos o significaciones. Primero tenemos un sentido amplio y general por el que *historia* se utiliza como sinónimo de narración, y más expresamente, de discurso o relación: «los dos primeros libros de esta *Historia* o *discurso* se escribieron, ..., me contentaré con poner esta *Historia* o relación, ...». Es en este sentido general de narración, relación o discurso en el que debe entenderse cuando aparece en algunos títulos de la literatura de imaginación, como por ejemplo en el caso de la *Historia ethiopica* de Heliodoro. La palabra historia también aparece empleada en un sentido más restringido como narración, pero no de cualquier clase, sino de hechos *verdaderos*. Así, en los siguientes casos: hablando el autor de la Atlántida dice que «los que se persuaden que esta *narración* de Platón es Historia, y *verdadera Historia* ...»; con motivo del mismo asunto, afirma en otro lugar que «haya escrito Platón por historia o haya escrito por alegoría ..., y

Edmundo O'Gorman, *Cuatro historiadores de Indias. Siglo XVI: Pedro Mártir de Anglería, Gonzalo Fernández de Oviedo, fray Bartolomé de las Casas, Joseph de Acosta*, Secretaría de Educación Pública (SepSetentas, 51), México, 1972, pp. 222-230.

finalmente, en un importante pasaje asienta que «si esto no tuviese más que ser historia, siendo como lo es, y no fábulas y ficciones, etcétera ...». Por último, en ocasiones la voz *historia* la emplea el autor para referirse o designar su propio libro.

El propósito [...] de estudiar el concepto de historia, según se nos revele en la obra examinada, se refiere, naturalmente, a la segunda connotación de la palabra o sea a la de narración de hechos verdaderos. Pero aun dentro de esta especie, es necesario hacer un distingo importante con el fin de evitar posibles malentendidos y para presentar el tema pendiente dentro de sus justos límites. En efecto, tanto en la designación de *historia natural* como en la de *historia moral*, la voz está empleada en su acepción de narración de hechos verdaderos. Ahora bien, al plantear el problema del *concepto de historia* en Acosta, no nos referimos a la historia natural. [...] En verdad lo que sí pediría una explicación es el empleo de la palabra *historia* aplicada al conocimiento de las cosas *naturales*. Sin embargo, no creo que esto ofrezca dificultad para quien posea los más rudimentarios conocimientos de la historia de las ciencias. Por lo demás, la designación *historia natural* es todavía hoy usual y perfectamente inteligible, y puede autorizarse en una antiquísima tradición y costumbre, como lo atestigua, para citar un ejemplo ilustre, el libro de Plinio el Mayor. En todo rigor, el empleo de la voz *historia* para las cosas de la naturaleza se justifica si se atiende al sentido primario de la palabra griega de donde deriva, que corresponde al latín *Spectare, vel cognoscere*. No ha faltado quien impugne esta, que parece, extensión de la palabra *historia*, y no falta tampoco quien la apruebe; a nosotros solamente nos ha interesado el punto para los efectos de evitar la confusión a que arriba se aludió.

Por lo menos como finalidad principal, no debe buscarse en la historia que se escribía en la época del libro de Acosta, un afán de conocer por sólo el conocer. Ese afán aparecía como un deseo vano y censurable, como algo propio de los espíritus mezquinos, en suma, era una curiosidad malsana. Por otra parte, como toda la actividad intelectual requería una justificación según la exigencia de eso que hemos llamado un pragmatismo ético, la *historia de verdad*, a igual que la de imaginación, se ceñía a ella, pero con una orientación propia: se escribía con vista a la acción. Tal es la modalidad propia de la historia de entonces y su íntima y esencial finalidad dentro del utilitarismo moral de la época.

Esto constituye una manera muy especial de considerar la historia. En la remota antigüedad, la historia narraba para salvar del olvido los grandes y admirables hechos y sucesos de los hombres, que el historiador presenciaba como testigo de vista o de oídas. Entonces se hacía el distingo entre historia y anales, entendiendo por éstos, la narración cronológica de cosas no del presente, sino del pasado: «Annales differunt ab Historia, quod Historia sit temporum, quae vidimus, vel videre, potuimus; annales autem sint eorum temporum, quae aetas nostra non novit» (Servicio Mauro). Pero muy pronto el sentido de la palabra *historia* se extendió por traslación a las narraciones de sucesos de cosas antiguas, y a su vez los anales podían ocuparse de asuntos contemporáneos. Este nuevo y más amplio sentido de la historia es el unánimemente recibido y al que se refieren las clásicas definiciones de Quintiliano: «Historia est rei gestae expositio», y de Cicerón: «Historia est rerum gestarum, ut gestarum, expositio». Lo principal, pues, está en el contenido de la historia, como narración de los hechos hazañosos. Es muy interesante recordar en este lugar, la otra famosa llamada definición descriptiva, también de Cicerón, según la cual la historia es: «Testi temporum, lux veritatis, vita memoriae magistra vitae, nuncia vetustatis», porque los humanistas que tanto culto rindieron al gran orador latino recogieron esta definición, poniendo todo el énfasis en lo de *magistra vitae* que tan bien encuadraba con sus preocupaciones. La historia ya no era la narración de las grandes hazañas y hechos admirables del pasado en cuanto tales; ni su objeto esencial era el de salvarlos del olvido; la historia como «maestra de la vida» registraba los hechos con el fin de que su conocimiento fuera *útil* al lector y le sirvieran de ejemplo y norma en su vida y acciones. Este concepto pragmático de la historia sobrevivió con mucho lo que con rigor puede llamarse el movimiento humanista, y echó profundas raíces en el pensamiento histórico posterior. Lo encontramos claramente formulado en un escritor del siglo XVII, hoy harto olvidado, pero que gozó de gran fama, no sólo en su tiempo, sino durante la centuria siguiente. Es el religioso benedictino Juan Mabilon, quien en su famoso *Tratado de los estudios monásticos*, nos informa que «estudiar la Historia es aprender a conocerse a sí mismo en los otros; es hallar en las personas santas y virtuosas de que se edificar, y en los malos y viciosos, que huir; y cómo *se debe portar uno* en los sucesos prósperos y adversos». Difícilmente se encontraría otro pasaje igualmente ilustrativo. Las últimas palabras muestran con evidencia el concepto de la historia como escuela de la voluntad y de la acción; todo, por otra parte, está saturado de un profundo anhelo moral.

Estas breves explicaciones servirán, por lo pronto, para entender sin dificultad la designación de *historia moral*, que cobra súbitamente un bien definido sentido, que sustituye ese aire un tanto equívoco y vago con que necesariamente se presenta al lector moderno. Así, la palabra *moral* calificando a la historia, no solamente indica el contenido objetivo de esa historia que es la de los hombres como seres dotados de razón y de la facultad de determinarse y obrar conforme a ella, sino que entrega el secreto de una especial manera de considerar el pasado. Que un libro del siglo XVI se titule *Historia moral de las Indias*, es algo tan expresivo y elocuente como que tres siglos más tarde tropecemos con otro libro llamado, por ejemplo, *Historia moderna de América*. El encontrar en el primer caso el término *moral*, en el segundo el de *moderna* como predicados de *historia*, son hallazgos del mismo tipo y ambos de un alto significado, porque acusan maneras peculiares de visualizar el conocimiento histórico mismo. En otros términos, esos vocablos ofrecen la clave para descubrir, ni más ni menos, lo que tanto el historiador como sus lectores piden al pasado. En definitiva, ponen de manifiesto el principio de selección que toda historia implica, atenta la infinita variedad y extensión de la realidad del pasado. Nos dan lo que se ha llamado la dimensión vertical de dos tipos o conceptos de lo histórico.

Si tratamos de expresar en un mínimo de palabras el concepto de la historia a que, según todas las anteriores explicaciones, puede adscribirse al libro del padre Acosta, podemos decir que se trata de una narración de determinados hechos y sucesos verdaderos del pasado, escrita con el fin de instruir al lector con vista a guiarlo en sus actos. Tres son, en consecuencia, las características fundamentales: *a) narración*, o sea expresión literaria; *b) verdadera*, es decir, contenido que responda a verdades positivas del pasado, y, *c) selección* de hechos, según la orientación del pragmatismo ético dominante en la época.

Compulsando el texto del libro de Acosta encontramos estas características. Desde luego debe advertirse que son numerosos los pasajes en que se acusa la conciencia del autor en lo que se refiere a la necesidad de elegir solamente algunos hechos como importantes para la narración y desechar otros. La idea de que todos, absolutamente todos los hechos cuyo conocimiento es asequible por medio del estudio de las fuentes y monumentos legados por el pasado, es un pensamiento de tipo moderno que adscribe al concepto mecánico de la historia, y responde a un ingenuo, pero gigantesco afán de encerrar y aprehender definitivamente lo ilimitado e inaprehensible. Por lo contrario, Acosta no hace ningún misterio en la selección de los hechos que consigna en su libro. En el «Proemio», que es algo así como una declaración de motivos, dice: «de las relaciones copiosas pude sacar lo que *juzgué bastar* para dar noticia de las costumbres y hechos de estas gentes»; un poco adelante, asienta que escribe «lo que se ha podido averiguar y parece *digno de relación*».

En el prólogo de los libros V, VI y VII, vuelve sobre este concepto: «se dirá de ellos (los indios) lo que pareciere digno de relación». No hay duda, pues, de que Acosta al escribir su libro, tuvo clara conciencia de una selección en los hechos del pasado, distinguiendo algunos que juzgó superfluos y otros que consideró como «dignos de relación». Ya sabemos cuál es la medida o principio que preside en esta operación electiva.

Pero hay algo mucho más expreso y significativo. En un pasaje decisivo encontramos condensada toda esta teoría de la historia que venimos bosquejando: «cualquier historia siendo verdadera y bien escrita, trae no pequeño provecho al lector …». Adviértanse las condiciones que aparecen en esta frase: que la historia sea verdadera; que esté bien escrita, y por último, la finalidad de provecho al lector. El provecho consiste en un bien moral que es instruir con vista a la acción. Así, en efecto, lo entiende Acosta: «trae no pequeño provecho al lector, porque —afirma el autor— según dice el Sabio, a lo que fue, eso es, y lo que será es lo que fue. Son las cosas humanas entre sí muy semejantes, y de los sucesos de unos aprenden los otros». Se trata, no de conocer el pasado por conocerlo simplemente, sino de conocerlo para aprender en la historia cosas de utilidad que aprovechen al lector como si procedieran de la experiencia propia.

En este punto hemos llegado al postulado capital de esta teoría del conocimiento histórico. El pasaje transcrito nos lo revela y entrega como la última importante pieza del sistema que se ha venido perfilando. Todo, en efecto, descansa en algo que me parece de una radical ahistoricidad: la convicción de lo que podría llamarse la homogeneidad del pasado.

La al parecer intrascendente y sencillísima afirmación de que «son las cosas humanas entre sí muy semejantes», quizá sostenible desde muchos puntos de vista menos desde el histórico, es sin embargo la clave para entender con el debido rigor un libro de historia como el de Acosta y tantos otros, productos de la mentalidad y supuestos de la época. Si el lector de ahora no tiene una clara conciencia de ese sentimiento de la homogeneidad histórica, falso o no, pero real en el libro que se examina, debe renunciar a comprenderlo. ¿Cómo va a entender la selección de los hechos, la finalidad misma del libro?, y para citar un detalle interesante, ¿cómo va a interpretar una importante tesis que campea a lo largo de toda la obra, consistente en una reiterada comparación entre las costumbres, ritos y leyes de los indios del Nuevo Mundo con los usos, religión y derecho de la Antigüedad grecolatina?

Con lo que llevamos dicho, espero que ya no será difícil comprender que un libro tan próximo en la cronología está, empero, de nosotros a muchas millas efectivas de distancia histórica. Esto se revela singularmente en el hecho mismo de nuestra posibilidad de descubrir en un texto que nos ha legado el pasado, los supuestos fundamentos en él implícitos. Por otra parte, la necesidad de encontrar tales supuestos es algo que en sí mismo acusa nuestra peculiar manera de enfrentarnos con el pasado y exhibe, a su vez, uno de nuestros propios supuestos, que la conciencia de nuestro *ser*, como manera histórica de ser. Es por eso por lo que vemos, muy al contrario de lo que sentía Acosta, que son las cosas humanas entre sí muy diferentes.

Alessandro Martinengo

LA CULTURA LITERARIA DE JUAN RODRÍGUEZ FREYLE

[El punto de vista tradicional ve en el *Carnero* un cuento o una serie de cuentos, preferentemente narrativos según algunos, dramáticos según otros, más o menos trabados y obstaculizados en su libre desarrollo por partes eruditas, pedantescas; sin embargo, parece más correcto considerar las partes narrativas como elementos insertados en un marco más amplio, el cual es tan importante para el autor como las partes propiamente narrativas.]

Partiendo de la hipótesis de la formación medieval del autor y del influjo de textos como la *Celestina*, se aclaran las razones de aquella

Alessandro Martinengo, «La cultura literaria de Juan Rodríguez Freyle. Ensayo sobre las fuentes de una crónica bogotana del seiscientos», *Thesaurus*, 19:2 (1964), pp. 274-299 (274-282).

que pudo parecer una fastidiosa mezcla de partes más ágiles y de partes pedantescas: en efecto, a Rodríguez Freyle le interesaba no solamente narrar, sino también mostrarse hombre de cultura, esto es, ostentar aquella cultura suya de tipo escolástico y medieval..., que le enseñaba a insertar cada relato en una armadura compleja de ideas y motivos ético-religiosos, transfigurando (para decirlo así) los modestos acontecimientos de la modesta y aislada capital colonial en la perspectiva de la historia universal: más precisamente de la historia universal de la salvación, que empieza con la creación del mundo y con el pecado de Adán y acabará con el fin de los tiempos.

Rodríguez Freyle nos ha dicho muy claramente la razón que lo impulsa a adornar su relato con partes moralizantes y con ejemplos inspirados en textos antiguos, sagrados y profanos.

Paréceme que ha de haber muchos que digan: ¿Qué tiene que ver la conquista del Nuevo Reino, costumbres y ritos de sus naturales, con los lugares de la Escritura y Testamento viejo y otras historias antiguas? Curioso lector, respondo: que esta doncella es huérfana, y aunque hermosa y olvidada de todos, y porque es llegado el día de sus bodas y desposorio, para componerla es necesario pedir ropas y joyas prestadas, para que salga a vista; y de los mejores jardines coger las más agraciadas flores para la mesa de los convidados; y al que no le agrada, revuelva a cada uno de lo que fuere suyo, haciendo con ella lo del ave de la fábula, y esta respuesta sirva a toda la obra.

Se trata de una justificación que sólo se comprende si se la refiere a la concepción medieval de no atribuir a ningún suceso de este mundo una significación propia, sino de insertarlo en una visión más amplia y universal, la de la historia del mundo según la Biblia: de tal manera se quita, según una visión más moderna, autonomía y valor a los hechos históricos, mientras que, según la mentalidad de aquel entonces, se los enriquece y ennoblece, exactamente como dice Rodríguez Freyle de la niña pobre, que «para componerla es necesario pedir ropas y joyas prestadas».

El resultado estilístico a que da origen la adhesión de Freyle a ese punto de vista es el de una prosa narrativa y ágil, a menudo agraciada por construcciones anacolutas reveladoras de espontaneidad, interrumpida, sin embargo, frecuentemente por motivos de meditación y por pasajes eruditos y apologéticos, en el que el estilo se hace solemne, a veces trabado. Llamaremos *excursus* estas últimas partes, pero subrayando que el autor no atribuye a ellas carácter digresivo, sino de encuadramiento y de sostén teórico-estructural de la obra toda.

Voy a dar unos ejemplos de esta técnica del *excursus* en Freyle, pues resulta esencial darse cuenta de su manera de proceder en la composición para ilustrarnos sobre los motivos y las ideas a que atribuye mayor importancia.

Al comienzo del tercer capítulo del *Carnero*, cuando el cronista narra los acontecimientos que precedieron la llegada de los españoles a la sabana de Bogotá, refiere el episodio de la lucha entre los caciques Bogotá y Guatavita: Bogotá gana primeramente a Guatavita en batalla campal, iniciando, «rico y victorioso», el camino de regreso a sus tierras; pero sus partidarios se dan a una celebración clamorosa y desenfrenada de la victoria, acabando por emborracharse todos, «que para ellos —anota el cronista— ésta era y es la mayor fiesta». Será esa la ocasión que sabrá explotar Guatavita para tomar el desquite; pero el cronista sólo más adelante relatará eso, aprovechando él, en tanto, la ocasión para un *excursus* moral sobre el vicio y los daños de la embriaguez: «Nunca el mucho beber y demasiadamente hizo provecho; y si no, dígalo el rey Baltasar de Babilonia y el Magno Alejandro, rey de Macedonia, que el uno perdió el reino bebiendo y profanando los vasos del templo y con ello la vida; y el otro mató al mejor amigo que tenía …».

Adelantada ya la crónica, al comienzo del capítulo quinto, antes de darnos la descripción de las costumbres religiosas y rituales de los primitivos habitantes del Nuevo Reino de Granada, el cronista resume la historia del género humano según la Biblia, para explicar el paganismo y el estado de pecado en que vivían sumergidos los indígenas de América antes de la llegada de los españoles: el pecado, en efecto, es la triste herencia de la rebeldía de los ángeles contra Dios y de la desobediencia de la primera pareja humana, y continúa en sus consecuencias a lo largo de los siglos para los que no han conocido la regeneración operada por Cristo. Entre otras cosas, escribe Rodríguez Freyle, confirmando su gusto por las reminiscencias eruditas y ejemplares:

Qué caro le costó a Adán la mujer, por haberle consentido que se fuese a pasear; y qué caro le costó a David el salirse a bañar Bethsabé, pues le apartó de la amistad de Dios; y qué caro le costó a Salomón, su hijo, la hija del rey Faraón de Egipto, pues su hermosura le hizo idolatrar; y a Sansón la de Dalila, pues le costó la libertad, la vista y la vida;

y a Troya le costó bien caro la de Helena, pues se abrasó en fuego por ella, y por Florinda perdió Rodrigo a España y la vida.

La tendencia a atribuir todos los males de la humanidad a la debilidad y fragilidad de la primera mujer creada, se revela en otros pasajes de la crónica, convirtiéndose en uno de los tópicos, y ni siquiera de los más originales, pues es prestado a la más constante y ordinaria temática ascético-moral. En donde, sin embargo, se manifiesta la originalidad de Rodríguez Freyle es en la insistencia con que atribuye a la belleza femenina, a menudo hipostasiada en una fatalidad trascendente, el origen de los daños y de las culpas de que es víctima la humanidad. Tal motivo, que tiene para él el carácter de una idea obsesiva, está en la raíz de muchos de los *excursus* del *Carnero*: «¡Oh hermosura! Los gentiles la llamaron dádiva breve de naturaleza, y dádiva quebradiza, por lo presto que se pasa y las muchas cosas con que se quiebra y pierde. También la llamaron lazo disimulado, porque se cazaba con ella las voluntades indiscretas y mal consideradas. Yo les quiero ayudar un poquito. La hermosura es flor que mientras más la manosean, o ella se deja manosear, más pronto se marchita».

El pasaje citado nos ofrece el ejemplo de un *excursus* de tipo emocional, exclamativo, falto de ejemplos eruditos: pero a lo largo de la obra no faltan los de género opuesto, ricos en referencias a la historia y a la literatura sacra y profana; más bien, el autor suele alternar el uno y el otro tipo, dándose también casos de acertada combinación del elemento personal-afectivo con el erudito-moralizante.

Una típica historia que se desarrolla a lo largo de innumerables *excursus*, divagaciones y reticencias es la de los amores, y de las intrigas subsiguientes, entre el fiscal Orozco y una dama bogotana cuyo nombre no se menciona: historia que empieza a mitad del capítulo XIII y se alarga hasta parte del capítulo XV. De la variedad de acentos y de la temática erudita que ostenta Freyle en estos capítulos puede ofrecer ejemplo el siguiente pasaje, en que se comenta la crueldad de la mujer al «pedir la cabeza» de la persona por la cual se reputaba ofendida.

Demanda rigurosa fue la de esta dama; siendo muy hermosa da en cruel, eslo de veras; y más si aspiraba a la venganza. Buen ejemplo tenemos en Thamar, hermana de Absalón, y en Florinda, hija de don Julián, la *Cava* por otro nombre, pues la una fue causa de la muerte de Amón, primogénito de David, y la otra fue causa de la muerte de Rodrigo, último rey de los godos, y de la pérdida de España, donde tantas muertes hubo. ¡Oh mujeres, malas sabandijas, de casta de víboras!

Ahora, hacia el final del libro, en el capítulo XXI, aprontándose a relatar el horrible delito de don Juan de Mayorga, que mató a su propia hermana por razones de honor o de interés, el autor parece ir buscando justificaciones y apoyos en las antiguas historias, casi para hacer más creíble para sí mismo y para sus lectores el horror del crimen: «quiero ver si entre gentiles hallo casos con que ponderarlo, y sea lo primero». Y siguen los ejemplos:

Hermanos eran los hijos de Josafat, rey de Judea, y uno de ellos, llamado Jorán, degolló a sus hermanos por quitarles las haciendas.

Hermanos eran Tifón y Orsírides; pero Tifón cruel y tiranamente quitó la vida a Orsírides, partiendo su cuerpo por veinticuatro partes, y dándoselas a comer a los conjurados por tenerlos más seguros en la guarda de su reino.

Hermanos eran Mitrídates, rey de Babilonia, y Herodes, rey de los Tártaros; pero Herodes degolló a Mitrídates en pública plaza, por alzarse con el reino babilónico

Hermanos eran Rómulo y Remo, y fue muerto Remo por Rómulo, por quedarse solo en el Reino.

En las historias españolas se halla cómo don Fernando, rey de Castilla, mató a su hermano don García, rey de Navarra, por quedarse con los Navarros.

Pocas páginas más adelante, a propósito del mismo triste caso, Rodríguez Freyle apela aún al *excursus*:

Muy antiguo es esto de ser el hombre enemigo del hombre. Comenzó en Caín, matando a su hermano Abel por envidia; y en el mismo Caín comenzó la desesperación, cuando le dijo a Dios: «Mayor es mi pecado que tu misericordia», que fue mayor pecado que la culpa del homicidio.

En un convite de Zízara y Jael mató el uno al otro; y en otro convite murió Amón, primogénito de David, ordenada su muerte por Absalón, su hermano, en satisfacción del estupro de la linda Thamar, su hermana de madre.

Dentro del senado romano mataron enemigos al primer César; y enemigos pusieron en un cadalso al condestable don Álvaro de Luna.

Los ejemplos aducidos sirven para dar al menos una idea de cuán difuso es, en nuestra crónica, el recurso estilístico que hemos definido como *excursus*: tan abundante que se vuelve un elemento importante, incluso fundamental, en la estructura de la obra. Como hemos ocasionalmente mostrado al comentar una de las citas precedentes, los *excursus* de Freyle pueden clasificarse en dos grupos: los de tipo exclamativo y los eruditos. Los primeros, a los cuales pertenecen por ejemplo las invectivas contra la belleza corruptora, representan una postura inmediata y espontáneamente emotiva del alma de Rodríguez Freyle; mientras que los otros parecen corresponder a una necesidad más mediata y refleja de justificación y universalización del hecho particular que se narra. Los primeros pretenden convencer con el calor del desdén y de la elocuencia; los otros, justificar los relatos y las intenciones del cronista sobre un plano más alto y ofrecen al mismo tiempo una moralidad, una enseñanza: pues el hecho histórico adquiere luz y significación por la perspectiva universal en que es colocado.

Concédasenos una última observación a propósito de los *excursus* eruditos. En ellos vale la pena observar más de cerca el procedimiento formativo que los rige: raramente, en efecto, el *exemplum* citado es único, más frecuentemente hay dos o más y en ellos se intenta combinar influencias culturales de origen distinto.

En el primero de los pasajes citados en la precedente ejemplificación, donde se condena la embriaguez, se encuentra un ejemplo traído de la historia sagrada (Baltasar de Babilonia) y otro de la profana (Alejandro Magno); en el pasaje subsiguiente hay varios de la historia sagrada, uno de la antigua profana y otro sacado de la historia española; nuestra penúltima cita contiene uno de historia sagrada (los hijos de Josafat), otros sacados de historias y mitos profanos antiguos (Tifón y Orsiris, etc.) y uno, en fin, de historia española (don Fernando de Castilla); en la última citación, a tres de historia sagrada se contraponen uno de historia profana y otro de historia de España.

Podemos concluir que, cuando quiere dar máximo relieve a lo que afirma, Rodríguez Freyle apela a las tres fuentes de su cultura, [...] mientras que se limita más en los casos de menor empeño. No obstante la vistosa ostentación de erudición, es curioso subrayar cómo el repertorio del cronista es singularmente modesto: aun limitándonos al análisis de los pasajes que hemos reproducido, vemos el ejemplo de la *Cava* repetirse dos veces y otras dos el de Thamar. Ejemplos como el de Adán y Eva o el de Alejandro Magno ocurren mucho más frecuentemente a lo largo de la obra.

3. EL INCA GARCILASO DE LA VEGA

El 12 de abril de 1539 nació, en el Cuzco, el hijo del capitán Sebastián Garcilaso de la Vega y de la princesa o palla Isabel Chimpu Ocllo, y fue bautizado con el nombre de Gómez Suárez de Figueroa. La primera etapa de su vida, su infancia y adolescencia, transcurrió en su ciudad natal, en medio de las ardorosas guerras civiles y rebeliones del Perú. Su educación española comenzó con el aprendizaje del «beabá», con su ayo Juan de Alcobaza, y se extendió más tarde a los estudios de la gramática en un reducido curso de mestizos y criollos conducido por no muy competentes preceptores. Su instrucción principal consistió en el ejercicio de la jineta, los caballos y las armas. Los hechos y los personajes conocidos en la infancia y en la adolescencia produjeron muy vivas impresiones en él, que guardó tenazmente en la memoria hasta su ancianidad. Entre ellos, la entrada triunfal de Gonzalo Pizarro en el Cuzco, en 1544; el sitio y bombardeo de su casa; la brutal entrada de Francisco Hernández Girón, en 1550, que obligó a huir al capitán por los tejados, guiado por su hijo. También se abre su curiosidad hacia la novedad de los frutos, cultivos y animales llegados desde España. Una parte fundamental de las experiencias de esta etapa corresponde a su conocimiento del pasado y de los monumentos de los incas y a la interiorización de sus tradiciones mediante la conversación con sus parientes indios. En 1553, sufrió la traumática experiencia de la separación de su madre, debido al matrimonio del capitán con la criolla Luisa Martel de los Ríos. El niño quedará en casa del padre, pero esto no impedirá su contacto con la familia indígena. De ella recibirá el legado de la pasada grandeza de los incas y aprenderá el manejo y lectura de los *quipus*, el sistema de nudos y hebras de colores con que se registraba diversos tipos de información. En 1559, muere el capitán Garcilaso dejando en su testamento cuatro mil escudos para que su hijo pase a estudiar a la península. Un año después abandona el Perú para no volver. De la etapa cuzqueña sabemos principalmente por las referencias autobiográficas del Inca Garcilaso en sus *Comentarios* y en su *Historia general*. A partir de ellas sus biógrafos han construido la vida del joven mestizo y exteriorizado con Polo [1906], Riva Agüero [1910] y Fitzmaurice-Kelly [1921], las posibilidades y las limitaciones interpretativas de las experiencias del inquieto adolescente y de la tenaz memoria del escritor adulto y anciano.

En 1561 entró a España por Sevilla. Irá a Badajoz a conocer a sus parientes y pocos meses después se establecerá en Montilla, lugar vecino a Córdoba. Allí se desarrollará la segunda etapa de su vida, de 1561 a 1588. Esta etapa permaneció casi secreta hasta que las investigaciones documentales permitieron trazar las actividades domésticas, económicas, militares y literarias que afectaron la vida de Garcilaso. Se había establecido, en Montilla, en casa de su tío, don Alonso de Vargas, y viajaba con frecuencia a Madrid en los primeros años, en procura del reconocimiento de los servicios de su padre. Sus pretensiones fueron denegadas, en 1563, por el Consejo de Indias, hecho que tiene consecuencias inmediatas en su vida. Solicitó pasar a Indias y, a pesar de obtener licencia para hacerlo, no hizo uso de ella. Después, manifestará una clara voluntad de cambiar de nombre: primero, firmará Gómez Suárez de la Vega, y, más tarde, Garcilaso de la Vega. Durand [1965] y Avalle-Arce [1967] han discutido el significado de este cambio de nombre. Con él parece rechazar, por un lado, la homonimia con el hermano mayor de su padre, su pariente de Badajoz y su deudor moroso, y, por otro, adherir a la línea literaria del poeta homónimo, su ilustre antepasado, adoptando en su novedoso escudo de armas el lema «con la espada y con la pluma». Avalle-Arce [1964] considera el fracaso de las pretensiones el camino de Damasco hacia un nuevo hombre y una nueva vocación literaria.

A los treinta años comienza una breve carrera militar participando en la represión de los moriscos de Granada, en las Alpujarras. En 1570, recibe cuatro conductas o despachos de capitán. Ese año muere su tío, Alonso de Vargas, en cuya herencia tiene parte. Una nueva dimensión formativa la constituyen sus estudios en Montilla y, en particular, sus amistades humanistas y religiosas, que van a contribuir a su preparación filológica y de historiador de antigüedades. Entre ellas se cuentan Ambrosio de Morales, Bernardo de Alderete, el abad de Rute, y sus amigos jesuitas. Los años siguientes le verán orientarse cada vez más hacia las letras. Por este tiempo inicia sus conversaciones con el viejo conquistador de la Florida y del Perú, Gonzalo Silvestre, cuyos relatos serán la fuente principal de *La Florida* y de algunos episodios de las guerras civiles del Perú. En Montilla, escribe los *Diálogos de amor* y da comienzo a *La Florida* y a los *Comentarios reales*. Allí firma, en 1586, la dedicatoria a Felipe II de su traducción de la obra de León Hebreo; y, en 1587, la carta a Maximiliano de Austria. En Las Posadas, cerca de Córdoba, firma la segunda dedicatoria al rey, en 1589. Desde el año anterior, se había trasladado a esa ciudad, aunque conservando su vecinazgo de Montilla.

Comienza así la tercera y última etapa de su vida, caracterizada por una intensa actividad creadora. De 1596 data el manuscrito de la *Relación de la descendencia de Garcí Pérez de Vargas*, concebido originalmente como introducción de *La Florida*. Entre 1585 y 1605, Garcilaso, en la plenitud de su vigor intelectual, escribe, rehace, reescribe sus obras en un proceso paralelo. Los *Diálogos*, concluidos hacia 1585, se publican en Madrid, en 1590. Dos años después, los corrige y pretende reimprimirlos sin éxito. Había comenzado, casi simultáneamente, *La Florida*, que dará por terminada en su primera versión, en 1589. Para 1591, había terminado una segunda redacción después de cotejar la primera con dos relaciones de testigos directos. En 1592, la obra estaba concluida y detenida «por falta de escribientes que la pasen en limpio». En 1599, hará las correcciones finales y dará el título definitivo a la obra, cuya primera edición sale, finalmente, en Lisboa, en 1605. Los *Comentarios reales* también han sido historiados en el proceso de su redacción como las obras anteriores. Garcilaso urde la obra hacia 1586 y comenta en *La Florida* la redacción del plan de su tercer libro. Desde 1593, se dedica totalmente a ella. La tiene avanzada «más que en la mitad», en 1596; y «en el postrer cuarto de ella», en 1602; y «casi en el fin», en 1604, al firmar el «Proemio» de *La Florida*. En 1609, se publican los *Comentarios* en Lisboa. La última etapa de su vida la ocupará en la redacción y publicación de la *Historia general del Perú*, segunda parte de los *Comentarios reales*, que sólo se publicará al año siguiente de su muerte. La seguridad económica y la paz del espíritu caracterizan esta etapa final. En 1605, fue nombrado mayordomo del Hospital de la Limpia Concepción de Nuestra Señora. Compra la capilla de las Ánimas, de la mezquita-catedral de Córdoba, en 1612, para su sepultura. En documentos de ese año aparece como clérigo y por ese entonces se encuentra también su firma como Garcilaso Inca de la Vega. Así el nombre literario se hace uno con el nombre civil. El 18 de abril de 1616 hace testamento y muere el día 23. Entre sus herederos aparece Beatriz de Vega, su criada, y madre de su único hijo, don Diego de Vargas. Nos queda del Inca Garcilaso este solo retrato: el Inca fue «verdaderamente hombre de muy buenas partes y santa vida, era sabio y prudente. Murió en un hospital por su voluntad cuidando los pobres en que asistió muchos días ... era entremediado de cuerpo, moreno, muy sosegado en sus razones». La investigación documental de las etapas finales de su vida está en deuda con los trabajos de Vargas Ugarte [1930], Torre y del Cerro [1935], Aguilar y Priego [1950] y Porras Barrenechea [1955]. Las obras de conjunto más importantes son las de Riva Agüero [1910, 1916], Miró Quesada [1945, 1948, 1971], Porras Barrenechea [1946], Arocena [1949], Durand [1976], Varner [1968] y Pupo-Walker [1982].

Cuatro libros hacen lo fundamental de la producción del Inca Garcilaso, ordenada en una progresión de variadas direcciones y características. La *Traducción del Indio de los tres Diálogos de amor de León Hebreo* (en casa de Pedro Madrigal, Madrid, 1590) ponía en español la obra del autor judío de origen hispano, Jehuda Avarvanel. Publicada en Roma, en 1535, con el título de *Dialoghi d'amore*, era una expresión importante del neoplatonismo renacentista caracterizada no solamente por su armonismo sino por la convergencia de varias vertientes filosóficas. La traducción de Garcilaso ha merecido los elogios de Menéndez Pelayo, quien pondera los méritos de su prosa por encima del original italiano y de las traducciones españolas que la precedieron: una de Venecia, de 1548, y otra, de Zaragoza, de 1582. La obra de León Hebreo fue puesta en el *Índice*, en 1562, y Garcilaso persiguió sin éxito la publicación de una segunda edición corregida. Éste es el primer trabajo literario que comienza, tímidamente según Porras Barrenechea [1946], la carrera del Inca en las letras humanas, en una perspectiva de gradual desarrollo de su personalidad de escritor. Avalle-Arce [1964] y Durand [1968, 1976] han señalado cómo el pensamiento armonizador y uniformista de León Hebreo tiene conexiones con la obra ulterior de Garcilaso. Otro tanto señala Avalle-Arce [1964] sobre el evhemerismo, la interpretación de los aspectos míticos o fabulosos en la visión indígena. De la traducción del Inca Garcilaso hay edición moderna de Bonilla San Martín, en los *Orígenes de la novela*, de Menéndez Pelayo (NBAE, 21, Madrid, 1915, tomo IV) reproducida en la Colección Austral, 704 (Espasa-Calpe, Buenos Aires, 1947). E. Juliá Martínez ha hecho una nueva edición crítica (Madrid, 1949). En Miró Quesada [1948] y Sáenz de Santa María [1960] pueden hallarse exposiciones del contenido de los *Diálogos* y de su significación. Martí-Abelló [1951] e Ilgen [1974] subrayan la importancia de la obra en la formación humanística del futuro historiador.

Aunque la obra de Garcilaso puede ser vista como siguiendo un orden de creciente dificultad, como hace Porras Barrenechea [1946], también se la ve trazando un curso de decepción y desengaño cada vez más notorios que se hacen perceptibles, según Durand [1976], en las dedicatorias de sus obras. Sus servicios nunca remunerados aparentemente llenan de desencanto al escritor hacia sus años finales. *La Florida del Ynca* (Pedro Crasbeeck, Lisboa, 1605) fue comenzada y terminada casi simultáneamente con los *Diálogos*, como demuestra convincentemente Durand [1965]. El estilo vigoroso y exaltado corresponde al impulso juvenil del historiador y no a una reposada madurez. En todo caso, la obra, en la perspectiva de la timidez, será todavía la de quien subordina su pluma al papel de escribiente del relato de su amigo Gonzalo Silvestre, quien sería el autor del relato, acreditador de la verdad de lo narrado. Esta «Araucana en prosa», como la llamó, con acierto, V. García Calderón, ha pasado a ser considerada como la obra literariamente más lograda de Gar-

cilaso. La crítica ha puesto especial énfasis en las confusiones y mezclas
de historia y novela, señaladas por Miró Quesada [1951]. Castanien
[1969] ha estudiado el punto de vista narrativo, en tanto que Loayza
[1971] y Puccini [1979] debaten desde diversos ángulos las peculiaridades del relato, y Pupo-Walker [1982] considera las estrategias de la
narración, y las de acreditación de la verdad histórica, Rodríguez Vecchini [1982]. De las ediciones de *La Florida* la mejor es la de Speratti-
Piñero (Fondo de Cultura Económica, México, 1956) con prólogo de
Miró Quesada y riguroso estudio bibliográfico de Durand, edición que
se basa en la *princeps* de 1605. La edición de Sáenz de Santa María
(BAE, 132, Madrid, 1960), sigue el texto de la edición de A. González
Barcia (Madrid, 1723), ya seguida antes por otras dos «Villalpando, Madrid, 1803, e Imprenta de los Hijos de Doña Catalina Pinuela, Madrid,
1829). Lyn-Hilton ha hecho una edición facsimilar (Fundación Universitaria Española, Madrid, 1983) y otra moderna (Historia 16, Madrid,
1985).

Los *Comentarios reales* o *Primera parte de los Comentarios reales*
(en la Officina de Pedro Crasbeeck, Lisboa, 1609) es la obra que ha
concitado el mayor interés de la crítica y el debate más sostenido en torno
a la obra garcilasiana. La crítica hispánica comienza con Menéndez Pelayo [1945], quien sintetiza el juicio de los historiadores ingleses y considera la obra en el capítulo de la novela histórica, como perteneciente al
mismo género de la *Utopía* de Moro, la *Ciudad del sol,* de Campanella,
la *Atlántida*, de Bacon, y la *Oceana,* de Harrington. Su juicio, menoscabante del valor historiográfico de los *Comentarios*, cambió más tarde,
en la *Historia de la poesía hispanoamericana*, al menos parcialmente, en
atención a la crítica de Riva Agüero [1910]. Con el historiador peruano
comienza la revaloración de Garcilaso. Riva Agüero [1916] profundiza
la interpretación de las obras garcilasianas y sienta varios de los temas
fundamentales de la crítica posterior. Su «Elogio de Garcilaso» corrige
algunas de sus propias apreciaciones anteriores, modificando la visión
medievalista que atribuía al Inca y sustituyéndola por una comprensión
renacentista de su obra. Un nuevo desarrollo de la investigación es estimulado por las celebraciones del cuarto centenario, en 1939. Éstas traen una
nueva valoración en los trabajos de D. C. Valcárcel [1939], y L. E. Valcárcel [1939]. La crítica moderna alcanza su mejor momento en la obra
de Miró Quesada [1945, 1948], Porras Barrenechea [1946] y Durand
[1948, 1949], cuyos estudios sientan las bases biográficas e interpretativas de los *Comentarios* y del resto de la obra del Inca Garcilaso. A Miró
Quesada [1948], Durand [1949], Migliorini y Olschki [1949], Arocena
[1949], Asensio [1953], Avalle-Arce [1964] se deben las investigaciones sobre la biblioteca del Inca —principalmente a Durand— y sobre
sus lecturas y los indicios que dejan en los *Comentarios*. Las relaciones

de su pensamiento con el de los principales humanistas españoles, italianos y del Norte de Europa, son cuidadosamente establecidas. Durand [1976] reconoce el neoplatonismo de León Hebreo, de Juan de Ávila y de Luis de Granada. La relación de Garcilaso con la historia de antigüedades, a través de Ambrosio de Morales, y con sus citadores y amigos andaluces, Bernardo de Alderete, el abad de Rute y el retórico Francisco Castro, ha sido señalada por Asensio [1953], Porras Barrenechea [1955], Miró Quesada [1971] y Durand [1976]. La lectura de los humanistas italianos es analizada por Miró Quesada [1948], Durand [1955] y resumida por Macrí [1954]. El influjo de los humanistas del Norte de Europa es visto, a través de diversas figuras, por Arocena [1949], en relación a Erasmo; por Asensio [1953] y Avalle-Arce [1964], en relación a Jean Bodin; por Durand [1976] y Durán Luzio [1976], respecto de Tomás Moro.

Entre los temas fundamentales de la interpretación que ha definido la crítica destacan el providencialismo, en los trabajos de Martí-Abelló [1951], Duviols [1964], Moreno Báez [1954], Avalle-Arce [1964] y Durand [1968]. La periodización de la historia conforme al gradualismo de la tercera edad es analizada por Avalle-Arce [1964], Wachtel [1971] e Ilgen [1974]. Este último destaca el carácter de *praeparatio evangelica* que adopta la visión de la segunda edad —la de la idolatría incaica— antes de la llegada de los españoles. La posible deuda a J. Bodin en su rechazo de la Edad de Oro, como primera edad, ha sido apuntada por Asensio [1953], quien cree ver también indicios de una visión mosaica que mostraría rasgos propios de la historia eclesiástica. De raigambre estrictamente humanista es el sincretismo garcilasiano, aprendido en León Hebreo y Marsilio Ficino, según Durand [1963]. El evhemerismo tendría su origen en la familiaridad con los anticuaristas españoles, como han señalado Asensio [1953] y Avalle-Arce [1964]. La interpretación económica encuentra inspiración en la obra de Giovanni Botero Benes, como ha visto Durand y tratado con extensión Cox [1965]. Miró Quesada [1948] ha señalado las lecturas clásicas del Inca Garcilaso, en tanto que Durand [1976] ha indicado la importancia de Séneca en la visión trágica de la historia y en la estructura de la *Historia general del Perú*. El sentimiento de desengaño del mundo encontraría su origen en Petrarca.

Las tres obras principales del Inca Garcilaso pertenecerían a otros tantos géneros diferentes determinados por lo que Hayden White llama tres formas de argumento (*emplotment*) en la obra historiográfica. La «epopeya en prosa» correspondería a la exaltación narrativa hazañosa de *La Florida*; el «mito», a la idealización del pasado histórico de los *Comentarios*, y la «tragedia», a la disposición catastrófica de cada una de las partes de la *Historia general* y a la resonancia apocalíptica que las acompaña, Bellini [1984] abunda en el aspecto trágico. Las escuelas históricas concurrentes en la obra de Garcilaso incluyen varias vertientes. Por un lado, está la escuela indígena, la que dictaría los llamados «silencios del Inca», estudiados por Durand [1966]. Los había señalado J. T. Polo [1906] y los reconocían Riva Agüero [1910], Porras Barrenechea [1946] y otros. Estos silencios eran atribuidos a la práctica tradicional de los *quipucamayos*, los conservadores de las tradiciones incaicas orales y de los *quipus*, de no guardar memoria de los hechos infames. Avalle-Arce [1964], por su parte, ha demostrado los orígenes clásicos y humanísticos de esta práctica historiográfica. Otras escuelas concurrentes son las de los anticuaristas españoles contemporáneos de Garcilaso, señalados por Asensio [1953]; y la crónica española, con su arte retórica del retrato psicológico. Las fuentes de la obra histórica de Garcilaso son múltiples e incluyen, primeramente, su experiencia personal —*adtestatio rei visae*—, luego las versiones orales y escritas recibidas de sus parientes y condiscípulos, españoles e indios. Seguidamente, las historias de Indias y crónicas particulares del Perú, fuentes escritas, editadas e inéditas, que son el objeto específico de sus «comentarios», ya sea para autorizar la información histórica o para refutarlas. Las primeras investigaciones sobre fuentes son las muy arbitrarias de González de la Rosa [1908] sobre Blas Valera, a las que responde, polémicamente, Riva Agüero [1908, 1910]. Sobre Cieza de León, J. de Acosta, D. Fernández, el Palentino, López de Gómara y A. de Zárate, como fuentes de Garcilaso, han escrito Miró Quesada [1948] y, en particular, aunque sin profundidad, Crowley [1971].

Una atención más específicamente literaria ha sido orientada hacia las narraciones que cumplen, en los *Comentarios*, una función de amenidad, bien para evitar el fastidio de un mismo asunto invariable o para completar un capítulo e impedir que sea demasiado corto. Arrom [1971], Rosenblat [1965], A. Soons [1970], sobre una fuente escrita del cuento de Pedro Serrano, abordan este tipo de narraciones. Loayza [1971], Chang-Rodríguez [1977] abordan el uso de fuentes garcilasianas para una tradición de R. Palma, «Carta canta» y «Papelito jabla lengua», basados en el Libro IX. Diversas cuestiones relacionadas con el lenguaje y con las ideas lingüísticas del Inca Garcilaso han sido expuestas por Rosenblat en su edición de los *Comentarios reales* (1945), Durand [1955], A. Escobar [1956] y Miró Quesada [1977]. La proyección literaria de los *Comentarios* ha sido extensa. Miró Quesada [1948] reconoce su presencia en *Los Pizarro* de Tirso de Molina. Influyó en la *Alzyre*, de Voltaire, y en *Les Incas*, de Marmontel. Rojas [1945] se ha referido a la censura del libro con ocasión de la rebelión de Tupac Amaru, a fines del siglo XVIII y al deseo del general José de San Martín de ver reeditado el libro a la hora de la independencia. En el indigenismo contemporáneo encuentra ecos definidos en L. E. Valcárcel [1939] y en el pensamiento de J. C. Mariátegui y R. Haya de la Torre, según Cox [1965]. Desde el punto de vista de una nueva escritura hispanoamericana lo enfocan Ortega [1978], Chang-Rodríguez [1982] y Pupo-Walker [1982].

Entre las ediciones modernas de los *Comentarios reales* la mejor es la de Rosenblat (Emecé, Buenos Aires, 1943, 2 vols.; 1945), cuidadosamente preparada con excelentes prólogos, glosarios e índices. Otras ediciones recomendables son las de C. Sáenz de Santa María (BAE, 132-134, Madrid, 1960), provista de un buen estudio preliminar y de una completa bibliografía. La más reciente es la de Miró Quesada (Biblioteca Ayacucho, 5-6, Caracas, 1976). Hay varias antologías de la obra; la más notable es la de Avalle-Arce (Gredos, Madrid, 1964). Son igualmente recomendables las de Riva Agüero (Madrid, 1929), y V. García Calderón (París, 1939). La obra ha sido traducida, no siempre con felicidad, al inglés y al francés, numerosas veces, y, además al alemán y al holandés. Merece distinción especial la traducción de Varner (The University of Texas Press, Austin y Londres, 1967) al inglés. Aunque falta una bibliografía elaborada y completa del Inca Garcilaso puede hallarse importantes contribuciones en L. E. Valcárcel [1939], Porras Barrenechea [1946, 1955], Sáenz de Santa María [1960], Tauro [1965] y Varner [1968].

La *Historia general del Perú* (por la Viuda de Andrés Barrera, Córdoba, 1617), segunda parte de los *Comentarios reales*, se publicó con retraso, tal vez agravado por la censura, después de la muerte del escritor. Existen algunos ejemplares impresos de portada diferente y de 1616. Esta obra de Garcilaso ha gozado de menos crédito y de atención más escasa que su primera parte. El carácter marcadamente subjetivo de la visión de las guerras civiles y de la participación que le cupo al padre, y las informaciones de otros cronistas, participantes y testigos de los hechos narrados, han relativizado considerablemente el valor histórico de esta obra. Habrá que advertir que la subjetividad característica de la historiografía garcilasiana no es cosa despreciable; define un ángulo particular, es cierto, y por lo tanto parcial, pero sincero y apasionado como síntoma del historiador. Miró Quesada [1948, 1971] y Durand [1966], entre otros, reconocen estos valores de Garcilaso, que Levillier [1940] rechaza. Las diferencias se originan en la visión sistemáticamente negativa que tiene Garcilaso ante la política del virrey Toledo, visión que dicta el sentido y la estructura trágica de su *Historia*, apuntados por Durand [1976]. La *Historia* se abre con un prólogo dirigido «a los indios, mestizos y criollos», síntesis de su sentimiento patrio. La concepción de los momentos históricos trae en este libro una nota no perceptible antes en su obra: agrega al gradualismo ya conocido una anticipación milenarista. Este libro completa la obra garcilasiana y confirma los juicios primeros de Prescott y Menéndez Pelayo, quienes se refieren a ella como una «emanación del espíritu indio» y que este último considera como una de las más altas expresiones de la literatura del Siglo de Oro. Nada ha impedido agregar a la percepción de esta expresión original la de un medievalismo, que Riva Agüero [1910, 1916] corrige en renacentismo consumado. Este renacentismo encontrará ecos en los trabajos de Arocena [1949], Miró Quesada [1948, 1971], en los numerosos ensayos de Durand [1948, 1949, 1976]. En relación a los preliminares de su *Historia general del Perú* se han apuntado anticipaciones barrocas, a pesar de que su prosa es caracterizada como a la zaga de las tendencias del período por Rosenblat [1945]. Finalmente, para Sánchez [1957], en Garcilaso hay un romántico, con lo que quiere desvirtuar la visión de armonía y concierto que todos creen reconocer en el humanismo esencial del Inca. El conjunto de su obra historiográfica aparece marcada por la idealización, producto de la distancia y la nostalgia, según Porras Barrenechea [1946], y relevada por el énfasis puesto sobre la construcción histórica por encima del detalle. Las mejores ediciones modernas de la *Historia general del Perú* son las de Rosenblat (Emecé, Buenos Aires, 1945) y Sáenz de Santa María (BAE, Madrid, 1960).

Podría, por último, repetirse con Durand [1968], que el estado actual de los estudios garcilasianos muestra bien avanzadas las investigaciones documentales que han ido haciendo posible una biografía cada vez más completa. La cronología de la redacción de las obras ha sido estudiada y su elaboración progresa significativamente. Lo mismo puede decirse del estudio de las fuentes, aunque ahora, como entonces, faltan análisis más profundos y elaborados de las lecturas del Inca y del modo cómo se incluyen en su obra. El punto más débil sigue siendo el estudio lingüístico y estilístico de su prosa. Faltan también, puede agregarse, investigaciones sobre la composición de cada una de sus obras, y, a pesar de las nuevas orientaciones de la crítica, se carece de trabajos fuertes sobre los aspectos retóricos que consideren a la luz de su tiempo y de sus posibilidades historiográficas la forma de las obras garcilasianas. Sobre parte de ello ha puesto énfasis, al lado de Durand, Lavalle [1982].

BIBLIOGRAFÍA

Aguilar y Priego, Rafael, «El hijo del Inca Garcilaso. Nuevos documentos sobre Diego de Vargas», *Boletín de la Real Academia de Córdoba*, 21 (1950), pp. 45-48.

Arocena, Luis A., *El Inca Garcilaso y el humanismo renacentista*, Buenos Aires, 1949.

Arrom, José J., «Hombre y mundo en dos cuentos del Inca Garcilaso», *Certidumbre de América*, Gredos, Madrid, 1971, pp. 27-53.

Asensio, Eugenio, «Dos cartas desconocidas del Inca Garcilaso», *Nueva Revista de Filología Hispánica*, 3-4 (1953), pp. 583-593.

Avalle-Arce, Juan Bautista, «Introducción» a El Inca Garcilaso en sus «Comentarios» (Antología vivida), Gredos, Madrid, 1964, pp. 9-33.

—, «Perfil ideológico del Inca Garcilaso», Actas del Primer Congreso Internacional de Hispanistas, Oxford, 1964, pp. 191-198.

—, «La familia del Inca Garcilaso, nuevos documentos», Caravelle, 8 (1967), pp. 137-145.

Bellini, Giuseppe, «Garcilaso de la Vega, el Inca», Due classici Ispano-Americani, La Goliardica, Milán, 1962, pp. 4-52.

—, «Sugestión y tragedia del mundo americano en la Historia general del Perú del Inca Garcilaso», en J. M. López de Abiada y Augusta López Bernasocchi, eds., De los romances-villancicos a la poesía de Claudio Rodríguez. 22 ensayos sobre la literatura española e hispanoamericana en homenaje a Gustav Siebenmann, J. Esteban, 1984, pp. 49-63.

Bermejo, Vladimiro, «Algunos estudios crítico-literarios sobre la obra del Inca Garcilaso», en varios autores, Nuevos estudios sobre el Inca Garcilaso de la Vega. Actas del Symposium realizado en Lima del 17 al 28 de junio de 1955, Lima, 1955, pp. 247-270.

Beysterveldt, A. A. van, «Nueva interpretación de los Comentarios reales, de Garcilaso el Inca», Cuadernos Hispanoamericanos, 77 (1969), pp. 353-390.

Callan, Richard J., «An Instance of the Hero Myth in the Comentarios reales», Revista de Estudios Hispánicos, 8:2 (1974), pp. 261-270.

Castanien, Donald G., El Inca Garcilaso de la Vega, Twayne Publishers (TWAS, 61), Nueva York, 1969.

Cox, Carlos Manuel, Utopía y realidad en el Inca Garcilaso. Pensamiento económico, interpretación histórica, Universidad Nacional Mayor de San Marcos, Lima, 1965.

Crowley, Frances G., Garcilaso de la Vega. El Inca and his Sources, Mouton, La Haya, 1971.

Chang-Rodríguez, Raquel, «Elaboración de fuentes de "Carta Canta" y "Papelito Jabla Lengua"», Kentucky Romance Quarterly, 24:4 (1977), pp. 433-439.

—, «Coloniaje y conciencia nacional: Garcilaso de la Vega Inca y Felipe Guamán Poma de Ayala», Caravelle, 38 (1982), pp. 29-43.

Durán Luzio, Juan, «Sobre Tomás Moro en el Inca Garcilaso», Revista Iberoamericana, 96-97 (1976), pp. 349-361.

—, «Garcilaso de la Vega: particular historiador del Nuevo Mundo», Creación y utopía, Letras de Hispanoamérica, EUNA, San José de Costa Rica, 1979, pp. 71-85.

Durand, José, «La biblioteca del Inca», Nueva Revista de Filología Hispánica, 2:2 (1948), pp. 238-264.

—, «Sobre la biblioteca del Inca», Nueva Revista de Filología Hispánica, 3:3 (1949), pp. 168-170.

—, «Historia y poesía del Inca Garcilaso», Humanismo, 6 (México, 1952).

—, «La redacción de La Florida del Inca: cronología», Revista Histórica, 21 (Lima, 1954), pp. 288-302.

—, «Garcilaso y su formación literaria e histórica», en varios autores, Nuevos estudios sobre el Inca Garcilaso. Actas del Symposium ..., Lima, 1955, pp. 63-85.

—, «Las fuentes enigmáticas de *La Florida del Inca*», *Cuadernos Hispanoamericanos*, 168 (1963), pp. 597-609.

—, Garcilaso entre el mundo incaico y las ideas renacentistas», *Diógenes* 10:43 (Buenos Aires, 1963), pp. 17-23.

—, «El Inca llega a España», *Revista de Indias*, 99-100 (1965), pp. 27-43.

—, «Los silencios del Inca Garcilaso», *Mundo Nuevo*, 5 (1966), pp. 66-72.

—, «La memoria de Gonzalo Silvestre», *Caravelle*, 7 (1966), pp. 45-53.

—, «El Inca, hombre en prisma», en *Studi di Letteratura Ispano-Americana*, Instituto Editoriale Cisalpino, Milán, 1968, pp. 41-57.

—, «Los *Comentarios reales* y dos sermones del doctor Pizano», *Nueva Revista de Filología Hispánica*, 24 (1975), pp. 292-307.

—, *El Inca Garcilaso, clásico de América*, Secretaría de Educación Pública (Sep-Setentas, 259), México, 1976: «El Inca Garcilaso, historiador apasionado», «Garcilaso el Inca, platónico», «El Inca Garcilaso, clásico de América», «Introducción a los *Comentarios reales*», «La idea de la honra en el Inca Garcilaso», «El duelo, motivo cómico», «Dos notas sobre el Inca Garcilaso», «Un sermón editado por el Inca Garcilaso».

Duviols, Pierre, «El Inca Garcilaso de la Vega, intérprete humanista de la religión incaica», *Diógenes*, 47 (Buenos Aires, 1964), pp. 31-43.

Escobar, Alberto, «Lenguaje e historia en los *Comentarios reales*», *Patio de Letras*, Lima, 1956, pp. 11-40.

Falke, Rita, «Otra Roma en su imperio. Die *Comentarios reales* des Inca Garcilaso de la Vega», *Romanistisches Jahrbuch*, 7 (1955-1956), pp. 257-271.

Fitzmaurice-Kelly, Julia, *El Inca Garcilaso de la Vega*, Oxford University Press, Oxford, 1921.

García, A., «Quelques aspects de la religion incaique, selon les *Commentaires royaux* de l'Inca Garcilaso de la Vega et certaines chroniques du xvi⁰ siècle», *Bulletin Hispanique*, 66 (1964), pp. 294-310.

González de la Rosa, Manuel, «El testamento, codicilos, etc., del Inca Garcilaso de la Vega», *Revista Histórica*, 3 (Lima, 1908), pp. 261-295.

Ilgen, William D., «La configuración mítica de la historia en los *Comentarios reales* del Inca Garcilaso de la Vega», en *Estudios de Literatura Hispanoamericana en Honor a José J. Arrom*, Chapell Hill, 1974, pp. 37-46.

Jakfalvi-Leiva, Susana, *Traducción, escritura y violencia colonizadora: un estudio de la obra del Inca Garcilaso*, Syracuse University, FACS Publications, Syracuse, 1984.

Lavalle, Bernard, «El Inca Garcilaso de la Vega», en L. Iñigo-Madrigal, ed., *Historia de la literatura hispanoamericana. I: Época colonial*, Cátedra, Madrid, 1982, pp. 135-143.

Leonard, Irving A., «The Inca Garcilaso de la Vega, First Classic Writer of America», *Filología y Crítica Hispánica. Homenaje al profesor F. Sánchez Escribano*, Madrid, 1969, pp. 51-62.

Levillier, Roberto, *Don Francisco de Toledo, supremo organizador del Perú*, I, Madrid, 1935; II, Buenos Aires, 1940; III, Buenos Aires, 1942.

Livermore, Harold V., «Introduction» a *Royal Commentaries of the Incas and General History of Peru*, Primera parte, University of Texas Press, Austin y Londres, 1966, pp. xv-xxi.

Loayza, Luis, «Dos versiones de una venganza», *Creación y crítica*, 2:2 (1971), pp. 8-10.

—, *«La Florida del Inca»*, *Amaru*, 14 (Lima, 1971), pp. 61-67.

Lohmann Villena, Guillermo, «Apostillas documentales en torno al Inca Garcilaso», *Mercurio Peruano*, 375 (1958), pp. 337-345.

—, «La ascendencia española del Inca Garcilaso de la Vega», *Hidalguía*, 29 (1958), pp. 369-384 y 681-698.

Mackehenie, Carlos A., «Apuntes sobre las traducciones castellanas de León Hebreo», *Mercurio Peruano*, 163 (1940).

Macrí, Oreste, «Studi sull'Inca Garcilaso de la Vega», *Rivista di Letterature Moderne*, 5:1-2 (Florencia, 1954), pp. 99-102.

Martí-Abelló, Rafael, «Garcilaso Inca de la Vega, un hombre del Renacimiento», *Revista Hispánica Moderna*, 16:1-4 (1951), pp. 99-112.

Menéndez Pelayo, M., *Orígenes de la novela*, Emecé, Buenos Aires, 1945.

—, *Historia de la poesía hispanoamericana* (Obras completas, 28), Aldus, Santander, 1948, tomo II, pp. 73-77.

Menéndez Pidal, Ramón, «La moral en la conquista del Perú y el Inca Garcilaso de la Vega», *Seis temas peruanos*, Espasa-Calpe (Colección Austral, 1.297), Buenos Aires, 1960.

Migliorini, Bruno, y Giulio Cesare Olschki, «Sobre la biblioteca del Inca», *Nueva Revista de Filología Hispánica*, 3:2 (1949), pp. 166-167.

Miró Quesada, Aurelio, *El Inca Garcilaso*, Lima, 1945; Ediciones Cultura Hispánica, Madrid, 1948².

—, *Cervantes, Tirso y el Perú*, Lima, 1948.

—, «El Inca Garcilaso y su concepción del arte histórico», *Mar del Sur*, 6:18 (1951), pp. 55-71.

—, «Creación y elaboración de *La Florida del Inca*», en varios autores, *Nuevos estudios sobre el Inca Garcilaso de la Vega. Actas del Symposium*, Lima, 1955, pp. 87-122.

—, *El Inca Garcilaso y otros estudios garcilasistas*, Ediciones Cultura Hispánica, Madrid, 1971.

—, «Las ideas lingüísticas del Inca Garcilaso», *Tiempo de leer, tiempo de escribir*, Lima, 1977, pp. 11-49.

Moreno Báez, Enrique, «El providencialismo del Inca Garcilaso», *Estudios Americanos*, 35-36 (1954), pp. 143-154.

Núñez, Estuardo, «Un viajero llamado Gómez Suárez de Figueroa», *Mundo Nuevo*, 5 (1966), pp. 73-75.

Ortega, Julio, «El Inca Garcilaso y el discurso de la Cultura», *Revista Iberoamericana*, 104-105 (1978), pp. 507-514.

Polo, José Toribio, «El Inca Garcilaso», *Revista Histórica*, 1 (Lima, 1906), pp. 232-254.

Porras Barrenechea, Raúl, *El Inca Garcilaso de la Vega (1539-1616)*, Ediciones del Instituto de Historia, Lima, 1946.

—, *Fuentes históricas peruanas*, Lima, 1954.

—, «Nuevos fondos documentales sobre el Inca Garcilaso», en varios autores, *Estudios sobre el Inca Garcilaso. Actas del Symposium*, Lima, 1955, pp. 17-61.

—, *El Inca Garcilaso en Montilla (1561-1614. Nuevos documentos hallados y publicados por...)*, Edición del Instituto de Historia, Lima, 1955.

—, *Cronistas del Perú, 1528-1650*, Lima, 1962.

Puccini, Dario, «Elementos de narración novelesca en *La Florida* del Inca Garcilaso», *Revista Nacional de Cultura,* 240 (Caracas, 1979), pp. 26-47.

Pupo-Walker, Enrique, «Sobre la configuración narrativa de los *Comentarios Reales*», *Revista Hispánica Moderna*, 39:3 (1976-1977), pp. 123-135.

—, «Las amplificaciones imaginativas en la crónica y un texto del Inca Garcilaso», *La vocación literaria del pensamiento histórico en América. Desarrollo de la prosa de ficción: siglos XVI, XVII, XVIII y XIX*, Gredos, Madrid, 1982, pp. 96-122.

—, *Historia, creación y profecía en los textos del Inca Garcilaso de la Vega*, Porrúa Turanzas, Madrid, 1982.

Riva Agüero, José de la, «Examen de los *Comentarios reales*», *Revista Histórica*, 1 (1906), pp. 515-561, y 2 (1907), pp. 129-162.

—, «Garcilaso y el padre Valera», *Revista Histórica*, 3 (1908).

—, *La Historia en el Perú*, Lima, 1910.

—, «Elogio del Inca Garcilaso», *Revista Universitaria*, 9:1 (Lima, 1916), pp. 335-412.

Rodríguez Vecchini, Hugo, «*Don Quijote* y *La Florida del Inca*», *Revista Iberoamericana*, 120-121 (1982), pp. 587-620.

Rojas, Ricardo, «Prólogo» a la edición de Á. Rosenblat de los *Comentarios reales*, Emecé, Buenos Aires, 1945, I, pp. vii-xxi.

Romero, Carlos A., «Los preliminares de la traducción de los *Diálogos de amor*, de León Hebreo, por el Inca Garcilaso de la Vega», *Revista Histórica*, 4 (Lima, 1912), pp. 348-356.

Rosenblat, Ángel, ed., Inca Garcilaso de la Vega, *Comentarios reales*, Emecé, Buenos Aires, 1945.

—, «Tres episodios del Inca Garcilaso», *La primera visión de América y otros estudios*, Ministerio de Educación, Caracas, 1965, pp. 219-245.

Sáenz de Santa María, Carmelo, «Estudio preliminar» a Inca Garcilaso de la Vega, *Obras completas*, Atlas (BAE, 132-134), Madrid, 1960, I, ix-lxxvii.

Sánchez, Luis Alberto, *Garcilaso Inca de la Vega, primer criollo*, Ercilla, Santiago de Chile, 1939.

—, «El Inca Garcilaso de la Vega», *Escritores representativos de América*, Gredos, Madrid, 1957, tomo I, pp. 23-40.

Soons, Alan, «The Inca Garcilaso's Castaway: two sixteenth century landfalls», *Neophilologus*, 54:2 (1970), pp. 127-130.

Tauro, Alberto, «Bibliografía del Inca Garcilaso», *Documenta*, 4 (Lima, 1965), pp. 393-437.

Torre y del Cerro, José de la, *El Inca Garcilaso de la Vega (Nueva documentación). Estudio y documentos*, Madrid, 1935.

Toynbee, Arnold J., «Foreword» a *Royal Commentaries of the Incas and General History of Peru*, Primera parte, traducción inglesa de Harold V. Livermore, University of Texas Press, Austin y Londres, 1966, tomo I, pp. vii-xiv.

Valcárcel, Carlos Daniel, *Garcilaso-Inka, 12 de abril de 1539 - 24 de abril de 1616. Ensayo sico-histórico*, Lima, 1939.

—, «Concepto de la historia en los *Comentarios reales* y en la *Historia general* del Perú», en varios autores, *Nuevos estudios sobre el Inca Garcilaso de la Vega. Actas del Symposium*, Lima, 1955, pp. 123-136.

—, «Prohibición de los *Comentarios reales*», *Letras* (Lima, 1960).

Valcárcel, Luis Enrique, *Garcilaso el Inca, visto desde el ángulo indio*, Imprenta del Museo Nacional, Lima, 1939.

—, «Garcilaso y las teorías de tipo ideal y de estructura», *Letras*, 64 (Lima, 1960), pp. 5-7.

Vargas Ugarte, Rubén, «Nota sobre Garcilaso», *Mercurio Peruano*, 137-138 (1930), pp. 106-108.

Varner, John Grier, *El Inca, The Life and Times of Garcilaso de la Vega*, University of Texas Press, Austin y Londres, 1968.

Wachtel, Nathan, «Pensée sauvage et acculturation. L'espace et le temps chez Felipe Guamán Poma de Ayala et l'Inca Garcilaso de la Vega», *Annales E.S.C.*, 26:3-4 (1971), pp. 793-840.

R. Porras Barrenechea

EL INCA GARCILASO DE LA VEGA

Desde 1586, Garcilaso anunciaba su deseo de escribir «sumariamente de la conquista de mi tierra, alargándome más en las costumbres, ritos y ceremonias de ella y en sus antiguallas», según declaraba en la dedicatoria de los *Diálogos* a Felipe II. En 1591 ha terminado el trabajo de la *Florida* y se ha puesto a sacar, él mismo, en limpio la copia de ella, por las muchas infidelidades en que incurrían los inexpertos copistas de Córdoba. El Inca está ya viejo y su flaca salud anda ya muy gastada según declara él mismo. En 1602 se halla retocando la *Florida* para imprimirla y pide favor a Dios para terminar «su historia de los Incas, reyes que fueron del Perú, el origen y principio dellos, su idolatría y sacrificios, leyes y costumbres: de todo lo está ya la mayor parte puesta en el telar».

No se ha aludido por ninguno de los comentadores de Garcilaso a la significación del nombre de los *Comentarios reales*. La adopción de este nombre revela, sin embargo, la índole tímida del cronista y su propósito humilde. Entre las diversas formas históricas adoptadas por la historia clásica —historias, anales, memorias, comentarios— la elegida por el Inca es la de menor categoría. «Comentarios —dice Cicerón— son simples notas conmemorativas». El cronista Agustín de Zárate, defendiendo la calidad de su *Historia*, dice: «No va tan breve y sumaria que lleve el nombre de Comentarios». El Inca no se atreve a abordar los grandes géneros históricos y escoge el menos ostentoso. Los comentarios son breves notas o glosas a noticias ajenas que no requieren gran ingenio ni preparación. En ellos se limitará a

Raúl Porras Barrenechea, *El Inca Garcilaso de la Vega (1539-1616)*, Ediciones del Instituto de Historia, Lima, 1946, pp. 10-14.

glosar a los historiadores españoles que han escrito sobre su patria, sirviéndoles únicamente «de comento y glosa», corrigiendo o ampliando lo que ellos dijeron, aclarando lo que no supieron o no pudieron saber por su desconocimiento de la lengua y añadiendo, donde hubiere falta, «que algunas cosas dejaron de decir».

Un propósito oculto y generoso impulsa interiormente al Inca a salvar las barreras de su timidez y a abordar el gran género histórico que le tienta desde su juventud. Ese impulso es el hondo sentimiento de amor a su tierra y a su raza. Garcilaso ha leído, con ansiedad, las crónicas españolas sobre el Perú de Gomara, de Zárate, de Cieza, del padre Acosta y ha hallado cortas para su apasionada admiración las noticias que dan sobre el Imperio de sus mayores. «Escríbenlas tan cortamente, que aun las muy notorias las entiendo mal», declara disgustado y promete escribir, solo para servir de comento, «para declarar y ampliar muchas cosas que ellos asomaron a decir y las dejaron imperfectas, por haberles faltado relación entera». La misma íntima protesta despiertan en él los duros e incomprensivos juicios de los cronistas para juzgar la conducta de los conquistadores, sin medir la enormidad de sus esfuerzos y penalidades, y sin respetar sus servicios y hazañas. Se indigna contra Gomara por las cosas tan bajas que recoge contra Pizarro y contra el Palentino, que infamó la memoria de su padre, atribuyéndole deslealtad al rey. Para relatar tales como él los siente el imperio de los incas y la conquista española escribe sus *Comentarios*, pero sobre todo «para dar a conocer al Universo nuestra patria, gente y nación».

En su juventud, en el Cuzco, cuando alardeaba de experto jinete ante el asombro de sus parientes indios, cuando increpaba a éstos duramente el haberse dejado vencer por un puñado de españoles, cuando aprendía latín y toda su aspiración se hallaba puesta en ir alguna vez a la Universidad de Salamanca, el joven mestizo Garcilaso se sentía más ligado a la raza de su padre. Sus aspiraciones más hondas le llevaban a España. Cuando estuvo en ésta, cuando palpó de cerca las distancias que le separaban material y espiritualmente de su tierra nativa, volvió con enternecida nostalgia a refugiarse en el Cuzco de su infancia y a sentir, con más intensidad, su hermandad con los indios y el atávico reclamo de los recuerdos de la grandeza incaica. Español en Indias, indio en España, he ahí el dilema de Garcilaso y el dilema mismo del alma peruana atraída por los divergentes reclamos de ambas estirpes y culturas. Garcilaso se sentirá indio en la *Primera parte* de sus *Co-*

mentarios y español, en la *Segunda*, pero su obra es, como lo ha dicho Riva Agüero, el primer intento de reconciliación entre ambas razas. En la obra de Garcilaso se funden ambas en la síntesis feliz del mestizaje que presiente al Perú. Por ello puso al frente de su obra estos dos títulos significativos de su doble destino: «el Inca Garcilaso de la Vega, natural del Cuzco y capitán de su Majestad». Y preludiando esta síntesis, dirá que él «se llama mestizo a boca llena» y afirmará, en la Dedicatoria a Felipe II de los *Diálogos de amor*, que escribe para deleite de indios y españoles, «porque de ambas naciones tengo prendas». Inútil, por esto, querer explotar a Garcilaso en pro de una u otra tendencia exclusiva. Es indio para los que quieren hacerle únicamente español y se descubre hispánico, cuando intentan dejarle únicamente en indio.

En la *Primera parte de los Comentarios reales*, Garcilaso quiso darnos su versión del imperio de los incas. En capítulos de una dulce y reposada serenidad, impulsado por el ritmo de sus recuerdos, Garcilaso se puso a escribir, cuarenta años después de haber dejado el Cuzco, la historia y las tradiciones del pueblo incaico que había escuchado siendo niño a sus parientes maternos. Esa versión ha sido tachada, por lo general, sobre todo en el siglo XIX, de falsa, parcial o engañosa. Se ha atribuido a Garcilaso una tendencia imaginativa o novelesca. La crítica peruana novecentista, encarnada en Riva Agüero, ha desbaratado esa interpretación y restablecido la fidelidad de Garcilaso a sus fuentes de información. Hoy queda establecido que Garcilaso no inventó ni mintió, sino que recogió con exactitud y cariño filiales, la tradición cuzqueña imperial, naturalmente ponderativa de las hazañas de los incas y defensora de sus actos y costumbres.

Garcilaso es, en efecto, el representativo de la historia imperial cuzqueña. Esa historia, según han referido otros cronistas, como Cieza, omitía los nombres de los incas que habían sido ineptos y cobardes y hasta las derrotas sufridas por los incas. Es lógico que callara también los hechos y los adelantos de las tribus sojuzgadas y sumiera en el silencio toda la historia de los pueblos preincaicos. No hubo entre los incas un Cieza o un Cristóbal de Molina para referirnos las costumbres y los ritos de los pueblos sometidos, como aquéllos recogieron con profundo amor los de los incas.

De conformidad con esta tradición imperial y no por voluntad propia, Garcilaso silenció, o desconoció más bien, los hechos de la historia preincaica y gran parte de la historia provincial. Estos son los dos defectos que más se han argüido contra su imparcialidad. Para Garcilaso, como para sus parientes cuzqueños, la civilización comenzó con los incas. «Para concentrar sobre sus antepasados los incas las glorias de toda la raza peruana, no vaciló en suprimir, a sabiendas y de una plumada, la historia de cuatro mil años», dice el historiador argentino Vicente López. Sabemos, sin embargo, que el empeño no fue suyo. En el Cuzco sólo se guardaban las tradiciones que Garcilaso nos ha transmitido. Para completarlas hubo que levantar las informaciones de Cieza o de Toledo, que descubrieron y exageraron, quizás, aspectos de la vida incaica ocultados por la nobleza dominadora del Cuzco. Garcilaso, que vivió dentro de ese espíritu, no pudo aceptar, sinceramente, ninguna contribución esencial de otros pueblos a la civilización del Incario.

En todas las partes de su obra, restalla su desprecio para los pueblos que antecedieron a los incas y para las tribus sometidas por éstos, aún las contemporáneas. De los indios de la costa los tumpis, los de Pasau o de los belicosos carangues de la región de Quito, habla con desprecio racial, semejante al del consejero imperial Sepúlveda el impugnador de Las Casas. Dice que eran «poco mejores que bestias mansas y otros mucho peores que fieras bravas». De los chirihuanas dice que «viven como bestias y peores, porque no llegó a ellos la doctrina y enseñanza de los reyes Incas». Acepta para estos indios todos los cargos que rechaza para los incas: reconoce que practicaban sacrificios humanos, que comían carne humana, aun la de sus propios hijos y que practicaban vicios contra natura. Insiste, cada vez que trata de ellos en usar la palabra «bestias». De los pueblos preincaicos dice, contra los datos de la arqueología moderna, que «no tenían calles, ni plazas, sino como un recogedero de bestias». Esta inferioridad de los indios no incas es para Garcilaso, como para sus parientes cuzqueños, insanable. Al ver a los indios de la región de Pasau, en su viaje a España, reafirma ya su opinión personal y dice: «eran peores que bestias». En otra parte exhibe la opinión de Huayna Cápac sobre estos mismos indios diciendo: «sería perdido el trabajo que en ellos se emplease». En Huayna Cápac, no obstante la afinidad racial, no apuntaba la caridad cristiana de un Las Casas.

Garcilaso nos ha dado, pues, un Imperio depurado, según la tradición oficial cuzqueña. En esta visión se omiten naturalmente revoluciones, traiciones, cobardías, crueldades, actos de barbarie, propios de un Imperio primitivo. Riva Agüero dice, por esto, que la versión garcilasista ha pasado por tres deformaciones: 1.º la de los quipucamayocs del Imperio, que omitieron todos los hechos dañosos o desfavorables, al recoger su historia cortesana, 2.º la de los parientes de Garcilaso, después de la conquista, suavizando la realidad y haciéndola aparecer como menos dura que la conquista española, y 3.º la deformación natural proveniente del temperamento poético de Garcilaso que embelleció el cuadro, desde la lejanía de sus recuerdos, con su intensa nostalgia. Hay que descubrir estas tres capas superpuestas para encontrar la verdad.

AURELIO MIRÓ QUESADA

LOS *COMENTARIOS REALES*

Obra de reconstrucción de una época larga y vigorosa de su país nativo, el Inca Garcilaso manifestó desde las primeras páginas de sus *Comentarios* el deseo fundamental que lo movía: escribir una relación completa, cabal, ordenada y corregida de los sucesos y las costumbres del Perú antes de la llegada de los conquistadores españoles. Las historias compuestas antes de él —venía a decir en el proemio— adolecían de errores y defectos, eran por lo común compendiosas y escuetas en extremo y participaban de la muy frecuente imperfección de interpretar erróneamente muchas palabras de la lengua general de los incas. Aunque acertaran en lo principal, era menester por ello redactar una historia que aprovechara las relaciones anteriores, pero acompañándolas de comento y de glosas; que ampliara luego el campo histórico añadiendo muy numerosas y esenciales informaciones olvidadas; y que precisara no solamente el orden cronológico de los sucesos y los contornos de la geografía, sino el significado de muchos vocablos de la tierra, para lo que Garcilaso precedió su obra de una advertencia acerca de la lengua general de los indios peruanos.

El Inca Garcilaso consideraba hallarse, y con justicia, en una situación excepcional. No sólo había aprendido en su juventud el *runa-simi,* que era el idioma de su madre, sino su misma situación familiar, por correr en sus venas sangre de emperadores y pertenecer a la más legí-

Aurelio Miró Quesada, *El Inca Garcilaso*, Ediciones Cultura Hispánica, Madrid, 1948, pp. 165-170.

tima nobleza cuzqueña, le permitieron obtener informaciones y noticias directas de que otros historiadores carecieron. En la anchurosa
casa que tenía en el Cuzco su padre el capitán, y en las reiteradas
conversaciones con su madre, la princesa incaica Chimpu Ocllo, y
con los parientes de su madre, había ido recogiendo el cronista datos
concretos y preciosos. Unas veces era su tío Huallpa Túpac el que, de
una parte, lamentaba el desmedro en que había caído la orgullosa raza
de los incas, y de otra se complacía en recordar la grandeza pasada,
los triunfos hazañosos de los emperadores, las normas del gobierno
o los mitos hermosos. Otra vez fue el anciano Cusi Huallpa quien le
refirió el testamento del Inca Huayna Cápac y le narró la simbólica
leyenda de los Hijos del Sol, Manco Cápac y Mama Ocllo, salidos del
lago Titicaca para fundar el Imperio del Cuzco, y enseñar a los hombres él las robustas artes del gobierno y ella —«maestra de mujeres»—
las labores menudas del hogar. En otras ocasiones eran los viejos capitanes de Huayna Cápac, Juan Pechuta y Chauca Rimachi, quienes le
describían los límites extremos a que había alcanzado el imperio en
su tiempo.

A las informaciones orales de ellos —que se le grabaron profundamente en la memoria, por el triple camino de la emoción racial, el sabor
algo extraño y legendario y la impresión intensa que produce el relato
escuchado en la niñez— se unieron, en esos mismos días o durante los
largos años de su estancia en España, las conversaciones con los amigos
de su padre, con bien enterados religiosos y condiscípulos y amigos. El
propio Inca Garcilaso ha mencionado lo que debe al padre Diego de
Alcobaza, dilecto amigo y coetáneo suyo, hijo de su preceptor Juan de Alcobaza; a Rodrigo Pantoja, que le ensalzó las virtudes de la coca; a
Gonzalo Silvestre, el que le narró la historia de la empresa de Soto en
la Florida y le dio muchos datos sobre su vida en el Perú; a Garcí Vásquez, antiguo criado de su padre, que al hablar de las plantas llevadas
al Perú le dio noticias del gran tamaño que alcanzaba el trigo en el valle
de Huarcu, o de Cañete; a Martín de Contreras, sobrino de don Francisco
de Contreras, gobernador de Nicaragua, quien le alabó las dimensiones
que lograban los rábanos de Cuzapa y los melones de Ica; a Garcí Sánchez de Figueroa, que le contó la dramática historia de Pedro Serrano,
antecesor de Robinsón; a Hernán Bravo de Laguna, que así como le re-
lató su tremenda batalla con las ratas, cuando se hallaba enfermo, en un
navío anclado en el puerto de Trujillo, ha de haberle proporcionado algunos datos de sus días peruanos. Anécdotas pintorescas muchas de ellas,
que iban a matizar con sus notas de gracia o de ironía el cuadro mag-

nífico y suntuoso de las empresas que, en la paz y en la guerra, había desarrollado el vigoroso imperio de los incas.

A los recuerdos de sus conversaciones se añadieron más tarde las comprobaciones por escrito que le fueron enviando, hasta su alojamiento de Montilla o de Córdoba, sus parientes maternos y sus más allegados condiscípulos. De diversas regiones del Perú le llegaron las copiosas respuestas que esperaba a las preguntas que había ido formulando sobre topografía y sobre historia, guerras, costumbres y creencias, nombres de pueblos y leyendas locales. Con el apoyo de sus propios recuerdos y el repetido estímulo de una correspondencia tan frecuente, fue así reconstruyendo mentalmente el escenario y los relieves de las cuatro regiones tradicionales del Tahuantinsuyo. A veces no eran sólo comunicaciones dirigidas a él, sino relatos de otra índole, como las cartas de Martín de Zuazo, o la correspondencia de los padres jesuitas que le proporcionó su docto amigo el padre Francisco de Castro. Garcilaso no sólo confrontaba y analizaba estas noticias, sino las colocaba en manos de amigos ilustrados que pudieran revisarlas y expresar su opinión; y así ha contado, con agradecimiento, la bondadosa intervención de dos jesuitas: el padre Jerónimo de Prado, natural de Úbeda, y el padre Miguel Vásquez de Padilla, natural de Sevilla.

Tan numerosas y menudas noticias personales venían a sumarse al repertorio, ya bien conocido y caudaloso, de los cronistas de Indias. El Inca Garcilaso cita en sus *Comentarios reales,* para aprobarlas o rectificarlas, la *Historia general de las Indias,* de Francisco López de Gomara; la *Historia natural y moral del Nuevo Mundo,* del padre José de Acosta; la *Crónica del Perú,* de Pedro de Cieza de León; la *Historia del descubrimiento y conquista de la provincia del Perú,* de Agustín de Zárate; la *Historia del Perú,* de Diego Fernández, vecino de Palencia; la *República de las Indias Occidentales,* Segunda parte de las *Repúblicas del mundo divididas en XXVII libros,* del agustino fray Jerónimo de Román y Zamora (que aprovecha además al padre Cristóbal de Molina); las *Relaciones universales del mundo,* del italiano Juan Botero; la *Araucana,* de Alonso de Ercilla, y los papeles del jesuita chachapoyano Blas Valera. A través de este último, menciona también las *Décadas de Orbe Novo* del humanista Pedro Mártir de Anghiera, las polémicas y la doctrina del dominico fray Bartolomé de las Casas, las *Relaciones* de Polo de Ondegardo y las *Informaciones* mandadas levantar por el virrey don Francisco de Toledo.

De estas fuentes escritas, la que aprovecha con mayor cuidado y más constantes encarecimientos es la incompleta *Historia del Perú* de Blas Valera, que Garcilaso afirma haberse extraviado y roto en buena parte durante el saqueo de Cádiz por las fuerzas inglesas en 1596. El padre Valera que, con los demás religiosos de la Compañía de Jesús, tuvo que salir de la ciudad apresuradamente, no pudo salvar consigo sino pocos papeles. Escritos en latín como el resto perdido de la obra, fueron luego entregados al Inca —según se refiere en los *Comentarios*, libro I, capítulo 6— por el padre Pedro Maldonado de Saavedra, natural de Sevilla, que el año 1600 leía el curso de Escritura en el Colegio de Córdoba. Garcilaso se conduele de la falta de «lo más y mejor» de esos papeles, declara hallarse escritos en un elegantísimo latín del cual se satisfacía en traducirlos, y elogia con términos extremos las condiciones del estilo y la veracidad de los informes. «Esto puse aquí por enriquecer mi pobre historia —afirma en una parte—, porque cierto, sin lisonja alguna, se puede decir que todo lo que el P. Blas Valera tenía escrito eran perlas y piedras preciosas.» «Diligentísimo escudriñador de los hechos de aquellos tiempos» —va a llamarlo más tarde, en la *Segunda parte* de los *Comentarios*—, autor «muy curioso y elegante» a quien se debe todo crédito. Y, repitiendo su pesar por los estragos sufridos por la *Historia* en el saqueo de Cádiz, iba a decir modestamente que lo que hallare del padre Valera lo referirá por su mucha autoridad, «que cierto cada vez que veo sus papeles rotos, los lloro de nuevo».

José Durand

LA *HISTORIA GENERAL DEL PERÚ*

Libro lleno de vida escrito para morir, la *Historia general del Perú*, segunda parte de los *Comentarios reales*, cae por instantes en el desaliento y al punto recupera la animación, la pujanza, aquel saboreo del

José Durand, «Introducción a los *Comentarios reales*», *El Inca Garcilaso, clásico de América*, Secretaría de Educación Pública (SepSetentas, 259), México, 1976, pp. 61-65.

pormenor que caracteriza el arte narrativo del Inca Garcilaso. La obra entera, sin embargo, se alza convertida en una gran tragedia, ligada íntimamente a la existencia del autor: por ello nos conmueve y nos persuade. La escribe a sabiendas de que será lo último. Tardará unos ocho años, entre 1603 y 1611, pero en todos ellos el autor siente la muerte próxima; tan cierta, que llegó por los mismos días que las prensas editaban el libro, en 1616. Antes, en 1612, ya había comprado su propia tumba, la Capilla de las Ánimas de la vieja mezquita cordobesa. Pero el Inca se iba dejando el testimonio de una época, cuyo sentido percibió quizás como ninguno. Y aunque los eruditos de hoy suelan tener en menos los datos que allí se ofrecen, casi siempre de segunda mano, el edificio mismo de la *Historia general* aparece como una formidable visión de los hechos que narra, trágico advenimiento de un mundo nuevo, su lejano Perú.

Cuando comenzó a escribir la segunda parte de los *Comentarios*, allá por 1603, vivía momentos muy amargos, según lo confiesa él mismo en el proemio de la *Florida* y en el libro VII de los *Comentarios*. Tiene ya sesenta y cuatro años, se halla enfermo y sin ilusiones; teme no concluir su obra y morir frustrado. Muchas viejas esperanzas se han desvanecido. Orgulloso de su estirpe incaica y española, el pobre mestizo ha anhelado largamente la honra y ha esperado alcanzarla por diversas vías: ya ninguna le queda. Su dedicatoria a Felipe II de los *Diálogos de amor*, primicias literarias indianas, no le ha valido la recompensa soñada. Otros bienes que aguardaba no le lucen, pues aunque a la muerte de doña Luisa, viuda de su tío Alonso de Vargas, ha entrado en plena posesión de la herencia de éste, no consigue cobrar normalmente sus rentas y hasta sufre estrechez. Vive en Córdoba, en lo que él mismo llama «pobre casa de alquiler». Las prendas más queridas, sus propios libros, tardan en ver luz por razones «tiránicas». Lleva largos años esperando la aparición de la *Florida*, ha concluido ya la primera parte de los *Comentarios* y ninguno de ambos libros tiene cuándo salir. Cierta resignación, india, estoica y cristiana, había en él por instantes; en otros, Garcilaso parece caer en el más absoluto desaliento. En tales circunstancias se inicia la composición de la segunda parte de los *Comentarios*.

Aquel brío que tuvo al emprender la *Florida*, mezcla de fuego y lozanía, ha desaparecido ahora. El mundo evocativo cuya dulce nostalgia preside los *Comentarios*, tampoco ha de prevalecer. Titubea al principio, hasta llegar al fin a componer su libro más extenso y aquel cuya tesis histórica aparece más lúcida y definida. Las notas literarias embellecerán el relato, basado por lo común en textos ajenos, pero una concepción personalísima de los hechos, llena de madurez, dispondrá la estructura y encaminará al lector hacia aquello que el Inca quiere comunicar: la tragedia del mundo paterno de los conquistadores peruanos, unida a la ruina final de la estirpe incaica, su linaje materno. Y así, pues, dentro de esa característica manera suya, que entiende la historia como autobiografía, declara en el proemio de los *Comentarios*, que «otros dos libros» de la segunda parte «se quedan escribiendo de los sucesos que entre españoles, en aquella mi tierra, pasaron hasta el año de 1560, que yo salí della». El Inca, pues, siente unidas la existencia de su pueblo y la suya propia; por ello la historia concluye para él, salvo algunos cabos significativos que queden por atar, en el momento que él abandona su tierra.

Cuando escribía esas palabras, Garcilaso no tenía clara idea de la obra empezada. Dudaba de sus fuerzas y creía no poderla concluir, por lo cual parece haber pensado en reducirla y dejarla en algo que sería el simple resumen de la forma actual. Años más tarde, entre 1606 y 1609, hasta llega a detener la redacción. Y cuando al fin, con arrestos renovados, llega a terminarla, su único pensamiento será despedirse de este mundo y así compra, a los pocos meses, su propia tumba. Son los mismos tiempos en que pide licencia para imprimir su obra. Ya no la dedicará, como las otras, a reyes ni príncipes terrenos, sino «a la limpíssima Virgen María, madre de Dios y señora nuestra». Ha concluido el testimonio de su propio pasado y lo deja, pensando en el futuro, a aquellos que quedan en su tierra y a aquellos que vendrán. Por eso, al cabo de su vida, sólo pocos meses antes de morir, escribe el prólogo dirigido «A los indios, mestizos y criollos de los reinos y provincias del grande y riquísimo imperio del Perú, el Inca Garcilaso de la Vega, su hermano, compatriota y paisano». Y las palabras finales de este hombre que va a morir, serán las de desearle a los suyos «salud y felicidad». Verdadero testamento espiritual, hecho por quien se va con la tranquilidad de haber cumplido su misión, y por quien ha escrito pensando en el futuro. Con palabras que él mismo escribió, traduciendo el León Hebreo, recordemos que «la escritura no es para servir a los presentes, sino a los que están lejos en el tiempo y ausentes de los escritores».

Cuando se piensa que, siglos después, en pleno XVIII, los rebeldes peruanos que acompañaron al segundo Túpac Amaru leían los *Comen-*

tarios, por lo cual las autoridades españolas prohibieron su lectura, y cuando se recuerda que el general San Martín dispuso su reimpresión, por juzgarla conveniente a la causa emancipadora, podrá advertirse que el legado espiritual del Inca Garcilaso logró sobrevivir. Y si esa obra sirvió a la posteridad para robustecer los sentimientos nacionales, ello no fue por azar, sino según extrañas intuiciones, surgidas de manera a un tiempo luminosa y oscura, como fruto de geniales atisbos de su autor.

Eugenio Asensio

EL INCA GARCILASO: DOS TIPOS COETÁNEOS DE HISTORIA

Los garcilasistas han estudiado concienzudamente lo que en su obra influyeron dos tipos coetáneos de historia: los comentarios y narraciones humanísticas, que consideraban la historia como hijuela de la retórica y parienta de la poesía, y las crónicas de Indias, que mezclaban a la etnografía fragmentos de memorias personales. Yo creo que también entronca con la literatura anticuaria, de la que recibe orientaciones y métodos.

Escribir «el origen de los Reyes Incas, sus antiguallas, idolatría y conquistas, sus leyes y el orden de sus gobiernos» requiere tomar posición ante una multitud de cuestiones previas: marcha cíclica o progresiva de la historia, periodización, historicidad del mito, interpretación de las leyendas, etc. La concepción de las tres edades que sirve de esqueleto a los *Comentarios* recuerda, claro es, la idea agustiniana de una construcción gradual de la ciudad de Dios: trae a la memoria el plan de la historiografía eclesiástica con la sucesión de las tres leyes —ley de natura, ley mosaica, ley de gracia—: pero quizá se explique mejor por una combinación del gradualismo difundido por los glorificadores medievales del Sacro Romano Imperio con la negación de una Edad de Oro anterior al Estado, que pudo tomar de Jean

Eugenio Asensio, «Dos cartas desconocidas del Inca Garcilaso», *Nueva Revista de Filología Hispánica*, 3-4 (1953), pp. 583-593 (588-593).

Bodin. Garcilaso, frente al pesimismo de los humanistas italianos, que concebían los imperios como organismos que nacían, florecían y fatalmente decaían, aceptó la idea cristiana de progreso. La pintura de la primera edad —la edad anterior a los incas, la edad bestial y ferina, la edad sin ley— coincide con las teorías de Bodin, a quien citó una vez y acaso meditó muchas. En su *Methodus ad facilem historiarum cognitionem* (1566), Jean Bodin había incluido un capítulo, el séptimo, intitulado «Refutación de los que admiten las cuatro monarquías y la edad de oro», en el cual dice que en esa época los hombres vivían como fieras, desparramados por los campos y selvas, y que sólo poseían lo que podían guardar mediante la violencia, hasta que gradualmente fueron traídos de esa ferocidad y barbarie a la humanidad de costumbres y a la sociedad sujeta a leyes.

Garcilaso concibe el proceso de la sociedad de modo muy parecido. En el principio está, no el buen salvaje, sino el hombre bestial, la ley de la selva. No hubo una edad de oro, es decir un período de felicidad anterior a la organización y la sujeción del Estado. Lo que Garcilaso llama edad de oro es otra cosa: respeto a la ley unido a inocencia y sencillez de costumbres. Textos parecidos al de Bodin afloran por doquiera en los *Comentarios*. Su tío el Inca le cuenta que los Hijos del Sol han sido «embiados a la tierra sólo para la doctrina y beneficio de esos hombres que viven como bestias» (*Comentarios*, I). «El Inca respondió ... que él no había venido allí sino a quitar sinrazones y agravios y a enseñar todas aquellas naciones bárbaras a que viviesen en ley de hombres y no de bestias» (I). Si repasamos la descripción de las costumbres chirihuanas, leeremos: «Vivían sin ley ni buena costumbre, sino como animales por las montañas» (II). Reléase igualmente el cuadro de la vida de la provincia Huancampampa (II) o el de la nación pampa (II) antes de la conquista incaica.

La justificación del Incario y la exaltación de la lengua cortesana del Cuzco las hace con argumentos tan viejos, que ya los esgrimían en el siglo XII los imperialistas germanos. Por ejemplo, Otto de Freising, según Croce, «ve en la unidad política romana un preludio de la cristiana, con el fin de que las mentes de los hombres se formasen *ad maiora intelligenda promptiores et capaciores*». Garcilaso, por itermedio de Blas Valera, abraza esta teoría y, al defender el mantenimiento de la lengua del Cuzco, repite: «Muchas provincias que la sabían la han perdido del todo, no sin gran daño de la predicación evangélica. Todos los indios que ... retienen hasta ahora la lengua del Cozco, son más urbanos y de ingenios más capaces» (II).

Cree, como Bodin, que la mitología no es un tejido de vanas fábulas, aunque rechaza la desaforada asimilación de mitos peruanos con creencias cristianas, practicada por ciertos españoles. Admite que se alegoricen las historias, pero «tómelas cada uno como quisiere y déles el alegoría que más le cuadrare». Él se contenta con apuntar que las fábulas romanas y las del Perú «en muchos pedaços se remedan», y que «otros passos quieren semejar a los de la Sancta Historia» (*Comentarios*, II).

El Inca guardaba en su librería muchas obras sobre antigüedades hebreas, romanas, itálicas, que a ratos han servido de pauta a sus antigüedades peruanas. Poseía, por ejemplo la obra de Marcantonio Coccio Sabellico, *Rerum venetarum ab urbe condita libri XXXIII*, publicada por vez primera en Venecia, 1487. Sabellico no se cansa de insistir sobre la semejanza entre Roma y Venecia. Ya desde el prefacio anuncia que Venecia creció más que por sus armas por sus instituciones políticas, y asegura que las cosas venecianas son iguales y hasta superiores a las romanas «sanctitate legum, juris aequatione, innocentia, caeterisque sanctioribus institutis». ¿No se parece esto a la tesis de los *Comentarios*? Poseía las falsificaciones atribuidas a Beroso que, con buena o mala fe, puso en circulación Juan Anio (o Nanni) de Viterbo. Pero contra las tendencias de Beroso y sus compinches le habrían puesto en guardia Morales y los arqueólogos andaluces.

Esta literatura anticuaria había surgido en Alemania y Francia, en Italia y España, favorecida por la vanidad nobiliaria de los nuevos estados nacionales. Jean Bodin se ha burlado de ella en sus *Methodus,* observando irónicamente que, frente a tan nobles antepasados, los propios dioses parecerían inferiores.

Nutrido en tales precursores, Garcilaso corría riesgo de resbalar hacia el idilio político y el poema genealógico. Las fuentes utilizadas con preferencia, recuerdos de infancia dorados por la lejanía; el tema, la glorificación de la patria mezclada con la del propio linaje; la educación anterior, predominantemente literaria; todo le empujaba a un tipo de narración en que mito e historia se funden en el crisol de la memoria. Un poema medra fácilmente en suelo tan propicio, pero no la historia, hija de la verdad. A veces no sabe sortear el peligro, y su endiosamiento de los abuelos los convierte en arquetipos de sabiduría y bondad humanados. Su sonrosada visión del poderío incaico nos incita a interrumpirle con las ironías que aplica al ave *corequenque*: «No es posible tanta singularidad: baste la del fénix» (*Comentarios*, II).

Si Garcilaso ha frenado los vuelos de su fantasía y se ha mantenido casi siempre sobre el suelo firme de la historia, nos gusta suponer que lo debe a la influencia y los avisos de los anticuarios andaluces. No se puede separar su figura de aquella pléyade de arqueólogos con quienes convivió, a quienes envió sus libros y demandó consejo. José Durand ha probado sus contactos con Bernardo de Alderete. Es casi seguro que trató a Argote de Molina y Pablo de Céspedes. [Sus relaciones con el abad de Rute eran excelentes y Morales y Fernández Franco le guiaron y alentaron en su carrera literaria.]

Morales era el patriarca de la familia. Tras la máscara seca del erudito escondía llamas de pasión y calor de amistad: sabido es que en su juventud se había castrado, como Orígenes, para escapar a las tentaciones de la carne. Garcilaso y Morales, tan opuestos en apariencia, tienen un lado fraternal. El cordobés fue maestro de la historia filológica, como el peruano de la historia artística. Con todo, muchas cosas les unían. El ideal literario que Morales formuló en su *Discurso de la lengua castellana*, donde defiende un lenguaje copioso y galán, tan remoto de la vulgaridad como de la afectación, corresponde con puntualidad a la práctica del Inca. Éste poseía un don expresivo, un humor delicado, una llaneza elegante, tras la que corría en vano el cordobés. Pero Garcilaso pudo aprender en la *Crónica* de su protector la importancia que tenía, para un aspirante a historiador, el estudio de las instituciones, la economía, la topografía. Morales en *Las antigüedades de las ciudades de España* (Alcalá, 1575) enseñó a los contemporáneos a manejar toda clase de fuentes: literarias, lingüísticas, económicas. Algunas páginas serían particularmente simpáticas a Garcilaso. Por ejemplo, cuando al pasar revista a las antigüedades de Córdoba, dice: «Por la naturaleza que tengo en esta insigne ciudad, le tengo también la obligación común que los hombres tienen a sus tierras donde nacieron ... Que me den todos los que leyeren la licencia de alargarme ...» (*op. cit.*, f. 105). Y cuando Garcilaso se lamenta de que no posee las medidas exactas de la fortaleza del Cuzco, «quisiéralas con testimonio de escrivano» (*Comentarios*, II), camina tras las huellas del cordobés, que en sus *Antigüedades* (f. 114), hablando de Córdoba la vieja, nos cuenta: «yo he medido todo el sitio con cordel».

Quizá aquellos sesudos cordobeses le hayan puesto un poco de plomo en las alas. Al jinete osado, al capitán valiente, aquella sabiduría de libros y gabinete debió a veces de parecerle seca y amojama-

da. Yo me inclino a ver una puntita de ironía en sus protestas de que
es un ingenio lego, soldado metido a estudiante, indio que no puede
meterse en honduras. Igual que en el verso 74 de la primera *Soledad*:
«si tradición apócrifa no miente», donde imagino que Góngora zumba
ligeramente de sus eruditos amigos.

En todo caso le llegaron a admitir como uno de los suyos. El abad
de Rute, Francisco Fernández de Córdoba, le cita tres veces en la *Di-
dascalia multiplex*. [...] Discutiendo si el bronce fue anterior al hierro, y recordando que los héroes antiguos usaban armas de bronce,
aunque hubiese en sus tierras minas de hierro, lo confirma con lo que
sucede en América:

> Los viejos habitantes del Nuevo Mundo (algunos de los cuales asegu-
> raban falsamente ser indígenas, aunque su origen después del diluvio de
> Noé sea igualmente desconocido para ellos y para nosotros) siempre usa-
> ron armas de oro, de plata, de madera, de piedra y finalmente de bronce,
> según sabemos de cierto por testimonio de los escritores y por experien-
> cia: esto, a pesar de que varones y escritores de autoridad no despreciable
> aseguran que en aquellas comarcas se encuentran venas de hierro. Por
> ejemplo Gonzalo Fernández de Oviedo refiere de oídas que existen en la
> Isla Española, Hernán Cortés en la Nueva España, en la provincia llama-
> da Tacho, según testimonio ajeno confirmado por cierto familiar suyo.
> Que también se hallan en las regiones del Perú lo sostiene fray Gregorio
> García, y me lo contó Garcilaso Inca, varón de suma nobleza y entregado
> al estudio de las buenas letras, diciéndome que los indígenas le llamaban
> en la lengua común o real del Perú *quella*: lo que parece argumento nada
> liviano de que el hierro se usó en el mundo más tarde que el bronce.

[En otra parte] precisando, dice: «Si hay allí vetas de hierro, no
ha llegado aún a ellos el arte de purificarlo y soldarlo: esta opinión
me comunicó Garcilaso, varón noble». Y por último en la página 154,
al afirmar que de los antiguos hemos tomado la costumbre de decir
«salud» cuando estornudamos, alega que los indios de la Florida lo
usan también, según Garcilaso en *La Florida*. [...]

Con ello se cerraba el círculo cultural y la serpiente se mordía la
cola. Si Garcilaso Inca llamaba a Cuzco la nueva Roma y coloreaba
de romanismo su historia de América, los humanistas y glosadores de
textos latinos invocaban los usos y costumbres del Nuevo Mundo para
aclarar sus clásicos. Surgía la etnografía y el folklore comparado.

Juan Bautista Avalle-Arce

UNIVERSALISMO EN LA CONCEPCIÓN DE LA HISTORIA DEL INCA GARCILASO

Al analizar la obra del Inca soslayaré su traducción de León Hebreo. Lo hago así porque es evidente que esta obra, por su propia índole, nos niega la originalidad de pensamiento. Pero no la marginalizaré sin decir que, a mi entender, ella constituye un nuevo acto de fe, de fe de humanista. Con esta obra el Inca se sabe acreditado para merecer un puesto en la república de los mejores. El Inca se une así, por este oficio tan denigrado del traductor, a esa falange de apátridas idealistas que al tocarse el alma con el dedo adquieren conciencia de que sí es posible una humanidad sin escoria. Acto de fe humilde, como cumple en un novato, pero que asocia para siempre el nombre del Inca a lo mejor del humanismo neoplatónico.

Habiendo marginalizado los *Diálogos de amor*, *La Florida* se convierte en su primera obra en el tiempo. Al escribirla, el Inca nos hace presente, en toda oportunidad favorable, la concepción que él tiene de la historia como programa de acción. Que la historia tiene un fin ejemplar y eminentemente ético es idea viejísima, al punto que para la época de Polibio ya constituía una convención literaria (como nos recuerda éste al comienzo de su *Historia universal*), y con este mismo valor convencional de la historia, Diodoro Sículo tratará de realzar el mérito de su *Biblioteca Histórica* (como dice sin ambages en el prefacio). Siglos más tarde, con apoyo en esta convención, pero soslayando las implicaciones éticas, Maquiavelo construyó el gran edificio de sus *Discorsi sopra la prima deca di Tito Livio*, en los que la ejemplaridad de la historia sirve para fundamentar un claro programa de acción política.

Nuestro Inca asimila todo esto y lo ensambla con su caudal de lecturas y experiencias, y volviendo a poner en primer plano las implicaciones éticas, nos brinda una historia programática y ejemplar. En este sentido, *La Florida* puntualiza en toda ocasión el *cómo* y el *por*

Juan Bautista Avalle-Arce, «Introducción» a *El Inca Garcilaso en sus «Comentarios»* (*Antología vivida*), Gredos, Madrid, 1964, pp. 9-33 (15-19).

qué ese territorio se debe atraer al seno católico, a la «república cristiana», como él la llama, con lo que evidencia su comprensión de ese universalismo dinámico de la historia que anima al cristianismo. Detengámonos aquí un momento para analizar la carga ideológica que tiene el término «república cristiana», y cómo encaja esto dentro del concepto de historia como programa que tiene el Inca. En primer lugar, «república cristiana» es denominación propia de un medievalismo conceptual puro, ya que con ese término se escudan la *res publica generis humani* y la *ecclesia universalis* que caracterizan al más cendrado pensamiento político del Medioevo. Sin embargo, la realidad histórica en que le toca vivir al Inca Garcilaso niega en redondo la validez o vigencia de tal concepto, al menos fuera de España. En segundo lugar, el ingreso al seno de la «república cristiana» implica en efecto, y para el territorio en cuestión, la metamorfosis de un estado informe a un estado histórico. Y esto nos lleva a desembocar de nuevo en la visión cristiana del objetivo común de la humanidad. O sea, en resumidas cuentas, que ese concepto de historia programática que el Inca esboza en *La Florida* obedece a una clara intención universalizadora.

Pero para nuestro historiador hay un instrumento elegido para esa universalización: el imperio español. Y por aquí se empieza a matizar con colores propiamente hispanos el adocenado pensamiento de la historiografía medieval y eclesiástica. Porque este mestizo peruano nos ha confrontado con esa característica forma de vivir y pensar que sustenta en vilo al siglo XVI español: el providencialismo mesiánico. La idea de la acción diaria de Dios en el quehacer histórico del hombre estaba arraigadísima en la Edad Media. Frente a esto, España se distingue por permanecer fiel a esa idea hasta mucho más acá de la Edad Media y darle un giro estrictamente personalista: Dios interviene en forma directa en la historia española y señala así a esta nación como el instrumento de su Providencia. Imperialismo y providencialismo se convierten así en las dos caras de la medalla.

El Inca acepta todo esto en forma implícita, como que son los supuestos mentales que sostienen la fábrica de su *Florida*. El universalismo consiguiente e ineluctable se realiza en su idea de la historia como programa de acción política, asestado, a su vez, al logro de esa «república cristiana», que si el Inca concibe como realidad empírica —*malgré tout*— se debe al desempeño eficaz que siempre supuso la idea imperial hispana. Y esta idea de la historia se veía reforzada, dentro del cuadrante de lecturas del Inca, y desde un punto de vista laico, por historiadores como Maquiavelo y Guicciardini, tan admirado este último por él.

No pensemos, sin embargo, en nuevos romanismos. El universalismo del Inca llevará el claro sello de la idea imperial hispana, ya que como dice en esta su primera obra histórica: «Pudiera ser que (la Florida) hubiera dado principio a un imperio que fuera posible competir hoy con la Nueva España y con el Perú ... Por lo cual muchas y muchas veces suplicaré al Rey nuestro señor, y a la nación española, no permitan que tierra tan buena y hollada por los suyos y tomada posesión de ella esté fuera de su imperio y señorío, sino que se esfuercen a la conquistar y poblar, para plantar en ella la fe católica que profesan ... Para que se aumente y extienda la santa fe católica y la corona de España, que son mi primera y segunda intención» (libro VI, cap. XXI). Universalismo católico y universalismo imperial van de la mano, como es propio, aunque en una supeditación jerárquica que a este último le crea obligaciones sin darle derechos. Dentro de esta concepción tradicional, sin embargo, uno se imagina al Inca viéndose a sí mismo como el estratega que conducirá esta idea a través de la época de los primeros Felipes a nuevas órbitas y nuevas consecuciones.

Dentro de este gran cuadro ocurren, sin embargo, extrañas reticencias y supresiones en el relato de los acontecimientos históricos. Y esto va contra todos los tópicos acumulados en el tiempo que tratan de definir la misión de la historia, a partir de aquel resobado texto de Cicerón en el *Orator*, en que la define como «testis temporum, lux veritatis, vita memoriae, magister vitae, nuntia vetustatis». Estas supresiones en *La Florida* son frecuentísimas, e ilustraré sólo dos de los tipos principales. Al narrar las andanzas de Pánfilo de Narváez, escribe el Inca:

«Pánfilo de Narváez le había hecho ciertos agravios que por ser odiosos no se cuentan» (libro II, parte I, cap. I). Y más adelante, al hablar de la deshonrosa acción de dos militares, dice: «Los dos capitanes, que por su honra callamos sus nombres ...» (libro II, parte II, cap. XII). Estas supresiones por prurito ético caracterizan toda la obra histórica del Inca, sin excepción. Las reticencias se hacen tan consustanciales a su forma de relatar la historia, que se ha creído ver en ellas la influencia de los analistas quechuas, los *quipucamayus*, que suprimían en sus cuentas los reinados de los malos soberanos. No creo necesario en absoluto acudir a tan dudosa influencia. Me parece, al contrario, que en un historiador como el Inca, que participa tan plenamente de la concepción ética y ejemplar de la historia que caracteriza a Europa al menos desde la época de Polibio, en un historiador con ese tipo de preocupaciones tal género de reticencias es natural. Otro gran moralista, Juan Luis Vives, a quien el Inca cita con respeto, escribió largamente en su *De disciplinis* (parte II, libro V, cap. I) acerca de la teoría y el sentido de la historia, y se lamentaba allí de que la historia perpetuase las infamias. La obra de Garcilaso cae de lleno dentro de esta concepción moralista, que para su época, por lo demás, se ve secundada por el pirronismo. Así, el pirronista francés Charles de la Ruelle, *sieur* de Mavault, en su *Succintz adversaires contre l'histoire* (Poitiers, 1567), censura a la historia porque causa daño al hablar mal de las personas. La historia, según él, se debe comportar de acuerdo con los cánones sociales aceptados. La distancia que separa, en cualquier otro sentido, a Vives de la Ruelle es índice de la difusión en el siglo xvi de la tendencia a controlar el relato histórico por cuestión de principios.

Mucho más tarde, el Inca llevará esta concepción a sus consecuencias lógicas, al escribir en su última obra, la *Historia general del Perú*: «Los cuales pudiéramos nombrar, pero es justo que guardemos la reputación y honor de todos» (libro VIII, cap. IV). O sea, que se concibe al historiador como depositario del honor colectivo, ya que él es quien lo preserva y transmite a través de los tiempos; con lo que volvemos al tema reiterado del Inca: la responsabilidad moral del historiador.

WILLIAM D. ILGEN

LA CONFIGURACIÓN MÍTICA DE LA HISTORIA EN LOS *COMENTARIOS REALES*

Garcilaso no se conforma con la sola elaboración de un esquema tradicional muchas de cuyas líneas esenciales utilizaron también tantos

William D. Ilgen, «La configuración mítica de la historia en los *Comentarios reales* del Inca Garcilaso de la Vega», en *Estudios de Literatura Hispanoamericana en Honor a José J. Arrom*, Chapel Hill, 1974, pp. 37-46 (42-46).

otros cronistas de la conquista. Para él la historia de lo sucedido en el Perú tiene un significado mucho más profundo y personal. Y no se trata sólo de ese amor natural por la patria y por su doble ascendencia hispano-incaica que tan claramente nos demuestra a través de su obra entera. Es algo que indudablemente nace de este amor, pero que se nutre de otra fuente que es imprescindible investigar; es decir, la avasalladora visión filosófica de su maestro, León Hebreo.

Es curioso que a pesar de lo mucho que se ha venido escribiendo sobre los *Comentarios* casi desde el momento en que aparecieron, tan poco se haya dicho sobre la posibilidad de una relación más que puramente casual entre éstos y aquella obra primeriza de cuya redacción tanto se preció su autor, la traducción de los *Diálogos de amor* de León Hebreo. Pocos parecen haberse preocupado siquiera por la razón que puede haber inducido al Inca a traducir ese libro en particular y no otro cualquiera de los muchos que hubiera podido escoger del riquísimo patrimonio renacentista italiano. ¿Qué habrá tenido de particular esa obra para haberle llamado tanto la atención a Garcilaso?

La mayor parte de los comentaristas se han atenido a la respuesta sugerida por el mismo Garcilaso en varias ocasiones; es decir, que dio en traducir el libro de León Hebreo «cebado de la dulzura y suavidad de su filosofía». Y no es que se hayan equivocado los que han aceptado esta explicación válida del autor; es que no se han dado entera cuenta del verdadero vacío más allá de toda necesidad de dulzura y suavidad que en el pensamiento de Garcilaso llenan estos *Diálogos de amor*.

Poca atención se le ha dado a un aspecto de los *Comentarios* que cabe ahora mirar a la luz de estas consideraciones. ¿Qué lector no se habrá dado cuenta que lo que tiene entre manos es mucho más que la mera documentación de un proceso histórico impersonal? Detrás del suceso histórico y del dato cultural bulle siempre, a través del libro entero, otra preocupación que, lejos de ser ajena a esa corriente histórico-cultural, está íntimamente entrelazada con ella. Se trata, claro está, de la vida del autor que a menudo —pero no siempre— sale a la superficie del relato. Hay que tener bien en cuenta que los *Comentarios* son, al mismo tiempo, historia y autobiografía. Pero lo que tal vez no sea tan evidente es que, en la intención de Garcilaso, parecen haber sido más bien, y de un modo muy particular, una historia autobiográfica, es decir, una historia en cuyo centro está reflejada nada menos que la problemática personal del propio autor.

Garcilaso es —y nos lo dice de mil maneras en toda su obra— radicalmente mestizo, hijo de madre india y de padre español. Además le hiere —¿quién lo duda?— el problema de la raza. Si no, ¿cómo se explica esa letanía incesante a la vez de tímida disculpa y de orgullosa defensa de su raza materna? ¿Qué lector no recuerda esas tan frecuentes exculpaciones por el estilo de ésta que escojo ahora al azar del primer libro de los *Comentarios*? «Al discreto lector suplico reciba mi ánimo que es de darle gusto y contento, aunque las fuerzas ni el habilidad de un indio nacido entre los indios y criado entre armas y caballos no puedan llegar allá.» Y así tantas otras de igual cariz. O aquella otra de tono completamente contrario, todo jactancia, en que Garcilaso se declara orgulloso del tratamiento de mestizo que se le da y declara que «por ser nombre impuesto por nuestros padres y por su significación, me lo llamo yo a boca llena, y me honro con él».

Esta tensión interna es la que, en un primer momento, los *Diálogos* le ayudan a conllevar y la que más tarde se refleja en los *Comentarios*, donde la historia revela no sólo un proceso exterior sino también un profundo conflicto interior que el autor va aliviando en el acto mismo de escribir —ya inspirado por el pensamiento de León Hebreo— la historia de lo ocurrido en su tierra. Para Garcilaso los *Comentarios* son nada menos que una proyección y una idealización en la historia de su patria de su problemática personal. La conquista es para él, por lo tanto, el intento de realizar en el vasto panorama de la historia un mestizaje ideal entre el Nuevo y el Viejo Mundo. Y la fuente de tan peregrina interpretación de la conquista es precisamente el pensamiento de León Hebreo en los *Diálogos de amor*, cuyo tema central no es otro que el poder reconciliador del amor como vínculo universal de todo el ser del universo.

Hay en el tercero de los *Diálogos* un pasaje que nos ayudará a ver esto con mayor precisión. Se trata de aquella larga discusión en que Filón y Sofía, los dos dialogantes del libro, van explicando el origen del amor a base de dos fábulas antiguas, la una platónica y la otra bíblica. Según estas fábulas el hombre era originalmente un ser andrógino, es decir que tenía, en su estado de perfección primitiva, una naturaleza doble, a la vez masculina y femenina. Así Filón, explicando el relato platónico, dice: «Los hombres primero eran doblados, medio machos y medio hembras, unidos en un cuerpo». Y de manera análoga dice del mito bíblico: «Adán, que es el primer hombre al cual crió Dios en el sexto día de la creación, siendo un supuesto humano, contenía en sí macho y hembra sin división, y por esto dice (la Sagrada Escritura) que Dios crió a Adán a imagen de Dios, macho y hembra los crió». En esta naturaleza doble precisamente consistía la entereza y perfección del hombre, pero conforme a la una y la otra fábula tanto Júpiter como Jehová decidieron dividirlo en macho y hembra y fue de esta división que nació el amor «porque todo medio desea y ama la reintegración de su medio restante».

Nada de esto tendría mayor importancia para nosotros si esta teoría del amor como lazo reintegrante de la perfección originaria del hombre no se extendiera más allá del amor humano. Pero el amor para León Hebreo es mucho más: es nada menos que una fuerza universal «que vivifica y penetra todo el mundo», y una «ligadura que une todo el universo». El pasaje que venimos comentando cobra además, una particular importancia apenas nos damos cuenta de que todo el pensamiento de León Hebreo en los *Diálogos* depende de una visión claramente antropomórfica del universo entero. Como dice el mismo Filón: «Todo el universo es un individuo; esto es, como una persona». Y como el hombre, según la teoría expuesta, encuentra su perfección sólo en la unión amorosa que reintegra las partes separadas de su antigua unidad, así también todo el universo busca incesantemente la unión amorosa de su parte masculina con su parte femenina, porque, como le explica Filón a Sofía: «Siendo todo el universo ... un hombre o un animal que contiene macho y hembra, y siendo el cielo uno de los dos perfectamente con todas sus partes, ciertamente puedes creer que es el macho o el hombre, y que la tierra y la materia primera con los elementos, es la hembra, y que éstos están siempre ambos a dos conjuntos en amor matrimonial». Fue precisamente esta teoría del amor como fuerza reintegradora universal la que más atrajo a Garcilaso y la que él más disfrutó en la elaboración de su audacísima reinterpretación del proceso entero de la conquista del Perú en términos que, rebasando la historia, abordan el campo de la metafísica y del mito.

Esto más que nada ayuda a explicar por qué Garcilaso insiste tanto en la división que hizo de su obra. Como el destino lo dividió a él mismo en una parte india y una parte española, así también dividió él sus *Comentarios* en dos partes de una sola obra indivisible. Como el hombre y el universo andrógino de León Hebreo, los *Comentarios* están compuestos de un elemento femenino, el Perú incaico de su madre, y un elemento masculino, la Nueva Castilla española de su padre conquistador. Éste, y no sólo el intento de expresar su devoción filial, dedicando la primera parte a su madre y la segunda a su padre, es el verdadero sentido de la división que hizo Garcilaso de sus *Comentarios*.

Esta visión de la historia de la conquista, vale decirlo claramente, es sólo un ideal, porque nada le impide a Garcilaso reconocer que la conquista fue en realidad una tragedia y así lo declara al final de su obra. Pero dentro de su visión idealizadora de lo que hubiera podido suceder, en contraste con lo que realmente sucedió, la nota dominante es la de una unión de dos culturas diversas en un lazo de amor; la historia, es decir, de un mestizaje ideal. Y, a la base de esa historia, lo que vemos es algo que sobrepasa todos los esquemas de la historiografía tradicional. Más allá aun del plan de la *praeparatio evangelica* vemos a aquel andrógino platónico con que Garcilaso intenta claramente sobreponerse a las adversidades de la historia, suya y de su patria, mediante la «dulzura y suavidad» de aquella filosofía aprendida en los *Diálogos* de su maestro, León Hebreo.

PIERRE DUVIOLS

LOS CULTOS INCAICOS Y EL HUMANISMO CRISTIANO EN EL INCA GARCILASO

San Agustín se esforzó en la *Ciudad de Dios* por demostrar la superioridad del cristianismo sobre la religión de los romanos, a la que reprochaba su politeísmo (*turba deorum*) y la naturaleza de sus dioses y cultos, a los que juzgaba, según los casos, criminales, escandalosos, indignos o ridículos. Reprochaba también a los romanos que hubieran elegido sus dioses y sus cultos, no según la razón, sino en el extravío de la imaginación o bajo el efecto de la inspiración demoníaca.

Garcilaso transpone esta crítica del paganismo concebida «según un punto de vista de exterioridad» aplicándola a la primera edad de la idolatría peruana; el proceso es idéntico: el mismo politeísmo, la misma inmoralidad de los dioses y los cultos, la misma elección irracional de los últimos, la misma devoción al demonio.

San Agustín percibía, no obstante, elementos positivos en la religión de los antiguos, los que dependían de la «teología natural». Re-

Pierre Duviols, «El Inca Garcilaso de la Vega, intérprete humanista de la religión incaica», *Diógenes*, 47 (Buenos Aires, 1964), pp. 31-43 (37-43).

conocía que los filósofos, sobre todo los platónicos, habían comprendido la disposición de la naturaleza y deducido la necesidad ineludible de una primera causa: «Han visto que lo que es mudable no es Dios soberano; y por eso, buscando al Dios soberano, han ascendido a más altura que toda alma y todo espíritu mudable» (VII, VI). Pero antes que los platónicos, Varrón, el autor de las *Antigüedades divinas,* había *entrevisto* al verdadero Dios (*Unum tamen deum colendum esse censuerit*): «Este mismo autor tan penetrante y tan sabio dice también que le parece que han comprendido lo que es Dios solamente aquellos que lo consideran con un alma que rige el universo mediante el movimiento y la razón. Al decir eso no poseía todavía la plena verdad, pues el verdadero Dios no es un alma; es el autor, el creador del alma» (IV, XXXI).

Estos aspectos positivos de la religión de los antiguos, esta teología natural, son proyectados por Garcilaso sobre la segunda edad de la idolatría peruana, cuyos dioses y cultos suponen una elección racional. En el grado más alto, los *amautas,* lo mismo que Varrón, *entrevieron* (rastrearon) al verdadero Dios a través de su *Pachacamac,* quien también «rige el universo mediante el movimiento». Y cuando Túpac Yupanqui y Huayna Cápac niegan al Sol su supremacía para ver en *Pachacamac* el único señor que ordena el movimiento, cuando expresan esta convicción sin por ello suprimir el culto popular del sol, ¿no ponen de manifiesto la misma inteligencia?, pero también las mismas dilaciones que Varrón, de quien san Agustín nos dice: «No vacila en confesar que, si pudiera constituir de nuevo la ciudad, consagraría los dioses y sus nombres de acuerdo con las normas de la naturaleza. Sin embargo, si Varrón hubiese podido desprenderse de los prejuicios de la tradición, habría confesado y enseñado el culto de un Dios único, el cual gobierna el universo por medio del movimiento y la razón» (*ibid.*).

Pero Túpac Yupanqui y Huayna Cápac, cuando revelaban su pensamiento profundo, se situaban a un nivel religioso superior al de Varrón; en efecto, sus cultos populares, su monolatría, nada tenían de indigno; se derivaban ya de la teología natural, pues habían sido elegidos «de acuerdo con las normas de la naturaleza» y esa elección había sido completamente juiciosa. ¿San Agustín no decía también que Dios había «hecho el Sol como la más brillante de las luces materiales y le había dado una forma y un brillo convenientes»?

Apenas le era indispensable a Garcilaso, evidentemente, leer a san Agustín para distinguir entre las nociones de latría y dulía. Pero tampoco se puede pasar por alto el hecho de que muchos capítulos de la *Ciudad de Dios* se refieren a este problema y que su autor define esas nociones en términos que se encuentran muchas veces en los *Comentarios*. San Agustín precisa bien que sólo el Dios *invisible* debe ser *adorado*, que no se debería ofrecer sacrificios a los santos, ni erigirles templos, y que sólo se debe honrar a esos servidores de Dios: «Ante esos monumentos de los mártires sólo se ofrece el sacrificio a Dios, quien los ha hecho hombres y mártires y los ha asociado a la gloria celestial de sus santos ángeles». De acuerdo con esta definición, Garcilaso modifica la dedicación del culto verosímilmente animista de los *huacas* cuando escribe, a propósito de una de sus variedades, los *apachectas* (montículos de piedras que levantan los indios en la cumbre de las montañas con fines propiciatorios), que al rendirles honores los peruanos se proponían únicamente dar gracias a *Pachacamac* (II, IV).

Los Incas de Garcilaso, ¿no habrían podido hacer suya esta declaración del obispo de Hipona, con la condición, no obstante, de cambiar en ella la palabra *mártires* por *luna, trueno, huaca...* y de entender por *paganos* a los bárbaros de la primera era de la idolatría?: «Nosotros no honramos a nuestros mártires ni con los honores divinos, ni con crímenes humanos, como hacen los *paganos* con sus dioses. No les ofrecemos sacrificios y no transformamos sus ignominias en fiestas religiosas» (VIII, XXVII).

Heredero de los platónicos y los estoicos, Luis de Granada se dedica a demostrar en la *Introducción al Símbolo de la Fe* (1582) cómo la Providencia divina resplandece en las maravillas de la creación y cómo la contemplación del orden de la creación y de la jerarquía de las criaturas debe conducir al conocimiento de su principio. Distingue en la naturaleza diversos grados de perfección. Las criaturas se reparten según un orden ascendente que va de lo simple a lo compuesto, de lo inmóvil a lo moviente y al motor, de lo imperfecto a lo perfecto. A ese orden se ajusta Garcilaso cuando enumera las diversas divinidades adoradas desde la primera edad hasta *Pachacamac*.

En el mundo mayor de Luis de Granada el sol ocupa el primer lugar: «El Sol es la más excelente de las criaturas corporales; tiene muchas semejanzas con su criador» (II, IV, III). Garcilaso emplea la misma palabra *excelencia* a propósito del Sol, y, como Luis de Granada, en su sentido etimológico (II, I y II, XIX).

Luis de Granada recurre a otros dos argumentos para demostrar la existencia de Dios: uno de orden estético y el otro de orden pragmático. La contemplación de la armonía de la creación y de la belleza de las criaturas, por una parte, y la conciencia de los beneficios dispensados a los hombres por la naturaleza, por otra parte, deben conducir al agradecimiento y de él al amor del creador.

Garcilaso utiliza estos dos argumentos en los *Comentarios* contra la religión de los bárbaros de la primera edad y en favor de la de los incas. Manco Cápac, recurriendo al argumento estético, invitaba a comparar la belleza del resplandor del Sol con la fealdad y la inmundicia del sapo, o del lagarto, ídolos de los protoperuanos. En cuanto al argumento pragmático, justifica la mayoría de los cultos incaicos.

Finalmente, en su perspectiva apologética, la *Introducción* concede una importancia primordial al dogma de la redención. [...]

Garcilaso sigue muy de cerca a Luis de Granada. La acción civilizadora de Manco Cápac se ejerce en cuatro dominios: «1. Desterrar del mundo la blasfemia de la idolatría ...; 2. Traer los hombres al conocimiento del verdadero Dios; 3. La reformación de las costumbres de los hombres; 4. Subjetar a su religión e imperio la cabeza del mundo, que era la ciudad de Roma con su emperador» (IV, X y XI). Se acaban de enumerar, sin traicionar a los *Comentarios*, los servicios de Manco Cápac en el orden según el cual Luis de Granada enumera los «trabajos» (hazañas) de Cristo. Se verá así que los de Manco Cápac aparecen como el simulacro, como los prolegómenos providenciales de los del hijo de Dios, quien tuvo por misión, según Luis de Granada: «1. Barrer del mundo la blasfemia de la idolatría; 2. Llevar a los hombres al conocimiento del verdadero Dios; 3. Reformar las costumbres de los hombres; 4. Someter a la religión y a su imperio la cabeza del mundo, es decir Roma y su emperador» (*Introducción*, IV, X y XI). Garcilaso por otra parte, habla también de las *hazañas* de Manco Cápac (I, XVII).

Que estos pocos ejemplos basten para demostrar la deuda del Inca Garcilaso con cierta teología humanista de su época. De acuerdo con los criterios de esta teología adaptó a la religión de los incas las estructuras racionales de la mejor religión de infieles imaginables para los católicos españoles del siglo XVI. Al reflejar en sus cultos la armonía del universo, las leyes que rigen a ese universo, los monarcas del Cuzco habrían alcanzado el más alto grado intelectual y moral que podían alcanzar hombres privados de las luces de la Revelación. Pues a la monolatría del Sol, que representaba ya un progreso estimable en la reflexión cosmogónica, habrían superpuesto además la noción de primera causa, de primer móvil, el deísmo de *Pachacamac*. Monolatría y deísmo, lejos de contradecirse, se habrían situado así en la misma línea espiritual ascendente y habrían señalado, dentro de la era incaica, dos etapas sucesivas del pensamiento filosófico elaborando una religión nueva. Los incas habrían llegado, pues, por sus propios medios y gracias a la Providencia, hasta la frontera de Dios.

No cabe duda alguna de que Garcilaso organizó cuidadosamente su sistema religioso para demostrar que los indios del Perú eran particularmente aptos para recibir la fe gracias a la acción perspicaz de sus soberanos, y de que el sistema religioso contribuye a apuntalar la tesis apologética del libro. Pero hay que preguntar qué razones pudieron impulsar a Garcilaso a construir una máquina apologética tan minuciosamente compuesta. Ahora bien, parece que a móviles de orden sentimental —deseo piadoso de rehabilitar la memoria de sus antepasados maternos— se unieron móviles de orden político que no podemos dejar de considerar.

Los *Comentarios*, en efecto, desarrollan tesis apologéticas opuestas a las que había propagado sobre los mismos temas el grupo llamado «toledista». Francisco de Toledo, virrey del Perú desde 1569 hasta 1582, había adoptado respecto a los descendientes de la dinastía, en la existencia de los cuales veía un peligro permanente, una política draconiana, y aún más, genocida, cuyo episodio culminante había sido la ejecución del último inca, Túpac Amaru, en la plaza del Cuzco en 1572. Las investigaciones sobre el pasado incaico (*Informaciones*) ordenadas por Toledo, la *Historia de los incas* de Sarmiento de Gamboa, inspirada por él, se esforzaban por demostrar —como réplica a las acusaciones de Las Casas— que los reyes Incas habían sido usurpadores y tiranos sanguinarios, que sus sucesiones habían tenido un carácter ilegítimo, que su religión, de la especie más baja, implicaba prácticas innobles e inhumanas, etc. De ello se debía deducir, según las normas jurídicas de un Francisco de Vitoria, que los descendientes de esos reyes no podían pretender el menor derecho de soberanía en el Perú. En consecuencia, el virreinato español se consideraba con derecho a disponer a su voluntad de los cargos y los bienes de los herederos de la dinastía.

Garcilaso, que mantenía correspondencia continua con peruanos, y era amigo de los jesuitas que se hallaban en contacto con las misiones del Perú —y los jesuitas andaban en dimes y diretes con Toledo— no podía ignorar la existencia y el carácter de la política colonial del virrey, que por otra parte le concernía directamente; sus congéneres, los mestizos de sangre regia, eran condenados al destierro, mientras él intervenía personalmente en la expedición de las Alpujarras, donde combatió contra los moros sublevados bajo la bandera del rey de España. Se concibe tanto mejor su probable amargura porque, después de haber solicitado durante largo tiempo e inútilmente cargos y honores en nombre de su padre, el conquistador Garcilaso de la Vega, todas las esperanzas que podía abrigar en nombre de su madre, la princesa Chimpu Ocllo, quedaban en adelante aniquiladas por Toledo. Lo que es más, el Inca ni siquiera tenía derecho a poner los pies en su patria peruana.

Y todo sucede como si Garcilaso hubiese encontrado en el humanismo europeo la fuerza y los recursos necesarios para generalizar, sublimándolos, sus agravios personales, y hacerse el intérprete, el embajador literario de sus desdichados correligionarios, con la esperanza de contribuir quizá con su obra a mejorar su situación legal y su suerte. Para eso había que rehabilitar, ante todo, la historia cultural y política de la dinastía calumniada por los toledistas. Los *Comentarios* serán esa *defensa e ilustración*.

Cada una de las grandes tesis de este libro, en efecto, contradice un argumento de Toledo. A la versión toledista de las conquistas crueles e ilegítimas de los incas opone la de las conquistas paternalistas y civilizadoras. A la afirmación toledista de las sucesiones ilegítimas, replica Garcilaso con la legitimidad de las sucesiones. Las acusaciones de bestialidad (canibalismo, sodomía, sacrificios humanos, etc.), que se encuentran en la pluma de un Sarmiento de Gamboa, son relegadas a un pasado preincaico tenebroso, a la primera era histórica del Perú, y los incas quedan eximidos de ellas. Pero la obra maestra de esta defensa es la religión atribuida a los incas.

Pues ella permite a Garcilaso superar la cuestión situándola no ya en el plano histórico-jurídico únicamente, sino también en el de la Providencia, cuyos instrumentos fueron los incas. Sus conquistas fueron ante todo conquistas espirituales para propagar la religión del Sol y el deísmo de *Pachacamac*, etapas indispensables en el camino de Dios. A los toledistas, que no temían afirmar que el celo indigenista de Las Casas estaba animado directamente por el diablo, Garcilaso replica aureolando su propia tesis indigenista de la aprobación divina. Esta sacramentación indirecta de la dinastía es en fin de cuentas el mejor argumento apologético de los *Comentarios*. [...] Garcilaso no habría podido apuntalar convenientemente esta tesis sin recurrir a las ideas fundamentales de un humanismo cristiano de inspiración platónica y estoica.

4. ALONSO DE ERCILLA Y LA POESÍA ÉPICA

La poesía épica culta de Hispanoamérica se prolonga desde el Renacimiento hasta la disolución del Barroco y llega con sus últimas manifestaciones hasta fines del siglo XVIII. Se trata de un conjunto variado de obras, entre las cuales se cuentan las más destacadas epopeyas del Siglo de Oro, según el juicio de Menéndez Pelayo [1911]. La epopeya histórica tiene en *La Araucana*, de Alonso de Ercilla, la más notable expresión del Siglo de Oro. La épica sagrada la alcanza en *La Cristiada* de fray Diego de Hojeda, y, la novelesca o fantástica, en el obispo Balbuena y su *Bernardo*. La épica hispanoamericana tiene en Ercilla y *La Araucana* su autor y obra modelos, cuyas características pasan a constituir el código que define el género. La definición de los rasgos de la epopeya no puede hallarse en la poética contemporánea española. Ni López Pinciano ni Cascales problematizaron para nada las innovaciones traídas por el poema moderno, a diferencia de lo que ocurrió en la poética italiana (véase J. Spingarn, *A history of literary criticism in the Renaissance*, Oxford, 1899, y B. Weinberg, *A history of literary criticism in the Italian Renaissance*, University of Chicago Press, Chicago, 1963, 2 vols.). Se ocuparon de la preferencia por el asunto histórico de la epopeya y por la distancia del asunto mismo en general. El Pinciano ignora a Ercilla y Cascales se refiere a él a propósito de la versificación. Sólo en M. Sánchez Lima (*Arte poética en romance castellano*, Alcalá de Henares, 1580) y en J. Díaz Rengifo (*Arte poética española*, Salamanca, 1592) se le propone como modelo. Como en Italia, sin embargo, los rasgos del nuevo poema, a semejanza del *romanzo*, cuando no se trata de la materia caballeresca o cortesana, fueron imitados directamente del poema de Virgilio y no como consecuencia del debate poético. Sólo la crítica de los siglos XVIII y XIX reprochó a Ercilla los supuestos defectos de carencia de héroe, falta de unidad de asunto e intención, mezcla de estilos y limitaciones impuestas por el carácter contemporáneo del asunto.

En verdad, Ercilla crea el género nuevo y expone en el mismo poema, de un modo razonado, el juego poético de la libertad y el deseo con que

altera la dirección y la materia de su relato épico. Adopta la octava real
que ya se imponía en la epopeya española del siglo XVI y que dominará
en la épica hispanoamericana frente a otros metros. La octava de versos
de arte mayor caracteriza los poemas historiales que se escriben en la
primera mitad del siglo en América: la anónima *Conquista de la Nueva
Castilla* (Lyon, 1848) o «crónica rimada de 1538» y el poema *La muerte
de Diego de Almagro,* recogido en el *Libro de la vida y costumbres de
don Alonso Henríquez de Guzmán* (Madrid, 1960, BAE). Los romances
noticieros de la conquista recurren a la cuarteta tradicional o a la copla
de pie quebrado. El autor de *La Araucana* organiza retóricamente las partes del poema y las de cada uno de sus cantos de modo semejante a Ariosto, desplegando tópicos similares en exordios y conclusiones y dando relieve al contenido sentencioso de los primeros y al control de la narración y
de la atención del lector en los segundos. Mezcla la materia amorosa a la
bélica, proceder que se universaliza en los poemas históricos y, en los
idilios indígenas, en particular, adquieren características constantes. La
materia histórica da lugar a regionalizaciones que configuran ciclos diferentes como el de las guerras de Chile o el de Hernán Cortés. El contenido dominantemente histórico o *verista* de esta épica (véase Menéndez
Pidal [1952] no impedirá la inclusión de un componente fantástico (véase Pierce [1952]), mitigado por la verosimilitud o acreditado con la opinión indígena, según se trate de sueños y magia o de fabulosos encuentros y apariciones. La combinación de estos dos estilos permite ordenar
los poemas entre los extremos de la crónica rimada y la epopeya fantástica.

La poesía de asunto religioso usará más libremente del milagro, y de
las visiones del otro mundo y del infierno. En relación a estos aspectos,
Girolamo Vida y Torquato Tasso se sumarán a Ariosto como modelos de
la poesía del siglo XVII. Los modelos clásicos son Homero, Virgilio y
Lucano, reconocibles en procedimientos retóricos, pero principalmente en
determinados episodios y motivos y algunos personajes de excepción. Los
modelos hispánicos son Juan de Mena (véase Lida de Malkiel [1950])
y Garcilaso que afectan a motivos narrativos y al estilo de la epopeya.

Entre los poemas históricos de asunto particular, que siguen el mo-
delo erciliano, puede distinguirse, en primer término, el ciclo de Hernán
Cortés. Éste incluye los poemas de Gabriel Lasso de la Vega (1559-1615),
Primera parte de Cortés valeroso y mexicana (por Luis Sánchez, Madrid,
1588) y *Mexicana enmendada y añadida* (Luis Sánchez, Madrid, 1594);
Antonio de Saavedra Guzmán (*c.* 1555-?), *El peregrino indiano* (Pedro
Madrigal, Madrid, 1599); Gaspar de Villagrá (1555-1620), *Historia de la
Nueva México* (Luis Martínez Grande, Alcalá, 1610), y se prolonga hasta
Francisco Ruiz de León (16??-*c.* 1700), Hernandía (Viuda de Manuel Fer-
nández, Madrid, 1755) y Juan Escoiquiz, *México conquistada* (1798).

A este ciclo pertenece igualmente el poema de Francisco de Terrazas (1524-?), *Nuevo Mundo y conquista*, que nos es conocido sólo por los fragmentos reproducidos en la crónica de Baltasar Dorantes de Carranza, *Sumaria relación* (México, 1902), recogidos por García Icazbalceta [1962] y Castro Leal [1941].

Un ciclo de cierta extensión se desarrolla como prolongación y réplica del asunto de *La Araucana*. En él se incluyen el *Arauco domado*, del criollo chileno Pedro de Oña (1570-c. 1636), la *Cuarta y Quinta parte de La Araucana* (Juan y Andrés Renaut, Salamanca, 1597), de Diego de Santistevan Osorio, el *Compendio historial* (Francisco Gómez Pastrana, Lima, 1630), de Melchor Xufré del Águila, y los poemas de publicación tardía y manuscritos del siglo xvii el *Purén indómito* (Brockhaus, Leipzig, 1862), de Diego Arias de Saavedra, atribuido inicialmente a Fernando Álvarez de Toledo, autor de una *Araucana* perdida, y las *Guerras de Chile* (Santiago de Chile, 1888), de Juan de Mendoza Monteagudo. Otros asuntos particulares singularizan los poemas de Juan de Castellanos (1522-1607), *Primera parte de las Elegías de varones ilustres de Indias* (Viuda de Alonso Gómez, Madrid, 1589), poema de descomunal extensión cuyas partes finales sólo llegan a editarse en este siglo, y que abarca la historia de las islas, del reino de Nueva Granada y Venezuela; del arcediano Martín del Barco Centenera (1540-1605), *La Argentina y conquista del río de la Plata* (Pedro Crasbeeck, Lisboa, 1602); y de Juan de Miramontes Zuázola, *Armas antárticas*, manuscrito de comienzos del siglo xvii, sobre la conquista del Perú (publicado por primera vez en *La Revista Peruana, 3*, 1879).

La poesía épica del siglo xvii tiene sus autores y sus poemas más destacados en los poetas coetáneos de Góngora. El gran poeta cordobés guarda con ellos relaciones de intercambio mutuo en diversos aspectos de su dicción poética. Se trata de una generación de poetas innovadores que marcan la transición final entre el Manerismo y el Barroco. Sus representantes más notables son Bernardo de Balbuena, autor de *El Bernardo* (Diego Flamenco, Madrid, 1624) y fray Diego de Hojeda, autor de *La Cristiada* (Diego Pérez, Sevilla, 1611). Los asuntos de sus poemas renuevan el género con la variedad de sus temas fantásticos y religiosos que agregan a los determinantes ercilianos del género el influjo del Tasso. De esta manera logran una nueva expansión los motivos sobrenaturales y mágicos y las visiones del otro mundo. En ambos poetas, la oscuridad proveniente de la dificultad docta se complica con fuentes caballerescas, en Balbuena, y con las fuentes bíblicas y patrísticas, en Hojeda. En este siglo se agrega a lo mencionado un ciclo de poesía épico-religiosa formado por obras que tienen por asunto la vida de san Ignacio de Loyola. A este ciclo pertenecen la *Vida del padre maestro Ignacio de Loyola* (Gerónimo Balli, México, 1609), de Luis de Belmonte Bermúdez (¿1587-

1650?); el *Ignacio de Cantabria* (Francisco de Lyra, Sevilla, 1639), de
Pedro de Oña; y el *San Ignacio de Loyola, poema heroyco* (Joseph Fer-
nández de Buendía, Madrid, 1666), de Hernando Domínguez Camargo
(1606-1659). Un nuevo ciclo, finalmente, está constituido por obras dedi-
cadas a la vida de santo Tomás de Aquino, como las de fray Adriano de
Alecio, *El Angélico* (por Estevan Liberós, Murcia, 1645) y Diego Sáenz
Ovecuri, *Thomasiada al sol de la Iglesia* (Joseph Pineda Ybarra, Guate-
mala, 1667). Otros poemas religiosos son los de Fernando de Valverde,
Santuario de Nuestra Señora de Copacabana, en el Perú (Luis de Lyra,
Lima, 1641), en silvas; y de Francisco Corchero Carreño, *Desagravio de
Christo en el Triumpho de su Cruz contra el Judaismo, Poema heroico*
(México, 1649).

A diferencia de la epopeya histórica cuyo destinatario y lector es culto
y noble (véase Chevalier [1976]), el destinatario de los poemas épico-
religiosos es esencialmente devoto, y el relato habla principalmente a
aquellos pertenecientes a las filas de jesuitas y dominicanos o educados
en ellas. Por esta razón es más culto e interiorizado de la información
religiosa y del goce derivado del desentrañamiento de la dificultad que
le proponen, por un lado, la erudición de las fuentes, y, por otro, la
oscuridad de la dicción.

La visión de conjunto más acabada de la poesía épica hispanoamericana se encuentra en el libro de Pierce [1961], que contiene una extensa
revisión de la crítica del género y estudio de los principales poemas, junto
con un catálogo de las obras publicadas entre 1550 y 1700. Una serie
de guías útiles para el estudio del género son las de Cirot [1946], Papell [1951], Caravaggi [1974] y Piñero Ramírez [1982]. En cuanto
a los antecedentes italianos, son fundamentales el magnífico libro de
Chevalier [1966], sobre Ariosto, y el de Arce [1973], sobre Tasso. Los
antecedentes clásicos de la épica del Renacimiento pueden verse en Lida
de Malkiel [1942, 1946, 1975], Highet [1947, 1954], Pierce [1946].
Las cuestiones que envuelven el carácter histórico de la épica española
y sus limitaciones ha sido el objeto de consideraciones de Menéndez
Pidal [1952] discutidas, con una posición que admite lo fantástico al
lado de lo histórico, por Pierce [1952], y Caravaggi [1963]. Lida de
Malkiel [1950] ha estudiado también el influjo de Juan de Mena en
motivos y léxico de la epopeya histórica. El carácter culto de la recepción
de la épica en el Siglo de Oro ha sido ejemplarmente estudiado por Chevalier [1976]. El intercambio con los poetas épicos hispanoamericanos
aparece extraordinariamente importante en la formación de la dicción
poética de Góngora en la obra de Vilanova [1957].

El poeta épico español más notable del Siglo de Oro, don Alonso de
Ercilla, nació en Madrid, el 11 de agosto de 1533, y murió en la misma
corte, el 29 de noviembre de 1594. Sirvió como paje del príncipe Felipe,

se educó en la corte y más tarde acompañó al príncipe en sus viajes europeos y estuvo presente para la boda de Felipe y María Tudor en Londres, en 1554. En 1556, obtiene licencia para pasar a Indias acompañando al recién designado gobernador de Chile, Jerónimo de Alderete. Éste murió en Nombre de Dios, y Ercilla siguió a la Ciudad de los Reyes, desde donde el nuevo gobernador García Hurtado de Mendoza, hijo del virrey, se disponía a viajar a Chile. Con la expedición de éste, arriba por mar en 1557. Ercilla permaneció en Chile entre ese año y 1560. Durante este período, compone su poema en medio de la agitada vida de campaña «escribiendo muchas veces en cuero por falta de papel, y en pedazos de cartas, algunos tan pequeños que apenas cabían seis versos, que no costó después poco trabajo juntarlos». Después del viaje a las nuevas tierras australes, en 1558, un incidente personal pondrá fin, con el destierro, a su estancia chilena. En 1560 llega al Callao, obtiene un puesto, como gentilhombre de la compañía de lanzas y arcabuces, en Lima. Luego viaja a Panamá con el deseo de sumarse a la expedición contra Lope de Aguirre, pero enferma y debe permanecer allí hasta 1562, año en que regresa a España. Servirá varias embajadas de Felipe II en Europa, algunas importantes, otras odiosas. Muere en Madrid, a los sesenta y un años de edad, en 1594.

Su obra literaria comienza con la publicación de la *Primera parte de La Araucana* (Pierres Cosin, Madrid, 1569), que alcanza tres ediciones antes de la *Primera y Segunda parte de La Araucana* (Pierres Cosin, Madrid, 1578). Al menos cinco ediciones de las dos primeras se publicarán antes de la *Tercera parte de La Araucana* (Pedro Madrigal, Madrid, 1589). Algo después se publicará la primera edición que contiene la *Primera, Segunda y Tercera partes de La Araucana* (Pedro Madrigal, Madrid, 1589). En vida del autor se publicarían todavía cinco ediciones de ésta y una de la tercera parte, compuesta de treinta y cinco cantos. La edición póstuma de *La Araucana* (Licenciado Castro, Madrid, 1597) es la primera en presentar los treinta y siete cantos con que se conoce el poema en las ediciones modernas. Durand [1978] ha planteado las cuestiones textuales envueltas en la existencia de ejemplares trufados de octavas intercaladas en las ediciones en cuarto y en octavo de la primera edición de la parte tercera de 1589, por las cuales se llega a la edición de 1597. El crítico peruano adopta, sin embargo, la postura radical de dejar fuera del texto los cantos agregados mientras no haya documentos probatorios de que representan la voluntad del poeta. Las ediciones modernas adoptan un criterio contrario: la edición monumental de J. T. Medina (Santiago de Chile, 1910-1918) y la reciente de M. A. Morínigo e I. Lerner (Castalia, Madrid, 1979), que intenta corregirla en su edición del texto, siguen la edición de Madrid, de 1590, como la más autorizada por las correcciones introducidas por el poeta, y la de 1597, para los cantos finales. Hay aquí una cuestión de crítica textual abierta al debate que todavía espera un estudio acucioso y completo de las ediciones de *La Araucana*.

Los estudios de J. T. Medina (véase Dinamarca [1953]) siguen siendo la visión de conjunto más completa y abarcadora del poeta y de su obra, insuperada hasta hoy en sus aspectos históricos, biográficos y filológicos. Su *Vida de Ercilla*, separada de las «ilustraciones» de la edición del centenario, ha sido reeditada, sin innovaciones, por R. Donoso (Fondo de Cultura Económica, México, 1947). Poseemos, hoy en día una bibliografía básica sobre el poeta de Aquila [1975]. La crítica sobre Ercilla ha sido ordenada por Alegría [1954], Pierce [1961] e Iñigo [1980], que completan el ingente trabajo de Medina. Los estudios sobre *La Araucana* abordan muy variados aspectos. Sobre la simetría en la organización del relato escribe Concha [1964], Durand [1964] sobre la honra araucana y sobre Caupolicán [1978]. La división del mundo de españoles e indios y la cuestión del héroe preocupan a Morínigo [1971] y a Melczer [1973]. La furia araucana es analizada por Chapman [1978], y en un cuidadoso estudio Dal Seno [1967] considera el humanismo etnográfico de Ercilla. Caillet-Bois [1962] trata de Hado y Fortuna y completa el análisis de *La Araucana* con otros aspectos [1967]. Iñigo-Madrigal [1969] explora aspectos de lo popular, símiles y refranes, en la lengua del poema, y elabora una visión actual [1980, 1982] de la crítica del poema. Las mujeres araucanas y los episodios en que aparecen, estudiados por Medina [1928], resultan considerablemente renovados en los trabajos de Aubrun [1956], Schwartz Lerner [1972] y Bocaz [1976]. El paisaje ha sido abordado por Perelmuter Pérez [1986]. Las fuentes clásicas del poema han sido tratadas por Dale [1921], en los símiles homéricos; Lida de Malkiel [1942, 1946, 1975], en el tópico del «amanecer mitológico» y en el tema de la reivindicación de Dido; Highet [1947] en los ecos virgilianos y de Lucano, y Janik [1969] en los del último, en particular. El estudio del lascasismo de Ercilla y el debate de la guerra justa ha sido cuidadosamente elaborado por Pérez Bustamante [1952]. Corominas [1980] relaciona Ercilla y Castiglione; Lerner [1984], Ercilla y Erasmo. En relación al lenguaje poético hay que mencionar las contribuciones de Buceta [1929] sobre los préstamos de Ercilla a Herrera; de Vilanova [1957], Smith [1958] y Alonso [1961] sobre los préstamos a Góngora, y las de Lerner [1978] sobre los de Garcilaso a Ercilla.

En cuanto a las partes retóricas, exordios y conclusiones, y el relieve de la conclusión del poema, que lo singulariza entre las grandes obras del género, Goic [1970, 1971] ha analizado la deuda con Ariosto y la originalidad erciliana. Por estas fechas, ha comenzado una renovación de la crítica de *La Araucana* con el acento puesto sobre la caracterización lingüística —pronominal— y estructural del narrador y sus aspectos, con los trabajos de Albarracín Sarmiento [1966, 1974], Avalle-Arce [1971], en un notable artículo, y Morínigo [1973]. La publicación del libro de Durling [1965] sobre la poesía épica del Renacimiento en Italia ha sido un estímulo importante para estos estudios. La proyección literaria de *La Araucana*, tema central de dos trabajos de Medina, uno sobre las comedias de asunto araucano [1915-1917] y, otro sobre los romances de *La Araucana* [1918], ha sido renovada en relación al último tema por Cossío [1952, 1954, 1960], Rodríguez Moñino [1970] y Lerzundi [1978]; Heathcote [1980] ha vuelto sobre la relación con el *Arauco domado* de Lope. En otros aspectos, Calhoun [1971] considera las semejanzas entre los episodios de Glaura y de Dorotea, en *El Quijote*. Wogan [1941] considera las proyecciones de Ercilla sobre la poesía mexicana; mientras Richthofen [1972] las ve en Gaspar de Villagrá, y Fucilla [1953], en el poema de J. Escoiquiz. Pierce [1984] publica una monografía sobre Ercilla. Alegría [1973] estudia el impacto de Ercilla en el *Canto general*, de Neruda. El poema sigue gravitando sobre la literatura chilena y conserva la significación de un poema nacional, que Andrés Bello vio como el primero que preside el nacimiento de una nación moderna.

Entre los seguidores más inmediatos de Ercilla, la crítica ha puesto particular interés en la obra de Juan de Castellanos (1522-1607), nacido en Alanís y muerto en el curato de Tunja, en Nueva Granada. La *Primera parte de las Elegías de varones ilustres de Indias* (Viuda de Alonso Gómez, Madrid, 1589) se completa gradualmente en sus desusadas proporciones con la edición de B. C. Aribau (BAE, Madrid, 1847), que agrega la segunda y tercera partes manuscritas del poema, con la edición de A. Paz y Meliá de la cuarta parte, *Historia del Nuevo Reino de Granada* (Madrid, 1886); y, con la edición de A. González Palencia del *Discurso sobre Francisco Draque* (Instituto Valencia de Don Juan, Madrid, 1921), censurado originalmente por Pedro Sarmiento de Gamboa. La primera edición completa del poema es la de C. Parra León, *Obras* (Sur América, Caracas, 1930). Hay una nueva edición (Editorial ABC, Biblioteca de la Presidencia de Colombia, Bogotá, 1955).

Varios libros han sido dedicados al estudio del poema y de la vida del autor, entre los que destacan los de Pardo [1961], Romero [1964], Meo Zilio [1972], que da relieve a los valores poéticos de Castellanos y a sus innovaciones. Alvar [1972] hace un elaborado estudio del léxico hispánico y de los indigenismos americanos. Lida de Malkiel [1946, 1950] ha abordado diversos aspectos de la tradición clásica en Castellanos; Curcio Altamar [1952] considera los aspectos novelescos de las *Elegías*, y Pittarello [1980] discute la determinación del género del poema y los criterios aristotélicos del Renacimiento. De los poetas del ciclo erciliano que han merecido la atención de la crítica, Amor y Vásquez [1969] trata a Gabriel Lasso de la Vega y edita su *Mexicana* (BAE, 232, Madrid, 1970), y aborda [1962] el *Nuevo Mundo y conquista* de Terrazas. Gaspar de

Villagrá ha sido estudiado por Von Richthofen [1972], en una serie de aspectos. Las *Armas antárticas* de Juan de Miramontes Zuázola, impresas por primera vez por «Gaspar», *i.e.* Félix Cipriano Coronel Zegarra, en *Revista Peruana*, 3 (Lima, 1879), que usa una copia antigua y no la última (lo que se hace notorio por la paginación y por las correcciones), son reeditadas por J. J. Gijón y Caamaño (Quito, 1921) y por R. Miró (Biblioteca Ayacucho, 35, Caracas, 1978).

Los tres poetas más importantes, después de Ercilla, pertenecen todos a una misma generación, que coincide en el tiempo con la generación de Góngora, su estricto coetáneo. En relación a sus nombres es importante el conflicto que presentan los estudios que atribuyen a estos poetas caracteres maneristas o bien barrocos que se postulan sin plantearse los problemas estilísticos y periodológicos que esas cuestiones importan. Bernardo de Balbuena (1561-1627) nació en Valdepeñas y murió en San Juan de Puerto Rico. Viajó al Nuevo Mundo a los doce años y se educó en México. En 1592 era clérigo presbítero y bachiller. En 1603, firma la dedicatoria de la *Grandeza mexicana*. Al año siguiente es licenciado por la Universidad de México y, en 1606, viajará a España para obtener el doctorado en la Universidad de Sigüenza. Ese año se publica su novela pastoril *Siglo de Oro en las Selvas de Erífile*. En 1608, es designado abad de Jamaica y once años después, obispo de Puerto Rico. En 1609 había obtenido la aprobación del *Bernardo*, cuyo prólogo firma en 1615, pero no se publicará hasta 1624. En 1625, San Juan es saqueado por corsarios holandeses, y la biblioteca de Balbuena resulta destruida en el incendio de la iglesia. Se perdieron en él varias obras cuyos títulos nos han sido conservados.

La cronología de la vida de Balbuena ha sido documentalmente construida por Medina [1924], Van Horne [1933, 1940] y Rojas Garcidueñas [1958]. Se está lejos de tener una biografía medianamente completa del poeta. *El Bernardo o Victoria de Roncesvalles, poema heroico* (Diego Flamenco, Madrid, 1624) fue reeditado por A. Sancha (Madrid, 1808), C. Rosell (BAE, 17, Madrid, 1851) y por O. Viader (Barcelona, 1914, 2 vols.). Falta una edición crítica del poema. Los estudios críticos sobre el poema son escasos. Se inician con los juicios de Lista, Quintana, Rosell y Menéndez Pelayo. Este último ve en Balbuena una expresión netamente americana que refleja la distintiva abundancia del Nuevo Mundo. La crítica moderna se inicia con Van Horne [1927], Fucilla [1934], Cioranescu [1935] y se prolonga en Rojas Garcidueñas [1958]. Pero hay que conceder a Pierce [1945, 1948, 1982] la primacía en el estudio de aspectos definidos del poema como la alegoría y el carácter fantástico. En los aspectos maravillosos abunda Chevalier [1980]. Desde un punto de vista manerista enfoca la obra Buxó [1980], con ampliaciones de Rojas

Garcidueñas, y ecos en Rama [1983]. Triviños [1981] considera nacionalismo (?) y desengaño.

El segundo poeta de esta generación, que ha atraído el interés de la
crítica desde el siglo XIX es fray Diego de Hojeda (1571-1615), nacido en
Sevilla y muerto en Huánuco, Perú. A poco de llegar a las Indias, en
abril de 1591, solicitó el ingreso a la orden dominicana. Fue profesor
de teología y director de estudios religiosos en Lima. Más tarde, fue
prior en los conventos de Cuzco y Huánuco. A consecuencia de una disputa eclesiástica fue reducido a simple fraile. Murió sin conocer su rehabi-
litación. *La Cristiada* (Diego Pérez, Sevilla, 1611) le ha valido el renombre de poeta religioso más grande de la poesía hispánica. Es su única
obra de importancia. No se conoce, aparte de ella, sino una canción en los
preliminares del *Arauco domado*, de Pedro de Oña, y una censura favorable de la *Miscelánea austral*, de Diego de Ávalos y Figueroa, ambos
poetas miembros, como Hojeda, de la Academia Antártica. A la edición
de 1611, siguen las ediciones de Rosell (BAE, 17, Madrid, 1851; reeditada
en 1926), de Milá y Fontanals (Barcelona, 1867); de F. Miquel y Badía,
edición monumental dedicada al Papa León XIII (Barcelona, 1896). Sister
Corcoran [1935] ha hecho la importante edición crítica del manuscrito
del Arsenal de París. Ediciones más recientes son las de R. Aguayo Spencer (Lima, 1947, 2 vols.) y la de F. Pierce (Anaya, Salamanca, 1971).
Existen además varias ediciones abreviadas del poema.

A J. M. Quintana se debe la primera valoración de la obra de Hojeda,
confirmada luego por Menéndez Pelayo. Los principales estudios críticos
modernos se deben a Corcoran [1935], en la introducción a su edición,
Riva Agüero [1936] y, sobre todo a los trabajos de Pierce [1940, 1953,
1971] y al excelente libro de Meyer [1953], que coincide con Pierce en
el estudio de las fuentes del poema, pero lo amplía a la determinación
de los antecedentes angelológicos, demonológicos, mitológicos, astronómi-
cos y astrológicos, así como también a las fuentes legendarias de la vida
de Cristo, de la Virgen y de episodios particulares de la Pasión. El poema,
que encuentra antecedentes en la obra de Girolamo Vida, recibe en su
plan la influencia de Tasso. Está dividido en doce cantos, cada uno precedido de un argumento en octava real. Narra la vida de Cristo desde la
Última Cena hasta la Crucifixión, descendimiento y entierro, referido en
el hiperbático verso: *entre dos enterraron blancas losas.* El poema tiene
la elocución característica del período de Góngora, con toda la exaltación
innovadora, sin que la afectación llegue a impedir el flujo de la narración
ni a oscurecer en exceso la comprensión del poema.

El tercer poeta importante de esta generación es el criollo Pedro de
Oña (1570-c.1636). Nació en Angol, Chile, y murió en el Perú, tal vez
en el Cuzco. Hizo sus estudios en Lima, en el Colegio de San Felipe y
San Marcos, y recibió su grado de licenciado en la Universidad de San

Marcos. Con este grado se le distingue entre los homónimos de su tiempo. Su primera obra es el *Arauco domado* (Ricardo Turín, Lima, 1596). La edición fue retirada debido a una doble demanda, civil y eclesiástica, por las alusiones referentes a la sublevación de las alcabalas de Quito (1594). Una segunda edición (Juan de la Cuesta, Madrid, 1605) trae las modificaciones requeridas. Las ediciones modernas del poema son las de J. M. Gutiérrez (Imprenta Europea, Valparaíso, 1849), C. Rosell (BAE, 29, Madrid, 1854, tomo II), y la de Medina (Academia Chilena, Santiago de Chile, 1917), anotada. Una edición facsimilar de la de Lima (Ediciones Cultura Hispánica, Colección de Incunables Americanos, Madrid, 1944, vol. XI) cierra esta lista. La segunda obra de Oña es el *Temblor de Lima, año de 1609* (Francisco del Canto, Lima, 1609), reimpreso en edición facsimilar por Medina (Imprenta Elzeviriana, Santiago de Chile, 1909). El poeta chileno es autor de otras dos obras de importancia: *El Vasauro*, cuyo manuscrito (Cuzco, 1635) es publicado parcialmente, en sus dos primeros cantos por R. Oroz (Prensas de la Universidad, Santiago de Chile, 1936) y completo, en una edición diplomática (Prensas de la Universidad, Santiago de Chile, 1941), con una introducción y notas lingüísticas. La otra obra es el *Ignacio de Cantabria* (por Francisco de Lyra, Sevilla, 1639), a la cual a pesar de su importancia y de la novedad de su estilo no se ha prestado mayor atención.

Las investigaciones documentales para la biografía de Oña han sido obra de Matta Vial [1924], que a pesar de sus limitaciones es la única biografía formal del poeta. Nuevos documentos para la biografía han sido aportados por Porras Barrenechea [1952], Márquez Abanto [1955] y Miró Quesada [1962]. Sus importantes contribuciones van dando cuerpo a una cronología, todavía con numerosos vacíos. Una bibliografía razonada sobre el poeta es la de Román-Lagunas [1981]. La obra más pormenorizada dedicada al estudio del *Arauco domado* es la de Dinamarca [1952], libro algo pedestre (véase reseña de Carballo Picazo [1954]). Sobre las fuentes clásicas de Oña han escrito Oroz [1940] y Lida de Malkiel [1975]. La lengua poética gongorista ha sido abordada por García Díaz [1947] y Oroz [1956], aparte de la introducción de este último a *El Vasauro*. Sobre las fuentes históricas de este poema escribe Lavandeira Fernández [1978]. Además de lo mencionado, Oña es autor de tres *Canciones reales* (Lima, 1609, 1612 y 1630), varios sonetos y un debate poético, o paya, con el mulato Sampayo que consta de seis sonetos, atribuidos a Oña por A. Valderrama (*Bosquejo histórico de la poesía chilena*, Santiago, 1866), atribución que Dinamarca [1952] considera sin fundamento.

Hernando Domínguez Camargo (1606-1659), criollo de Santa Fe de Bogotá, ingresó a temprana edad como novicio de la Compañía de Jesús, y se ordenó en Tunja. Viajó en misiones de enseñanza a Quito y Cartagena antes de dejar la Compañía, en 1636. Luego, sirvió sucesivamente los curatos de San Miguel de Gachetá, Tocacinpán, Paita y Turmequé, en el corregimiento de Tunja. En esa ciudad firma la *Invectiva apologética*, en 1657, y escribe su máximo poema. Hace testamento el dieciocho de febrero de 1659 y muere pocos días después. Sus obras son todas de publicación póstuma. El *San Ignacio de Loyola, fundador de la Compañía de Jesús, poema heroyco* (Joseph Fernández de Buendía, Madrid, 1666) fue publicado incompleto y sin las correcciones finales del autor, pero completado y corregido por su editor, Antonio Navarro Navarrete, como éste asienta en los preliminares. El poema consta de cinco libros y mil doscientas octavas reales y conserva en parte las características de un centón de versos de Góngora. No está, sin embargo, desprovisto de originalidad en su dicción poética ceñida a la norma, ahora tradicional, de la dificultad docta, y caracterizada por la erudición mitológica, el metaforismo, la hipérbasis y el neologismo cultista. El poema heroico que nos interesa en este lugar es un monumento de la épica barroca, perteneciente al ciclo ignaciano. El poema responde al predominio descriptivista y a la parálisis de la acción característicos del Barroco.

El resto de su obra se recoge en el *Ramillete de varias flores poéticas* (Imprenta de Nicolás Xamares, Madrid, 1676), de Jacinto Evia, formando una sección titulada *Otras flores aunque pocas del culto ingenio y floridísimo poeta, el Doctor Hernando Domínguez Camargo.* Incluye un soneto a don Martín de Saavedra y Guzmán, el famoso romance «A un salto por donde se despeña el arroyo de Chillo», el romance «A la muerte de Adonis», las octavas de «Al agasajo con que Cartagena recibe a los que vienen de España», el romance «A la Pasión de Cristo», que escribe a imitación de otro de Paravicino, y, finalmente, la *Invectiva apologética* en apoyo del romance anterior y contra quien intentó emularlo.

La crítica moderna ha modificado el negativo juicio de Menéndez Pelayo, de conocido espíritu antibarroco. El primero en valorar su poesía es Gerardo Diego, quien incluye a Domínguez Camargo en su *Antología poética en honor de Góngora* (Revista de Occidente, Madrid, 1927) y publica un artículo, del mismo año, que cita *in extenso* en un artículo posterior (véase Diego [1961]), en el cual vuelve sobre el lenguaje poético del beneficiario de Tunja. A Carilla [1948] se debe, en realidad, el primer estudio formal sobre el poeta. Latcham [1956] lo estudia en el ciclo de poemas ignacianos, al mismo tiempo que Elizalde [1956]. Las ediciones modernas de Arbeláez (ABC, Biblioteca de la Presidencia de Colombia, 25, Bogotá, 1956) y de R. Torres Quintero (Instituto Caro y Cuervo, Bogotá, 1960), con estudios de J. A. Peñalosa y G. Hernández de Alba, han puesto la investigación del autor y su obra en un nuevo pie. Las contribuciones de la crítica más estimables son las de Meo Zilio [1967], en un extenso estudio, y los breves trabajos de Bulatkin [1962], quien analiza el exordio del poema, y de Osuna [1969], sobre las fuentes de dos pasajes de éste. Subsisten aún grandes vacíos en la investigación de la biografía y de la obra del poeta santafereño.

Poemas de diversa trascendencia que han sido objeto de ediciones modernas o de estudios recientes son el de Diego de Ávalos y Figueroa, *Defensa de damas*, poema en seis cantos, incluido en su *Miscelánea austral* (Antonio Ricardo, Lima, 1602), que ha sido objeto de los estudios de Cisneros [1953, *b, c* y *d*] y de una edición [1953 *a*]. El canario Silvestre de Balboa (1563-1647) es autor del poema de asunto particular *Espejo de paciencia. Donde se cuenta la prisión que el capitán Gilberto Girón hizo de la persona del Ilustrísimo Señor Don Fray Juan de las Cabezas Altamirano, Obispo de la Isla de Cuba, en el Puerto de Manzanillo, Santa María del Puerto de Príncipe, 1608.* El texto se conserva gracias a que el obispo de Santiago de Cuba, P. A. Morell de Santa Cruz lo copió en su *Historia de la Isla y Catedral de Cuba* (1760), Ms. conservado en la Sociedad Económica de Amigos del País, de donde fue copiado, antes de su destrucción, por J. A. Echevarría y publicado en la 2a. ed. de la *Biblioteca Cubana de los Siglos XVII y XVIII* (La Habana, 1927; reimpreso en 1965), de Carlos M. Trelles y Govin. Del poema hay ediciones modernas de Felipe Pichardo Moya (La Habana, 1941), una edición facsimilar y crítica de Cintio Vitier (Comisión Cubana de la Unesco, La Habana, 1962) y una edición reciente (Edirca, Las Palmas de Gran Canaria, 1981). Los estudios del poema se deben a Chacón y Calvo [1921], Pichardo Moya [1941], Aparicio Laurencio [1968] y Sáinz de la Torriente [1982]. El *Poema heroico del asalto y conquista de Antequera* (Gerónimo Contreras, Ciudad de los Reyes, 1627), de Rodrigo de Carvajal y Robles, poema en veinte cantos, ha sido reeditado modernamente por F. López Estrada (BRAE, Madrid, 1963, Anejo 9). El mismo López Estrada [1952, 1956, 1964] ha dedicado especial atención al conocimiento de este poeta. También ha editado el excelente poema de sucesos particulares *Fiestas que celebró la ciudad de los Reyes del Pirú* (Gerónimo Contreras, Lima, 1632), en su *Fiestas de Lima* (Escuela de Estudios Hispano-Americanos, Sevilla, 1950). Manuel Piñero Ramírez [1976] estudia *La Hispálica*, del poeta y dramaturgo Luis de Belmonte Bermúdez, quien publica en México su poema ignaciano.

BIBLIOGRAFÍA

Albarracín Sarmiento, Carlos, «Pronombres de primera persona y tipos de narrador en *La Araucana*», *Boletín de la Real Academia Española*, 46 (1966), pp. 297-320.
—, «Arquitectura del narrador en *La Araucana*», *Studia Philologica in Honorem Rafael Lapesa*, II, Gredos, Madrid, 1974, pp. 7-19.

Alegría, F., *La poesía chilena. Orígenes y desarrollo del siglo XVI al XIX*, Fondo de Cultura Económica (Tierra Firme, 55), México, 1954.

—, «Neruda y *La Araucana*», en A. Debicki y E. Pupo-Walker, *Estudios de literatura hispanoamericana en honor de J. J. Arrom*, University of North Carolina Press, Chapel Hill, 1973, pp. 193-200.

Alonso, Dámaso, *Góngora y el «Polifemo»*, Gredos, Madrid, 1961.

Alvar, Manuel, *Juan de Castellanos. Tradición española y realidad americana*, Instituto Caro y Cuervo (Publicaciones del Instituto Caro y Cuervo, 30), Bogotá, 1972.

Amor y Vásquez, José, «Terrazas y su *Nuevo Mundo y conquista en los albores de la mexicanidad*», *Nueva Revista de Filología Hispánica*, 16 (1962), pp. 395-415.

—, «Conquista y Contrarreforma: la *Mexicana*, de Gabriel Lobo Lasso de la Vega», en *Segundo Congreso de la Asociación Internacional de Hispanistas*, Madrid, 1969, pp. 181-192.

—, «Estudio preliminar» a Gabriel Lasso de la Vega, *Mexicana* (BAE, 232), Madrid, 1970.

Anderson Imbert, E., «El renacentista Ercilla y el barroco Oña», en *Los grandes libros de Occidente y otros ensayos*, De Andrea, México, 1957, pp. 45-47.

Ángeles Caballero, César A., «Los peruanismos en el *Arauco domado*», *Mercurio Peruano*, 354 (1956), pp. 496-502.

Aparicio Laurencio, Ángel, «El *Espejo de Paciencia*, primer poema épico-histórico de las letras cubanas», *Cuadernos Hispanoamericanos*, 228 (1968), pp. 707-730.

Aquila, August J., *Alonso de Ercilla y Zúñiga. A Basic Bibliography*, Grant & Cutler, Londres, 1975.

—, «Ercilla's concept of the ideal soldier», *Hispania*, 60:1 (1977), pp. 68-75.

Aragón Barra, E. B., «Contribución al estudio del arcediano Martín del Barco Centenera», *Revista de la Universidad de Madrid*, 13 (1964), pp. 585-586.

Arce, Joaquín, *Tasso y la poesía española. Repercusión literaria y confrontación lingüística*, Planeta, Barcelona, 1973.

Aubrun, Charles V., «Poesía épica y novela: el episodio de Glaura en *La Araucana* de Ercilla», *Revista Iberoamericana*, 41-42 (1956), pp. 261-273.

Avalle-Arce, Juan B., «El poeta en su poema (el caso Ercilla)», *Revista de Occidente*, 95 (1971), pp. 152-170.

Bocaz, Aura, «El personaje Tegualda, uno de los narradores secundarios de *La Araucana*», *Boletín de Filología*, 27 (Santiago de Chile, 1976), pp. 7-26.

Buceta, Erasmo, «Una reminiscencia posible de *La Araucana* en la canción de Herrera "Si alguna vez mi pena..."», *Revista de Filología Española*, 16:4 (1929), pp. 399-401.

Bulatkin, Eleanor W., «La *Introducción* al poema heroico de Hernando Domínguez Camargo», Instituto Caro y Cuervo, Bogotá, 1962.

Buxó, José Pascual, «Bernardo de Balbuena o el manerismo plácido», en varios autores, *La dispersión del manierismo (Documentos de un coloquio)*, UNAM, México, 1980, pp. 113-146.

Caillet-Bois, Julio, «Dos notas sobre Pedro de Oña», *Revista de Filología Hispánica*, 4 (Buenos Aires, 1942), pp. 269-274.

—, «Hado y Fortuna en *La Araucana*, *Filología*, 8:3 (Buenos Aires, 1962), pp. 403-420.

—, *Análisis de «La Araucana»*, Centro Editor de América Latina (Enciclopedia Literaria, 12), Buenos Aires, 1967.

Calhoun, Gloria D., «Ercilla, ¿posible fuente literaria de Cervantes?», *Ábside*, 35:3 (1971), pp. 315-334.

Caravaggi, Giovanni, «Evoluzione di un presupposto aristotelico nell'epica ispanica del tardo Rinascimento...», *Cultura Neolatina*, 23 (1963).

—, *Studi sull'epica ispanica del Rinascimento*, Università di Pisa, Pisa, 1974.

Carballo Picazo, J., «Salvador Dinamarca, *Estudio del Arauco domado*», *Revista de Filología Española*, 38 (1954), pp. 311-314.

Carilla, Emilio, *El gongorismo en América*, Universidad de Buenos Aires, Buenos Aires, 1946.

—, *Hernando Domínguez Camargo. Estudio y selección*, R. Medina, Buenos Aires, 1948.

Castro Leal, Antonio, ed., «Prólogo» a Francisco de Terrazas, *Poesías*, Librería de Porrúa Hermanos, México, 1941, pp. vii, xvii.

Cioranescu, A., «La première édition du *Bernardo*», *Bulletin Hispanique*, 37 (1935), pp. 481-484.

Cirot, Georges, «Coup d'oeil sur la poésie épique du Siècle d'Or», *Bulletin Hispanique*, 48 (1946), pp. 249-329.

Cisneros, Luis Jaime, «Estudio y edición de *Defensa de Damas*», *Fénix*, 9 (1953), pp. 81-196.

—, «Dávalos y Figueroa, hombre de la Contrarreforma», *Mercurio Peruano*, 310 (1953), pp. 20-25.

—, «Castiglione y la *Defensa de Damas*», *Mercurio Peruano*, 321 (1953), pp. 540-543.

—, «Sobre la poesía de Dávalos Figueroa», *Mar del Sur*, 26 (1953), pp. 38-49.

Concha, Jaime, «Observaciones acerca de *La Araucana*», *Estudios Filológicos*, 1 (Valdivia, 1964), pp. 63-79.

Corcoran, sor Mary Helen Patricia, «Introduction» a fray Diego de Hojeda, *La Christiada*, The Catholic University of America, Washington D.C., 1935, pp. i-lxxxvii.

Corominas, Juan A., *Castiglione y «La Araucana»: estudio de una influencia*, The Catholic University of America (Studia Humanitatis), Washington D.C., 1980.

Cossío, José María, «Hernando Domínguez Camargo», *Poesía española. Notas de asedio*, Espasa-Calpe (Colección Austral, 1.138), Buenos Aires, 1952, pp. 36-40

—, «Romances sobre *La Araucana*», en *Estudios dedicados a Menéndez Pidal*, tomo V, CSIC, Madrid, 1954, pp. 201-229.

—, «Nota a romance: un nuevo romance sobre *La Araucana*», en *Studia Philologica. Homenaje ofrecido a Dámaso Alonso*, Gredos, Madrid, 1960, pp. 427-429.

Curcio Altamar, A., «El elemento novelesco en el poema de Juan de Castellanos», *Thesaurus*, 8 (1952), pp. 81-95.

Chacón y Calvo, José María, «El primer poema escrito en Cuba», *Revista de Filología Española*, 8 (1921).

Chapman, Arnold, «Ercilla y el "furor de Marte"», *Cuadernos Americanos*, 37:6 (1978), pp. 87-97.

Chevalier, Maxime, *L'Arioste en Espagne (1530-1650)*. *Recherches sur l'influence du «Orlando Furioso»*, Université de Bordeaux, Institute d'Études Ibériques et Ibero-americains, Burdeos, 1966.

—, «La épica culta», *Lectura y lectores en la España de los siglos XVI y XVII*, Ediciones Turner, Madrid, 1976, pp. 104-137.

—, «Sur les elements merveilleux du *Bernardo* de Balbuena», *Études de Philologie Romane et d'Histoire Litteraire offerts à Jules Horrent*, Gedit, Tournai, 1980, pp. 597-601.

Dale, G. I., «The Homeric Simile in the *Araucana* of Ercilla», *Washington University Studies*, 9:1 (1921), pp. 233-244.

Díaz, O., «Nuevos datos sobre Domínguez Camargo», *Boletín de Historia y Antigüedades*, 46 (Bogotá, 1959), pp. 87-90.

Diego, Gerardo, «La poesía de Hernando Domínguez Camargo en nuevas vísperas», *Thesaurus*, 16 (1961), pp. 281-310.

Dinamarca, Salvador, *Estudio sobre el «Arauco domado» de Pedro de Oña*, Hispanic Institute in the United States, Nueva York, 1952.

—, *Los estudios de Medina sobre Ercilla*, Hispanic Institute in the United States, Nueva York, 1953.

Durand, José, «El chapetón Ercilla y la honra araucana», *Filología*, 10 (Buenos Aires, 1964), pp. 113-134.

—, «Caupolicán, clave historial y épica de La Araucana», *Revue de Littérature Comparée*, 2-3-4 (1978), pp. 367-389.

—, «*La Araucana* en sus treinta y cinco cantos originales», *Anuario de Letras*, 16 (México, 1978), pp. 291-294.

Durling, Robert, *The Figure of the Poet in Renaissance Epic*, Cambridge, Mass., 1965.

Elizalde, Ignacio, «San Ignacio de Loyola en la poesía española del siglo XVII», *Archivum Historicum Societatis Iesu*, 25:49 (Roma, 1956), pp. 229-233.

Fucilla, John G., «Gloses in *El Bernardo* of Bernardo de Balbuena», *Modern Language Notes*, 49 (1934), pp. 20-24.

—, «Influencia de Ercilla y de Tasso en la *México conquistada* de Escoiquiz», *Relaciones hispano-italianas*, CSIC, Madrid, 1953, pp. 219-226.

—, «Bernardo de Balbuena», *Estudios sobre el petrarquismo en España*, CSIC, Madrid, 1960, pp. 258-259.

García Díaz, Pablo, «El gongorismo en la poesía de Pedro de Oña», *Asomante*, 3:4 (1947), pp. 66-75.

García Icazbalceta, Joaquín, *Francisco de Terrazas y otros poetas del siglo XVI*, Ediciones José Porrúa Turanzas (Biblioteca Tenanitla, Libros españoles e hispanoamericanos, 1), Madrid, 1962.

Goic, Cedomil, «Poética del exordio en *La Araucana*», *Revista Chilena de Literatura*, 1 (1970), pp. 5-22.

—, «La tópica de la conclusión en Ercilla», *Revista Chilena de Literatura*, 4 (1971), pp. 17-34.

Heathcote, A. A., «*La Araucana*: Ercilla and Lope de Vega», en John England, *Hispanic Studies in Honour of Frank Pierce*, University of Sheffield, 1980, pp. 77-89.

Highet, Gilbert, «Classical Echoes in *La Araucana*», *Modern Language Notes*, 62 (1947), pp. 329-331.

—, «El Renacimiento. La epopeya», *La tradición clásica*, Fondo de Cultura Económica, México, 1954, tomo I, pp. 228-257.

Iglesias, Augusto, *Pedro de Oña. Ensayo de crítica e historia*, Andrés Bello, Santiago de Chile, 1971.

Iñigo-Madrigal, Luis, «Lo popular en *La Araucana*. Símiles populares, uso de refranes y muestras de humor en la obra de Ercilla», *Boletín de la Universidad de Chile*, 99 (1969), pp. 3-13.

—, *Introducción a la lectura de «La Araucana»* (Noter og Kommentarer fra Romansk Institut, NOK 35), Odense, 1980.

—, «Alonso de Ercilla y Zúñiga», en *Historia de la literatura hispanoamericana*. I: *Época colonial*, Cátedra, Madrid, 1982, pp. 189-203.

Janik, Dieter, «Ercilla, lector de Lucano», en varios autores, *Homenaje a Ercilla*, Universidad de Concepción, Chile, 1969, pp. 83-109.

Krauss, W., «Algunos apuntes acerca de *La Araucana* de Ercilla», *Beitrage zur Romanischen Philologie*, 14 (1975).

Lagos, Ramona, «El incumplimiento de la programación épica en *La Araucana*», *Cuadernos americanos*, 238:6 (1981), pp. 157-181.

Latcham, Ricardo A., «Hernando Domínguez Camargo y el tema ignaciano», *Mito*, 1:6 (Bogotá, 1956), pp. 457-467.

Lavandeira Fernández, A., «En torno a la historicidad de *El Vasauro*», *XVII Congreso del Instituto Internacional de Literatura Iberoamericana*, Madrid, 1978, pp. 149-171.

Lerner, Isaías, «Dos notas al texto de *La Araucana*», *Revista Iberoamericana*, 86 (1974), pp. 119-124.

—, «El texto de *La Araucana* de Alonso de Ercilla: observaciones a la edición de José Toribio Medina», *Revista Iberoamericana*, 94 (1976), pp. 51-60.

—, «Garcilaso en Ercilla», *Lexis*, 2 (1978), 201-220.

—, «Pedro Mexía en Alonso de Ercilla», *Bulletin of Hispanic Studies*, 60:2 (1983), pp. 129-134.

—, «Para los contextos ideológicos de *La Araucana*: Erasmo», en L. Schwartz Lerner e I. Lerner, eds., *Homenaje a Ana María Barrenechea*, Castalia, Madrid, 1984, pp. 261-270.

Lerzundi, Patricio, *Romances basados en La Araucana*, Playor (Colección Nova Scholar), Madrid, 1978.

Lida de Malkiel, María Rosa, «La defensa de Dido en la literatura española», *Revista de Filología Hispánica*, 4 (1942), pp. 328-338.

—, «La huella de la tradición grecolatina en el poema de Juan de Castellanos», *Revista de Filología Hispánica*, 1-2 (1946), pp. 111-120.

—, *Juan de Mena, poeta del prerrenacimiento español*, El Colegio de México, México, 1950, pp. 494-514.

—, *La tradición clásica en España*, Ariel, Barcelona, 1975: «Transmisión y recreación de temas grecolatinos en la poesía lírica española», pp. 37-99; «El ruiseñor de las *Geórgicas* y su influencia en la lírica española de la Edad de Oro», pp. 100-117; «El amanecer mitológico en la poesía narrativa española», pp. 121-164.

López Estrada, Francisco, «Datos para la biografía de Rodrigo Carvajal y Robles», *Anuario de Estudios Americanos*, 9 (1952), pp. 577-596.

—, «La literatura contemporánea considerada desde Lima por Rodrigo Carvajal y Robles, 1627-1631», *Acta Salmaticensia, Filosofía y Letras*, 10 (1956), pp. 29-45.

—, «Prólogo» a Rodrigo Carvajal y Robles, *Poema heroyco del asalto y conqvista de Antequera*, Real Academia Española (BRAE, Anejo), Madrid, 1963.

—, «Historia y poesía en el poema heroico de Rodrigo de Carvajal y Robles sobre la conquista de Antequera», en *Actas del Primer Congreso Internacional de Hispanistas*, Oxford, 1964, pp. 361-370.

Márquez Abanto, Felipe, «Aporte para la biografía de don Pedro de Oña», *Revista del Archivo Nacional del Perú*, 19:1 (1955), pp. 72-73, 80-86, 246-259; 20 (1956), pp. 341-367; 20 (1957), pp. 345-358; 22 (1958), pp. 160-193.

Matta Vial, Enrique, *El licenciado Pedro de Oña*, Imprenta Universitaria, Santiago de Chile, 1924.

Maya, Rafael, «Hernando Domínguez Camargo», *Bolívar*, 2:8 (Bogotá, 1952), pp. 639-642.

Medina, José Toribio, *La imprenta en México, 1539-1810*, Santiago de Chile, 1908-1911, 8 vols.

—, *Dos comedias famosas y un auto sacramental basados principalmente en «La Araucana» de Ercilla*, Santiago de Chile, 1915-1917, 2 vols.

—, *Los romances basados en «La Araucana»*, Imprenta Elzeviriana, Santiago de Chile, 1918.

—, *Escritores hispanoamericanos celebrados por Lope de Vega en el «Laurel de Apolo»*, Santiago de Chile, 1924.

—, «Las mujeres en *La Araucana* de Ercilla», *Hispania*, 11 (1928), pp. 1-12.

Melczer, William, «Ercilla's Divided Heroic Vision: a Re-evaluation», *Hispania*, 56 (1973), pp. 216-221.

Menéndez Pelayo, M., *Historia de la poesía hispano-americana*, CSIC, Madrid, 1911-1913, 2 vols.

Menéndez Pidal, Ramón, «La épica medieval en España y en Francia», *Comparative Literature*, 4:2 (1952), pp. 97-117.

Meo Zilio, Giovanni, *Estudio sobre Hernando Domínguez Camargo e Ignacio de Loyola, «Poema heroico»*, G. D'Anna, Mesina-Florencia, 1967.

—, *Estudio sobre Juan de Castellanos*, Valmartina Editore, Florencia, 1972.

Meyer, sor Mary Edgar, *The Sources of Hojeda's «La Cristiada»*, University of Michigan Press, Ann Arbor, 1953.

Miró Quesada, Aurelio, *El primer virrey-poeta en América (Don Juan de Mendoza y Luna, marqués de Montesclaros)*, Gredos, Madrid, 1962.

Morínigo, Marcos A., «Españoles e indios en *La Araucana*», *Filología*, 15 (1971), pp. 205-213.

—, «Lo que Ercilla vio en la guerra araucana», en *Studia Iberica. Festschrift für Hans Flasche*, Berna, 1973, pp. 427-440.

Oroz, Rodolfo, «Reminiscencias virgilianas en Pedro de Oña», *3*, 6 (Lima, 1940), pp. 5-11; reproducido en *Atenea*, 348 (1954), pp. 278-286.

—, «Pedro de Oña, poeta barroco y gongorista», *Acta Salmaticensia, Filosofía y Letras*, 10 (1956), pp. 69-90.

Osuna, R., «La fuente de dos pasajes del *San Ignacio de Loyola*, de Domínguez Camargo», *Thesaurus*, 24 (1969), pp. 12-22.

Papell, Antonio, «La poesía épica culta de los siglos XVI y XVII», en *Historia de las literaturas hispánicas*, Barcelona, 1951, tomo II, pp. 755-776.

Pardo, Isaac, J., *Juan de Castellanos. Estudio de las «Elegías de varones ilustres de Indias»*, Instituto de Filología «Andrés Bello», Caracas, 1961.

—, *Juan de Castellanos, «Elegías de varones ilustres de Indias»*, Academia Nacional de Historia, Caracas, 1962.

Pedro, Valentín de, *América en las letras españolas del Siglo de Oro*, Sudamericana, Buenos Aires, 1954.

Perelmuter Pérez, Rosa, «El paisaje idealizado en *La Araucana*», *Hispanic Review*, 54:2 (1986), pp. 129-146.

Pérez Bustamante, Ciriaco, «El lascasismo en *La Araucana*», *Revista de Estudios Políticos*, 44 (1952), pp. 157-168.

Pichardo Moya, Felipe, «Estudio crítico» a S. de Balboa, *Espejo de Paciencia*, La Habana, 1941, pp. 27-40.

Pierce, Frank, «Hojeda's *La Cristiada*: a Poem of the Literary Baroque», *Bulletin of Spanish Studies*, 17 (1940), pp. 203-218.

—, «*El Bernardo* de Balbuena, a Baroque Fantasy», *Hispanic Review*, 13:1 (1945), pp. 1-23.

—, «Some themes and their sources in the Heroic Poem of the Golden Age», *Hispanic Review*, 14:2 (1946), pp. 95-103.

—, «L'allégorie poétique au XVIᵉ siècle; son évolution et son traitement par Bernardo de Balbuena», *Bulletin Hispanique*, 51:4 (1948-1949), pp. 191-228.

—, «History and Poetry in the Heroic Poem of the Golden Age», *Hispanic Review*, 20:4 (1952), pp. 302-312.

—, «The Poetic Hell in Hojeda's *La Cristiada*: Imitation and Originality», en *Estudios dedicados a Menéndez Pidal*, tomo IV, Madrid, 1953, pp. 469-508.

—, *La poesía épica del Siglo de Oro*, Gredos, Madrid, 1961.

—, «Diego de Hojeda, religious poet», en *Homenaje a William L. Fichter*, Madrid, 1971, pp. 585-599.

—, «La épica española: examen crítico», en *Homenaje del Instituto de Filología ... Dr. Amado Alonso en su cincuentenario, 1923-1973*, Buenos Aires, 1975, pp. 310-331.

—, *Alonso de Ercilla y Zúñiga*, Rodopi (Biblioteca Hispanoamericana y Española de Amsterdam, 4), Amsterdam, 1984.

Piñero Ramírez, Pedro, «Mateo Alemán. Su "Elogio" de la *Vida de San Ignacio* (México, 1609), de Luis de Belmonte Bermúdez», *Archivo Hispalense*, 58 (1975), pp. 37-52.

—, *Luis de Belmonte Bermúdez. Estudio de «La Hispálica»*, Publicaciones de la Diputación de Sevilla, Sevilla, 1976.

—, «La épica hispanoamericana colonial», en L. Iñigo-Madrigal, ed., *Historia de la literatura hispanoamericana. I: Época colonial*, Cátedra, Madrid, 1982, pp. 161-188.

Pittarello, Elide, «*Elegías de varones ilustres de Indias* di Juan de Castellanos: un genere letterario controverso», *Studi di Letteratura Ispano-Americana*, 10 (1980), pp. 5-71.

Porras Barrenechea, Raúl, «Nuevos datos sobre la vida del poeta chileno Pedro de Oña», *Mercurio Peruano*, 308 (1952), pp. 524-557.

Porras Muñoz, G., «Nuevos datos sobre Bernardo de Balbuena», *Revista de Indias*, 10 (1950), pp. 591-597.

Posada Mejía, Germán, «Hernando Domínguez Camargo», *Nuestra América. Notas de historia cultural*, Instituto Caro y Cuervo (Publicaciones del Instituto Caro y Cuervo, 14), Bogotá, 1959, pp. 62-71.

Rama, Ángel, «Fundación del manierismo hispanoamericano por Bernardo de Balbuena», *University of Dayton Review*, 16:2 (1983), pp. 13-22.

Richthofen, Eric von, *Tradicionalismo épico-novelesco*, Planeta, Barcelona, 1972: «Ercilla y Villagrá, cantor de *La conquista del Nuevo México*», pp. 195-206; «Tardíos ímpetus épicos españoles: Ercilla, Villagrá, Ayllón», pp. 207-213; «Notas sobre los mitos de Coatlicue y Huitzilopochtli en Villagrá», pp. 215-224.

Riva Agüero, Julio de la, «Nuevos datos sobre el padre Hojeda», *Revista de la Universidad Católica del Perú*, 5 (1936), pp. 1-39.

Rodríguez-Moñino, Antonio, «Nueva cronología de los romances sobre *La Araucana*», *Romance Philology*, 21:1 (1970), pp. 90-96; reproducido en *La transmisión de la poesía española en los Siglos de Oro*, Ariel, Barcelona, 1978, pp. 241-251.

Roggiano, Alfredo A., «Bernardo de Balbuena», en L. Iñigo-Madrigal, ed., *Historia de la literatura hispanoamericana. I: Época colonial*, Cátedra, Madrid, 1982, pp. 215-224.

Rojas, Ulises, *El beneficiado don Juan de Castellanos, cronista de Colombia y Venezuela* (Biblioteca de Autores Boyacenses), Tunja, 1958.

Rojas Garcidueñas, José, *Bernardo de Balbuena: la vida y la obra*, Instituto de Investigaciones Estéticas, México, 1958.

Román-Lagunas, Jorge, «Obras de Pedro de Oña y bibliografía sobre él», *Revista Interamericana de Bibliografía*, 31 (1981), pp. 345-365.

Romero, Mario Germán, *Joan de Castellanos, un examen de su vida y de su obra*, Banco de la República (Biblioteca Luis Ángel Arango), Bogotá, 1964.

Sáinz de la Torriente, Enrique, *Silvestre de Balboa y la literatura cubana*, Editorial Letras Cubanas, La Habana, 1982.

Sánchez, Luis Alberto, *Escritores representativos de América*, Gredos, Madrid, 1957, 2 vols.

Schwartz Lerner, Lía, «Tradición literaria y heroínas indias en *La Araucana*», *Revista Iberoamericana* (1972), pp. 615-625.

Seno, Ariella dal, «L'umanesimo etnografico e *L'Araucana* di Alonso de Ercilla», en *Tre studi sulla cultura spagnola*, Istituto Editoriale Cisalpino, Milán-Varese, 1967, pp. 7-72.

Smith, Colin C., «On a Couplet of the *Polifemo*», *Modern Language Review*, 53:3 (1958), pp. 410-416.

Solar Correa, Eduardo, *Semblanzas literarias de la Colonia*, Nascimento, Santiago de Chile, 1933; otra ed., Difusión, Santiago, 1945.

Triviños, Gilberto, «Nacionalismo y desengaño en *El Bernardo* de Balbuena», *Acta Literaria*, 6 (Concepción, 1981), pp. 93-117.

Van Horne, John, *«El Bernardo de Balbuena». A Study with Particular Attention to its Relations to the Epics of Boiardo and Ariosto and to its Signi-*

ficance in the Spanish Renaissance, The University of Illinois Press, Urbana, 1927.
—, «El nacimiento de Bernardo de Balbuena», *Revista de Filología Española*, 20 (1933), pp. 160-168.
—, *Bernardo de Balbuena: biografía y crítica*, Imprenta Font, Guadalajara, 1940.
—, «Algunos documentos relacionados con Bernardo de Balbuena», *Hispania*, 25 (1942), pp. 322-325.
—, «Bernardo de Balbuena y la literatura de la Nueva España», *Arbor* (1945), pp. 205-214.
Vargas Ugarte, Rubén, «Fray Diego de Hojeda (1570-1605)», *San Marcos*, 10 (1968), pp. 123-145.
Vilanova, Antonio, *Las fuentes del «Polifemo» de Góngora*, CSIC (RAE, Anejo 66), Madrid, 1957.
Wogan, Daniel S., «Ercilla y la poesía mexicana», *Revista Iberoamericana*, 3:6 (1941), pp. 371-379.

MAXIME CHEVALIER

LOS LECTORES DE LA EPOPEYA
EN LOS SIGLOS XVI Y XVII

La épica española del Siglo de Oro, tan apegada a la historia nacional, se dedica en un primer momento a celebrar las hazañas de Bernardo del Carpio, el héroe leonés vencedor de los franceses en Roncesvalles. En 1555 fundan Nicolás Espinosa y Francisco Garrido de Villena, poetas de Valencia, una tradición que ha de continuar hasta *El Bernardo* de Balbuena y la *España defendida* de Suárez de Figueroa. El hecho sobradamente se explica teniendo en cuenta la hostilidad que opone Francia a España a lo largo del siglo XVI. En tiempos de Felipe II, observa atinadamente Jules Horrent, «nada parecía más actual que la historia de Bernardo de Carpio». [...] Los poetas heroicos de la segunda mitad del siglo XVI, los de primeros años del siglo XVII todavía, experimentan una reacción de orgullo al evocar los difíciles principios de una nación que debía de dominar el mundo. Contemplan satisfechos su penoso nacimiento y las primeras tormentas en que corrió peligro de naufragar. Tema épico éste por excelencia a través de los siglos: de la leyenda de Rómulo y Remo a las novelas y películas del Oeste —o a *Alejandro Newski*.

Pero también se van las miradas de los poetas hacia un presente glorioso. Varias oleadas se pueden distinguir en el majestuoso flujo. Primero viene, desde 1555 ya, el ensalzamiento de Carlos V y de sus capitanes. Luego surge, a partir de 1569, el tema de la conquista de América: es la hora de *La Araucana* y, a continuación, de tantos poe-

Maxime Chevalier, «La épica culta», *Lectura y lectores en la España de los siglos XVI y XVII*, Ediciones Turner, Madrid, 1976, pp. 104-137 (117-126).

mas como brotan a imitación suya. Unos años más tarde han de dedicar sus vigilias los autores de epopeyas a celebrar la lucha contra el Islam, sea en las Alpujarras, sea en el Mediterráneo.

Todas estas obras enaltecen, como es lógico, el esfuerzo y la hazaña. Pero conviene añadir, si queremos entender el éxito de que gozaron, que varias de ellas, y no siempre las peores, son epopeyas genealógicas, que celebran unos gloriosos linajes, unas familias aristocráticas famosas en la España del Siglo de Oro. [...]

¿A quién podían interesar estos poemas que celebraban el esfuerzo bélico y la gloria de los linajes? Por este aspecto suyo interesaron, lógicamente, a los hidalgos y caballeros, a cuyos oídos ofrecían halagüeña música. Apunta el cronista Esteban de Garibay que los gentileshombres españoles residentes en Bruselas dieron acogida muy favorable a la Primera parte de *La Araucana*: «Estando yo este año en Bruselas, pueblo del ducado de Brabante, como un correo llevase allá un cuerpo de ella, fue recibida con tal aprobación y estimación entre los cortesanos y gente de milicia allí residentes, dados a la poesía, que unos le igualaban con Ariosto, y otros le concedían mayor lugar que a él». Puede ser que Garibay cargue la mano en el elogio, puesto que Alonso de Ercilla era amigo suyo. Pero no por eso resulta menos valiosa la dirección que señala el texto a una investigación sobre el público de la épica culta. Estos poemas halagaban la ideología guerrera de que participaban los hidalgos y caballeros del Siglo de Oro: no es por lo tanto de extrañar que tuvieran éxito en aquellos grupos sociales. Claramente lo confirman tres indicios. Los inventarios de bibliotecas particulares primero:

— Aparecen en la biblioteca del condestable Juan Fernández de Velasco los *Hechos del Cid* de Jiménez Ayllón, la *Tercera parte de La Araucana*, *El Monserrate* de Virués, la *Historia de Sagunto* de Lorencio de Zamora, *Las Habidas* de Jerónimo de Arbolanche, un manuscrito de la *Primera parte del valeroso Zaide* de Francisco de Hermosilla;
— en la biblioteca del conde duque el *Cortés valeroso* de Gabriel Lasso de la Vega y la *Historia de la Nueva México* de Gaspar Villagrá;
— en la biblioteca de Lorenzo Ramírez de Prado el *Carlo famoso* de Luis Zapata, *La Araucana*, *La Austríada* de Juan Rufo, las *Elegías de varones ilustres de Indias* de Juan de Castellanos, la *Mexicana* de Gabriel Lasso de la Vega, la *Historia de la Nueva México* de Gaspar Villagrá, la *Nápoles recuperada* de Francisco de Borja;
— en la biblioteca de don Pedro Antonio de Aragón *La Araucana*;

— en la biblioteca de Vincencio Juan de Lastanosa *La hermosura de Angélica* y *La Dragontea* de Lope de Vega, la *España defendida* de Suárez de Figueroa, *La Numantina* de Mosquera de Barnuevo, *El Bernardo* de Balbuena y la *Nápoles recuperada* de Francisco de Borja.

Segundo indicio: el origen de los poetas épicos. Nueve de ellos, grandes lectores de poemas épicos modernos, son de noble origen: Jerónimo de Urrea, Francisco Garrido de Villena, Alonso de Ercilla, Luis Zapata, Martín de Bolea y Castro, conde de las Almunias, Hipólito Sans, Antonio de Saavedra Guzmán, Hernando Álvarez de Toledo y Francisco de Borja, príncipe de Esquilache. Tal lista se alargaría sin duda si conociéramos mejor la biografía de los poetas épicos del Siglo de Oro.

Por fin otros hidalgos y caballeros demuestran conocer y apreciar la epopeya española que mayor éxito alcanzó en el Siglo de Oro: *La Araucana* de Ercilla. Luis Gálvez de Montalvo alaba calurosamente a su amigo don Alonso, Francisco de Quevedo remite a las octavas de Ercilla para ejemplos de hipérbaton, Alonso de Castillo Solórzano recuerda en dos novelas suyas los nombres de varios héroes de *La Araucana*.

Esta afición de los caballeros a la epopeya no es fenómeno privativo de España en el Siglo de Oro. Idéntico fenómeno aparece —y debido a idénticas motivaciones— en la Francia del siglo XVII. [...]

Pero no serán los caballeros los únicos en aficionarse a la epopeya. El poema épico interesa a otro público, relativamente extenso, público de hombres cultos y serios que no suelen hacer gran aprecio de la novela y de los versos insustanciales. Si queremos entender las reacciones de estos lectores, volvamos a leer las páginas que dedica el conde Castiglione a las lecturas del cortesano. Explica en forma clarísima Castiglione que el fin más elevado que se pueden proponer las letras es el de conservar el recuerdo de los héroes del pasado y transmitirlo a la posteridad: por este motivo, afirma el escritor, se dieron a la lectura los más grandes capitanes de la Antigüedad, de Alejandro a Escipión, y no se desdeñaron de manejar la pluma Aníbal y César.

Entre los géneros literarios que cultiva el Siglo de Oro, ninguno —si dejamos aparte la historiografía— encaja más exactamente que la epopeya dentro de tal definición. Los hombres cultos que viven en la España de los Austrias veneran las buenas letras, pero tienen sus dudas acerca del valor y del interés de lo que llamamos literatura. La literatura, si se reduce a procurar el entretenimiento, no tiene justificación para muchos de ellos. Desde este punto de vista la epopeya les aparece como género noble y respetable, si se la compara con una poesía lírica frecuentemente rastrera y hueca. Hemos de comprender este sentimiento. En la poesía lírica del Siglo de Oro hemos operado una selección. De ella recordamos las cumbres: en nuestras memorias cantan unos versos de ensueño, debidos a Garcilaso, Lope o Góngora. Pero no dejemos que nos engañen estos recuerdos. Todos conocemos el contenido de las colecciones de versos del Siglo de Oro, y bien sabemos que incluyen enorme cantidad de coplas y glosas cortesanas, de preguntas y respuestas, de enigmas y epigramas, de piezas hechas de repente. Pensemos en tantas páginas de las obras de Gutierre de Cetina, Hernando de Acuña, Juan Fernández de Heredia, Baltasar del Alcázar, Juan de Salinas o en los versos de la Academia de los Nocturnos: ¿qué son sino poesía de circunstancias, en el sentido más humilde y ligero de la palabra? [...] Frente a juego tan insustancial como la lírica, los hombres cultos y serios arrugaban el ceño. La epopeya, que celebraba las hazañas y enaltecía la memoria de emperadores y capitanes —Carlos V, Hernán Cortés, Juan de Austria—, colmaba sus deseos.

La epopeya culta del Siglo de Oro, tan apegada a los acontecimientos históricos, interesó, lógicamente, a los historiógrafos y cronistas, y, más generalmente, a los aficionados a la historia. En varias ocasiones los poemas jugaron plenamente el papel de obra de información, según demostró Ramón Menéndez Pidal. Particularmente claro es el caso de *La Araucana*, que sirvió de fuente de información a los historiadores de Chile. Resulta evidente, además, que *La Araucana* apasionó a los españoles que se establecieron en América, sin duda porque vieron en el poema el primer monumento literario dedicado a la conquista. Lo leen y aprovechan todos los autores criollos de epopeyas, de Pedro de Oña a Juan de Mendoza Monteagudo pasando por Juan de Castellanos, Antonio de Saavedra Guzmán, Martín del Barco Centenera, Hernando Álvarez de Toledo, Gaspar Villagrá y Melchor Xufré del Águila. Lo conoce Bartolomé de Góngora, corregidor de Atitalaquia, en Nueva España, lo comenta Diego de Ávalos y Figueroa, lo guardan en sus bibliotecas Simón García Becerril, vecino de México, y el arquitecto Melchor Pérez de Soto, establecido también en la ciudad de México. No he estudiado con bastante detenimiento los inventarios ya publicados de bibliotecas particulares americanas, y estos inventarios son muy pocos para autorizar unas conclusiones definitivas, pero confío que las futuras investigaciones sobre cultura de la América colonial en los siglos XVI y XVII han de destacar, siempre más nítidamente, que *La Araucana* fue la epopeya criolla por excelencia.

La Araucana es caso excepcional. Pero, conviene repetirlo, no es caso aislado dentro de la épica española. Gustan los cronistas, profesionales o aficionados, de referirse a los poemas épicos. [Aprovechan] la lectura del poema épico, en el cual van espigando informaciones eruditas. Más generalmente los doctos y los eruditos gustan de la épica por las razones ya explicadas y también por otros motivos. Sobre los hombres cultos del Siglo de Oro pesa el recuerdo de la enseñanza retórica. Todos admiten que existe una jerarquía de los géneros literarios, una jerarquía dentro de la cual la epopeya, género sublime, ocupa el más encumbrado sitio. Esta escala de valores perfectamente la simboliza la famosa rueda de Virgilio, figura que nuestros eruditos, que todos han estudiado retórica, suelen tener presente. Los que han pasado por las escuelas, los «intelectuales» del tiempo —letrados, clérigos, catedráticos— que pocas veces leen los *Amadises*, veneran la epopeya y se apasionan por ella.

JUAN BAUTISTA AVALLE-ARCE

EL POETA EN SU POEMA: EL CASO ERCILLA

[El *yo* del Poeta de continuo se inmiscuye en el relato, al así hacerlo a menudo se siguen fórmulas ariostescas, algunas de suma sencillez], tales como: «Como dije» (*Araucana*, II, 7) que traduce el «come io dissi» (*Orlando furioso*, IV, 3) o bien «como digo» = «come io vi dico», «después se contará» = «come io dirò poi», «es bien que» = «mi convien», «yo pienso» = «credo che». Hay otras más complejas, como «por no ser largo» = «lungo sarebbe», o bien «si ya os

Juan Bautista Avalle-Arce, «El poeta en su poema (el caso Ercilla)», *Revista de Occidente*, 95 (1971), pp. 152-170 (160-170).

acordais» = «si'l vi ricorda». Y la forma en que el Poeta se entro-
mete en la narración puede llegar a fórmulas de la complejidad de la
siguiente: «Podría de alguno ser aquí una cosa / que parece sin término notada / ... / respondo a esto que ...» (*Araucana*, II), que corresponde a esta otra: «Qui de la istoria mia, che non sia vera / Federigo Fulgoso è in dubbio alquanto / ... / alla quale obiezion così
rispondo» (*Orlando furioso*, XLII).

Estas sistemáticas intromisiones del Poeta en su relato, tanto en
La Araucana como en el *Orlando furioso*, expresan por su propia frecuencia una actitud de control absoluto de la materia por parte del
Poeta. [Por ejemplo, en el] *Orlando furioso* un personaje histórico,
Federigo Fulgoso ha expresado ciertas dudas acerca de determinado
episodio. El dominio del Poeta sobre su materia es tal que se puede
permitir el lujo de poetizar esas mismas dudas y su respuesta. En
forma análoga, el Poeta de *La Araucana* responde a ciertas dudas, pero
obsérvese que aquí esas dudas no las ha expresado ningún personaje
histórico sino un ente hipotético: «Podría *de alguno* ser ... notada».
O sea que con el fin de ejercer dominio artístico absoluto sobre su
materia épica, y demostrarlo, el Poeta ha creado un contrincante po-
lémico fingido con el solo fin de aplastarlo dialécticamente. «Respondo
a esto ...», dirá, con superioridad olímpica.

La forma en que el Poeta se empina sobre su materia, y la domina,
a menudo se evidencia en los comentarios que acompañan las transiciones
narrativas, o sea aquellos momentos en que el Poeta abandona un hilo
argumental para seguir otro. El Poeta italiano expresaba su superioridad
en términos como estos: «Come fu presa alla prima battaglia / chi ne
l'onor parte ebbe con Orlando: / s'io non vi seguito ora, non vi caglia; /
ch'io non me ne vo molto dilungando» (*Orlando furioso*, XXXIX: «Cómo
fue presa en la primera batalla, quién compartió el honor con Orlando,
si no sigo esto por ahora, no os importe, porque no me voy a alejar
mucho de ello»). En situación parecida, el Poeta español será no menos
tajante en su expresión de superioridad: «A Lautaro dejemos, pues, en
esto / que mucho su proceso me detiene, / forzoso a tratar dél volveré
presto / que llegar hasta Penco me conviene» (*Araucana*, IV). [...]

A veces el dominio imperial que el Poeta tiene sobre su materia le
sirve para frustrar las expectativas del lector. En el *Orlando furioso* hay
una graciosa escena en que Ruggiero está a punto de violar a Angélica,
«Frettoloso, or da questo, or da quel canto / confusamente l'arme si le-
vava» («Apremiado, ora de éste, ora de aquel lado, confusamente se
quitaba la armadura»). Pero el Poeta interviene y dice: «Ma troppo e

lungo ormai, signor, il canto, / e forse, ch'anco l'ascoltar vi grava; / si ch'io differirò l'istoria mia / in altro tempo, che più grata sia» (*Orlando furioso*, X; «Pero este canto ya es muy largo, señor, y tal vez oírle es fastidioso, así que diferiré mi historia a otro momento en que sea más grata»). Con idéntica técnica, pero mayor seriedad, el Poeta de *La Araucana* empieza a narrar la reñida batalla de Andalicán, y dice con desparpajo señorial: «Paréceme, señor, que será justo / dar fin al largo canto en este paso / porque el deseo del otro mueva el gusto / y porque de cantar me siento laso» (IV).

Y lanzado por esta pendiente, el Poeta se deleitará no sólo en frustrar al lector, sino en acoquinarle, en imponerle firmemente su voluntad. Así, en el combate en que morirá Lautaro, dirá el Poeta: «Las inhumanas armas levantando / se vienen a herir; pero el combate / *quiero* que al otro canto se dilate» (XIV).

Esta técnica aprendida en Ariosto, el Poeta de *La Araucana* la perfecciona y empuja a audaces límites con los que ni soñó el poeta italiano, y que dejaron profunda huella en la narrativa española. No se ha prestado la suficiente atención al hecho de que al final de la primera parte de *La Araucana*, o sea al final del canto XV, donde se narra la navegación de don García Hurtado de Mendoza con sus tropas, entre las que iba el propio Ercilla, del Perú a Chile, en ese canto se describe la formidable tempestad que asalta a la flota, pero el Poeta acaba el canto y primera parte del poema con la tempestad aún rugiente y los españoles en angustiosísima situación que él describe así: «Y la poca esperanza quebrantaba / por el furioso viento arrebatada». Estos son los versos finales de la primera parte de *La Araucana*. Sólo nueve años más tarde, en 1578, al publicarse la segunda parte del poema, sacaría el Poeta a sus personajes de tan tremendo aprieto y los haría arribar al puerto de La Concepción sanos y salvos. Y aquí conviene subrayar que el propio Testigo del poema quedó a merced de las olas por esos nueve años que mediaron entre primera y segunda parte.

El dominio señorial del poema que ejerce el Poeta se ha impuesto ahora sobre el propio Testigo. Por nueve años largos el Testigo vivirá como el alma de Garibay, suspendido entre el cielo y la tierra, juguete de una tormenta que él en vida supo que duró sólo días. El *yo* poético, para decirlo con Leo Spitzer, ha avasallado al *yo* empírico, y por nueve años le tiene en servidumbre.

[Si consideramos el corte narrativo que separa a las dos primeras partes de *La Araucana*] se apreciará mejor la extraordinaria audacia técnica del Poeta, porque en Ariosto no hay nada equiparable, ya que el *Orlando furioso* no se publicó en partes. En realidad, lo que ha ocurrido es que Ercilla ha llevado a su conclusión lógica y a su expresión última los cortes narrativos de Ariosto. Pero el Poeta español supera en mucho aquí al Poeta italiano. Ariosto gustaba de dejar a sus personajes en situaciones de aprieto; en *La Araucana* el Poeta se deja a sí mismo, en cuanto Testigo, en riesgo propincuo de ahogarse, y esto por nueve años, nada menos.

Algo semejante ocurre en la divisoria de las partes segunda y tercera, separadas, a su vez, por un período de once años. El canto XXIX, último de la segunda parte, narra el brutal combate entre Tucapel y Rengo, hasta que el Poeta lo interrumpe de un plumazo, y dice: «Mas quien el fin deste combate aguarda / me perdone, si dejo destroncada / la historia en este punto porque creo / que así me esperará con gran deseo». Por once años quedan los paladines araucanos rabiosos y ensangrentados, con las homicidas armas en alto, hasta que en el canto XXX, primero de la tercera parte, el Poeta decide retomar el argumento, pero sólo después de un exordio moralizante de seis octavas que prolonga más la ya larguísima espera, y aumenta en correlación la expectativa. Y en este momento, al reanudar la descripción del duelo, el Poeta nos hace ver que así como él domina al espacio, desde su suprema perspectiva, de la misma manera domina al tiempo, ya que de otro plumazo borra el intervalo efectivo de once años que media de canto a canto, cuando dice: «Tenemos hoy la prueba aquí en la mano / de Tucapel y Rengo que ... / como fieras se están despedazando». Y con fino humor, digno de su maestro Ariosto, el Poeta subraya su señorío de mero mixto imperio sobre la materia poética: «Viendo / el brazo en alto a Tucapel alzado, / me culpo, me castigo y reprehendo, / de haberlo tanto tiempo así dejado».

En esta escuela y no otra aprendió Cervantes a efectuar sus audaces cortes narrativos. Bien sabido es que la primera parte del *Quijote* de 1605, que termina en el capítulo VIII, deja a don Quijote y al escudero vizcaíno don Sancho de Azpeitia con las espadas en alto, dispuestos a asestarse mortales golpes. Y que en el capítulo IX, primero de la segunda parte, el hilo argumental sólo se empalma después de una larga digresión acerca de la búsqueda de fuentes narrativas. Sólo después de tan puntilloso exordio se les permite a los paladines descargar sus «furibundos fendientes». Basta esta demostración para poder declarar que en la raíz del *Quijote* está *La Araucana*, de la misma manera que en el cogollo de *La Araucana* está el *Orlando furioso*.

[El *yo* del Poeta, o sea la figura del narrador, debe distinguirse de don Alonso de Ercilla y Zúñiga porque éste existe fuera del poema, mientras que aquél lo hace sólo en el poema, ya que fuera de éste el Poeta no es más que una virtualidad. En cuanto a las relaciones entre Poeta y Testigo, el Poeta domina siempre al Testigo, vale decir, que el *yo poético* ordena y controla las experiencias del *yo empírico*.] En sus comentarios acerca de su obra, hechos en sus incesantes irrupciones, el Poeta evidencia con meridiana claridad una actitud de dominio y control absolutos sobre su materia. Él la distribuye a su modo, y la acorta o alarga a voluntad, y pasa libremente de un campo a otro, aunque estos cambios argumentales, como demuestran los comentarios que los acompañan, [...] indican una clara conciencia y firme voluntad de establecer un balance temático dentro de la variedad y riqueza episódica del poema. Al establecer su dominio imperial sobre el mundo creado por él, el Poeta a menudo impone explícitamente su voluntad hasta sobre el lector. Y desde la suprema perspectiva con que mira a su mundo poético, el Poeta avasalla por igual al tiempo y al espacio.

El Poeta hace repetidas protestas de que el mundo que ha creado carece de variedad, como cuando dice en el canto XV: «Quíselo aquí dejar, considerado / ser escritura larga y trabajosa / por ir a la verdad tan arrimado / y haber de tratar siempre de una cosa». Este tipo de admisiones se repite en el curso del poema, y ejercieron profunda influencia en Cide Hamete Benengeli, quien se las apropió en el largo exordio al capítulo XLIV de la segunda parte del *Quijote*, donde termina con esta admirable y profundísima humorada, que el Poeta de *La Araucana* hubiese suscrito calurosamente: «Pues (el autor) se contiene y cierra en los estrechos límites de la narración, teniendo habilidad, suficiencia y entendimiento para tratar del universo todo, pide no se desprecie su trabajo, y se le den alabanzas, no por lo que escribe, sino por lo que ha dejado de escribir».

Pero esas admisiones del Poeta, al igual que las de Cide Hamete Benengeli acerca de la temática única de su creación literaria, hay que tomarlas *cum mica salis*. Por ejemplo, desde la primera octava de su poema, el Poeta nos anuncia que el tema del amor quedará excluido de su obra, a diferencia del poema de su maestro Ariosto. Pero basta recordar los nombres de Tegualda, Glaura, Fresia, Guacolda y hasta la propia Dido, para comprobar que la alternancia de armas y amores reproduce, aunque en menor escala, bien es cierto, la del *Orlando furioso*. En determinada ocasión, el propio Poeta se ve obligado a admitir que su temática no es única, y que él ha dado entrada en su poema a «otra materia blanda y regalada» (como dice en el canto XVIII), que son las damas de España, y su concomitante el amor. Y recordemos, por último, la extraordinaria variedad temática de los exordios a cada canto, tan variados en su asunto como cantos tiene el poema, y que si bien se centran en su mayoría en temas de moral, en ocasiones, como en el canto XV, llegan a tratar hasta de crítica literaria.

El Poeta, pues, manipula un mundo rico y variado, de acuerdo con un plan propio. Con frecuencia que le ha sido criticada, el Poeta se encarga, además, por medio de sus intromisiones en la obra, de recordarnos en todo momento que él está en control absoluto de la materia. Todas sus actitudes sirven para revelar el supremo señorío que el Poeta tiene sobre la obra de arte, y esta relación entre Poeta y poema, creador y creación, es una analogía entre Poeta y Dios y entre poema y cosmos. Y por aquí hemos desembocado en lo que Ernst Cassirer llamó un «motivo fundamental» del Renacimiento.

Pero conviene aclarar que el Poeta de *La Araucana* no se ve a sí mismo como un Dios absoluto que crea *ex nihilo*, con lo que incurriría en una exaltación herética de su propio puesto. Basta recordar las repetidas admisiones de flaqueza o ignorancia por parte del Poeta para remachar el clavo, tales como «Me olvidaba …» (canto I), «yo no sé» (canto IV), «mas no quiero meterme en tal hondura» (*idem*). Todo esto hace evidente que el Poeta no se considera como el Dios creador, *ex nihilo*, sino más bien como el demiurgo platónico, o como había dicho en el siglo XV Nicolás de Cusa, un *deus occasionatus*. [...]

Ariosto termina su poema con la muerte de Rodomonte, o sea que la materia se cierra sobre sí misma y el poema, en esta medida, se vuelve inmanente. Pero Ercilla adopta muy diferente actitud hacia su creación. En primer lugar, el poema termina con una admisión del fracaso del Testigo: «Mas ya que de mi estrella la porfía / me tenga así arrojado y abatido.» Mas si el Testigo ha fracasado, el Poeta ha triunfado, y allí está su creación conclusa para probarlo. Pero este Poeta es eminentemente un poeta cristiano, y por ello cuando se exalta divinizándose no olvida por un instante su puesto en la *scala coeli*, y así recuerda con oportunidad: «Sé bien que en todo tiempo y toda parte / para volverse a Dios jamás es tarde». En *La Araucana* el Poe-

226 ALONSO DE ERCILLA Y LA POESÍA ÉPICA

ta ha adquirido la dignidad casi suprema del *deus occasionatus* de Nicolás de Cusa, pero por eso mismo el Poeta acaba poniéndose él y su creación a los pies del *Deus unicus et creator*. Ercilla, a través de su Poeta, ha dignificado el artista a la categoría del verdadero demiurgo cristiano. Tal plusvaloración del Poeta y lo por él creado apunta con el dedo a la inextricable relación de valores que existe entre Cervantes, Cide Hamete y ese libro que escribieron ambos al alimón, pasmo de las generaciones modernas. Aceptemos la lección de Cervantes, y aprendamos a interrogar a Ercilla por sus secretos poéticos.

Cedomil Goic

EL EXORDIO DE *LA ARAUCANA*

El exordio, como iniciación del poema, de partes del mismo, de cada canto, o de ciertos momentos destacados como narraciones intercaladas, ocupa un lugar muy significativo en el poema de Ercilla.

El primero y más importante es el exordio del poema que ocupa las primeras cinco estrofas del Canto I de la Primera parte. Luego hay un segundo exordio al comienzo de la Segunda parte. Los otros exordios son proposiciones sentenciosas con las cuales se inicia cada canto y que sirven de introducción moral al caso que los acontecimientos vienen a representar. Cada uno de estos exordios está caracterizado por la enunciación de una sentencia contra vicios o de una alabanza de ciertas virtudes. Este tipo de exordio domina en la introducción de los cantos de la Primera y Tercera partes.

Hay también algunos exordios de cantos que constituyen comentario o regulación de la marcha del acontecer y que se refieren al poema mismo, a la determinación de su asunto o a sus dificultades. Estos exordios se ordenan de preferencia en la Segunda parte del poema.

Finalmente, encontramos exordio para narraciones particulares que se encuentran enmarcadas e intercaladas en la narración y que por su

Cedomil Goic, «Poética del exordio en *La Araucana*», *Revista Chilena de Literatura*, 1 (1970), pp. 5-22 (6-14).

singularidad o interés son introducidas con énfasis especial. Así acontece, por ejemplo, con la historia de la reina Dido (III, xxxii).

La Araucana está así construida con partes retóricas muy definidas y cada uno de sus momentos, la estructura del canto o de las narraciones intercaladas, va debidamente enmarcado. Resulta, en primera aproximación, extraño comprobar que un poema de rasgos tan irregulares en el desarrollo de un plan unitario, según la apreciación crítica ordinaria, tenga una disposición tan regular y, se diría, tan rígida como la señalada. Pareciera que una materia extremadamente líquida quedara encerrada en las paredes sólidas de un continente férreo. El exordio de *La Araucana* está constituido por las primeras cinco estrofas de la Primera parte, Canto i (I, i). [...]

Pertenece a la poética clásica la norma de comenzar el poema épico mediante una introducción en la cual el narrador: 1) invoca a las Musas para vencer las dificultades del asunto y sus propias limitaciones humanas; 2) presenta el asunto que va a cantar, y, finalmente, 3) se aboca a narrarlo en un orden determinado. En el orden propuesto están contenidos los tres momentos que la poética clásica enumera como: 1) *invocatio*; 2) *propositio*, y 3) *narratio*. Esta disposición se funda en la tradición homérica y puede encontrarse cifrada en el *Ars poetica*, de Horacio.

La poesía épica latina impone una alteración significativa a tal disposición. Virgilio en el exordio de la *Eneida* y Lucano en el de la *Farsalia* son los grandes innovadores. La disposición virgiliana nos permite reconocer fácilmente el modelo épico del Renacimiento. A ella se ciñen Ariosto y quienes tuvieron ante sus ojos el modelo italiano como Ercilla. En general, la poética renacentista adopta el mismo criterio frente a este aspecto, es decir, se apoya en el modelo virgiliano para la norma moderna. Esta disposición consistía en poner en primer término: 1) la proposición; luego, 2) la invocación, y 3) la narración.

El sentido de la norma horaciana era el siguiente: vinculado directamente a la necesidad de ganar la benevolencia del lector, el narrador debía afectar modestia e inferioridad y solicitar ayuda a las Musas para vencer las dificultades del canto, pero también para autorizar la presentación de hechos notables y maravillosos y el dominio perfecto de lo narrado. Se trataba de una cuestión de prudencia poética: no anunciar primero un gran asunto para concluir con un resultado mediocre, sino, mejor, sacar de un comienzo modesto una narración brillante: «Non fumum ex fulgore, sed ex fumo dare lucem» (Horacio, *Ars poetica*, 143). Pero la previa invocación a las Musas importa además dos cosas: una, inspira el tono elevado adecuado a la grandeza del asunto, que una voz humana sola no podría dar —el rapsoda canta como si la voz de las Musas se dirigiera a nosotros a través de él con la solemnidad y dignidad del canto—; otra autoriza por esa vía la omnisciencia que el narrador, abandonado a sus propias fuerzas, no podría alcanzar. Esa omnisciencia es característica esencial del narrador épico.

El narrador cumplía igualmente con estas exigencias así pusiera primero la invocación y luego la proposición o primero ésta y luego la invocación, como hizo Virgilio. Pero en este último caso, poniendo en primer término la proposición, se da relieve al asunto, a la cualidad del narrador y a la significación personal del asunto como vinculado directamente al interés patrio del narrador.

Ahora bien, si se rechaza la invocación a las celestes Musas y ésta se dirige a un ser humano se establece una limitación tanto a la elevación del tono épico como al grado de conocimiento del narrador y a la verosimilitud de la narración. [...] En el caso de Ercilla se reconoce esta invocación, enderezada a la persona de Felipe II.

[Ésta es la filiación clásica de la disposición del exordio en *La Araucana*.] Las dos primeras estrofas del exordio constituyen la proposición. Ésta tiene una forma negativa, pues comienza por enunciar lo que el poeta no se propone cantar: «No las damas, amor, no gentilezas / de caballeros canto enamorados, / ni las muestras, regalos y ternezas / de amorosos afectos y cuidados» (10). Se trata de una réplica en términos negativos de la proposición de Ariosto en el *Orlando furioso*: «Le donne, i cavalier, l'arme, gli amori, / Le cortesie, l'audaci imprese io canto» (I, 1). La proposición negativa separa desde el comienzo el poema de Ercilla del carácter cortesano que tiene el *romanzo* de Ariosto y pone relieve al interés histórico sobre el novelesco de la epopeya italiana. Se trata de un tópico del exordio, del «rechazo de los temas épicos trillados». [...] Es más un procedimiento que una declaración severa como el curso de la narración vendrá a demostrar. En todo caso, el enunciado negativo basado en la proposición del *Orlando furioso* delata una deuda y una filiación con el Ariosto que resuena también en otros momentos del poema de Ercilla, pero que no gravita en la estructura de la narración.

La fórmula negativa prepara la proposición del asunto novedoso

que contará «cosas nunca antes dichas», poniendo en primer término
la hazaña cumplida por las armas españolas: «mas el valor, los hechos,
las proezas / de aquellos españoles esforzados, / que a la cerviz de
Arauco no domada / pusieron duro yugo por la espada».

La novedad del asunto es el motivo mismo de la creación. El hecho
insólito cumplido por las armas españolas justifica el canto y señala inequívocamente lo que el poeta se propone cantar. Pero la proposición tiene
un carácter doble y significativo por el nuevo énfasis que pone en la
extrañeza del asunto conforme al tópico mencionado.

> 2
> Cosas diré también harto notables
> 10   de gente que a ningún rey obedecen,
> temerarias empresas memorables
> que celebrarse con razón merecen:
> raras industrias, términos loables
> que más los españoles engrandecen;
> 15   pues no es el vencedor más estimado
> de aquello en que el vencido es reputado.

El énfasis en el carácter novedoso pone fuertes notas de exotismo
que constituirán una dimensión constante de la narración. [Mediante esta
redoblada proposición los araucanos conquistan también un lugar en la
fama. De la doble proposición, de relieve dispar, brotan todos los malentendidos, desacuerdos y desbordes interpretativos de la crítica erciliana
moderna.]

Comoquiera que sea, hay algo de contradictorio en el doble propósito
erciliano y ese algo se proyecta hasta sus últimas consecuencias a lo largo
y lo ancho del poema. Es necesario percibir lo insólito que era atraer a
la fama —reservada en la epopeya a la política regia y a los monarcas y,
a partir del Renacimiento, a los caballeros nobles, y en todo caso siempre
a individuos—, a todo un pueblo, esto es a los españoles. Pero mucho
más insólito era que ese pueblo fuera, como el araucano, un pueblo de
bárbaros indígenas infieles y enemigos.

Sabemos cuáles son las consecuencias de contar o cantar la fama de
dos pueblos enemigos. El narrador se obliga a un constante acomodo
de los términos de la fama, como anticipa ya la proposición en las dos
líneas finales que reducen con su determinación el significado de la fama
indígena al transformarla en un modo de incrementar la de los españoles.

El mismo autor cree necesarias ciertas explicaciones en su *Prólogo del
autor*. La explicación se justifica como conciencia de una concepción de-

finida de la historia y de las letras como portadoras y dadoras de fama. La justificación de la fama de los araucanos está motivada por la exótica extrañeza que suscita hallar en el último rincón de la tierra un pueblo bárbaro que muestra tener, por naturaleza, sentido de la libertad y de la justicia y varios otros atributos cuya ilustración se propone más adelante en el poema con variada insistencia.

La crítica tradicional ha puesto de relieve la falta de unidad que hay en los propósitos del narrador, que rechaza el tema de amor y acaba por darle lugar en el poema; que dice ocuparse de las guerras de Chile y acaba narrando variadas guerras; que dice luego ceñirse a la verdad y concluye por narrar hechos maravillosos y extraordinarios. [...]

A la proposición sigue la invocación y con ella los tópicos tradicionales del exordio:

> **3**
> Suplicoos, gran Felipe, que mirada
> esta labor, de Vos sea recebida,
> que, de todo favor necesitada,
> 20 queda con darse a vos favorecida:
> es relación sin corromper, sacada
> de la verdad, cortada a su medida;
> no despreciéis el don, aunque tan pobre,
> para que autoridad mi verso cobre.

Llama la atención aquí que la *invocatio* esté enderezada a Felipe, es decir, a un ser humano y se espere de él el favor o ayuda que se necesita. ¿Pero qué favor es éste? Lo previamente dado en la invocación a las Musas es alteza de tono y omnisciencia. De un ser humano, de conocimiento limitado, no puede provenir la omnisciencia que está determinada por el carácter divino de las Musas. Ni siquiera parece posible afirmar que la alteza de tono pueda ser comunicada por un hombre, pues esa entonación elocuente se vincula a la teoría de la inspiración en que el poeta se veía poseído por el entusiasmo, de origen celeste, que ponía el tono que humanamente le era imposible dar al canto. La verdad es que en esta invocación hay una consciente renuncia a las Musas y, por consiguiente, a todo aquello que aleje el poema y su asunto de su dimensión estrictamente humana y verdadera, tanto en lo que al tono cuanto al grado de conocimiento se refiere. Los versos 13-16 confirman claramente el propósito de renunciar a la omnisciencia y fundar la verdad poética del asunto en la verdad histórica (*verum*). De modo que esta invocación lleva un signo perfectamente consciente y necesario que condiciona definitivamente —a pesar de algunas apariencias señaladas insistentemente por la crítica— las relaciones del narrador con lo narrado.

El empleo del tópico de la «dedicatoria» obedece a la necesidad de mover la atención del destinatario (*attentum parare*) acompañándolo del tópico de la «falsa modestia» para ganar su benevolencia y hacerlo dócil a la novedad del asunto (*benevolum, docilem parare*) dando al poema la condición de una ofrenda que le es consagrada. El narrador pide ser oído por su alto destinatario como único premio, con la certeza de que el solo hecho de aceptarlo le dará el valor que por sí mismo, como obra del poeta, no tiene. La súplica y las fórmulas de modestia que presentan la labor como «de todo favor necesitada» o el don «tan pobre» conforman esta intención.

La cuarta estrofa justifica la dedicatoria. El tópico toma aquí un carácter especial:

4

25   Quiero a señor tan alto dedicarlo,
     porque este atrevimiento lo sostenga,
     tomando esta manera de ilustrarlo,
     para que quien lo viere en más lo tenga:
     y si esto no bastare a no tacharlo,
30   a lo menos confuso se detenga
     pensando que, pues va a Vos dirigido,
     que debe de llevar algo escondido.

Esta parte de la dedicatoria es singular y presenta dos aspectos importantes. Dentro de la poquedad de la obra como fórmula de la falsa modestia, considera en primer término, que el simple hecho de tener al monarca como destinatario integrado a la narración, como su lector único y específico, sostiene y provee de brillo al poema, lo enriquece y dignifica. Y en segundo término […] se insinúa aquí un propósito velado de cantar algo más que lo señalado en la proposición conocida y principal y que, por tanto, la integración del monarca como lector es significativa porque la narración le está inmediatamente vinculada y no sólo dedicada de un modo externo y desprovisto de significación personal. La luz que el destinatario ponga en el poema no provendrá entonces de su persona de destinatario último, sino de la luz propia que resplandece en y se confunde con la del mundo presentado; iluminación del poema es así iluminación del mundo narrativo por la grandeza imperial de Felipe que lo preside. Esto se ve confirmado en los exordios de los cantos, que determinan, en rigor, la extensión del asunto representado.

En la quinta estrofa, se establece otro tipo de dependencias de la grandeza del príncipe que le alcanza personalmente por haberse criado en su corte:

5

Y haberme en vuestra casa yo criado,
que crédito me da por otra parte,
35   hará mi torpe estilo delicado,
y lo que va sin orden lleno de arte:
así, de tantas cosas animado,
la pluma entregaré al furor de Marte;
dad orejas, señor, a lo que digo,
40   que soy de parte dello buen testigo.

De esta manera se modifica positivamente el rebajamiento de la propia persona que se correspondía con la dignificación del monarca, alcanzando su perfección hasta al estilo que el poeta presenta como torpe en otra fórmula de falsa modestia. La irradiación de la casa y corte sobre la perfección de la obra subraya el sentido de la motivación de la *invocatio*.

De las dos líneas finales de esta estrofa y de los versos 21-22 de la tercera, merece subrayarse el relieve dado al conocimiento del asunto como originado en la experiencia personal y, en ese sentido, verdadero. Esta forma de conocimiento del narrador desplaza expresamente la omnisciencia épica tradicional y puede considerarse como una de las conquistas más originales del poema de Ercilla. Sobre todo porque resulta de esta novedad una coherencia y unidad notables del modo narrativo en cuanto se refiere al carácter verista de la representación, sin exceder las capacidades estrictamente humanas del conocimiento.

José Rojas Garcidueñas

EL BERNARDO DE BALBUENA

Por diversas causas, pero fundamentalmente por ser poemas épicos y americanos, algunas historias de la literatura suelen mencionar juntos *El Bernardo* y *La Araucana*, subrayando sus diferencias y en contados casos también sus caracteres comunes, que derivan de las mencionadas circunstancias genéricas y geográficas. En verdad, muy distintos son entre sí: *La Araucana* pertenece a la epopeya histórica y *El Bernardo* a lo que Menéndez y Pelayo calificó de epopeya fantástica, aunque debe reconocerse que las líneas de frontera de los citados subgéneros no siempre tienen la precisión que sería deseable y que tal clasificación, como cualquier otra, reposa en observaciones concretas pero, también, en postulados en cierto modo arbitrarios. Semejanzas hay en los caracteres caballerescos y en los sentimientos correlativos, pero se presentan diferencias en la composición lineal y en la cronológica, totalmente en la primera parte de *La Araucana* y parcialmente en las otras dos posteriores, todo ello en contraste con la barroca composición de *El Bernardo*; hay diferencias en cuanto al ambiente, que es real en casi todo el poema de Ercilla, mientras que en Balbuena predomina lo imaginativo; igual cosa acontece con los temas o asuntos de uno y otro poemas; por último, en cuanto a lo formal, a pesar de la métrica semejante hay mucha distancia entre los respectivos estilos. [...]

Balbuena deliberadamente acomete el relato fabuloso porque, dice en su prólogo: «lo que yo aquí escribo es un poema heroico el cual, según doctrina de Aristóteles, ha de ser imitación de acción humana en alguna persona grave, donde en la palabra *imitación* se excluye la historia verdadera, que no es sujeto de poesía, que ha de ser toda pura imitación y parto feliz de la imaginativa ...».

El hecho de que Balbuena dejara tan aparentes y obvias las principales fuentes de que se sirvió, o al menos algunas de las principales,

José Rojas Garcidueñas, *Bernardo de Balbuena: la vida y la obra*, Instituto de Investigaciones Estéticas, México, 1958, pp. 159-163.

creo que se debe a dos causas muy importantes y de primer orden para juzgar su obra y hasta a él mismo como escritor. La primera sería el alto aprecio, a veces rayano en devoción, que le inspiraban aquellos poemas que de tan cerca siguió y, en general, los altos poetas que le precedieron, de tal modo que leerlos, conocerlos y seguirlos eran actitudes, para él, motivo de orgullo que no tiene por qué disimular y sí mostrar hasta con alarde; la segunda causa fue que estaba seguro de haber hecho un poema distinto y nuevo, es decir obra de creación, de valor tan auténtico que no podía menoscabarse por la preexistencia de otros poemas análogos, además de que en su época el aprovechamiento de temas, personajes, etc., era usual y nunca censurable, pues no existía ese afán de originalidad que hoy alcanza niveles verdaderamente extremados e injustificados.

Balbuena pretende dar a su *Bernardo* no solamente el valor de epopeya como relato heroico sino, además, otra dimensión trascendental por medio del significado que atribuye a sus personajes, a los sucesos, a veces al ambiente y, en general, a todo el poema; ese alcance, esa trascendencia, están claramente señalados en unos breves párrafos, con el título de «Alegoría», que pone al final de cada uno de los veinticuatro libros en que divide el poema. Por ejemplo, en la primera «Alegoría», dice: «De tal manera se puso el blanco y último fin de esta obra en la moralidad y enseñanza de costumbres, que lo que en otra parte parece accidental y accesorio, puede confesarse en ésta por principal intento; y así en ninguna parte va tan oscura que no descubra y dé algunas centellas y resplandores de sí, mostrando debajo de la dulzura del velo fabuloso, la doctrina y avisos convenientes a la virtud; de modo que si aquí por evitar prolijidad no se descubre toda la alegoría, podrá con este estilo sacarlas quien con atención la leyere ...» Y allí mismo empieza a indicar el simbolismo de algunos personajes: «... Las Hadas significan los efectos y pasiones del ánimo sensitivo ... Alcina, el apetito amoroso; Morgana, el de la riqueza; Febosilla, el de la fama; Falerina, que labró la espada para matar a Orlando, las astucias de la guerra, a cuyas manos suelen morir los más invencibles capitanes ...» y, respecto a situaciones: «En la tragedia de Alancredo y Rosia se muestra cuán juntos y engarzados andan en los amores los gustos y los disgustos ... En Garilo, que traidoramente quiere vender a su amigo, el gran riesgo que hay en fiar secretos de importancia a hombre de quien no se tenga entera satisfacción. En la amistad de Alcina y Morgana, se dice que el apetito de la sensualidad y el de las riquezas, son las dos pasiones que más unidas están en el deseo humano y que hasta en el curso de los cielos pretende el rico tener dominio».

No solamente en los personajes y sucesos ficticios pone Balbuena una intención ética y apologética, también en lo histórico la aplica, por ejemplo en el libro XVI hace relación de los principales momentos históricos de España y, al final, la «Alegoría» dice: «En este libro, epílogo de las grandezas de España, se muestra que lo importante de la virtud más consiste en las obras que en las palabras, y que el punto de la honra más está en merecerla que no en celebrarla, pues España, atenta a mostrar su valor por obras, tan poca cuenta ha hecho siempre de encarecerlo con palabras ...». Con frecuencia el intento de profundidad y el deseo de alargar el alcance del significado son mucho mayores: en el libro XVIII, el barco volante del mago Malgesí recorre, de sur a norte, nuestro hemisferio, hasta que es detenido por las artes y poderes del hechicero indígena Tlaxcalán, que vive en una cueva del Popocatépetl, respecto a esos puntos de la acción la «Alegoría» correspondiente dice que:

El gran vuelo del sabio Malgesí, ya hemos dicho que es figura de la vida contemplativa, que de las cosas visibles inferiores pasa la mira a las celestiales, con la cual llegará la felicidad del nuevo mundo, que es la bienaventuranza prometida al hombre, como a la monarquía española las Indias Occidentales. Por Tlaxcalán, sabio antiguo, que tiene su morada en las cavernas y gruta de un monte, es entendido el apetito de las riquezas que se crían en las entrañas de la tierra: el cual muchas veces es poderoso a traer al suelo con su fuerza al hombre contemplativo, que antes con gran deleite volaba sobre su pensamiento, ocupado en sólo contemplar la hermosura del mundo y secretos de la naturaleza, al cual la solicitud de riquezas impide la quietud, que tan necesaria es al ánimo contemplativo, como Aristóteles dice en las *Éticas*, que si para la vida activa ayudan mucho, para la contemplativa totalmente son estorbo. El mirador de la cueva de Tlaxcalán significa la imaginativa de a donde se vía tanta variedad de cosas.

Frank Pierce

LA CHRISTIADA DE FRAY DIEGO DE HOJEDA

En los doce cantos de su obra, Hojeda narra la Pasión desde Getsemaní al Calvario. Como puede verse en la monografía de la hermana Meyer [1953], la mayor parte de sus materiales proceden de los cuatro Evangelios, reelaborados con altisonante emoción y descripciones ricas y vigorosas. Hojeda, como muchos de los épicos coetáneos, no se contentaba con narrar de nuevo un tema por augusto que fuese, sino que lo convirtió en epopeya «religiosa» (aunque sin apartarse en lo esencial de los textos sagrados), mediante visiones, escenas infernales y sus derivaciones consiguientes (inspiradas en Tasso, pero con clara originalidad), sermones y profecías, la mayor parte de los cuales tenían su justificación explícita o tácita en el texto evangélico; además, todo ello ayuda a sugerir la significación fundamental de la Pasión, recordando las grandes figuras del Antiguo Testamento, la misión de Jesucristo y las venideras glorias de la Iglesia. Hojeda recurre a un artificio épico importante: comenzar la historia *in medias res*, pero sin desequilibrar su tema, como le ocurrió a Hernández Blasco en la *Universal Redempcion*, donde incluyó todo el material bíblico y religioso que pudo reunir. En esta poetización de la Pasión, brillantemente articulada, Hojeda utilizó también los escritos apócrifos del Antiguo y Nuevo Testamento, así como mucha erudición posbíblica y muchas creencias populares. De tan variadas fuentes sólo se ha hecho un estudio parcial, pero claro está que hay ahí una tarea fructífera para quienes deseen comprender cómo se hizo realidad poética tan rica herencia cultural. Los principales modelos poéticos de Hojeda son Tasso, Vida y el mismo Virgilio, a los que puede añadirse Claudiano y algunos más. Pero pocos poetas del Siglo de Oro habrá que hayan logrado hermanar de modo tan eminente la extensa sabiduría con la imaginación religiosa. En cuanto al plan y estructura del poema, puede juzgarse del gusto y la inteligencia de Hojeda considerando la destreza

Frank Pierce, *La poesía épica del Siglo de Oro*, Gredos, Madrid, 1961, pp. 271-276. Las citas siguen la edición de sor M. Corcoran, fray Diego de Hojeda, *La Christiada*, The Catholic University of America, Washington D.C., 1935.

con que sabe distribuir entre varios cantos las maquinaciones de Lucifer y sus esbirros, dando así una significación poética profunda a las más breves narraciones de los Evangelios. [...] La crítica adversa a Hojeda le ha negado talento de caracterización y dignidad de lenguaje. Ambos cargos, formulados por Quintana, precisamente el autor de su resurrección, pueden ser objetados con razón por los investigadores de hoy. Respecto al primero, es discutible que el desarrollo del personaje mediante el análisis y la autorrevelación —requisitos no siempre exigidos por la poesía dramática, a la que propiamente pertenecen— sea indispensable en el poema de Hojeda, poema que emplea menos el diálogo y el soliloquio dramático que el de Milton [*El paraíso perdido*], con el cual se le ha comparado tan a menudo. En segundo lugar, que Hojeda se valga del llamado lenguaje vulgar es argumento que puede volverse en su favor si se demuestra, como bien puede hacerse, que el mejor modo de atraerse al lector de su tiempo era pulsar las cuerdas verbales de la más común experiencia; después de todo, lo esencial de la verdad religiosa es la universalidad de su destino, y si el Hojeda predicador se confundía con el Hojeda poeta, ello redundaba en beneficio de ambos. Los muchos aciertos de Hojeda pueden ilustrarse repasando el principio, el medio y el fin de su obra (rasgo de menor interés, si no defecto para el lector moderno, es el empleo de materiales procedentes de los martirologios y otras colecciones tradicionales de la Iglesia). La primera crisis —grandiosa— se alcanza en Getsemaní, cuando el poeta traza un cuadro impresionante de los elementos de la naturaleza para subrayar los sentimientos y emociones que le llenan (en este caso, de inesperada significación):

> La noche oscura con su negro manto
> Cubriendo estaua el assombrado çielo,
> Que por ver a su Dios resuelto en llanto
> Rasgar quisiera el tenebroso velo;
> Y vestido de luz, lleno de espanto,
> Baxar con umildad profunda al suelo,
> A recoger las lágrimas que embia
> De aquellos tiernos ojos y alma pia.

> Con siluo ronco el espantado viento
> Al eco tristes voçes infundia,
> Y el agua con lloroso mouimiento
> Las piedras que tocaua enterneçia:
> El valle, a su confusa voz atento,

Suspiros de sus cueuas despedia:
Suspira el valle, duerme el ombre; quiso
El valle al ombre dar un blando auiso (Canto I, 69, 71).

Este empeño por acercarse con sentidas evocaciones al escenario de
los hechos y a la humanidad de Jesús caracteriza la actitud dominante
de Hojeda a lo largo del poema, situándole decididamente entre los
artistas y poetas religiosos de su tiempo, ya ingenuos, ya ingeniosos.
Poco después, la oración de Jesús sube a los cielos, vistos así por
Hojeda (con rasgos del *Apocalipsis*):

El sumo alcaçar para Dios fundado,
Sobre este mundo temporal s'encumbra;
Su muro es de diamante jaspeado,
Que sol parece y más que sol relumbra:
Está de doze puertas rodeado,
Que con luz nueua cada qual alumbra,
Y la más fuerte y despejada vista
No es possible que a tanto ardor resista.

A la ribera d'este ameno río
Está luziendo el árbol de la vida
Con graue copa y descollado brío,
Que con su olor a eterna edad combida:
Fruta da que jamás dará hastío,
Qu'es fruta cada mes rezién nacida;
El es d'oro y sus ojas d'esmeraldas,
Y azen dellas los ángeles guirnaldas.

La sala del Artífice superno
Qu'esta soberuia máquina compuso,
Es de vn fino rubí de ardor eterno,
Que en cuadro y forma cóncaua dispuso:
De aqui exercita el general gouierno,
En que dulçura y eficacia puso:
Es la piedra labrada en varios modos,
Y de ciento y quarenta y quatro codos (II, 22, 25, 27).

El poeta sabe también sugerir el patetismo humano del ángel caído,
en su conmovedor infierno dramático:

Brauo exército de ángeles briosos,
Que fuistes en el cielo produzidos,

Aunque, por ser de vuestro onor zelosos,
Estáis en yelo y llamas sumergidos:
Si os acordáis de aquellos dos dichosos
Instantes en que fuimos detenidos
En la impírea región de luz perfeta,
No os puede ser mi plática secreta.

Tuuimos con Miguel trauada guerra,
Y con otros espíritus couardes
Que infames adoraron essa tierra
Haziendo de umildad viles alardes:
Esta ilustre hazaña nos destierra
A estas eternas tenebrosas tardes,
Siendo luzientes hijos del aurora
Qu'en nuestra eccelsa patria siempre mora (IV, 22, 25).

El furor de Satanás, más típico, da a las octavas de Hojeda una resonante densidad y precisión:

Id, pues, y por caminos diferentes
Le procurad afrentas nunca vistas,
Graues mofas, oprobrios indecentes,
Duras batallas, ásperas conquistas:
Juntad soberuios pechos, insolentes
Manos, y almas guerreras y malquistas,
Y denle orribles íntimas passiones
Angeles i ombres, tigres y leones.

Id presto, furias del Estigio lago,
Id, del reino feroz brauas quimeras,
Dadle de su intención el justo pago
Con duras obras y palabras fieras:
Id y hazed un rigoroso estrago,
¡O tropas de mi exército ligeras!
En príncipes, escriuas, fariseos,
En griegos, en romanos, en ebreos (*idem*, 47-48).

Finalmente, la escena del Calvario (cada uno de cuyos detalles había sido consagrado tantas veces por la poesía y el arte cristianos que casi excluían toda originalidad) constituye la impresionante crisis que uno esperaba del poeta. El momento de clavar a Cristo en la Cruz puede ilustrar el delicado realismo, el patetismo que llenan el poema de Hojeda:

> Passó la blanda mano el hierro duro,
> Rompió nieruos, fixóse en el madero;
> Y el cuerpo santo, qual batido muro,
> A aquella parte se inclinó ligero;
> Mas Christo le ofreció graue y seguro
> El otro braço, y con semblante entero;
> Y el sayón lo tomó para clauallo,
> Pero no pudo a su lugar llegallo.
>
> Y assí le ató vn cordel con lazo estrecho,
> Y asta ponerlo firme y estendido
> Donde el otro agujero estaua hecho,
> Con fuerça lo estiró y lo tuuo asido:
> Y otro clauo escogió fuerte y derecho,
> Y agudo y esquinado y bien fornido,
> Y atreuessó con él la mano santa,
> Y con tanta crueldad y furia tanta (XI, 174-175).

(La comparación pasajera de esta escena con la de la muerte de Caupolicán, en Ercilla, aclararía mucho la diferencia de las dos técnicas poéticas.) Una serena melancolía (que recuerda a Garcilaso) baña el final del poema: el Descendimiento y el Entierro:

> Llegando allí con reuerente aspeto,
> Manos umildes y almas temerosas,
> Y lágrimas nacidas de respeto
> Y compassión suaues y copiosas;
> A Dios, que a muerte quiso estar sugeto,
> Entre dos enterraron blancas losas;
> Y quando estos misterios acabaron,
> Tristes en el sepulcro le dexaron (XII, 173).

Muchos poemas de la Pasión existen en el Siglo de Oro, pero ninguno tiene momentos triunfantes como el de Hojeda. Cierto que la *Christiada* nació en una atmósfera de intensa imitación, de gran respeto hacia las corrientes tradicionales (esto quizá no importará mucho al lector de hoy, que pide, sobre todo, aciertos en la visión poética); sin embargo, Hojeda supo encontrar una nueva y fresca versión de un material común del que tantos otros no lograron arrancar más que pobres e imperfectas imitaciones. No es poco elogio para Hojeda.

Gerardo Diego

UN VERSO DE DOMÍNGUEZ CAMARGO

Tomemos un verso —maravilloso— de Domínguez Camargo. Está hablando de los manjares en uno de sus banquetes. Y al referirse a «la leche, que en su mano transparente», «por imitarla suavemente dura, / fluída densó al fuego su blancura», la llama «dulcemente alabastro fugitivo». La leche, pues (y con un posible equívoco que acentúa aún más el voluntario desdibujo o descolorido de la imagen al presentarla en contraste con la mano en movimiento, en movimiento pero no propiamente fugitivo porque no huye sino que va y vuelve al ir amasando la pella de manteca, pero de todos modos dejando abierto el resquicio para la interpretación en eco del alabastro de la mano), la leche, decimos, queda definida poéticamente, creada o recreada en el bellísimo endecasílabo de tres palabras fundidas con violenta sintaxis latina según el procedimiento de Góngora, «dulcemente alabastro fugitivo».

¿Es éste un verso deshumanizado? La mayor parte de los defensores de una poesía documental de la baja realidad dirán desde luego que sí, que es un puro juego de palabras, un verso estetizante y vacío en que el poeta vuelve la espalda a la vida como es y se encierra en su egoísta torre de marfil, insensible a lo comunal humano. Dejemos a un lado la cuestión de época. Hoy, claro está, nadie escribe así. Llamar gongorinos a los poetas del siglo XX, queriendo achacarles la misma poética y la misma retórica valederas en el XVII no tiene sentido. Tratemos en cambio de disfrutar ese verso a la vez como hombres de entonces y como hombres de hoy, que es la plena manera de sentir y de juzgar el arte histórico, no actual. El que a la leche, un líquido, se la llame alabastro, un sólido, y al alabastro se le haga fugitivo y el que a toda esa violenta paradoja se la preceda con el adverbio *suavemente* que sólo puede convenir a los cuerpos sólidos, da como resultado una creación de inseparable unidad en que los tres términos se funden en una única sobrerrealidad, en una poetización

Gerardo Diego, «La poesía de Hernando Domínguez Camargo en nuevas vísperas», *Thesaurus*, 16 (1961), pp. 281-310 (291-293).

o realce de la realidad *leche,* la cual por el hecho de haber sido sometida a todas esas manipulaciones verbales, no menos delicadas y complejas que las del fuego y la mano de la muchacha para su conversión en mantequilla, queda desvirtualizada en su primigenia calidad de leche de la naturaleza, y en su refleja directa de la palabra sencilla, y pierde por lo tanto su emoción realista, su concordancia con la verdad de la cosa que por la palabra se expresa. ¿No quedará, pues, nada humano digno de la plenitud del hombre al escamotear de tal modo las cualidades reales de la leche? ¿Será éste un ejemplo vitando, condenable, de una poética, ahora y siempre vacío de alma?

Yo de mí sé decir que el verso de Camargo me parece sencillamente prodigioso y agotados los efectos de la sorpresa, sabiéndolo y esperándolo en su sitio, cada vez que releo la estrofa me sigue conmoviendo. A ello contribuye eficazmente su musicalidad, su ritmo, sus modulaciones fonéticas que van pasando por todos los colores del espectro vocálico y por varios del consonántico, pero, aun haciendo caso omiso de tales halagos, la simple recreación por mí —a la que me invita el poeta— de la metamorfosis de la leche al lado de la mano, lo traslúcido junto a lo transparente —transparente, claro está, a la mirada poética, enamorada— me toca suavemente, fugitivamente, dulcemente en mi sensibilidad interna, en algo muy secreto de lo más hondo de mi ser. Sigo a la vez viendo a la leche de la realidad, y superpuesta a ella, mejor dicho, hecha una con ella, al alabastro —imposible, pero lo estoy viendo con los ojos de la poesía—, alabastro fugitivo, que en cuanto a alabastro que se esperaría duro, va a acariciar mi tacto con su dulzura, es decir, con su suavidad (el «suavemente» viene luego, en el verso siguiente). Y de toda esa suma —que da una simple unidad— de términos de naturaleza y de belleza irreal me queda en la vista, en el tacto y hasta en el sabor y el olor, la entidad de una sustancia que superando contradicciones es leche y no lo es, a fuerza de ser un ahondamiento en el ser más íntimo e intenso del líquido sabroso, con su calor y su emoción maternal, infantil. Todo eso obra para mí el verso insigne. Y como todo eso, toda esa conmoción vibrante de tantas diferencias de ondas, pero todas objetivamente, lógicamente derivadas de la trinidad sucesiva de palabras y de la endecasilabidad de su música, se opera en mí, es seguro que se operará lo mismo en otras sensibilidades, en otras almas humanas, y sólo por ser honda, totalmente humanas, a poco que comulguen en mis aficiones e ilusiones y necesidades de exaltación poética.

5. SOR JUANA INÉS DE LA CRUZ Y LA POESÍA

Las primeras manifestaciones de la poesía se recogen, en fecha temprana en las crónicas del descubrimiento y conquista de América, fragmentos de romances, relaciones en verso de arte mayor, en cuartetas de romance o en coplas de pie quebrado, villancicos de encanto ingenuo, formas dispersas del marcado castellanismo de la primera mitad del siglo XVI. Luego una indecisa cronología deja noticias del debate entre castellanismo e italianismo con alguna defensa tardía del verso de arte mayor frente al endecasílabo italiano que se impone. Las características de la poesía en este período se pueden ver claramente en el poeta Pedro de Trejo (1534-después de 1575) y su *Cancionero general* (UNAM, México, 1981), cuyo manuscrito data de alrededor de 1569. La plenitud renacentista irá ligada a los pormenores de la vida social y el ceremonial regio. Túmulos imperiales, exequias, piras, arcos triunfales, certámenes sacros, irán puntuando una producción en la que el verso se pone al servicio del culto civil o religioso y vive adherido a las formas institucionalizadas de la celebración, de la glorificación de ese orden y de la lealtad y adhesión de los súbditos al distante monarca y a su representante virreinal. Las muestras más significativas de una poesía marcada por el artificio y el culto de la invención se encuentran en el manuscrito, inédito hasta hace poco, de *Flores de baria poesía*, de 1577. En ese cancionero concurre, entre otros, el criollo Francisco de Terrazas (¿1525-1600?), con varios sonetos que encuentran su complemento en otros textos citados en la crónica de Baltasar Dorantes de Carranza, *Sumaria relación de las cosas de la Nueva España* (1602), fragmentos del poema *Nuevo Mundo y conquista*. Su petrarquismo abre un período de expansión de la poesía manerista con el fuerte acento de una tendencia culta que no desdeña la glosa tradicional. A su nombre se junta el del sevillano Mateo Rosas de Oquendo (¿1559-1612?), a quien cita igualmente Dorantes de Carranza. Oquendo es autor de la *Sátira a las cosas que pasan en el Perú, año de 1598*, de la cual se conocen hoy varios manuscritos. El poema mezcla con gran originalidad lo culto y lo popular, iniciando un género que

tendrá tradición sostenida en la poesía peruana colonial. Petrarquista fue
también el perulero Enrique Garcés, autor de unos *Sonetos y canciones
del poeta Francesco Petrarcha, que traduce Henrique Garcés de lengua
toscana en castellana*, en la casa de Guillermo Droy, Madrid, 1591 (véase
Monguió [1960] y Lohmann Villena [1973]). Este período culmina con
los poetas de la Academia Antártica de Lima. Veinte poetas formaban
parte de la institución, entre los cuales destacaban los nombres de Pedro
de Oña, Diego de Hojeda, «Amarilis», la «Primera Poetisa Anónima»,
Diego de Ávalos y Figueroa, Diego Mexía y Fernangil, poetas todos que
concitaron los elogios de Cervantes y Lope de Vega. Entre los líricos debe
destacarse a «Amarilis Indiana», cuya *Carta a Belardo*, fue recogida por
Lope en *La Filomena* (1604); a la «Primera Poetisa Anónima», que abre
con su *Loor de la poesía* las obras de Diego Mexía y Fernangil, en la
Primera parte del Parnaso antártico, de 1604; y al propio Mexía, por su
aplaudida traducción de las *Heroidas*, de Ovidio, que esencialmente comprende la *Primera parte*. Mexía es original en sus poemas de la inédita
Segunda parte del Parnaso antártico, manuscrito que recoge sus poesías
sagradas. Otro de los poetas es Pedro de Oña, quien merece una mención
en esta parte por sus *Canciones reales*. El ámbito propicio de todas estas
expresiones poéticas aparece condicionado favorablemente por el virrey-
poeta, Juan de Mendoza y Luna, marqués de Montesclaros.

México, Jamaica y Puerto Rico prestan asiento a Bernardo de Balbuena (1562-1627), el poeta épico de *El Bernardo*, y el novelista pastoril y
no poco poeta del *Siglo de Oro en las selvas de Erífile*, cuya *Grandeza
mexicana* (México, 1604) es pieza manerista de excepcionales cualidades
descriptivas. Las poesías eglógicas del *Siglo de Oro* han sido consideradas
por Quintana sólo inferiores a las de Garcilaso. Los poetas coetáneos de
Góngora, como Balbuena, se caracterizan por su originalidad, por el creciente grado de artificio retórico de su obra, por la oscuridad de su dicción poética y por la oscilación de una poesía libre y de contenido profano
hacia una poesía sagrada y una definida normatividad religiosa. Lo que es
innovación —cultismo, hipérbaton, metáfora elusiva o alusiva, alegoría—
en la generación de Góngora, pasa a ser en el Barroco forma tradicional
y académica, que mantiene los procedimientos estilísticos y los temas por
más de un siglo, ilustrando una excepcional estabilidad y resistencia al
cambio de la escritura. Esta es una diferencia fundamental, que es preciso
subrayar, entre Manerismo y Barroco. Es cierto que los poetas borran las
líneas exactas del deslinde histórico en algunos casos límites que, previsi-
blemente, exceden los términos cronológicos que se impone el historiador. El barroco agrega entre sus rasgos el desenvolverse en varios niveles
diferentes de la lengua. La dominante fundamental es, sin embargo, la
representación religiosa del mundo, la cristología y la mariología de buena
parte de la producción poética del Barroco hispanoamericano. La poesía

temáticamente cortesana y mundana continuará teniendo una importancia relativa. El carácter ancilar de esta poesía la pone en igual dependencia de la religión que del poder. Entre los poetas de renombre está fray Miguel de Guevara (¿1585-1646?), objeto de diversos estudios y debates hasta nuestros días, que lo hacen una parte de la historia y de la crítica hispanoamericana por el soneto «No me mueve, mi Dios...» y por sus otros sonetos. En Nueva Granada, el beneficiado Hernando Domínguez Camargo, autor de tres romances de valor poético, al lado de su poema épico ya considerado (véase capítulo 4). Poeta de menor relieve fue Luis de Tejeda (1604-1680), cuyo manuscrito, de 1663, fue publicado modernamente por Jorge M. Furt, *Libro de varios tratados y noticias* (Buenos Aires, 1947). La obra contiene verso y prosa. Ediciones modernas de sus poemas son *El peregrino de Babilonia y otros poemas* (Buenos Aires, 1916, edición de R. Rojas), *Coronas líricas. Prosa y verso* (Córdoba, 1917, edición de E. Martínez Paz).

En una hora más avanzada del Barroco, de barroquismo elaborado, que para Lezama Lima [1969] es el momento más representativo del Barroco americano, se levanta la figura de sor Juana Inés de la Cruz (1651-1695), la «Décima Musa» mexicana, cuya obra poética llena de significado esta época como la más importante de la poesía colonial y la más destacada de su momento en el Siglo de Oro. Su *Inundación castálida* (1679), su *Segundo tomo* y la *Fama póstuma* (1691) hicieron de ella la figura más conocida y resonante de su tiempo. Su coetáneo Juan del Valle Caviedes (¿1652-1696?), corresponsal suyo del sur, representa la vertiente popular en su *Diente del Parnaso* y en su poesía satírica en general. Su obra abarca, aparte de la sátira, temas serios, religiosos y amorosos, dentro de las características del período. Expresión del barroquismo tardío son el virrey Oviedo y Herrera, el padre Arriola y la Madre Castillo, sor Francisca Josefa del Castillo. Entre las obras singulares del barroquismo hispanoamericano se cuenta la obra más importante producida por la poética de la época colonial, el *Discurso apologético en defensa de don Luis de Góngora*, del peruano Juan de Espinosa Medrano (1632-1688), llamado «el Lunarejo». Con esta obra se completa un ciclo de ensayos de poética en que se pueden ordenar el *Loor de la poesía*, de la Primera Poetisa Anónima, el *Compendio apologético en alabanza de la poesía*, de Balbuena, y la *Invectiva apologética*, de Domínguez Camargo. Distintos en carácter y significación, constituyen un aspecto nada despreciable de la actividad poética del Nuevo Mundo. En el caso particular de Espinosa Medrano, se trata de una obra de valor estimable, cuyo retraso relativo al entrar en el debate en que participa da claras muestras de la permanencia de un estilo y de una poética.

Los estudios de conjunto sobre la poesía hispanoamericana colonial comienzan con Menéndez Pelayo [1893, 1911], quien se apoya en la in-

vestigación existente en su tiempo a la que sigue en general con fidelidad
agregando su propio juicio valorativo. Las obras de conjunto posteriores
tienden a superar la estrechez del punto de vista del gran crítico español
frente a la poesía manerista y barroca y a superar las limitaciones de la
información preexistente. Méndez Plancarte [1942, 1944] ha reunido
junto a su estudio preliminar una antología sustancial de los poetas novohispanos de los siglos XVI y XVII, que es fuente indispensable hasta hoy.
Buxó [1962, 1975] ha ordenado una visión de la muerte y el desengaño
en la poesía novohispana que es una verdadera visión de conjunto de esa
poesía. El mismo Buxó [1959] recoge manifestaciones de arcos y de certámenes del siglo XVII. El gongorismo en la poesía hispanoamericana ha
sido abordado por Carilla [1946] y en la poesía novohispana por Buxó
[1960]. En relación a la poesía del virreinato del Perú, la obra de conjunto de mayor interés se dedica a la Academia Antártica, con estudio de
la biografía documentada de sus miembros y la edición de la *Epístola a*
Belardo, debidos a Tauro [1948]. Las antologías más útiles, cuando no
imprescindibles, son las de Méndez Plancarte [1942, 1944], ya mencionadas, con los complementos de Buxó [1959, 1975], sobre temas específicos, de la poesía de la Nueva España. Para la poesía del Perú, las antologías de V. García Calderón (De Brouwer, París, 1938) y la más reciente
de Romualdo y Salazar Bondy (Lima, 1957). Abarcando todos los términos hispanoamericanos se cuenta con la antología de J. Caillet-Bois
(Aguilar, Madrid, 1958) y la de Chang-Rodríguez y De la Campa [1985].

Francisco de Terrazas (¿1525-1600?), el primer poeta nacido en América, criollo de la Nueva España, hijo de conquistador, vivió en los últimos tercios del siglo XVI. Escribió sonetos, epístolas y décimas glosadas
bajo la inspiración italianizante y petrarquista de Gutierre de Cetina
(1520-1557). De sus obras se sabe principalmente por los poemas que de
él se recogen en el manuscrito *Flores de Baria poesia, Recoxida de varios*
poetas españoles. Diuidesse En cinco Libros, como se declara en la tabla
que inmediatamente va aqui scripta. Recopilosse en la ciudad de Mexico,
Anno del nascimiento de NRO saluador IHUchristo de 1577 Annos. Este
manuscrito ha sido descrito por Gallardo [1863, 1889] y luego por Rosaldo [1951, 1952]; está incompleto, pero se conserva el mencionado
índice. Contribuye a su mejor lectura la copia paleográfica del manuscrito
que hiciera Paz y Meliá en el siglo XIX. El cancionero contiene obras de
Juan de la Cueva, E. de Salazar y Cetina, entre los viajeros de México.
Permaneció sin ser editado a pesar de las quejas de Rodríguez Moñino
[1976], hasta que Margarita Peña [1980] preparó una edición crítica
(*Flores de baria poesía*, UNAM, México, 1980). Otros textos de Terrazas
fueron descubiertos por Henríquez Ureña [1918] en un cancionero manuscrito, y por O'Gorman [1940], a los que hay que sumar los ya mencionados fragmentos de un poema épico citados en la *Sumaria relación* de

Dorantes de Carranza (1602). Su soneto más notable, «Dejad las hebras de oro ensortijado», imita y mejora otro de Camoens (1525-1580), «Tornai essa brancura a alva assucena», versión admirada por Menéndez Pelayo y analizada por Castro Leal [1941] y Fucilla [1960]. No hay análisis estilístico ni interpretación de éste ni de los demás ni del resto de los poemas de Terrazas, en general notables como expresión petrarquista y como originalidad de su situación lírica. Sus textos conocidos son recogidos en una excelente edición por Castro Leal [1941].

El satírico poeta Mateo Rosas de Oquendo (¿1559-1612?), nacido en Sevilla, residió en el Perú, en el último decenio del siglo XVI, y en México entre 1598 y 1612, aproximadamente. Su obra principal es la *Sátira a las cosas que pasan en el Perú, año de 1598*, que con otros textos, existe en un cartapacio publicado por primera vez por Paz y Meliá [1906] y más tarde seleccionado por Reyes [1917]. El texto ha sido editado, con omisiones, y anotado por Vargas Ugarte [1955] y estudiado principalmente por Reyes [1917] y Carilla [1968]. La edición crítica y el estudio de Lasarte [1985] pone la investigación de la obra en un nuevo pie con el concurso de los manuscritos de Dorantes de Carranza, el conocido cartapacio de Madrid y el manuscrito inédito de Filadelfia. El estudio de la *Sátira* revela interesantes aspectos del texto que conciertan lo popular y lo culto y hacen converger registros poético-lingüísticos diferentes, en concordancia con las partes retóricas del poema. Es testamento y carta escritos, en el exordio y la conclusión, y sermón oral en el cuerpo del texto. La sátira misma encierra un desfile de tipos tradicionales de la poesía satírica y figuras degradadas en el que el carnaval y el entremés de figuras tienen parte. En la inclusión de diversos textos, característica de la sátira, se combinan los elementos populares y carnavalescos con su condición degradada y los elementos cultos y literarios, prestando condición ambigua al poema, y dignificando con formas elevadas del discurso objetos de tratamiento burlesco con el efecto paródico consiguiente. Queda por determinar, entre los poemas del cartapacio, los atribuibles con precisión a Rosas de Oquendo. Permanece sin estudio el poema culto *La victoria naval peruntina*, del cual hay dos manuscritos en la Biblioteca Nacional de Madrid. Vargas Ugarte [1955] transcribe, incompleto, uno de ellos.

Bernardo de Balbuena (1562-1627) tiene derecho a ser considerado aquí, principalmente, por su poema descriptivo *Grandeza mexicana* (Diego López Dávalos, México, 1604, y Melchior Ocharte, México, 1604), en dos ediciones del mismo año y dedicatorias diferentes. El poema ha sido reeditado numerosas veces, con cinco ediciones en el siglo XIX. En este siglo se han hecho las siguientes ediciones: una edición facsimilar de la edición príncipe (Antigua imprenta de Murguía, México, 1927), la edición crítica de Van Horne (The University of Illinois Press, Urbana, 1930), la de Francisco Monterde (UNAM, Biblioteca del Estudiante, México, 1941), y la de L. A. Domínguez (México, 1972). La alabanza de la ciudad de México ocupa un lugar destacado en cada una de las obras de Balbuena, extrañas o no, en el tiempo y el espacio de sus asuntos, a México. El sueño, la magia son artificios suficientes mediante los cuales se introduce la alabanza en el *Siglo de Oro* y en el *Bernardo*. Los antecedentes del tema están en la epístola de Eugenio de Salazar (¿1530-1605?), *Epístola al insigne Hernando de Herrera en que se refiere al estado de la ilustre Ciudad de México*, seguramente escrita antes de 1597, y en la de Juan de la Cueva (1543-1610), *Epístola al licenciado Sánchez de Obregón, primer corregidor de México*, recogidas ambas por Gallardo [1889], y ambas notables por su manerismo y por la admisión de voces americanas. Cueva residió en México entre 1574 y 1577 y Salazar, que fue gobernador de las Canarias, oidor en Santo Domingo y fiscal en Guatemala, llegó a México en 1581 y se doctoró allí diez años más tarde. Era oidor de la Audiencia de México cuando partió al Consejo de Indias, en 1598.

La crítica textual de las ediciones de la *Grandeza mexicana* ha sido discutida por García Icazbalceta [1896] y Medina [1924] y resuelta por Van Horne [1930]. Menéndez Pelayo [1893, 1911] vio en Balbuena el primer poeta genuinamente americano, y al verdadero patriarca de la poesía hispanoamericana. Entre los estudios modernos, Van Horne [1940] ha señalado la inversión del tópico de alabanza de la vida del campo, Monterde [1941] se ha ocupado de ciertos procedimientos estilísticos y Durán Luzio [1979], del elemento utópico. Rojas Garcidueñas [1958] da una visión sintética de la crítica y defiende la originalidad del poema en relación a Juan de la Cueva y Eugenio de Salazar. Buxó [1980] aborda el poema desde el punto de vista del manerismo, seguido por Rama [1983]. Estos últimos trabajos intentan destacar nuevos rasgos. El poema es abordado por Sabat [1984]. Más allá de la disposición visible hay un argumento en octava real cuyos versos —con la segmentación del último en dos partes— dan el contenido o argumento parcial de cada uno de los nueve cantos en que se divide el poema. El género escogido es la epístola —carta, sin más la llama el poeta en el título—, una carta, en tercetos, de descripción de la ciudad de México dirigida a un destinatario específico. El género demostrativo de la carta no tiene otra salida retórica que la alabanza y los tópicos correspondientes que se despliegan en formas de exageración, hipérbole, inefabilidad y abundancia. Esta última encuentra, en los catálogos de bienes naturales y artificiales y en las recapitulaciones perorativas de cada canto, la forma excesiva que se corresponde con la realidad que intenta trasuntar. El fenómeno es retóricamente novedoso en su complejidad y exceso, puesto que aparte del procedimiento catalogador y enumerativo que se recupera en la *enumeratio* de la conclusión de cada canto, el canto último o epílogo, duplica una vez más lo ya largamente resumido en la *enumeratio* final del poema. La duplicación y reduplicación, global y parcial, de lo descrito se transforma en un procedimiento que es la glorificación de la abundancia y la grandeza. A fin de cuentas, una de las notables manifestaciones del Manerismo hispanoamericano.

La Amarilis Indiana y su «Epístola a Belardo», incluida en *La Filomena con otras diversas rimas, prosas y versos* (en casa de la Viuda de Alonso Martín, Madrid, 1621), con la «Respuesta de Belardo a Amarilis», de Lope de Vega, ha suscitado junto con los elogios entusiastas de la crítica, de Lope a Menéndez Pelayo, una serie de respuestas contradictorias sobre la identidad de la autora. Tauro [1945] resume en su cuidadosa monografía sobre el tema las diversas tentativas. También edita en ella la «Epístola» con notas críticas. El poema todavía carece de un estudio cuidadoso del texto poético mismo. Ediciones del texto pueden encontrarse en Menéndez Pelayo [1893], Oyuela [1919], García Calderón [1938], Caillet-Bois [1958] y Romualdo y Salazar Bondy [1957]. Es una epístola de manerismo claro en sus partes: el exordio propone el amor de lo imposible como superior al de lo posible, es consciente de las paradojas que enuncia, la *petitio* solicita a Belardo que escriba un poema en alabanza de la santa de su devoción, Dorotea, y, ambiguamente, mezclando el amor al poeta y la pureza de su estado religioso, concluye con el *Vela dare*. Sus diversas partes acogen tipos de epístolas diferentes en las que lo amoroso, familiar y descriptivo se mezclan.

Entre los poetas barrocos mexicanos anteriores a sor Juana la crítica ha prestado atención en los últimos años a Luis de Sandoval y Zapata, cuya obra florece entre 1542 y 1665. Méndez Plancarte [1937, 1944] y, en especial Buxó [1964, 1975] han abordado su estudio. Éste da a conocer una cantidad de sonetos y el romance «Relación fúnebre de la degollación de los Ávilas en 1566», poema en el que se reconoce el resquemor criollo, y que Buxó analiza en sus secuencias narrativas. La «Canción a la vista de un desengaño», del padre Matías de Bocanegra (1612-1668), poesía edificante que refleja un tema de Mira de Amescua y elementos de la dicción gongorina y calderoniana, ha tenido numerosas publicaciones y no pocas imitaciones. Aunque falta un análisis cuidadoso de este poema le han prestado atención Méndez Plancarte [1944] y Colombí-Monguió [1981]. Fray Miguel de Guevara (¿1585-1646?), agustino mexicano, recoge en su *Arte doctrinal y modo general para aprender la lengua matlalzinga*, de 1638, cuatro sonetos, que se le atribuyen, entre los cuales está el famosísimo soneto a Cristo crucificado «No me mueve, mi Dios, para quererte». En la crítica hispanoamericana la atribución a Guevara del soneto ha sido defendida por Carreño [1915, 1942] y más recientemente por Adib [1949]. La atribución a san Francisco Javier ha sido rechazada por Schuhrmacher y Wicki [1945]. La filiación espiritual

del soneto en la tradición del perfecto amor de Dios ha sido sostenida
por Huff [1948] y la prioridad de la tradición espiritual sobre la atribución individual ha sido apuntada por Bataillon [1964]. El análisis del
texto más penetrante es el de Spitzer [1953]. Otras consideraciones de
interés han sido formuladas por López Estrada [1953], Ricard [1957],
Rivers [1958] y López Baralt [1975]. Sobre los demás sonetos de Guevara hay análisis comparativo en Méndez Placarte [1942] y Buxó [1975].

Sor Juana Inés de la Cruz (1651-1695) nació en San Miguel Nepantla,
en México, hija del capitán Pedro Manuel de Asbaje y Vargas y de Isabel
Ramírez de Santillana. A los tres años de edad comienza su educación en
la hacienda de Panoayán, donde vive con su abuelo materno. A tan corta
edad aprende a leer. A los seis años quiere ir a la Universidad de México
vestida de hombre para progresar en sus estudios. Por ese tiempo escribe
su primera composición poética, una loa eucarística, hoy perdida. En 1660
aprende el latín en veinte lecciones. Trasladada a la capital, a casa de sus
parientes, entrará al servicio de los virreyes Mancera, bajo la protección
de la virreina. En breve tiempo se transforma en una figura central de la
corte. A los quince años es sometida a un examen ante cuarenta doctores,
preparado por el virrey, del cual sale triunfante. Este episodio cierra la
primera etapa de su vida y los años mundanos de su formación. En 1667,
ingresa en el convento de las Carmelitas Descalzas, que abandona al cabo
de dos años a consecuencia de su regla excesivamente rigurosa. Ingresa
en el convento de San Jerónimo, donde profesa en 1669, a los dieciocho
años de edad. La determinación religiosa llega, después de la poética y
científica, como la forma de vida más acomodada a su inclinación al estudio y al apartamiento de las exigencias de la vida cotidiana. Acepta el
cargo de contadora de su convento. Su actividad, en los años que siguen,
es infatigable, tanto bajo la dirección del virrey conde de Mancera como
del arzobispo-virrey Payo Enríquez de Rivera. En los años setenta, publica varias colecciones de villancicos que se transforman en una de sus
expresiones más notables. Con la llegada del virrey conde de Paredes y la
virreina María Luisa, la divina Lisi de sus alusiones poéticas, Juana encuentra una amistad entrañable y alcanza la plenitud de su creación. Escribe el *Neptuno alegórico* (por Juan de Ribera, México, 1680) para un
arco triunfal a la llegada de los nuevos virreyes. En 1683, publica los villancicos de san Pedro Apóstol, y al año siguiente, los *Ejercicios de la
Encarnación*. Los marqueses de La Laguna parten en 1686. Tres años
después el ex virrey hace publicar, en Madrid, las obras de sor Juana
con el título de *Inundación castálida* (por Juan García Infanzón, Madrid,
1689), que aparecen dedicadas a la ex virreina María Luisa. En 1690, se
publica la segunda edición, *Poemas de la única poetisa americana, musa
décima* (por Juan García Infanzón, Madrid, 1690). Escribe el *Auto del
divino Narciso* y nuevos villancicos. Y, ese mismo año redacta la *Carta*

atenagórica (en la Imprenta de Diego Fernández de León, Puebla de los Ángeles, 1690), con que responde a un sermón del famoso predicador portugués Antonio Vieyra. Recibe también la carta del obispo de Puebla y escribe su *Respuesta a sor Filotea* (1691), páginas de autobiografía y de apología personal y el documento autobiográfico más importante que se posee de sor Juana. Sus obras se reeditan en Barcelona y Sevilla, en 1692. Ese mismo año se publica el *Segundo volumen de las obras* (por Tomás López de Haro, Sevilla, 1692), seguida de tres ediciones del mismo año (Joseph Llopis, Barcelona, 1693). Con esta fecha, bajo presión de las autoridades eclesiásticas, deja de escribir obras literarias, religiosas y filosóficas, regala su valiosa biblioteca y sus colecciones de instrumentos científicos y musicales. En 1694, redacta la *Petición causídica*, con la que renueva sus votos religiosos de veinticinco años. Ese año muere su confesor. El 17 de abril de 1695, muere sor Juana en su convento, dedicada al cuidado de sus hermanas de religión durante una epidemia. En 1700, se publica el tercer tomo de sus obras con el título de *Fama y Obras Posthumas del Fenix de Mexico* (Imprenta de Manuel Ruiz de Murga, Madrid, 1700), con reediciones al año siguiente en Lisboa y Barcelona y otras reediciones, de 1714 y 1725.

El padre Diego Calleja, editor de su *Fama póstuma*, escribe la primera biografía de sor Juana. Las principales contribuciones documentales para la biografía de sor Juana se deben a Schons [1935], Ramírez España [1947], Cervantes [1949], quien publica el testamento de sor Juana, mientras Salceda [1962] publica el acta bautismal. Otros documentos son provistos por las investigaciones de Spell [1947]. De la Maza [1980] reúne en un nutrido volumen todos los juicios y referencias sobre la poetisa mexicana, desde el padre Calleja hasta Menéndez Pelayo, acompañados de una extensa bibliografía. Las contribuciones bibliográficas han correspondido a la dedicación de Henríquez Ureña [1917], Schons [1927], Abreu Gómez [1934], Iguiniz [1951] y De la Maza [1980]. En materia de ediciones se cuenta con la excepcional edición de las *Obras completas* (Fondo de Cultura Económica, Biblioteca Americana, México, 1951-1957, 4 vols.), hecha por Méndez Plancarte y concluida por Salceda. Los estudios de conjunto, ordinariamente de carácter biográfico, abultan la bibliografía sorjuanina. Sólo interesa señalar algunas obras destacadas por su valor interpretativo. Comienzan con el énfasis psicológico de Chávez [1931, 1968], el pansexualista de Pfandl [1946, 1963], que se extiende de la biografía a los símbolos poéticos, y a un original análisis del *Primero sueño*, no por ello menos discutible. Puccini [1967] pone el acento sobre aspectos más específicamente poéticos de su obra. Guernelli [1972] la aborda desde un punto de vista filosófico cultural. Una renovada e inteligente y bien elaborada visión de la vida y obra de sor Juana se encuentra en el libro de Paz [1982], notable por su construcción biográfica y por la interpretación y valoración de la obra. Benassy-Berling [1983] debate lúcidamente humanismo y religión en su notable y extensa monografía sobre la obra de sor Juana.

Lo principal de la investigación sobre sor Juana se ha concentrado en el estudio del *Primero sueño*. Los primeros ensayos referentes al gongorismo del poema, apuntados por Sarre [1951], Davis [1968], Jones [1979], quedan superados en el excelente libro de Perelmuter Pérez [1982], que analiza exhaustivamente los cultismos del poema y el hipérbaton, y deja establecida la originalidad y la deuda de sor Juana a Herrera y Góngora; también aborda con lucidez las cuestiones que ligan el concepto de dificultad docta y la oscuridad poética. Todo esto pone en un nuevo pie la discusión sobre la originalidad de sor Juana frente a las *Soledades* de Góngora. Reyes Ruiz [1951] la considera una imitación servil, Leonard [1959], un lenguaje poético superado. Original lo consideran Gaos [1960], Xirau [1967] y Merlo [1968], mientras Reyes [1948] y Bellini [1954] lo estiman una imitación meritoria. Las fuentes clásicas, renacentistas y modernas, de diversos aspectos del poema han sido la preocupación de Vossler [1941, 1947], Gaos [1960], Merlo [1972], Ricard [1954, 1971, 1972, 1976], Rico [1970], Trabulse [1979] y Paz [1982] y del libro dedicado a ese objeto de Sàbat [1977]. Todos abordan, además, la definición del género del poema en forma contradictoria. También son contradictorias las consideraciones sobre el cartesianismo de la poetisa, que afirman Abreu Gómez [1940], López Cámara [1950], y niegan Carilla [1952, 1972] y Flynn [1965, 1971]. Sobre la significación de Atanasius Kircher y la tradición hermética, Vossler [1941] es el primero en destacarla; la estudia luego Paz [1982], con consideraciones sobre Cartarius, y más recientemente Benassy-Berling [1983] y Buxó [1984]. Otras cuestiones diversamente elaboradas y controvertibles han sido: la división en partes del poema, desde las doce que distingue Méndez Plancarte [1951], diez para Lowe [1976], siete para Rivers [1965], cinco para Pfandl [1963], Gaos [1960], y Xirau [1967], tres para Carilla [1952] y Ricard [1976], sólo dos para Flynn [1965], e indistinción de partes para Vossler [1941] y para Rojas Garciadueñas [1957]. Empeño más armónico y cumplido ha sido la paráfrasis del poema por reducción de su hipérbasis y de su metaforismo elusivo que han hecho Abreu Gómez [1928], Vossler [1947], Méndez Plancarte [1951] y Rivers [1965]. La visión crítica del poema como expresión de la personalidad de sor Juana ha tocado todos los extremos: desde la relación directa entre vida y poesía, indistintas en Chávez [1931], Pfandl [1963] y Schwartz [1975], hasta las reservas de Vossler [1947], Ricard [1976], Gaos [1960] y Paz [1982], que ponen la relación en un plano de comprensión más adecuada. En relación al poema mismo y al temple de ánimo que revela, se lo ha comprendido como deprimido o desengañado por Vossler [1947] y

Gaos [1960]; triunfante en la comprensión de Chávez [1931], Reyes [1951] y Roggiano [1977]; y de una mezcla ambigua por Abreu Gómez [1934] y Rivers [1965].

Un lugar más reducido ocupa la crítica de la obra poética restante. Los villancicos han sido abordados por Sarre [1951], Méndez Plancarte [1952], Lafon [1954], Puccini [1967] y Benassy-Berling [1983]. Paz [1982] los destaca como una de las partes más relevantes de su obra. En el análisis de los sonetos Blanco Aguinaga [1962] y, desde un punto de vista diferente, Volek [1979] han contribuido con excelentes artículos. La versificación ha sido considerada brevemente por Clarke [1951] y Navarro Tomás [1973]. Las proyecciones ulteriores del *Primero sueño* han conducido a comparaciones con Hoelderlin, por Chávez [1931]; con los románticos alemanes y el surrealismo, por Carilla [1952]; con Gorostiza y Paz, por Xirau [1962]; con Mallarmé, Huidobro y Gorostiza, por Paz [1982]; con Jorge Guillén, por Rivers [1965]. Como poema del vuelo se puede conectar, en efecto, con una parte significativa de la poesía tradicional y moderna, poniendo un eslabón entre éstas y la tradición clásica. Aunque no hay posiblemente poeta hispanoamericano del período más estudiado y atractivo, queda mucho por hacer en el estudio de la obra poética de sor Juana. La crítica documental de su biografía aparece bastante avanzada. La crítica textual de su obra carece virtualmente de problemas serios. Algunas lecturas, particularmente en el *Primero sueño*: Almone por Alcione, de Vossler [1947] han sido discutidas por Corripio Rivero [1965] y Lumsden-Kouvel y MacGregor [1977]. Gran parte de su obra poética carece de estudios concretos sobre poemas individuales y sobre conjuntos genéricos. La crítica del lenguaje poético debe sacar ventaja de los progresos realizados para extenderlos a zonas cada vez más amplias de su obra. Una elaboración más fina y cuidadosa merece el estudio de las reminiscencias literarias, alusiones, citas y parodias que pueden reconocerse en sus textos. Otro tanto puede decirse de la determinación estilística de su barroquismo como estilo de época.

El poeta andaluz Juan del Valle Caviedes (¿1652-1696?), nacido en Porcuna, pero llevado a América cuando niño, comienza a escribir tardíamente. Los datos de su biografía son muy escasos y en ocasiones aparecen falseados por la leyenda. Vivió dedicado a las minas y al comercio y no comenzó a escribir sino hacia 1681. Todavía hay hallazgos y sorpresas en relación a sus obras inéditas. Se conocen ocho manuscritos de sus obras, lo que habla de su popularidad y difusión. Las ediciones de Odriozola (1873), Palma (1899), Sánchez y Rusa (1925), Vargas Ugarte (1947), han publicado varios de ellos. Cáceres [1972] presenta el manuscrito de Ayacucho. Falta una edición crítica o técnicamente más rigurosa que las existentes. Su satírico *Diente del Parnaso*, vituperio de médicos, le ha valido la mayor fama. La obra poética de Valle Caviedes abarca, sin embargo, otros géneros líricos, entre ellos los amorosos y religiosos. Los estudios de conjunto han sido realizados por Kolb [1959], orientado al estudio del contenido y clasificación de su obra, y Reedy [1964], que estudia los procedimientos estilísticos y la variedad genérica de los poemas. Las contribuciones documentales se deben a Lohmann Villena [1937, 1944, 1948], quien también aborda aspectos de la obra, y Xammar [1940, 1944 *a*, 1944 *b*, 1946, 1947], atento a los manuscritos del poeta satírico, publica una serie de sonetos y algunos «bayles» inéditos. Bellini [1966] enfoca el racionalismo de Caviedes en la contemplación de las causas naturales del terremoto y rechaza su comparación con Quevedo. Hopkins [1975] analiza el desengaño. Un debate sobre el criollismo o peruanismo de Valle Caviedes ha sido largamente sostenido por Sánchez [1947, 1950]. La mejor edición de su obra es la de Reedy [1984], seguida de la de Vargas Ugarte (Clásicos peruanos, Lima, 1947). Antologías de partes importantes de su obra pueden hallarse en García Calderón (Brouwer, París, 1938) y Romualdo y Salazar Bondy (Librería Internacional del Perú, Lima, 1957).

Otra mujer viene a cerrar este capítulo, sor Josefa Francisca del Castillo (1671-1742), llamada La Madre Castillo. Nació y murió en Tunja, Colombia, encerrada desde niña en el convento de Santa Clara, un establecimiento pequeño y de pobres recursos. Dejó dos obras que la aproximan a la literatura mística de santa Teresa y san Juan de la Cruz, a quienes leyó, y que se publicaron mucho después de su muerte. Una es su autobiografía, *Vida de la venerable madre Francisca de la Concepción* (Filadelfia, 1817; otras eds., *Mi vida*, Imp. Nacional, 1942; Ministerio de Educación Pública, Bogotá, 1956, BAC, 103). La segunda, mezcla de comentario en prosa y poesía mística, se publicó por primera vez en 1843. Hay varias ediciones modernas de *Afectos espirituales* (ABC, Bogotá, 1942; Ministerio de Educación Nacional, Bogotá, 1956, BAC 104-105, 2 vols.; y la edición de D. Achury Valenzuela, *Análisis crítico de los «Afectos espirituales» de sor Francisca Josefa de la Concepción Castillo*, Imp. Nacional, Bogotá, 1962). Ambas se recogen en la edición de sus *Obras completas* (ed. de D. Achury Valenzuela, Talleres Gráficos del Banco de la República, Bogotá, 1968, 2 vols.). Su obra ha sido estudiada por Gómez Restrepo [1946], Sánchez [1957], Achury Valenzuela [1958, 1962, 1968] y Morales Barrero [1968].

La poética hispanoamericana de la época cuenta con un número reducido y desigual de obras que han atraído la atención de la crítica. El *Discurso en loor de la poesía*, de la llamada Primera Poetisa Anónima, se publicó como preliminar de la *Primera parte del Parnaso Antártico* (por Alonso Rodríguez Gamarra, Sevilla, 1608), del poeta sevillano Diego de Mexía y Fernangil. Los estudios críticos que le han dedicado Tauro [1948] y Cornejo Polar [1964] incluyen edición del texto y notas; el de

Tauro se dirige a completar la información correspondiente a los miembros de la Academia Antártica mencionados en el poema y a un análisis léxico. Cornejo estudia, por su parte, las fuentes poéticas y retóricas del *Discurso*, estableciendo su relación con el contexto de las ideas de su tiempo. Edita el texto conforme a la edición príncipe, con notas críticas y temáticas. La obra de mayor relieve y la más notable de la poética colonial es el *Apologético en favor de don Luis de Góngora*, de Juan de Espinosa Medrano (1632-1688), el Lunarejo, con dos ediciones (en la Imprenta de Juan de Quevedo y Zárate, Lima, 1662, y 1694). Modernamente hay ediciones de García Calderón (*Bulletin Hispanique*, 1925; y Desclée de Browver, París, 1938); de Luis Nieto (*Revista Universitaria*, 122-123, 124-125, Cuzco, 1965) y de A. Tamayo Vargas (Biblioteca Ayacucho, 98, Caracas, 1982). Destacado por Menéndez Pelayo [1911, 1948], valorado por Dámaso Alonso [1935, 1950] en los estudios sobre Góngora, la crítica ha prestado constante atención al *Apologético*. Giordano [1961], Jammes [1966], Labertit [1970], Sanchis-Banus [1975], Tamayo Vargas [1977, 1982] (véase reseña de Cisneros [1983]), Roggiano [1978], Cisneros [1982, 1983 a, 1983 b, 1983 c] y Núñez [1983], han analizado diferentes aspectos de la obra. La poética hispanoamericana no tiene ningún otro texto de este nivel y categoría, pero se pueden agregar como ejemplos de la modalidad manerista y barroca de tratar asuntos de poética el *Compendio apologético en alabanza de la poesía*, del obispo Balbuena, que aparece entre los preliminares de su *Grandeza mexicana* y, entre ellos también, su *Carta al arcediano* que explica la canción incluida. Con signo contrario, el del vituperio, puede contarse en este género de obras la *Invectiva apologética*, de Hernando Domínguez Camargo. Se trata de obras en prosa en las cuales los propios autores explican sus poemas para encarecer la erudición propia y dignificar su objeto, o para denostar al imitador y defender la propia obra frente a la imitación ajena.

BIBLIOGRAFÍA

Abreu Gómez, Ermilo, «El *Primero sueño* de sor Juana Inés de la Cruz», *Contemporáneos*, 4 (1928), pp. 46-54.

—, *Clásicos, románticos, modernos*, Botas, México, 1934.

—, *Sor Juana Inés de la Cruz. Bibliografía y Biblioteca* (Monografías Bibliográficas Mexicanas, 29), México, 1934.

—, *Semblanza de sor Juana*, Ediciones Letras de México, México, 1938.

—, «Prólogo», a *Poesías* de sor Juana Inés de la Cruz, Botas, México, 1940.

Achury Valenzuela, Darío, «La Venerable Madre del Castillo», *Revista Nacional de Cultura*, 20 (1958), pp. 108-120.

—, *Análisis crítico de los «Afectos espirituales» de sor Francisca Josefa de la Concepción del Castillo*, Ministerio de Educación Nacional, Bogotá, 1962.

—, «Introducción», a sor F. J. de la Concepción del Castillo, *Obras completas*, Talleres Gráficos del Banco de la República, Bogotá, 1968, 2 vols.

Adán, Martín, «Amarilis», *Mercurio Peruano*, 148 (1939), pp. 185-193.

Adib, Víctor, «Fray Miguel de Guevara y el Soneto a Cristo Crucificado», *Ábside*, 13 (1949), pp. 311-326.

Alonso, Dámaso, *La lengua poética de Góngora*, Madrid, 1935; 3.ª ed. revisada, RFE, Madrid, 1961, Anejo XX.

—, *Poesía española. Ensayo de métodos y límites estilísticos*, Gredos, Madrid, 1950.

—, «Primer escalón de los manierismos del siglo XVI. Plurimembraciones y correlaciones de Garcilaso a Gutierre de Cetina», *Asclepio*, 18-19 (1966-1967), pp. 61-76.

Arroyo, Anita, *Razón y pasión de sor Juana Inés de la Cruz*, Porrúa y Obregón, México, 1952.

Bataillon, Marcel, «El anónimo del soneto "No me mueve, mi Dios..."», *Varia lección de clásicos españoles*, Gredos, Madrid, 1964, pp. 419-440.

Bellini, Giuseppe, *La poesia di sor Juana Inés de la Cruz*, La Goliardica, Milán, 1954.

—, «La poesia di sor Juana Inés de la Cruz», *Due classici ispano-americani*, La Goliardica, Milán, 1962, pp. 53-117.

—, *L'opera letteraria di sor Juana Inés de la Cruz*, Instituto Editoriale Cisalpino, Milán, 1964.

—, «Actualidad de Juan del Valle Caviedes», *Caravelle*, 7 (1966), pp. 153-165.

Benassy-Berling, Marié-Cécile, *Humanismo y religión de sor Juana Inés de la Cruz*, UNAM, México, 1983.

Blanco Aguinaga, Carlos, «Dos sonetos del siglo XVII: amor-locura en Quevedo y sor Juana», *Modern Language Notes*, 77 (1962), pp. 145-162.

Buxó, José Pascual, *Arco y Certamen de la poesía mexicana colonial (siglo XVII)*, Universidad Veracruzana (Cuadernos de la Facultad de Filosofía y Letras), México, 1959.

—, *Góngora en la poesía novohispana*, Imprenta Universitaria, México, 1960.

—, «En torno a la muerte y el desengaño en la poesía novohispana», *Anuario de Filología*, 1:1 (Universidad de Zulia, Maracaibo, 1962), pp. 31-53.

—, «Sobre la *Relación fúnebre a la infeliz, trágica muerte de dos caballeros*, de don Luis de Sandoval y Zapata», *Anuario de Letras*, 4 (UNAM, México, 1964), pp. 237-254.

—, *Muerte y desengaño en la poesía novohispana (Siglos XVI y XVII)*, UNAM (Letras del XVI al XVIII, Textos y Estudios, 2), México, 1975.

—, «Bernardo de Balbuena o el manierismo plácido», en varios autores, *La dispersión del manierismo (Documentos de un coloquio)*, Universidad Nacional Autónoma de México, México, 1980, pp. 113-146.

—, *Las figuraciones del sentido. Ensayos de poética semiológica*, Fondo de Cultura Económica, México, 1984.

Cáceres, María Leticia, *El Manuscrito de Ayacucho*, Biblioteca Nacional del Perú, Lima, 1972.

—, *La personalidad y la obra de don Juan del Valle y Caviedes*, El Sol, Arequipa, Perú, 1975.

Caillet-Bois, Julio, *Antología de la poesía hispanoamericana*, Aguilar, Madrid, 1958; 1965².

Carilla, Emilio, *El gongorismo en América*, Universidad de Buenos Aires, Buenos Aires, 1946.

—, «Quevedo en América: sor Juana, Caviedes y el padre Aguirre», *Quevedo (entre dos centenarios)*, Universidad Nacional, Tucumán, 1949.

—, «Nota para la biografía de "el Lunarejo"», *Revista de Filología Española*, 24 (1950), pp. 265-268.

—, «Sor Juana: ciencia y poesía (Sobre el *Primero sueño*)», *Revista de Filología Española*, 36 (1952), pp. 287-307.

—, «Rosas de Oquendo y el Tucumán», *Libro Jubilar de Alfonso Reyes*, Dirección General de Difusión Cultural, México, 1956, pp. 107-139; reimpreso en *Estudios de literatura argentina (siglos XVI y XVII)*, Universidad Nacional de Tucumán, Tucumán, 1968, pp. 81-113.

—, «Trayectoria del gongorismo en Hispanoamérica», *Atenea*, 393 (1961), pp. 110-121.

—, *La literatura barroca en Hispanoamérica*, Anaya, Madrid, 1972.

Carreño, Alberto María, *Joyas literarias del siglo XVII encontradas en México. Fray Miguel de Guevara y el célebre soneto castellano «No me mueve, mi Dios, para quererte»*, Imprenta Franco, México, 1915; Ediciones Victoria, México, 1965².

—, «*No me mueve, mi Dios, para quererte». Consideraciones nuevas sobre un viejo tema*, México, 1942.

Castro Leal, Antonio, «Unos versos desconocidos de Terrazas y un falso privilegio», *Revista de Literatura Mexicana* (1940).

—, «Un soneto de Terrazas inspirado en Camoes», *Revista de Literatura Mexicana* (1941).

—, ed., «Prólogo» a Francisco de Terrazas, *Poesías*, Librería de Porrúa Hermanos, México, 1941, pp. vii-xvii.

Cervantes, Enrique, *Testamento de sor Juana Inés de la Cruz y otros documentos*, México, 1949.

Cisneros, Luis Jaime, «Misoginia y profeminismo (Para las fuentes de la *Defensa de damas*)», *Mercurio Peruano*, 340 (1955), pp. 503-514; 343 (1955), pp. 683-700; 344 (1955), pp. 765-785; 346 (1956), pp. 35-62; 347 (1956), pp. 96-106.

—, «Diego Mexía y Garcilaso», *Quaderni Ibero-Americani*, 3:19-20 (1956), pp. 182-184.

—, «Castiglione en el Perú», *Quaderni Ibero-Americani*, 3:21 (1957), pp. 343-344.

—, *Bernabé Cobo - Juan del Valle Caviedes*, Editorial Universitaria, Lima, 1966.

—, «Dos temas renacentistas en un libro peruano colonial», *Litterae Hispaniae et Lusitaniae*, Hrgs. von H. Flasche, Munich, 1969, pp. 125-130.

—, «Huellas de Góngora en los sermones del Lunarejo», *Lexis*, 6:2 (1982), pp. 141-159.

—, «Un ejercicio de estilo del Lunarejo», *Lexis*, 7:1 (1983), pp. 133-158.

—, «Un cruce de lecturas en Espinosa Medrano», *Lexis*, 7:2 (1983), pp. 311-314.

—, «Juan de Espinosa Medrano, *Apologético*. Selección, prólogo y cronología de Augusto Tamayo Vargas...», *Lexis*, 7:2 (1983), pp. 315-326.

Clarke, Dorothy Clotelle, «Importancia de la versificación de sor Juana», *Revista Iberoamericana*, 17 (1951), pp. 27-31.

Colombí-Monguió, Alicia de, «El poema del padre Matías de Bocanegra: trayectoria de una imitación», *Thesaurus*, 36 (1981), pp. 1-21.

—, «Las visiones de Petrarca en la América virreinal», *Revista Iberoamericana*, 120-121 (1982), pp. 563-586.

Cornejo Polar, Antonio, «*Discurso en loor de la poesía*». Estudio y edición, Universidad Nacional Mayor de San Marcos, Lima, 1964.

Corripio Rivero, Manuel, «Una minucia en *El Sueño* de sor Juana: ¿Almone o Alcione?», *Ábside*, 29:4 (1965), pp. 472-481.

Chang-Rodríguez, Raquel, y Antonio R. de la Campa, eds., *Poesía hispanoamericana colonial. Antología*, Alhambra, Madrid, 1985.

Chávez, Ezequiel A., *Ensayo de psicología de sor Juana Inés de la Cruz*, Araluce, Barcelona, 1931.

—, *Sor Juana Inés de la Cruz. Su misticismo y su vocación filosófica y literaria*, Asociación Civil «Ezequiel A. Chávez», México, 1968.

Cheesman Jiménez, Javier, «La información de Cervantes sobre los poetas del Perú», *Boletín del Instituto Riva Agüero*, 1:1 (Lima, 1951-1952), pp. 325-340.

—, «Nota sobre Cristóbal de Arriaga Alarcón, poeta de la Academia Antártica», *Boletín del Instituto Riva Agüero*, 1:1 (Lima, 1951-1952), pp. 341-348.

—, «Nota sobre el doctor Figueroa, poeta alabado en el *Discurso en loor de la poesía*», *Boletín del Instituto Riva Agüero*, 1:1 (Lima, 1951-1952), pp. 349-365.

Davis, William M., «Culteranismo in the *Sueño* of Sor Juana Inés de la Cruz», *Philologica Pragensia*, 11-2 (1968), pp. 96-107.

Durán Luzio, Juan, «*Grandeza mexicana*, grandeza del Nuevo Mundo», *Creación y Utopía: letras de Hispanoamérica*, EUNA, San José de Costa Rica, 1979, pp. 53-69.

Flynn, Gerard, «The *Primero sueño* of Sor Juana Inés de la Cruz: A Revision of the Cristicism», *Revista Interamericana de Bibliografía*, 25 (1965), pp. 355-359.

—, *Sor Juana Inés de la Cruz*, Twayne Publishers, Nueva York, 1971.

Franco, A., *El tema de América en los autores españoles del Siglo de Oro*, Madrid, 1954.

Fucilla, Joseph G., «A Peruvian Petrarchist: Diego d'Ávalos y Figueroa», *Philological Quarterly*, 8 (1929), pp. 355-368.

—, *Estudios sobre el petrarquismo en España*, CSIC (RFE, Anejo, 72), Madrid, 1960.

Gaos, José, «El sueño de un sueño», *Historia Mexicana*, 10 (1960-1961), pp. 54-71.

Gallardo, Bartolomé José, *Ensayo de una biblioteca española de libros raros y curiosos*, Rivadeneira, Madrid, 1863, 4 vols.; ed. revisada y ampliada por M. R. Barco del Valle y J. Sancho Rayón, Imprenta y Fundición de Manuel Tello, Madrid, 1889, 4 vols.

García Calderón, Ventura, «Juan de Espinosa Medrano», *Revue Hispanique*, 148 (1925), pp. 397-403.

—, *El apogeo de la literatura colonial*, Desclée de Brouwer (Biblioteca de Cultura Peruana, Primera serie, 5), París, 1938.

García Icazbalceta, Joaquín, «La *Grandeza mexicana* de Balbuena», *Opúsculos varios*, México, 1896, tomo II, pp. 187-215.

—, *Francisco de Terrazas y otros poetas del siglo XVI*, Ediciones José Porrúa Turanzas (Biblioteca Tenanitla, Libros españoles e hispanoamericanos, 1), Madrid, 1962.

Gates, Eunice Joiner, «Reminiscences of Góngora in the Works of Sor Juana Inés de la Cruz», *PMLA*, 54 (1939), pp. 1041-1058.

Giordano, Jaime, «Defensa de Góngora por un comentarista americano», *Atenea*, 393 (1961), pp. 226-241.

Gómez Restrepo, Antonio, *Historia de la literatura colombiana*, Ministerio de Educación Pública, Bogotá, 1946, tomo II, pp. 33-162.

Guernelli, Giovanni, *Gaspara Stampa, Louise Labé y sor Juana Inés de la Cruz, tríptico renacentista-barroco*, Editorial Universitaria, San Juan, Puerto Rico, 1972.

Henríquez Ureña, Pedro, «Sor Juana Inés de la Cruz: Bibliografía», *Revista de Humanidades*, 40 (1917), pp. 161-214.

—, «Nuevas poesías atribuidas a Terrazas», *Revista de Filología Española*, 5 (1918), pp. 49-56.

Hopkins Rodríguez, Eduardo, «El desengaño en la poesía de Juan del Valle Caviedes», *Revista de Crítica Literaria Latinoamericana*, 1:2 (1975), pp. 7-19.

Huff, sor Mary Cyria, *The Sonnet «No me mueve, mi Dios» -Its Theme in Spanish Tradition*, The Catholic University of America (Studies in Romance Languages and Literatures, 33), Washington, 1948.

Icaza, Francisco A. de, «El códice *Flores de baria poesía*», *Obras*, Fondo de Cultura Económica, México, 1980, tomo I, p. 8.

Iguiniz, Juan B., «Catálogo de las obras de y sobre sor Juana Inés de la Cruz existentes en la Biblioteca Nacional», *Boletín de la Biblioteca Nacional*, 2:4 (1951), pp. 9-18.

Jammes, Robert, «Juan de Espinosa Medrano et la poésie de Góngora», *Caravelle*, 7 (1966), pp. 127-142.

Jiménez Rueda, Julio, *Sor Juana Inés de la Cruz en su época*, Editorial Porrúa, México, 1951.

Jones, Joseph R., «La erudición elegante: Observations on the Emblemata Tradition in Sor Juana's "Neptuno alegórico" and Sigüenza y Góngora's *Teatro de virtudes políticas*», *Hispanófila*, 65 (1979), pp. 43-58.

Kolb, Glen L., *Juan del Valle Caviedes. A Study of the Life, Times and Poetry of a Spanish Colonial Satirist*, New London, Connecticut, 1959.

Labertit, André, «Exercices de style et lecture de Góngora au Pérou vers 1660», *Tilas, X. Bulletin de la Faculté des Lettres de Strasbourg*, 8 (1970), pp. 447-458.

Lafon, René, «Phrases et expressions basques dans un villancico de sor Juana Inés de la Cruz», *Bulletin Hispanique*, 56 (1954), pp. 178-180.

Lasarte, Pedro, «Mateo Rosas de Oquendo: la sátira y el carnaval», *Hispanic Review*, 53:4 (1985), pp. 415-436.

Lascaris Comneno, Constantino, «Fundamentación ideológica de sor Juana Inés de la Cruz», *Cuadernos Hispanoamericanos*, 25 (1952), pp. 50-62.

Leiva, Raúl, *Introducción a sor Juana: sueño y realidad*, Universidad Nacional Autónoma de México (Letras del XVI al XVIII, Textos y Estudios, 1), 1976.

Leonard, Irving A., «Some Góngora Centones in Mexico», *Hispania*, 12:4 (1929), pp. 563-572.

—, «More conjectures regarding the identity of Lope de Vega's Amarilis Indiana», *Hispania*, 20:2 (1937), pp. 113-120.

—, *Baroque Times in Old Mexico*, The University of Michigan Press, Ann Arbor, 1959; trad. cast.: *La época barroca en México*, Fondo de Cultura Económica, México, 1974.

Lezama Lima, J., *La expresión americana*, Editorial Universitaria, Santiago de Chile, 1969.

Lohmann Villena, Guillermo, «Dos documentos inéditos sobre don Juan del Valle y Caviedes», *Revista Histórica*, 11 (1937), pp. 277-283.

—, «Una poesía autobiográfica de Caviedes inédita», *Boletín Bibliográfico de la Biblioteca Central de la Universidad Nacional Mayor de San Marcos*, 17:1-3 (1944).

—, «Un poeta virreinal del Perú: Juan del Valle Caviedes», *Revista de Indias*, 8 (1948), pp. 694-771.

—, «La literatura de los siglos XVI y XVII», en Guillermo Díaz-Plaja, *Historia general de las literaturas hispánicas*, Barna, Barcelona, 1953, tomo III, pp. 977-995.

—, «Enrique Garcés, "arbitrista y poeta"», *Documenta*, 1, Lima, 1973.

López Baralt, L., «Anonimia y posible filiación espiritual islámica del soneto "No me mueve, mi Dios, para quererte"», *Nueva Revista de Filología Hispánica*, 24 (1975), pp. 243-266.

López Cámara, Francisco, «El cartesianismo en sor Juana y Sigüenza y Góngora», *Filosofía y Letras*, 39 (México, 1950), pp. 107-131.

López Estrada, Francisco, «En torno al soneto "A Cristo crucificado"», *Boletín de la Real Academia*, 33 (1953), pp. 95-106.

Lowe, Elizabeth, «The Gongorist Model in the *Primero sueño*», *Revista de Estudios Hispánicos*, 10 (1976), pp. 409-427.

Lumsden-Kouvel, Audrey, y Alexander P. MacGregor, «The Enchantrees Almone Revealed: A Note on Sor Juana Inés de la Cruz' Use of a Classical Source in the *Primero sueño*», *Revista Canadiense de Estudios Hispánicos*, 2:1 (1977), pp. 65-71.

Martinengo, Alessandro, «La mitologia classica come repertorio stilistico dei concettisti ispano-americani», *Studi di Letteratura Ispano-Americana*, 1 (1969).

Martínez Gómez, J., «Visión barroca de la mujer en Caviedes», *XVII Congreso del Instituto Internacional de Literatura Iberoamericana*, Madrid, 1978, pp. 269-280.

Maza, Francisco de la, *Las piras funerarias en la historia y en el arte de México*, UNAM, México, 1946.

—, «Sor Juana en el elogio de sus contemporáneos», *Ábside*, 16:2 (1952), pp. 185-198.

—, *Sor Juana Inés de la Cruz ante la Historia* (Biografías antiguas. La *Fama* de 1700. Noticias de 1667 a 1892), recopilación de Francisco de la Maza y revisión de Elías Trabulse, Universidad Nacional Autónoma de México, 1980.

Medina, José Toribio, *La imprenta en Lima*, Santiago de Chile, 1904.

—, *La imprenta en México, 1539-1821*, Santiago de Chile, 1907-1912, 8 vols.

—, *Poetas hispanoamericanos celebrados por Lope de Vega en el «Laurel de Apolo»*, Imprenta Universitaria, Santiago de Chile, 1924.

Méndez Bejarano, M., *Poetas españoles que vivieron en América*, Renacimiento, Madrid, 1929.

Méndez Plancarte, Alfonso, «Don Luis de Sandoval y Zapata (siglo XVII)», *Abside*, 1:1 (1937), pp. 37-54.

—, ed., *Poetas novohispanos. Primer siglo (1521-1621)*, UNAM (Biblioteca del Estudiante Universitario, 33), México, 1942.

—, ed., *Poetas novohispanos. Segundo siglo (1621-1721)*, UNAM (Biblioteca del Estudiante, 43), México, 1944.

—, «Prólogo» a sor Juana Inés de la Cruz, *I. Lírica personal*, Fondo de Cultura Económica, México, 1951.

—, «Prólogo» a sor Juana Inés de la Cruz, *II. Villancicos y letras sacras*, Fondo de Cultura Económica, México, 1952.

Menéndez Pelayo, M., *Antología de poetas hispanoamericanos*, Real Academia Española, Madrid, 1893-1894.

—, *Historia de la poesía hispanoamericana*, Victoriano Suárez, Madrid, 1911-1913, 2 vols.; otra ed., Aldus, Santander, 1948.

—, «De la poesía mística», *Estudios de crítica literaria*, Madrid, 1915, pp. 49-50.

—, *Historia de las ideas estéticas en España*, Aldus, Santander, 1947.

Merlo, J. C., «Introducción» a sor Juana, *Obras escogidas*, Bruguera, Barcelona, 1968, pp. 9-45; otra ed., 1972.

Miró Quesada S., Aurelio, *El primer virrey-poeta en América (Don Juan de Mendoza y Luna, marqués de Montesclaros)*, Gredos, Madrid, 1962.

Moldenhauer, Gerardo, «Observaciones críticas para una edición definitiva del *Sueño* de sor Juana Inés de la Cruz», *Boletín de Filología*, 8 (Santiago de Chile, 1954-1955), pp. 293-306.

Monguió, Luis, *Sobre un escritor elogiado por Cervantes. Los versos del perulero Enrique Garcés y sus amigos, 1591*, University of California Press, Berkeley y Los Ángeles, 1960.

Monterde, Francisco, «Introducción» a Bernardo de Balbuena, *Grandeza mexicana*, UNAM (Biblioteca del Estudiante Universitario), México, 1941.

Morales Barrero, María Teresa, *La Madre Castillo: su espiritualidad y su estilo*, Instituto Caro y Cuervo, Bogotá, 1968.

Navarro Tomás, Tomás, «Los versos de sor Juana», *Romance Philology*, 7:1 (1953), pp. 44-50; reimpreso en *Los poetas en sus versos, desde Jorge Manrique a García Lorca*, Ariel, Barcelona, 1973, pp. 163-179.

Núñez Cáceres, Javier, «Propósito y originalidad del *Apologético* de Juan de Espinosa Medrano», *Nueva Revista de Filología Hispánica*, 52:1 (1983), pp. 170-175.

O'Gorman, Edmundo, «Dos documentos de nuestra historia literaria (siglo XVI)», *Boletín del Archivo General de la Nación* (México, octubre-diciembre de 1940).

Oyuela, Calixto, *Poetas hispanoamericanos*, Buenos Aires, 1919-1920, 2 vols.; otra ed.: Academia Argentina de Letras, Buenos Aires, 1949-1950, 2 vols.

Paz, Octavio, «Sor Juana Inés de la Cruz», *Sur*, 206 (Buenos Aires, 1951), pp. 29-

40; reimpreso en *Las peras del olmo*, Imprenta Universitaria, México, 1960, y Seix Barral (Biblioteca Breve de Bolsillo, Libros de Enlace, 103), Barcelona, 1971, pp. 34-48.

—, *Sor Juana Inés de la Cruz o Las trampas de la fe*, Seix Barral (Biblioteca Breve), Barcelona, 1982.

Paz y Meliá, Antonio, «Cartapacio de diferentes versos a diversos asuntos compuestos o recogidos por Mateo Rosas de Oquendo», *Bulletin Hispanique*, 8 (1906), pp. 154-162; 257-278; 9 (1907), pp. 154-185.

Peña Muñoz, Margarita, «Juan de la Cueva, poeta del cancionero *Flores de baria poesía*», *Actas del Séptimo Congreso de la Asociación Internacional de Hispanistas*, tomo II, pp. 799-806.

—, ed., *Flores de baria poesía*, UNAM, México, 1980, prólogo, pp. 7-74.

Perelmuter Pérez, Rosa, *Noche intelectual: la oscuridad idiomática en el «Primero sueño»*, UNAM (Letras del siglo XVI al XVIII), México, 1982.

—, «La estructura retórica de la *Respuesta a sor Filotea*», *Hispanic Review*, 51:2 (1983), pp. 147-158.

Pfandl, Ludwig, *Die Zehnte Muse von Mexico. Juana Inés de la Cruz. Ihre Leben, Ihre Dichtung, Ihre Psyche*, Verlag, Hermann Rinn, Munich, 1946; trad. cast. de Juan Antonio Ortega y Medina, Instituto de Investigaciones Estéticas de la UNAM, México, 1963.

—, *Cultura y costumbres del pueblo español en los siglos XVI y XVII*, Araluce, Barcelona, 1959.

Puccini, Dario, *Sor Juana Inés de la Cruz: Studio d'una personalità del Barocco messicano*, Edizioni dell'Ateneo, Roma, 1967.

Rama, Ángel, «Fundación del Manierismo hispanoamericano por Bernardo de Balbuena», *The University of Dayton Review*, 16:2 (1983), pp. 13-22.

Ramírez España, Guillermo, *La familia de sor Juana Inés de la Cruz. Documentos inéditos* (con introducción y notas), Imprenta Universitaria, México, 1947.

Reedy, Daniel R., *The Poetic Art of Juan del Valle Caviedes*, The University of North Carolina Press, Chapel Hill, 1964.

—, ed., *Juan del Valle Caviedes, Obras completas*, Biblioteca Ayacucho, 107, Caracas, 1984.

Reyes, Alfonso, «Sobre Mateo Rosas de Oquendo, poeta del siglo XVI», *Revista de Filología Española*, 4 (1917), pp. 341-370; reimpreso en *Capítulos de Literatura Española* (Primera serie), La Casa de España en México, 1939, pp. 21-71.

—, *Letras de la Nueva España*, Fondo de Cultura Económica, México, 1948.

Reyes Ruiz, Jesús, *La época literaria de sor Juana Inés de la Cruz*, Ediciones del Departamento de Acción Social, Universidad de Nuevo León, Monterrey, 1951.

Ricard, Robert, *Une poétesse mexicaine du XVIIᵉ siècle: sor Juana Inés de la Cruz*, Centre de Documentation Universitaire, París, 1954.

—, «Encore le thème de Jésus crucifié», *Bulletin Hispanique*, 59 (1957), pp. 75-76.

—, «Manuel Bernardes, sor Juana Inés de la Cruz et le père Kircher», *Revista da Facultade de Letras*, 13:3 (Lisboa, 1971), pp. 349-353.

—, «À propos de "conticinio" dans le *Sueño* de sor Juana Inés de la Cruz», *Les Lettres Romanes*, 26 (1972), pp. 249-254.

—, «Reflexiones sobre *El sueño* de sor Juana Inés de la Cruz», *Revista de la Universidad de México*, 30:4-5 (1975-1976), pp. 25-32.

Rico, Francisco, *El pequeño mundo del hombre. Varia fortuna de una idea en las letras españolas*, Castalia, Madrid, 1970, y Alianza, Madrid, 1986² (ed. aumentada), pp. 132-134.

Rivers, Elías, «Soneto a Cristo crucificado, line 12», *Bulletin of Hispanic Studies*, 35 (1958), pp. 36-37.

—, «El ambiguo *Sueño* de sor Juana», *Cuadernos Hispanoamericanos*, 189 (1965), pp. 271-282.

—, «Nature, Art and Science in Spanish Poetry of the Renaissance», *Bulletin of Hispanic Studies*, 44:4 (1967), pp. 255-262.

Rodríguez Fernández, Mario, «El tópico de la alabanza en la poesía lírica americana», *Atenea*, 393 (1961), pp. 202-225.

Rodríguez-Moñino, Antonio, «Sobre poetas hispanoamericanos de la época virreinal (con un ejemplo: Martín de León)», *Papeles de Son Armadans* (1968), pp. 5-36; reimpreso en *La transmisión de la poesía española en los Siglos de Oro*, Ariel (Letras e Ideas, Maior, 5), Barcelona, 1976.

Roggiano, Alfredo A., *En este aire de América*, Editorial Cultura, México, 1966.

—, «Conocer y hacer en sor Juana Inés de la Cruz», *Revista de Occidente*, 15 (1977), pp. 51-54.

—, «Juan de Espinosa Medrano: apertura hacia un espacio crítico en las letras de América Hispánica», *Hispamérica* (1978), pp. 101-111.

Rojas Garcidueñas, José, «Sor Juana Inés de la Cruz. La poesía barroca», *Revista de la Universidad*, 14-15 (Monterrey, 1957), pp. 57-71.

—, *Bernardo de Balbuena: la vida y la obra*, Instituto de Investigaciones Estéticas de la UNAM, México, 1958.

Romualdo, Alejandro, y Sebastián Salazar Bondy, *Antología general de la poesía peruana*, Librería Internacional del Perú, Lima, 1957.

Rosaldo, Renato, «*Flores de baria poesía*: Apuntes preliminares para el estudio de un cancionero mexicano del siglo XVI», *Hispania*, 34 (1951), pp. 177-180.

—, «*Flores de baria poesía*: Estudio preliminar de un cancionero inédito mexicano del siglo de 1557», *Ábside*, 15:3 (1951), pp. 373-396; 15:4 (1951), pp. 523-550; 16:1 (1952), pp. 91-122.

Rubio Mañé, Ignacio, «Bernardo de Balbuena y su *Grandeza mexicana*», *Boletín del Archivo General de la Nación*), segunda serie, 1 (México, 1960), pp. 87-100.

Sàbat de Rivers, Georgina, «Nota bibliográfica sobre sor Juana Inés de la Cruz: son tres las ediciones de Barcelona, 1693», *Nueva Revista de Filología Hispánica*, 23:2 (1974), pp. 391-401.

—, *El «Sueño» de sor Juana Inés de la Cruz: tradiciones literarias y originalidad*, Támesis, Londres, 1977.

—, «Balbuena: géneros poéticos y la epístola épica a Isabel de Tobar», *Texto crítico*, 10:28 (1984), pp. 41-66.

—, ed., «Introducción» a sor Juana Inés de la Cruz, *Inundación Castalida*, Castalia (Clásicos Castalia, 117), Madrid, 1983.

Salceda, Alberto G., «Introducción» a sor Juana, *Obras completas*, Fondo de Cultura Económica, México, 1962, tomo IV, pp. vii-xlviii.

Sánchez, Luis A., *Los poetas de la Colonia y de la Revolución*, Lima, 1921; edición revisada, Editorial PTCM, Lima, 1947.

—, *Góngora en América y «el Lunarejo» y Góngora*, Quito, 1927.

—, *La literatura peruana*, Guarania, Buenos Aires, 1950-1951, 6 vols.

—, *Escritores representativos de América*, Gredos, Madrid, 1957.

—, «Barroco, renacentismo, gongorismo, culteranismo y su versión hispanoamericana», *XVII Congreso del Instituto Internacional de Literatura Iberoamericana*, Madrid, 1978, pp. 281-288.

Sanchis-Banus, José, «En torno al *Apologético* de Espinosa Medrano, en favor de Góngora y contra Faria y Sousa, y acerca del hipérbaton gongorino», *Mélanges offerts à Charles Vincent Aubrun*, Éditions Hispaniques, París, 1975, tomo II, pp. 223-238.

Sarre, Alicia, «Gongorismo y conceptismo en la poesía lírica de sor Juana», *Revista Iberoamericana*, 17 (1951), pp. 33-52.

Schons, Dorothy, *Bibliografía de sor Juana Inés de la Cruz* (Monografías Bibliográficas Mexicanas, 7), México, 1927.

—, *Algunos parientes de sor Juana Inés de la Cruz*, Imprenta Mundial (El Libro y el Pueblo, 12), México, 1935.

—, «The Influence of Góngora on Mexican Literature during the Seventeenth Century», *Hispanic Review*, 7 (1939), pp. 23-34.

Schuhrmacher, G., y J. Wicki, «Apéndice II», *Epistolae San Francisci Xaverii aliaque ejus scripta* (Monumenta Historica Societatis Iesus, vol. 68), Roma, 1945, tomo II, pp. 526-535.

Schwartz, Kessel, «*Primero Sueño* — A Reinterpretation», *Kentucky Romance Quarterly*, 22 (1975), pp. 473-490.

Sobejano, Gonzalo, *El epíteto en la lírica española*, Gredos, Madrid, 1956.

Souviron, José María, *Amarilis*, Zig-Zag, Santiago de Chile, 1935.

Spell, Lota May, *Cuatro documentos relativos a sor Juana*, Imprenta Universitaria, México, 1947.

Spitzer, Leo, «"No me mueve, mi Dios..."», *Nueva Revista de Filología Hispánica*, 7 (1953), pp. 608-617.

Tamayo Vargas, Augusto, «Juan Espinosa Medrano, "el Lunarejo"», *Boletín de la Academia Peruana de la Lengua*, 12 (1977), pp. 40-86.

—, ed., Juan Espinosa Medrano, *Apologético* (selección, prólogo y cronología) (Biblioteca Ayacucho, 98), Caracas, 1982.

Tauro, Alberto, *Amarilis Indiana*, Ediciones Palabra, Lima, 1945.

—, *Esquividad y gloria de la Academia Antártica*, Editorial Huascarán (Colección de autores peruanos del siglo xx, IV), Lima, 1948.

Terry, Arthur, «Human and Divine love in the poetry of Sor Juana Inés de la Cruz», en *Studies in Spanish Literature of the Golden Age*, Tamesis Books, Londres, 1973, pp. 297-313.

Torres Rioseco, Arturo, «El *Apologético* en favor de don Luis de Góngora», *Ensayos sobre literatura latinoamericana*, Tezontle, México, 1953, pp. 57-64.

Trabulse, Elías, «Prólogo» a sor Juana Inés de la Cruz, *Florilegio*, Promexa, México, 1979.

Triviños, Gilberto, «Nacionalismo y desengaño en *El Bernardo* de Balbuena», *Acta Literaria*, 6 (Concepción, 1981), pp. 93-117.

Van Horne, John, *La «Grandeza mexicana» de Bernardo de Balbuena*, The University of Illinois, 1930.

Vargas Ugarte, Rubén, ed., *Rosas de Oquendo y otros*, Tipografía Peruana, Lima, 1955.

Vilanova, Antonio, «Preceptistas de los siglos XVI y XVII», en G. Díaz Plaja, *Historia general de las literaturas hispánicas*, Barna, Barcelona, 1953, tomo III, pp. 567-692.

—, *Las fuentes y los temas del Polifemo*, CSIC (RFE, Anejo, 66), Madrid, 1957.

Volek, Emil, «Un soneto de sor Juana Inés de la Cruz, "Detente sombra de mi bien esquivo"», *Cuadernos Americanos*, 223 (1979), pp. 196-211.

Vossler, Karl, *Die Welt im Traum, eine Dichtung der «Zehnte Muse von Mexico»*, Ulrich Riemerschmidt, Berlín, 1941; trad. cast. de G. Moldenhauer, «El mundo en el sueño», sor Juana, *Primero sueño*, Universidad de Buenos Aires, 1953, pp. 7-17.

—, «La "Décima Musa de México", sor Juana Inés de la Cruz», *Escritores y poetas de España*, Espasa-Calpe (Colección Austral, 771), Buenos Aires, 1947, pp. 113-129.

Xammar, Luis Fabio, «El terremoto en la literatura peruana» *3*, 6 (1940), pp. 43-56.

—, «Un manuscrito de Juan del Valle Caviedes en la Biblioteca Nacional, I», *Boletín de la Biblioteca Nacional*, 1:4 (1944), pp. 373-374.

—, «Un manuscrito de Juan del Valle Caviedes en la Biblioteca Nacional, II», *Boletín de la Biblioteca Nacional*, 2:5 (1944), p. 7.

—, «Veintitrés sonetos inéditos de Juan del Valle Caviedes», *Fénix*, 3 (1945), pp. 632-641.

—, «*La poesía de Juan del Valle y Caviedes en el Perú colonial*, Lima, 1946; reimpreso en *Revista Iberoamericana*, 12 (1947), pp. 79-91.

Xirau, Ramón, «Tres calas en la reflexión poética: sor Juana, Gorostiza, Paz», *Poetas de México y España*, José Porrúa Turanzas, Madrid, 1962, pp. 124-147.

—, *Genio y figura de sor Juana Inés de la Cruz*, EUDEBA, Buenos Aires, 1967.

Pedro Lasarte

MATEO ROSAS DE OQUENDO:
LA SÁTIRA Y EL CARNAVAL

La *Sátira a las cosas que pasan en el Pirú, año de 1598*, de Mateo
Rosas de Oquendo, es un romance excepcionalmente largo (de 2.120
versos). Es accesible al lector en dos transcripciones modernas —aunque no siempre fidedignas— del manuscrito 19.381 de la Biblioteca
Nacional de Madrid: la primera de 1906 por Antonio Paz y Meliá, y
la segunda de 1955 por Rubén Vargas Ugarte. A pesar de ser siempre
mencionado en las historias y manuales de la literatura hispanoamericana, el poema todavía no ha recibido un estudio adecuado, y lo que
mayormente se viene reiterando son las palabras algo apresuradas de
Alfonso Reyes [1939] de que la obra sólo valdría por el «testimonio
que ella nos da sobre la vida americana del siglo XVI», o que Rosas
era un hombre de «gustos vulgares, de fácil verso, y de vena satírica
y costumbrista». Nuestro propósito en este ensayo es el de presentar
una lectura de la *Sátira* que modifique algunas opiniones y permita
una comprensión de su especie textual e importancia histórico-literaria,
y que de paso —quizás— entregue algunas posibilidades de examen
hacia un mejor entendimiento del género satírico en su fijación hispánica, y colonial, a fines del siglo XVI y principios del XVII. [...]
    La disposición narrativa del poema, en sus líneas más generales,
abraza las tipologías de discurso escrito y oral: un testamento o despedida del narrador («Sepan quántos esta carta / ... vieren», vv. 1-4)
enmarca un sermón en el cual se denuncia la vida licenciosa de la corte

Pedro Lasarte, «Mateo Rosas de Oquendo: la sátira y el carnaval», *Hispanic Review*, 53:4 (1985), pp. 415-436.

peruana («Venga todo el pueblo junto, / no dexe de oirme nadie», vv. 43-44). Su contenido —apoyado en la tradición literaria— pasa revista a toda la fauna de tipos ya convencionalizados por el género satírico: «viejos verdes», mujeres lascivas, adúlteros, «cornudos», seductores, vírgenes falsas, soldados, esclavos, etc., todo lo cual se presenta en una compleja variación enunciativa de amonestaciones, avisos, consejos, exhortaciones, y apóstrofes, dirigidos en algunos casos a destinatarios específicos, en otros a la plaza o auditorio en su totalidad, manifestando el narrador un conocimiento directo de lo satirizado como experiencia personal adquirida durante su estadía en el virreinato del Perú, lugar del cual se alista para abandonar.

La denuncia satírica del poema, que recae principalmente sobre las actividades sexuales de las mujeres y la ostentación y oportunismo de la corte, llega a crear una imagen global denigrante de la vida virreinal. [...] Es, sin embargo, en los segmentos que denuncian la pretensión social y económica de la corte donde la voz satírica de Rosas parece alcanzar sus momentos más propiamente serios y vituperativos, y quizás su mayor apego a la realidad colonial, tal como lo habría interpretado su contemporáneo, Baltasar Dorantes de Carranza al transcribir algunos versos del poema, versos en los cuales el poeta se lamenta de que la travesía marítima «... a los baxos haze nobles, / y a los nobles ganapanes; / y en las plaias de Pirú (el mar), / ¡qué de bastardos que pare, / qué de Pero Sánches dones, / qué de dones Pero Sánches, / qué de Hurtados, Pachecos, / qué de Enrriques y Gusmanes, / ... / todos son hidalgos finos / de conosidos solares! / ... / no bienen honbres humildes / ni judíos ni ofisiales, / sino todos caualleros / y personas prinsipales» (vv. 1.529-1.548).

Ahora bien, no obstante los posibles frutos de reconstrucción histórica y social, lo que resalta en el poema es un sistema discursivo de compleja y equívoca formulación, tanto para la voz narrativa, o narrador, como para el mundo representado. El satírico se permite oscilar entre la denuncia y la aprobación del vicio y la corrupción: puede recriminar indignadamente a las mujeres («¡O malditas causadoras / de rrigurosos desastres! / desbenturado el piloto / que a vuestras Zirses llegare», vv. 1.279-1.282), pero contradictoriamente también puede ofrecer sus consejos a favor del mal. [...] Esta ambigüedad —cuando no ignorada por completo— ha sido leída como un obstáculo insuperable, o identificándose la voz del narrador con la persona del autor, se ha llegado a tratarle de «hipócrita», todo lo cual escamotea la comprensión del poema, cuyo sentido se halla precisamente en la ambivalencia y la contradicción.

Es importante observar que para la sátira hispánica la historia literaria se ha preocupado mayormente por sus antecedentes clásicos y didácticos, pasando por alto el debido reconocimiento de una importante herencia literaria que relativiza el didactismo a favor de la risa y el juego intrascendente, vertiente a la cual pertenece el poema de Rosas de Oquendo. De hecho, el uso de la *Sátira* como mero documento histórico ha eludido la comprensión de su especie textual y ha causado más de un error biográfico. Para hallar los orígenes de esta controvertida ambivalencia hay que remontarse al influjo —y sobrevivencia— de los ritos primitivos del carnaval en la literatura occidental; algo que, como ha visto Mijail Bajtin, desembocaría en los géneros serio-cómicos, la sátira menipea, y en última instancia la novela polifónica. En su filiación «carnavalesca» la *Sátira* de Rosas permite suspender el orden de la cultura oficial: el sistema referencial del discurso asociado con los géneros didácticos es neutralizado por la coexistencia «no-exclusiva» de elementos contradictorios y por un constante diálogo con textos o discursos de variada procedencia. Es en esta «carnavalización» donde se halla la respuesta a la desatendida —o incomprendida —ambivalencia del poema.

La violencia carnavalesca del poema armoniza elementos comúnmente polarizados por la lógica convencional: la alabanza y el vituperio, lo espiritual y lo escatológico, la verdad y el engaño, la riqueza y la pobreza, etc., y de especial singularidad e interés para la tradición literaria, una notable fusión de lo popular con lo propiamente culto. Vale recordar que esto último —aunque aquí lo asociamos directamente a un contexto carnavalesco— ya se ha observado como elemento reconocible en la literatura española de los Siglos de Oro: reparo que ha venido haciendo Dámaso Alonso en contra de una visión que relega las letras hispánicas a un mero realismo popular y localista.

En el nivel léxico, por ejemplo, más de trescientos cultismos (*digna, gloria, imaginar, obeliscos, restituir, sutil, trompetas*) se anudan a un sinfín de palabras y expresiones populares (*comadre, bagre, opilasiones, seca, el demonio se la rape, échanme la buena barba*); y alusiones mitológicas (Caripdis, Troya, Ulises, Marte) conviven armoniosamente con Diego Gil, doña María y doña Juana. La dualidad, sin embargo, va más allá del nivel léxico y adquiere una nota muy singular al informar el romance satírico —y «popular»— de una estructura que se adhiere a modelos retóricos clásicos y a fórmulas prescritas por la poética para los géneros cultos. En este sentido, al elaborarse extensamente las partes del exordio y la conclusión, se transgrede el precepto poético y la práctica satírica de la época: se rechaza, por ejemplo, lo preceptuado por Alonso López Pinciano, quien en su *Philosophía antigua poética* (1596), afirmaría que la sátira «no tiene principio ni fin, entra do se le antoja, *ex-abrupto*, como dize el latino». Verifiquemos primero, entonces, en cierto detalle, esta «voz» retórica y culta que entra en controvertido —pero armonioso— diálogo con la tradición del romance satírico popular.

El exordio (vv. 1-192): el poema observa aquí las partes asignadas por la poética para la especie heroica, o épica: es decir, la *propositio*, la *invocatio*, y la *partitio* o *enarratio*, propiamente desarrolladas por el uso de tópicos convencionales. La *propositio* anuncia, aunque no sin cierta ambigüedad típica del texto, el contenido del poema (declarasiones graves / y descargos de consiencia», vv. 2-3). También incorpora los rasgos más generales del destinatario: lector del texto total o testamento-despedida («Sepan quántos esta carta / ... / vieren», vv. 1-4) y auditorio del sermón enmarcado («Dexen todos sus ofisios / y bengan luego a escucharme», vv. 24-25), o también «venga todo el pueblo junto, / no dexe de oirme nadie» (vv. 43-44). Los parámetros identificadores de este segundo destinatario se hallan en una larga enumeración apelativa que va desde el «negro esclavo» hasta el «hombre grave», enumeración que simultáneamente caracteriza el objeto o mundo satirizado. En el caso de la *invocatio*, la naturaleza de lo propuesto o anunciado como experiencia del narrador (lo que pasa en el Perú en 1598) escamotea la necesidad de una apelación convencional a las musas; no obstante sí se percibe —si no la invocación tradicional que solicita auxilio para poetizar— una suerte de anti-invocación («Dios ponga tiento en mi lengua / para que no se desmande», vv. 92-93).

Dada la extensión del poema, el exordio finaliza con una *partitio* o enumeración sucinta de los variados asuntos que se van a tratar: «¡o que de cosas e bisto / si todas an de contarse, / en este mar de miserias / a do pretendo arroxarme! / ¡Qué de casas ay serradas / y sus dueños en la calle, / quántos dispiertos, dormidos, / quántos duermen sin echarse / ... / quántas desdichas son dichas, / y quántas dichas, pesares!» (vv. 107-182).

Las partes del exordio se sirven de los tópicos prescritos por la retórica clásica para mover al auditorio hacia el asunto tratado (*attentum pa-*

rare) o hacia la figura del poeta (*benevolum parare*). El primero de éstos se halla en la *propositio* como una simple y llana petición («vengan a oír mis sermones / ... / Oyganme con atensión», vv. 51, 55), pero también como aviso del interés personal que el discurso puede tener para el auditorio («no abrá vno entre todos / a quien no le alcanse parte», 45-46), o también «en cada rrasón que pierden / pierden un amigo grande» (vv. 57-58). El lugar común de «traer cosas nunca antes dichas» se percibe como la gravedad e importancia del asunto: «an rronpido las mentiras / la rrepresa de berdades / que no ay honbre que las diga, / ni quien las quiera de balde» (vv. 97-100). El poema también hace uso del tópico del deber de transmisión de conocimiento, aunque con un elemento de ambigüedad ya visto para la *invocatio*: «Nuebe años e callado, / tienpo será de que hable, / aunque el callar estas cosas / es el oro que más bale» (vv. 87-90).

Para el caso del *benevolum parare*, la gravitación de la evidencia de lo narrado sobre la experiencia del satírico hace que estos tópicos sean de especial importancia. Significativamente, la ausencia de la convencional «falsa modestia» es marcada por una suerte de auto-encomio del narrador, aunque de controvertida formulación, al presentarse como figura capacitada y con autoridad: «Vezino de Tucumán, / donde oí un curso de artes / y aprendí nigromancia» (vv. 7-9). De mayor alcance es quizás el uso de la *conquestio* en una autorrepresentación del hablante como víctima de la adversa fortuna: «Diome ... su cunbre / y al tienpo del derribarme / dexome sin bien ni bienes / ni amigos a quien quejarme. / Pasé por siglo de oro / al golfo de adbersidades; / ayer cortezano ylustre, / oy un pobre caminante» (vv. 75-82).

La conclusión (vv. 1.939-2.120): aquí, también en acuerdo a lo prescrito por la retórica, se observa primero la *recapitulatio*, que resume las partes principales de la narración, luego la *amplificatio*, cuyo uso de lugares comunes intenta mover al auditorio, y finalmente la *conquestio* (o *conmiseratio*) que trata de disponer al auditorio a favor del hablante. Cabe señalar que el largo y elaborado desarrollo de la conclusión (181 versos) se presenta como una importante y singular transgresión de la norma, eludiendo, por ejemplo, el bien establecido juicio de Ernst R. Curtius, para quien los preceptos retóricos de la peroración —a diferencia del exordio— «no eran aplicables a la poesía así como a la prosa no oratoria ... De ahí que con frecuencia nos encontremos con que no hay conclusiones (como en la *Eneida*) o que éstas son abruptas».

La *recapitulatio* (vv. 1.939-2.020) significativamente asume el recuento de la narración en función de la experiencia y persona del narrador: su desengaño como testigo del mundo: «Yo alcanso por espirencia / que no ay negosio durable / ni bínculo de amistad / que el tienpo no lo desate» (vv. 1.939-1.942).

Su arrepentimiento: «Yo del rretablo del mundo / adoré la falssa ymaxen, / y aunque le dí la rrodilla / ... / ya con las aguas del sielo / boy xauonando su almagre» (vv. 1.967-1.972).

Su papel de satírico, consejero y pregonero de la verdad: «yo soi la cauesa ajena, / exenplo de caminantes, / que por señas en silencio, / da boses al ynorante» (vv. 1.959-1.962).

Y termina con una larga relación enumerativa de hechos y hazañas: «descubrí nuebos caminos, / espuné lo inexpunable, / allané fuertes castillos, / gané siguras siudades, / con balas de blanda zera / rronpí muros de diamantes, / ... / formé nubes en la tierra, / y edefisios en el ayre; / con amigos hise treguas, / y con enemigos pazes. / ... / consideré las estrellas, desentrañé minerales, / pregoné guerras injustas, / acresenté enemistades ...» (vv. 1.999-2.016).

La enumeración —hiperbólica y contradictoria— es rica en alusiones textuales: parodia la común «relación de servicios» de la literatura colonial, y podría recordar, entre otras, la conclusión de la *Araucana*: «¡Cuántas tierras corrí, cuántas naciones / hacia el helado norte atravesando / y en las bajas antárticas regiones / el antípoda ignoto conquistado! / Climas pasé, mudé constelaciones / golfos innavegables navegando». Se escucha también un eco de la visión clásica del poema como cosmos y del poeta como dios creador, aunque en carnavalesca inversión ya que lo que se crea no es ni perfección ni armonía, sino caos y desorden.

La *amplificatio* (vv. 2.021-2.044) —cuyo uso en la conclusión es el de mover los afectos del auditorio— empieza con un apóstrofe que marca la transición del discurso oral al escrito y anuncia el fin del sermón y término del texto: «Silensio pluma, callemos / ... / no pasemos adelante, / ... / a buen tiempo te rrecoxo ...» (vv. 2.021-2.031). Luego toma el tópico o lugar común de lo «poco dicho por la amplitud del asunto»: «basta tocar estas cosas, / otro abrá que las acabe, / ... / dexemos negosios grandes / que son más para sentirse, / que no para publicarse, / ... / perdonen lo poco dicho / por lo mucho que callaste» (vv. 2.025-2.038).

En diálogo con la *amplificatio* de *Os Lusiadas* de Camoens, el poema de Rosas atenúa la usual demostración de torpeza o falsa modestia a favor de la frustración ante un público sordo, recalcándose la infeliz suerte del poeta y justificándose la suspensión del discurso: «otro abrá que las acabe, / aunque es ablar en disierto, / y echar ser-

mones al aire, / que sólo pueden seruir / de llamas en que te abrazes»
(vv. 2.026-2.030).

La *conquestio* (vv. 2.045-2.120) se presenta como un desengañado
rechazo de la vanidad del mundo: «dexemos en paz la tierra, / no
quiero pleitos con nadie / pues ya me desencanté ...» (vv. 2.047-
2.049), y también, en un sentido literal, como lamentación del narrador ante los infortunios acaecidos durante su estadía en el Perú. Así,
en patético apóstrofe «¡O tierra de confusión / fuego del sielo te
abrase, / ante Dios te pediré / dies años que me osurpaste, / y desta
joia perdida, / tengo por paga bastante / el bien del conocimiento /
y la gloria de dexarte!» (vv. 2.057-2.064).

Finalmente, e invirtiendo el uso clásico, la *Sátira* se cierra con el
tópico del *vela dare*, que retoma el sentido de una conocida frase hallada en el exordio («puesto ya el pie en el estribo», v. 11), para despedirse simultáneamente del texto, del Perú, y del mundo: «soltando
al viento la bela, / diré Requiescat in Paze» (vv. 2.119-2.120).

ÁNGEL RAMA

LA *GRANDEZA MEXICANA* DE BERNARDO DE BALBUENA

[Balbuena se esfuerza para superar, y aun cancelar, las acumula-
ciones de un prolijo hilvanar de peripecias, buscando que la obra responda a un orden general, el cual a su vez sea capaz de absorber las
proliferaciones incesantes, confiriéndoles sentido.] Es fácil verlo en la
Grandeza mexicana, cuya proposición estructural responde a un designio que sólo parece posible en el siglo que vio el avance de la óptica
y se planteó por primera vez de un modo técnico la concepción del
modelo reducido y proporcional. El tema es conocido y obligado en
la historia de la pintura, pero también en la paralela de las letras.
Mario Praz ha llamado la atención sobre los vínculos formales entre
el emblema, la empresa, el epigrama, el *concetto*, todos los cuales alcanzaron impetuosa boga en el Seiscientos, aunque muchos hayan sido

Ángel Rama, «Fundación del Manierismo hispanoamericano por Bernardo de
Balbuena», *The University of Dayton Review*, 16:2 (1983), pp. 13-22 (18-19).

olvidados, y ha recordado el dictamen de Gracián: «Los emblemas, jeroglíficos, apólogos y empresas son la pedrería preciosa al oro del fino discurrir». Tanto las versiones gráficas como las acuñaciones verbales concentradas, funcionaron sobre una concepción que hizo posible la óptica. Durero la ha ilustrado con sus dibujos sobre los sistemas de proyección para reducir objetos a imágenes.

En la pasión por el emblema y el *concetto*, por el jeroglífico y el apólogo, por la empresa y la metáfora, encontramos un mismo principio rector que tanto se aplica al diseño gráfico como al verbal, y que consiste en el reconocimiento de las virtudes del modelo reducido, el cual ya no es la realidad sino la invención cultural y, mediante un cambio en las dimensiones, es capaz de absorber una totalidad que sería inabarcable en sus medidas naturales. De hecho es el quevediano «En breve cárcel» que permite recuperar a Lise dentro de una sortija. Para entonces hacía un siglo que se habían publicado los exitosísimos *Emblemata* del Alciati.

«Quisiéramos hacer mención aquí de una metáfora de la escritura que los alemanes debemos a la cultura arábigo-española: la cifra», dice Ernst Robert Curtius, quien pasa a pesquisar los orígenes de una palabra que la cultura española trasladó a la terminología musical muy tempranamente, y que de allí pasó, en este siglo de transcripciones reducidas con claves secretas, a verdadera definición de la escritura. Si la poesía pasa a ser un lenguaje cifrado, es ante todo porque es distinta de la realidad que menta y significa, porque existe autónomamente, y, en segundo lugar, porque ha operado una reducción de dimensiones que permite una manipulación personal libre.

Esta segunda percepción prima en Balbuena y le llega, más que del ámbito de la música, del de la pintura. La referencia de Rojas Garcidueñas a «la frecuencia y la extensión que alcanzan las referencias cuya índole corresponde a las artes plásticas» en el *Siglo de oro en las selvas de Erífile*, hace eco a la observación de López Estrada sobre «una minuciosa técnica de miniatura». El procedimiento viene directamente de Sannazaro, pero cuando se cotejan ambas obras, se observa que se extiende sobremanera en la novela pastoril de Balbuena. Su conciencia del procedimiento se incorpora al texto, mediante una suerte de metalenguaje en que traduce el pasmo por las diferencias de medidas existente entre el original y la imitación. Elogia a un artífice, porque allí «donde apenas la mano cabe, delicadamente dejó esculpidas las siete maravillas del mundo, sin que faltase lugar, siendo todo él tan pequeño, para el soberbio Coloso de Rodas que en vano seis hombres procuraban abrazarle un dedo».

Hay en estas operaciones la constancia de una tensión entre dimensiones diferentes y, por lo mismo, una visible ambigüedad acerca de sus relaciones y de cuál es la regla que fija la reconversión de unas en otras. La imagen reflejada del objeto puede tener dimensiones variadas según los lentes utilizados y su combinación, de tal modo que hay una previa resolución de tipo técnico que debe adoptarse antes de la reducción. Ésta responde a una volición personal y no a la naturaleza de los objetos que, en principio, están todos fuera de escala. El artificio es determinante y previo a la construcción de las imágenes o de la misma obra literaria. Por lo tanto el carácter artificioso del arte se acentúa y también pasa a ocupar una posición destacada la opción individual, que también es cultural y no natural.

Este problema rige la composición de la *Grandeza mexicana* y no en balde pues desde el título se establece una percepción de dimensiones magnas que deben ser reducidas a un solo poema. La técnica de la glosa era bien conocida, pero estaba codificada dentro de límites estrictos. Balbuena preferirá otra solución que acredita una mayor importancia de las opciones individuales y, por lo mismo, una búsqueda de originalidad más acuciosa. Parte de una octava presentada como «Argumento», técnica que ya venía practicando en la composición entonces presumiblemente en curso de *El Bernardo*, donde cada libro está enmarcado entre un argumento descriptivo y una alegoría que lo cierra, interpreta simbólicamente y lo reduce. Los siete primeros versos, el último de los cuales dividido en dos gracias a la cesura («gobierno ilustre», «religión, Estado») en una primera manifestación de irregularidad para cumplir con una ley propuesta por el mismo autor, darán nacimiento a ocho capítulos, que también tendrán un variado número de tercetos (por lo cual queda consignado un principio rector que además es burlado), en los cuales se presencia una ampliación de lo que era una concentración del significado. Más singular es la situación del octavo verso del Argumento, que dice: «todo en este discurso está cifrado». El da nacimiento, por el mismo procedimiento de ampliación de la imagen reducida, a un noveno capítulo que es el más extenso del poema. Constituye el metalenguaje de la poética establecida, porque ya no se refiere a los diversos componentes de la «grandeza mexicana» sino al sistema de producción del discurso artístico, o sea al régimen de «cifrar» manejando una clave capaz de trasmutar las dimensiones. Aunque, al volver a abrir el diafragma para que la imagen de este octavo verso se amplíe, resultará que es el poema el que es enteramente absorbido nuevamente.

Los siete primeros versos dan nacimiento, por irradiación desde un punto focal mínimo —un verso, sólo un hemistiquio—, a un total de 1.577 versos, manejando libremente estas reconversiones, pues oscilan entre una ampliación que no supera los 181 versos hasta una máxima de 247, lo que permite avizorar una norma sobre la que juegan variaciones subjetivas: $1 = 214$; $2 = 172$; $3 = 184$; $4 = 247$; $5 = 181$; $6 = 181$; $7 = 187$; $8 = 211$. En cambio, el último verso, por sí solo da nacimiento a 379, lo que patentiza la importancia que en la totalidad del poema cabe a la poética mediante la cual se produce, sintetizada en el verso que clausura la octava: «todo en este discurso está cifrado».

Pero en la medida en que el capítulo noveno no se limita a amplificar este verso sino que además absorbe a todo el poema, la ampliación que se ha hecho es, al mismo tiempo, una reducción, pues transpone los 1.577 versos a sólo 379 y cumple entonces un movimiento de inversión, regresando de la amplitud máxima que se ha alcanzado mediante la apertura de la octava inicial, otra vez hacia la concentración sumaria de ésta, a cuya brevedad sin embargo no llega, y cuya totalidad (la octava entera) elude mediante un desviado movimiento porque es sólo al último verso que intenta retornar en un esfuerzo de subsumirse en el punto nuclear germinativo.

Tomás Navarro Tomás

LOS VERSOS DE SOR JUANA

En la segunda mitad del siglo XVII, mientras declinaba en España la rica polimetría desplegada en la versificación de la lírica y del teatro del Siglo de Oro, sor Juana Inés de la Cruz empleaba en sus obras una variedad de metros y estrofas apenas igualada por ningún otro

Tomás Navarro Tomás, «Los versos de sor Juana», *Romance Philology*, 7:1 (1953), pp. 44-50. Las citas se refieren a la edición de E. Abreu Gómez, sor Juana Inés de la Cruz, *Poesías completas*, Botas, México, 1940.

poeta anterior. Contra lo corriente en el período clásico, las poesías de la citada autora ofrecen en este sentido un repertorio más extenso que el que se registra en sus obras dramáticas, y dentro del conjunto de sus poesías, fue especialmente en las de carácter devoto, más que en las profanas, donde sor Juana esforzó su interés por la combinación de ritmos y metros. Su ejemplo influyó sin duda en las experiencias métricas que se observan en otros autores mexicanos de fines del siglo XVII y de principios del siguiente.

Metros comunes. El verso que sor Juana empleó con mayor frecuencia fue el octosílabo, cuyas modalidades rítmicas combinó en sus romances, décimas, redondillas y quintillas. Las décimas, ajustadas a la fórmula divulgada por Espinel, aparecen en su mayoría en poesías de cumplimiento y en la composición de las glosas. Las redondillas se acomodan uniformemente al tipo *abba*. En las pocas ocasiones en que utilizó las quintillas, dio preferencia a la variedad *ababa*. La forma *aabba* sólo figura, emparejada con la anterior, en las cuatro coplas reales de la única glosa que sor Juana no compuso en décimas (p. 139).

Los romances, que representan más de un tercio de las poesías líricas de la autora, ocupan también lugar principal en sus comedias y en sus composiciones de asunto religioso. Entre los romances incluidos en estas últimas figuran cuatro jácaras a lo divino, en las que se imita la expresión arrogante y el tono correntío característicos de las jácaras profanas. Un romance de homenaje a la condesa de Galve, esposa del virrey (p. 318) muestra como primor métrico, además de la asonancia, el encadenamiento rimado del principio de cada verso con el final del verso anterior: «El soberano Gaspar / par es de la bella Elvira». A los romances sirve de base regular la copla de cuatro versos, según hizo notar la misma autora (p. 348): «Pero el diablo del romance / tiene en su oculto artificio / en cada copla una fuerza / y en cada verso un hechizo».

En segundo lugar entre los metros comunes usados por sor Juana se halla el endecasílabo, del cual se sirvió principalmente en sonetos, silvas y sextetos de endecasílabos y heptasílabos, *ABaBCC*. No empleó el terceto de las sátiras y epístolas, ni las amplias estancias de las canciones renacentistas, y sólo dio un breve ejemplo de la grave octava real. En las varias docenas de sonetos que salieron de su pluma adoptó con preferencia la modalidad de tercetos cruzados, *CDC: DCD*; sólo en unos pocos casos aplicó la forma correlativa, *CDE: CDE*. Sus silvas se ven relativamente descargadas de endecasílabos en comparación con las de Góngora, su modelo. En general, dominan en las poesías endecasílabas de sor Juana las modalidades más líricas entre los tipos rítmicos de este metro, es decir, la melódica y la sáfica. Entre tales composiciones se encuentran asimismo dos de las primeras muestras conocidas de romance endecasílabo o heroico (pp. 292 y 511), en el que el metro italiano adoptó la asonancia como testimonio de máxima identificación con la tradición hispana.

Corresponde el tercer lugar al hexasílabo, utilizado por la autora en numerosas poesías profanas y religiosas en forma de simples romancillos. Su particularidad consiste en el predominio que en ellos ofrece el hexasílabo trocaico, *óo óo óo*, «A Belilla pinto, / pongan atención», sobre el dactílico, *oóoo óo*, «Se vende por oro / con ser de vellón». En uno de estos romancillos (p. 526) cada cuarteta termina con un endecasílabo, como efecto de la fusión de la nueva endecha real con la sencilla endecha hexasílaba de la tradición castellana. Es también de notar el romancillo de la página 506, cuyas cuartetas van uniformemente seguidas por el verso «Oigan el pregón», el cual, con la misma asonancia del romance, sirve de vuelta al estribillo.

En último término dentro de este grupo se cuenta el heptasílabo, utilizado por sor Juana en romances ordinarios, en romances con estribillo, en endechas reales con terminación endecasílaba y en otra especie de endechas, sólo empleadas al parecer por la monja mexicana, en las que cada cuatro versos de siete sílabas van seguidos por uno de diez, compuesto de dos adónicos (p. 76) o por uno de once (p. 78). Tanto en estas endechas como en las reales y en los romances heptasílabos, la autora hace alternar los tres tipos rítmicos de este metro, con marcado predominio, como en el caso del hexasílabo, del trocaico, *o óo óo óo*, «Apenas tus favores / quisieron coronarme». En dos poesías de los nocturnos de san Pedro Apóstol (pp. 495 y 521) el molde de la estrofa, combinación de endecha y sexteto, presenta en tercer término un pie quebrado que repite a modo de eco la rima del segundo heptasílabo: «Oh, pastor, que has perdido / al que tu pecho adora: / llora, llora, / y deja dolorido, / en lágrimas deshecho, / el rostro, el corazón, el alma, el pecho».

Metros especiales. Se observa en este punto con particular claridad la inclinación de sor Juana a ensayar formas originales o poco conocidas en la versificación de su tiempo. Se destaca ante todo el decasílabo dactílico con principio esdrújulo usado en una poesía en alabanza de la condesa de Paredes (p. 363) y en otra dedicada a la celebración de un cumpleaños (p. 365), ambas asonantadas en forma de romances. El decasílabo ordinario, con acentos en las sílabas tercera, sexta y novena, alternaba desde antiguo con otros versos dactílicos en estribillos y letras de baile. El rasgo peculiar del metro de las indicadas poesías de sor Juana consiste en el trisílabo esdrújulo con que empieza cada verso, rasgo que la autora pudo tomar de estribillos tan conocidos como «Trébole, ay, Jesús, cómo huele, / trébole, ay, Jesús, qué olor», y «Tárraga, por aquí van a Málaga, / Tárraga, por aquí van allá». El acento de la sílaba primera repercute en estos casos sobre la tercera, la cual constituye, en realidad, el principio del período dactílico, *oo óoo óoo óo*. La repetición de los esdrújulos iniciales, eficaz en la brevedad de los estribillos, se hace excesiva y monótona en el desarrollo de poesías tan extensas como las aludidas, la segunda de las cuales, de 76 versos, empieza de este modo: «Vísperas son felices del día / célebre que a tus años acuerda; / círculos que ha cumplido de luces, / cláusulas que ha cerrado de estrellas».

Como ejemplo de la habilidad técnica de la autora se distingue la poesía titulada *Laberinto endecasílabo* (p. 96), formada por versos de triple medida que incluyen tres romances, de seis, ocho y once sílabas, cada uno de los cuales hace sentido dentro del conjunto a la vez que puede leerse independientemente, aunque en realidad sea fácil de advertir que sólo la versión hexasílaba, base indudable de la composición, figura con forma propia y natural.

Un ejemplo de alejandrino que se puede sumar a los pocos testimonios que de este metro se conocen correspondientes al siglo XVII se encuentra en el estribillo de un villancico (p. 566), formado por cuatro versos que con su asonancia monorrima recuerdan en cierto modo la antigua estrofa de la cuaderna vía. Otro estribillo semejante, con otros cuatro versos igualmente monorrimos, en los que figura la medida de doce sílabas al lado de la de catorce, se encuentra en un villancico de uno de los nocturnos de San Pedro (p. 473).

El verso de arte mayor, con hemistiquios oscilantes de cinco, seis y siete sílabas y con mezcla de ritmo dactílico y trocaico, sirve de base al estribillo del pregón: «Ésta es la justicia, oigan el pregón» (p. 506). El verso de arte mayor y el decasílabo dactílico se combinan en la poesía titulada *Españoleta* (p. 294), letra de baile probablemente, y en un villancico de San Pedro (p. 498). En uno y otro caso los dos metros referidos se suceden de manera alternativa en los cuartetos asonantados de la poesía, 10-12-10-12. El decasílabo es regularmente dactílico; el de arte mayor presenta diferentes variantes de hemistiquios, en especial en la letra de baile, como puede verse en el siguiente ejemplo: «Y pues el alto Cerda famoso / que con cadena de afecto sutil / suavemente encadena y enlaza / de América ufana la altiva cerviz …».

En cuanto al metro compuesto de 7 + 5, no hay duda de que sor Juana debió considerarlo como definida unidad métrica. Se le encuentra en series uniformes de cuatro versos en los estribillos de dos villancicos (pp. 478 y 530). Otras veces aparece como simple pareado (pp. 524 y 534).

Cabría interpretar estos últimos casos como seguidillas representadas en dos solas líneas; pero sor Juana escribía corrientemente las seguidillas con sus cuatro versos ordinarios, y además el verso de 7 + 5 muestra su individualidad propia al combinarse con los de otras medidas, como en el siguiente estribillo en que acompaña a uno de doce sílabas y a otro de once (p. 544): «Ay, cómo gime; mas, ay, cómo suena / el cisne, que en dulcísimas endechas / suenan epitalamios y son exequias».

Versos propiamente irregulares, sin sujeción a medida determinada, no se encuentran en las poesías de sor Juana. Ocurren en cambio en los estribillos de sus nocturnos numerosos casos en que aparecen mezclados versos de medidas diferentes. En una ocasión, cuatro versos de arte mayor alternan con otros de diez, siete y tres sílabas (p. 471). En otro lugar, un verso de 8 + 8 va seguido por uno de once, un dodecasílabo de 7 + 5 y dos endecasílabos (p. 488). En el estribillo de la página 499, después de tres hexasílabos monorrimos, sigue un verso de diez y otro de doce. En el de la página 568 aparece en primer lugar un octosílabo, al cual siguen sucesivamente un heptasílabo, dos endecasílabos, un verso de 7+7, otro de 7 + 5 y un octosílabo final (p. 568). Dentro de la libertad de estas combinaciones, acomodadas sin duda a los efectos del canto, cada verso se ajusta con claridad al tipo métrico a que corresponde, según puede verse en el último de los estribillos citados: «Al monte, al monte, a la cumbre; / corred, volad, zagales, / que se nos va María por los aires; / corred, corred, volad, aprisa, aprisa, / que nos lleva robadas las almas y las vidas, / y llevando en sí misma nuestra riqueza / nos deja sin tesoros el aldea».

Nocturnos. Sor Juana escribió seis composiciones destinadas a ser cantadas en la catedral de México en los maitines de las festividades de la Asunción, San Pedro Apóstol y San Pedro Nolasco. Cada composición consta de tres partes, a las que la autora llamaba *nocturnos.* En cada nocturno figuran tres villancicos o un villancico y una ensalada. Los villancicos contienen coplas y estribillos; las ensaladas encierran partes de recitación y de canto.

En algunas ocasiones las estrofas de los villancicos se componen, según el modelo tradicional, de estribillo inicial, redondilla como cuerpo de la copla y versos finales de enlace y vuelta al estribillo: *aa: bccb: ba: aa.* Corresponden a este tipo el «Villancico del Quiquiriquí» (p. 488); el «Debate de las estrellas y las flores» (p. 508); la «Canción del agua, viento, flores y aves» (p. 513); el «Diálogo de dos princesas de Guinea» (p. 536); la canción «Por ser hijo de María» (p. 539), y el «Debate entre el cielo y la tierra» (p. 559). En la mayor parte de los casos, los villancicos de sor Juana consisten en romances octosílabos o hexasílabos a los cuales acompaña un estribillo que se repetiría con más o menos frecuencia según lo requiera la ocasión. Otras veces el cuerpo de los villancicos aparece constituido por sextetos de endecasílabos y heptasílabos, por quintillas octosílabas, por cuartetos de decasílabos y versos de arte mayor, por cuartetos de decasílabos asonantados o por estrofas de endechas reales, siempre con la adición de los respectivos estribillos.

Como ha podido deducirse de las indicaciones anteriores, los estribillos se distinguen especialmente por la variedad de su estructura. Una vez se ve recordada la breve forma y ritmo de los estribillos antiguos: «Barquero, barquero, / que te llevan las aguas los remos» (p. 497). En otra ocasión desempeña este papel una cuarteta octosílaba, *abcb* (p. 511). Series de octosílabos rimados de diversas maneras forman los estribillos de las páginas 504 y 511. A veces se utiliza como estribillo la seguidilla de cuatro versos, 7-5-7-5 (p. 504). La de siete se halla implícita bajo la forma de 12-12-5-12 (p. 492). Una seguidilla prolongada, 7-5-7-5-7-5: 5-7-5, figura en el estribillo de la página 493. Otros modos de prolongación resultan de la intercalación de octosílabos entre los versos de la seguidilla, ya en la forma de 7-5: 8-8: 7-5 (p. 476), o en la de 7-5-7-5: 8-8-8: 7-5-7-5 (p. 496). Completan este cuadro los abundantes estribillos de versos mezclados a que ya se ha hecho referencia.

En las partes de los nocturnos llamadas ensaladas o ensaladillas, el tema va presentado por una introducción recitada, la cual se reanuda a veces delante de los números sucesivos. La ensalada suele constar de tres o cuatro poesías en forma de villancicos, jácaras, letrillas o romancillos relativos al mismo asunto. Se dan en estos conjuntos las composiciones que sor Juana gustó de poner en boca de indios, negros, vascos y portugueses imitando sus respectivas lenguas. Entran también en las ensaladas la mayor parte de las poesías que la autora redactó en latín bajo la forma métrica de los villancicos, endechas y romancillos españoles.

En las ensaladas y entre las poesías ordinarias se encuentran varios ejemplos de la atención con que sor Juana recogía y utilizaba tonos de canciones y bailes. Un romance octosílabo lleva la indicación de haber sido cantado por el tono de «Divina Fénix, permite». Dos romancillos heptasílabos aparecen como letras acomodadas a los tonos de «Bellísimo Narciso» y «Tierno adorado Adonis». Un romancillo hexasílabo se dice ajustado a «un baile, tono y música regional que llaman *San Juan de Lima*» (p. 141). Otros dos romancillos hexasílabos declaran tener por modelo un baile regional que llamaban *El cardador* (pp. 135 y 500). Dos romancillos más de la misma clase van asignados al baile del *Tocotín*, uno en lenguaje mestizo hispano-náhuatl (p. 554), y otro en náhuatl solamente (p. 569).

En suma, las poesías de sor Juana revelan un perfecto dominio de la técnica del verso. El octosílabo especialmente, con la diversidad de sus estrofas, aparece manejado con máxima maestría. Aparte de los romances decasílabos con principios esdrújulos y del artificioso *Laberinto endecasílabo*, sor Juana dio otra muestra de su pericia en dos sonetos trazados sobre las mismas consonancias y en algunos otros sonetos construidos sobre burlescas y difíciles rimas forzadas. Su inclinación, sin embargo, no la llevó a insistir en esta clase de virtuosismo métrico. Dio preferencia en general a las formas más sencillas de la rima y de la estrofa. Fueron llanas y practicables las innovaciones que introdujo respecto a la composición de las endechas. El romance endecasílabo, después de sus ejemplos, fue conquistando en número creciente partidarios y cultivadores. El villancico alcanzó en sus nocturnos excepcional soltura y variedad. Puede decirse que los ritmos, tonos y acentos que se oían por las calles de México, como eco de la vida popular de la ciudad, atrajeron su curiosa atención con no menor viveza que los primores estilísticos del culteranismo.

Carlos Blanco Aguinaga

AMOR-LOCURA EN SOR JUANA Y QUEVEDO

Ya a finales del siglo XVII, en el Nuevo Mundo, es una voz de mujer la que nos llama a meditar sobre la palabra afirmativa con que el poeta desafía a toda ley severa. La voz —más fina que la de Quevedo; sutilísima— es la de Juana de Asbaje.

Como Quevedo, como su siglo todo, sor Juana conoce bien las leyes que definen la Realidad. Y según su pensamiento lo divide todo en las consabidas parejas de contrarios, sabe a ciencia cierta de qué lado de la balanza se encuentran la verdad y la vida auténtica, la muerte y el engaño. No es de extrañar que, como tantos otros, al expresar su visión del mundo, su voz se limite muchas veces a repetir el lugar

Carlos Blanco Aguinaga, «Dos sonetos del siglo XVII: amor-locura en Quevedo y sor Juana», *Modern Language Notes*, 77 (1962), pp. 145-162 (153-161).

común. Así, por ejemplo, en el soneto «En que da moral censura a una rosa, y en ella a sus semejantes».

> Rosa divina que en gentil cultura
> eres con tu fragante sutileza
> magisterio purpúreo en la belleza,
> enseñanza nevada a la hermosura ...
> ¡Con que, con docta muerte y necia vida,
> viviendo engañas y muriendo enseñas!

Antiquísimo tópico. Entre ecos de Góngora y Calderón, arte dirigido a desengañar a los que se aferran a lo pasajero. Poesía, en última instancia, dirigida contra sí misma, en cuanto que todo arte, bien se sabía, es ficción —artificio—, pasajero entretenimiento que si algo vale, no lo vale en sí, sino porque es útil instrumento para declarar verdades anteriores e independientes a cualquier poema. En el mejor de los casos, cabía reconocer que la poesía es sólo reflejo de la inevitable y frívola tendencia al metro y a la rima que tienen algunos mortales, como bien declara la misma sor Juana en su carta a sor Filotea. Pero incluso cuando esta tendencia desemboca en el vicio mayor del siglo, en los juegos de palabras, hasta los juegos de palabras —sin dejar de entretener— encontrarán su utilidad en servicio de la visión del mundo que revela lo vacío de toda ficción. Así, a la vez que sor Juana se defiende contra los que criticaban no sólo su afición a filosofar, sino su afecto a las palabras y al verso, demuestra cómo las palabras pueden ser instrumento para dejar la verdad realista de su siglo bien en claro:

> En perseguirme, mundo, ¿qué interesas?
> ¿En qué te ofendo, cuando sólo intento
> poner bellezas en mi entendimiento
> y no mi entendimiento en las bellezas?
> Yo no estimo tesoros ni riquezas,
> y así, siempre me causa más contento
> poner riquezas en mi entendimiento
> que no mi entendimiento en las riquezas.
> Yo no estimo hermosura que vencida
> es despojo civil de las edades
> ni riqueza me agrada fementida;
> teniendo por mejor en mis verdades
> consumir vanidades de la vida
> que consumir la vida en vanidades

No deja de llamarnos la atención en estos versos un cierto orgullo, así como en la carta a sor Filotea, cuando trata sor Juana del mismo asunto, notamos una profunda ironía y, alguna vez, cierto esquinado sarcasmo. Pero lo que nos importa ahora es destacar que en un siglo de poetas —el siglo de las *Soledades* —una excelente poetisa se ve obligada a escribir soneto tan mediocre para declarar públicamente que nada en su mundo interior difiere de un concepto de la Realidad firmemente establecido. Se le «persigue», es cierto, por mujer y porque, siendo monja, gusta de escribir tanto verso de circunstancias, pero, ¿no será, en el fondo, que la inutilidad y vanidad de todo quehacer poético —la locura del poeta— saltan más a la vista en un caso extremo, cuando a ese quehacer se dedica quien, según la costumbre, no debiera hacerlo?

Tras tal confesión pública, no esperemos, pues, no temamos, que esta mujer del siglo XVII nos revele un mundo poético que difiera en lo sustancial del de los autores peninsulares que bien conoce. Notaremos constantemente en sus versos una gracia muy peculiar que la distingue, cierta sutil y profunda elegancia en la que adquieren nueva vida incluso algunos versos de Calderón, de Góngora o de Quevedo que de manera puramente circunstancial copia a glosa. De vez en cuando, también, lo asombroso, el milagro: algún poema en que la voz de sor Juana, sin despegarse en nada de la tradición, expresa intuiciones originales, sólo suyas. ¿Quién que vuelva a sor Juana no vuelve, una y otra vez, al soneto que dedica a su retrato?

> Este que ves, engaño colorido,
> que, del arte ostentando los primores,
> con falsos silogismos de colores
> es cauteloso engaño del sentido ...

Viejo tema que, para colmo, se resuelve en un último verso tomado casi directamente de Góngora. No es ésta ocasión de intentar un análisis del soneto que quizá nos ayudaría a entender algo de su originalidad. Baste aquí apuntar que el origen emotivo del soneto radica en que sor Juana —la bellísima sor Juana —escribe, no en abstracto, sino a partir de un doloroso momento en que ha visto frente a sí a la sor Juana que ella no es, en la única imagen que nosotros veremos. Frente a la idea, repetida hasta el cansancio desde la antigüedad, de que lo pintado compite con lo vivo, que da a lo vivo presencia indestructible, el soneto de sor Juana nos ofrece una angustiosa revelación personal de que *aquello*, lo pintado —¡cauteloso engaño del sentido!—, es, desde su concepción, lo muerto;

color que quiere pasar por substancia. Cómo esta intuición personal ilumina profundamente una idea tradicional del mundo que quizá teníamos olvidada de pura sabida: he ahí el milagro de la nueva forma. Sor Juana es una extraordinaria poetisa y, como Quevedo, nos lleva, una y otra vez al problema de la tradición y la originalidad. Pero, como Quevedo, sor Juana se mueve entre intuiciones e ideas claramente establecidas en su tiempo y en lo más hondo de su propio espíritu. Cuanto más extraordinarias y brillantes y originales sus palabras, mejor lo entendemos así y más profundo sentido cobra el concepto de la Realidad característico de su siglo.

De ahí que otro magnífico soneto, el que «Contiene una fantasía contenta con amor decente», nos sorprenda siempre, ya que en él se afirma una intuición que no es, que no debería ser de nuestra autora. ¿Qué extraña locura hace presa de sor Juana Inés de la Cruz cuando escribe:

> Detente, sombra de mi bien esquivo,
> imagen del hechizo que más quiero,
> bella ilusión por quien alegre muero,
> dulce ficción por quien penosa vivo.
> Si al imán de tus gracias atractivo
> sirve mi pecho de obediente acero
> ¿para qué me enamoras lisonjero,
> si has de burlarme luego fugitivo?
> Mas blasonar no puedes satisfecho
> de que triunfa de mí tu tiranía;
> que aunque dejas burlado el lazo estrecho
> que tu forma fantástica ceñía,
> poco importa burlar brazos y pecho
> si te labra prisión mi fantasía?

Tradicional —convencional— parece la queja de los cuartetos: para el amante no correspondido (la amante en este caso) la persona amada es siempre una presencia que incita, dando esperanzas y alegría; una ausencia (aun en la presencia) que provoca dolor. Tradicionalmente, amar es unas veces gozarse en estas contradicciones; otras, como aquí en el caso de sor Juana, pedir fin al suplicio: *Detente*; «¿para qué me enamoras lisonjero, / si has de burlarme luego fugitivo?». La dulce enemiga o el dulce enemigo, que no atienden jamás a quien les adora, provocan así el peculiar dolor del corazón dividido que bien conocían ya los provenzales y que tan a fondo exploró Cavalcanti. Hasta el tiempo de sor Juana el concepto se había venido repitiendo sin mayores variantes: amar es siempre un morir gozoso («alegre muero»), un vivir doliente («penosa vivo»). Y todo «bien» que el amante (o la amante) imagina es siempre, necesariamente, «esquivo».

De esta idea o tema tradicional arranca sor Juana. Pero no vuelve a elaborar lo que poetas anteriores habían agotado: el tema, con todas sus ramificaciones, va implícito. Sor Juana y sus lectores no necesitan más. Libre de tal necesidad, desde el principio del soneto da sor Juana el paso definitivo en que el concepto central de la poesía amorosa renacentista es llevado hasta sus consecuencias últimas: si el amor es, siempre, un *bien esquivo*, no es, bien mirado, realidad tangible. Y desde el primer cuarteto se separa sor Juana, avanzando, de los más que agotaron el tema: el *detente* no va dirigido al amado, sino a su *sombra* a la *imagen* que «hechiza» al poeta. La persona amada es, así, realmente, *bella ilusión, dulce ficción.* El radical idealismo que sospechábamos en tanto quejoso amante renacentista queda ahora definido con precisión, con luminoso vigor conceptual y sentimental. Nuestra realista poetisa del realista siglo XVII ha llegado a una conclusión definitiva que era ya ineludible en el mundo postridentino. La experiencia de los sentidos, si se analiza rigurosamente a partir de una clara idea de lo eterno, no puede dejar lugar a dudas: todo es «resguardo inútil para el hado». Por lo que toca al caso específico del amor, una palabra muy traída y llevada en el Siglo de Oro, nos lo dice todo en este soneto: es amor, apenas, un *hechizo.* Nada en el siglo de sor Juana, nada en sor Juana, podrá oponerse a esta verdad.

Según ahonda así sor Juana en una idea tradicional del amor, afirma la idea del mundo que en ella era de esperarse. Pero, de repente, cuando pasamos al primer terceto una palabra se yergue desafiante: *mas*; la misma que en el soneto XLV de Quevedo a Lisi llevaba el peso de la rebeldía. Necesariamente, otra palabra refuerza su sentido: *no.*

Mas blasonar no puedes satisfecho
de que triunfa de mí tu tiranía ...

Siempre leemos (o debemos leer) un poema dentro de su tradición y, siempre, por rápida que vaya la vista tras de las palabras, de alguna manera, en brevísimos instantes en que parecería suspendemos apenas la lectura, salimos del poema y volvemos a él con asociaciones extrañas, con recuerdos de otros poemas, con esperanzas de una costumbre. En la lectura de estos dos versos creemos entender, en seguida, que la amante va

a liberarse de la tiranía de la sombra con un total rechazo, alcanzado tal
vez por fuerza de voluntad, quizá por un natural desamor que ya vislumbra
en su alma. No será sor Juana la primera que haya declarado tal
intención. Seguros así en nuestras asociaciones, llegamos a la breve pausa
que sigue a *tiranía*; nos detenemos apenas para entrar al final esperado;
y, de sorpresa, sor Juana nos lleva a un cielo de locura en el que un mundo
que creíamos firmemente estructurado se desintegra ante nosotros,
abriendo luces, leves inquietudes, esperanzas nuevas:

> que aunque dejas burlado el lazo estrecho
> que tu forma fantástica ceñía
> poco importa burlar brazos y pecho
> si te labra prisión mi fantasía.

No se trata, vemos con asombro, de acabar por el olvido con la tiranía
de la sombra. La victoria contra la «ficción» es radical, inusitadamente
paradójica: poco importa que la imagen —forma fantástica *apenas*— crea
librarse de quien la persigue; *precisamente* porque es forma fantástica la
fantasía de sor Juana la creará siempre de nuevo, presente en cada momento
de su vida y presente en el poema, labrada en sueño indestructible. [...]

No podemos evitar el recuerdo de un soneto de Quevedo al que
ya nos hemos referido; vale la pena leerlo ahora completo:

> A fugitivas sombras doy abrazos;
> en los sueños se cansa el alma mía;
> paso luchando a solas noche y día
> con un trasgo que traigo entre mis brazos.
>   Cuando le quiero más ceñir con lazos,
> y viendo mi sudor, se me desvía:
> vuelvo con nueva fuerza a mi porfía,
> y temas con amor me hacen pedazos.
>   Voyme a vengar en una imagen vana
> que no se aparta de los ojos míos;
> búrlame, y de burlarme corre ufana.
>   Empiézola a seguir, fáltanme bríos;
> y como de alcanzarle tengo gana,
> hago correr tras ella el llanto en ríos.

Saltan a la vista la relación temática y las profundas diferencias.
La situación de los dos amantes es parecida. De igual manera, y con
el mismo lenguaje, se encuentran los dos frente a «sombras» «fugiti-

vas» imposibles de «ceñir»; las imágenes de la persona amada —realidad total— «burlan» de igual manera a los amantes. Pero muy distintos son los modos de lucha de Quevedo y de sor Juana. «Hechizados» los dos hasta el grado de querer apresar sombras, donde en Quevedo es todo fuerza, voluntad física en que se hace «pedazos» y hasta busca «venganza», sor Juana se nos aparece interior, quieta, segura quizás ya desde los cuartetos de que el amor no es cuestión de «bríos», ni de «sudor» ni de «lazos». Frente a la violenta expresión masculina, una sutil y paradójicamente obstinada afirmación de espíritu. [...]

Tras este desenfreno, al final del soneto, en el agotamiento, sólo queda el llanto. Y en el llanto la confirmación de que es locura querer así aferrarse a las cosas de este mundo: imágenes de imágenes. No es en este poema donde Quevedo logra liberarse de su propia idea «realista» y «barroca» del mundo. Por el contrario, el soneto de sor Juana es desde el principio más equilibrado; más suave en su musicalidad, más uniforme en su acentuación.

Y dentro de este mayor equilibrio en que se mantiene el espíritu de la poetisa, resalta la calma acentual de los dos primeros versos del primer terceto: «Mas blasonar no puedes satisfecho / de que triunfa de mí tu tiranía ...». Donde empieza a afirmar su victoria, parece bajar la voz. Y anunciada su seguridad hace una leve pausa. En seguida, al comenzar a dar las razones en que se funda su confianza, vuelve a los cuatro acentos según desafía la acción de la «sombra» («que aunque dejas burlado el lazo estrecho ...»). En el verso siguiente («que tu *forma fantástica ceñía*») se deleita sor Juana en sólo tres palabras como bloques; se exalta de nuevo en los cuatro acentos del verso penúltimo (*burlar* es otra vez el verbo en que se goza la imagen y *poco importa* es lo que canta sor Juana) y, totalmente segura de sí, cierra el poema sin violencia alguna en el extraordinario verso final en que tres firmes y espaciados acentos, tres palabras (*labrar, prisión, fantasía*), nos abren a un mundo en efecto hechizado, mágico, increíble en su quieta afirmación de lo imposible.

Porque sabemos que sor Juana [...] no puede creer que la fantasía labre prisión a cosa alguna. Y si se dijera que lo único que la fantasía puede crear es imágenes, no debemos olvidar que sor Juana sabe a ciencia cierta que *eso* es precisamente lo que «poco importa». Y, sin embargo, he ahí su afirmación. ¿Qué extraña locura enajenaba a Juana de Asbaje cuando escribió este soneto? Sólo sabemos que, en vilos del amor, que todo lo ilumina, sor Juana Inés de la Cruz, como en otro momento Quevedo, se liberó un día, por breves instantes, de su visión conceptual-realista del mundo.

ROSA PERELMUTER PÉREZ

LA HIPÉRBASIS EN EL *PRIMERO SUEÑO*

[El presente estudio aspira a enumerar los trastocamientos que se efectúan en los versos del *Primero sueño* y a ordenarlos por categorías, tanto para que puedan verse de conjunto como para facilitar la comparación con los estudios del hipérbaton existentes. Aun cuando aceptemos el término hipérbaton en su sentido lato, o sea, como cualquier alteración en el orden de las palabras, tanto inversión como separación, ocurre que cada transposición de un elemento de la frase acarrea la alteración de los miembros contiguos, produciéndose generalmente más de un disturbio por hipérbaton.] O, en palabras de Dámaso Alonso [1950]: «Si en un conjunto seriado en un determinado orden ABCDEF ... alteramos el orden de dos elementos inmediatos (C y D, por ejemplo) ABDCEF ... se producen tres perturbaciones de vínculos: 1.ª, inversión del vínculo C-D; 2.ª, rotura del vínculo B-C, por interposición de D; 3.ª, rotura del vínculo D-E, por interposición de C».

En un proyecto de esta envergadura (casi mil versos) se hace difícil —si no imposible— registrar *todas* las perturbaciones a que un hipérbaton determinado da lugar. [Y es que en el *Primero sueño* los hipérbatos se suceden unos a otros tan apretadamente que a veces el sentido de un pasaje se pierde y, aun en aquellos casos en que el reordenamiento lo hace inteligible, existe más de una manera de recuperar el sentido, más de una posibilidad de organización. Así que hay cierta medida de arbitrariedad en los resultados. Con todo, el estudio deta-

Rosa Perelmuter Pérez, *Noche intelectual: la oscuridad idiomática en el* «Primero sueño», UNAM (Letras del Siglo XVI al XVIII), México, 1982, pp. 99-110.

llado del hipérbaton en el poema ha permitido la identificación de determinados patrones en las alteraciones.]

1. *Hipérbaton de los extremos.* En su estudio sobre el epíteto en la lírica española, Gonzalo Sobejano [1956] señala un género de hipérbaton típico en Góngora, por medio del cual el epíteto y el sustantivo se colocan a ambos cabos del verso. Este tipo de emplazamiento abunda en el *Primero sueño.* Señalemos algunos ejemplos: (v. 44) «*segunda* forman *niebla*»; (v. 62) «con *flemático* echaba *movimiento*»; (v. 143) «*causa*, quizá, que ha hecho *misteriosa*»; (v. 236) «*próvida* de los miembros *despensera*»; (v. 630); «los *dulces* apoyó *manantiales*»; (v. 640) «*forma* incular más *bella*». [...] Como se podrá ver, en estos casos, se ha puesto mayormente el adjetivo en posición inicial de verso, dándose así por lo general preferencia a la sensación cualitativa. De esta forma, para describir el escepticismo del entendimiento ante la posibilidad de alcanzar el conocimiento, se nos dice que disentía, «excesivo juzgando atrevimiento» (v. 706). La anteposición del epíteto *excesivo*, entonces, sirve para realzar la enormidad del cometido. Asimismo, la retirada de la noche y sus tropas interrumpe de manera tajante el sueño y el silencio que había reinado durante el mismo. La noche, leemos, «ronca tocó bocina» (v. 936). Con la anteposición del adjetivo se hace hincapié en el carácter transgresivo y perturbador del sonido, matiz realzado por la sonoridad de la *r* con que se inicia el verso. Así que la perturbación de la sintaxis refleja la perturbación del silencio de la noche.

Este tipo de transposición, sin embargo, es sólo una manifestación de una categoría más general de hipérbaton latinizante, por el que las partes concordantes (que no están limitadas a sustantivo / epíteto) se colocan bien en los extremos del verso o bien al final de cada hemistiquio. En su trabajo sobre Juan de Mena, María Rosa Lida de Malkiel ofrece como ilustración del primer tipo de colocación el conocido verso «*diuina* me puede llamar *Prouidençia*», y del segundo, el verso «siempre *diuina* llamando clemençia». De esta variedad de alteración, que llamaré «hipérbaton de los extremos», hay en el *Primero sueño*, además de los ejemplos señalados más arriba, otros como: (v. 4) «*escalar* pretendiendo *las Estrellas*»; (v. 74) «*uno y otro* sellando *labio oscuro*»; (v. 218) «*el* que lo circunscribe *fresco ambiente*»; (v. 565) «*mal* le hizo *de su grado*». [...] En los versos que siguen, además del engarce entre los extremos, se da una inversión de los términos interiores:

v. 242	que	a cada cual	tocarle	considera
	A	D	C	B
339	que	su inmunidad	rompan	sus dos alas
	A	D	C	B
539	que así	del mal	el bien	tal vez se saca
	A	D	C	B
899	amazona	de luces	mil	vestida
	A	C	E D	B
913	negro laurel	de	sombras	mil	ceñía
	B	C	E	D	A

2. *Trenzados.* En los versos 16 al 24 del *Primero sueño* hay un descanso momentáneo, una pausa en el hipérbaton (cosa que se ve raramente en el poema) y que se deja sentir aún más en esa sección por ser allí donde ocurre por primera vez. En medio de esta laguna de versos no trastocados, se aloja uno —el v. 21— que aparece en un orden inusitado y hasta, diríamos, arbitrario: «sumisas sólo voces consentía». El verbo al final del período, típico hipérbaton ciceroniano, no presenta mayor problema. Pero, ¿por qué de pronto, y en medio de ese remanso, violentar el verso intercalando el adverbio entre el adjetivo y el sustantivo? De hecho, Méndez Plancarte incluye este verso entre los ejemplos de amaneramiento, de versos hiperbatonizados cuya «medida y ritmo quedan intactos lo mismo con aquella transposición que con el orden lógico, obviamente restituible sin costa alguna». No obstante, el ordenamiento de este verso (C-A-D-B) no es tan arbitrario como parece a primera vista. [...] El orden responde, me parece, a la imitación de un procedimiento latino que consistía en alternar los elementos del verso en forma de trenzado. En su estudio sobre el hipérbaton en fray Luis, Lapesa explica que estos «desplazamientos entrecruzados» fueron utilizados por poetas italianos y españoles, los cuales «pretendieron imitar el juego alterno de dependencias discontinuas, tan característico de los latinos». Un buen número de los versos en el *Primero sueño* parece ser producto de estos «juegos malabares», de los que se encuentran diversos tipos en el poema.

1. Trenzados de 4 términos. En estos versos los cuatro elementos que constituyen el verso se entrecruzan de varias maneras. De las cuatro combinaciones que he registrado (ACBD, CADB, BCAD, BDAC), la más frecuente es la primera, en la que el segundo término del verso se desplaza a la tercera posición, como en los siguientes ejemplos:

v. 42	*ya no*	*historias*	*contando*	*diferentes*
	A	C	B	D
238	*ni*	*a la parte*	*prefiere*	*más vecina*
	A	C	B	D
326	*vecino*	*el calor*	*del Sol*	*lo apura*
	A	C	B	D

2. Trenzados de 5 términos. Los entrecruzamientos también ocurren en versos de cinco términos, y de éstos destacaré dos modalidades: trenzados alternos y trenzados con eje. En el primer tipo los cinco términos que componen el verso se concertan alternadamente, o —dicho de otro modo— entre los tres primeros términos (ABC) se intercalan (alternadamente) los últimos dos (DE), resultando en la combinación ADBEC, como en los casos que siguen:

v. 169	*del*	*que*	*ejercicio*	*tienen*	*ordinario*
	A	D	B	E	C
272	*las*	*que*	*distantes*	*lo surcaban*	*naves*
	A	D	B	E	C
840	*y el*	*que*	*hervor*	*resultaba*	*bullicioso*
	A	D	B	E	C

En el segundo tipo, los trenzados con eje, los términos se agrupan entrecruzadamente a ambos cabos del verso (primero y tercero, segundo y cuarto), dejando para el medio el término final, en arreglo ACEBD. O sea que básicamente se trata de un trenzado de cuatro elementos en su ordenación más frecuente (ACBD), con un quinto término intercalado en posición intermedia, como en estos versos:

v. 213	*pulmón, que*	*imán*	*del viento*	*es*	*atractivo*
	A	C	E	B	D
243	*del*	*que*	*alambicó*	*quilo*	*el incesante calor*
	A	C	E	B	D
750	*los*	*que*	*del prado*	*aplausos*	*solicita*
	A	C	E	B	D

3. *Hipérbaton vertical.* Muchas de las transposiciones en el poema sobrepasan el límite del verso y operan a nivel de dos, tres o más versos. En algunos casos se da un fenómeno que de nuevo se remonta a la tradición poética latina y que lleva por nombre «hipérbaton vertical». El procedimiento consiste en unir verticalmente los términos concertados; de modo que se separa a dos palabras que lógicamente irían unidas, situándolas en versos diferentes (generalmente contiguos), y se las relaciona verticalmente al colocarlas en idéntica posición, ya sea inicial, intermedia o final. A continuación, algunos ejemplos que he registrado de este recurso en el poema:

vv.		
56-57	*solos* la no canora	
	componían capilla pavorosa	
205-206	*el* del reloj humano	
	vital volante que	
545-546	que portentoso *había*	
	su discurso *calmado*	
591-592	de *no poder* con un intüitivo	
	conocer acto todo lo crïado	
617-618	De esta serie seguir *mi entendimiento*	
	el método *quería*	
918-919	signífera del Sol, *el luminoso*	
	en el Oriente tremoló *estandarte*	
929-930	*breves* en ella de los tajos claros	
	heridas recibiendo	
967-968	*Mientras* nuestro Hemisferio *la dorada*	
	ilustraba del Sol *madeja hermosa*	

Como se puede observar, en este último caso se producen dos colocaciones verticales complementarias: una, en posición inicial, de adverbio / verbo; otra, en posición final, de adjetivo/sustantivo. Notemos asimismo que en los versos citados las colocaciones implican todas las partes de la oración: verbo/adverbio, artículo/sustantivo, sustantivo/verbo, auxiliar/participio, infinitivo/modalizador, etcétera.

4. *El hipérbaton en versos bimembres.* La bimembración muy empleada por los poetas del Siglo de Oro y en especial por Góngora, también se da con frecuencia en el *Primero sueño*. Abundan particularmente ejemplos de lo que Dámaso Alonso llama «bimembración sintáctica», o sea, casos de versos bimembres que «repiten en el segundo miembro la misma estructura morfológica y sintáctica del pri-

mero». En muchos de estos casos, la ordenación sintáctica de los dos grupos de vocablos es idéntica, pero en otros, aunque se preserva la constitución bimembre del verso, el orden de uno de los dos miembros del verso está ligeramente alterado. De esta forma los elementos gramaticales se repiten a ambos lados del eje (el cual puede ser una conjunción o una pausa), pero el orden de una de las partes está hiperbatonizado. En el verso 778, por ejemplo, «pesada menos, menos ponderosa», se ha alterado el orden normal de la sintaxis al posponer el adverbio de cantidad *menos* al adjetivo *pesada*, produciéndose así un caso de anadiplosis. En los versos que siguen, el hipérbaton da lugar a estructuras quiásmicas semejantes: (v. 175) «cobarde embiste y vence perezoso» (adjetivo adverbial-verbo / verbo-adjetivo adverbial); (v. 203) «muerto a la vida y a la muerte vivo» (verbo-complemento / complemento-verbo); (v. 237) «que avara nunca y siempre diligente» (adjetivo-adverbio / adverbio-adjetivo). [...]

Además de estos casos de «bimembración perfecta», se dan asimismo otros de «bimembración imperfecta», en los que la igualdad de los miembros no es exacta. En ellos se percibe una simetría bilateral, pero no una correspondencia absoluta entre los dos segmentos del verso. [...] En los ejemplos incluidos a continuación el hipérbaton está al servicio de la bimembración, puesto que desplaza a la palabra que rompe la simetría exacta (aquí son verbos o adjetivos) hasta el final del verso, permitiendo así dar un mayor realce a los sintagmas bimembres del verso:

v. 163   ya al ocio, ya al trabajo   destinados
                 B   A

353   aun en el viento, aun en el Cielo   impresas
                 B   A

413   (bien maravillas, bien milagros   sean) . [...]
                 B   A

Con frecuencia se encuentran bimembraciones que sobrepasan el límite del verso, o sea, que la bimembración se distribuye entre dos versos contiguos. El hipérbaton por lo común queda implicado en estos casos de «relaciones verticales», como se verá en los ejemplos que siguen:

vv. 149-150

	A	C	B
	aun	el ladrón	dormía;
	aun	el amante	no se desvelaba
	D	F	E

238-239

	D	F	E	
	ni	a la parte	prefiere	más vecina
	ni	olvida	a la remota	
	A	C	B	D

[Notemos en primer lugar que la relación entre los dos versos (o miembros del conjunto bimembre) se intensifica por medio de la repetición anafórica. En estos ejemplos, por añadidura, la vinculación binaria queda realzada a través de un juego de contrastes: dormía / desvelaba; prefiere / olvida; vecina / remota.]

5. *Hipérbaton regresivo.* Otro patrón que, una vez identificado, facilita en gran manera la lectura del poema, es el orden regresivo de algunos versos. Si tomamos como ejemplo los versos 472-473, «de diversas especies conglobado / esférico compuesto», se comprobará que los versos se leen en orden normal si vamos del último miembro al primero: «compuesto esférico conglobado de diversas especies». [...] Otra muestra más de este tipo de disposición se encuentra en el verso 98, donde —hablando de los recovecos del monte— se los describe como «cóncavos de peñascos mal formados». Al tomar en cuenta el orden regresivo del verso, se resuelve el equívoco (¿cóncavos como sustantivo o adjetivo?), pues el *rectus ordo* nos devuelve, «mal formados de peñascos cóncavos». Esta ordenación invertida o regresiva de los elementos del verso se repite considerablemente en el poema, y en algunos casos (como en los ya citados versos 472-473), implica a dos o más versos. En los versos 774-775 tenemos un ejemplo en el que la ordenación regresiva se da en dos versos contiguos:

de Atlante	a las espaldas	agobiara,
C	B	A
de Alcides	a las fuerzas	excediera.
C	B	A

Esta pareja de versos queda relacionada no sólo por el orden regresivo de sus miembros, sino también por la repetición anafórica y por la perfecta correspondencia de los vocablos en cada uno de los versos, que se corresponden tanto en ordenamiento, como en su función gramatical, como en el número de sílabas.

6. *Valor expresivo del hipérbaton.* Gran parte de las transposiciones en el *Primero sueño* no son violentas. En muchos casos alteraciones como la anteposición de las palabras introducidas por *de*, la anteposición de complementos del predicado verbal o los desplazamientos de adjetivos —fórmulas ya comunes en la lengua poética— no entorpecen la recta comprensión de los versos. Pero hay bastantes casos en que se dan alteraciones más engorrosas o problemáticas (la posposición con mucha separación del sujeto o del verbo o de ambos, por ejemplo), o instancias en que esas mismas transposiciones comunes de que hablábamos se amontonan en un mismo pasaje (y a veces en un mismo verso). Y es esta sistemática acumulación de hipérbatos, sostenida durante prolongados periodos, la que dificulta a ratos la lectura del poema. Y si digo «a ratos» es porque la hipérbasis, aunque presente en casi todo el poema, opera con más intensidad en unas partes que en otras, dado que a veces la complejidad a nivel sintáctico sirve para subrayar rasgos semánticos. Señalemos algunos ejemplos. Una de las secciones más enrevesadas del poema es aquella en que se describe el fracaso de la primera tentativa del alma (vv. 560-582). El alma, transformada en barco, confusa ante la riqueza de la visión del mundo, naufraga, y su confusión encuentra eco en la confusión o complicación de los elementos de la sintaxis. A paso seguido (vv. 583-599), en el pasaje en que ella se anima a tratar otra vez de llegar al conocimiento —esta vez con ayuda de las categorías aristotélicas— el hipérbaton se hace menos tortuoso y los versos (por no decir el lector) avanzan con menos trabas, al igual que el alma. Más adelante, la perplejidad y confusión del entendimiento, que no sabe cómo proceder (vv. 827-867), vuelven a dar lugar a un pasaje extremadamente difícil (un periodo de cuarenta versos que contiene un largo paréntesis de treinta y tres versos, entrecortado a su vez por tres paréntesis). Finalmente, la llegada del sol (vv. 887 hasta el final), acontecimiento que se marca positivamente en el poema y que pondrá fin al sueño, va acompañada de una notable disminución en el nivel de dificultad. Para terminar, convendría recordar que los valores expresivos del hipérbaton ya habían sido reconocidos por tratadistas del siglo XVII (Salcedo Coronel, Espinosa Medrano), y que por lo tanto es muy posible que muchos de estos efectos en el *Primero sueño* sean, de hecho, producto de un esfuerzo consciente por parte de sor Juana.

Jaime Delgado

SOR JUANA: VIDA, OBRA Y SOCIEDAD, SEGÚN OCTAVIO PAZ

Octavio Paz expone, desde el principio de su obra, la relación estrecha que se produce entre vida, obra y sociedad de sor Juana. «El enigma de sor Juana Inés de la Cruz —escribe— es muchos enigmas: los de la vida y los de la obra», porque siempre hay relación entre la vida y la obra de un escritor. Sin embargo, «la vida no explica enteramente la obra y la obra tampoco explica a la vida». Es que entre la vida y la obra aparece un tercer término: «la sociedad, la historia». Y aunque el autor no pretende explicar la literatura por la historia, subraya que «la poesía es un producto social, histórico». Así, «estamos ante realidades complementarias: la vida y la obra se despliegan en una sociedad dada y, así, sólo son inteligibles dentro de la historia de esa sociedad; a su vez, esa historia no sería la historia que es sin la vida y las obras de sor Juana» (pp. 13 y 15). En conclusión: «la comprensión de la obra de sor Juana incluye necesariamente la de su vida y de su mundo. En este sentido, mi ensayo es una tentativa de *restitución*; pretendo restituir a su mundo, la Nueva España del siglo XVII, la vida y la obra de sor Juana» (p. 18).

Tal razonamiento es inobjetable y puede y debe aplicarse a la vida y la obra de cualquier creador. Pero hay en este caso una particular connotación, que se expresa en esta pregunta: ¿por qué «las trampas de la fe»? Lo dice así el título de la obra de Octavio Paz: *Sor Juana Inés de la Cruz o Las trampas de la fe*. Sigamos al autor. Recuerda éste que sor Juana dice, en su *Respuesta a sor Filotea de la Cruz*, que no quiere «ruidos con la Inquisición». Y añade Paz: «Los lectores terribles son una parte —y una parte determinante— de la obra de sor Juana. Su obra nos dice algo, pero para entender ese *algo* debemos darnos cuenta de que es un decir rodeado de silencio: *lo que no se puede decir*. La zona de lo que no se puede decir está determinada por la presencia invisible de los lectores terribles. La lec-

Jaime Delgado, «Llega de nuevo sor Juana Inés de la Cruz», *Nueva Estafeta* (junio de 1983), pp. 39-54. Las citas se refieren a *Sor Juana Inés de la Cruz o Las trampas de la fe*, Seix Barral (Biblioteca Breve), Barcelona, 1982.

tura de sor Juana debe hacerse frente al silencio que rodea a sus palabras. Ese silencio no es una ausencia de sentido; al contrario: aquello que no se puede decir es aquello que toca no sólo a la ortodoxia de la Iglesia católica, sino a las ideas, intereses y pasiones de sus príncipes y sus órdenes. La palabra de sor Juana se edifica frente a una prohibición; esa prohibición se sustenta en una ortodoxia, encarnada en una burocracia de prelados y jueces». Sucede que, «con frecuencia, el autor comparte el sistema de prohibiciones —tácitas, pero imperativas— que forman el código de lo *decible* en cada época y en cada sociedad». Pero «no pocas veces y casi siempre a pesar suyo, los escritores violan ese código y dicen lo que no se puede decir. Lo que ellos y sólo ellos *tienen* que decir. Por su voz habla la *otra* voz: la voz réproba, su verdadera voz. Sor Juana no fue una excepción. Al contrario: sus contemporáneos percibieron muy pronto, en su voz, la irrupción de la voz *otra*. Esa fue la causa de las desdichas que sufrió al final de su vida. Porque estas transgresiones eran y son castigadas con severidad; y más: no es extraño que en algunas sociedades —como la de la Nueva España del siglo XVII— el escritor mismo se convierta en aliado y aun en el cómplice de sus censores. En el siglo XX, por una suerte de regresión histórica, abundan también los ejemplos de escritores e ideólogos transformados en acusadores de sí mismos. La semejanza entre los años finales de sor Juana y estos casos contemporáneos me hicieron escoger como subtítulo de mi libro el de la sección última: *Las trampas de la fe»*, aunque ello no pueda aplicarse a toda su vida ni al carácter de su obra» (pp. 16-17).

Tan extensa, aunque entrecortada, cita textual parece justificada por su propio contenido, ya que éste expresa, en realidad, una de las tesis más importantes —quizá la fundamental— que Octavio Paz sustenta en su interesantísima obra. Según ella, sor Juana Inés de la Cruz constituye un ejemplo claro de escritora voluntaria, volitiva y mentalmente heterodoxa, que se atreve a decir, en un momento determinado, lo que no se debe ni se *puede* decir y que acaba sometiéndose, contra su voluntad y su creencia, a la insuperable presión de la ortodoxia oficial. [...]

El mundo en que nació, vivió y creó sor Juana aparece centrado en la corte virreinal, sin la cual resulta imposible entender la vida y la obra de la poetisa. «Teatro de actividades sociales y culturales no menos que de intrigas y decisiones políticas —escribe Paz—, la corte virreinal fue un centro de irradiación moral, literaria y estética; al influir en las actitudes y en las maneras de la gente, modificó profundamente la vida social y los destinos individuales. Ejemplo de cortesía, costumbres y modas, la corte rigió las maneras de amar y comer, de velar a los muertos y cortejar a los vivos, de celebrar los natalicios y llorar las ausencias.» Y añade: «La corte virreinal ejerció una doble misión civilizadora: transmitió a la sociedad novohispana los modelos de la cultura aristocrática europea y propuso a la imitación colectiva un tipo de sociabilidad distinto a los que ofrecían las otras dos grandes instituciones novohispanas, la Iglesia y la universidad. Frente a éstas, la corte representa un modo de vida más estético y vital. La corte es el *mundo*, el *siglo*: un *ballet* no siempre vano y muchas veces dramático, en el que los verdaderos personajes son las pasiones humanas, de la sensualidad a la ambición, movidas por una geometría estricta y elegante» (pp. 42-43).

No voy a seguir a Octavio Paz en las amplias y muy atinadas consideraciones que hace sobre el tema cortesano, pero sí anotaré su idea acerca de la ruptura entre el México moderno y la Nueva España en el sentido del rompimiento que aquél realiza de la tradición cortesana virreinal. Igualmente, debe registrarse lo que el autor llama «rasgo premoderno», característico de Nueva España, a saber: la ortodoxia (p. 44). Ésta se alimenta —escribe Paz— del neoescolasticismo de Suárez y sus discípulos, y el autor establece —siguiendo a Richard M. Morse— la conexión entre el neotomismo y la sociedad patrimonial novohispana, ya que la ortodoxia era «el sustento del sistema político» (p. 49). Sin embargo, esa «completa fusión entre la idea y el poder» no se produjo sólo en la modernidad española, sino también en la modernidad europea —casos de la Francia de las guerras de religión y, en sentido contrario, de la Inglaterra de Cromwell, por ejemplo—, e incluso en España aquella fusión no bastaba para justificar el poder. La idea era, sin duda, la de reconstruir la unidad religiosa y robustecer la ortodoxia católica; pero el poder debía, además, mantener en justicia la comunidad, y si no cumplía este fin, el rey podía ser calificado de tirano y destronado y hasta ajusticiado, por mucho y bien que cumpliera el fin religioso. Ello quiere decir que aun siendo el príncipe responsable ante Dios, también la sociedad podía juzgarle y exigirle las oportunas responsabilidades por su gestión, de la misma manera que le exigía jurar el mantenimiento y la defensa de las libertades, los fueros y los privilegios del pueblo antes de otorgarle y reconocerle el mando. [...]
En los dominios de la cultura —en el sentido amplio de esta palabra—, es evidente —y así lo señala Octavio Paz— que Nueva España fue una sociedad culta, aunque este calificativo sólo pueda aplicarse —al igual que en España y en otras naciones europeas de aquel tiempo— a la minoría de la población. La Iglesia, la universidad y la corte fueron los centros

culturales de mayor importancia y trascendencia, especialmente el tercero por su carácter conversacional o de tertulia, más amplio que el universitario, al que no tenían entonces acceso las mujeres. Podría afirmarse, por ello, que ya en el siglo XVII el mundo hispánico consideró la conversación un género literario. Pero esa cultura no fue tan dogmática como señala Paz —los casos de Sigüenza y Góngora y de sor Juana lo demuestran—, ni su arraigo en Nueva España fue tan «lento y difícil», y así lo muestran, en la segunda mitad del siglo XVI, el indio don Pablo Nazarco y el mestizo fray Diego Valadés, entre otros.

Considero certera, en cualquier caso, la afirmación paciana, según la cual no puede calificarse de escritor mexicano a Juan Ruiz de Alarcón y sí hay que recordar que las raíces de la poesía mexicana se hallan en el tránsito del Renacimiento al Barroco, es decir, en el manierismo (pp. 73-74). [Por lo demás], es claro que don Luis de Góngora no fue el único modelo —aunque el más influyente— de la poesía barroca novohispana, ya que a él deben añadirse Lope, Quevedo y Calderón, y que la forma que adoptaron las preocupaciones intelectuales del siglo XVII fue la del sermón. Lo señala Paz en sor Juana, que no podía decir sermones, pero sí criticarlos, como lo hizo en su *Carta atenagórica*. Y aún más. «Ejemplo notable —leo en Octavio Paz— de cómo la poetisa se apropió de las formas predominantes masculinas de la cultura de su siglo, la *Carta* revela asimismo otro rasgo de esa sociedad: la teología como máscara de la política. La discusión sobre temas teológicos y la utilización de conceptos escolásticos de extraordinaria abstracción y sutileza no tenían muchas veces otro objeto que recubrir las diferencias reales entre los individuos y los grupos. La teología tuvo en el siglo XVII la misma función polémica que las ideologías sociales y políticas en el XX: la disputa por la interpretación de un pasaje de las Escrituras era la forma en que se manifestaban los pleitos de intereses y las querellas de personas» (pp. 83-84).

No coincido totalmente, en cambio, con el maestro Paz en su valoración de los «elementos nativos» en la obra de sor Juana, a los que no considera frutos de lo que él llama «naciente espíritu nacional». Dice, en efecto, Octavio Paz: «Aunque los temas propiamente mexicanos —la conquista, las leyendas indígenas, la "grandeza" de la ciudad de México, el paisaje de Anáhuac— aparecen en los poemas de esa época, sería muy arriesgado afirmar que son expresiones del "nacionalismo literario". De una manera natural —la estética misma del barroco lo exigía—, la poesía culta aceptó los elementos nativos. No por nacionalismo, sino por fidelidad a la estética de lo extraño, lo singular y lo exótico. En sus canciones y villancicos, sor Juana no sólo usa admirablemente el habla popular de mulatos y criollos, sino que incorpora la lengua misma de los indios, el náhuatl. No la mueve un nacionalismo poético, sino todo lo contrario: una estética universalista y que se complace en recoger todos los pintoresquismos y hacer brillar todos los particularismos. Al catolicismo político del Imperio español correspondía el catolicismo estético del arte barroco» (pp. 84-85). Pues bien: esa «fidelidad a la estética de lo extraño, lo singular y lo exótico» ya se había producido en don Luis de Góngora; pero en sor Juana y, sobre todo, en don Carlos de Sigüenza y Góngora, tiene muy diferente significación. No es solamente que haya «una conjunción entre la sensibilidad criolla y el estilo barroco»; es que en ese momento, los intelectuales criollos muestran por primera vez —y el propio Paz lo había anotado antes— su conocimiento reflexivo de su personalidad como diferente de la española. Con otras palabras: la manifestación primera de lo que será, siglo y medio después, la cultura americana. [...]

La crítica de Octavio Paz al libro de Pfandl es irrebatible, como lo son también las deducciones que extrae de los datos familiares de la poetisa y de las ideas acerca de la moral del siglo XVII, época en que «la ortodoxia sexual era mucho menos rigurosa que la ortodoxia religiosa». Por otra parte, en lo tocante a las relaciones familiares de la futura sor Juana con sus padres, Octavio Paz se inclina a creer que el vínculo entre ella y su padre fue inexistente, fue «una relación imaginaria». En ella y en la imagen que ella se hacía de la paternidad se mezclaban tres figuras: «la del padre biológico, Pedro Manuel de Asbaje; la de su sustituto y rival, Diego Ruiz Lozano, y la del abuelo, con el que vivió y al que, casi seguramente, consideraba como su verdadero padre». Las relaciones afectivas, tanto imaginadas como reales, de sor Juana Inés con esas tres personas, así como con la madre, están agudamente expuestas por Paz, quien señala que en la biblioteca de su abuelo encontró la futura monja «no sólo un refugio, sino un espacio que sustituye a la realidad de la casa con sus conflictos y fantasmas. La decisión de tomar el velo, años más tarde, resulta más comprensible si se piensa en este descubrimiento infantil. El convento es el equivalente de la biblioteca, como lo da a entender ella misma en su *Respuesta* al obispo de Puebla. A su vez, convento y biblioteca son compensación frente al padrastro y sustitución del padre. Por último, en sus significados afectivos son homólogos, porque celda y biblioteca hunden sus raíces en la misma tierra del deseo infantil». Y añade Paz: «No es un azar que la matriz se llame también claustro materno. Al enclaustrarse, Juana Inés consuma el movimiento de repliegue a que he aludido ya más de una vez. Es una operación de retorno a la situación infantil, una verdadera clausura. La celda-biblioteca es la caverna maternal, y encerrarse en ella es regresar al mundo del origen» (p. 118).

Muy bien visto está también por Octavio Paz el origen de la supuesta «virilización» de sor Juana, origen «eminentemente social y no psicosomático» (p. 122). Del mismo modo, el autor utiliza diestramente las obras de la poetisa para aclarar algunos puntos de la biografía de ésta (capítulos 3 y 4 de la segunda parte), como el tema de la profesión, por ejemplo, cuyas circunstancias básicas son «la bastardía, la pobreza y la ausencia del padre» (p. 152). Igualmente certeros son los análisis de la vida monjil de sor Juana y de los antecedentes de la obra de ésta en su *Neptuno alegórico* y en la explicación de éste, que ocupan los cuatro capítulos de la tercera parte. Atención especial merece también, a mi juicio, el estudio paciano de las relaciones de la monja poetisa con la virreina condesa de Paredes (pp. 283-303), que el maestro Paz explica mediante el platonismo de sor Juana, que tuvo en ésta una doble función: «la primera, aliada del hermetismo, fue de orden intelectual; la segunda, vital», porque «sin el estricto dualismo platónico, sus sentimientos y los de María Luisa se habrían convertido en aberraciones» (p. 285). Ello está claro, y la propia monja lo declara así. Siempre he pensado, sin embargo, que bien pudiera suceder que sor Juana tuviera —o antes o después de su profesión religiosa— un amor imposible, al que dirige sus poemas poniendo de pantalla a la virreina, precisamente porque ese amor platónico entre mujeres era aceptado en la época, y no lo era, en cambio, el de una monja a un hombre, cuya era la carencia que le hacía tener «cuaresmados los deseos». El mismo Paz viene a respaldar, en cierto modo, esta idea cuando dice que las mujeres de sor Juana se ven, pero que los hombres son tan sólo «sombras fantásticas». «La indecencia —escribe Paz— se volvía escándalo si la autora de la descripción era una mujer, y más aún si era una monja. La tradición poética y retórica poseía un vocabulario y unas figuras para nombrar al cuerpo femenino, pero muy pocos de esos giros podían aplicarse al masculino. Esto podría explicar que en los poemas de sor Juana figuren pocas descripciones del cuerpo masculino y que sean siempre vagas, imprecisas» (p. 299). [...]

El estudio de la poesía de sor Juana ocupa en el libro de Octavio Paz, como es lógico y forzoso, un gran espacio (los tres primeros capítulos y el sexto de la quinta parte). En lo concerniente a la poesía profana, veo confirmada (páginas 371, 375 y 380) la idea, apuntada antes, de la dedicatoria de los poemas amorosos a un antiguo amor cortesano de sor Juana. [Sobre el carácter «marcadamente masculino» de la cultura en el siglo XVII, las afirmaciones pacianas me parecen un tantico exageradas, pero nada rebaja el mérito de sor Juana como autora de las famosas redondillas satíricas.] Estoy de acuerdo con el maestro Paz: «En este sentido, el poema fue una ruptura histórica y un comienzo: por primera vez en la historia de nuestra literatura, una mujer habla en nombre propio, defiende a su sexo y, con gracia e inteligencia, usando las mismas armas de sus detractores, acusa a los hombres por los vicios que ellos achacan a las mujeres. En esto sor Juana se adelanta a su tiempo: no hay nada parecido, en el siglo XVII, en la literatura femenina de Francia, Italia e Inglaterra» (pp. 399-400). [...]

Es, sin duda, *Primero sueño* el poema mejor y más profundamente estudiado por Octavio Paz, quien afirma que es «el poema más personal de sor Juana». La obra, escrita hacia 1685 y titulada simplemente *El sueño*, alargó su título en la edición de 1692, en la que aparece como *Primero sueño, que así intituló y compuso la madre Juana, imitando a Góngora.* Esto permite a Paz suponer que la poetisa pudiera haber pensado escribir un *Segundo sueño*, como Góngora escribió dos *Soledades,* y de ahí la alusión al poeta español. Sólo en este sentido, el poema de sor Juana imitaría al de Góngora, aunque como obra poética, *Primero sueño* tiene y revela clara influencia gongorina. Pese a ello, «las diferencias son mayores y más profundas que las semejanzas». Así, sor Juana «tiende más al concepto agudo que a la metáfora brillante», mientras Góngora «sobresale en la descripción —casi siempre verdaderas recreaciones— de cosas, figuras, seres y paisajes»; el lenguaje gongorino es estético, y el de sor Juana, intelectual; en Góngora «triunfa la luz: todo, hasta la tiniebla, resplandece; en sor Juana hay penumbra: prevalecen el blanco y el negro. En lugar de la profusión de objetos y formas de las *Soledades,* el mundo deshabitado de los espacios celestes» (pp. 469-470).

«Poesía del intelecto» llama el maestro Paz a ésta de sor Juana, y en este aspecto la relaciona con el poema de Mallarmé *Un coup de dés n'abolira le hasard,* del cual aquél sería, naturalmente, una «extraña profecía». «El parecido —escribe Paz— es más impresionante si se repara en que los dos viajes terminan en una caída: la visión se resuelve en no-visión. El mundo de Mallarmé es el de su época: un cosmos infinito o transfinito; aunque el universo de sor Juana es el universo finito de la astronomía ptolomeica, la emoción intelectual que describe es la de un vértigo ante el infinito. Suspendida en lo alto de su mental pirámide hecha de conceptos, el alma encuentra que los caminos que se le abren son abismos y despeñaderos sin fin. En *Primero sueño* aparece un espacio nuevo y distinto, desconocido lo mismo para fray Luis de León y los neoplatónicos del XVI que por los poetas del XVII, Quevedo, Góngora o Calderón» (pp. 470-471). En fin, «*Primero sueño* no es el poema del conocimiento como un vano sueño, sino el poema del acto de conocer. Ese acto adopta la forma del sueño, no en el sentido vulgar de la palabra sueño ni en el de la ilusión irrealizable, sino en el de viaje espiritual. Durante el sueño, el alma está despierta, algo que olvidan casi todos los críticos. El viaje —sueño lúcido— no termina en una revelación, como en los sueños de la tradición del hermetismo y el neoplatismo; en verdad, el poema *no termina*: el alma titubea, se mira en Faetón y, en esto, el cuerpo despierta. Épica del acto de conocer, el poema es también la confesión de las dudas y las luchas del Entendimiento. Es una confesión que termina en un acto de fe: no en el saber, sino en el afán de saber» (p. 499).

El poema de sor Juana se inserta, sin duda, en la tradición platónica, recogida y transformada después, en el Renacimiento y el Barroco, por un Kepler y un Kircher, pasando por un Cicerón y un Macrobio. Sin embargo, sor Juana no sigue el esquema tradicional y logra una obra absolutamente original por el asunto y por el fondo de su poema. Octavio Paz señala certeramente las diferencias (pp. 473-482) y concluye este punto afirmando que «con *Primero sueño* principia una actitud —la confrontación del alma solitaria ante el universo— que más tarde, desde el romanticismo, será el eje espiritual de la poesía de Occidente». Así, «de una manera u otra, todos los poetas modernos han vivido, revivido y recreado la doble negación de *Primero sueño*: el silencio de los espacios y la visión de la no-visión. En esto reside la gran originalidad del poema de sor Juana, no reconocida hasta ahora, y su sitio único en la historia de la poesía moderna» (p. 482).

La descripción que del poema hace Octavio Paz es tan penetrante y atinada (pp. 485-496), que es algo más que eso: es un análisis profundo, mediante el cual se contempla la obra en su conjunto y se descompone éste en sus partes constitutivas. Igualmente certera es la comprensión de la palabra *sueño* en sus cuatro acepciones. En este aspecto, podría recordarse que ya Argensola expresó la idea del sueño

como situación o estado próximo al de la muerte: «Imagen espantosa
de la muerte, / sueño cruel ...». Por otra parte, es cierto que sor Juana «reflexionó sobre los límites de la razón», y que ése es «el tema de
su poema y uno de los ejes de su vida interior» (p. 497). Por eso, «*Primero sueño* es el poema de la crisis intelectual de sor Juana y el acto
inicial de su conversión», así como «un ejemplo más, y el más radical
y riguroso de la poesía barroca del desengaño» (p. 498). [...]

Parece claro que la publicación de la *Carta atenagórica* ..., precedida por la dirigida a sor Juana Inés y firmada por una supuesta sor
Filotea de la Cruz —que era el obispo de Puebla, don Manuel Fernández de Santa Cruz—, fuera dirigida a herir y atacar al arzobispo
Aguiar y Seijas, cuyos «españolismo» e intemperancias pudieron mo-
lestar al prelado de Puebla y a sus amigos. La carta de sor Juana iba
dirigida realmente contra las ideas del jesuita Antonio de Vieyra, publicadas cuarenta años antes. Ya en 1950, Octavio Paz señaló que
«la crisis intelectual y psicológica de sor Juana sólo era comprensible
desde la perspectiva de la crisis social e histórica de Nueva España al
finalizar el XVII». Esta tesis, inadvertida hasta 1967, fue recogida por
Darío Puccini, quien ofreció entonces una hipótesis «sólida, verosímil
e intelectualmente satisfactoria», que el maestro Paz sigue en líneas
generales, aunque apartándose de ella en algunos puntos concretos.
Pues bien: Vieyra, patrocinado y defendido por la Compañía de Jesús,
dominante en la educación, en la Iglesia y en el Estado, halló un entusiasta admirador en el arzobispo Francisco Aguiar y Seijas, elevado a
tal jerarquía por influencia de los ignacianos. En consecuencia, fue éste
quien se sintió directamente afectado por la crítica de sor Juana. Si a
esto se añade la rivalidad entre Fernández de Santa Cruz y Aguiar y
Seijas por acceder a la mitra de México, ya tenemos el motivo de la
oposición de éste a sor Juana (pp. 520-529). [En cualquier caso,]
la *Respuesta* de sor Juana señaló cuál era la situación de ésta ante el
problema de su vocación, y por ello «es un documento único en la
historia de la literatura hispánica» y «se aparta de las tendencias predominantes de nuestra cultura y es el complemento de *Primero sueño*:
si este último es el aislado monumento del espíritu en su ansia de
conocer, la *Respuesta* es el relato de los diarios afanes del mismo espíritu, contados en un lenguaje directo y familiar" (pp. 537-538). De
ahí el que declare su incapacidad para «penetrar en las sutilezas de la
teología», pero no «la contradicción entre su vocación de solitaria

estudiosa y las obligaciones de la vida comunal en un convento» (pp. 539-540).

No parece dudoso, en este sentido, que sor Juana Inés eligió la vida conventual como «lo más decente que podía elegir», dada su «total negación al matrimonio» e incluso la difícil e improbable posibilidad de éste. Por otra parte, no hay que sospechar insinceridad en la monja cuando afirma que sus estudios profanos tenían como meta el llegar a la teología. Si su ideal del saber era poligráfico, y «quiso abrazar con cierta profundidad los temas y las ciencias que formaban el núcleo de la cultura de su época, procurando discernir los nexos y los eslabones que unían unos a otros esos dispares conocimientos», queda claro que su intento, aunque absolutamente *moderno*, consistió en cohonestar esas verdades científicas con las verdades teológicas (pp. 542-543). Para alcanzar tal fin, solamente disponía de la experimentación, lo cual no constituye, por cierto, rasgo personal alguno de su carácter ni nada que distinga a sor Juana de la tradición hispánica, desde Arias Montano hasta un Enrico Martínez o un Salazar y Cárdenas, por ejemplo. [...]

Si se tiene en cuenta que en el tiempo de sor Juana primaba el sentimiento religioso, ¿por qué no cree Octavio Paz en una *conversión* auténtica, sincera y sentida de sor Juana? Podría suceder, en efecto, que ella se sintiera enferma y presintiera su vecina o próxima muerte, como lo autoriza pensar la fecha de su llamada conversión, lo cual no empece la amargura que la monja pudiera sentir al deshacerse de sus libros y de los objetos de sus colecciones. Por lo demás, el que sor Juana se ocupara de salvar alhajas y dineros de su propiedad para legárselos a sus familiares no contradice la sinceridad de su actitud final. Es cierto: «Monja y hábil política, poetisa e intelectual, enigma erótico y mujer de negocios, criolla y española, enamorada de las arcanidades egipcias y de la poesía jocosa, sor Juana se contradice sin cesar y así contradice a su época. Contradice también a esos panegiristas que la prefieren beata embalsamada a escritora viva» (p. 603). Pero esto no muestra que incurriera en una supuesta «caída final». Sor Juana Inés de la Cruz fue, sin duda, una mujer adelantada a su tiempo. El extenso y muy profundo estudio de Octavio Paz lo demuestra.

José Pascual Buxó

GÓNGORA EN LA POESÍA NOVOHISPANA: FÓRMULAS ESTILÍSTICAS

La tendencia de Góngora a utilizar sistemáticamente las mismas construcciones sintácticas a lo largo de toda su obra, constituye sin duda una de las características primordiales de su estilo. Ese prurito de repetición puede apreciarse también en una serie de giros de carácter adversativo o restrictivo que, a fuerza de repetirse, llegan a perder su primitivo valor lógico para convertirse en un mero recurso estilístico, en una fórmula más.

Estas «fórmulas estilísticas», estudiadas por Dámaso Alonso en la poesía de Góngora [1935], son las que ahora nos proponemos rastrear en la obra de los poetas novohispanos para dejar comprobada su completa sujeción al modelo gongorino.

Fórmulas A, si no B. El caso más sencillo, el más apegado al uso normal, lo constituye la adversación de dos términos que pueden oponerse lógicamente o no. En tales casos *si no* equivale a *aunque no, pero no.* (Aves, «que en voces, si no métricas, suaves ...», Góngora.) En este verso de Alonso Ramírez de Vargas, por ejemplo:

B   A

si no torrente pródigo, bastante ...

los términos A y B se contraponen lógicamente («torrente suficiente») (bastante) aunque no pródigo; pero en éstos de sor Juana Inés de la Cruz: «... remota (*el alma*) si del todo separada / no, a los de muerte temporal opresos / lánguidos miembros» no hay oposición lógica entre «remota» y «separada», aunque sí existe una patente adversación: «el alma, remota, aunque no del todo separada de los miembros oprimidos por el sueño (muerte temporal)».

Mucho más frecuente en Góngora es que el término B no se contraponga al A, sino que ambos sean presentados al lector a modo de alternativa, o como si A fuera considerado por el propio poeta como

José Pascual Buxó, «Fórmulas estilísticas», *Góngora en la poesía novohispana*, Imprenta Universitaria, México, 1960, pp. 55-63.

más aceptable que B. En esos casos, A está expresado en lenguaje realista o es una imagen poco atrevida; B en cambio contiene una imagen violenta o una hipérbole. Es evidente, pues, que se trata de una restricción puramente estilística, en la cual la intención estética se inclina sobre el término B. En estos versos del *Primero sueño*, de sor Juana:

> El estómago
>   B
> ... esta, pues, si no fragua de Vulcano,
>
>   A
> templada hoguera del calor humano ...

A («templada hoguera del calor humano») contiene sin duda una imagen mucho menos atrevida que el hiperbólico término B («fragua de Vulcano»). La prosificación que Alonso Méndez Plancarte [1951] ha hecho de este poema permite ver claramente esa restricción estilística de la que hablamos: «El estómago, esa templada hoguera del calor humano en la que se cuecen los alimentos, ya que no se forjan allí los rayos, como en la herrería de Vulcano ...». [...]

Hay ocasiones en que ambos términos, A y B, encierran una hipérbole, pero la contenida en B excede en atrevimiento:

> Si no del Frigio monte,
> de las verdes pirámides que al cielo
> levanto en mi horizonte,
> lo arrebató tu vuelo ... (Ramírez de Vargas),

en donde *si no* debe traducir por *si no digo, si no es, si no fue*, tal como lo documenta Dámaso Alonso con aquellos ejemplos donde Góngora descubre la trama retórica del artificio que estudiamos: «Las pechugas, si hubo Féniz, / suyas son; si no le hubo, / de los jardines de Venus / pomos eran no maduros», o como encuentro en estos versos anónimos: «Jardín se formó en el campo, / fingiendo con fiel donaire / un aranjuez las flores / y los espejos estanques, / si no ya que el Paraíso / allí vino a transladarse ...» («Altar de los carmelitas»).

A partir de estos últimos casos se inicia el anquilosamiento de la fórmula; entonces A y B tienen ya el mismo valor lógico y no existe restricción estilística alguna; es decir los dos términos son igualmente normales o atrevidos (carcaj de cristal hizo, si no aljaba ...», *Pol.*, v. 243), [o en estos versos de Fernando de Valtierra:] «... tuerza la llave al templo la osadía, / si no del Dios bifronte, / del que dos frentes dora a su alto monte». [...]

Con todo, no es esta fórmula *A, si no B* la preferida por los poetas novohispanos ni la que usaron más repetidamente. El reducido número de ejemplos que he encontrado me hace suponer que, como ocurrió con la fórmula *si bien*, estudiada más adelante, pudo convertirse muy pronto en un giro corrientísimo en el habla de las personas afectadas y desdeñada por tal causa en el ejercicio literario.

Fórmula A, si B. Mucho más ampliamente puede documentarse la fórmula enunciada en la poesía novohispana del siglo xvii. *A, si B* implica, en algunos casos, una adversación intensa según el uso corriente («... lisonja, si confusa, regulada / su orden de la vista, y del oído / su agradable ruido», *Sol.*, ii, vv. 717-719): «... conchas purpúreas orlan el vestido / que multiplican soles / de fondo más brillante, si escondido ...» (José de la Llana); «"brillante, aunque escondido". / Una "pirámide gastronómica" / se levantaba, acongojando el viento ... / su vuelo mantecoso, si opulento ...» («El Paraíso de la gula»); «"vuelo mantecoso, aunque opulento". / ... todos los suaves / si bélicos clarines de las aves ...» (sor Juana).

Lo usual, sin embargo, es que no haya adversación ninguna, y que *si*, empleado como una muletilla, deba traducirse por *y, además*: «Qué de espuma soberbia, si erizada / a los soplos del Noto, / furioso esparce el húmido tridente ...» (Andrés Marcano). [...]

Fórmulas no B, sí A; no B, A. Frecuentísima también en los poetas novohispanos; la utilizaron, al igual que Góngora, unas veces para adelantar rotundamente un término atrevido hiperbólico, A («... el pecho no escamado, / ronco sí ...», *Pol.*, vv. 117-118): «... ¡oh Silva famoso, cuyas sienes / no los verdes desdenes / de Dafne ceñir deben, / sí de Estrellas / corona inmarcesible ...» (sor Juana); «no al duro golpe fuerte / de la temible muerte, / sí a instancias de la luz de sus amores, / se apagaron sus dulces esplendores» (Sigüenza y Góngora). [...]

Pero por lo general, la fórmula responde sólo al propósito de reforzar una contradicción: «claveles ya no, sí lilios los franceses ...» («Marte católico»); «no el principio en los empeños, / sí el fin, Borja, en las proezas» (Acevedo y Ledesma). [...]

El tipo *no B, A* es una variación del anterior que ofrece, además, los mismos matices; propone un término atrevido frente a otro normal: un caballo «huella ligero, no la tierra, el aire.» (José Francisco de Isla), o refuerza una contradicción: «el céfiro sutil, no el austro insano...» (José de la Llana). [...]

Fórmula no A, sino B. Frecuentísima en la prosa, los novohispanos la utilizaron moderadamente en poesía, tanto en su sentido normal —como negación de un término y afirmación decidida de otro—: «no sólo augural seña / de la Fénix civil del orbe mío, / sino anuncio sagrado» (Anónimo); «católico Numa impera, / no en uno, sino en dos mundos» (Mateo Ramírez); «... le presta a su destino, / no el color vergonzoso, sino el fino» (Gil Ramírez); como para introducir mediante el término B una modificación a la imagen propuesta por A: «... aquella blasfema altiva Torre / de quien hoy dolorosas son señales / —no en piedras, sino en lenguas desiguales ...— / los idiomas diversos ...» (sor Juana).

Si bien, bien que. Una fórmula menos complicada, pero que comprueba igualmente la afición que los poetas mexicanos de la colonia tuvieron por la repetición sistemática de modelos gongorinos, es la ocasionada por ciertos giros adversativos o restrictivos introducidos por *si bien que*, perdido su valor lógico, se convierten en simples muletillas: «... a cuyo, aunque no duro, / si bien imperioso / precepto, todas fueron obedientes» (sor Juana).

Sin embargo, no fue esta fórmula la que más satisfizo a los poetas novohispanos; en lugar suyo emplearon otra que Góngora también usó y en la cual *si bien* es sustituido por *bien que*.

Si en ocasiones podemos hallar un verdadero carácter restrictivo en esta fórmula: «Soberbios torbellinos levantados / (bien que a tiempo impedidos / de fulgores de luz ...)» (Alonso de Rojas); «y de este corporal conocimiento / haciendo, bien que escaso, fundamento ...» (sor Juana), lo más frecuente es que *bien que* no introduzca ninguna adversación, sino que sea empleado como una muletilla que puede resolver, incluso, algunas dificultades en la versificación: «Para viviente cuna, / bien que de Dios, María albergue estrecho ...» (Luis de Verrio); «cuando en breve, polvorosa huella, / bien que sagradamente repetida, / a término glorioso conducida ...» (Fernández del Rincón); «la que más lucida centellea / inanimada estrella, / bien que soberbios brille resplandores ...» (sor Juana).

E. Hopkins Rodríguez

EL DESENGAÑO EN LA POESÍA DE VALLE CAVIEDES

[El poeta, ante la pérdida de vigencia del ideal caballeresco, descarga su desilusión en el humor, usando lo heroico —transformándolo— para satirizar.] La sátira de lo guerrero, en este sentido, cuyo más claro modelo lo conforman los géneros épico-burlescos —las epopeyas de animales, por ejemplo—, se adhiere al escepticismo que acompaña al anhelo de recuperación de los tiempos del valor y la fama caballerescos.

Ya el título del que parece mal denominado *Diente del Parnaso* [véase Cáceres, 1972] —y que ha sido estatuido aproximadamente como *Guerra física, proezas medicales, hazañas de la ygnorancia*— alude a las intenciones «épicas» de Caviedes, que, por lo demás, proporciona diversos apelativos a la obra en sus composiciones, aunque conservando un común espíritu «bélico».

En el *Diente* los «héroes» del poeta son: la imagen —medieval— de la muerte; los médicos matadores; los boticarios, cómplices de médicos; los malos poetas, etc. La imagen de la muerte, de procedencia medieval en su personificación, se compone con los factores más tradicionales de su iconografía: un esqueleto femenino armado con guadaña, flechas, redes o telarañas, y que impera absolutamente sobre cosas y hombre, sobre la «vanidad del mundo». El poeta decide la variación burlesca de esta imagen al ampliar los aditamentos o instrumental de la muerte al grupo profesional de médicos y boticarios: «Muy poderoso esqueleto, / en cuya guadaña corva / está cifrado el poder, / del imperio de las sombras; / tú, que tropellas tiaras, / tú, que diademas destrozas, / y a todo el globo del mundo / le dá tu furia en la bola; / tú, que para quitar vidas / tantos fracasos te sobran / y que, para más lograrlo, / fatalidades emboscas / de médicos ...» (Dedicatoria, 222).

El rasgo pseudoheroico se genera al organizarse los médicos como

Eduardo Hopkins Rodríguez, «El desengaño en la poesía de Juan del Valle Caviedes», *Revista de Crítica Literaria Latinoamericana*, 1:2 (1975), pp. 7-19 (10-14).

«campeones» del «cetro» de la muerte, trastocados los mecanismos pertinentes al ejercicio de la medicina en figura de aparato guerrero, mortífero, por un juego semántico favorito de Caviedes: «me seguían tres idiotas, / que me venían tirando, / por las espaldas huidoras, / fricciones y sajaduras, / jeringas, calas, ventosas, / aceites, polvos, emplastos, / parches, hilas, y otras cosas / que llaman drogas, con que / meten las vidas a droga. / Y viendo no me alcanzaban / dijeron con voz furiosa / a un boticario artillero: / ¡dále fuego a esa ponzoña!» (224).

El enfermo, liberado de la persecución de sus médicos verdugos, designa como «heroica» la causa que le posibilitó el rescate: «Escapóme de esta furia / la naturaleza heroica» (224).

En el «Coloquio que tuvo con la Muerte un médico» (230), nos encontramos con la figuración hiperbólica de la ridiculez de una soberana y su ejército; un cortejo transformado en caricatura de lo heroico.

Como lo seriamente épico suele quedar registrado en crónicas, historias, poemas, etc., Caviedes propone paródicamente hacer difusión y memoria de «asañas» en todas las dimensiones de su *Diente* como «puntual coronista»: «Libre de ellos, reconozco / que de justicia me toca / ser un puntual coronista / de sus criminales obras. / Y habiendo escrito este corto / cuerpo de libro, que logra / título de cuerpo muerto, / pues vivezas no lo adornan; / por cuerpo muerto y tratar / de médicos, que es historia / fatal de vuestros soldados, / lo dedico a vuestra sombra» (225).

La «Respuesta de la Muerte» puede confirmar con otros matices la motivación «heroificante»: «las hazañas de los doctos / oye, mudando de metro» (226).

Por su parte, ya la dedicatoria que abre los poemas antimedicales ofreciéndolos a la muerte, comporta un remedo de la retórica de canto épico antiguo.

Reduciendo la exhorbitada amplitud que Caviedes, satíricamente, da al término «asañas», habremos de analizar una selección de poemas del *Diente* en los que la inversión jocosa se encuentre dependiendo con más «pureza» de comportamientos propios de gesta.

El poema «A un desafío» toma como asunto un «duelo» de ridículos guerreros, dirimido finalmente por la aparición de su protectora, la Muerte, a modo de farsesco *deus ex machina*. Con el enfrentamiento de estos «campeones» se retorna al muy caballeresco juicio de Dios, mas como no interesa la razón sino el hecho de hacer morir al enfermo, la Muerte impide la «revelación» del fallo y rescata a sus dos servidores.

Las condiciones antiheroicas del desafío resaltan empezando por la «prestancia» de los duelistas y su peculiar «Kalokagathia»: «Liseras, un corcobado, / con un cirujano tuerto / ambos del arte, y entrambos / sin arte, por ser mal hechos, / tuvieron unas palabras / sobre matar a un enfermo» (237).

Las armas, reiterando combinaciones de otros poemas, proceden de material médico. El motivo de la lucha está en la cuestión: ¿apostema o uñero? El árbitro, la Muerte: «El esqueleto en sus manos / se las cogió a los guerreros, / diciendo con propiedad: / —Ea! Toquen esos huesos— / Abrazáronse los dos / con un lazo muy estrecho» (239).

Y para el brindis de reconciliación tienen al paciente: «Mano a mano con la muerte / fueron casa del enfermo, / y por brindis de amistades / se lo mamó el esqueleto» (239).

En «Memorial que da la Muerte al Virrey», la Muerte aconseja al Virrey la formación de una escuadra en la que embarque «a todos los boticarios, / barberos y curanderos / y, en fin, a los matasanos, / sin exceptuar a ninguno» (250). Se pide incluso la incorporación de una reserva de poetas malos «porque éstos también disparan / y matan a cada paso» (252). Nuevamente las armas y la estrategia de tales «soldados» son los instrumentos y modos de curación.

En el caso de «Al doctor Yáñez», la adición de la espada en el médico crea una postura de doble espadachín: por el arma y por las recetas o curaciones. En este contexto la técnica de esgrima se transpone al aparato curativo. Lucir la espada en combinación con su impropia vestimenta trasluce el barniz caballeresco creado por la vanidad del médico. Caviedes desmenuza la autoheroificación de su personaje hasta abarcar la pose narcisista continuada por la superficie urinaria: «Hacerse raro es defecto / conocido que señala / mucha falta de juicio / y ésta, Doctor, es sin falta; / qué dirán los orinales /cuando a la vista los alzas / de ver tahalí i valona / que en su vidrio se retratan» (271).

Considerando el poema «Defensa de un pedo» (aunque un prurito de buen gusto en la crítica suele apartar ciertas composiciones de Caviedes, como ésta, a veces bastante ingeniosas) expondremos, dentro de su escaso aspecto heroificante, dos ejemplos de extremos «épicos» a los que el poeta y el Barroco español pueden dirigirse.

Por comparación, manía estilística de sus versos contra médicos, Caviedes maltrata la musicalidad guerrera: «Los pífanos y atambores, / trompetas y las cajas, / ¿no son pedos que al sonido / solo mudan circunstancias?» (0, 109-110).

En cuanto al género poético de las proezas memorables, basta cambiarle el asunto para anular su «ethos»: «¿Hay más aplaudida cosa. / entre las letras profanas, / que aquel pedo de Pamplana / que se oyó en la Gran Bretaña? / ¿Aquel gran pedo de Muza / que tanto sonó en la Arabia, / no fue asunto a los poetas / de sonetos y epigramas?» (0, 110).

Aun cuando Caviedes emplea extensivamente el romance en sus obras, debe ser especialmente destacado su predominio en el *Diente* recordando su primitiva filiación épica, su génesis como forma estrófica derivada de los cantares de gesta.

El objetivo del *Diente del Parnaso*, que sería la sátira de médicos, pertenece a la tradición literaria desde la Antigüedad, y en cada circunstancia histórica se ha asimilado los rasgos de época correspondientes. La tipificación por lo heroico nos permite deslindar cierta contribución barroca a tan antigua temática, patrimonio que comparte Caviedes con otros escritores españoles, de los cuales quizás Quevedo sea su más insistente modelo.

En el *Diente* la impericia de los médicos, sus defectos físicos y morales, etc., al ser convertidos por el poeta en «asañas» inscritas como crónicas heroicas, desarrollan una intencionalidad específica dentro del objetivo antimedical: la hipérbole «heroificante», pudiéndose extraer de esto un principio o factor de elaboración en dicha obra.

6. EL TEATRO

Los historiadores y críticos del teatro hispanoamericano colonial suelen comenzar su estudio con observaciones, tomadas principalmente de los cronistas referentes a las representaciones dramáticas entre los indios americanos. De esta manera, *areytos* antillanos, *mitotes* mexicanos, *taquis* peruanos y otras ceremonias son vistos como antecedentes o gérmenes de nuestra comprensión de la literatura dramática y del teatro. Estas actividades, regularmente rituales y de carácter pantomímico, alcanzan rara vez la formalización significativa y dimensionalmente importante del *Rabinal Achí*. Esta pieza, cuyo texto fue recogido en lengua quiché de Guatemala, en 1859, y traducido luego a diversas lenguas, no muestra vestigios hispánicos. Tiene, en cambio, las formas estrictas de un *tun*, representación indígena de un rito guerrero. R. Acuña [1975, 1978] ha dedicado trabajos especiales a su estudio y ha abordado también otras modalidades del teatro nativo; es también autor de la bibliografía más elaborada, Acuña [1979], sobre el teatro popular. Para el lugar que ocupa el teatro indígena en la historia del teatro hispanoamericano véase Henríquez Ureña [1936, 1960], Arrom [1956, 1967], Icaza [1980]. Los orígenes del teatro hispanoamericano corresponden principalmente a dos manifestaciones del siglo XVI. Una es el teatro misional, que tiene por destinatarios a los indios y por propósito la adoctrinación religiosa. Fue escrito, por lo general, en la lengua indígena, por misioneros hispánicos. Su contenido fue el propio del autosacramental o de otros asuntos espirituales o evangélicos. La extensión de este género de obras llevó a Reyes [1948] a considerar el teatro y la crónica como los géneros dominantes de la literatura colonial. A pesar de ello, quedan escasas muestras de esta literatura cultivada desde México al Perú, en todos los rincones del imperio. El otro género dramático de relieve es el teatro colegial, principalmente jesuita, que se cultivó extensamente y sirvió para la instrucción religiosa de españoles y de criollos cultos. De éstos quedan igualmente escasos vestigios (véase Johnson [1941]). A esas dos modalidades se suma el cultivo de un teatro público de carácter religioso o profano que va a constituir la corriente más estable y continua de la literatura dramática colonial. Su desarrollo es paralelo al de la península y muestra sus mismas características generales.

El desarrollo de los recintos de representación pública: corrales, teatros y coliseos a lo largo de los siglos coloniales es también paralelo al peninsular. Solamente la literatura dramática queda rezagada a lo largo del tiempo frente a la riqueza de la producción española. Una creación relativamente secundaria cede a la recepción entusiasta de la representación de las obras de los ingenios españoles. En el conjunto de los tres siglos coloniales, las figuras destacadas son, en el siglo XVI, las de Fernán González de Eslava y Cristóbal de Llerena, y, en el siglo XVII, las de Juan Ruiz de Alarcón y sor Juana Inés de la Cruz, todos los cuales, aunque en diferente medida, muestran talento indisputable y originalidad creadora. El grado de identificación o de expresión indiana es discutible en algunos casos, pero no hay razones de peso para excluir a ninguno de ellos de este cuadro histórico; ni por su nacimiento peninsular, como en el caso de González de Eslava, mexicanísimo en su lenguaje, ni por su producción peninsular, como en el caso de Ruiz de Alarcón, un mexicano que a los treinta y cuatro años deja su tierra para triunfar en España, sin desfigurar ni su condición de indiano ni su deformidad física.

Los temas principales, y aun los subalternos, de la historia del teatro hispanoamericano están todavía por investigar en su parte documental, textual y crítica. Los estudios de conjunto, como los de Trenti Rocamora [1947] y de Arrom [1956, 1967], organizan los materiales y los temas fundamentales de una manera informativa y sencillamente elaborada. Otros estudios que ordenan la información de un modo inteligente son los de Lohmann Villena [1956], de Weber de Kurlat [1981], de Rojo y Shelly [1982] y Shelly [1982]. Entre las bibliografías, aparte de la mencionada de Acuña [1979], se cuenta con la de Trenti Rocamora [1949]. Las bondades de estos estudios de conjunto no pueden ser superiores a las de los estudios regionales que los hacen posibles. Es así que conviene poner el acento en el conocimiento de estos últimos. El teatro colonial en México ha sido abordado por Olavarría y Ferrari [1961], que hace disponible la obra de 1895, todavía valiosa por su ingente información, y por Rojas Garcidueñas [1935] y Magaña Esquivel [1958]. Su bibliografía ha sido elaborada por Monterde [1933]. Géneros particulares del teatro han sido investigados por Caillet-Bois [1939], Rojas Garcidueñas [1939, 1940], Corbató [1949], Gillet [1951], Ballinger [1952], Bopp [1952, 1953], Ravicz [1970]. El teatro misional en lengua indígena es abordado por Horcasitas [1974], la mejor obra sobre el tema. Sten [1974] estudia las relaciones entre el teatro indígena y el teatro hispánico colonial. Sobre la tradición de los bailes de la conquista y de moros y cristianos, que se representan hasta el día de hoy, se han ocupado, Bataillon, Englekirk, Ricard [1933] y Acuña [1979]. La representación popular de los Doce

Pares de Francia es expuesta por Mejía Sánchez y Durand [1982]. En
el teatro indígena y popular tiene un lugar especial *El gueguence*, obra
escrita en náhualt, fue publicada por primera vez en 1874 por C. H.
Berendt, tuvo una segunda edición de D. G. Brinton (*The Gueguence:
A Comedy Ballet in the Nahuatl-Spanish Dialect of Nicaragua*, Filadelfia, 1883). Existe una nueva edición de C. Mantica Abaunza (El Pez y
la Serpiente, Managua, 1969).

La historia de las representaciones dramáticas en el virreinato del
Perú ha sido magistralmente hecha por Lohmann Villena [1945, 1956] y
la compilación de textos avanzada por Vargas Ugarte [1943]. Sobre los
antecedentes indígenas se puede ver Uriel García [1938]. El *Ollanta* u
Ollantay, obra escrita en quechua pero de modelo hispánico calderoniano,
ha concentrado el interés de los críticos desde Tschudi hasta Basadre
[1938] y Englekirk [1972]. Hay versión castellana del drama por Ba-
rranca (1868) y la conocida de R. Rojas (1939), y otra más reciente de
Jesús Lara (Librería Editorial Juventud, La Paz, 1971). Otros dramas
quechuas del siglo XVIII fueron *Usaca Paúcar* y *La tragedia del fin de
Atahuallpa*; ambas pueden leerse en sus traducciones al español en Cid
[1973] y Meneses [1983]. Un estudio particular se debe a Osorio de
Negret [1984]. Para otras regiones, son importantes las obras de Amunátegui [1888], Anrique [1899], Latorre [1949] y Pereira Salas [1941],
en referencia a Chile; las de Bosch [1904], Torre Revello [1933], Trenti
Rocamora [1947], Pla [1974], a Argentina; Lyday [1970], y Ortiz [1973]
para Nueva Granada; Montes Huidobro [1978] para Cuba; y Arrom
[1946] para Venezuela.

Sobre los géneros hispánicos cultivados en la época, Pasquariello
[1952, 1970, 1983] se ha ocupado de entremeses, sainetes y loas; Serrano
Redonet [1973], sobre la primera loa argentina; sobre los autos sacramentales, Reyes [1948], y en especial Méndez Plancarte [1955] en los prólogos de sus tomos segundo y tercero de las *Obras completas* de sor Juana,
y Salceda [1957] en el del cuarto, sobre las comedias. Arrom [1949, 1950]
ha estudiado lúcidamente los entremeses y sainetes coloniales.

El autor dramático más importante del siglo XVI tanto por la cantidad
como por el valor de su obra es Hernán González de Eslava (¿1534-1601?),
nacido en España, posiblemente leonés, según conjetura A. Alonso [1940]
en su notable monografía. Llegó a América a los veinticuatro años de
edad y vivió en México el resto de su vida. Allí se ordenó sacerdote y
produjo una serie considerable de coloquios dramáticos y de poesías. Gozó
de renombre en su tiempo. Con el poeta criollo Francisco de Terrazas,
coetáneo suyo, intercambiaron unas glosas sobre el tema de la antigua y
la nueva ley, en un debate que sirvió de asunto también a uno de sus
coloquios, el *Coloquio octavo*. Se conservan dieciséis coloquios en total,
que incluyen además ocho loas y tres entremeses, y el *Entremés entre dos*

rufianes. Las loas son de argumento, sacramentales, o de elogio de los virreyes o dedicatorias. Están escritas en verso y en prosa, con variedad métrica y estilo afectado, mientras los entremeses admiten el estilo popular. Los coloquios son de variados asuntos y no todos sacramentales. Hay casos en los cuales asuntos circunstanciales son tratados alegóricamente, dentro de coloquios sacramentales. Otros son de asunto espiritual o doctrinario, pero no tienen el tema eucarístico como objeto. El conjunto de su obra fue publicado por primera vez por su amigo el padre Fernando Vello de Bustamante con el título de *Coloquios espirituales y sacramentales y canciones divinas* (Diego López Dávalos, México, 1610) y reeditado por García Icazbalceta (F. Díaz León, México, 1877). La edición moderna de Rojas Garcidueñas (Porrúa, México, 1958), recoge exclusivamente su obra dramática. Para el estudio de la vida y obra de González de Eslava, la monografía de Alonso [1940] sigue siendo fundamental y ejemplar en su crítica filológica. Seguidamente, el mejor libro sobre la estructura de lo cómico en nuestro autor es el de Weber de Kurlat [1956, 1963]. Otros estudios son los de Torres Rioseco [1953], de Arrom [1967], sobre el *Coloquio XVI,* y el prólogo de Rojas Garcidueñas [1958]. H. L. Johnson [1940] ha estudiado la escena de los coloquios. La crítica del siglo pasado debatió el origen español y el mexicanismo de González de Eslava, que resume Icaza [1980].

Juan Pérez Ramírez (1545-?), criollo mexicano, hijo de conquistador, clérigo versado en la lengua indígena náhuatl y en la latina y correcto versificador de la castellana, escribió en 1574 una obra destinada a celebrar la consagración del arzobispo Pedro Moya de Contreras. Obra que viene a ser, cronológicamente, la primera que se conserva de un autor americano. Se trata de una comedia alegórica titulada *Desposorio espiritual entre el pastor Pedro y la Iglesia Mexicana.* Está escrita al modo de las églogas pastoriles de Juan del Encina. En ella se celebran las bodas entre el pastor Pedro y Menga, es decir la Iglesia Mexicana, acompañados de pastores que encarnan las virtudes teologales y otras, mientras el Amor Divino oficia de sacerdote, a ellos se suma además un Bobo. Arrom [1967] cree encontrar en Pérez Ramírez una anticipación del mexicanismo y el espíritu cómico de Ruiz de Alarcón. Se han ocupado de este texto Icaza [1921, 1980], Olavarría [1961] y Rojas Garcidueñas [1935, 1939], que reproduce el texto.

Cristóbal de Llerena (¿1540-1610?), criollo, natural de Santo Domingo, organista de la catedral y catedrático de gramática de la Universidad de Gorjón, es autor de comedias de quien ha llegado hasta nuestros días un entremés en prosa. El entremés fue representado por estudiantes y dio lugar al destierro de Llerena por los oidores de la Audiencia, ofendidos por la sátira de las defensas de la isla a que el entremés alude. Como en el caso de González de Eslava, los entremeses solían herir la susceptibili-

dad de las autoridades responsables del bienestar o la seguridad de la
ciudad y ponían en conflicto las relaciones entre los autores y la autoridad
civil, y a ésta con la eclesiástica. Conocemos la incidencia por la carta del
obispo de Santo Domingo, don Alonso López de Ávila, que reproduce
Icaza [1921, 1980] junto con el texto de la obra, que el arzobispo acompaña como testimonio. La carta es de 1588. El veintitrés de abril de ese
año se había representado. Henríquez Ureña [1936, 1960] reproduce el
texto en la parte antológica de su obra. Presta esquemático y manerista
argumento al entremés la parición de un monstruo por un bobo de Santo
Domingo, cuyo valor como signo de augurio intentan interpretar cuatro
personajes. Le sirve de pretexto la descripción del monstruo al comienzo
de la *Ars Poetica* de Horacio. Es interesante la concurrencia de elementos cultos y populares que se da en la situación, la interpretación y el
lenguaje en que se hace. Los cuatro elementos que convergen en la factura del monstruo son: desde el punto de vista anagógico, representación
figurada de la mujer en quien concurren cuatro propiedades contrarias
(bola inestable; caballo o bestia torpe; cuerpo de pluma, cola de peje;
liviana y estigmatizada); símbolo de los cuatro elementos, con referencias
a Ovidio y Terencio, desde el punto de vista alegórico; desde el punto de
vista literal, símbolo de nuestra ciudad, figura de nuestra república, a la
cual hacen monstruosa cuatro cosas: mujeres descompuestas; caballos de
cabeza; pluma de escribanos, letrados y teólogos; maestres y capitanes
de navío disolutos; y, en sentido profético, anuncio de guerra y de navíos
que llama a las figuras a prevenirse: que las mujeres se pongan en cobro,
se aparejen los caballos para huir, alas para volar y navíos para navegar,
que todo podrá necesitarse en la emergencia. Los alcaldes se disponen a
tratar del asunto dilatándolo para más tarde, ignorando las alusiones satíricas a situaciones presentes y a riesgos inminentes, que van envueltas en el
debate descrito. Icaza [1921], Henríquez Ureña [1936, 1960] incluyen
el texto en sus estudios. Análisis del mismo puede verse en Arrom [1967].

La primera figura del Barroco hispanoamericano y el segundo de los
clásicos españoles nacidos en América, al decir de Menéndez Pelayo [1911],
es don Juan Ruiz de Alarcón (1581-1639). Nació en México, de padres españoles. Hizo sus estudios en la universidad mexicana, pero obtuvo su
grado de bachiller por la de Salamanca: «traxo sus estudios» de Indias,
como reza la matrícula salmantina de 1600. Regresó a México en 1608 e
hizo allí sus estudios de licenciado y los del doctorado, que no llegó a
concluir. En 1613, retorna a España definitivamente. Se ha habilitado como
abogado de profesión desde 1606 y servirá en Sevilla, como funcionario
del Consejo de Indias. Todas sus obras dramáticas fueron representadas,
y acaso escritas, en España. Se publicaron en dos volúmenes: *Parte primera de las Comedias de don Juan Ruiz de Alarcón y Mendoza* (por Juan
González, Madrid, 1628), y *Segunda parte de las Comedias del licenciado*

don Juan Ruiz de Alarcón y Mendoza (por Sebastián de Cormellas, Barcelona, 1634). Las ediciones modernas han sido hechas por Hartzenbusch, *Comedias escogidas* (Rivadeneyra, Madrid, 1852, BAE, 20) y luego, en nuestro tiempo, por Millares Carlos, con introducción de A. Reyes, *Obras completas* (Fondo de Cultura Económica, México, 1957-1968) y la de A. V. Ebersole (Castalia, Madrid, 1966), que reproduce las ediciones originales. M. Frenk ha editado *Cinco comedias* (Biblioteca Ayacucho, 94, Caracas, 1982).

La bibliografía de Ruiz de Alarcón después de los ensayos de Rangel [1927], Abreu Gómez [1939], Millares Carlo [1952] tiene su elaboración más acabada en Poesse [1962, 1964]. La investigación documental y biográfica tiene aún su obra fundamental en la de Fernández Guerra [1871, 1872]. La corrigen en sus detalles y la completan los trabajos de Schons [1929, 1940], Cotarelo y Mori [1915], Pérez Salazar [1940], Entrambasaguas [1940], W. F. King [1970]. Los estudios de conjunto han sido abundantes y deben mencionarse los de Jiménez Rueda [1939], Castro Leal [1943], Granados [1953, 1954], Ebersole [1959], Brenes [1960], Claydon [1970], Poesse [1972] y Espantoso Foley [1972]. Los estudios recopilados por Parr [1972] pueden completar esta lista. El tema más controvertido de los estudios alarconianos ha resultado ser la determinación del carácter mexicano de su obra. La discusión fue comenzada por Henríquez Ureña [1914, 1960], quien propuso el carácter mexicano como uno de los determinantes parciales y secundarios de su obra. Reyes [1918] y Castro Leal [1943] han abundado en ella. La han contrariado, ásperamente, Casalduero [1967] y Alatorre [1964]. En su forma más novedosa y brillante la discute Concha [1982], que expone la singularidad del autor desde su obra. Otros aspectos tratados por la crítica incluyen consideraciones sobre el «gracioso» (Silverman [1952] y Casalduero [1967]). Sobre los personajes mentirosos, Staves [1972]; sobre el rey Don Pedro, Gilmour [1973]; en torno al *topos* «homo deformis est pravus», Green [1956]. Los motivos ideológicos y la magia han sido tratados por Silverman [1951], Ebersole [1959], Espantoso Foley [1972] y en los artículos de Parr [1972] y Darst [1974]. Los motivos religiosos son abordados por Paulin [1961]. La lengua de Alarcón ha sido estudiada por Denis [1943]. La escenificación ha sido el objeto de trabajos de Brooks [1965], quien ha escrito también sobre las fuentes de *La verdad sospechosa*. Otros estudios sobre fuentes son los de Pérez [1928] y González Palencia [1929]. Estudios críticos sobre obras individuales se deben entre otros a Ribbans [1973], en torno a *La verdad sospechosa*, y a Parr [1972] sobre *Las paredes oyen*.

Sor Juana Inés de la Cruz (1651-1695) es la figura preeminente del teatro barroco hispanoamericano y uno de los autores de relieve en el teatro postcalderoniano. Merece, por de pronto, mayor reconocimiento que

el que se le ha brindado hasta ahora, como señala Méndez Plancarte
[1955]. Fue autora de loas, elaboradas como auténticos pasos de varios
personajes, en contraste con las loas del siglo XVI de un González Eslava de
carácter puramente monológico. Escribió autos sacramentales y otros autos
de asuntos bíblicos y hagiográficos. Algunas de sus obras se publicaron
en ediciones sueltas, otras se recogieron en la edición de sus obras. Edición
suelta es la primera de *El autosacramental del divino Narciso, por alegorías*
(Viuda de Alberto Calderón, México, 1690). *El mártir del Sacramento,
san Hermenegildo* y el *Autosacramental El cetro de José* se publicaron
en su edición del *Segundo volumen de las Obras,* de 1692. Son tres autos
de gran originalidad y superior construcción estilística. No están desprovis-
tos de debilidades doctrinales, según ha observado Méndez Plancarte
[1955]. A estos autos se agregan dieciocho loas de las cuales solamente
tres son loas a lo divino. Una gran variedad métrica y una elocución poética de controlada maestría caracterizan estas loas. El mejor estudio sobre
esta parte de la elocución dramática de sor Juana es el de Méndez Plancarte [1955]. Se pueden agregar a éste los estudios de Salceda [1953],
que ordena la cronología del teatro de sor Juana, y de Sibirsky [1965],
sobre el conjunto de su obra. *El divino Narciso* ha sido analizado en sus
fuentes calderonianas por Parker [1968], y en otros aspectos por Ricard
[1969], Calhoun [1970] y Krynen [1970]. Los sainetes y comedias han
sido abordados por Monterde [1946], Feustle [1973] y Chang-Rodríguez
[1978], quienes interpretan *Los empeños de una casa.* Williamsen [1978]
aborda la simetría bilateral en las comedias. Lo americano en el teatro
de sor Juana ha sido estudiado por Pérez [1975]. En el cuarto y último
tomo de las *Obras completas,* Salceda [1957] ha reunido los sainetes y
comedias con una excelente introducción. La edición recoge los festejos
completos correspondientes a *Los empeños de una casa* y a *Amor es mas
laberinto,* ambas recogidas en el *Segundo volumen,* de 1692. La jornada
segunda de la última obra es del licenciado Juan de Guevara, pariente
de la autora. La comedia va precedida de su loa y tiene sainetes y letras
intercalados, y se cierra con un sarao. El festejo de *Amor es mas laberinto*
lleva solamente una loa introductoria a los años del virrey conde de
Galve. De la primera sabemos que se representó en casa del contador don
Fernando de Deza, en México, el cuatro de octubre de 1683. La segunda
el once de enero de 1689, en el palacio del virrey.

Aunque nunca fue representada, los historiadores incluyen entre las
obras dramáticas el *Auto del triunfo de la Virgen y gozo mexicano* que
forma la tercera parte de la novela *Los sirgueros de la Virgen* (en la Imprenta del licenciado Juan de Alcázar, México, 1620), de Francisco Bramón.
A. Yáñez ha editado el auto separadamente pero también se puede leer
completo en su edición de la novela (UNAM, Biblioteca del Estudiante
Universitario, 45, México, 1944). Arrom [1967] la analiza brevemente.

Anderson Imbert [1960] y Goic [1982] le prestan atención como parte de la novela pastoril a que pertenece. Su forma conserva todavía las características de los autos del siglo XVI: la loa es un monólogo como los de González de Eslava, el asunto es mariano y su argumento una serie de confrontaciones del Pecado con Caín, con Jeremías y su criado Edonio, gracioso, con san José y, finalmente, con la Virgen, que lo vence. La presencia en el baile final del Reino Mexicano y de seis caciques, y el uso de instrumentos musicales indígenas y de un tocotín ponen la nota mezclada de tradición hispana y mexicana iniciada en el siglo anterior.

El padre Matías Bocanegra (1612-1668), autor muchas veces imitado de la *Canción a la vista de un desengaño*, dejó una obra, la *Comedia de San Francisco de Borja*, escrita para los festejos de la venida del virrey marqués de Villena, y que forma parte de la obra del jesuita titulada *Viaje por tierra del excelentísimo señor don Diego López Pacheco y Bobadilla* (México, 1641). La descubrió y presentó Arrom [1953, 1967, 1971], resolviendo el problema bilbliográfico existente. La obra, de asunto que también trató Calderón, entre otros dramaturgos, confirma la maestría del poeta. Reviste las características formales y elocutivas del teatro calderoniano y, en el fin de fiesta, las resonancias del tocotín mexicano; lleva además un entremés de negros.

En el barroquismo de los años 1665 a 1710, Juan de Espinosa Medrano (1639-1688), «el Lunarejo», escribió una comedia profana de asunto bíblico tomado del libro de los Jueces, *Amar su propia muerte*. Tiene la forma de una comedia de enredo de tipo calderoniano con los rasgos elocutivos de su teatro. La obra está bien versificada y es de acción vivaz. Vargas Ugarte [1943] editó su texto. Arrom [1967] y Tamayo Vargas [1977, 1982] la analizan. También fue autor de un auto sacramental del *Hijo pródigo*, en quechua, que puede leerse en castellano en la traducción de F. Schwab en la *Literatura inca*, de Jorge Basadre [1938]. Según P. Rivet, existen manuscritos de otro auto sacramental del robo de Proserpina y sueño de Endimión.

Coetáneo de sor Juana es el poeta satírico Juan del Valle Caviedes (¿1652-1696?), quien ha dejado algunas breves composiciones dramáticas: un *Entremés del Amor Alcalde* y dos bailes, *Baile del Amor Médico* y *Baile del Amor Tahúr*. Los publica Vargas Ugarte [1947] en su edición de las obras del poeta. El primero en recoger los «bayles» fue Xammar. El humor de estos pasos es áspero, pero carece de la intención salaz que tiene su poesía satírica.

En el barroquismo tardío que se extiende desde 1710 a 1755 destacan los nombres de Pedro de Peralta Barnuevo (1664-1743), Lorenzo de las Llamosas (1665-¿1705?), en el Perú; Eusebio Vela (1688-1737), en México, y Santiago Pita (m. 1755), en La Habana. De éstos, Barnuevo y Pita, son los de mayor interés. El peruano es una figura que anticipa la

Ilustración. Su obra dramática está compuesta por tres comedias: *Triunfos de amor y poder*, *Afectos vencen finezas*, y *La Rodoguna*. La primera se asemeja a la obra presentada por Llamosas en 1689, zarzuela de aparatosidad escénica barroca. Todas fueron escritas para festejos de circunstancia. La *Rodoguna* es rehacimiento de la *Rodogune* de Corneille, con una adaptación de la obra francesa al gusto hispánico agregando un gracioso y desvirtuando el clima trágico con arias y cancioncillas. Para las comedias, compuso tres loas, dos bailes y dos fines de fiesta, y, un entremés, para la *Rodoguna*. Este último es su mejor creación por su carácter picaresco y alegre y por su movimiento de ballet. Leonard [1937] ha editado sus obras dramáticas (Prensas de la Universidad, Santiago de Chile, 1937). Diversos aspectos de su obra han sido estudiados por Riva Agüero [1938], Lohmann Villena [1945], Núñez [1965], Arrom [1967], Sánchez [1964]. Santiago de Pita es autor de la comedia *El Príncipe jardinero y fingido Cloridano* (La Habana, 1730), reeditada muchas veces desde el siglo XVIII hasta el presente. Ediciones modernas son las de Arrom (Consejo Nacional de Cultura, La Habana, 1951; nueva edición, 1963). El mismo Arrom [1950, 1956, 1967] ha estudiado cuidadosamente la obra.

BIBLIOGRAFÍA

Abreu Gómez, Ermilo, *Ruiz de Alarcón. Bibliografía crítica*, Botas, México, 1939.

Acuña, René, *Introducción al estudio del Rabinal Achí*, UNAM (Instituto de Investigaciones Filológicas, Centro de Estudios Mayas, Cuaderno, 12), México, 1975.

—, *Farsas y representaciones escénicas de los mayas antiguos*, UNAM (Centro de Estudios Mayas, Cuaderno, 15), México, 1978.

—, *El teatro popular en Hispanoamérica. Una bibliografía anotada*, UNAM (Instituto de Investigaciones Filológicas, Centro de Estudios Literarios), México, 1979.

Alatorre, Antonio, «Para la historia de un problema: la mexicanidad de Ruiz de Alarcón», *Anuario de Letras*, 4 (1964), pp. 161-202.

Alcalá-Zamora, Niceto, «El Derecho y sus colindancias en el teatro de don Juan Ruiz de Alarcón», *Boletín de la Real Academia*, 21 (1934), pp. i-xxvi, 737-794.

Alonso, Amado, «Biografía de Fernán González de Eslava», *Revista de Filología Hispánica*, 2 (1940), pp. 213-321.

Amunátegui, Miguel Luis, *Las primeras representaciones dramáticas en Chile*, Imprenta Nacional, Santiago de Chile, 1888.

Anderson Imbert, Enrique, «La forma "autor-personaje-autor" en una novela mexicana del siglo XVII», *Crítica interna*, Taurus, Madrid, 1960, pp. 19-37.

Anrique Reyes, Nicolás, *Ensayo de una bibliografía dramática chilena*, Imprenta Cervantes, Santiago de Chile, 1899.

Arrom, José Juan, *Historia de la literatura dramática cubana*, Yale University Press, New Haven; Oxford University Press, 1944.

—, «Documentos relativos al teatro colonial de Venezuela», *Universidad de La Habana*, 64-69 (La Habana, 1946), pp. 80-101; reimpreso en *Boletín de la Academia Nacional de la Historia*, 29:114 (1946), pp. 168-183.

—, «Sainetes y sainetistas coloniales», *Memoria del Cuarto Congreso del Instituto Internacional de Literatura Iberoamericana*, La Habana, 1949, pp. 255-267.

—, *Estudios de literatura hispanoamericana*, Ucar García, La Habana, 1950: «Consideraciones sobre *El príncipe jardinero y fingido Cloridano*», pp. 41-70; «Entremeses coloniales», pp. 71-91.

—, «Una desconocida comedia mexicana del siglo XVII (*Canción a la vista de un desengaño*, por Matías de Bocanegra)», *Revista Iberoamericana*, 37 (1953-1954), pp. 79-103; reimpreso en *Certidumbre de América*, Gredos, Madrid, 1971², pp. 35-58.

—, *El teatro de Hispanoamérica en la época colonial*, Anuario Bibliográfico Cubano, La Habana, 1956.

—, *Certidumbre de América. Estudios de letras, folklore y cultura*, Anuario Bibliográfico Cubano, La Habana, 1959; Gredos, Madrid, 1971².

—, y José Manuel Rivas Sacconi, «La *Laurea crítica* de Fernando Fernández de Valenzuela, primera obra teatral colombiana», *Thesaurus*, 14 (1961), pp. 160-185.

—, *Historia del teatro hispanoamericano (Época colonial)*, De Andrea, México, 1967.

Ballinger, Rex Edward, *Los orígenes del teatro español y sus primeras manifestaciones en Nueva España*, UNAM, México, 1952.

Basadre, Jorge, ed., *Literatura inca*, Desclée de Brouwer (Biblioteca de Cultura Peruana, Primera serie, 1), París, 1938.

Bayle, Constantino, «Notas acerca del teatro religioso en la América colonial», *Razón y Fe*, 590 (marzo de 1947), pp. 220-234, y 591 (abril de 1947), pp. 335-348.

Beltrán, Óscar R., *Los orígenes del teatro argentino desde el virreinato hasta el estreno de Juan Moreira, 1884*, Buenos Aires, 1934.

Benassy-Berling, Marie-Cécile, *Humanismo y religión en sor Juana Inés de la Cruz*, UNAM, México, 1983.

Berendt, C. H., *The Gueguence: A Comedy Ballet in the Nahuatl-Spanish Dialect of Nicaragua*, Brinton's Library of Aboriginal American Literature, Filadelfia, 1883²; trad. cast. de Carlos Mantica Abaunza, El Pez y la Serpiente, Managua, 1969.

Bergmann, H. E., «Una caricatura de Juan Ruiz de Alarcón», *Nueva Revista de Filología Hispánica*, 8 (1954), pp. 419-422.

Bopp, Marianne Oeste de, *Influencia de los misterios y autos sacramentales en los de México*, México, 1952.

—, «Autos mexicanos del siglo XVI», *Historia Mexicana*, 3:1 (1953), pp. 112-123.

Bosch, Mariano G., *Teatro antiguo de Buenos Aires. Piezas del siglo XVI*, Buenos Aires, 1904.

Brenes, Carmen Olga, *El sentimiento democrático en el teatro de Juan Ruiz de Alarcón*, Castalia (La Lupa y el Escalpelo, 3), Valencia, 1960.

Brinckmann, Barbel, *Quellenkritische Untersuchungen zum mexikanischen Missionschauspiel, 1532-1732*, Renner, Munich, 1969.

Brooks, J., «*La verdad sospechosa*: The Source and Purpose», *Hispania*, 15 (1932), pp. 243-252.
—, «Stages Business in the Plays of Juan Ruiz de Alarcón», *Bulletin of Comediantes*, 17 (1965), pp. 3-5.
Bryant, William C., «Estudio métrico sobre las dos comedias profanas de sor Juana Inés de la Cruz», *Hispanófila*, 19 (1963).
—, «La *Relación de un ciego*, pieza dramática de la época colonial», *Revista Iberoamericana*, 104-105 (1978), pp. 569-575.
Caillet-Bois, Julio, «Las primeras representaciones teatrales mexicanas», *Revista de Filología Española*, 1 (1939), pp. 376-378.
—, «El teatro en la Asunción a mediados del siglo XVI», *Revista de Filología Hispánica*, 4:1 (1942), pp. 72-76.
Calhoun, G. D., «Un triángulo mitológico idólatra y cristiano en *El divino Narciso* de sor Juana», *Ábside*, 34 (1970), pp. 373-401.
Casalduero, Joaquín, *Estudios sobre el teatro español*, Gredos, Madrid, 1967; ed. aumentada, Gredos, Madrid, 1981[4]: «El gracioso de *El Anticristo*», pp. 163-174; «Sobre la nacionalidad del escritor», pp. 175-187; «*Las paredes oyen*: comedia de ingenio», pp. 188-197.
Castagnino, Raúl H., *Literatura dramática argentina (1717-1967)*, Editorial Pleamar, Buenos Aires, 1968.
Castro y Calvo, J. M., «El resentimiento de la moral en el teatro de don Juan Ruiz de Alarcón», *Revista de Filología Española*, 26 (1942), pp. 282-297.
Castro Leal, Antonio, *Juan Ruiz de Alarcón. Su vida y su obra*, Ediciones Cuadernos Americanos, México, 1943.
Cid Pérez, José, y Dolores Martí de Cid, *Teatro indoamericano colonial*, Aguilar, Madrid, 1973.
Claydon, Ellen, *Juan Ruiz de Alarcón, Baroque Dramatist*, Castalia (Estudios de Hispanófila, 12), Madrid, 1970.
Concha, Jaime, «Juan Ruiz de Alarcón», en L. Iñigo-Madrigal, ed., *Historia de la Literatura hispanoamericana*, I: *Época colonial*, Cátedra, Madrid, 1982, pp. 353-365.
Corbató, Hermenegildo, *Misterios y autos del teatro misionero en México durante el siglo XVI y sus relaciones con los de Valencia*, CSIC (Anales del Centro de Cultura, Anejo, 1), Madrid, 1949.
Cotarelo y Mori, Emilio, *Colección de entremeses, loas, bailes, jácaras y mojigangas desde fines del siglo XVI a mediados del XVIII* (NBAE, 17), Madrid, 1911, tomo I.
—, «Los padres del autor dramático don Juan Ruiz de Alarcón», *Boletín de la Real Academia*, 2 (1915), pp. 525-526.
Cros, Edmond, «El cuerpo y el ropaje en *El divino Narciso*», *Boletín de la Biblioteca Menéndez Pelayo*, 39:1-2-3 (1963), pp. 73-94.
Chang-Rodríguez, R., «Relectura de *Los empeños de una casa*», *Revista Iberoamericana*, 104-105 (1978), pp. 409-419.
Darst, David H., «Teorías de la magia en Ruiz de Alarcón: Análisis e interpretación», *Hispanófila*, 1 (1974), pp. 71-80.
Denis, Serge, *Léxique du théâtre de Juan Ruiz de Alarcón*, Droz, París, 1943.
—, *La langue de Juan Ruiz de Alarcón*, Droz, París, 1943.

Domenech, R., «Notas sobre teatro: Los empeños de una casa de sor Juana Inés de la Cruz», Cuadernos Hispanoamericanos, 139 (1961), pp. 140-143.

Ebersole, Alva V., El ambiente español visto por Juan Ruiz de Alarcón, Castalia, Madrid, 1959.

Englekirk, John E., «La leyenda ollantina», Mester, 3:1 (1972), pp. 26-30.

Entrambasaguas, J. de, «Sobre la familia de don Juan Ruiz de Alarcón», Revista de Indias, 1 (1940), pp. 125-128.

Espantoso Foley, Augusta, «The Problem of Astrology and its Use in Ruiz de Alarcón's El dueño de las estrellas», Hispanic Review, 32 (1964), pp. 1-11.

—, Occult Arts and Doctrine in the Theater of Juan Ruiz de Alarcón, Droz, Ginebra, 1972.

Fernández-Guerra y Orbe, Juan, Don Juan Ruiz de Alarcón y Mendoza, Rivadeneyra, Madrid, 1871; México, 1872, 2 vols.

—, Don Juan Ruiz de Alarcón y Mendoza. Extracto con nuevos documentos y datos, edición al cuidado de Alfonso Teja-Zabre, Botas, México, 1939.

Feustle, Joseph A., «Hacia una interpretación de Los empeños de una casa de sor Juana Inés de la Cruz», Explicación de Textos Literarios, 1-2 (1973), pp. 143-149.

Foster, George M., Cultura y conquista. La herencia española de América, trad. cast. de Carlos Antonio Castro, Universidad Veracruzana (Biblioteca de la Facultad de Filosofía y Letras, 14), Xalapa, 1962.

Frenk, Margit, «Prólogo» a Cinco Comedias, de Juan Ruiz de Alarcón (Biblioteca Ayacucho, 94), Caracas, 1982.

Gamboa Garibaldi, Arturo, «Historia del teatro y de la literatura dramática», en Enciclopedia yucatanense, Gobierno del Estado de Yucatán, México, 1946, vol. V, pp. 109-316.

García, Uriel, «Las danzas como elemento teatral en el Perú preincaico y colonial», Cuadernos de Cultura Teatral, 6 (Buenos Aires, 1938).

Garibay, Ángel María, «El teatro catequístico», Historia de la literatura náhuatl, Porrúa, México, 1954, II, pp. 121-159.

Gilmour, J. W., «Ruiz de Alarcón's treatment of the King Peter Theme», Romanistisches Jahrbuch, 24 (1973), pp. 294-302.

Gillet, Joseph E., «Valencian misterios and Mexican missionary plays in the early 16th century», Hispanic Review, 19:1 (1951), pp. 59-61.

Goic, Cedomil, «La novela hispanoamericana colonial», en L. Iñigo-Madrigal, ed., Historia de la literatura hispanoamericana, I: Época colonial, Cátedra, Madrid, 1982, tomo I, pp. 388-391.

Golluscio de Montoya, Eva, «Del circo colonial a los teatros ciudadanos: Proceso de urbanización de la actividad dramática rioplatense», Caravelle, 42 (1984), pp. 141-149.

González Bosque, Hernán, «Teatro inca: la escena enraizada», Cuadernos Hispanoamericanos, 328 (1977), pp. 116-130.

González Palencia, Ángel, «Las fuentes de la comedia Quien mal anda, en mal acaba, de don Juan Ruiz de Alarcón», Boletín de la Real Academia, 16 (1929), pp. 199-222.

Granados, J., Juan Ruiz de Alarcón drammaturgo, La Goliardica, Milán, 1953.

—, Juan Ruiz de Alarcón e il suo teatro, Instituto Editoriale Cisalpino, Milán, 1954.

Green, Otis H., «Juan Ruiz de Alarcón and the *topos*: "Homo deformis est pravus"», *Bulletin of Hispanic Studies* (1956), pp. 99-103.

Hamilton, T. E., «*Comedias* Attributed to Alarcón Examined in the Light of his Know Epistolary Practices», *Hispanic Review*, 17 (1949), pp. 124-132.

Henríquez Ureña, Pedro, «Don Juan Ruiz de Alarcón», conferencia pronunciada el 6 de diciembre de 1913, en la Librería General de México; edición de «Nosotros», México, 1914. Reproducida en *Obra crítica*, Fondo de Cultura Económica (Biblioteca Americana, 37), México, 1960, pp. 272-282.

—, «El teatro de la América española en la época colonial», *Cuadernos de Cultura Teatral*, 3 (Buenos Aires, 1936), pp. 9-50; reproducido en *Obra crítica*, Fondo de Cultura Económica, México, 1960, pp. 698-718.

Horcasitas, Fernando, *El teatro náhuatl. Épocas novohispana y moderna*, UNAM (Instituto de Investigaciones Históricas, 1), México, 1974.

Icaza, Francisco A., «Cristóbal de Llerena y los orígenes del teatro en la América Española», *Revista de Filología Española*, 8 (1921), pp. 121-130.

—, *Obras*, Fondo de Cultura Económica, México, 1980, tomo I: «Orígenes del teatro en México», pp. 94-99; «Cristóbal de Llerena y los orígenes del teatro en la América española», pp. 101-107; «Hernán González de Eslava y los orígenes del teatro en México», pp. 144-150.

Jiménez Rueda, Julio, *Juan Ruiz de Alarcón y su tiempo. Estudio histórico, crítico y biográfico*, Porrúa, México, 1939.

Johnson, Harvey Leroy, «The Staging of González de Eslava's *Coloquios*», *Hispanic Review*, 8 (1940), pp. 343-346.

—, *An Edition of «Triunfo de los Santos» with a Consideration of Jesuit Plays in Mexico Before 1650*, University of Pennsylvania Press, Filadelfia, 1941.

—, «Nuevos datos para el teatro mexicano en la primera mitad del siglo XVI: referencias a dramaturgos, comediantes y representaciones dramáticas», *Revista de Filología Hispánica*, 4 (1942), pp. 127-151.

—, «Noticias dadas por Tomás Gage a propósito del teatro en España, México y Guatemala, 1624-1637», *Revista Iberoamericana*, 16 (1944), pp. 257-273.

Jones, Willis Knapp, *Breve historia del teatro latinoamericano*, De Andrea (Manuales de Studium, 5), México, 1956.

—, *Behind Spanish American Footlights*, The University of Texas Press, Austin, 1966.

Kennedy, R. L., «Contemporary Satire against Ruiz de Alarcón as Lover», *Hispanic Review*, 13 (1945), pp. 145-165.

King, Willard, «Los ascendientes paternos de Juan Ruiz de Alarcón y Mendoza», *Nueva Revista de Filología Hispánica*, 19 (1970), pp. 49-86.

Krynen, Jean, «Mito y teología en *El divino Narciso* de sor Juana Inés de la Cruz», en *Actas del Tercer Congreso Internacional de Hispanistas*, El Colegio de México, México, 1970, pp. 501-505.

Latorre, Mariano, «El teatro chileno en la Colonia», *Atenea*, 288 (1949), pp. 462-472.

Lavroff, E., «Some observations on Alarcón's position in the development of the seventeenth century theater», *Hispania*, 42:1 (1971), pp. 7-19.

Leavitt, Sturgis E., «Juan Ruiz de Alarcón en el mundo del teatro de España», *Hispanófila*, 60 (1977).

Leonard, Irving A., «Introducción» a Pedro de Peralta Barnuevo, *Obras dramá-*

ticas y un apéndice de poesías sueltas, Imprenta Universitaria, Santiago de Chile, 1937.

—, «The Theater Season of 1790-1792 in Mexico City», *Hispanic American Historical Review*, 31 (1951), pp. 349-357.

Lida de Malkiel, María Rosa, «El "romance", la *Comedia pródiga*, las *Coplas a la muerte de un su amigo* y la *Carta al rey* (1545), de Luis de Miranda», *Romance Philology*, 26 (1972-1973), pp. 57-61.

Lohmann Villena, Guillermo, «El teatro en Lima en el siglo XVI», *Instituto de Investigaciones Históricas de la Universidad Católica del Perú*, 1:1 (1938), pp. 45-74.

—, *El arte dramático en Lima durante el virreinato*, CSIC, Madrid, 1945.

—, «Las comedias del Corpus Christi en Lima en 1635 y 1636», *Mar del Sur*, 4:11 (1950), pp. 21-23.

—, «El teatro en Sudamérica española hasta 1800», en G. Díaz Plaja, *Historia general de las literaturas hispánicas*, Barna, Barcelona, 1956, tomo IV, pp. 373-389.

—, y Raúl Moglia, «Repertorio de las representaciones teatrales en Lima hasta el siglo XVIII», *Revista de Filología Hispánica*, 5:4 (1943), pp. 313-343.

Lyday, Leon F., «The Colombian Theatre Before 1800», *Latin American Theater Review*, 4:1 (1970), pp. 35-50.

Magaña-Esquivel, Antonio, *El teatro. Contrapunto*, Fondo de Cultura Económica, México, 1970.

—, «Los teatros en México hasta el siglo XIX», *Revista Iberoamericana*, 22 (1972), pp. 242-256.

—, y Ruth Lamb, *Breve historia del teatro mexicano*, De Andrea (Manuales Studium, 8), México, 1958.

María y Campos, Armando de, *Guía de representaciones teatrales en la Nueva España (Siglos XVI al XVIII)*, Costa Amic, México, 1959.

Mejía Sánchez, Ernesto, y José Durand, «Teatro popular nicaragüense: *Los doce pares de Francia en Niquinohomo*», *Anuario de Letras*, 20 (1982), pp. 287-330.

Méndez Plancarte, Alfonso, «Introducción» a sor Juana Inés de la Cruz, *Autos y loas*, Fondo de Cultura Económica, México, 1955 (*Obras completas*, tomo III), pp. vii-xcviii.

Menéndez Pelayo, M., *Historia de la poesía hispanoamericana*, Victoriano Suárez, Madrid, 1911-1913, 2 vols.

Meneses, Teodoro L., *Teatro quechua colonial. Antología*, Ediciones Edubanco, Lima, 1983.

Millares Carlo, Agustín, «Juan Ruiz de Alarcón en la Biblioteca Nacional de Madrid, siglos XVII-XVIII», *Filosofía y Letras*, 47-48 (México, 1952), pp. 117-134.

Miró Quesada, Aurelio, *América en el teatro de Lope de Vega*, Lima, 1935.

—, *Cervantes, Tirso y el Perú*, Editorial Huascarán, Lima, 1948.

Monterde, Francisco, *Bibliografía del teatro en México*, Secretaría de Relaciones Exteriores, México, 1933.

—, *Don Juan Ruiz de Alarcón*, Imprenta Universitaria, México, 1939.

—, «Teatro profano de sor Juana», *Cultura mexicana*, Intercontinental, México, 1946, pp. 55-90.

Montes Huidobro, Matías, «La reacción antijerárquica en el teatro cubano colonial», *Cuadernos Hispanoamericanos*, 334 (1978), pp. 5-19.

Moríñigo, Marcos A., *América en el teatro de Lope de Vega*, Instituto de Filología, Buenos Aires, 1946.

Núñez, Estuardo, «Notas a la obra y vida de don Pedro Peralta», *Letras. Universidad de San Marcos. Homenaje a Peralta*, 71-73 (1965), pp. 21-33.

Olavarría y Ferrari, Enrique de, *Reseña histórica del teatro en México*, Porrúa, México, 1961³, vol. I.

Ortiz, Sergio E., «Notas sobre el teatro en el Nuevo Reino de Granada», *Boletín Cultural y Bibliográfico*, 13:11 (1973), pp. 125-136.

Osorio de Negret, Betty, «La sintaxis básica del teatro: ensayo comparativo de dos tradiciones dramáticas sobre la prisión y muerte de Atahuallpa», *Lexis*, 8:1 (1984), pp. 113-129.

Pailler-Staub, Claire, «La "question" d'amour dans le théâtre profane de sor Juana Inés de la Cruz», *TILAS*, 13-14 (1973), pp. 60-80.

Parker, Alexander A., «The Calderonian Sources of *El divino Narciso* by sor Juana Inés de la Cruz», *Romanistisches Jahrbuch*, 19 (1968), pp. 257-274.

Parr, J. A., «Todo es ventura?: Alarcón's Fortune Plays», *Bulletin of the Comediantes*, 24 (1972), pp. 199-207.

—, *Critical Essays on the Life and Work of Juan Ruiz de Alarcón*, Dos Continentes, Madrid, 1972.

Pasquariello, Anthony M., «The *Entremes* in Sixteenth-Century Spanish America», *Hispanic American Historical Review*, 32 (1952), pp. 44-58.

—, «Two Eighteenth-Century Peruvian Interludes, Pioneer Pieces of Local Color», *Symposium*, 6:2 (1952), pp. 385-390.

—, «The Evolution of the Loa in Spanish America», *Latin American Theater Review*, 3:2 (1970), pp. 5-19.

—, «The Evolution of the *Sainete* in the River Plate Area», *Latin American Theater Review*, 17:1 (1983), pp. 15-24.

Paulin, A. M., «The Religious Motive in the Plays of Juan Ruiz de Alarcón», *Hispanic Review*, 29 (1961), pp. 33-44.

Pazos, Manuel R., «El teatro franciscano en México durante el siglo XVI», *Archivo Ibero Americano*, 2.ª época, 11:42 (Madrid, 1951), pp. 129-189.

Pereira Salas, Eugenio, «El teatro en Santiago del Nuevo Extremo, 1709-1809», *Revista de Historia y Geografía*, 98 (1941), pp. 30-59.

—, *Historia del teatro en Chile desde sus orígenes hasta la muerte de Juan Casacuberta, 1849*, Ediciones de la Universidad de Chile, Santiago de Chile, 1974.

Pérez, Elisa, «Influencia de Plauto y Terencio en el teatro de Ruiz de Alarcón», *Hispania*, 11 (1928), pp. 131-149.

Pérez María E., *Lo americano en el teatro de sor Juana Inés de la Cruz*, Eliseo Torres, Nueva York, 1975.

Pérez Salazar, F., «Dos nuevos documentos sobre Alarcón», *Revista de Literatura Mexicana*, 1 (1940), pp. 154-165.

Pla, Josefina, «Teatro religioso medieval. Su brote en el Paraguay», *Cuadernos Hispanoamericanos*, 291 (1974), pp. 666-680.

Poesse, Walter, «Ensayo de una bibliografía de Juan Ruiz de Alarcón y Mendoza», *Hispania*, 2 (1962), pp. 29-56.

—, *Ensayo de una bibliografía de Juan Ruiz de Alarcón y Mendoza*, Castalia (Estudios de Hispanófila, 4), Valencia, 1964.

—, «The orthoepy of the authentic plays of Ruiz de Alarcón», en *Homenaje a Sherman H. Eoff*, Madrid, 1970, pp. 173-202.

—, *Juan Ruiz de Alarcón*, Twayne (TWAS, 231), Nueva York, 1972.

Quackenbush, Louis H., «The Other Pastorelas of Spanish American Drama», *Latin American Theater Review*, 6:2 (1973), pp. 55-63.

Quirarte, C. E., *Personajes de Juan Ruiz de Alarcón, 1639-1939*, El Libro Español, México, 1939.

Rangel, Nicolás, *Bibliografía de Juan Ruiz de Alarcón*, Secretaría de Relaciones Exteriores (Monografías Bibliográficas Mexicanas, 11), México, 1927.

Ravicz, Marylin Ekdahl, *Early Colonial Religious Drama in Mexico from Tzompantli to Golgotha*, The Catholic University Press, Chicago, 1970.

Rela, Walter, «Celebraciones teatrales y fiestas en el Paraguay colonial. Esquema histórico-bibliográfico», *Revista Iberoamericana de Literatura*, 1:1 (Montevideo, 1959), pp. 65-90.

—, *Breve historia del teatro uruguayo*. I: *De la Colonia al 900*, EUDEBA (Serie del Nuevo Mundo), Buenos Aires, 1966.

Reyes, Alfonso, ed., «Prólogo» a Ruiz de Alarcón, *La verdad sospechosa. Las paredes oyen* (Clásicos Castellanos), Madrid, 1918, 1970[8], pp. vii-xliv.

—, «Los autos sacramentales en España y América», *Capítulos de literatura española*, 2.ª serie, El Colegio de México, 1945, pp. 105-128.

—, *Letras de la Nueva España*, Fondo de Cultura Económica, México, 1948.

Reyes de la Maza, Luis, *El teatro en México con Lerdo y Díaz (1783-1879)*, UNAM, México, 1963.

—, *Circo, maroma y teatro, 1810-1910*, Imp. Universitaria, México, 1985.

Ribbans, Geoffrey, «Lying in the Structure of *La verdad sospechosa*», en R. O. Jones, ed., *Studies... presented to Edward M. Wilson*, Tamesis, Londres, 1973, pp. 193-216.

Ricard, Robert, «Le théatre édifiant», *La conquête spirituelle du Méxique. Essai sur l'apostolat et les méthodes missionaires des ordres mendiants en Nouvelle-Espagne de 1523-24 a 1572*, Institut d'Éthnologie (Travaux et Mémoires, 20), París, 1933, pp. 234-248.

—, «Sur *El divino Narciso* de sor Juana Inés de la Cruz», *Mélanges de la Casa de Velázquez*, De Boccard, París, 1969, tomo V, pp. 309-329.

Riva Agüero, José de la, «Las influencias francesas en las obras dramáticas de Don Pedro de Peralta», en *Hommage à Ernest Martinenche. Études hispaniques et americains*, Éditions d'Astrey, s.a., pp. 187-195.

Rojas Garcidueñas, José, *El teatro de Nueva España en el siglo XVI*, Luis Álvarez, México, 1935; SepSetentas, México, 1973[2].

—, «Prólogo» a *Autos y coloquios del siglo XVI*, UNAM, México, 1939, pp. vii-xxiii.

—, «Piezas teatrales y representaciones en Nueva España en el siglo xvi», *Revista de Literatura Mexicana*, 1:1 (1940), pp. 148-154.

—, «Prólogo» a H. González de Eslava, *Coloquios espirituales*, Porrúa, México, 1958.

—, y José J. Arrom, *Tres piezas teatrales del virreinato*, UNAM, México, 1976.

Rojo, Grínor, y Kathleen Shelly, «El teatro hispanoamericano colonial», en L.

Iñigo Madrigal, ed., *Historia de la literatura hispanoamericana*. I: *Época colonial*, Cátedra, Madrid, 1982, pp. 319-352.

Sackheim, Mussia, *Die Lebensphilosophie des Dichters Don Juan Ruiz de Alarcón y Mendoza*, Berlín, 1936.

Salceda, Alberto G., «Cronología del teatro de sor Juana», *Abside*, 17 (1953), pp. 333-358.

—, «Introducción» a sor Juana Inés de la Cruz, *Comedias, sainetes y prosa*, Fondo de Cultura Económica, México, 1957 (*Obras completas*, tomo IV), pp. vii-xlviii.

Sánchez, Luis Alberto, *El Doctor Océano*, Universidad Nacional Mayor de San Marcos, Lima, 1964.

Saz, Agustín del, *Teatro hispanoamericano*, Editorial Vergara, Barcelona, 1963.

Schilling, Hildburg, *Teatro profano en la Nueva España. Fines del siglo XVI a mediados del XVIII*, Imprenta Universitaria, México, 1958.

Schons, Dorothy, «Apuntes y documentos nuevos para la biografía de Juan Ruiz de Alarcón y Mendoza», *Boletín de la Real Academia de la Historia*, 95 (1929), pp. 59-151; reimpreso en The University of Chicago Libraries, Chicago, 1929.

—, «Alarcón's Reputation in Mexico», *Hispanic Review*, 8 (1940), pp. 139-144.

—, «The Mexican Background of Alarcón», *Bulletin Hispanique*, 93 (1942), pp. 45-64.

Selig, Karl-Ludwig, «Aspectos de la tradición emblemática colonial», *Actas del IIIer. Congreso de Hispanistas* (México, 1968), El Colegio de México, México, 1970, pp. 831-837.

Serrano Redonnet, Antonio, *La primera loa universitaria argentina*, Universidad de Buenos Aires, Buenos Aires, 1973.

Shelly, Kathleen, «El teatro en la América hispana durante el siglo XVI», *Revista Canadiense de Estudios Hispánicos*, 7:1 (1982), pp. 89-101.

Sibirsky, Saúl, «La obra teatral de sor Juana Inés de la Cruz», *Romance Notes*, 7 (1965), pp. 21-24.

Silverman, J. H., «"Oí... astrología"», *Nueva Revista de Filología Hispánica*, 5 (1951), pp. 417-418.

—, «El gracioso de Juan Ruiz de Alarcón y el concepto de la figura de donaire tradicional», *Hispania*, 35:1 (1952), pp. 64-69.

Spell, Jefferson Rea, «El teatro en la ciudad de México: *El libro y el pueblo*», 12 (1935), pp. 442-454.

—, «The theater in New Spain in the Early Eighteenth Century», *Hispanic Review*, 15 (1947), pp. 137-164.

—, y Francisco Monterde, eds., «Introducción» a *Tres comedias de Eusebio Vela*, Imprenta Universitaria, México, 1948.

Staves, S., «Liars and Lying in Alarcón, Corneille and Steele», *Revue de Littérature Comparée*, 46 (1972), pp. 514-527.

Sten, María, *Vida y muerte del teatro náhuatl: el Olimpo sin Prometeo*, Secretaría de Educación Pública (SepSetentas, 120), México, 1974.

Tamayo Vargas, Augusto, «Juan Espinosa Medrano, "el Lunarejo"», *Boletín de la Academia Peruana de la Lengua*, 12 (1977), pp. 40-86.

—, «Prólogo» a F. Espinosa Medrano, *Apologético* (Biblioteca Ayacucho, 98), Caracas, 1982.

Torre Revello, José, «El teatro en la colonia», *Humanidades*, 23 (La Plata, 1933), pp. 145-165.

—, «Orígenes del teatro en Hispanoamérica», *Cuadernos de Cultura Teatral*, 8 (1937), pp. 33-64.

Torres Rioseco, Arturo, «Teatro indígena de México», *Ensayos sobre literatura latinoamericana*, Fondo de Cultura Económica, México, 1953, pp. 7-25.

—, «Tres dramaturgos mexicanos del período colonial: Eslava, Alarcón, sor Juana», *Ensayos sobre literatura latinoamericana*, Fondo de Cultura Económica, México, 1953, pp. 26-56.

Trenti Rocamora, José Luis, *El teatro en la América colonial*, Editorial Huarpes, Buenos Aires, 1947.

—, «El repertorio de la dramática colonial hispanoamericana», *Boletín de Estudios de Teatro*, 7:26 (1949), pp. 104-125; tirada aparte, Talleres Gráficos Alea, Buenos Aires, 1950.

Vargas Ugarte, Rubén, *De nuestro antiguo teatro. Colección de piezas dramáticas de los siglos XVI, XVII y XVIII*, Universidad Católica, Instituto de Investigaciones Históricas, Lima, 1943; otra ed., Editorial Milla Batres, Lima, 1974.

—, «Introducción» a Juan del Valle Caviedes, *Obras*, Clásicos Peruanos, Lima, 1947.

—, «Introducción» a fray Francisco del Castillo, *Obras*, Clásicos Peruanos, Lima, 1948.

Wade, G. E., «Vitor, don Juan Ruiz de Alarcón y el Fraile de la Merced», *Hispanic Review*, 40 (1972), pp. 442-450.

Weber de Kurlat, Frida, «Estructuras cómicas en los *Coloquios* de Fernán González de Eslava», *Revista Iberoamericana*, 21 (1956), pp. 393-407.

—, *Lo cómico en el teatro de Hernán González de Eslava*, Universidad de Buenos Aires, Buenos Aires, 1963.

—, *El teatro del siglo XVI al XIX*, Editorial La Muralla (Literatura Hispanoamericana en Imágenes, 23), Madrid, 1981.

Williamsen, Vern G., «La simetría bilateral en las comedias de sor Juana Inés», en *El Barroco en América*, Madrid, 1978, tomo I, pp. 217-228.

Yáñez, Agustín, «Prólogo» a Francisco Bramón, *Los sirgueros de la Virgen*, UNAM, México, 1944.

ALFONSO REYES

TEATRO MISIONARIO

El teatro naciente fue dádiva de la evangelización y el catequismo.
Sus fines distan mucho de ser pura y directamente estéticos o de mero
divertimiento. Pero este teatro comienza a tirar del carro de la comedia
y ha de conducirnos hasta la escena criolla. Arrolladora su trascendencia social, su originalidad no admite siquiera parangón. Perdido casi
en su totalidad por desgracia, lo reconstruimos en las abundantes referencias. Asombrados de su propio acierto, los misioneros hacían verdaderos alardes literarios para describir lo que fue este teatro, y lo entre-
sacamos de sus páginas candorosas como de un hueco-relieve. Los
anales del teatro misionario se documentan desde 1533 y se van bo-
rrando hacia 1572.

Para el objeto del catequismo, se adaptó una tradición indígena.
No costó trabajo a los misioneros el apoderarse de aquellas fiestas flo-
rales o «mitotes», pantomimas, bailetes, disfraces y máscaras, simula-
ción de mutilados y contrahechos, remedo de animales, réplicas improvisadas: todo ello, mero embrión dramático según nuestro punto de
vista, aunque aquel teatro poseía ya su género heroico y su género
cómico, y sus sedes escénicas en el templo de Cholula o en el alcázar
de Tezcoco.

Al soplo de la evangelización, mudáronse los espectáculos gentiles,
sin perder su pompa, en procesiones de palio alzado y vela encendida,
desfile de «monumentos» o imágenes y breves representaciones: sencilla enseñanza escenificada sobre los principales preceptos y figuras de

Alfonso Reyes, *Letras de la Nueva España*, Fondo de Cultura Económica,
México, 1948, pp. 322-327.

la doctrina y la historia sacras o el castigo de los infieles (toma de Jerusalén), con las naturales alusiones a los elementos del propio ambiente.

Las procesiones al modo español habían entrado con los mismos peninsulares, quienes desde muy pronto las venían celebrando con el concurso de danzas indias, sin que faltaran las habituales disputas sobre el puesto que correspondía a cada gremio en el desfile. Por cierto que se mezclaban en ellas las figuras grotescas de tradición europea —gigantes, diablo cojuelo y, ya en el siglo XVIII, la tarasca— y que se revolvieron con escenas y bailes de subida profanidad, al punto que la Iglesia una y otra vez las prohibía, como indignas y de mal ejemplo para los indios; hasta que el Tercer Concilio Mexicano (1585) depuró definitivamente estas prácticas.

Si el principio de la regresión colonial, o retroceso con respecto a la etapa evolutiva de la metrópoli, es perceptible en el orden social y el jurídico de la América recién conquistada —heterogeneidad étnica, feudalismo de las encomiendas—, también lo revelará nuestro drama en gestación, donde lo explican diversas circunstancias: primer contacto entre dos civilizaciones y dos lenguas muy distantes y que hasta entonces se ignoraban del todo; fines extraliterarios del teatro; público no acostumbrado a esta forma; autores y actores no profesionales, pues aquéllos son los misioneros, y éstos, gente de iglesia, monaguillos e indios, y muchachos disfrazados para los papeles de mujer.

Cuando en España toma vuelo el teatro renacentista, el nuestro parece una sombra medieval, por el asunto religioso, el tono, el acto único, el general anonimato. Aun en lo puramente escénico, la representación recorre otra vez el camino desde el interior de los templos cristianos a las capillas abiertas en los patios delanteros de iglesias y conventos (como la de San José, «la Catedral de los Indios»), a los cadalsos o tablados al aire libre, pocas veces a las carretas, en ocasiones a los colegios o al propio palacio virreinal y al fin, antes de cerrarse el siglo XVI, a su casa propia. Y esto, no porque la Iglesia haya expulsado a la criatura, puesto que la tenía a su servicio, sino por la afluencia del público. Las piezas acompañadas de simulacro bélico se representaban en el campo.

Pero no hay que exagerar el alcance de la regresión. Es ley de la escena española que unas formas engendren otras sin por eso desaparecer. El drama de la Eucaristía o «auto sacramental», que enlaza el tema religioso con el recurso alegórico —elementos vetustos—, es como una supervivencia medieval florecida en la edad moderna, y se prolonga ostensiblemente hasta pleno siglo XVIII, y de cierto modo humilde y oscuro, casi hasta nuestros días. España, a fines del XVI, define las formas de su gran teatro; pero todavía los tipos breves anteriores, en vez de morir, se transforman y se reproducen. Si se olvidan, aunque sea en el nombre, églogas, farsas, representaciones morales y tragicomedias alegóricas (las «moralidades» y los «misterios» del resto de Europa), surgen en cambio por todas partes las loas monologadas, los villancicos, entremeses, bailes, saraos, jácaras, mojigangas —cortejo a la comedia o al auto—, y más tarde sainete y zarzuela. En América persisten por siglos la loa, subordinada o independiente, el coloquio, el villancico que parará en opereta sacra; y un día, cristalizará la pastorela, aldeana resistente, nieta del venerable Auto de Navidad nacido en la cuna de la lengua —siglo XIII— y alguna vez tocado por la mano gigantesca de Lope.

En el drama catequista hay piezas originales y piezas adaptadas o traducidas, unas en verso y otras en prosa, unas en castellano y otras en lenguas indígenas —náhuatl, zapoteca, mixteco, tarasco o pirindo, y hasta la remota Sinaloa, por obra de los jesuitas de aquella misión—; y seguramente algunas eran transportadas en varias versiones para auditorios de hablas diferentes. Los nombres con que se las menciona —acaso bautismos *a posteriori*—, más que verdaderos títulos literarios, son referencias indecisas a los asuntos, lo que dificulta su identificación. La autoría es dudosa, aunque se cita, entre los que primeramente compusieron en lengua de indios, a Motolinía, Olmos, Fuensalida, Jiménez y otros. Entre los autores en castellano, se menciona a los que adelante se dirá. Como se llamaba «autor de comedias» más bien al empresario o al director de la compañía, caben las reservas.

Autos, coloquios, representaciones, comedias sacras y alegóricas, se inspiraban en la historia bíblica, los Evangelios, los dogmas, sacramentos e instituciones, asuntos de edificación y hechos notables aprovechados para el fin catequista. Por la Epifanía, nunca se olvidaba la Adoración de los Reyes Magos, símbolo de la vocación de los gentiles a la fe cristiana, en que los indios veían la analogía de su propio caso, y ofrecían en el simulado pesebre cera, incienso, palomas y codornices. La Caída de Adán y Eva, representada en náhuatl con espléndida escenificación, lleva un motete final en castellano, acaso la primera recitación de nuestra lengua en boca de indígenas. La mudez de Zacarías, padre del Bautista, en otra pieza náhuatl, daba ocasión a incidentes cómicos muy al gusto de los naturales. Y cuando san Francisco predicaba en lengua india a las aves, éstas, en efecto, venían a posarse en su mano.

Para celebrar las paces de Aigüesmortes entre el emperador Carlos V y el rey Francisco I, se representó, en castellano, *La conquista de Rodas*, y en náhuatl, una conquista de Jerusalén, asunto de historia imaginada. Probable modelo de ésta, hay otra *Conquista* o *Destrucción de Jerusalén* en castellano, una de las poquísimas obras del género que conservamos, la cual ha resultado ser paráfrasis del limosín medieval. Es singular que, en la fingida toma y conversión de Jerusalén, se haya consentido a los tlaxcaltecas disfrazar de conde de Benavente y de virrey Mendoza a los jefes de los ejércitos español y americano, mientras que los derrotados infieles llevaban a la cabeza un Soldán y un capitán moro, en traza respectivamente de Hernán Cortés y Pedro de Alvarado, que para colmo vivían aún, aunque ausentes de México (1539).

Las otras piezas castellanas o indias (*Caídas del hombre*, *Bautismo del Bautista* —tal vez el auto representado en la española Valladolid para el nacimiento del futuro Felipe II—, autos de Adán, degollación del Bautista, santa Elena de la Cruz, autos del Corpus que se dicen de Luis Lagarto, acaso el miniaturista, y *Profecías de Daniel* y *Nuestra Señora del Rosario* que se dicen de Andrés Lavis de Durango, etc.) recuerdan demasiado la colección de Rouanet, *Autos, farsas y coloquios del siglo XVI*, y es posible que, en sustancia, sean de procedencia peninsular.

A fines del XVI, Gamboa, fray Juan Bautista y su discípulo en lenguas indias, el historiador Torquemada, acompañaban sus sermones de breves actos mímicos sobre Pasos de la Pasión y temas semejantes. Estos «neixcuitilli», ejemplos o dechados, pudieron ser en ocasiones, si no necesariamente, lo que entre nosotros se ha llamado después, «cuadros plásticos», escenas inmóviles y mudas. La costumbre llega a nuestros días y tiene antecedentes, por lo menos, en la Perusa del siglo XV.

Los elementos autóctonos que en estas piezas se deslizan son sobre todo alusiones al ambiente natural —lo que singularmente acontece en las más antiguas, aquellas de que sólo nos queda la descripción hecha por los misioneros—, como cuando, en el auto de los tlaxcaltecas sobre la Tentación, Lucifer, disfrazado de ermitaño, aunque dejaba ver cuernos y uñas, ofrece a Cristo, entre otros placeres terrestres, todas las muchas y buenas cosas de la Nueva España. También, como advierte Icaza, es elemento autóctono «la forma de sus agüeros y supersticiones. Los pasajes cómicos, ya sobradamente rudos en las primitivas farsas españolas que les servían de modelo ..., están llenos, en las obras mexicanas, de terribles reminiscencias de las costumbres y ritos sangrientos de su gentilidad».

El teatro de evangelización desaparece —salvo supervivencias— con la necesidad que vino a cumplir. Ricard [1933] considera que la «conquista espiritual» acaba prácticamente en 1572. Pero naturalmente, el andar de las costumbres, las prohibiciones eclesiásticas contra las profanidades primitivas, la mayor urbanización de la cultura, las actividades humanísticas y universitarias que absorbían gradualmente a los religiosos, van operando una transformación. El teatro se encamina a la actividad literaria y profesional, promovida mediante concursos por el Cabildo, y luego es abandonado a sus fuerzas. Al sobrevenir el acuerdo del Concilio Mexicano que, por una parte, depura las fiestas religiosas y, por otra, da libertad al teatro callejero, la evolución se precipita.

Con la escena misionaria desaparecen posibilidades insospechadas, que no pudieron evolucionar hacia formas laicas e independientes. Los simulacros militares al aire libre, como en la *Conquista de Rodas* o la *Destrucción de Jerusalén*, anunciaban [...] un «teatro de masas» a lo Meyerhold; y en la participación de muchedumbres en danzas y bautismos, que a veces fueron «fin de fiesta» como prueba de la sumisión de los infieles, se aprecia que el público no se sentía del todo espectador.

José Rojas Garcidueñas

AUTOS Y COLOQUIOS DEL SIGLO XVI

Decir que el teatro religioso en nuestro país, durante el siglo XVI, floreció en tan espléndida forma como lo hizo, tan sólo por la inercia de su trayectoria en el desenvolvimiento de la cultura europea con-

José Rojas Garcidueñas, «Prólogo» a *Autos y coloquios del siglo XVI*, UNAM, México, 1939, pp. vii-xxiii (xii-xx).

temporánea; afirmar que ese teatro no fue más que una continuación estricta del teatro religioso español, sería afirmación no íntegramente correcta.

Nadie pretenderá negar que nuestro teatro religioso del siglo XVI viene en línea directa e inexcusable del teatro medieval. Pero la fuente de origen no explica las modalidades muy especiales que aquí, en México, tomó aquel género artístico, ni menos basta para justificar el auge esplendoroso que alcanzó en la temprana época de la evangelización.

El factor ineludible que debe sumarse al europeo es el indígena. Y es que en el teatro, como en casi todas las otras manifestaciones culturales y absolutamente en todas las artísticas, solamente podrán entenderse su sentido y sus matices más íntimos y característicos tomando debida cuenta del factor autóctono. Porque si es cierto que la cultura cristiana desplazó a la indígena y escasamente pudieron ambas mezclarse por la heterogeneidad de sus propios caracteres, igualmente exacto es el hecho de que al morir la cultura indígena dejó muy hondas huellas en el alma de los pueblos conquistados; y no valdría alegar que la calidad casi exclusivamente psicológica de esos rastros es sólo por propia contextura anímica y no por huella de cultura, pues tal argumento de íntima filiación individualista ya no es válido para nuestro sentido moderno de cultura, hondo fenómeno colectivo de vida y espíritu propios.

[No hay que olvidar que,] si la mayor parte de nuestra literatura del siglo XVI es genuinamente occidental, otra buena parte —desgraciadamente perdida en su mayoría— se vio ya influida por elementos no occidentales que, poco a poco, modificándose y transformándose en el devenir de nuestra nación, van creando un arte y una literatura con modalidades particulares y caracteres propios, entre los cuales no es el menor ese «tono crepuscular» tan aludido y comentado de Henríquez Ureña para acá.

El inmediato acogimiento que las representaciones religiosas encontraron en el entusiasmo popular lo explica el gusto que ese pueblo tenía por las representaciones teatrales que ya conocía y practicaba, en forma primitiva, durante la época precortesiana. En sus frecuentes danzas o mitotes había algunos que por la pantomima se alejaban del baile —arte de movimiento y ritmo—, aproximándose a un nuevo y distinto género de expresión artística. Pero, a más de las danzas pantomimas, tuvieron verdaderas representaciones con diálogos sencillos, burdos recursos cómicos, acción incipiente, que no por su escaso desarrollo dejan de ser teatro efectivo y auténtico. [...]

La primera pieza de teatro religioso en Nueva España, cuya noticia ha llegado a nosotros, fue «una representación del fin del mundo», en Santiago Tlatelolco, el año de 1533, probablemente se trata del mismo *Auto del Juicio Final*, que se representó en lengua mexicana, pocos años después en la capilla de San José de los Naturales, asistiendo el Ilmo. señor obispo don fray Juan de Zumárraga y el señor virrey don Antonio de Mendoza.

Por esa misma época, en 1538, hicieron los tlaxcaltecas grandes fiestas el día de San Juan Bautista, representando cuatro piezas cuyos asuntos fueron, el de la primera: *La Anunciación de la Natividad de san Juan Bautista*, luego *La Anunciación de Nuestra Señora* y *La Visitación de la santísima Virgen a santa Isabel* y, después de la misa solemne, *La Natividad de san Juan Bautista*, con la especial circunstancia de que la correspondiente ceremonia de la circuncisión de san Juan fue sustituida por el real bautizo de un niño indio que en esos días había nacido; hacia tal fecha se representó también en mexicano *La Caída de Nuestros Primeros Padres*, con un villancico en castellano. Al año siguiente, de 1539, hicieron en Tlaxcala mejores fiestas para el día de Corpus Christi y representáronse entonces cuatro piezas, de las que fue la principal *La conquista de Jerusalén* y las restantes: *La tentación de Cristo*, *La predicación de san Francisco a las Aves* y *El sacrificio de Abraham*.

Los dominicos que evangelizaban Oaxaca celebraron el Corpus de 1575, en su convento de Etla, con una pieza religiosa que se recuerda por haber terminado en forma trágica al hundirse un tablado con muchos concurrentes, ocasionando más de un centenar de víctimas.

Fray Alonso Ponce cuenta la representación en Tlaxomulco, hacia 1578, de una pieza sobre la *Adoración de los Reyes Magos* que se efectuaba tradicionalmente en dicho lugar «hacía más de treinta años» o sea antes de 1557, lo que ratifica fray Toribio Motolinia quien refiere que los indios acostumbraban celebrar el día de la Epifanía con la representación del *Ofrecimiento de los Reyes al Niño Jesús* y que tenían en muy grande aprecio dicha fiesta, considerándola como particular y propia de ellos, por celebrar el advenimiento de los gentiles a la fe cristiana.

Pruebas de la eficacia de las representaciones piadosas como medio de evangelización las constituyen su generalidad y su persistencia; así encontramos, en 1596, y en las lejanas misiones de la Sinaloa, la noticia de que festejaban la Pascua de Navidad con un mitote y con villancicos y un *coloquio* en su lengua regional, compuesto sin duda por alguno de los jesuitas que dirigían aquellas misiones.

Fray Martín Jiménez, en la Mixteca, componía —según refiere Burgoa— «a modo de comedias, algunas representaciones de misterios o milagros del Santísimo Rosario ... y a los mismos indios se las daba a representar en las Iglesias en su lengua ...».

Don Francisco del Paso y Troncoso menciona, en unos apuntes manuscritos que posee don Federico Gómez de Orozco, estas otras piezas representadas en México durante el siglo XVI: *Auto de cuando santa Elena halló la cruz de Nuestro Señor*, *Auto de la degollación de san Juan Bautista*, un *Auto de san Francisco*, cinco *Autos relativos a Adán* y, de nuevo, el *Auto del bautismo de san Juan Bautista*, que supone el señor Troncoso se haya adaptado, traduciéndolo, para ser puesto en Tlaxcala en 1538, como ya dijimos.

A fines del siglo XVI y por instancias de fray Francisco de Gamboa comenzaron a representarse cada viernes, en la capilla de San José de los Naturales, unos *Pasos* en memoria de la Pasión de Nuestro Señor Jesucristo y, casi al mismo tiempo, estableció fray Juan de Torquemada unas representaciones durante el sermón dominical, en la misma capilla, a las cuales se dio el nombre mexicano de *neixcuitilli*.

Además de todas las representaciones mencionadas, se conserva memoria de otras obras que, muy probablemente, no llegaron a ser representadas o, por lo menos, no queda noticia de que lo hayan sido. Tal parece haber acontecido con los *Diálogos o Coloquios en lengua mexicana, entre la Virgen María y el arcángel san Gabriel*, que durante los primeros años de la colonia compuso el Ilmo. señor don fray Luis de Fuensalida, e igualmente ocurrió con algunas obras de fray Juan Bautista. [...]

Ese fue, a grandes trazos, el teatro religioso que tanto sirvió para la evangelización de las grandes masas indígenas de nuestro país. En cuanto a sus antecedentes directos, además del teatro religioso medieval, imposible es señalarlos para cada caso concreto y únicamente nos referiremos a dos de ellos por su mayor importancia: el *Auto del bautismo de san Juan Bautista* y el *Auto de la destrucción de Jerusalén*, ya que ambos aparecen mencionados varias veces en la lista de representaciones del siglo XVI. El primero, del bautismo de san Juan, es casi seguro que procede de aquél de igual título, y de autor anónimo, que en 1527 sirvió para celebrar, con fastuosísimo decorado, el nacimiento en Valladolid del hijo del emperador que, andando los años, habría de ser el rey don Felipe II; ese auto, traído por los franciscanos a Nueva España fue representado en varias ocasiones, ya en castellano o en su traducción indígena, como sucedió igualmente con el *Auto de la destrucción de Jerusalén.*

Pero no fue el teatro de evangelización, preferentemente en lenguas indígenas, el único teatro religioso que vio nuestro siglo XVI; hubo otro teatro cristiano, heredero directo del español, con piezas en lenguas cultas como eran el castellano y el latín, y sus manifestaciones nos son mejor conocidas porque de él nos ha quedado testimonio mejor.

Entre las principales obras del siglo XVI que conocemos, están el *Desposorio espiritual entre el pastor Pedro y la Iglesia mexicana,* del Pbro. Juan Pérez Ramírez, representado en México en 1574, y los *Coloquios espirituales y sacramentales* del Pbro. Hernán González de Eslava.

En julio de 1575 el Ayuntamiento acordó dar un premio o *joya* a Diego Juárez por «parecer quel segundo carro que se sacó el dicho día (de Corpus Christi) donde se recitó *la Caída del Hombre* ... ser obra e invención mejor ...». En 1588 hubo dos comedias en el Colegio de San Juan de Letrán y las propias Actas de Cabildo del Ayuntamiento de México, donde constan los anteriores datos, guardan noticias de otras varias representaciones piadosas. En 1593 y 1594 se contratan con Luis Lagarto los coloquios para el Corpus, y el 2 de mayo de 1596 «se leyó una petición de Andrés Laris de Durango, en que se ofrece a hacer una comedia intitulada *Las profecías de Daniel* y otra de *Nuestra Señora del Rosario* y las que más la Ciudad quisiere, para la fiesta del Corpus y su octava». Finalmente, al expirar el siglo XVI, el propio año de 1600, los regidores acuerdan que «haya una *comedia* el día de Corpus Cristi que sea *a lo divino* y aventajada y por el consiguiente *otra* en la octava...»

Pero las más características de las obras de este género son las comedias y coloquios latinos y castellanos que los padres jesuitas hacían representar en sus colegios en determinadas fechas y solemnidades, prácticas que no eran exclusivas de los colegios jesuitas de Nueva España, sino generales en Europa, como lo indica Gaehde: «Bajo la influencia del Renacimiento surgió el drama escolar latino y alemán, que se fomentó especialmente por los conventos y escuelas del sur de Alemania, convirtiéndose pronto en un medio de lucha en contra o en favor de la Reforma y que para los jesuitas fue un elemento de educación de primer orden para la juventud religiosa ...».

De esas representaciones la más importante fue, sin duda, *El triunfo de los santos*, en noviembre de 1578. El éxito que alcanzó, por lo que nos dicen los documentos de la época, muy pocas piezas deben haberlo igualado en su siglo y, seguramente, ninguna lo superó; la tragedia era en cinco actos, toda en castellano, empezando con un prólogo en octavas. Otros muchos coloquios representaron los estudiantes y, así, en 1590, el Colegio de la Compañía celebró, en honor del virrey don Luis de Velasco, una representación «a lo divino», y en 1594 hicieron «una comedia latina» cuyo tema era un pasaje de la vida de san Hipólito, celebrada en el patio del colegio. «Los estudiantes —dice el padre Alegre, S. J.— fueron los actores y la ciudad quiso interesarse repartiendo premios correspondientes a muchas latinas y castellanas composiciones que ellos añadieron, formando una especie de certamen.»

La manera de realizar las representaciones a que hemos venido aludiendo en estas líneas, variaba muchísimo según la época, el lugar, la obra, los representantes y el público.

Como en un principio los recursos escénicos eran· casi nulos y como, por otra parte, el pueblo indígena no hubiera entendido ni aun traduciéndolos a su propia lengua, los simbolismos y sugerencias en que el teatro religioso español abundaba, comprendiéndolo así no se cultivó ese género tan desarrollado por entonces en España, sino que se hizo renacer, y a veces hay intento de creación primera, aquel teatro religioso de masas evolucionando en grandes espacios que la Edad Media conoció y que, a pesar de su abandono, todavía se encuentra en aisladas supervivencias, como esa Pasión de Jesucristo que, periódicamente, se sigue representando en Oberamergau; teatro de masas que, despojado de su contenido religioso, ha sido intentado por contemporáneos directores del teatro soviético. No otra cosa que teatro de masas fueron las representaciones que los tlaxcaltecas hicieron en los años de 1538 y 1539, perfectamente descritas por fray Toribio Motolinía, donde figuraron verdaderos ejércitos, murallas, combates mezclados con oraciones y milagros, entre los que no faltó la embestida de Santiago alanceando infieles para ayuda y triunfo de los cristianos.

Muchísimo mayor espacio que el disponible sería menester para explicar los varios modos que fueron usados en la *mise en scène* de nuestro primitivo teatro religioso.

Además del teatro de masas, pero siempre en lo que respecta al teatro de evangelización, eran muy frecuentes las representaciones en los vastísimos patios de los conventos, capaces de contener multitudes inmensas, advirtiendo que esos patios no eran, como hoy se cree, los claustros conventuales, sino el terreno circundado por bardas almenadas, generalmente con dos o tres puertas, que se extendía ante la iglesia y el convento y que hoy, impropiamente, se denomina atrio. Cuando en estos sitios se representaba, solían levantarse tablados y quedaba por decoración la fachada del templo o de las posas y, en muchas ocasiones, convertíanse en apropiado escenario las capillas abiertas, perfeccionando así su funcionamiento y objeto, de construcciones particularmente destinadas a la empresa apostólica de la evangelización.

Otras veces preferíase el lugar cerrado y entonces la representación se hacía en el interior de los templos, de lo que abundan ejemplos desde los *neixcuitilli* y los pasos para la evangelización de los indígenas.

Es pertinente aclarar aquí que, aunque hay varias piezas que han llegado a nosotros con el nombre de *neixcuitilli* —casi todas posteriores al siglo XVI—, parece que las primitivas, las que Torquemada instituyó en San José de los Naturales, eran representaciones mudas cuya acción mímica servía para subrayar, sin interrumpirlo, el tema del sermón que en ese momento se predicaba. Indebidamente se ha pensado en este género de obras como original y nueva aportación del teatro evangelizador novohispánico a los géneros ya conocidos; hay que reconocer que no ha sido así, pues el estudio del teatro medieval nos da el antecedente directo e indubitable de nuestros *neixcuitilli* con el simple dato de que, hacia 1448 y en Perusa, un fraile de apellido Lecce hacía representar, durante sus sermones, unos «cuadros vivientes», tales como Cristo llevando la Cruz a cuestas, la Crucifixión, etc.

Muy poco se usaron en México los carros de representantes, pero de empleo ordinario fueron los tablados *ad hoc* que se levantaban en las plazas —la Mayor y la del Marqués—, en los claustros de los colegios, en el interior de los templos, especialmente en la vieja catedral, por donde pasaron los pastores del *Desposorio espiritual*, los personajes de Eslava, los de todas esas obras de aquel teatro religioso, distinto del de evangelización, que fue el teatro en versos castellanos y latinos, lleno de símbolos y alegorías, producto genuino del Renacimiento, fruto de civilización y buen principio del barroquismo literario.

Francisco A. Icaza

CRISTÓBAL DE LLERENA Y LOS ORÍGENES DEL TEATRO EN LA AMÉRICA ESPAÑOLA

Ningún retrato de época con más carácter y ambiente que el que hace el arzobispo de Santo Domingo don Alonso López de Ávila cuando, en carta que dirige al rey don Felipe II el 16 de julio de 1588, cuenta lo que sigue:

Aquí teníamos un clérigo y canónigo de esta iglesia llamado Cristóbal de Llerena, hombre de rara habilidad, porque sin maestros lo ha sido de sí mismo, y llegado a saber tanto latín que pudiera ser catedrático de Prima en Salamanca, y tanta música que pudiera ser maestro de capilla en Toledo, y tan diestro en negocios de cuentas que pudiera servir a V. M. de su contador. Y por estas buenas partes le amaba tanto el pueblo que han mostrado mucho sentimiento de lo que con él se ha hecho. Entre otras gracias es ingenioso en poesía y compone comedias con que suele solemnizar las fiestas y regocijar el pueblo, como lo hizo el día del Corpus Christi y su octava; y parece que en una comedia que se representó el día de la octava introdujo un entremés, y en él un monstruo que pone Horatio; en la interpretación dél, parece que tocó algunas cosas acerca del mal reparo que tiene esta ciudad para defenderse de los enemigos. Sintiéronse tanto los oidores, que a los 8 del presente le embarcaron para el río de la Hacha, llevándolo los alguaciles como a un pícaro, y sin darle lugar a que hiciese alguna prevención ni llevarse lo necesario para el viaje. El pueblo le llora porque pierde el maestro de sus hijos; la iglesia lo siente porque sin él no hay música ni quien toque el órgano; tenía todas las cuentas y razón de los diezmos y capellanías; hacía todos estos oficios casi de balde; no se hallará quien los haga por mucho dinero.

El entremés viene adjunto a esta carta copiado y comprobado por los estudiantes que lo representaron, y no tiene otra culpa, pues si dicen que otra vez hizo otro tanto y lo quisieron embarcar, no hay memoria de ello, pues fue ha muchos años y no se hallan los entremeses, y lo que de palabra dicen es más bien cosa meritoria, y aunque en su mocedad tuvo flaquezas, ha muchos años que está enmendado y es de mucha virtud. Al

Francisco A. Icaza, «Cristóbal de Llerena y los orígenes del teatro en la América española», *Obras*, Fondo de Cultura Económica, México, 1980, tomo I, pp. 101-107.

día siguiente de embarcado declaró el maestrescuela y provisor por excomulgados a los alguaciles que le prendieron, y los oidores le llamaron, y sin estar en su tribunal, sino sentados para oír misa, le trataron muy mal de palabra, de lo cual salió tan afligido el provisor que ha presentado la renuncia de la maestrescolía y provisorato, y es hombre de mucha virtud y letras.

Por real cédula está mandado que cuando algún clérigo o fraile fuere escandaloso, avisen a su prelado que le castigue, y si no lo hace lo embarquen; pero esto no se guarda, sino que los oidores lo embarcan desde luego, y suplica a S. M. lo mande remediar. [...]

El asunto de Llerena y su entremés interesa a la historia y a la literatura. No sólo nos dice, documentalmente, que espectáculos escénicos hubo en la Española en la segunda mitad del siglo XVI, y quiénes los componían y representaban y dónde, sino que es un ejemplo más de la lucha sin tregua que la Iglesia y la autoridad civil tuvieron siempre en Hispanoamérica, hasta en el recinto mismo de los templos. El entremés hace pareja con el representado en la catedral de México en 1576 atacando en presencia del virrey las disposiciones de gobierno que aquél acababa de dar. En esa ocasión, el autor o los autores no fueron habidos, ni dieron resultado alguno las persecuciones que se hicieron a ese respecto. Lo que no impidió que el arzobispo don Pedro Moya de Contreras defendiera embozadamente la sátira ante el rey.

Leyendo entre líneas la carta de don Alonso López de Ávila, se viene en cuenta de que Cristóbal de Llerena fue un autor algo más complicado que los sencillos y candorosos Hernán González de Eslava y Juan Pérez Ramírez, iniciadores del teatro en México. El propio señor arzobispo declara que Llerena en su mocedad tuvo flaquezas, aunque estaba enmendado en 1588. Resulta evidente que había cultivado la sátira política y que se le amonestó. Que no hubiera memoria o testimonio de ello, como dice el arzobispo, «porque fue muchos años antes», y que «no se hallaran los entremeses», y hasta que tuviera razón en lo que decía, y que lo conservado de palabra fuese «cosa más bien meritoria», como asegura asimismo el arzobispo, no implica que no los hubiera escrito y fuera reincidente.

El entremés que remitió don Alonso López de Ávila con su carta dice así:

GR.: ¿Qué es esto, Cordellate?; ¿cómo venís tan trocado?; ¿qué súbita mudanza es ésta?, ¿tan fácilmente mudáis la profesión?, ¿ayer melena y hoy chinchorro?, ¿qué jerigonza es ésta?

CORDELLATE: No sé; preguntadlo al maese del argadijo, que me ha medido este hocico a pulgares, diciéndome: No más bobo, no más bobo; caña de pescar y anzuelo, pesia tal. Y ansí, por miedo de la pena, salgo cual veis a echar un lance.

GR.: No me parece mal, echa para todos, quizá por ahí soldaremos la borrumbada.

CORD.: No pica, juro a Dios, no quiere picar.

GR.: Pues si no pica, no vale nada la salsa. Créeme, vos y yo; sal, estudio, y veréis cuán bien pica allá.

CORD.: Así lo pretendo hacer, aunque agora está cerrada la pesquería hasta Sant Lucas, que son las aguas.

GR.: ¿Pues qué pretendéis hacer en el entretanto?

BO.: Llegarme a hayna, que no faltará lance.

GR.: Otra pesquería de más provecho os revelaría yo, si me tuviésedes secreto.

BO.: ¿Y es?

GR.: Que llevéis un talegón de estos cuartos para trocar tostones, que se venden allá a cuatro reales conforme a la Cédula, y acá valen a ocho. ¿Qué mejor pesquería queréis?

BO.: Bien decís; así lo haré.

GR.: Sabéis que he notado que en todo venís diferenciado, no sólo en la profesión, mas también en disposición corporal: ¿qué se hizo la barriga y el preñado?

BO.: ¿Qué se hizo?: parióse.

GR.: Y ¿qué paristes?, ¿algún monstruo?; porque de tal tronco no se espera otra cosa.

BO.: Si monstruo debió de ser, yo os prometo que es de tal manera el parido que ha llamado la justicia los zahoríes del lugar para que digan lo que es, que no hay quien lo conozca. Veislo aquí (lo sacan a la plaza). Vade retro, mal engendro, que aunque te parí no te puedo ver.

ALCALDE: Sacad esa pantasma fuera, señores aríolos, que cierto es cosa espantosa.

ALC. 2.º: Señor alcalde, este monstruo ha nacido en tiempo y coyuntura de mucha consideración; porque tenemos mucha sospecha de enemigos, y hanse visto no sé qué faroles y fuegos, y en semejantes tiempos permite Dios estos portentos y prodigios para aviso de los hombres, y pues están aquí los aríolos, inquiramos lo que pronostica este monstruo.

ALC.: Paréceme buen consejo ése. Ea, señor Delio Nadador, y vos, Carpatio Proteo, estos señores os suplican que toméis esta provincia sobre vuestros hombros, y por el conocimiento de vuestra arte nos prevengáis lo que debemos hacer.

DEL.: Tome la mano primero, pues está presente Clargio Callas, cuya destreza tiene en el orbe todo fama, y visto su agüero, daremos los dos nuestro parecer después.

CLA.: Yo dó la mano en eso a Edipo, intérprete famoso de monstruos; él diga lo que le parece primeramente.

EDI.: No quiero andar en comedimientos, sino hacer lo que se manda, que yo desaté el animal de la esfinge diciendo ser símbolo del hombre, y éste digo que es símbolo evidente de la mujer y sus propiedades; para lo cual es menester considerar que este monstruo tiene el rostro redondo de hembra, el pescuezo de caballo, el cuerpo de pluma, la cola de peje; la propiedad de los cuales animales se encierra en la mujer, como lo declara este retrástico, que servirá de interpretación:

> Es la mejor mujer instable bola.
> La más discreta es bestia torpe insana;
> aquella que es más grave, es más liviana,
> y al fin toda mujer nace con cola.

DEL.: No consiento tanto vituperio en las mujeres, ni que se tuerza la hermana interpretación de este monstruo a las calidades falsas que dice Edipo de ellas.

EDI.: Pues decí vos lo que entendéis, que yo no alcanzo otra cosa.

DEL.: Estas cuatro formas comprendidas en un cuerpo son símbolo de cuatro elementos en una naturaleza encerrados; porque el pece simboliza el agua; la pluma, el aire; la bestia, la tierra; la mujer, el fuego; y en comprobación de esto dijo Ovidio: las aguas habitan los peces; las aves, el aire; las bestias, la tierra, y la mujer llamó Terencio fuego cuando dijo a Fedria: Llégate a ese fuego y no sólo te calentarás, mas te quemarás.

PROTEO: No admito tan simples y peregrinas interpretaciones, que, pues este monstruo nació en esta ciudad, no hay que divertir a otra cosa su significación, sino a cosas de ella, y así entiendo que se debe entender por esta figura nuestra república, la cual la hacen monstruosa cuatro cosas: primeramente, mujeres descompuestas, cuyas galas, apetitos y licencias van fuera de todo orden natural, y la otra, caballos de cabeza.

DEL.: ¿Qué entendéis caballos de cabeza?

PROT.: Como hay toros de cabeza, hay también caballos de cabeza y caballos de ingle; de estos postreros no se trata agora; sólo digo caballo de cabeza, porque a este monstruo le nace de la cabeza el caballo; la tercera cosa es plumas de escribanos, letrados y teólogos.

ALC.: Declaraos en eso, Proteo, que estoy sentido algún tanto.

PROT.: ¿Que me miráis de puntería? Este negocio basta se sienta, no se diga.

ALC. 1.º: ¿Qué significa el pescado?

PROT.: Maestres y capitanes de naos, cuya disolución en fletes y cargas son más que monstruosas, pues habéis de responder a lo que os piden o perder la hacienda.

ALC. 2.º: Eche agora el sello y remate el doctísimo Chalcas, porque se acabe esta inquisición de todo punto.

CALCH. (sic): Yo siempre he sido consultado en contingentes bélicos; y siempre han tenido mis presagios sucesos correspondientes a mis agüeros. Considerando el nacimiento de este monstruo alcé la figura y socorrióme en el ascendente de Marte el signo de Piscis: por lo cual pronostico guerra y navíos, y por las figuras del monstruo, las prevenciones que debemos tener, porque mujer, caballo y plumas y pece quiere decir que las mujeres se pongan en cobro y se aparejen los caballos para huir, y alas para volar, y naos para navegar, que podrá todo ser menester.

ALC.: A nada deso tenemos miedo, buen caballero; nos tenemos en el río galeras bien reforzadas de gente y municiones, un cubo de matadero que vale un peso de plata; caminos cerrados que no los abrirá un botón de cirujano; deso bien podemos dormir a sueño suelto.

ALC. 2.º: Con todo eso, me parece que reparemos bien en este monstruo.

ALC.: ¿Qué hay que reparar en un parto de un simple?

ALC. 2.º: Muchas veces simples y borrachos paren cosas dignas de consideración, y si a vuesa merced le parece entremos en cabildo y hagamos un acuerdo de todo lo dicho, de suerte que resulte algo de utilidad común.

ALC. 1.º: No se acuerde agora vuesa merced de comunidades, que es cosa prolija: éntrense, señores aríolos, que a el otro cabildo se verá y acordará bien sobre este negocio.

El entremés copiado corrobora literariamente los informes que daba a Felipe II el arzobispo de Santo Domingo, bien ajeno de que su intercesión, redimiera o no del destierro al canónigo poeta, le salvaba del olvido.

Llerena, según los antecedentes, era de cuna humilde y fue «maestro de sí mismo»; humanista autodidacta, sólo por su propio esfuerzo se libró de la ignorancia a que, más que nunca y en ninguna parte, le condenaba en el medio aquel su origen plebeyo. La doble naturaleza de culto y popular está evidente en el entremés. No es obra erudita a la manera de las que, ya en lenguas clásicas, ya traducidas a las vulgares, se representaban por estudiantes en las aulas universitarias o en las catedrales, y eran a modo de glosa de algunas escenas sueltas de los autores cómicos latinos o de sus modelos griegos. No es tampoco una pieza directamente popular. Participa de ambas condiciones, y de ahí su originalidad entre los de su estirpe y su tiempo. Sírvele la figura del monstruo descrito en la epístola horaciana de pretexto para su trama; pero acomoda asunto y motivos al comento de la actualidad viva de entonces, y alivia la pedantería erudita del diálogo, la irónica socarronería de la réplica popular. Más que a las obras españolas recuerda a las primitivas italianas, por ejemplo, a las de Venecia, sobre todo a las dialectales, sin la licencia o libertinaje que en aquéllas abundan.

El ejercicio de la sátira tuvo siempre graves inconvenientes y hasta peligros. Al arzobispo le parece, o dice parecerle, muy inocente el juego de quejas, censuras y burlas del satírico prebendado; pero es lo cierto que no son todas de igual clase y categoría. La superficial y repetida mención de la liviandad y descoco femeninos, y del temor a la pluma de escribanos y letrados, fueron de antiguo lugar común de la sátira: inofensivas por lo repetidas e indeterminadas, de seguro no habrían provocado los duros castigos de la Audiencia; en cambio, cuanto más venales, desaprensivos y desidiosos fuesen los oidores, menos dispuestos estarían a oír en la más solemne fiesta de la Iglesia, y entre la pompa del culto, la pública requisitoria burlesca de su venalidad y de su incuria.

Especuladores desenfrenados de las naos de flete y carga, y acaparadores y cambistas de cuartos y tostones con arbitrario premio, sin cuidarse de las cédulas que pretendieron atajar sus demasías, dificultaban y hacían aún más mezquina la vida popular de la isla, y el constante temor de sorpresas y desembarcos piráticos entristecía y sobresaltaba a todos, desvalidos y poderosos. Piraterías interiores y extranjeras: piraterías de mar y de tierra que el atrevido canónigo insinuaba o ponía de relieve. Era más fácil quitar a Llerena de en medio deportándolo, que buscar solución inmediata a los males presentes o prevención de los venideros. El pueblo seguiría sin amparo, las costas desguarnecidas y los oidores, como los alcaldes del entremés, dejarían el acuerdo para el otro cabildo.

Frida Weber de Kurlat

ESTRUCTURAS CÓMICAS EN LOS *COLOQUIOS* DE FERNÁN GONZÁLEZ DE ESLAVA

Hay que repetir una vez más lo ya sabido acerca del papel de lo cómico en el teatro de la Edad Media. Dentro de aquellas obras que ponían en escena episodios del Nuevo o del Viejo Testamento, explicaciones litúrgicas o alegóricas, se hacían necesarios altos en el camino para dar al auditorio la posibilidad de escapar del exceso de tensión que la explicación o la enseñanza cristiana habían dejado en ellos: contrapeso, y atractivo al par. Pero con el correr del tiempo, al desaparecer el antiguo desarrollo rígidamente doctrinal y litúrgico, la complacencia del autor en el manejo del material no religioso va enriqueciendo las escenas cómicas, aumentando los recursos de la comedia, variando y matizando los personajes.

Por lo que toca a Eslava, las escasas noticias de que disponemos en torno a obras dramáticas en este siglo de la vida colonial nos permiten inferir, sin embargo, que en éste, como en otros aspectos de su teatro no fue un creador inspirado y original: se atenía con matiz personal, a la fórmula más corriente en sus días. Lo cómico se desenvuelve en escenas de diverso tipo, desde la sencilla heredada, ya convención del género, hasta aquellas en que el autor moldea complacientemente lo heredado, lo renueva, lo enriquece, y llega a adquirir dentro de la obrita una significación y un interés tal que ya no es un mero «alto para distraer la atención del espectador fatigado por una larga o severa explicación teológica o doctrinal».

Muchas de las escenas cómicas del teatro de Eslava —la mayoría— no tienen características que permitan separarlas del conjunto de que forman parte: intervienen los mismos personajes de la parte doctrinal a los que se añade un simple, por ejemplo, que no está necesariamente excluido de la parte seria, así como también hay cierta relación temática entre las dos partes. Hay otros casos de escena cómica independiente por el tema solamente, otras independientes por el tema y los

Frida Weber de Kurlat, «Estructuras cómicas en los *Coloquios* de Fernán González de Eslava», *Revista Iberoamericana*, 21 (1956), pp. 393-407 (393-399).

personajes. A éstas se las podría llamar escenas de entremés, pero el autor reservó ese nombre para tres: y en esos casos se trata de escenas con verdadera unidad y que podrían vivir independientes del coloquio del que forman parte. La relación entre la escena cómica y el conjunto del coloquio presenta, pues, toda una gama de matices, desde entremeses desglosables, hasta breves diálogos engarzados en el desarrollo doctrinal, sacramental o de circunstancias, pero de carácter secular apenas insinuado, sin llegar a romperse la unidad de la obrita. En estos casos el arte ingenuo de Eslava trata de desenvolver lo cómico no como elemento apartado sino dentro del tema central y con ventaja para éste. En consecuencia, tenemos en el mismo autor y a veces en el mismo coloquio desde la comicidad apenas esbozada, al pasar, hasta el entremés independiente.

El *Coloquio XV*, breve obra de circunstancias, «en el recibimiento del Excelentísimo señor don Luis de Velasco, cuando vino por virey desta Nueva España la primera vez» es el de tono más uniforme, sin verdadera comicidad estructurada: el único personaje en que apunta la nota de comedia es el Contento, quien a pesar de los esfuerzos de Esperanza y Tiempo no consigue, ante el anuncio de la llegada del nuevo virrey, recuperar su verdadera naturaleza:

> ESPERANZA: Estás ciego, cojo y manco,
> con cara enfadosa y fea.
> TIEMPO: Tu nombre Contento sea,
> que es como decir Juan Blanco
> al negro que es de Guinea (p. 191b).

En el *Coloquio V*, «De los siete fuertes que el Virey don Martín Enríquez mandó hacer en el camino … de México a Zacatecas …», una escena altera el tono del coloquio simbólico. La disputa entre Demonio, Mundo y Carne no llega a la comicidad, pero los personajes salen con arco y flechas «como chichimecos», y luego de hablar cada uno de los medios de que dispone para llevar a la perdición a los mortales, disputan acerca de quién tiene los mejores recursos y obtiene los mejores resultados. Finalmente Mundo y Demonio deciden dar el triunfo a la Carne «aunque es mujer». Lo cómico del diálogo es de poco relieve y quizá el aspecto de chichimecas con que se presentan los personajes en consonancia con el simbolismo del coloquio era un modo de comicidad plástica que suplía la pobreza del diálogo. No hay personajes cómicos especiales: en un momento del desarrollo dramático los personajes alegóricos del mal tienen una disputa que bordea lo cómico, pero no llegan a abandonar sus caracteres esenciales. La frecuencia de lo cómico en los personajes alegóricos se explica dentro de la modalidad del arte de Eslava, quien se mueve con mayor soltura y complacencia, en lo cómico, en la nota que esboza la comedia de costumbres o de caracteres, y con esos personajes cómico-alegóricos pasa de uno a otro dominio sin violencia. De ahí también la tendencia ya apuntada a multiplicar las oportunidades cómicas: en varios coloquios se podría hablar de una escena cómica principal y diálogos cómicos secundarios. Esto ocurre en el extenso *Coloquio III*, donde el Gusto ha sido el protagonista de una doble escena cómica (jornada 3.ª) por haberse comido la colación que se preparaba para los desposorios y porque en él probaron sus artes Adulación y Vanagloria, y reaparece en la jornada quinta en típico diálogo con Merecimiento y Nueva España interpretando en forma pedestre y obtusa los altos conceptos de sus interlocutores. Y se podría decir que en el *Coloquio VII* la parte cómica anega el contenido doctrinal, en una verdadera sucesión de escenas y personajes ya más cercanos a la comedia que al coloquio.

En el *Coloquio VIII*, «Del Testamento Nuevo que hizo Cristo Nuestro Bien» hay, en cambio, gran trabazón entre los breves momentos cómicos y el tema y personajes del coloquio. La Ley Vieja desheredada por el Nuevo Testamento que hizo Cristo, además de su contenido doctrinal representa en el judío al vencido, y es objeto de burla y menosprecio. Tiene dignidad doctrinal, pero no real, cotidiana: de ahí que pueda ensarzarse en disputas, insultos, amenazas, maldiciones, con su guía, el Temor, e intervenir, al mismo tiempo, en la parte doctrinal.

El *Coloquio XIV* es ejemplo típico de los recursos corrientes en el autor. El personaje cómico es el Placer a quien se presenta como «un simple, hijo de la Clemencia». También aquí tenemos prolongaciones en escenas cómicas de personajes alegóricos relacionados con el tema. Placer, de acuerdo con su condición dice necedades y simplezas, disputa con Furor y Pestilencia, hay preguntas, insultos, maldiciones:

CLEMENCIA: Hijo mío, buen Placer
PLACER: Grite, grite, dalle, dalle,
¿no le he rogado que calle? (p. 176b).
PLACER: ¿Y tú, quién eres, sayón?

FUROR:	¿Yo soy sayón, majadero?
PLACER:	Digo que eres carnicero (p. 177b).
PESTILENCIA:	Nací de la sequedad
	que hubo el año pasado.
PLACER:	Seca estés de enfermedad.
PESTILENCIA:	Entiende bien lo que hablo.
PLACER:	¡Oh! dente con mala guija,
	que eres mala sabandija
	o debes de ser el diablo
	o su mujer o su hija ... (177b).

El coloquio es animado y vivaz y le da especial interés su relación con la peste que asoló a la ciudad de México en 1576: en éste como en todos los coloquios lo cómico no se puede ver aisladamente, sino el fondo del coloquio mismo.

En el *Coloquio XI* tres labradores de nombre alegóricamente intencionado —Aleve, Rigor, Cautela— y su mozo Llorente se han apoderado de la Viña del Señor y van matando a los mensajeros que vienen a cobrar el tributo, en tres escenas paralelas, cada una de las cuales se organiza alrededor del tema bíblico del coloquio (Mateo, XXI) y de un elemento cómico profano representado sobre todo en torno al mozo Llorente, el único personaje con nombre individual. En el *Coloquio VI* «Que se hizo para la fiesta del Santísimo Sacramento en la Ciudad de México en la entrada del conde de Coruña ...» hay una escena cómica más independiente. El coloquio reúne elementos de diverso tipo y empieza con una loa al virrey dicha por el dios Marte «armado de punta en blanco»; es a la vez de circunstancias y sacramental y luego de un largo diálogo entre Entendimiento, Don de Fortaleza y Fe dice la indicación escénica: «Éntrase Entendimiento y salen dos fulleros, Lope Bodigo y Juan Garabato: juegan a las presas y sobre el juego se acuchillan». Los personajes de esta escena tienen nombres corrientes y apellidos con dejo burlesco, intencionado, rasgo tan característico de la literatura cómica y satírica. Si bien los personajes irrumpen con su escena apicarada sin preparación previa ninguna, luego el autor repara esa situación más o menos hábilmente en la continuación del coloquio. La agria disputa de Bodigo y Garabato en torno a los naipes es interrumpida por un Doctor que interpreta a lo divino el juego de presa y pinta, así como los nombres de las cátedras y catedráticos de la Universidad de México y el nombre del conde de Coruña: finalmente, los fulleros prometen dirigirse al recibimiento del nuevo virrey. La estructura de esta escena permite considerarla como un verdadero entremés.

Joaquín Casalduero

LAS PAREDES OYEN: COMEDIA DE INGENIO

El protagonista don Mendo está inventado según el trazado de don García, el primer galán de *La verdad sospechosa*. Don Mendo es un maldiciente doblado de embustero y como don García hizo bueno lo de que en la boca del mentiroso llega a no creerse ni la misma verdad, así Mendo confirma el dicho que sirve de título a la comedia. Ambos llegan al final que como personajes de comedia merecen, aunque el de don Mendo se dispone de otra manera: no sólo pierde a la mujer que ama y que correspondía su amor, sino que es también rechazado por la hermosa que le quería y que él desdeñó. Alarcón no es que se niegue a repetir el desenlace de *La verdad*; lo que se propone es dar con un final que, en lugar de ir a lo cómico en aumento hasta el último verso —el caso de don García—, establezca un refinado juego entre el doblado premio y el doblado castigo y la atmósfera de magia que llenaba la comedia.

Son varios —Henríquez Ureña, Castro Leal— los que han negado el propósito moral de *La verdad*. Señalemos que el único que expresa un concepto moral en términos generales y desinteresados es precisamente don García. El embustero acepta el desafío al cual ha sido provocado y cuando le dicen el motivo niega que el contrincante tenga razón. Se bate valerosamente, pero la llegada de un amigo del contrario interrumpe la lucha, al declarar que don García no ha ofendido a nadie y pedirle que perdone el error. Don García replica: «Ello es justo, y lo mandáis. / Mas mirad de aquí adelante, / en caso tan importante, / Don Juan como os arrojáis. / Todo lo habéis de intentar / primero que el desafío, / que empezar es desvarío / por donde se ha de acabar» (vv. 1.836-1.843).

Joaquín Casalduero, «*Las paredes oyen*: comedia de ingenio», *Estudios sobre el teatro español*, Gredos, Madrid, 1981¹, pp. 188-197.

Esta inconsistencia en realidad no sorprende demasiado, pues García ni por un momento repele y es posible imaginar que ese joven, que no miente perversamente ni con mala intención, puede ser un valeroso caballero. El caso de su padre, don Beltrán, es distinto. Que le moleste que su hijo tenga un defecto grave es comprensible; saber que ese defecto consiste en mentir le produce verdadero horror y podemos igualmente comprenderlo. Sin embargo, desconcierta que, al decirle el ayo que ahora en la Corte seguramente se corregirá, don Beltrán le objete: «casi me mueve a reír / ver cuán ignorante está / de la Corte. ¿Luego acá / no hay quien le enseñe a mentir?» (vv. 181-184). Y continúa diciendo que por mucho que mienta su hijo encontrará quien le aventaje. Además no son los cualesquiera los que mienten sino los que ocupan altos puestos. Es inútil seguir examinando la obra desde este punto de vista, el cual aleja de ella e impide que se penetre en su sentido.

Corneille era un gran hispanista. Escribe con gracia que no obstante la guerra entre las dos coronas espera se le perdone que trafique con España. Para los temas latinos ha buscado la ayuda de «deux Espagnols, Sénèque et Lucain étant tous deux de Cordoue». Cita al «fameux Lope de Vega», al «grand Lope de Vega» y a don Guillén de Castro y al enterarse de que Alarcón era el autor de *La verdad* (la creía de Lope), inmediatamente rectifica y cita a «don Juan d'Alarcon». Corneille creó otro *Cid* genial, así tenemos dos; crea *Le Menteur*, así tenemos dos embusteros geniales. Además de la maravilla de hacerlo entrar en el sistema dramático francés y de darlo a conocer al resto de Europa, Corneille nos ha dejado las primeras notas críticas acerca de *La verdad sospechosa*. En el prólogo *Au lecteur*, repite que ha tomado mucho prestado de «cet admirable original», pero, con una fórmula de cortesía, añade «j'ai entièrement dépaysé les sujets (se refiere también a *La suite du Menteur, Amar sin saber a quién*) pour les habiller à la française, vous trouveriez si peu de rapports entre l'Espagnol et le Français, qu'au lieu de satisfaction vous n'en recevriez que de l'importunité». Habla de las modificaciones introducidas (Alemania por el Perú y otras) y sigue «je vous avouerai en même temps que l'invention de celle-ci (*La verdad sospechosa*) me charme tellement, que je ne trouve rien à mon gré qui lui soit comparable en ce genre, ni parmi les anciens, ni parmi les modernes. *Elle est toute spirituelle* depuis le commencement jusqu'à la fin, et les incidents si justes et si gracieux, qu'il faut être, à mon avis, de bien mauvaise humeur pour n'en approuver pas la conduite (la disposición, el plan de la acción), et n'en aimer pas la représentation». En el *Examen* continúa: «Le sujet m'en semble si spirituel et si bien tourné ... elle est très ingenieuse ...». Dice lo que ha tenido que hacer para adaptarla al sistema dramático francés. Entre otros cambios, «il m'a fallu forcer mon aversion pour les *a parte*, dont je n'aurais pu la purger sans lui faire perdre une bonne partie de ses beautés ...». Luego indica cómo ha tratado el *a parte*, discute las unidades y el desenlace. Entiende a su modo lo que ha hecho Alarcón, sin embargo confiesa que le ha parecido la manera alarconiana de terminar «un peu dure, et cru qu'un mariage moins violenté serait plus *au goût de notre auditoire*». El dar gusto al público es una regla general del teatro, aunque en ciertos momentos no se puede seguir por la división del auditorio. Recuérdese lo que dice Molière en *La critique de l'école des femmes*: «Je voudrois bien savoir si la grande règle de toutes les règles n'est pas de plaire, et si une pièce de thèâtre qui a attrapé son but n'a pas suivi un bon chemin».

Sobre el fondo de la naturaleza humana y social —fondo de una cierta gravedad que aleja por completo lo cómico de la farsa— se destaca el ritmo delicioso del ingenio. La estructura de *La verdad* consiste en una serie de mentiras, ocho: dos en el primer acto, otras dos en el segundo y en el tercero cuatro. La primera es doble (perulero, un año que sigue a la dama) y sólo una estratagema de enamorado. La de la fiesta nocturna es una improvisación bastante larga (vv. 665-748), de gran lucimiento para el actor. La dicción debe enriquecerse con gran número de variaciones que describan sin titubeo y, al mismo tiempo, hagan resaltar los hallazgos del momento. Es una pintura: «Por Dios, que la habéis pintado / de colores tan perfectos, / que no trocara el oírla / por haberme hallado en ella» (vv. 749-752). Así es como se suele señalar la labor del actor y del poeta dramático en estos monólogos. La improvisación de don García tiene muchos elementos, pero es de una sencilla y clara visualización simétrica. Todo ello hace sobresalir la narración siguiente, en el acto segundo. Es la gran mentira, la del matrimonio. Mucho más larga (en lugar de 84 versos, 188) y extraordinariamente más complicada. Antes de empezar ya lo indica don García: «Agora os he menester, / sutilezas de mi ingenio». Y al terminar, su padre, don Beltrán, lo subraya: «Las circunstancias del caso / son tales, que se conoce / que la fuerza de la suerte / te destinó esa consorte». En realidad, don García ha inventado rápidamente, espoleado por la situación en que se encuentra, el argumento completo de una comedia de enredo. Las invenciones del galán alcanzan en este momento el punto culminante y, desde ahora, van disminuyendo hasta llegar a convertirse en breves bromas. Las mentiras se van descubriendo, a veces apenas dichas; junto a este movimiento hay que tener en cuenta las confusiones y equívocos. Corneille nos ha dicho toda su admiración por la inteligente composición de la comedia. El ritmo cómico es igualmente de una gracia deliciosa. Todo el mundo recuerda la manera encantadora y femenina de terminar el primer acto. Ese juego de celos y sorpresas, de rechazos y retenciones se mueve dentro de un marco muy social y converge en ese traer y llevar al tío: está mi tío, tienes tío para mí, sale tu tío, no sale, sale mi tío. Si desplazamos la acción de su refinado nivel cómico el desenlace puede parecer forzado, chocante y sin justificación. Pero el final del primer acto conduce cada vez más divertidamente enredada la acción que hubiera sido tan fácil desenredar. Desde un punto de vista moral es injustificado y desairado para todos, como comedia para mí es de tanto ingenio como gracia. Don García llega al final, la boda, dirigiéndose a la mujer que adora, Jacinta, y cuyo amor provocó la primera mentira. Al lado de los embustes ha habido confusiones y equívocos —creía que se llamaba Lucrecia. El padre le había dicho que iba a pedir la mano de Jacinta, lo cual da lugar a la mentira del matrimonio. La escena es muy divertida, pero al mismo tiempo, como sucede siempre en este tipo de comedia, el público acompaña la risa con la inquietud de ver al protagonista rechazar, a causa del equívoco, lo que quiere. Cuando más tarde le dice a su padre que si ha mentido es por estar enamorado de Lucrecia (así cree que se llama Jacinta), inmediatamente se ofrece a pedir la mano de Lucrecia y a pedir perdón al padre de Jacinta. El momento final es graciosísimo: engaño de don García, sorpresa de Jacinta que quiere casarse con su primer amante, indignación de los padres y del tío, perplejidad de Lucrecia. Revuelo breve, contenido, que hace felices a todos.

La verdad sospechosa es de una composición relativamente poco complicada y además muy luminosa. *Las paredes oyen* es compleja. Alarcón necesita cuatro galanes y dos damas, activas ambas. De la viuda doña Ana están perdidamente enamorados tres caballeros. Ana corresponde a Mendo, desdeña a don Juan y no sabe que también muere por ella un duque. Lucrecia está igualmente enamorada de don Mendo y rechaza a un conde; Mendo la entretiene, pero a quien quiere es a doña Ana. Celia, la criada, encamina a doña Ana hacia el amante de mal talle, don Juan. Y el gracioso Beltrán, criado de éste, subraya la maledicencia de don Mendo. Pero, sobre todo, *Las paredes oyen* es una comedia brillantemente oscura, un mágico nocturno con disfraces, violentos raptos, desafíos. Si la mentira en *La verdad* es un juego, don Mendo está muy lejos de ser un maldiciente; su lengua impertinente no se complace en la sátira. El nudo de la peripecia hace sobresalir lo ducho que es en el lance amoroso. El duque de Urbino ha llegado a Madrid y elige a don Mendo y don Juan para que le dirijan en la ciudad. Enfrente a la casa de doña Ana pregunta quién vive en ella. Con el verso 954 comienza el motivo de «las paredes oyen». Doña Ana (a Celia): «Escucha que hablan de mí». Don Juan pondera a doña Ana. Termina y en un aparte exclama don Mendo: «¡Plega a Dios que esta alabanza / no engendre en el Duque amor, / que con tal competidor / mal vivirá mi esperanza. / Yo quiero decir mal de ella / por quitar la fuerza al fuego» (vv. 970-975). El Duque no comprende que dos caballeros puedan discrepar de tal manera y don Juan dice: «Veréisla, Duque, algún día, / y acabará esta porfía / de encontrados pareceres». Mendo (aparte): «Don Juan me quiere matar, / y aquello mismo que he hecho / para sosegar el pecho / del Duque, me ha de dañar» (vv. 1.015-1.021).

Todos mienten, todos se traicionan, todos hablan mal los unos de los otros. No hay que asustarse demasiado, todo es por el amor. Sin embargo, Alarcón establece un contraste entre las dos figuras dramáticas: don Mendo, el hombre que todo lo tiene, linaje, dones de naturaleza y posición social; don Juan, en cambio, si igual en rango, tiene que sustituir los bienes de naturaleza y los económicos por los morales, sustitución que en amor no suele compensar lo que no se posee. Don Juan atrae a la criada, la señora se burla donosamente de sus pretensiones. Si la estratagema amorosa de Mendo se comprende y se puede justificar fácilmente, no ocurre lo mismo con las de Juan. Éste piensa que el Duque ahuyentará a don Mendo, pero que no se avendrá a casarse con doña Ana, la cual no aceptará ser sólo su amiga. Ése es el momento que don Juan cree propicio para su triunfo. He aquí un plan de aire tan artificioso como de resultados inciertos. El propósito de Alarcón parece no ser otro que el de disponer una intriga de enredado movimiento que no sea un obstáculo al intento dramático.

En la comedia de las mentiras se sacaba una consecuencia práctica de la condición de la naturaleza humana: en boca del embustero acaba por no creerse ni la verdad. También de la conducta de don Mendo se desprende una moraleja con un valor práctico: «y, a toda ley, hablar bien, / porque las paredes oyen» (vv. 1.759-1.760), que se repite con ligera variante al acercarnos al desenlace: «A toda ley, hablar bien, / que a nadie jamás dañó» (vv. 2.860-2.861). Argumento a ras de tierra para fundamentar la buena conducta, que era un lugar común por lo menos en la comedia española. Recuérdese *La vida es sueño*, «... que aun en sueños, / no se pierde el hacer bien» (vv. 2.146-

2.147). También Alarcón contribuye a popularizar y a divulgar el problema de la intención y el acto, y del medio y el fin. En *El burlador de Sevilla*, el Comendador arrastra al infierno a don Juan, ya que bastó que tuviera la intención de engañar a doña Ana. A don Mendo no le salva el que hablara mal con buen fin: «por el mal medio condeno / el buen fin: todo lo igualo; / es que verás que lo malo, / aun para buen fin no es bueno», le dice doña Ana (vv. 2.859-2.862). El gracioso ya podrá terminar: «Y pues este ejemplo ven, / suplico a vuesas mercedes / miren que oyen las paredes, / y, a toda ley, hablar bien». Graciosa manera de pedir un aplauso.

Por muy lugar común que sea la divulgación de estas ideas y aunque la moraleja sea tan práctica y corriente, no dejan de tener un cometido dramático como fondo de la acción. Sin embargo, hemos de tratar de comprender ésta si queremos penetrar en la obra y captar su belleza.

Sobre ese tejido común, que pertenecía a todo el mundo; que hoy día puede parecer completamente ineficaz, pero que precisamente por ser común —intención, medio y fin, la conducta de «por si acaso»— es eficaz, traza Alarcón el delicioso dibujo de su comedia.

Arma la consabida situación amorosa a base del amante desdeñado y el favorecido para dirigirnos a un final insospechado: «Lo que en gran tiempo no ha hecho, / hace amor en sólo un día, / venciendo al fin la porfía» (vv. 93-95). Ahora podemos pensar que el amor es siempre vencedor. Pero inmediatamente se crea el ambiente nocturno y mágico con dos motivos: «las paredes oyen» y «la noche de San Juan».

El primer tema ha corrido a cargo del desdichado don Juan, presentándose también a don Mendo y confiando al gracioso los trazos que le proyectan de manera más desfavorable. La exposición se torna acción —segundo tema— y la conduce donosamente doña Ana al asediarla el suplicante don Juan.

ANA: ¿No habéis dicho que me amáis?
JUAN: Yo lo he dicho...
ANA: ¿No decís que vuestro intento
       no es pedirme que yo os quiera...?
JUAN: Así lo he dicho...
ANA: ¿No decís que no tenéis
       esperanza de ablandarme?
JUAN: Yo lo he dicho.

> ANA: —¿Y que igualarme
> en méritos no podéis,
> vuestra lengua no afirmó?
> JUAN: Yo lo he dicho de este modo.
> ANA: Pues, si vos lo decís todo,
> ¿qué queréis que os diga yo? (vv. 291-304)

La escena con el suplicante es de un ingenio en la misma línea que la de «sale mi tío» para terminar el primer acto de *La verdad*. Pero en *Las paredes oyen*, en lugar de ser un final, es un contraste con el diálogo altamente apasionado del amor correspondido entre Ana y Mendo. Los dos amantes están separados por la intervención de Celia —toda la casa está triste porque la señora les obliga a ir a Alcalá seis días antes de la noche de San Juan, «cuando los amantes dan / indicios de sus porfías» (vv. 416-417). Doña Ana tiene que ir a Alcalá a una novena antes de casarse con don Mendo y le promete a Celia interrumpirla para volver a Madrid la víspera del santo. Así lo hace la viuda. La escena se llena de todo el ambiente mágico y erótico del solsticio de estío: «Las doce han dado, Señora: / oye del segundo esposo / el pronóstico dichoso» (vv. 918-920).

Ha hablado la confidente, Celia, y doña Ana oye con terror el nombre de don Juan pronunciado por don Mendo. Casuísticamente se dispone a luchar con el destino; dice que ha oído primero la voz de don Mendo. La confidente insiste: «Mas ¿qué fuera que ordenara / el destino soberano / que tu blanca hermosa mano / para Don Juan se guardara?» (vv. 930-933). Ana sigue amontonando los lugares comunes, «Del cielo es la inclinación: / el sí o el no todo es mío; / que el hado en el albedrío / no tiene jurisdicción». Con lo cual Alarcón refuerza la magia de la noche de San Juan, pues inmediatamente empieza el altercado entre los dos caballeros para atraer o desviar la atención del duque de Urbino hacia doña Ana. La función del Duque consiste en ser el promotor de la peripecia. El altercado introduce el motivo de las paredes oyen; al Duque se le ocurrirá el disfrazarse de cocheros para el traslado otra vez de Ana a Madrid, cuando haya terminado la novena en Alcalá; por último, el desafío en que Mendo al intentar violar a Ana sale herido y humillado, pues cree que son los cocheros los que le hicieron huir. Y todavía ante el cambio radical de la viuda, piensa en la liviandad de las mujeres, pues el cochero sólo ha podido batirse tan denodadamente al recibir los favores de la dama. El motivo tan antiguo de la liviandad de las mujeres que les hace caer en lo más bajo, Alarcón lo prepara desde el comienzo de la obra

(vv. 13 ss.), como prepara el desenlace y una vez más buscando un contraste.

En esa noche mágica, Ana ha sentido un profundo dolor al oír a su amante y lo achaca, quizá más supersticiosamente, a haber interrumpido la novena, pero Celia le replica inmediatamente: «Antes este desengaño / le debes a esta venida» (vv. 1.038-1.039).

Doña Ana, desengañada, castiga a don Mendo rechazándole y premia a don Juan correspondiendo a su amor. Desenlace que Alarcón no quiere dejarlo sin establecer la unión de los dos temas de la obra: «Esto es mi gusto, si bien / misterio del cielo ha sido, / con que mostrar ha querido / cuanto vale el hablar bien» (vv. 2.919-2.922). ¿Hablar bien? ¿Hablar mal? Podríamos hallar el valor de la prudencia y la discreción para la conducta en las relaciones sociales, pero tampoco los personajes masculinos, muy trazistas, dan señales de ser discretos. Eso sí, todos están enamorados y la noche de San Juan ha desencadenado al amor permitiéndole actuar con toda su violencia e irracionalidad.

ALEXANDER A. PARKER

LAS FUENTES CALDERONIANAS DE *EL DIVINO NARCISO* DE SOR JUANA INÉS DE LA CRUZ

Sor Juana escribió tres autos sacramentales. Aunque la tradición de estos dramas religiosos se remonta en México a un tiempo cercano al fin de la conquista, es probable que ella tuviera conocimiento de la tradición a partir de los libros más bien que de verdaderas representaciones. No hay evidencia de que alguno de sus tres autos fuese representado. Entre sus escritos dramáticos hay varias loas, breves o piezas conmemorativas para celebrar los años del rey, de la reina, de la reina madre, del virrey y de su mujer; éstos debieron representarse en la corte virreinal y debieron ser de encargo. Parece poco probable

Alexander A. Parker, «The Calderonian Sources of *El divino Narciso* by sor Juana Inés de la Cruz, *Romanistisches Jahrbuch*, 19 (1968), pp. 257-274.

que sus autos no hayan sido obras de encargo, o que ella los haya escrito sin la esperanza de verlos representados. Los tres se publicaron en España en 1692, en el segundo volumen de sus *Obras*, pero *El divino Narciso* había sido publicado en 1690 en una edición suelta. En ésta se señala que fue escrita a solicitud de la condesa de Paredes, la mujer del virrey, para que ella la llevara a Madrid para ser representada. [...]

La estructura y estilo de estas tres obras están fuertemente influidos por Calderón de la Barca. Los autos completos de Calderón no fueron publicados hasta 1717. No sabemos si sor Juana pudo leer alguno de ellos en copias manuscritas. Impresos, sólo 22 de los 72 publicados en 1717 le pudieron ser accesibles, doce de ellos en la *Primera parte* de sus autos, publicada por el mismo Calderón en 1677, y otros diez, que habían sido publicados en varias colecciones misceláneas y en volúmenes conmemorativos, entre 1640 y 1675. Sor Juana debe haber poseído sin duda la *Primera parte*; todos los rasgos principales de sus tres autos pueden rastrearse en piezas de este volumen. Los tres son de diferentes tipos: dos son historiales, uno, *El cetro de José*, trata de historia sagrada, el otro, *El mártir del Sacramento, san Hermenegildo*, trata de historia secular; el tercero es sacramental y alegoriza un mito clásico. En el caso del segundo, sor Juana encontró en las dos partes de *El santo rey don Fernando*, la manera de adaptar un tema de la historia española al escenario del Corpus Christi; en el caso del primero, *Primero y Segundo Isaac* y *¿Quién hallará mujer fuerte?*, le enseñaron cómo transformar un asunto del Antiguo Testamento en una alegoría teológica. El precedente que encontramos en la *Primera parte* para la transformación en *El divino Narciso* de un mito griego en alegoría del dogma cristiano de la Redención es *El divino Orfeo*, que viene a ser la primera de sus fuentes calderonianas.

La única fuente calderoniana que hasta ahora se había señalado es, sin embargo, la comedia palaciega de *Eco y Narciso*. [...] Sin embargo, aunque *El divino Narciso* y *Eco y Narciso* tienen en general el mismo argumento, son tan distintos en tema que el primero no puede ser una *Kontrafaktur* del último. Es una versión a lo divino del mito mismo y no del tratamiento calderoniano del mito. Lo que facilitó el hallazgo de un paralelo entre el Evangelio y la fábula no fue la comedia secular, sino la tradición del auto sacramental de Calderón tal como sor Juana pudo conocerlo de los doce ejemplos de la *Primera parte*. [...] No hay nada en la interpretación tradicional o en la visión

EL TEATRO

profunda del mito en Calderón que aun remotamente sugiera que Narciso pueda ser un símbolo de Cristo redentor. Sor Juana conoció ciertamente la comedia de Calderón, y bien puede haber sido su lectura de ella la que la hizo pensar en escribir una versión a lo divino del mito; pero solamente porque esas versiones estaban bien establecidas en la tradición del drama sacramental, y no porque el Narciso de Calderón sugiriera directamente un símbolo mesiánico. La fuente de este símbolo particular, como Vinge ha señalado, puede encontrarse en uno de los dramas del jesuita alemán Jacob Masen (1606-1681), autor dramático destacado. En su *Speculum Imaginum*, después de repetir la interpretación tradicional, había agregado por su cuenta una significación cristológica.

[Considerando que los paralelos de estructura, situación y fraseología con los autos sacramentales de Calderón] son mucho más numerosos que los escasos paralelos establecidos con *Eco y Narciso*, es claro que las fuentes de *El divino Narciso* deben encontrarse no en el tratamiento del mismo mito por Calderón sino en la *Primera parte* de sus autos. Tales influencias, sin embargo, aunque importantes para establecer en qué medida sor Juana había estudiado los autos de Calderón, son en sí mismas externas y superficiales. La forma profunda de su obra debe encontrarse en la concepción y el tratamiento de su alegoría mitológica. Si la influencia de Calderón fue algo más que externa, será aquí donde deberemos encontrarla.

[En su interpretación psicoanalítica, Ludwig Pfandl,] aparte de equivocarse al no investigar la tradición literaria para buscar otras analogías entre Narciso y Cristo, se equivocó en su comprensión de la alegoría de sor Juana. El personaje narcisista en la obra es Eco, que aparece acompañada de el Amor Propio y la Soberbia. Esto es así porque ella representa al Demonio, que fue conducido del Amor Propio a la Soberbia cuando pretendió ser igual a Dios y se negó a obedecerle. En términos del mito, esto significa que Eco estaba tan envanecida de su propia belleza que se creyó digna de ser la esposa de Narciso y lo cortejó. Cuando éste la rechazó en favor de la Naturaleza Humana (esto es, la humanidad antes de la caída), la furia de Eco buscó vengarse en la seducción de la Naturaleza Humana a través del pecado original. Por lo tanto, cuando la Naturaleza Humana busca, al comienzo de la obra, recuperar el amor de Narciso mediante los salmos de la Sinagoga y del Paganismo, Eco debe vigilar que esto no ocurra —cuidar que Narciso mire solamente la cara de la Naturaleza Humana desfigurada por su pecado. Este es el fondo narrativo de la acción. En la acción misma la Naturaleza Humana busca a Narciso, su amado, en un poema que constituye una hermosa paráfrasis de buena parte del *Cantar de los Cantares* (vv. 819 ss.). Los críticos han subrayado la sensualidad erótica de esta poesía o su semejanza con el *Cántico espiritual* de san Juan de la Cruz —rasgo que deriva, por cierto, de la misma fuente bíblica, que fue también la fuente de san Juan de la Cruz. Al final de esta canción, la Gracia guía a la Naturaleza Humana a la orilla de una fuente e invitándola a esconderse entre las matas de tal manera que sin ser vista, su cara se refleja en el agua. Cuando Narciso se acerca, no es entonces su propia cara lo que ve reflejado en las aguas, sino la de ella, y es de su imagen de la que se enamora. Y aunque el mito no se deforma, porque su cara y la de él son idénticas, y viendo su reflejo ve su propia cara. Esto simboliza, por supuesto, la Encarnación: el reflejo del Dios-Hombre es la cara de la Naturaleza Humana. La idea es, de seguro una hermosa idea; pero todavía viene a ser más hermosa, teológicamente hablando, por otros dos rasgos más. El primero es que la cara de la Naturaleza Humana es idéntica a la de Narciso, pero sólo cuando se refleja en las aguas puras de la Gracia; en ella, desfigurada como está por el pecado, la semejanza está oscurecida. Por lo tanto, Narciso enamorado de su imagen refleja es Cristo, tan enamorado de la Naturaleza Humana que la incorpora a su divina Naturaleza en la Unión Hipostática. La imagen que admira en la fuente en un poema que también parafrasea el *Cantar de los Cantares* (vv. 1.346 ss.). El segundo rasgo simbólico adicional que la imaginería despliega es que el agua inmaculada de la fuente de la Gracia representa a la Virgen María. Sólo ella es Humanidad sin mancha. La alegorización del mito me parece hermosa y efectiva, tanto poética como teológicamente.

La alegoría, sin embargo, es dramáticamente menos efectiva cuando Narciso, consumido de amor por la Naturaleza Humana, muere y cae a la fuente. Es entonces cuando florece la flor del Narciso, la cual en este caso representa la hostia y el cáliz eucarístico, porque la muerte de Narciso es la Pasión de Cristo. Pfandl consideró extremadamente escandalosa esta presentación de la muerte de Cristo porque sugiere el suicidio. En la *Metamorfosis* de Ovidio, que es la principal fuente del mito, Narciso muere de amor, y no ahogado. Lo mismo ocurre en las dos autoridades españolas reconocidas en materia de mitos clásicos cuyas obras sor Juana habría conocido, Pérez de Moya y Baltasar de Vitoria. [...] Esta es la manera en que sor Juana presenta la muerte de su Narciso, haciéndolo decir: «Más ya el dolor me vence. Ya, ya llego / al término fatal por mi querida: / que es poca la materia de una vida / para la forma de tan grande fuego» (vv. 1692-1695).

Aplicar a Cristo las llamas del amor sin límites no es inoportuno en la edad que vio nacer la devoción del Sagrado Corazón de Jesús. El tono de ardiente deseo por el amor perdido se extiende a través de todo el auto de tal manera que hay una cierta necesidad poética en la muerte de Narciso; sin embargo, no hay necesidad dramática y como alegoría de la Pasión falla puesto que él no es en modo alguno una Víctima del Sacrificio. Esto no justifica, sin embargo, la crítica de Pfandl, que tiene por defectuosa la alegoría. Su rechazo tiene dos fundamentos: que en lo que aspira a ser el tratamiento del sublime tema cristiano de la Redención del hombre no debería haber lugar para metáforas erótico-sexuales, y que la historia sagrada cristiana y el dogma son degradados y profanados si se los asocia con un inapropiado mito pagano. Esta supuesta incompatibilidad de mito y tratamiento con el conocido tema sugiere a Pfandl una explicación neurótica de la elección del asunto. El mito surgió desde la profundidad del narcisismo mórbido de sor Juana, y de esta manera, aunque teológicamente inapropiada fue psicológicamente impulsiva. El tema y el tratamiento de *El divino Narciso*, sin embargo, fue extraído por sor Juana de la *Primera parte* de los autos de Calderón —y no del único auto mitológico que allí existe, *El divino Orfeo*, sino de otro que es una alegoría enteramente diferente, *El nuevo Hospicio de Pobres*. Éste alegoriza la parábola evangélica de las Bodas, en este caso del Príncipe de los Cielos (Cristo) con la Naturaleza Humana. La boda misma simboliza la Encarnación, la unión en Cristo de la Naturaleza Humana con su Naturaleza Divina. En Calderón, el Príncipe y la Naturaleza Humana expresan su amor mutuo exactamente de la misma manera en que lo hacen Narciso y la Naturaleza Humana en el auto de sor Juana, esto es, con la imaginería erótica del bíblico *Cantar de los Cantares*. Por sí sola, esta imaginería puede aparecer con notas freudianas, pero en la larga tradición de la literatura mística cristiana —de san Bernardo a san Juan de la Cruz y sor Juana— constituyó la forma aceptada de expresar el amor de Dios y el alma humana. En *El divino Narciso* la Naturaleza Humana de quien Cristo se enamora es la Virgen María. Sor Juana encuentra esto en *El nuevo Hospicio de Pobres*, donde la Naturaleza Humana con quien se casa el Príncipe de los Cielos es también la Virgen María. [...]

Podemos concluir, finalmente, que si bien la elección de sor Juana de un mito clásico la debe a *El divino Orfeo* de Calderón, que le mostró las posibilidades de una analogía entre mitología y dogma, fue realmente *El nuevo Hospicio de Pobres* el que la proveyó de los conceptos teológicos y los símbolos requeridos (para lo cual habría encontrado otra justificación en Masen). Es enteramente falso sostener que *El divino Narciso* solamente puede ser explicado satisfactoriamente en términos de una neurosis. Postular tal explicación bien puede constituir una injusticia para la racionalidad de una mujer notable por más de un concepto. Ciertamente, no hace justicia al notable género dramático del auto sacramental del siglo XVII español. Por su técnica de la alegoría y de la personificación este género fue capaz no sólo de dar forma representable a los conceptos no-racionales del dogma cristiano, sino también de salvar el espacio que separa el dogma y la mitología. Y en el proceso de hacerlo, creó un mundo de símbolos poéticos que tienta hoy en día a la psicología a perseguir la interpretación en sus propios y bien diferentes términos. Sin embargo, en la manera en que se formó el auto sacramental del siglo XVII se dio una lógica de influencias literarias que la psicología no está equipada para detectar.

RAQUEL CHANG-RODRÍGUEZ Y VERN G. WILLIAMSEN

LAS COMEDIAS DE SOR JUANA

I. [El engaño de los sentidos es tema subyacente y a la vez clave en el desarrollo de la trama y del tema en *Los empeños de una casa*]; recordemos, por ejemplo, el comentario de Ana: «Aunque si eres tan hermosa, / no es mucho ser desdichada» (I, 103). Ana, guiada por lo aparente, no se da cuenta que la belleza nunca compensa la infelicidad. Este motivo se intensifica en la tercera jornada cuando don Pedro es burlado por Castaño. El embeleco del criado está subrayado por alusiones al querer ser: Leonor quiso ser Elena de un Paris boquirrubio (III, 202); Castaño quiere ser Leonor, y, como Jacobo cuando engañó a su padre, ahora se cubre las manos con guantes y se tapa la cara con el manto para engañar al mundo. El criado está consciente de que lo seguirán: «cuatro mil lindos / de aquestos que galantean / a salga lo que saliere, / y que a bulto se amartelan, / no de la belleza que es / sino de la que ellos piensan?» (III, 205).

I. Raquel Chang-Rodríguez, «Relectura de *Los empeños de una casa*», *Revista Iberoamericana*, 104-105 (1978), pp. 409-419 (413-417).

II. Vern G. Williamsen, «La simetría bilateral de las comedias de sor Juana Inés», en *El Barroco en América*, Madrid, 1978, tomo I, pp. 217-228 (217, 225, 227-228).

Ni Leonor es Elena de Troya, ni Castaño es Leonor. Ambos se olvidan momentáneamente de lo que son: se olvidan de su realidad. En la fingida Leonor encontramos el reflejo de la verdadera Leonor, aunque vista en el espejo barroco de la deformidad: es la suya una imagen caricaturesca, inversión de la real. La imagen deforme de Leonor acepta los convencionalismos sociales cuando da su palabra de matrimonio a don Pedro. Se refleja aquí precisamente lo elidido —el alterado orden social que exige el conformismo. La jocosa escena contrasta también con otras comedias del Siglo de Oro en que la mujer se viste de hombre para lograr sus propósitos. A través del disfraz de Castaño, sor Juana se mofa del sexo opuesto y de una sociedad, que, como la masculina, se guía por las apariencias. La monja mexicana intuye también que ni los sentidos ni la razón conducen al conocimiento absoluto, a la perfección; ambos nos están vedados. Es su búsqueda la que importa y eleva como sucede en el *Primero sueño*.

Pedro también se olvida de quién es. Manejado por su pasión realiza acciones indignas y se deja llevar por lo aparente —la belleza que «piensa» encubre el manto (III, 205). Sucumbe fácilmente al engaño de la fingida Leonor, aunque reconoce sus disparates pronunciados con voz atiplada, como extraños al ingenio y carácter de la dama (III, 208). Ciego de amor y seducido por lo que imagina, concluye arrogantemente que Leonor «se finge necia por ver» si así lo despacha (III, 209). Termina encerrando a la falsa Leonor «por de fuera, / porque si acaso lo finge / se haga la burla ella mesma» (III, 219). Pedro resulta ser el necio y como tal no se da cuenta que sólo controla lo exterior, lo aparente, lo que cree verídico, y no la realidad espiritual de su amada. El encierro y el disfraz son una doble burla a la masculinidad y autoridad de don Pedro, resquebrajada ya por sus acciones y las de su hermana. Alucinado, lo engaña la caricatura de Leonor —un criado disfrazado de mujer; candados y cerrojos no han impedido que doña Ana realice sus propósitos. El atrevido galán ha sido embaucado por su hermana (realidad) y por la Leonor que «piensa» (ilusión). El burlador, al fin, es burlado.

La vela que ha apagado Castaño en la tercera jornada es indicativa de la confusión espiritual que rige a los amantes, de una realidad que disfrazan los sentidos y la razón mal guiados por la pasión. La partida de Carlos y Leonor (a quien el galán cree Ana) y de Juan y Ana (a quien la joven cree Carlos) apunta momentáneamente hacia la restauración del orden. Pero éste no imperará hasta que todos se quiten mantos y disfraces, y Carlos y Leonor expongan abiertamente sus sentimientos.

Al final de la tercera jornada, la confusión de don Pedro es abrumadora: «¿Qué es esto? ¿Por dicha sueño? / Leonor está aquí y allí» (III, 245). Cae ahora el doble opaco del desciframiento. El engaño suscitado por don Pedro al comienzo de la comedia tiene trágicas consecuencias. El mismo pierde a su amada y nunca aprende la lección pues continúa con el juego de las apariencias (III, 247). Ana, víctima del engaño propiciado por ella, termina aceptando a don Juan: empero, como su hermano, sigue con los fingimientos (III, 243). Sólo don Carlos obra generosa y abiertamente. No vacila en sacrificar sus ambiciones amorosas para salvar el honor de Ana (II, 173), y cuando la cree fuera de peligro, actúa limpiamente porque «No hay por qué esconder la cara» (III, 236). La comedia llega a su terminus con la clásica restauración del orden social en los matrimonios de Leonor y Carlos, Juan y Ana y el castigo de Pedro. Con todo, su núcleo se escinde: felicidad y amor (Carlos y Leonor); amor, desamor y apariencia (Juan y Ana); soledad y fingimiento (don Pedro), son tres alternativas posibles. Círculos que parecen cerrarse al escoger, pero que se continúan infinitamente: ellos revelan la pérdida del centro dictado por la estética clásica y el surgimiento de las órbitas concéntricas que subrayan la concepción barroca del arte y de la vida.

En la biografía de la monja, las opciones representadas en la comedia señalan las irreconciliables alternativas —círculos siempre elusivos— impuestos por una sociedad y un orden petrificados que obligan a sor Juana a una negación última: su renuncia a la aventura del intelecto. La sumisión de Ana a Juan y la fingida felicidad de ella bien pueden aludir a los días en que sor Juana vivió en la corte virreinal sometida también a sus caprichos y a los de su protectora la condesa de Mancera. Es posible enlazar también la soledad de Pedro con la de sor Juana. Los dos han buscado la felicidad por diversos caminos. Uno lo ha hecho urdiendo mentiras para lograr el amor de su amada; la otra, usa la razón para saciar su sed de conocimiento. Ambos fracasan en sus afanes, víctimas de una realidad muy diferente a la que deseaban forjar: Leonor nunca podrá amar a don Pedro por estar enamorada de don Carlos; el mundo colonial no le permitirá a sor Juana satisfacer su sed intelectual ni en la corte ni en el convento. Si reconocemos que en esta época «tener fe en Dios y en la razón a un mismo tiempo es vivir con el ser arraigado, desgarrado si se prefiere, en la posibilidad real, única, extremosa y contradictoria, constituida por dos posibles imposibles del existir humano», entenderemos mejor el conflicto que consumió a esta monja jerónima en su intento de reconciliar la razón y la fe, el descentramiento de su vida ahogada en la marejada escolástica. Sor Juana buscó e intuyó la esquividad del mundo ideal presentado en *Los empeños de una casa* por la unión final de Leonor y Carlos. Paradójicamente, su búsqueda constante le costará el silencio como escritora y la vida.

La aparentemente jocosa y límpida comedia de nuestra Décima Musa es signo de su vida y de su época: claroscuros, altibajos, duplicidad, contradicciones. En *Los empeños de una casa* y en todos los escritos de sor Juana advertimos «la melancolía de un espíritu que no logró nunca hacerse perdonar su atrevimiento y su condición de mujer». En su obra buscamos el significado de una vida que se nos escapa. Como bien ha dicho Leonard, buscamos la cifra «en el destello del relámpago».

II.   Todavía queda por explicar bien una característica interesante de la estructura de la comedia española del Siglo de Oro. Es la manera en que el mero peso de la superficie barroca, recargada de sucesos complicados y lenguaje amanerado, exige el apoyo de una base sumamente fuerte. De esta necesidad nacen la sencillez y la simetría que casi siempre se hallan al fondo de cualquier comedia novelística —sobre todo en las dos casi perfectas comedias que salieron de la pluma de la décima musa mexicana, sor Juana Inés de la Cruz. Este equilibrio, o —para usar la terminología aplicada por Dámaso Alonso en sus estudios de la estructura del verso gongorino— la simetría bilateral de la que hablamos aquí, ha sido notada anteriormente en cuanto al teatro por Joaquín Casalduero [1967]. Pero nadie se ha fijado en el importante papel realizado por el centro geográfico de la obra teatral para establecer este balanceo simétrico y fortaleciente. [...]

La simetría de *Los empeños de una casa* podría ser mero accidente si no se hallara también en otras muchas comedias precursoras y, sobre todo, en la segunda comedia escrita por la monja mexicana, *Amor es más laberinto*. El título mismo de esta obra encaja el tema central. Intentando poner en claro este tema, el drama se construye alrededor de la leyenda de Teseo y el Minotauro, pero acomodándola a la comedia barroca de capa y espada.

Como en *Los empeños*, la escena central es de naturaleza lírica. Es una escena en que todos cantan y bailan representando un sarao palaciego. Los distintos personajes glosan la canción y aplican el verso así glosado a su propio caso. Pero la técnica halla mayor desarrollo aquí que en *Los empeños*: los cuatro principales que se casarán al final —Teseo y Fedra, Baco y Ariadna— glosan la copla en décimas;

los cuatro menores —Lidoro (galán que se muere), Laura, Atún y Cintia (criados)— la glosan también, pero en quintillas. Así, éstos reflejan y realzan el tema central presentado por los primeros. Este espejismo es una característica de la estructura de la comedia que merece estudiarse mejor, entendido que, como para ésta, para cada acción importante hay una escena que la refleja por medio de acciones y palabras de los criados.

El segundo acto todo tiene que ver con el sarao en que el laberinto de amor llega a su estado más anudado. La acción que le precede tiene que ver con las señas que Fedra y Ariadna mandan, por medio de las criadas, a Teseo pidiendo que él las lleve en el baile enmascarado para que ellas le puedan reconocer. Laura trae la banda de Fedra. Cintia llega con la pluma de Ariadna. Teseo decide llevar la banda de Fedra, permitiendo a Atún, vestido de galán, entrar en el sarao con la pluma de Ariadna. Así resulta toda la serie de sucesos que forma este laberinto amoroso. Atún pierde la pluma, Baco la recoge, Ariadna le cita a Baco en vez de Teseo. Y, después de las canciones y bailes de la escena central, en la habitación oscura, lugar destinado para las citas, todos se encuentran. Así vemos la escena central engastada entre las dos acciones pares del acto. Hay que reconocer además otra simetría, otra acción sin duda alguna deliberadamente introducida en la trama para reforzar su estructura simétrica. Ésta es la salida de Teseo del laberinto con que empieza el acto, acción que se refleja en la de esconderse allí al terminar el acto. El laberinto es, pues, omnipresente tanto en actualidad como en sentido figurado.

Notamos [...] la simetría de las acciones del primer y del tercer actos. La acción inicial de la obra es la llegada de Teseo a la corte de Minos y el sacrificio allí mandado. El clímax emocional seguramente se encuentra en la sentencia de muerte para todos declarada por el agraviado rey Minos, casi en el mismo momento cuando los soldados atenienses llegan para vengarse de la supuesta muerte del príncipe Teseo. La segunda acción del primer acto tiene que ver con el enamoramiento de Fedra y de Ariadna aunque ésta antes ha querido a Baco. Esta acción se refleja en la intentada pero frustrada fuga de los amantes. La última acción de primer acto es en la que Baco y Lidoro —cada uno celoso de los supuestos favores recibidos por el otro— lidian. El Rey llega a la escena poniendo fin al duelo. El tercer acto empieza con esta misma acción y otra vez el Rey interviene, pidiendo la ayuda de Baco en la inevitable guerra contra los atenienses.

Aunque, al presentarla aquí, la estructura de la comedia parece más sencilla que la de *Los empeños*, no lo es. Sólo parece serlo por la agrupación que hacemos de las acciones menores y los sucesos colorantes, y porque eliminamos casi toda mención del siempre presente espejismo. Pintamos, con brochas anchas, intrigas imposibles de esquematizar con más precisión. Sin embargo, el conjunto que presentamos nos parece verídico y fiel a la sencillez y simetría que sirve de base al original.

La conclusión: creemos que sor Juana sabía lo que hacía al construir sus comedias de esta manera. Tales estructuras no ocurren por casualidad. Ella sabía emplear los recursos a su alcance (el baile, la música, el verso) para intensificar el efecto total de su obra, su unidad artística y temática. Y, por fin, insistimos en que la comedia barroca, cuya superficie viene recargada de imágenes, acciones suplementarias y múltiples figuras reforzantes, sólo podía mantenerse y tener éxito como obra artística literaria porque la estructura básica que la apoya es simétrica, sencilla y, por tanto, fuerte.

José Juan Arrom

EL PRÍNCIPE JARDINERO Y FINGIDO CLORIDANO DE SANTIAGO PITA

Nadie, que sepamos, ha rastreado con éxito la fuente de la fábula o argumento. Remos [*Historia de la literatura cubana*, 1945] es el único que ha sugerido un posible origen al declarar que «el asunto es análogo al del anónimo *Poema de Apolonio* del siglo XIV». Empero, nos parece que aquella larga y fatigosa narración de naufragios, tempestades y reencuentros tiene poco en común con nuestra comedia, a pesar de que algunos de sus episodios guardan cierta vaga similitud con determinadas situaciones de ésta.

Mejor fortuna se ha tenido al rastrear la filiación de la obra. [Hay los que encuentran influjo de Lope, aunque de manera general e inde-

José Juan Arrom, «Consideraciones sobre *El príncipe jardinero y fingido Cloridano*», *Estudios de literatura hispanoamericana*, Ucar García, La Habana, 1950, pp. 41-70 (42, 44-47, 66-69).

terminada. Los que ven la huella de un trato frecuente con la obra de Calderón y, también, los que aúnan ambas tesis.]

Si hasta el presente no se ha dado con la fuente temática de esta comedia, quizá se deba a que las exploraciones realizadas parecen haberse limitado únicamente a las letras españolas, olvidándose que ha sido procedimiento muy socorrido entre dramaturgos trasponer las naturales fronteras del idioma en busca de nuevos argumentos. Ese ha sido el caso de Pita, pues tanto el argumento como el título provienen de una *opera scenica* del dramaturgo florentino Giacinto Andrea Cicognini (1606-1660), titulada —¡a qué traducir!— *Il principe giardiniero*.

Sin descontar la remota posibilidad de que tanto Pita como Cicognini hubieran basado sus respectivas obras en otra anterior, para nosotros desconocida, lo cierto es que al tener las dos piezas iguales asuntos e idénticos títulos, la evidencia cronológica obliga a considerar a Pita deudor de Cicognini. E inmediatamente agreguemos que Pita no redujo su labor a servil traducción o simple trasiego de la obra italiana, sino que llevó a cabo una reestructuración del plan y cabal hispanización de los motivos y sentimientos que la infunden, algo muy semejante al completo afrancesamiento que sufrieron, a manos de Molière y de Corneille, las obras de Alarcón y de Guillén de Castro.

Para puntualizar mejor lo que en *El príncipe jardinero* hay de Pita, veamos lo que éste encontró en Cicognini. La obra del escritor florentino es en prosa, en tres actos, y su acción ocurre en el reino de Valencia. El príncipe Oderigo de Aragón, con el nombre de Laurindo, sirve de jardinero a Florisbe, hija del rey de Valencia, de la cual se ha enamorado por un retrato, y a quien no puede pretender con su verdadero nombre por haber dado muerte a un hermano de ella. Florisbe, «rebelde a su decoro», a su vez se ha enamorado perdidamente del supuesto jardinero. Los amantes entablan un animado diálogo en el jardín, diálogo en el que Laurindo compara a su dama con las flores y con la aurora. Quedan luego solos Laurindo y su inseparable criado, Baccoco, y mientras éste comenta, entre burlas y veras, el peligro que corren, llega un mensajero con cartas para ambos, cartas que servirán de medio para complicar el enredo y para que la princesa sospeche que su apuesto jardinero es, también, su mortal enemigo.

En el segundo acto el rey, enterado ya de quién es en realidad Laurindo, lo hace encarcelar, con su criado, en una torre. De allí lo liberta Florisbe y lo oculta en la habitación donde duerme Carlo, general de Valencia y pretendiente también de la princesa. Ésta pide a Laurindo que aproveche la ocasión y mate a su rival, pero el noble príncipe se niega a asesinar a un hombre indefenso, y escoge volver a la prisión a escapar sin honor.

Al comenzar el acto tercero, amo y criado se ven de nuevo tras los barrotes de una celda, escena que aprovecha el autor para que el gracioso nos divierta con sus lamentaciones. En tanto, Florisbe fragua un nuevo plan para libertar a Laurindo y deshacerse de Carlo, si éste se presentara a impedir la huida. Llegada la ocasión, Laurindo se bate contra los matachines que intentan asesinar a Carlo, y en la refriega descubre, por un brazalete, que Carlo es su propio hermano, robado de niño y traído a Valencia. Se hacen las paces entre los de Valencia y los de Aragón, hay múltiples bodas, y queda Baccoco, solo, lamentándose todavía de su suerte.

¿Qué hace Pita con esos elementos? Para poder dar mayor vuelo a la fantasía, traslada la acción, de la Valencia por todos conocida, a una Tracia imaginada y distante donde pueden ocurrir los hechos más asombrosos sin que resalte su inverosimilitud. Después, de acuerdo con la consabida fórmula calderoniana, simplifica la trama, omitiendo la peripecia de las cartas y la innecesaria complicación del frustrado asesinato, y subordina los personajes a uno principal, variando su número y caracterización, especialmente la del gracioso. Además, enriquece sentimientos, expresión y sentido, insufla un tono lírico a la obra toda, y la reviste con las galas barrocas de su tiempo. El producto es una comedia tan a la española que, a pesar de ser italiano el modelo, resulta a la manera de Lope, y de Calderón, y de Leiva, y de otros varios autores de aquella escuela y época. [...]

La trama tiene mayor unidad que la de Cicognini y, además, mayor plasticidad anecdótica y más brillante colorido. Para dar a conocer la pasión de la princesa por su jardinero, no se conforma Pita con los prosaicos cuchicheos palaciegos de su fuente, sino que hace a las flores confidentes de Aurora en un soliloquio que es casi diálogo, pues a quien cuenta sus secretos no es al «fragante pueblo de olores» (como llama Ismenia al jardín), sino al público, que se identifica con ella, y escucha como deleitosa música verbal las líricas cuitas de la enamorada princesa. Del mismo modo, para hacer saber quién es en realidad el jardinero, Cicognini se vale de un confuso lleva y trae de cartas y retratos; Pita, en cambio, emplea un caballeresco torneo donde queda vencedor el más noble y más apuesto, torneo al que agrega, contrastando lo jocoso y lo lírico, la confesión del gracioso y la declaración del galán.

En cuanto a la caracterización, Lamparón supera a Baccoco en ingenio, sagacidad y gracia. Y si Fadrique, el otro término en el usual binomio de amo y criado, no es más que el amante estilizado que hallamos en todas las comedias de este género, no por eso deja de ser menos interesante el continuo juego entre lo idealista y lo materialista, lo heroico y lo picaresco, en ese constante desdoblamiento del alma española. De los personajes femeninos puede decirse otro tanto. Aurora es igualmente estilización de la dama: comedida en cuestiones de honor, celosa y tierna con su galán, apasionada y resuelta en la defensa de sus derechos de mujer enamorada. Y concebida la comedia como obra musical, Ismenia es la variación del mismo tema, de más suave cromatización para hacer resaltar, por contraste, la brillantez de su hermana. Como contraparte de las dos damas, sus dos criadas: Flora, tan a nivel de Lamparón en amenidad y picaresca gracia, y Narcisa, copia un tanto desdibujada de la primera. La dualidad de caballero y gracioso se iguala, del otro lado de la ecuación, con la de dama y criada. ¿Que sea mera fórmula? Sí, pero fórmula que, hábilmente manejada, todavía deleitaba y hasta enternecía a aquel público que, con todo, no era inferior al que escucha hoy tanta lloriqueona novela radial y paga por ver tanta película insulsa y baladí.

El estilo de Pita, aunque desigual, no carece tampoco de interés y colorido. Generalmente es amanerado y artificioso, como al fin escrito en la resaca del período barroco, y de ahí el excesivo decorativismo, la tendencia al retruécano, el abuso de los apartes, el lujo de hipérboles y la profusión de metáforas. En contraste, hay otros elementos que conviene destacar. Tiene, a veces, una frescura y espontaneidad que recuerdan la mejor tradición popular española. Sirvan de ejemplo el comienzo de aquellas quejas de Cloridano que dicen: «¿Viste en el prado florido / alguna incauta paloma, / que en lazo prisionera, / en su natural idioma, / profundos gemidos canta, / tristes arrullos entona?» (III, 209-214).

Conviene asimismo destacar y justificar la resonancia musical de los versos. El lenguaje dramático no era estimado, como en algunas escuelas recientes, por ser descarnado remedo de la vida. El público gustaba de la declamatoria recitación de confidencias como las de Aurora y finezas como las de Fadrique porque se oían, en cierto modo, como arias operáticas, ya que fueron las comedias de entonces (como también hoy algunas tragedias de D'Annunzio y de García Lorca), verdaderas óperas verbales. Por eso, si bien es cierto que los ovillejos de la escena de la torre son artificiosos, no dejan de tener encanto para los que al oír los efectos antifonales de las voces y los conceptos, recuerden que el teatro no es sólo literatura, sino también halago visual y auditivo.

Insistamos, finalmente, en que ni el autor ni el público tomaban la comedia como el consabido *tranche de vie*, sino como mera ficción. El mundo del escenario no se limitaba a las grises paredes de un salón a donde acuden personajes morbosos a escarbarse la conciencia, sino que era un pintoresco mundo imaginativo de ilimitados horizontes; ficticio, sí, pero donde la más exuberante fantasía iba de manos con la más equilibrada realidad. Es, otra vez, el doble juego entre el ilusionismo y el realismo del siglo barroco. Encontramos así, al lado del concepto teatral del honor en boca de Aurora, la sátira de ese concepto en boca de Flora; al lado de aquella volcánica concepción del amor en Fadrique, la sátira de aquellos sentimientos en Lamparón.

Tenemos, pues, en la misma comedia, la idea convencional y estilizada del honor, del amor y del lenguaje afectivo, para satisfacer la avidez de lirismo y ensueño del público, y al mismo tiempo, esa manera tan característica de nuestro pueblo de ver y decir las cosas tales como son.

7. VARIEDADES NARRATIVAS FICTICIAS Y NO FICTICIAS

En este capítulo se ordenan dos cuestiones que la crítica hispanoamericana ha debatido largamente e intentado resolver sin llegar a conclusiones muy definidas. La primera corresponde a la determinación de la existencia de la novela durante el período colonial y la segunda a la determinación del género de ciertas obras encabalgadas, real o aparentemente, entre la historia y la ficción. La discusión sobre la existencia de la novela, y de una novela hispanoamericana durante el período colonial, tiene en su base, expresa o tácitamente, un criterio histórico-político. Los historiadores liberales, y luego los positivistas, creyeron encontrar en una legislación prohibicionista la confirmación de la tesis —originada en la investigación de las bibliotecas hispanoamericanas, donde no era posible hallar ejemplares de novelas— de que el sistema colonial imponía restricciones deformadoras a la cultura y al pensamiento de los hispanoamericanos. Miguel Luis Amunátegui, José T. Medina, Pablo Herrera suscribían esta opinión. No fue sino en el siglo xx que las investigaciones de Rodríguez Marín [1911], anticipadas por Ricardo Palma, y las de Icaza [1918], I. A. Leonard [1933, 1953] y Torre Revello [1940] permitieron comprobar, con registros y listas de embarque, la difusión de la primera edición del *Quijote*, de 1605, y de toda clase de obras de ficción en América. Queda abierta la cuestión de por qué los hispanoamericanos no escribieron novelas con la continuidad con que produjeron crónicas ni la ambición con que crearon epopeyas u obras dramáticas. La inquietud por llenar este vacío condujo a generar respuestas inesperadas. Henríquez Ureña [1960] estima que la prohibición recaída sobre las obras novelescas hizo imposible el publicarlas en América, donde las imprentas eran pocas y demasiado sujetas a vigilancias. La aparición de *El Periquillo Sarniento* (1816) sería explicable por el levantamiento de las restricciones antiguas por las Cortes de Cádiz. En el espacio de tres siglos no hay, para llenar el capítulo, sino «novelistas viajeros», como Mateo Alemán y Tirso de Molina, e «historia novelesca», que envuelve las cuestiones genéricas dudosas que afectan a lo

novelesco de historias, biografías, autobiografías y libros de viaje, que
darán cuerpo al segundo apartado de este capítulo. A ellas hay que agregar la literatura religiosa que adopta procedimientos alegóricos. Una sección de novelas inéditas y traducidas plantea nuevas preguntas en este
cuadro heterogéneo. La tendencia dominante de la crítica ha sido la de
ignorar toda determinación propia de la novela y sus géneros, por una
parte, y de la disciplina histórica y los suyos, por otra. Para Torres Rioseco
[1939], *La Araucana*, puesta en prosa, haría una perfecta novela histórica; para Sánchez [1953] son «proto-novelas» coloniales, por igual, obras
históricas y dramáticas. En general, Henríquez Ureña y Sánchez valoran
por encima de las contadas novelas efectivas las llamadas «conatos de novelas» o «proto-novelas», con el agregado de este último, que estima
superiores las novelas escritas con sangre a las escritas con tinta... Un
criterio indiferente a distinciones de géneros sostiene Alegría [1966].

Una visión de conjunto de las obras estrictamente novelísticas es la
trazada por Goic [1982], quien amplía y extiende al período colonial sus
trabajos anteriores [1972, 1973]. En la novela hispanoamericana colonial
hay manifestaciones de cada uno de los géneros más importantes cultivados
en la península. Entre ellas, alguna obra de no poco mérito, la mayoría
obras de cierto carácter secundario, pero nada despreciable. Sus autores
son españoles o criollos; los primeros se incluyen si están vinculados a
América vital o sólo literariamente, por el asunto de sus obras; los segundos, por derecho propio. El primer novelista de la literatura hispanoamericana colonial es Gonzalo Fernández de Oviedo (1478-1557), autor
del *Libro del muy esforzado e invencible Caballero de la Fortuna propiamente llamado Claribalte* (Juan Viñao, Sevilla, 1519; 2.ª ed., Andrés
de Burgos, Sevilla, 1545). Considerada la primera novela de América por
Turner [1964], ha sido analizada por Gerbi [1949, 1978] y, en un notable
ensayo, por Avalle-Arce [1972]. O'Gorman [1946] confunde el motivo
tradicional del libro de caballerías que se presenta como traducción, «nuevamente imprimido e venido a esta lengua castellana», como traducción
efectiva, restando importancia a la obra. A. G. de Amezúa ha hecho una
edición facsimilar de la príncipe (Real Academia Española, Madrid, 1956).
El libro se publicó en un momento ascendente del desarrollo del género
(véase Chevalier [1976]), pero a la fecha de la segunda edición, hecha
seguramente sin permiso del autor, se había convertido a la crítica moral
del género, de lo que da muestra en sus obras históricas. El género del
libro incluye los dos tipos descritos por Riquer: el libro de caballerías
y la novela de caballerías, y agrega lo que Avalle-Arce [1972] considera
su aspecto más singular, un tercer género, el de «documento ideológico».
En este último aspecto, Fernández de Oviedo desarrolla una visión totalmente distinta a la que formulará en su obra histórica en relación a la
idea de imperio. Mientras se muestra partidario de la *universitas christiana*

en la novela, en la crónica se muestra partidario de la idea imperial como dominio. Todo esto encierra algo más que simples resonancias del tiempo que le tocó vivir, integra la imagen compleja del infatigable escritor y de su evolución ideológica. Forma una parte inseparable de su obra y no hay razones para ignorar su creación novelística, escrita en América, al decir de su autor, en su primer viaje a las Indias. La inclusión de un escaso americanismo léxico, según presume Turner, puede dar satisfacción a algunos críticos.

La segunda novela hispanoamericana, y la de mayor importancia por la calidad de la obra, es el libro de pastores titulado *Siglo de Oro en las selvas de Erífile* (por Alonso Martín, Madrid, 1607), de Bernardo de Balbuena (1568-1627). La única edición moderna ha sido la de la Academia Española (por Ibarra, Madrid, 1821). Quintana y luego Menéndez Pelayo destacaron las virtudes de esta obra, particularmente sus valores líricos y descriptivos, poniéndolos en inmediata relación con Garcilaso y Lope. Fucilla [1947] ha estudiado las fuentes de la novela y considera la imitación de la *Arcadia* de Sannazaro, que Balbuena realiza alejándose de la novela pastoril española. Avalle-Arce [1974] ilustra el proceso de desubstancialización de las formas de vida ideal, por el acercamiento a las formas de vida ordinaria, y el énfasis en el descriptivismo, que comparte con los italianizantes imitadores de Sannazaro. La novela de Balbuena representa la agonía del primitivo ideal de la Edad de Oro. También representa los nuevos signos de la época, en que el arte iguala o supera a la naturaleza. Para Gerhardt [1950], la obra representa, desde un punto de vista histórico, el momento culminante de la escuela de Sannazaro en España y marca el fin del género. Rojas Garcidueñas [1958], López Estrada [1970, 1974] y Goic [1982] han analizado la obra en diversos aspectos. El *Siglo de Oro* está dividido en doce églogas, cada una de las cuales termina en un diálogo poético de dos pastores en sendas églogas en verso, que sólo en dos oportunidades dan lugar a versos amebeos, y en otras dos églogas, simétricamente dispuestas, canta un solo pastor. La variedad de los tercetos y de la versificación es mayor que la concedida por Fucilla [1947], como ha señalado Goic [1982]. La inadecuación del lenguaje poético y la belleza de los incidentes que parecían violentar, para Quintana, la condición rústica de los pastores, encuentran una justificación interna en la novela. Ésta tiene dos aspectos: uno, que se refiere a la mudanza que las letras experimentan en su dicción, a semejanza de las mudanzas de los tiempos; y otro, que traslada el acento sobre la dignidad de la dicción poética proponiendo una nueva noción del *decorum*. El primer aspecto presta fundamento, además, a lo que puede señalarse como el tema central de la novela. El artificio de la prosa, por su parte, debe verse sin más como la confirmación de un aspecto propio del género de los libros de pastores sostenido a partir de la *Arcadia* de Sannazaro y renovado con la tendencia italianizante. La obra es interesante en su estructura narrativa, errática en las mudanzas de las acciones que se ordenan casualmente en una peregrinación con meta definida. Las situaciones idílicas son sólo cantadas o contadas, pero nunca representadas, y las pastoras enamoradas nunca aparecen. De esta manera, Balbuena se separa de la escuela española, que introduce un argumento en la tendencia esencialmente descriptiva de la italiana. Los elementos americano y mexicano se hacen presentes mediante los elementos propios del género: un sueño permite al narrador hacer un viaje trasatlántico y describir la grandeza de la ciudad de México, entrevista desde el fondo de la laguna.

Otra novela pastoril aparece como la primera novela publicada en América, se trata de *Los sirgueros de la Virgen sin original pecado* (en la Imprenta del licenciado Juan de Alcázar, México, 1620), del criollo Francisco Bramón, activo entre los años 1620 y 1654. De esta obra existe sólo una edición moderna, abreviada, de Agustín Yáñez (UNAM, Biblioteca del Estudiante Universitario, 45, México, 1944) y una edición separada de la tercera parte, y última, de la obra, el *Auto del Triunfo de la Virgen* (UNAM, México, 1945; nueva edición, 1952). Hace falta una edición que presente el texto completo. La obra ha sido, por lo general, ignorada, salvo por los interesados en el teatro: Magaña-Esquivel [1958], Arrom [1967] y Yáñez, en la introducción de sus mencionadas ediciones. Avalle-Arce [1974] remite a Anderson Imbert [1960] que ha prestado pormenorizada atención a un aspecto destacado de la obra, lo que llama la relación «autor-personaje-autor». Goic [1982] ha analizado la estructura narrativa de la obra. *Los sirgueros de la Virgen* es una novela pastoril a lo divino dedicada a la alabanza de la Inmaculada Concepción. La novela está dividida en tres partes y narra situaciones amorosas entre pastores que aparecen desplazadas porque el objeto del amor verdadero, término *ad quem* de todo impulso amoroso, es la Virgen. Este hecho neutraliza las situaciones y desvía los ritos eglógicos hacia la alabanza de los nombres y de la gloria de María. Los encuentros de pastores no dejan de ser animados, pero la parálisis afecta esencialmente a la obra debido a las partes descriptivas de arcos, inscripciones, empresas y emblemas y a sus explicaciones. En contraposición a esto, la tercera parte, que representa la contribución del pastor Anfriso a los juegos en homenaje a la Virgen, incluye el mencionado *Auto del triunfo de la Virgen*, un animado paso dramático, que Yáñez estima lo mejor de la obra. Los aspectos artificiosos, incluida la ficción dramática dentro de la narrativa, predominan y la perfección antigua del mundo pastoril aparece manchada y sólo redimida por la Virgen, que vence al pecado. El carácter mariano de la obra reviste menos el sentido negativo de un antijansenismo, señalado por Anderson Imbert, que el sentido positivo que le da el culto relacionado con el patronato de la universidad mexicana. Es sabido que la universidad española y sus congéneres hispanoamericanas, que seguían las mismas regulaciones salmantinas, acogían estatutariamente el Patronato de la Virgen y luego el de un número de Padres de la Iglesia. Bramón, por entonces consiliario de la Real Universidad de México, deja las alusiones informativas gravitar en el texto y permite fluir, llena de artificio, la alabanza.

Menos atención, aún, que a la anterior, se ha prestado a la *Historia Tragicomica de don Henrique de Castro, en cuyos extraños sucessos se veen los varios y prodigiosos efectos del Amor y de la guerra* (en la Imprenta de Adrián Tisseno, París, 1617). La obra ha interesado, primeramente, a Medina [1878] y en nuestros tiempos a Neruda [1977]. Goic [1982] le dedica un análisis más extenso y la incluye por primera vez en la serie de novelas de la época colonial. El asunto de la obra se centra en Chile en torno a los sucesos narrados por Ercilla en la primera parte de *La Araucana*, pero atrae mediante diferentes secuencias narrativas y personajes diversos los principales acontecimientos históricos de fines del siglo XVI y comienzos del XVII. Esto la transforma en la primera novela histórica hispanoamericana, que hace concurrir la conquista de México y la del Perú, aparte las guerras de Chile, el viaje de circunnavegación de Magallanes y los principales acontecimientos guerreros de España en Europa. Más todavía, la obra mezcla todos los estilos conocidos por entonces en la novela española y propone explícitamente una norma nueva de énfasis puesto en lo fragmentario y aislado, al lado de lo múltiple y variado.

La novela hispanoamericana del siglo XVIII ha experimentado un cambio importante con el descubrimiento hecho por E. Núñez [1970] de ejemplares únicos impresos de las novelas del peruano Pablo de Olavide (1725-1803). El reformador ilustrado de la Sierra Morena fue extensamente conocido por su novela apologética *El Evangelio en triunfo o historia de un filósofo desengañado* (Valencia, 1797) con numerosas ediciones en el siglo XVIII y a lo largo de la primera mitad del XIX, y varias versiones abreviadas y traducciones a diversos idiomas. Se trata de una extensa novela epistolar monódica en que se traza la conversión de un libertino y en su parte final se le propone de modelo para la edificación de otro a través de un nuevo narrador. En esta parte se introducen las ideas reformistas relacionadas con materias económicas, agrícolas y educativas que fueron también de preocupación real de Olavide. La obra reviste un carácter reaccionario despertado por los horrores de la Revolución francesa, que el narrador ve como consecuencia del pensamiento libertino. El modelo humano que propone y desarrolla es el del hombre benéfico, cuyo altruismo cristiano es la característica definidora frente al tipo opuesto del libertino, descreído y egoísta. Además de esta obra bien conocida, Olavide escribió en sus últimos años españoles, en Baeza, siete novelas de extensión más breve y de carácter edificante, pero sin resonancia religiosa alguna. Éstas se publicaron en Nueva York, en 1828, en volúmenes simples o dobles, por una misma editorial (Lanuza, Mendia y C., Nueva York, 1828). De estas obras no se tenía más noticia que la que J. M. Gutiérrez [1957] había dado en el siglo pasado: el asiento bibliográfico de una obra que no había tenido la oportunidad de ver y que es hoy la única no encontrada por Núñez, *El Estudiante o el fruto de la honradez*. Las otras seis son: *El Incógnito o el fruto de la ambición, Laura o el Sol de Sevilla, Lucía o la aldeana virtuosa, Marcela o los peligros de la corte, Paulina o el amor desinteresado* y *Sabina o los grandes sin disfraz*. Estuardo Núñez las ha reunido en un solo volumen: *Obras narrativas desconocidas* (Biblioteca Nacional del Perú, Lima, 1971). Las obras que se proponen en el breve argumento preliminar como «ejemplares» son novelas edificantes que encarecen la virtud y castigan el vicio. La crítica ha abordado *El Evangelio en triunfo* y comienza a interesarse en las novelas breves. Defourneaux [1959] ha escrito el mejor libro sobre Olavide y contribuido al mejor conocimiento de su primera novela. Núñez [1970] ha considerado estas narraciones a la luz de la novela inglesa del siglo XVIII. Garza [1975] y García Gómez [1975] han escrito algunos estudios. Goic [1982] analiza la obra narrativa de Olavide y la incorpora al conjunto de la historia del género en Hispanoamérica.

En el siglo XVIII la crítica ha identificado otras tres figuras que han despertado cierta actividad en torno de sus obras. Ellas son el queretano José Mariano de Acosta Enríquez, autor del *Sueño de sueños*, de 1792, que edita modernamente Jiménez Rueda (UNAM, Biblioteca del Estudiante Universitario, 55, México, 1945). Ésta es una «fantasía satírica» del género de los *Sueños* de Quevedo y de Torres Villarroel. Se parodian en ella varios motivos y procedimientos quevedescos, mientras algunos motivos barrocos experimentan las modificaciones del nuevo pensamiento ilustrado. La obra crea su propia genealogía con los que llama escritores «satiricojocoserios» —Cervantes, Quevedo y Torres Villarroel— e incluye en un mismo conjunto con los novelistas franceses e ingleses más prominentes del siglo XVIII (véase Goic [1982]). Las otras dos son las de posibles traductores. Uno, el neogranadino Manuel Antonio de Campo y Rivas (1750-1830), autor de la novela *Crítica de París y aventuras del infeliz Damón* (en la Imprenta Real, Madrid, 1788), traducción de una obra no identificada del género libertino de las de Restif de la Bretonne. Posada Mejía [1948] y Curcio Altamar [1957] han estudiado su personalidad y su obra. El otro es la *Genealogía del Gil Blas de Santillana, continuación de la vida de este famoso sujeto por su hijo don Alfonso Blas de Liria* (en la Imprenta Real, Madrid, 1792), del teniente coronel Bernardo María de Calzada, autor español que, como capitán, ocupa un lugar en la historia de la lingüística española. La novela es una continuación del *Gil Blas* de Lesage e interesa aquí porque en su segundo tomo narra las aventuras mexicanas de Scipion. La novela participa de características propias de la novela picaresca, como el nacimiento ruin del narrador, y agrega, en anticipación de Lizardi, la educación del pícaro como innovación dieciochesca del género. Jiménez Rueda ha hecho una edición parcial que contiene solamente el libro II (UNAM, Biblioteca del Estudiante Universitario, 55, México, 1945). Leal [1974] sostiene que la obra es traducción de una narración anónima inglesa. Entre las traducciones deben mencionarse también las del ilustrado Jacobo de Villaurrutia (1757-1833), originario de Santo Domingo, *Memorias para la historia de la virtud, sacadas del diario de una señorita* (en la Imprenta de la Universidad, Alcalá, 1792, 4 volúmenes) y *La escuela de la felicidad* (Madrid, 1786), a las que se refiere Henríquez Ureña [1960].

La figura más original de la novela colonial es el mexicano José Joaquín Fernández de Lizardi (1776-1826). Su obra comprende diversos géneros, siendo su producción periodística y su narrativa los más importantes. Sus novelas son *El Periquillo Sarniento* (en la Oficina de Don Alejandro Valdés, México, 1816, 3 vols.; el cuarto tomo, que completa la obra, se publicó tardíamente). A ella siguió *La Quijotita y su prima* (Don Mariano Ontiveros, México, 1818; el segundo tomo, Don Alejandro Valdés, México, 1819); la publicación comprende sólo la mitad de la obra, la otra mitad quedó sin completar. La tercera novela es *Noches tristes* (en la Oficina de Don Mariano de Zúñiga y Ontiveros, 1818). De publicación póstuma es *Vida y hechos del famoso caballero don Catrín de la Fachenda* (Imprenta del Ciudadano Alejandro Valdés, México, 1832). Hay ediciones modernas de todas estas novelas y una excelente edición de sus *Obras* (UNAM, Nueva Biblioteca Mexicana, México, 1963-1965, 5 vols.). *El Periquillo* y *El Catrín* son sus obras más destacadas. La primera es una novela antipicaresca. Es narrada por el pícaro regenerado a sus hijos para que escarmienten en su experiencia y eviten el camino errado. Es su confesión y su legado. La novela tiene, sin embargo, los componentes fundamentales de la picaresca —nacimiento ruin, cambios de oficios, amos y estados y permanentes cautelas seguidas de regulares castigos—, a los que se agrega un importante énfasis en los aspectos educativos del personaje, desde sus padres y nodrizas, a las diversas escuelas y niveles de educación hasta la sociedad en su conjunto. La educación es postulada como forma de determinismo absoluto. *El Catrín*, en cambio, más breve y despojada de las extensas digresiones del narrador de *Periquillo*, es narrada por el pícaro catrín a sus semejantes proponiéndose como modelo de catrines; sus picardías son presentadas con pretensión seria y alabanciosa, con ausencia absoluta de conciencia culpable, así como de propósitos de regeneración. La perspectiva del sentido común y del bien es propuesta por el practicante, que recibe los manuscritos del catrín para que los continúe a su muerte. La extensa bibliografía del autor ha sido ordenada por González Obregón [1925], Spell [1927, 1971], Radin [1940, 1946] y Moore

[1946]. El estudio de conjunto de la obra de Fernández de Lizardi se debe a Spell [1931, 1971], el más serio estudioso del «Pensador Mexicano». Estudios de interés sobre *El Periquillo* son los de Spell [1963, 1971], Davis [1958, 1961], Baudot [1959], Salomon [1965], Bancroft [1968], Goic [1972] y Pavlowsky [1975]. *El Catrín* ha sido abordado, entre otros, por Spell [1943, 1959] y Goic [1972]. Skirius [1982] escribe sobre Lizardi y Cervantes.

De autor anónimo es *Jicotencal* (Imprenta de Guillermo Stavely, Filadelfia, 1826), novela histórica de ideología ilustrada que enjuicia severamente la actuación de los españoles en la conquista de México y exalta las virtudes de los indígenas. Hay edición moderna de Castro Leal (*La novela del México colonial*, Aguilar, México, 1964, tomo I, pp. 73-177). Esta obra ha captado la atención de Read [1939], Anderson Imbert [1954] y Leal [1960].

Los críticos han aislado un conjunto de obras de la literatura colonial a causa del interés de su contenido narrativo personal —biografía, autobiografía, libro de viajes— o del contenido de breves cuentos, casos o ejemplos, que se intercalan en la narración histórica con fines retóricos. Éstos pueden ser de simple ornamentación o de función edificante y suasoria. También pueden adquirir un interés propio y halagar el gusto del lector con su variación novelesca. Las características retóricas de la historiografía renacentista y barroca y la acentuación novelizadora de esta última han puesto las condiciones previas para que esto ocurriera. En este mismo apartado se puede poner otro conjunto de obras que por las particularidades de su elocución alegórica han merecido una atención especial. Se trata de obras de edificación religiosa que recurren a estas formas de elocución como un modo de dar amenidad o popularizar un contenido de carácter abstracto. Entre éstas puede destacarse *El pastor de Nochebuena* (Bernardo Gilberto, León, 1660), del notable obispo mexicano Juan de Palafox y Mendoza (1600-1659). Hay una edición moderna (BAE, 218, Madrid, 1968, tomo II, pp. 179-227). La obra del obispo Palafox, a pesar de su extensión y de su importancia, apenas comienza a ser estudiada en trabajos de Sicilia [1965] y Sánchez Castañer [1970]. Obra de género alegórico es también *La portentosa vida de la muerte, emperatriz de los sepulcros, vengadora de los agravios del Altísimo, y muy señora de la humana naturaleza* (en la Oficina de los Herederos del Lic. D. Joseph de Jáuregui, México, 1792). Hay edición moderna, considerablemente abreviada, de A. Yáñez (UNAM, Biblioteca del Estudiante Universitario, 45, México, 1944) y una edición facsimilar (INBA/Premiá Editora, La Matraca, Segunda serie, 1, México, 1983). Esta última edición incluye el juicio contemporáneo de J. A. Alzate, publicado en *La Gaceta de México*. En ambas obras la alegoría es una extendida imagen continuada que, esencialmente, consiste en la personificación de elementos no personales y en la concreción de elementos abstractos. En la ficción así construida, cada acontecimiento, personaje o escenario resulta, biunívocamente, reducible al plano verdadero. Las «alegorías» y los «libros de visiones» son géneros literarios largamente institucionalizados, que el lector comprende como obras de edificación espiritual y no meras ficciones. En fecha reciente se ha publicado la obra de Pedro Solís y Valenzuela (1624-1711), conocida a través de dos manuscritos, *El desierto prodigioso y prodigio del desierto* (Publicaciones del Instituto Caro y Cuervo, Bogotá, 1977, 3 vols.), en edición de R. Páez Patiño. La obra ha merecido los estudios de Briceño Jáuregui [1983] y Orjuela [1983].

En las obras históricas, los sucesos historiales o cuentos del Inca Garcilaso (véase capítulo 3 de este volumen) han sido estudiados por Arrom [1971], Rosenblat [1965] y Pupo-Walker [1982]. El mismo Arrom [1973] y Sachetti [1966] han analizado un nuevo tipo de relato, de idilios indígenas, en la *Historia del origen y genealogía de los reyes incas del Perú* (edición de Constantino Bayle, S. J., Madrid, 1946), de fray Martín de Murúa, en que se narra el idilio del pastor Acollanapa y la bella Chuquillanto, en la conclusión de la obra. Hay otra edición, basada ésta en un manuscrito completo, de Manuel Ballesteros Gaibrois (Madrid, 1962, 2 vols.). Anadón [1975, 1980] relaciona con aquél el idilio de Carilab y Rocamila en la *Restauración de la Imperial y conversión de almas infieles*, manuscrito del chileno Juan de Barrenechea y Albis (¿1638-1707?), inédito hasta hace poco y publicado por Anadón [1983]. Arbea [1979] estudia los antecedentes clásicos del mencionado idilio. Después de Medina [1878], quien transcribe una extensa cita del texto, éstas son las primeras lecturas directas del manuscrito, del cual los críticos habían hablado hasta ahora solamente por las referencias y transcripciones de Medina. Un tercer idilio es el de Quilaco, de Quito, y Curicuillor, del Cuzco, que se narra en la *Miscelánea antártica*, de Miguel de Cabello Balboa, editada por primera vez en francés (*Histoire du Pérou inédite*, A. Bertrand, París, 1840) y luego en español por J. J. Gijón (Quito, 1921) y por L. E. Valcárcel (Universidad Nacional Mayor de San Marcos, Lima, 1951). El antecedente literario de estos idilios se encuentra en los idilios indígenas de *La Araucana* de Ercilla y en la literatura pastoril.

La más notable de las obras que poseen un fuerte carácter autobiográfico y narrativo a la vez es el *Cautiverio feliz o razón individual de las dilatadas guerras de Chile*, de Francisco Núñez de Pineda y Bascuñán (1608-1680), editada por Barros Arana (Santiago de Chile, 1863). La historia del cautiverio entre los araucanos es sólo una parte, aunque extensa y significativa, de un memorial que expone las causas políticas de las interminables guerras con los araucanos y en el que convergen varios tipos de libros diferentes en una elaborada disposición retórica. Con algo característico de la literatura del siglo XVII, el *Cautiverio* reúne determinantes del tratado político de «regimiento de príncipes» en su crítica de los vicios y virtudes de los gobernantes, sin duda el aspecto más rico desde el punto de vista ideológico. Las «causas» —blancos a que apunta el tratado— se acompañan con «pruebas» de una rica retórica de ejemplos, entre los cuales el más importante es el del «cautiverio» y defensa de los indios, y de citas clásicas que el autor traduce en verso en precisos epigramas, citas de los Padres de la Iglesia y citas de autoridades contemporáneas. A esto se suma el culto mariano del autor, que da lugar a poemas de carácter espiritual y religioso que se corresponden con el contenido espiritual del cautiverio y sus momentos más azorantes: aquellos que amenazan la virtud del cautivo. Anadón [1977, 1978] ha escrito una excelente monografía sobre la vida del autor y ha continuado sus investigaciones sobre las versiones resumidas y aspectos biográficos de Pineda y Bascuñán. McNeil [1981] describe una versión resumida que se agrega a las existentes. Este resumen, con el título de *Suma y epílogo de lo más esencial que contiene el libro intitulado Cautiverio feliz y guerras dilatadas del Reino de Chile* (Soc. Chilena de Historia y Geografía y Ed. Universidad Católica, Santiago de Chile, 1984), ha sido publicado por McNeil [1984] y Anadón [1984]. Del libro original existen varias ediciones modernas considerablemente abreviadas. El mejor estudio de la obra, como memorial, es el de Correa Bello [1965]. Chang-Rodríguez [1975, 1982] ha abordado el propósito del libro y el carácter subversivo de su discurso; Jara [1954] presenta algunas de las versiones resumidas y en compañía de Lipschutz publica una antología (Editorial Universitaria, Santiago de Chile, 1973). Lancaster [1951], Latcham [1965] tratan diversos aspectos de Pineda y Bascuñán. Leal [1978] aborda los aspectos novelescos.

Al padre José de Acosta se debe la *Peregrinación de Bartolomé Lorenzo*, publicada por primera vez, como biografía auténtica en 1966, por Alonso de Andrade en sus *Varones ilustres de la Compañía de Jesús* (Madrid, 1666; edición moderna, Bilbao, 1889) y por C. Fernández Duro, de un manuscrito de la Colección Muñoz (*Boletín de la Real Academia de la Historia*, 35, 1889), copia poco fiable; finalmente la recoge Mateos en su edición de las *Obras* (BAE, 73, Madrid, 1954). Arrom [1982] presenta la edición más completa con un excelente estudio. Esta es la primera de las narraciones que adoptan la forma de la peregrinación o el viaje, propio de la novela de aventuras.

Un caso aparte es el de la biografía *Infortunios que Alonso Ramírez, natural de la ciudad de San Juan de Puerto Rico, padeció así en poder de piratas ingleses que lo apresaron en las Islas Filipinas, cómo navegando por sí solo y sin derrota hasta parar en la costa de Yucatán, consiguiendo por este medio dar vuelta al mundo* (Herederos de la Viuda de Bernardo Calderón, México, 1690), de Carlos de Sigüenza y Góngora (1645-1700), sabio mexicano coetáneo y amigo de sor Juana Inés de la Cruz. Se trata de un ameno relato de múltiples peripecias sufridas por el personaje en una vuelta al mundo en manos de piratas. Hay énfasis especial en el área del suroeste de Asia que resuenan hoy con extraordinaria familiaridad. Narrado en primera persona como autobiografía de Alonso Ramírez, contiene en la conclusión la situación narrativa que tiene a Sigüenza y Góngora como destinatario de su relato oral y como autor de la relación escrita que leemos. Hay varias ediciones modernas de la obra que se conoce hoy como *Infortunios de Alonso Ramírez* en conjunto con otras: (Colección de Libros Raros y Curiosos que tratan de América, Madrid, 1902, tomo 20); en las *Relaciones históricas* (UNAM, Biblioteca del Estudiante, 13, México, 1940), del mismo autor y en *Obras históricas* (Porrúa, México, 1962), editado por Rojas Garcidueñas. Castro Leal la recoge en su antología *Novela mexicana colonial* (Aguilar, México, 1964, 2 vols.). Ediciones individuales de la obra son las de Espasa-Calpe Argentina (colección Austral, 1.033), Buenos Aires, 1944; Instituto de Cultura Puertorriqueña, San Juan, 1967. Leonard [1929] ha preparado la bibliografía y realizado un interesante estudio del sabio del siglo XVII, también abordado por Rojas Garcidueñas [1945]. Iglesia [1946] ha considerado finamente la mexicanidad, Bazarte Cerdón [1958] considera los *Infortunios* como la primera novela mexicana, junto con Castro Leal [1964], mientras Castagnino [1971] la ve como un caso de picaresca a la inversa. Lagmanovich [1974] caracteriza los motivos picarescos de la obra. Cummins [1984] interroga su valor histórico. El análisis de la situación narrativa por un lado y el carácter encadenado de los sucesivos infortunios de Ramírez por otro han conducido, debido a la fácil semejanza con la novela de aventuras o con la picaresca, a considerar como novela lo que parece ser una definida biografía. Sigüenza y Góngora fue también autor de la carta del 8 de junio de 1692, «Alboroto y motín de los indios de México», que Leonard editó (Talleres Gráficos del Museo Nacional de Arqueología, Historia y Etnografía, México, 1932) y que también se recoge en *Relaciones históricas* (UNAM, Biblioteca del Estudiante, 13, México, 1940). La carta es una animada relación de los sucesos narrada por un testigo. Al lado de estas y otras relaciones históricas, y de obras de carácter científico que lo convierten para algunos en un adelantado de la Ilustración del siglo XVIII, cultivó la poesía. Fue poeta en *La primavera indiana* (por la Viuda de Bernardo Calderón, México, año de 1668), que llegó a tener tres ediciones en vida del autor. Leonard y Abreu Gómez editaron sus *Poemas* (G. Sáez, Madrid, 1931). También fue compilador en *Triunfo parténico* (por Juan Ribera en el Empedradillo, México, 1683), que Rojas Garcidueñas ha editado modernamente (Ediciones Xóchitl, México, 1945).

Por razones similares a las de otras relaciones biográficas o autobiográficas —numerosas peripecias y lances equívocos y desusados a lo largo y ancho del mundo—, resulta novelesca la autobiografía de Catalina de Erauso (1585-1650), la Monja Alférez, titulada *Relación verdadera de las grandes hazañas y valerosos hechos que una muger hizo en veinte y cuatro años que sirvió en el Reyno de Chile y otras partes al Rey nuestro señor, en ábito de soldado, y los honrosos oficios que tuvo ganados por las armas, sin que la tuvieran por tal muger hasta que le fue fuerza el descubrirse, dicho por su misma voca viniendo navegando la buelta de España en el galeón San Joseph de que es capitán Andrés de Outón del cargo del señor general Tomás de la Raspuru, que lo es de los galeones de la plata, en 18 de setiembre de 1624 años* (Bernardino de Guzmán, Madrid, 1625). Hay una segunda edición del mismo año (Simón Faxardo, Sevilla, 1625) y una tercera, acaso de 1629, también de Sevilla. Se reeditó varias veces en el siglo pasado, siendo la más importante la edición de Joaquín M. de Ferrer (Julio Didot, París, 1829; otras eds., México, 1653; Barcelona, 1838; Colección Odriozola, Lima, 1875). J. Muñárriz [1986] ha hecho una edición moderna. Luego comenzó a interesar a algunos connotados escritores europeos, como Thomas De Quincey y J. M. de Hérédia, que escribieron versiones de sus aventuras. J. Fitzmaurice Kelly la tradujo al inglés (*The Nun Ensign*, 1908). En la literatura hispanoamericana, Lastarria, en el siglo pasado, y otros escritores en este siglo han tomado el asunto en sus novelas. Entre las crónicas inéditas de carácter biográfico Rodríguez-Moñino [1976] ha revelado el manuscrito de *Historia del huérfano*, de Martín de León (1585-1654), sobre el cual Bryant [1977, 1981] ha avanzado algunas transcripciones en anticipación de su publicación.

Finalmente, un libro de viajes, el *Lazarillo de ciegos caminantes*, de Concolorcorvo, con falso pie de imprenta (Imprenta de la Rovada, Gijón, 1773), ha dado lugar a la controversia sobre la definición de su género y su adscripción al de la novela picaresca. (Esta obra será objeto de consideración en el capítulo 9 de este volumen.)

BIBLIOGRAFÍA

Adam, M., «De lo barroco en el Perú: Concolorcorvo, Olavide y Valdés», *Mercurio Peruano*, 28 (1941), pp. 436-449.

Alegría, Fernando, *Historia de la novela hispanoamericana*, De Andrea (Historia Literaria de Hispanoamérica, I), México, 1966.

Anadón, José, «La *Restauración de la Imperial*, de Barrenechea y Albis», *Anuario de Letras*, 13 (México, 1975), pp. 277-286.

—, *Pineda y Bascuñán, defensor del araucano*, Universitaria, Santiago de Chile, 1977.

—, *Prosistas coloniales del siglo XVII: Rosales y Pineda Bascuñán*, Santiago de Chile, 1978.

—, «Barrenechea y Albis, prosista colonial chileno», *Revista Chilena de Literatura*, 15 (1980), pp. 83-88.

—, *La novela colonial de Barrenechea y Albis (siglo XVII). Aventuras y galanteos de Carilab y Rocamila*, Editorial Universitaria, Santiago de Chile, 1983.

—, «Estudio preliminar» a F. N. de Pineda Bascuñán, *Suma y epílogo de lo más esencial que contiene el libro intitulado cautiverio feliz, y guerras dilatadas del Reino de Chile*, prólogo y transcripción de Robert A. McNeil, Sociedad Chilena de Historia y Geografía y Ediciones de la Universidad Católica de Chile, Santiago de Chile, 1984, pp. 1-54.

Anderson Imbert, Enrique, *Estudios sobre escritores representativos de América*, Raigal, Buenos Aires, 1954.

—, «La forma "autor-personaje-autor", en una novela mexicana del siglo XVII», *Crítica interna*, Taurus, Madrid, 1960, pp. 19-37.

Arbea, Antonio, «Tradición latina en una novela chilena inédita del siglo XVII», *Boletín de Filología*, 30 (1979), pp. 7-18.

Arrom, José Juan, *Historia del teatro hispanoamericano (Época colonial)*, De Andrea, México, 1967.

—, «Hombre y mundo en dos cuentos del Inca Garcilaso», *Certidumbre de América*, Gredos, Madrid, 1971, pp. 27-53.

—, «Precursores coloniales del cuento hispanoamericano: Fray Martín de Murúa y el idilio indianista», en E. Pupo-Walker, ed., *El cuento hispanoamericano ante la crítica*, Castalia, Madrid, 1973, pp. 24-36.

—, ed., «Prólogo» a José de Acosta, *Peregrinación de Bartolomé Lorenzo*, Petro-Perú, Ediciones Codé, Lima, 1982, pp. 9-26.

Avalle-Arce, Juan Bautista, «El novelista Gonzalo Fernández de Oviedo y Valdés, alias de Sobrepeña», *Anales de Literatura Hispanoamericana*, 1 (Madrid, 1972, pp. 23-35; reimpreso en *Dintorno de una época dorada*, J. Porrúa Turanzas, Madrid, 1978.

—, *La novela pastoril española*, Ediciones Istmo, Madrid, 1974².

Bancroft, Robert L., «The *Periquillo Sarniento* and *Don Catrín de la Fachenda*: which is the masterpiece?», *Revista Hispánica Moderna*, 34 (1968), pp. 533-538.

Bataillon, Marcel, «Introducción a Concolorcorvo y su itinerario de Buenos Aires a Lima», *Cuadernos Americanos*, 111:4 (1960), pp. 197-216.

Baudot, Georges, «*El Periquillo Sarniento*, livre de reformes ou roman picaresque», *Les Langues Neo-Latines*, 2 (1959), pp. 31-37.

Bazarte Cerdón, Wilebaldo, «La primera novela mexicana», *Humanismo* (1958), pp. 3-22.

Beristáin de Souza, José Mariano, *Biblioteca Hispano Americana Septentrional*, Ediciones Frente Cultural, México, 1947³, 2 vols.

Borello, Rodolfo A., «Alonso Carrió de la Vandera», en L. Iñigo-Madrigal, ed., *Historia de la literatura hispanoamericana. I: Época colonial*, Cátedra, Madrid, 1982, pp. 151-157.

Briceño, Jáuregui, Manuel, *Estudio histórico-crítico de «El desierto prodigioso y prodigio del desierto» de don Pedro Solís y Valenzuela*, Publicaciones del Instituto Caro y Cuervo, Bogotá, 1983.

Bryant, William C., «Martín de León's *Historia del huérfano*, an unpublished narrative of colonial Perú», en Raquel Chang-Rodríguez y Donald A. Yates, eds., *Hommage to Irving A. Leonard*, Michigan State University, 1977, pp. 93-104.

—, «An Unpublished Narrative of Seventeenth-Century Spain», *Michigan Academician*, 14:2 (1981), pp. 159-166.

Carilla, Emilio, *El libro de los «misterios». El lazarillo de ciegos caminantes*, Gredos, Madrid, 1976.

Casas de Faunce, María, *La novela picaresca latinoamericana*, Cupsa Editorial, Madrid, 1977.

Castagnaro, R. Anthony, *The Early Spanish American Novel*, Las Americas Publishing Co., Nueva York, 1971.

Castagnino, R. H., «Carlos de Sigüenza y Góngora, o la picaresca a la inversa», *Raíz y Fábula*, 25 (1971), pp. 27-34.

Castro Leal, Antonio, «Estudio preliminar» a *La novela del México colonial*, Aguilar, México, 1964, I, pp. 9-36.

Correa Bello, Sergio, *El «Cautiverio feliz» en la vida política chilena del siglo XVII*, Editorial Jurídica, Santiago de Chile, 1965.

Cummins, J. S., «*Infortunios de Alonso Ramírez*: a just history of fact?», *Bulletin of Hispanic Studies*, 61:3 (1984), pp. 295-303.

Curcio Altamar, Antonio, *Evolución de la novela en Colombia*, Publicaciones del Instituto Caro y Cuervo, Bogotá, 1957.

Chang-Rodríguez, Raquel, «*La Endiablada*, relato peruano inédito del siglo XVII», *Revista Iberoamericana*, 91 (1975), pp. 273-276.

—, «El propósito del *Cautiverio feliz* y la crítica», *Cuadernos Hispanoamericanos*, 297 (1975), pp. 657-663.

—, *Violencia y subversión en la prosa colonial hispanoamericana, siglos XVI y XVII*, Porrúa Turanzas (Studia Humanitatis), Madrid, 1982.

Chevalier, Maxime, *Lectura y lectores en la España de los siglos XVI y XVII*, Ediciones Turner, Madrid, 1976.

Davis, Jack Emory, «Algunos problemas lexicográficos en *El Periquillo Sarniento*», *Revista Iberoamericana*, 46 (1958), pp. 168-171.

—, «Picturesque *americanismos* in the works of Fernández de Lizardi», *Hispania*, 44:1 (1961), pp. 74-81.

Defourneaux, Marcelin, *Pablo de Olavide ou l'afrancesado (1725-1803)*, Presses Universitaires de France, París, 1959.

Esquenazi Mayo, Roberto, «Raíces de la novela hispanoamericana», *Studi di letteratura ispano-americana*, 2 (1969).

Fucilla, John G., «Bernardo de Balbuena's *Siglo de Oro* and its Sources», *Hispanic Review*, 15:1 (1947), pp. 182-193; trad. cast. en *Relaciones hispano-italianas*, CSIC, Madrid, 1953, pp. 77-99.

García Gómez, Juan José, «Pablo de Olavide: primer novelista en Hispanoamérica», *Humanitas*, 16 (Nueva León, 1975), pp. 231-246.

Garza G., Baudelio, «Análisis de tres aspectos de una obra narrativa de Pablo de Olavide», *Cathedra*, 2 (Nueva León, 1975), pp. 36-56.

Gerbi, Antonello, «El *Claribalte* de Oviedo», *Fénix, Revista de la Biblioteca Nacional*, 6 (Lima, 1949), pp. 378-390.

—, *La naturaleza de las Indias Nuevas. De Cristóbal Colón a Gonzalo Fernández de Oviedo*, Fondo de Cultura Económica, México, 1978.

Gerhardt, Mia, *La pastorale. Essai d'analyse littéraire*, Assen, 1950.

Goic, Cedomil, *Historia de la novela hispanoamericana*, Ediciones Universitarias de Valparaíso, Chile, 1972; 1980².

—, «La novela hispanoamericana colonial», en L. Iñigo-Madrigal, ed., *Historia de la literatura hispanoamericana*. I: *Época colonial*, Cátedra, Madrid, 1982, pp. 369-406.

—, ed., *La novela hispanoamericana: descubrimiento e invención de América*, Ediciones Universitarias de Valparaíso, Chile, 1973.

González Obregón, Luis, «Bibliografía del "Pensador Mexicano"», *El Libro y el Pueblo*, 4:1-3 (1925), pp. 2-39.

Gostautas, Stasys, «Del árbol de las veras a *La Endiablada*», en Wayne H. Finke, ed., *Estudios de historia, literatura y arte hispánicos ofrecidos a Rodrigo A. Molina*, Ínsula, Madrid, 1977, pp. 181-199.

Gutiérrez, Juan María, *Escritores coloniales americanos*, Raigal, Buenos Aires, 1957.

Henríquez Ureña, Pedro, *La cultura y las letras coloniales en Santo Domingo*, Buenos Aires, 1936; reimpreso en *Obra crítica*, Fondo de Cultura Económica (Biblioteca Americana, 37), México, 1960, pp. 331-444.

—, «Apuntaciones sobre la novela en América», *Obra crítica*, Fondo de Cultura Económica (Biblioteca Americana, 37), México, 1960, pp. 618-626.

Hernández Sánchez-Barba, Mario, «La influencia de los libros de caballerías sobre el conquistador», *Estudios Americanos*, 102 (1960), pp. 235-256.

Icaza, Francisco A. de, *El Quijote durante tres siglos*, Madrid, 1918.

Iglesia, Ramón, «La mexicanidad de don Carlos de Sigüenza y Góngora», *El hombre Colón y otros ensayos*, El Colegio de México, México, 1944; reimpreso en *Homenaje a Francisco Gamoneda*, Imprenta Universal, México, 1946, pp. 251-267.

Jara, Álvaro, «Pineda y Bascuñán, hombre de su tiempo (Tres documentos)», *Boletín de la Academia de la Historia*, 51 (1954), pp. 77-85.

Jiménez Rueda, Julio, «Influjo de Quevedo y de Torres Villarroel en el México virreinal», en *La novela iberoamericana. Memoria del Quinto Congreso del Instituto Internacional de Literatura Iberoamericana*, México, 1952, pp. 181-189.

Lagmanovich, David, «Para una caracterización de *Infortunios de Alonso Ramírez*», *Sin Nombre*, 5 (1974), pp. 7-14.

Lancaster, Maxwell, «The Happy Captivity of Francisco Núñez de Pineda y Bascuñán», *Vanderbilt Studies in the Humanities*, 1 (1951), pp. 161-173.

Latcham, Ricardo A., «Francisco Núñez de Pineda y Bascuñán», *Boletín del Instituto de Literatura Chilena*, 4:9 (1965), pp. 2-4.

Leal, Luis, «*Jicotencal*, primera novela histórica en castellano», *Revista Iberoamericana*, 25:49 (1960), pp. 9-13.

—, «Picaresca hispanoamericana: de Oquendo a Lizardi», en *Estudios de literatura hispanoamericana en honor a José Juan Arrom*, University of North Carolina Press, Chapel Hill, 1974.

—, «El *Cautiverio feliz* y la crónica novelesca», en Raquel Chang-Rodríguez, ed., *Prosa hispanoamericana virreinal*, Hispam, Barcelona, 1978, pp. 113-140.

Leonard, Irving A., *Ensayo bibliográfico de don Carlos de Sigüenza y Góngora* (Monografías Bibliográficas Mexicanas, 15), México, 1929.

—, *Don Carlos de Sigüenza y Góngora, a Mexican Savant of the Seventeenth Century*, University of California Press, Berkeley, 1929.

—, *Romances of Chivalry in the Spanish Indies with some registros of ship-*

ments of books to the Spanish Colonies, University of California, Berkeley, 1933; trad. cast.: *Los libros del conquistador*, Fondo de Cultura Económica, México, 1953.

Lohmann Villena, Guillermo, *Pedro de Peralta, Pablo de Olavide*, Hernán Alba Orlandini, Lima, 1964.

López Estrada, Francisco, «Un libro pastoril mexicano: *El Siglo de Oro* de Bernardo de Balbuena», *Anuario de Estudios Americanos*, 27 (1970), pp. 787-813.

—, *Los libros de pastores en la literatura española. La órbita previa*, Gredos, Madrid, 1974, tomo I.

Magaña Esquivel, Antonio, y Ruth Lamb, *Breve historia del teatro mexicano*, De Andrea (Manuales Studium, 8), México, 1958.

Mazzara, Richard A., «Some Picaresque Elements in Concolorcorvo's *El Lazarillo*...», *Hispania*, 46:3 (1963), pp. 323-327.

McNeil, Robert A., «A "Happy Captivity" in the Bodleian: A Chilean Manuscript in the Yriarte Collection», *The Bodleian Library Records*, 10:5 (1981), pp. 274-279.

—, «Prólogo y transcripción» de F. N. de Pineda Bascuñán, *Suma y epílogo de lo más esencial que contiene el libro intitulado Cautiverio feliz, y guerras dilatadas del Reino de Chile*, Sociedad Chilena de Historia y Geografía y Ediciones de la Universidad Católica de Chile, Santiago de Chile, 1984, pp. 1-54.

Medina, José Toribio, *Historia de la literatura colonial de Chile*, Imprenta de la Librería del Mercurio, Santiago, 1878, 3 vols.

—, *Biblioteca hispano-chilena*, Santiago, 1897-1899, 3 vols.

—, *Biblioteca hispano-americana*, N. Israel, Amsterdam, 1966; edición facsimilar de la primera de Santiago, 1898-1907.

Meléndez, Concha, *La novela indianista en Hispanoamérica*, Universitaria, San Juan de Puerto Rico, 1961².

Menéndez Pelayo, M., *Orígenes de la novela*, Madrid, 1905; otras ed., Emecé, Buenos Aires, 1945; Madrid, 1962 (*Obras completas*, XIII-XVI), 4 vols.

—, *Historia de la poesía hispanoamericana*, Victoriano Suárez, Madrid, 1911-1913, 2 vols.

Moore, Ernest R., «La primera novela histórica mexicana», *Revista Mexicana de Literatura*, 1 (1940), pp. 370-378.

—, «Una bibliografía descriptiva: *El Periquillo Sarniento*», *Revista Iberoamericana*, 19 (1946), pp. 383-403.

Munárriz, Jesús, «Presentación» y «Epílogo», a *Historia de la Monja Alférez escrita por ella misma*, Hiperión, Madrid, 1986, pp. 5-10 y 85-89.

Neruda, Pablo, «Una novela», *Para nacer he nacido*, Seix Barral, Barcelona, 1977, pp. 198-200.

Núñez, Estuardo, *El nuevo Olavide*, P. L. Villanueva, Lima, 1970.

—, «La obra literaria de Pablo de Olavide», en *Actas del Tercer Congreso Internacional de Hispanistas*, El Colegio de México, México, 1970, pp. 643-648.

O'Gorman, Edmundo, «Prólogo» a Gonzalo Fernández de Oviedo, *Sucesos y diálogos de la Nueva España*, UNAM (Biblioteca del Estudiante Universitario), México, 1946, pp. viii-xlix.

Orjuela, Héctor H., «*El desierto prodigioso y prodigio del desierto* de Pedro

Solís y Valenzuela, primera novela hispanoamericana», *Thesaurus*, 38:2 (1983), pp. 261-324.

Pacheco-Ranzans, Arsenio, «Francisco Loubayssin de la Marca. Notas para la historia de la novela española del Siglo de Oro», *Actas del Sexto Congreso Internacional de Hispanistas*, Toronto, 1980, pp. 553-557.

Pavlowsky, John, «*Periquillo* and *Catrín*: comparison and contrast», *Hispania*, 58:4 (1975), pp. 830-842.

Pimentel, Francisco, *Obras completas*, Tipografía Económica, México, 1904, tomo V.

Posada Mejía, Germán, *Manuel del Campo y Rivas, cronista colombiano*, El Colegio de México, México, 1948.

Pupo-Walker, Enrique, *La vocación literaria del pensamiento histórico en América*, Gredos, Madrid, 1982: «La historia como pretexto: formas de la invención literaria en *El Carnero*», pp. 123-155; «En el azar de los caminos virreinales: relectura de *El lazarillo de ciegos caminantes*», pp. 156-190.

Radin, Paul, «An annotated bibliography of the poems and pamphlets of José Joaquín Fernández de Lizardi, 1824-1827», *Hispanic American Historical Review*, 26 (1946), pp. 284-291.

Read, J. Lloyd, *The Mexican Historical Novel*, Hispanic Institute, Nueva York, 1939.

Real Díaz, José J., «Don Alonso Carrió de la Vandera, autor del *Lazarillo...*», *Anuario de Estudios Americanos*, 13 (1956), pp. 387-416.

Reyes, Alfonso, *Letras de la Nueva España*, Fondo de Cultura Económica, México, 1948.

Rodríguez Marín, Francisco, *El Quijote y don Quijote en América*, Madrid, 1911.

Rodríguez-Moñino, Antonio, «Manuscritos literarios peruanos en la biblioteca de Solórzano Pereira», *Caravelle*, 7 (1968), pp. 93-125.

—, «Sobre poetas hispanoamericanos de la época virreinal», *Papeles de Son Armadans*, 14 (1968), pp. 5-36; reimpreso en *La transmisión de la poesía española en los Siglos de Oro*, Ariel, Barcelona, 1976, pp. 165-188.

Rojas Garcidueñas, José, *Don Carlos de Sigüenza y Góngora, erudito barroco*, Ediciones Xóchitl, México, 1945.

—, *Bernardo de Balbuena. La vida y la obra*, UNAM, México, 1958.

—, «La novela en la Nueva España», *Anales del Instituto de Investigaciones Estéticas*, 31 (1962), pp. 57-78.

Rosenblat, Ángel, «Tres episodios del Inca Garcilaso», *La primera visión de América y otros estudios*, Ministerio de Educación, Caracas, 1965, pp. 219-245.

Rubio Mañé, Jorge Ignacio, «Noticias adicionales de Bernardo de Balbuena», *Boletín del Archivo General de la Nación*, 7 (México, 1966), pp. 857-862.

Sachetti, Alfredo, «Universales etno-psicológicos en la cultura andina», *Actas del XXXVI Congreso Internacional de Americanistas*, 3 (Sevilla, 1966), pp. 201-218.

Salomon, Noël, «La crítica del sistema colonial de la Nueva España en el *Periquillo Sarniento*», *Cuadernos Americanos*, 138:1 (1965), pp. 167-179.

Sánchez, Luis Alberto, *Proceso y contenido de la novela hispanoamericana*, Gredos, Madrid, 1953.

Sánchez-Castañer, Francisco, «La obra literaria de Juan de Palafox y Mendoza, escritor hispanoamericano», *Actas del Tercer Congreso Internacional de Hispanistas*, El Colegio de México, México, 1970, pp. 787-793.

Schevill, Rodolfo, «La novela histórica, las crónicas de Indias y los libros de caballerías», *Revista de Indias*, 56-60 (Bogotá, 1943), pp. 173-196.

Sibirsky, Saúl, «Carlos de Sigüenza y Góngora, la transición hacia el Iluminismo criollo en una figura de excepción», *Revista Iberoamericana*, 31:60 (1965), pp. 195-207.

Sicilia Voytesky, Paul Andrew, *El obispo Palafox y su lugar en la mística española*, México, 1965.

Siles Artés, José, *El arte de la novela pastoril*, Albatros Ediciones, Valencia, 1972.

Skirius, John, «Fernández de Lizardi y Cervantes», *Nueva Revista de Filología Hispánica*, 31:2 (1982), pp. 257-272.

Spell, Jefferson Rea, «Fernández de Lizardi: A Bibliography», *Hispanic American Historical Review*, 7 (1927), pp. 490-506; reimpreso en *Bridging the Gap*, Libros de México, México, 1971, pp. 273-292.

—, *The Life and Works of José Joaquín Fernández de Lizardi*, Filadelfia, 1931.

—, «Prólogo» a J. J. Fernández de Lizardi, *Don Catrín de la Fachenda y Noches tristes y día alegre*, Cultura, México, 1943, pp. vii-xvi.

—, «Prólogo a J. J. Fernández de Lizardi, *Don Catrín de la Fachenda y Noches tristes y día alegre*, Porrúa, México, 1959, pp. vii-xxii.

—, «New light on Fernández de Lizardi and his *Periquillo Sarniento*», *Hispania*, 4 (1963), pp. 753-754.

—, *Bridging the Gap: articles on Mexican Literature*, Libros de México, México, 1971.

Thomas, sir Henry, *Las novelas de caballerías españolas y portuguesas*, CSIC, Madrid, 1952.

Torre Revello, José, *El libro, la imprenta y el periódico en América durante la dominación española*, Instituto de Investigaciones Históricas, Buenos Aires, 1940.

—, «Viajeros, relaciones, cartas y memorias, siglos XVII, XVIII y primeros decenios del XIX», *Historia de la nación argentina*, Buenos Aires, 1940, pp. 397-407.

—, «Sixteenth-Century Reading in the Indies», *The Americas*, 14:2 (1957), pp. 175-178.

—, «Lecturas indianas (Siglos XVI-XVIII)», *Thesaurus*, 17:1 (1962), pp. 1-29.

Torres Rioseco, Arturo, *La novela en América*, University of California Press, Berkeley, 1939.

Turner, Daymond, «Oviedo's *Claribalte*: The First American Novel», *Romance Language Notes*, 6 (1964), pp. 65-68.

—, *Gonzalo Fernández de Oviedo. An Annotated Bibliography*, University of North Carolina Press, Chapel Hill, 1967.

Van Horne, John, *Bernardo de Balbuena. Biografía crítica*, Guadalajara, México, 1940.

—, «Bernardo de Balbuena y la literatura en la Nueva España», *Arbor*, 3:8 (1945), pp. 205-214.

Yáñez, Agustín, «Estudio preliminar» a J. J. Fernández de Lizardi, *El Pensador Mexicano*, UNAM (Biblioteca del Estudiante Universitario, 15), México, 1940, pp. vii-liii.

—, «Prólogo» a Francisco Bramón, *Los sirgueros de la Virgen*, UNAM (Biblioteca del Estudiante Universitario, 45), México, 1944, pp. vii-xix.

Juan Bautista Avalle-Arce

EL NOVELISTA GONZALO FERNÁNDEZ DE OVIEDO Y VALDÉS, ALIAS DE SOBREPEÑA

[Al publicar el *Claribalte* su autor tenía cuarenta y un años, y a pesar de su edad esta es su primera obra impresa.] En 1514 había marchado a Indias, al Darién, pero adversas circunstancias, reclamaciones y agravios le traen a España en 1515. Con la excepción de un viaje a Flandes en 1516, a gestionar ante el nuevo rey, Carlos I, Oviedo permanece en España hasta 1520, cuando vuelve a Indias. Tal es la coyuntura vital en que publica el *Claribalte*, pero su redacción es anterior, y corresponde a su primera estancia en Indias, según declaración propia: «Estando yo en la India e postrera parte acidental (*sic* por "occidental") que al presente se sabe ... escrebí más largamente aquesta crónica sin oluidar ninguna cosa de lo sustancial della» (Prólogo, f. II r.°). Por lo tanto bien se puede designar al *Claribalte* como la primera novela americana. Pero conviene puntualizar que nada de la realidad americana aparece en el *Claribalte*: para escribir una novela de caballerías el autor se vuelve tenazmente de espaldas a su circunstancia.

Se trata, en consecuencia, ni más ni menos que de un tempranísimo proceso inverso al estudiado por Irving A. Leonard en su hermosa obra *Los libros del conquistador* [1953]: se trata en nuestro caso de un conquistador que *vuelve* a España con un libro original, y no una historia o relación, sino una novela de caballerías, nada me-

Juan Bautista Avalle-Arce, «El novelista Gonzalo Fernández de Oviedo y Valdés, alias de Sobrepeña», *Anales de Literatura Hispanoamericana*, 1 (Madrid, 1972), pp. 23-35 (23, 25, 26-30, 32-35).

nos. Es interesante recordar al respecto que la exportación a América de este género literario se vería severamente prohibida a partir de la premática real del 4 de abril de 1531. Pero para 1531 ya no era cuestión de importar novelas en Indias, sino que las Indias ya habían exportado su primera novela a España en el *Claribalte*.

La coyuntura histórico-literaria en que se articula la publicación del *Claribalte* era algo por el estilo: la boga de los libros de caballerías databa, por lo menos, del siglo XIV (recuérdense las conocidas quejas del canciller Pero López de Ayala por haber malgastado su juventud leyendo el *Amadís*), pero sólo la introducción de la imprenta podía asegurarles una circulación de relativa amplitud, y el consiguiente incremento del público lector. Recientes estadísticas nos permiten apreciar la divulgación progresiva de los libros de caballerías, y situar mejor, así, el puesto del *Claribalte* dentro del género. De 1501 a 1510 se publicaron 11 ediciones de libros de caballerías; de 1511 a 1520, 20; de 1521 a 1530, 39; sólo en el año 1526 salieron 12 ediciones, la pleamar caballeresca del siglo XVI. Y no hay para qué seguir: bastan estos datos para confirmar que Oviedo tenía buen olfato editorial al publicar su novela en el comienzo del vertiginoso crecimiento del género. Sin embargo, no secundó su obra, a pesar de la promesa inicial (Prólogo, f. II v.°) y final de continuación. [...]

La novela comprende 82 capítulos, sin división en libros o partes, pero el argumento sí se puede dividir naturalmente en tres secciones, de diversa extensión, orientación y sentido. La primera trata de los amores de Claribalte con Dorendaina (caps. I-XLVII). Claribalte es príncipe del Epiro y se enamora de oídas de Dorendaina, princesa de Inglaterra, viaja a ese país para conocerla, triunfa en un torneo, se casa en secreto con la princesa, y la deja para participar en unas justas extraordinarias a celebrarse en Albania, con cuya descripción acaba esta primera parte. Los amores del protagonista están llevados por los estrictos cauces del amor cortés, con la terminología obligada: «religión de amor», «herejes de amor», etc. El mecanismo de la acción también recorre caminos familiares: como en el *Amadís de Gaula*, y más particularmente en el *Tirant lo Blanc*, la acción se centra en Inglaterra y culmina con sonadísimas justas. Como en el *Tirant*, hay en esta primera parte una renuncia a lo sobrenatural y maravilloso. Y Oviedo demuestra ya sus agudas dotes de observación, que tan cumplidamente revelaría su *Sumario de la natural historia* (Toledo, 1526), y en toda su obra posterior: hay en la novela una pugna entre ingleses e irlandeses, y el distinto acento identifica a éstos (f. XXV v.°). Quizás el gusto natural que siempre demostró Oviedo por el detalle concreto se vio alentado en esta ocasión por idénticos gustos en el *Tirant*; véase, por ejemplo, el deleite con que se describen las danzas de la época (*Tirant*, cap. 450; *Claribalte*, caps. VIII y XVII).

Si distinguimos, según ha dicho Martín de Riquer, entre *libro* de caballerías (de imaginación morigerada) y *novela* de caballerías (triunfo de la imaginación y lo maravilloso), que es la distinción que establece el idioma inglés entre *novel* y *romance*, se puede decir que esta primera parte del *Claribalte* es un libro de caballerías.

La segunda parte (caps. XLVIII-LXXIV), en cambio, cae de lleno en la categoría *novela* de caballerías. Claribalte conquistará Constantinopla, cuyo emperador se defiende con un anillo y espejo mágicos, un fortísimo gigante, y todos los conocimientos nigrománticos de su amante. Pero Claribalte, guiado por un batel desconocido (con lo que se cumple otro tópico de la *novela* de caballerías), arribará a Sicilia, donde cuatro nigromantes amigos (el menor de los cuales tiene doscientos años de edad) le proporcionarán unas sortijas mágicas, con las que podrá contrarrestar los efectos de los encantamientos del emperador.

Pero Claribalte no se afinca en Constantinopla, a pesar de que ahora es príncipe heredero del Imperio, sino que decide volver a Inglaterra, a su esposa. En el viaje marítimo es apresado por corsarios a la altura de Cabo Verde, sufre considerablemente porque «no era hombre de la mar» (f. LVIII r.º: el lector puede imaginar la simpatía con que escribiría esto Fernández de Oviedo, después de su primer viaje transatlántico); desembarcan en Galicia, y Claribalte se escapa so pretexto de ir a hacer «lo que los hombres no pueden excusar» (f. LVIII r.º). Sigue su llegada a Inglaterra y la revelación pública de su matrimonio secreto con la princesa Dorendaina.

En los acontecimientos de esta segunda parte se cumple otro tópico consagrado desde muy antiguo en la literatura caballeresca: la conquista de Constantinopla por el paladín. Nuevamente, en la literatura caballeresca peninsular, se adelantaron a Oviedo en el tratamiento del tópico tanto el *Amadís de Gaula* como el *Tirant lo Blanc*. Pero Tirant muere en Constantinopla (en la cama, como le gustaba recordar a Cervantes), mientras que Amadís vuelve a Inglaterra, como Claribalte.

Parece como si el tópico oriental, que centra esta segunda parte, abriese de par en par las puertas de la imaginación de Oviedo, quien acumula maravillas aquí con alegre desenfado. Pero cuando el héroe vuelve hacia Occidente, al mundo real y conocido (Cabo Verde, Galicia, Inglaterra), la imaginación vuelve a su antigua servidumbre, y lo maravilloso desaparece y aparece lo fisiológico.

Y comienza la tercera parte (caps. LXXV-LXXXII), con que termina la obra: el rey de Francia hace preparativos de guerra contra Inglaterra, mientras que España busca una alianza matrimonial con Inglaterra. En una victoriosa expedición militar Claribalte y sus aliados ingleses capturan al rey de Francia, al duque de Milán, el delfín se entrega a su merced, entran en París, donde el rey de Inglaterra se corona rey de Francia. Italia se entrega a Claribalte, quien recibe, en este punto, la noticia de que es emperador de Constantinopla. Su coronación coincide con un cisma en la Iglesia, pero éste se compone rápidamente por miedo y respeto al nuevo emperador. Y como última acción, el emperador interviene y convence al rey de Inglaterra de que devuelva el trono de Francia al delfín, con lo que queda paladinamente demostrada la hegemonía espiritual y temporal del emperador en Oriente y en Occidente. Con tardío pudor Fernández de Oviedo trata de echar un velo a la transparente realidad literaria, y nos dice que «lo que en ella se contiene fue en tiempo de Laumedonte, rey de Troya, e algunos quieren dezir que antes» (f. LXXV v.º).

Esta última parte ya no es ni *libro* ni *novela* de caballerías, sino pura y simplemente una fantasía histórica, en la que Oviedo se adjudica a sí mismo el papel de profeta. Pero esto no quiere decir que sea una fantasía simple, sino, al contrario, es una fantasía bastante compleja, sustentada por datos de la realidad histórica, de los tópicos literarios y del pensamiento político contemporáneo. [...]

Con victorias militares (históricas y novelísticas, a la vez), Oviedo ha llevado su ficción a un punto en que considera justificable el liberar a su imaginación de la servidumbre a la historia, para poder dar a la novela el desenlace adecuado e ideal, y no el histórico e insatisfactorio. Con Francia sojuzgada y Claribalte en el trono imperial la primera tarea del nuevo emperador es solucionar el cisma religioso, y es bien sabido que la historia de aquellos tiempos repercute con los términos en pugna de imperio-papado-cisma. So color de escribir una novela (una construcción literaria desasida de la historia), Fernández de Oviedo presenta a estos tres términos en una combinación tan extraordinaria que ni la soñó el más exaltado cesarismo de Dante en el libro III de su *De Monarchia*. Escudado con el carácter ficticio de su construcción, que se supone ocurrir en tiempos de gentiles, el pensamiento de Oviedo vuela con una osadía increíble e inigualada. Para apreciarla bien lo mejor será citar, aun así el pasaje resulte un poco largo:

> Sobre aquesta cisma vinieron las cosas diuinas a término que oluidando la oración y santimonia toda la religiosa gente se conuirtió en armas ... Mas el auctoridad y persona del Emperador fue acatada e de su temor no llegaron las voluntades dañadas a total rompimiento ... e por sus cartas certificó a aquella ciudad e los principales destos mouimientos que si el summo pontífice no era justamente elegido quél sería en le priuar de tal dignidad ... [muere el sumo pontífice] ... Aquesto passado no consintió el Emperador que ninguno sucediesse en el Pontificado sino él mismo, e quiso comprender en sí los onores spirituales, e fue el primero que los mezcló en vna persona con los temporales entre los gentiles. E de consenso de todo el sacerdocio e gente militar e de todos los estados fue elegido el mismo Emperador por Pontífice (cap. LXXXI, f. LXX).

Las disputas de primacía entre el poder temporal y el poder espiritual las hereda el siglo de Fernández de Oviedo de la Edad Media, y todavía llevarían al bochornoso espectáculo del saco de Roma por las tropas imperiales (1527). O sea que el novelista tercia imaginativamente en una controversia abierta, exacerbada, si cabía, por la política de los Reyes Católicos en Italia. Pero el pensamiento político español del siglo XVI, como se tiene que estructurar a partir de realidades empíricas y no novelísticas, no llega ni de lejos a tales audacias como las del Oviedo novelista. [...]

El pensamiento de Fernández de Oviedo, que no está coaccionado por ninguna realidad, vuela con libertad poética para expresar un mensaje de imperialismo exaltado, aunque profético casi, cuando se piensa en las tormentosísimas relaciones entre Felipe II y Sixto V. Pero si dejamos de lado el desplante final, en que imperio y pontificado se unen en la persona de Claribalte, humorada quizá del novelista, si dejamos de lado este aspecto del desenlace se podrá apreciar mejor la idea imperial de Fernández de Oviedo en el contexto de su época.

Muy en cifra se puede decir que el siglo XVI español conoce y practica dos ideas de imperio. Carlos V recibe, desarrolla y practica una idea de imperio cristiano, «que no es ambición de conquistas, sino cumplimiento de un alto deber moral de armonía entre los príncipes cristianos» (Menéndez Pidal, *Idea imperial de Carlos V*). En oposición ideológica estaba el concepto de monarquía universal, que sostenía que el imperio era «título jurídico para el mundo todo»; el emperador «no sólo había de *conservar* los reinos y dominios hereditarios, sino *adquirir* más, aspirando a la monarquía del orbe» (*ibidem*). La primera es la política europea de Carlos V, la segunda justifica su política americana.

El indiano Fernández de Oviedo, dada su circunstancia americana, no podía por menos que comulgar plenamente con la idea de monarquía universal, y así lo declara sin ambages en un pasaje de encendida elocuencia de su *Historia general y natural de las Indias* (1535). [...]

Unos veinte años antes la misma idea de monarquía universal dirigía y justificaba la ficticia conquista de Francia por Claribalte y sus aliados ingleses y españoles. En la misma vena, el Oviedo maduro aconsejará la anexión política de Alemania a España. Y en la idea de monarquía universal, que simboliza el emperador Claribalte, se aunaban imaginativamente Oriente y Occidente, como en la práctica predicará más tarde y muy en serio Fernández de Oviedo: «Espérase en la misericordia de Dios que (la Cruz) será rrestituýda venciendo nuestro Carlo Quinto emperador al Gran Turco, e *ganando la tierra* e Casa Sancta de Jerusalem».

La temprana expresión del ideal de monarquía universal en *Don Claribalte* tiene que haber resultado de embarazosa hipérbole, cuando la imaginativa profecía del autor se hizo realidad con el acceso del rey de España al imperio. Nueva y categórica razón para que la novela quedase inconclusa, sin la continuación prometida. Lo que no quiere decir, en absoluto, que Fernández de Oviedo abandonase el ideal expansionista y agresivo de monarquía universal, ya que acabó sus días predicando en sus *Quinquagenas* la expansión territorial de España por Oriente.

Cedomil Goic

EL *SIGLO DE ORO* DE BERNARDO DE BALBUENA

Entre las obras representativas y notables del género pastoril en la literatura de lengua española está el *Siglo de Oro en las selvas de Erífile*, que se publicó en Madrid, en 1608, cuyo autor fue el obispo de Puerto Rico, Bernardo de Balbuena (Valdepeñas, La Mancha, 1568-Puerto Rico, 1627). La obra mereció los elogios de Cervantes, en el *Viaje al Parnaso* y de Lope en su *Laurel de Apolo*. Un juicio extremado viene de Manuel Joseph Quintana, en el siglo XVIII, quien recoge todas las églogas y poemas del libro de Balbuena en sus *Poesías selectas castellanas*. [...] En su *Compendio apologético en alabança de la poesía*, Balbuena expone su concepto del arte poética en términos tales que se corresponden con ciertos momentos de su novela y con aspectos fundamentales del mundo de los pastores en ella. Tal vez lo principal dice relación con la alteza de la dicción y su novedad que tienen ecos significativos en diversos momentos de la novela. Otro aspecto de esta correspondencia es lo que se refiere a la honestidad de la imitación. Pero en un sentido abarcador, el asunto central de la novela de Balbuena parece ser efectivamente la poesía, una visión órfica y pitagórica, mezclada con elementos bíblicos y estética cristiana.

Este interés estético y poético desplaza el relieve que en la novela pastoril presenta regularmente el amor. No porque el amor no oriente buena parte del contenido eglógico, sino porque esencialmente no hay situaciones amorosas representadas en el relato, sino solamente cantadas: alabanzas de pastoras, lamentaciones amorosas y otras canciones no encuentran nunca a la destinataria ocasional. Incluso, una general imprecisión nominal domina la mención de pastoras, que nunca aparecen y cuyos nombres se confunden en el deseo o la admiración de distintos pastores. Son así demasiadas las ausentes Amarantas, Belisas, Cintias, Filenas, Filidas, Filis, Galateas, Mengas y Tirrenas, para

Cedomil Goic, «La novela hispanoamericana colonial», en L. Iñigo-Madrigal, ed., *Historia de la literatura hispanoamericana*. I: *Época colonial*, Cátedra, Madrid, 1982, pp. 369-406 (382-387).

una variada lista de cerca de sesenta pastores, presentes o mentados, [...] principalmente, serranos, cuidadores de cabras y de vacas. Todos son poetas o Apolos, que cantan al son del rabel o la zampoña, y suelen confeccionar sus instrumentos y tallar admirablemente variados útiles de madera con historiados adornos. En sus horas de ocio, a la siesta, al amanecer, al anochecer, antes de emprender su actividad cotidiana o al acogerse al reposo, alternan cantando y contando historias, buscando y hallando un cabritillo perdido, o sorprendiendo un extraño ardid, o padeciendo una burla, o ejecutando los ritos de costumbre en sacrificios antiguos de animales, o bien llevando a cabo juegos agonales que incluyen la carrera, el salto y la lucha. El mundo pastoril presenta en el *Siglo de Oro* una coherencia definida y variada, que amplía con la tradición los motivos, caracteres y escenario del mundo pastoril, acrecentándolo con verosimilitud apoyada en la tradición literaria y en la rustiquez real del oficio.

Las fuentes principales de Balbuena se encuentran en las *Églogas*, las *Geórgicas* y la *Eneida*, de Virgilio, en Petrarca, en Sannazaro (cuya *Arcadia* es la fuente directa de su imitación declarada), Garcilaso, Boscán, Luis Gálvez de Montalvo. La parte fabulosa del descenso al «otro mundo» proviene de la *Eneida*, VI, y ya se encuentra elaborada en la *Arcadia* de Sannazaro. Los juegos funerales tienen sus antecedentes en Sannazaro y se encuentran también en Gálvez de Montalvo. Estas fuentes son reconocibles y afectan a aspectos temáticos, como los señalados. En ocasiones se trata de aspectos textuales o puramente ornamentales de las églogas en verso.

La imitación de otros autores, clásicos y contemporáneos, se concibe en el marco de comprensión renacentista, acompañada de la emulación que conduzca la obra más allá de los términos marcados para crear algo que supere al modelo imitado. La emulación de paradigmas preexistentes del género es entonces un propósito deliberado, y responde a una de las nociones de la imitación, justamente aquella que por los méritos del modelo o de los modelos gana la aceptación del poeta y prolonga su forma general en la obra.

Sannazaro presta las fuentes básicas y más extensas para el cuerpo de la novela. Balbuena sigue de cerca el plan de la *Arcadia*. Parte de su originalidad consiste en apartarse de los modelos españoles, que a su vez habían recreado el género italiano.

[El mayor realismo de Balbuena, que parece provenir de la imitación de Teócrito, declarada en los titulares de la edición de 1608, ha sido visto como otro ejemplo del influjo de Sannazaro y su refuerzo como consecuencia de la propensión juvenil que debió prevalecer en el poeta.] Si hemos de atender a Menéndez Pelayo estos rasgos provendrían de los imitadores de Teócrito y Virgilio, Tito Calpurnio y Nemesiano, imitados por todos los poetas del siglo XVI, y no directamente del poeta bucólico griego.

Las églogas en verso de Balbuena gozan de la más alta estimación. El elogio de Quintana encontró ecos en la crítica posterior. El poeta dieciochesco encuentra las églogas segundas sólo de Garcilaso. Observa sin embargo, el contraste entre la rudeza de los pastores y la elegancia de su dicción y la belleza de los incidentes. Lo cual toca, sin advertirlo, una cuestión explícita de la novela y central en la poética del siglo XVII. La observación de Quintana, que se refiere a la falta de variedad de la versificación, que considera enteramente reducida a tercetos, es inexacta e ignora otra cuestión central del género tradido. Desde el *Ameto*, de Boccaccio, el terceto es la forma misma de la versificación de las églogas, perceptible en los modelos italianos hasta la *Arcadia* de Sannazaro. Sobre este punto debe señalarse que, en relación a la monotonía del uso del terceto, de un total de treinta y ocho composiciones en verso, sólo trece son composiciones escritas en tercetos. De éstos pueden distinguirse como especialmente diferenciados al menos dos tercetos amebeos, con que concluyen las églogas IV y XI; un ejemplo de tercetos de rima esdrújula, Égloga X, en que con humor se trata de la afectación poética. Los tercetos restantes dan lugar a rimas de combinaciones variadas. En algunos casos, los tercetos se combinan con silvas y canciones. Aparte de estas formas tenemos: dos octavas reales, cuatro silvas, cuatro canciones, once sonetos, un ejemplo de endecasílabos blancos con rima interna, y además, un romance y dos redondillas. De manera que la tradición italiana y la nacional tienen su lugar en un conjunto variado. Si miramos a otras particularidades pueden señalarse composiciones que emplean tácticas diseminativo recolectivas, acrósticos, encadenados. Otras despliegan tópicos, como *Collige virgo rosas*, o emblemas, como *Vis amoris*.

Las canciones y églogas de pastores sirven para desplegar la variedad de comportamientos amorosos y forman parte importante del contenido pastoril. Son canciones de ausencia, lamentaciones y quejas ante el desdén de la pastora amada, o alabanza de sus ojos o de sus cabellos o su rostro. Otras, no poco significativas, se ocupan de poética pastoril, en las cuales la adecuación o *decorum* del lenguaje es la cuestión central. Otras en una línea de énfasis diverso remiten al contenido elegíaco de *de contemptu mundi*. [...]

Cada égloga termina con un diálogo de pastores que sólo en dos ocasiones da lugar a auténticos versos amebeos, es decir, a tercetos de disputa o debate poético. En otras dos églogas, la VI y la XII, canta un solo pastor, Proteo y Selvagio en cada caso, haciendo sendas profecías.

Las otras composiciones alternan en el texto con la prosa y corresponden a canciones o alabanzas sorprendidas al pasar o cantadas por los pastores en medio de la jornada.

En la prosa de las églogas, se advierte la elaboración artística propia del género, que deriva de su modelo italiano y que toda la tradición española adoptó a partir de la *Diana* de Montemayor. Ésta, a su vez, imitada por Sidney y por D'Urfé, prolonga en la novela pastoril inglesa y francesa esta característica afectada. El editor de la edición académica lo atribuye a una imitación italianizante de la prosa, pero el fenómeno tiene un carácter genérico específicamente distintivo, como han señalado Menéndez Pelayo, Vossler y otros. Esta peculiaridad envuelve una vez más la noción del *decorum* que conviene a una obra de asunto pastoril y que exigiría un lenguaje más humilde en correspondencia con el plano social representado. Tal cuestión, como hemos advertido, puede ser en este caso respondida por el contexto de la novela, puesto que constituye parte importante de su código metapoético. Éste contempla varios aspectos diversos y complementarios. Entre ellos cabe destacar: *a*) el que atribuye a las letras y a la dicción poética las mudanzas del tiempo humano, lo que constituye por demás el tema central de la obra que aplica esta visión a la experiencia amorosa; *b*) el traslado del énfasis sobre la dignidad de la dicción poética, persiguiendo su altura en una nueva noción del *decorum*.

La situación narrativa básica propone un narrador representado, el pastor Serrano, narrador, personaje y testigo en la novela de los hechos, que evoca desde la introducción de la Égloga I. Refiere un pasado de rara perfección del cual aparece ahora distante y retirado. [...]

La situación narrativa es exterior al mundo del relato por ulterioridad del mismo: el narrador evoca, con inseguridad, con nostalgia, un pasado y un mundo de los que está ausente. Este hecho afecta a la narración, pues duplica inevitablemente la perspectiva al desdoblar al narrador distanciado del personaje evocado en un mundo de perfección pastoril. Servirá para explicar en parte, si no para justificar, las incoherencias cometidas en la perspectiva ideológica al mezclar a la visión antigua y pagana la perspectiva cristiana de la muerte y de la trasvida. Por otra parte, la ordenación del relato se ve afectada por las condiciones de la vida pastoril. El relato se conduce erráticamente de acuerdo al desplazamiento de los pastores y de su ganado o siguiendo el sonido de una zampoña o la voz de un pastor que canta. Dentro del mundo narrado, el personaje enmarca los diálogos y canciones y églogas de otros pastores y, subjetivamente, encuadra su propio canto y su propio sueño.

Su visión del mundo pastoril está regida por la admiración y la alabanza, por la compasión y la piedad, en íntima simpatía con el mundo que describe. La selección de sus datos pastoriles aparece dominada por ciertas líneas principales: *a)* el relato de pastoreos o narración de desplazamientos, sorpresas, visiones extrañas o maravillosas; *b)* descripción de lugares y objetos famosos; *c)* diálogos de pastores, églogas y canciones; *d)* comentarios del narrador. Como un pastor entre otros, su posición no es sólo cercana, sino que aparece integrada al grupo, con una insistente mención en la primera persona del plural de pronombres personales y posesivos. Serrano es un testigo y oyente del canto como miembro de un grupo y así también aparece envuelto en el juego o la disputa con cercanía total. No sostiene, sin embargo, una sola cuerda grave o lamentosa en la comprensión del mundo, sino que da ocasión al humor y a la burla. Esto marca todavía más, acentuando la familiaridad, un conocimiento directamente condicionado por la experiencia pastoril inmediata. Por otra parte tiene acceso a un conocimiento excepcional y maravilloso, mediante el legitimado medio del sueño que le lleva a la contemplación de la grandeza mexicana. Esta ampliación y ruptura geográfica, del paisaje ideal al paisaje real y urbano, tiene su antecedente en la visión de Nápoles de la *Arcadia* de Sannazaro. La perspectiva ética del narrador es de completa simpatía e identificación con el mundo excepcional de los pastores y de la poesía.

[A partir de la mitad de la novela se va haciendo más marcado el elemento cultural que se agrega al paisaje natural.] Se trata de inscripciones en la corteza de los árboles, de monumentos, de templos, de sepulcros o pirámides, de altares, que constituyen hitos visitados por los pastores en una marcha progresiva, que se remata en los ritos fúnebres y aniversarios en la cercanía del sepulcro de la pastora Augusta.

Esta confusión de esferas naturales y cultivadas, así como la introducción, mediante el sueño, de la visión desde el fondo de la laguna de la ciudad de México y las marcas de realidad que ponen los pastores que en el mundo narrado se comunican con la ciudad o dependen de patrones ricos y poderosos, confirman el tópico de que «en el mundo de los pastores se enlazan todos los mundos».

Enrique Anderson Imbert

LOS SIRGUEROS DE LA VIRGEN DE FRANCISCO BRAMÓN

Dentro del género de la novela pastoril, Bramón labra su camino, angosto y corto, pero propio. Las semejanzas con sus modelos son externas: trenza de prosa y verso, estilización de la naturaleza mediante una aristocrática selección de objetos primorosos, metáforas embellecedoras y alusiones a los mitos de la antigüedad clásica, diálogos entre parejas de pastores, efusión sentimental, imaginación lírica... En una naturaleza ideal, preciosa en su sustancia y sus formas, se juntan pastores y pastoras que se defienden de las fieras, trabajan, comen, duermen y se aman, pero apenas son humanos. En todo caso son seres humanos tan adelgazados que parecen ideas platónicas con una pelliz encima. Pero con estos paramentos de la novela pastoril Bramón ha de construir otra clase de relato. Su prosa es de un manerismo inflado, pomposo: largos períodos, series de epítetos, agudezas de concepto, imágenes cultas, exagerada elaboración artística del conjunto, hipérbatons. Su propósito, sin embargo, es religioso: defender la pureza de la Virgen María. Esa defensa era parte de la enérgica reacción católica contra la oposición protestante del siglo XVI y después la jansenista del siglo XVII. [...]

Toda la acción —pláticas, paseos, procesiones, danzas, canciones, misas, juegos, incisión de símbolos marianos en la corteza de los ár-

Enrique Anderson Imbert, «La forma "autor-personaje-autor", en una novela mexicana del siglo XVII», *Crítica interna*, Taurus, Madrid, 1960, pp. 19-37 (24-30, 33-34).

boles, discursos teológicos, construcción arquitectónica de arcos, orquestación de música, corrida de toros y representación teatral— es una apología del misterio de la Inmaculada Concepción de María. (Los «sirgueros» son jilgueros, y se refieren a los pájaros cantores y, por extensión, tanto a los pastores que cantan a la Virgen como a sus cantos.) De su actitud de escribir «a lo divino» van saliendo otras diferencias con respecto a la novela pastoril creada por Montemayor. Por ejemplo: Bramón, lejos de idealizar una antigua «edad dorada» y condenar la edad presente, hace decir a Anfriso: «No han sido los pasados siglos más dichosos que el presente, y por esta razón somos nosotros venturosos, gozando tan felices días».

Los temas de la literatura clásica son pospuestos a los de la literatura bíblica. Arminda ofrece contar un mito griego y Anfriso observa que «cuando en estos valles ... sólo se oye el nombre santísimo de María no será acertado ... que rompamos los aires con fabulosos versos de transformadas Dafnes, de enamorados Apolos ni de siempre verdes laureles, teniendo materia tan copiosa en que levantar el pensamiento». Y canta un soneto con catorce guiones de historia hebrea. Además, no hay episodios sobrenaturales. La mitología grecorromana es aquí mero ornato descriptivo: los mitos paganos son cuentos, y aun la diosa Diana es tan inferior a la belleza de las vírgenes de María que se consideraría «dichosa en asistir a su presencia para cumplir la voluntad de cada una». Orfeo había sido, en toda la literatura bucólica, un tema obligado. Aparecía, sea en persona, sea como recurso panegírico, para ilustrar la fidelidad, la seducción o el poder del canto de algún pastor. Sin embargo, Bramón, en los años de mayor auge de la mitología, debilita tanto la referencia al mito que Orfeo es apenas una antonomasia, y la usa por partida doble: de Anfriso y Menandro nos dirá que son «dos Orfeos». El amor entre los pastores, que ya era casta contemplación en la *Diana*, aquí se contiene pudorosamente y queda asordinado ante el amor que todas las parejas expresan a la Virgen: «Olvidad vuestros amorosos requiebros», pide Anfriso; los pastores están «olvidados por entonces de sus pasiones amorosas», y Arminda y Menandro, por respeto al culto, hacen esfuerzos para no mirarse.

El pensamiento religioso parece marchar hacia la alegoría. No nos referimos a la repetición de alegorías corrientes en la literatura teológica y mariológica, sino a que, en ese vago aire utópico de todas las novelas pastoriles, Bramón parece estar abotonando imágenes concretas en los ojales de conceptos abstractos. [...] No obstante, en el escenario novelesco de *Los sirgueros* —«milagroso sitio pedazo de cielo», «milagroso sitio de hermosuras y transformaciones»— hay esguinces de alegoría religiosa. Tampoco podemos comprobar ahora los esguinces de novela-clave, pero algunos personajes parecen haber entrado directamente desde la vida mexicana. El hilo narrativo central de *Los sirgueros* anuda realidades inmediatas. Ante todo, el espacio y el tiempo. La geografía, la naturaleza y la etnografía, claramente situadas:

«en estos mexicanos jardines y abundosas lagunas», «catedral de México», «Academia Mexicana», «el gran pastor de la Mexicana Iglesia», «musas mexicanas», un «mancebo que representa al Reino Mexicano rodeado de indios», se pide «que México muestre de su cifra las riquezas», zagales «vestidos con ropaje mexicano», «caciques» y adornos de plumería y oro, plantas americanas (plátanos, tuna), instrumentos indígenas (teponaztle), danzas aztecas (netotiliztle o tocotín). La historia también ha sido precisada: las fiestas serán el domingo tercero de diciembre; se recuerda la solemne procesión religiosa para pedir a la Virgen que remediara la sequía, el 11 de junio de 1616; Anfriso termina su romance con «fecha en los altos a quince de junio», se menciona al rey Felipe III, se alude a los corsarios y piratas que están devastando el golfo de México. Anfriso llega al campo de la ciudad, asume ocasionalmente el papel de pastor y, cuando ha cumplido su fin, vuelve a la ciudad. Las alusiones a una realidad no pastoril —las actividades religiosas, universitarias, artísticas, en la ciudad— dan a *Los sirgueros* un aire de novela autobiográfica. «Aunque el traje y condición pretenda por la humildad del estado encubrir», en las pláticas se revelan los «ingenios claros y sutiles» de los pastores. [...]

La acción es mínima, con fácil unidad. Transcurre en trece días de diciembre.

Libro primero. En bellos campos, la bella Marcilda apacienta sus ovejas, medita sobre el pecado original y canta su aflicción. La oye el pastor Palmerio; va a saludarla, y le pide que le explique cómo el pecado de Adán cayó sobre todos los hombres. Viene la noche. En la madrugada siguiente el pastor Anfriso aparece grabando con su cuchillo, en la corteza de los árboles, los símbolos del nombre de la Virgen para que los pastores, al levantarse, los vean. La pastora Florinarda, que acaba de ahuyentar un lobo, se acerca a Anfriso y conversan. Anfriso anda en busca de Marcilda y Palmerio y se ponen a esperarlos. Entre tanto, Anfriso describe a Florinarda su delicado amor a la Virgen. Florinarda decide acompañarlo. Vienen

Marcilda y Palmerio. Anfriso dice que buscaba a la sabia Marcilda para
que celebrara la festividad de la Concepción. Marcilda promete levantar
un arco triunfal en la puerta del templo. Palmerio se encargará de los
fuegos artificiales y de convocar al pueblo. Florinarda organizará corridas
de toros. Anfriso escribirá un *auto* para después de la misa. Marcilda
continúa su discurso sobre el pecado original. Cae la noche. Por la mañana del tercer día de la novela los pastores notan la ausencia de Palmerio. Comen. Cantan. Se despiden. Marcilda se encuentra con Palmerio,
quien explica su ausencia porque se le apareció en sueños la Virgen. En la
mañana del cuarto día las dos parejas se reúnen y Anfriso explica los símbolos marianos.

Libro segundo. Han pasado cuatro días, durante los cuales los pastores preparan las fiestas de acuerdo a lo prometido. Al noveno día desde
que comenzó la acción, Anfriso oye un canto en defensa del misterio «de
la Concepción sin mancha de María Virgen». Es el forastero Menandro,
y una afectuosísima amistad nace entre él y Anfriso. Todo el valle resuena
con música. A todo esto, Marcilda había llamado a un pintor para los
lienzos y tablas del arco de triunfo. Palmerio ha ido a otras comarcas a
invitar gente. Florinarda ha apartado los mejores toros. Anfriso ha escrito
un «auto del triunfo de María y gozo mexicano». Faltan dos días para la
fiesta. Anfriso y Menandro van a la alquería de Marcilda y en el camino
ven a cuatro hermosas ensimismadas zagalas. Una de ellas, Arminda, rompe el silencio. Todos se encaminan hacia el albergue de Marcilda. Canciones. Marcilda les da la bienvenida. Llega la víspera de la fiesta. Pláticas
teológicas entre los pastores. Comen. Menandro y Arminda contienen el
deseo de mirarse. Cantos. Marcilda organiza la procesión hacia el templo.
Se describen los adornos de la iglesia y el arco triunfal que preparó Marcilda. Un sacerdote, Sergio, explica el significado del arco. Llega la noche.

Libro tercero. Por la mañana, Menandro habla con Arminda. Se describen los vestidos de los pastores. Celebración de la misa. Comienza la
representación del triunfo que compuso Anfriso. Texto completo. Al final,
una danza indígena. Marcilda convida a los pastores. Corrida de toros. Al
día siguiente todos se despiden de Marcilda. Anfriso vuelve a la Academia.

Los sirgueros, pues, es una novela con un auto dentro. Agustín
Yáñez sugiere que el «auto del triunfo de la Virgen» que aparece en
el libro tercero no es de Francisco Bramón. Tal suposición es gratuita.
Nos parece patente que el libro tiene una cerrada unidad de autor y
de estructura. No sólo la novela y el auto son interdependientes, sino
que en esa interdependencia reside el mayor valor de *Los sirgueros*:

es la novela de la creación de un «auto». Las diferencias de estilo que Yáñez anota entre el relato y el «auto virginal» podrían explicarse fácilmente —sin necesidad de acudir a la hipótesis de dos autores— por la sencilla razón de que esos estilos están funcionando en géneros diferentes. Aun así salta a la vista que la materia es común: los argumentos sobre el pecado original y la Inmaculada Concepción de María se repiten en la novela y en el auto con los mismos giros lógicos y expresivos. Más aún: en la novela se dice que Anfriso está escribiendo el auto, y cuando se representa el auto el actor que recita los versos del prólogo da la inicial del autor: A, de Anfriso; y juega con esa inicial A en once estrofas. El hecho de que el autor sea Anfriso y que Anfriso sea el mismo Bramón es el que da a este libro una composición notable.

¿Anfriso es Francisco Bramón? A Anfriso le gusta jugar con letras. Observemos, pues, las letras de su nombre. ¿No es Anfriso un anagrama de Francisco? Cuando Menandro le pregunta cómo se llama, responde: Anfriso. Y aclara que no sacó el nombre de la *Arcadia*, de Lope de Vega, sino que lo usa «por ser nombre correspondiente y que frisa al que recibí cuando la Iglesia, nuestra Madre, me reconoció por hijo» en el bautizo. Como quiera que sea, lo cierto es que hay suficientes evidencias de que en *Los sirgueros* estamos leyendo la autobiografía de Bramón. Lo poco que se sabe de Bramón podría completarse con los datos que allí se dan. [...]

He aquí una novela pastoril que es también alegoría religiosa, autobiografía y antología lírica del autor. *Los sirgueros* es la historia de cómo el poeta Francisco Bramón —que con el nombre de Anfriso se ha metido a pastor sólo para descansar de una oposición que acaba de hacer en la Universidad de México— concibe, escribe y representa el «auto del triunfo de la Virgen y gozo mexicano», para volverse en seguida a la Universidad, donde él también triunfa a su modo académico «con el verde laurel de la Facultad de Cánones». Bramón anda por la novela enmascarado de Anfriso; pero también anda por allí sin máscara y habla en primera persona: «¡Oh, quién pudiera! Si pudiera yo, con el rudo pincel de mis palabras, ya que no con última perfección, a lo menos en bosquejo y dibujo, sacar un lienzo del sin igual amor que cobraron a la Concepción sin mancha de María nuestros ya regocijados pastores ...». Y entre el «yo» de Francisco y el «yo» de Anfriso hay cambios de miradas: [...] «No faltará quien (Francisco

Bramón), por aliviar cuidados de mayores estudios por ocio y entretenimiento concedido, traslade nuestras pláticas en estos verdes prados
escritas».

El escritor se piensa como pastor; el pastor piensa en el escritor.
Dos líneas ondulantes —ficción, realidad— se entrecruzan aquí y allá,
y tan pronto la ficción se reduce a realidad como la realidad se eleva
al nivel de la ficción. El personaje es real e irreal; el auto que escribe
es también real e irreal; y así la obra en que aparecen es al mismo
tiempo vida y arte. Más aún. Porque Francisco se hace Anfriso, y el
auto que escribe, aunque es un hecho novelístico, está allí, completo,
como una obra real; nosotros, lectores, también entramos en ese
orbe, como entes de ficción, y, confundidos con el público, asistimos a
esa representación de teatro del siglo XVII. Bramón va fluidificando los
diversos géneros literarios, que están en *Los sirgueros* como islotes de
un delta. No falta el género de la transposición de cuadros de museo a
la literatura; ni el género —independiente y muy abundante en las colonias hispanoamericanas— que describe los «arcos triunfales» erigidos
con la colaboración de poetas, pintores y arquitectos. Estos arcos triunfales —¡tan hispánicos!— son en sí la imagen de la vida triunfante
desfilando por debajo de una arquitectura de arte. Géneros dentro de
géneros, autor-real dentro de autor-personaje. El lector se siente espectador en un taller de literatura. Como en el barroco cuadro *Las meninas*, de Velázquez, el deseo de inmortalidad lleva a Bramón a retra-
tarse dentro del cuadro en el acto mismo de pintar; y la ilusión de
Agustín Yáñez de que el auto de la Virgen es ajeno al libro es precisamente la prueba de que Bramón ha acertado en su procedimiento.
Al mirar *Las meninas*, ¿no nos confunde la ilusión de que hay otro
cuadro en el aire que respiramos, cuadro ilusorio del que sólo tenemos
el atisbo que nos permite el espejo al fondo. «Où donc est le tableau?», se preguntaba Gautier. ¿Dónde, pues, está la novela de
Bramón?

David Lagmanovich

PARA UNA CARACTERIZACIÓN DE *INFORTUNIOS DE ALONSO RAMÍREZ*

El episodio más sorprendente de los *Infortunios de Alonso Ramírez* (1690), del erudito escritor barroco mexicano Carlos de Sigüenza y Góngora (1645-1700), ocurre en el antepenúltimo párrafo de la obra. El ciclo de las aventuras y desventuras de Alonso está prácticamente concluido. De regreso en la Nueva España, el virrey solicita su presencia para oír de su propia boca el relato de los sucesos que lo llevaron de México a las Filipinas, luego en cautiverio de piratas ingleses a un sinnúmero de correrías por diversos mares y, al cabo de tantas desdichas, al vagar sin rumbo por las islas del Caribe, y a un naufragio y nuevas privaciones en la costa de Yucatán y otros lugares de México. Y entonces, después de haberle oído contar en primera persona su vida y hazañas (o falta de ellas) a lo largo del libro, el lector se encuentra con este párrafo:

Mandóme (o por el afecto con que lo mira o quizá porque estando enfermo divirtiese sus males con la noticia que yo le daría de los muchos míos) fuese a visitar a don Carlos de Sigüenza y Góngora, cosmógrafo y catedrático de matemáticas del Rey nuestro señor en la Academia mexicana, y capellán mayor del hospital Real del Amor de Dios de la ciudad de México (títulos son éstos que suenan mucho y valen muy poco, y a cuyo ejercicio le empeña más la reputación que la conveniencia). Compadecido de mis trabajos, no sólo formó esta Relación en que se contienen, sino que me consiguió ... que D. Sebastián de Guzmán y Córdoba ... me socorriese.

Creo que la crítica no ha reparado lo suficiente en lo inusitado —sobre todo para el siglo XVII— de este párrafo, en que el protagonista se sale, por así decirlo, de las páginas del libro, y va en busca del autor para que éste lo «escriba» y le dé su ser literario. Tampoco deja de tener interés la aguda utilización de este párrafo por el propio Sigüenza, quien aprovecha para sostener allí (claro que sin decirlo él

David Lagmanovich, «Para una caracterización de *Infortunios de Alonso Ramírez*», *Sin Nombre*, 5 (1974), pp. 7-14.

mismo) que sus importantes trabajos podrían estar mejor remunerados. Hay, pues, un sutil juego de relaciones mutuas entre un «yo» y un «él» narrativos, que alternativamente se desplazan y contraponen o, por mejor decir, que se van sustituyendo el uno al otro. [...] Quisiera partir de aquí para señalar, con apoyo de este procedimiento inusitadamente unamunesco, lo que me parece fundamental en los *Infortunios*: su carácter eminentemente narrativo, el hecho de constituir una construcción literaria ficticia; no una novela contemporánea, pero sí ciertamente una novela.

Las conexiones de este libro con la novela picaresca han sido, por cierto, suficientemente señaladas; pero es hábito reducirlas a la narración del primer capítulo, en el que Alonso Ramírez narra las circunstancias de su origen y cómo, al dejar su hogar en Puerto Rico, va cambiando de oficios y de amos. Mi trabajo se propone mostrar algo más sobre el carácter de la obra: por una parte, un conjunto de rasgos que afirman su carácter «literario» en sentido propio, es decir, que la definen como algo más que una obra de curiosidad o erudición; por la otra, los elementos que a lo largo de todo el libro van subrayando un vínculo constante con la picaresca. Por último, examinaremos brevemente un tema fundamental, el de la relación entre ingleses y españoles dentro de la narración.

La «literaturidad», por decirlo así, del libro se apoya en algunos rasgos bien marcados, relacionados principalmente con su visión de la realidad. Quisiéramos identificar esos rasgos mediante estos tres conceptos: realismo, visión de la naturaleza, y condición atípica del libro.

En primer lugar, la narración de las peripecias de Alonso no elude en momento alguno, sino más bien prefiere, un tono realista o por mejor decir de realismo naturalista. [...] Ejemplos de esa manera de narrar se encuentran a menudo; citaremos algunos. Lo que podríamos llamar «artes guerreras de la pobreza», por ejemplo: cuando «se respondía con los mosquetes haciendo uno la puntería y dando otro fuego con una ascua, y en el ínterin partíamos las balas con un cuchillo para que habiendo munición duplicada para más tiros fuese más durable nuestra ridícula resistencia». O la crueldad de la vida política y diplomática contemporánea, cuando se refiere cómo un genovés llegó a obtener la privanza del rey de Siam y «ensoberbecido ... con tanto cargo, les cortó las manos a dos caballeros portugueses que allí asistían, por leves causas», como consecuencia de lo cual el virrey de Goa enviaba regalos al rey oriental, solicitándole al propio tiempo el castigo del culpable. O la imputación de antropofagia que se hace a los piratas ingleses, explotadores y asesinos —como otros después de ellos— de los pacíficos pobladores de Indochina, en este párrafo obsesionante: «Entre los despojos con que vinieron del pueblo y fueron cuanto por sus mujeres y bastimentos les habían dado, estaba un brazo humano de los que perecieron en el incendio; de éste cortó cada uno una pequeña presa, y alabando el gusto de tan linda carne entre repetidas saludes le dieron fin»; cuando el cautivo español («miraba yo con escándalo y congoja tan bestial acción», acota) se niega a participar en el festín, es tratado de cobarde por sus captores. [...] Tal es, en fin, el mundo de Alonso Ramírez: pobreza inaudita, general crueldad, inhumanas diversiones de los opresores, antropofagia, coprogía; un compendio de deshumanización, contado con los colores del más descarnado realismo.

Por otra parte, en la descripción de lugares encontramos que, para un libro que relata un viaje —aunque involuntario— alrededor del mundo, poco es lo que puede aprenderse sobre lugares tales como Macao, Goa o el Cabo de Buena Esperanza: la descripción insiste claramente sobre los ambientes americanos. En ellos, hay una fuerte presencia de la naturaleza, presentada como algo hostil al hombre, con colores que claramente anticipan las descripciones que encontraremos casi dos siglos y medio más tarde en la «novela de la tierra». Un ejemplo: «Lo que se experimenta en la fragosidad de la Sierra ... no es otra cosa sino repetidos sustos de derrumbarse por lo acantilado de las veredas, profundidad horrorosa de las barrancas, aguas continuas, atolladeros penosos, a que se añaden en los pequeños calidísimos valles que allí se hacen, muchos mosquitos y en cualquier parte sabandijas abominables a todo viviente por su mortal veneno». O [...] la descripción de un puerto «desacomodado y penoso para los que lo habitan, que son muy pocos, así por su mal temple y esterilidad del paraje, como por falta de agua dulce, y aun del sustento ... añadiéndose lo que se experimenta de calores intolerables, barrancas y precipicios por el camino, todo ello estimula a solicitar la salida del puerto». El puerto a que se refiere este pasaje es hoy bien conocido, aunque suscita por lo general otras imágenes: es Acapulco, en 1682.

Al realismo naturalista y a la vívida descripción —generalmente negativa— de la indomeñada naturaleza americana se puede agregar un tercer rasgo, más elusivo pero no menos real. Nos referimos a la obvia dificultad de clasificación formal que por lo común se menciona en las referencias críticas. Lejos de constituir un defecto, ese rasgo apunta a una característica permanente de gran parte de la mejor literatura que han producido los países de la América hispánica: su atipicidad o, como también se lo ha llamado, su hibridismo. El libro único, el libro que es su propio género, es una característica de nuestra literatura: desde los *Comentarios reales* y *El Carnero*. [A esta serie pertenece también *Infortunios de Alonso Ramírez*, libro que tiene su poco de erudición (no tanta como algunos críticos han afirmado) pero que además combina, casi en iguales proporciones, la crónica de viajes, la novela de aventuras y, sobre todo, la novela picaresca.]

En tres puntos, nuevamente, nos apoyamos para afirmar la íntima conexión de los *Infortunios* con la novela picaresca: las salidas y andanzas, el tema del hambre, y una discreta presencia del humor característico del género. ¿Hace falta recordar el comienzo de la obra? «Es mi nombre *Alonso Ramírez* y mi patria la ciudad de San Juan de Puerto Rico, cabeza de la isla, que en los tiempos de ahora con este nombre y con el de *Borrinquen* en la antigüedad entre el seno mexicano y el mar Atlántico divide términos». De aquí, el pobre hogar, sale Alonso rumbo a sus aventuras: «Era mi padre carpintero de ribera, e impúsome (en cuanto permitía la edad) al propio ejercicio, pero ... temiéndome no vivir siempre ... con las incomodidades que aunque muchacho me hacían fuerza determiné hurtarle el cuerpo a mi misma patria para buscar en las ajenas más conveniencia»; es, en efecto, la primera de una serie de salidas al cabo de las cuales encontraremos a Alonso en nuevos parajes o sometido a nuevas ocupaciones y oficios. Está de más indicar que este esquema inicial, que es el que pone en movimiento el libro, es típico de la novela picaresca. Como lo es también, y quizá en forma aun más significativa, la constante presencia del tema del hambre. De entre las muchas menciones de este tema central de la narración picaresca, bástenos citar dos. Una es cuando Alonso refiere su aprendizaje bajo uno de sus amos, y comenta: «Acomodéme por oficial de *Estevan Gutiérrez*, maestro de carpintero, y sustentándose el tal mi maestro con escasez, ¿cómo lo pasaría el pobre de su oficial?»; y la otra, en que se resumen muchas privaciones, corresponde al período del cautiverio: «Diéronnos en el último año de nuestra prisión el cargo de la cocina y no sólo contaban los pedazos de carne que nos entregaban, sino que también los medían para que nada comiésemos». Creemos que no es aventurado encontrar en estos pasajes un eco de la narrativa picaresca anterior.

Por último, el humor. Al principio de sus trabajos, Alonso se hace a la mar en una embarcación al mando del capitán Juan del Corcho y no deja de consignar sus dudas, «habiéndome valido de un corcho para principiar mi fortuna»; luego, durante el dilatado cautiverio, el sentido del humor disminuye, como lo han notado ya otros investigadores; pero reaparece, bajo el característico tono zumbón de quien no se toma demasiado en serio, cuando se sabe de regreso en México. De unos mensajeros de la justicia comenta: «Lleváronme con la misma velocidad con que yo huía con mi fragata cuando avistaba ingleses»; y en esta ciudad adonde lo llevan, que es Mérida, sufre incomodidades que relata con cierto tonillo de burla: «Las molestias que pasé en esta ciudad no son ponderables. No hubo vecino de ella que no me hiciese relatar cuanto aquí se ha escrito, y esto no una, sino muchas veces. Para esto solían llevarme a mí y a los míos de casa en casa, pero al punto de medio día me despachaban todos». Y el hecho de consignar quiénes en efecto le ayudaron —hasta el punto de anotar minuciosamente los «dos pesos» recibidos del «Ilustrísimo Señor Obispo Don Juan Cano y Sandoval»— tiene también su dejo de malicia. Tomando en cuenta todos estos factores, concluimos reafirmando la importancia de vincular con el tronco central de la picaresca a esta curiosa obra de nuestro Barroco colonial.

[La relación entre ingleses y españoles en *Alonso Ramírez* no es tan simple como se ha venido diciendo.] No lo es, sobre todo, en la mente misma de Alonso. Es verdad que, según él, estos corsarios ingleses son ladrones, falsos, traicioneros; que saquean e incendian, que someten a los cautivos a trabajos forzados y a humillaciones, cuando no abandonan a algunos pobres desgraciados en una isla desierta. Las costumbres bárbaras que Alonso les atribuye contrastan, sin embargo, con la información de que estos temibles corsarios se hacen afeitar todos los sábados; que leen la Biblia y rezan todos los domingos, y además en Navidad; que en algunos de ellos, que nombra, existe un dejo de simpatía por los cautivos españoles (de uno piensa Alonso que quizá sea un criptocatólico); que le regalan una fragata para que él y sus seis compañeros sobrevivientes, uno de ellos un negro que es su esclavo personal, puedan buscar su fortuna; y que, en fin, tiempo después, cuando la fragata se ha perdido (pero no a manos de los «herejes piratas» sino en el papeleo legalista de los funcionarios virreinales de México), Alonso se refiere a la embarcación como «la fragata, que en pago de lo mucho que yo y los míos servimos a los ingleses nos dieron graciosamente». En suma: la enemistad religiosa y la competencia política sin duda separan, no menos que la desdichada situación del cautivo; pero entre preso y carcelero se desarrolla también una relación especial, en que cada uno es parte de la vida del otro. Esa ambigüedad no está totalmente ausente de este libro, y quién sabe si no reside allí una de las claves para concluir que, después de todo, el núcleo de la narración es una historia real. [Es fácil suponer que el escritor ha novelizado sobre la circunstancia concreta de un hecho efectivamente acontecido, como resultado de lo cual las vivencias del personaje y la visión del mundo del novelista quedan íntimamente ligadas.]

Partiendo del episodio en que el personaje va a visitar a su autor, que consideramos un indicio claro del carácter novelesco de la obra, hemos buscado en *Infortunios de Alonso Ramírez* elementos de dos tipos: los que pueden indicarnos su carácter «literario» en sentido propio, y aquellos que refuerzan la noción de un claro vínculo con la novela picaresca. A favor de lo primero identificamos el tono de realismo naturalista [...]; la presencia destacada de la naturaleza americana, y el carácter atípico o híbrido del libro, tan frecuente a lo largo de la historia literaria de Hispanoamérica. A propósito de lo segundo, es decir la deuda con la novela picaresca [...], hemos recordado la prominencia de las salidas y andanzas del protagonista, la importancia del tema del hambre y una discreta presencia de actitudes que relacionamos con el peculiar tono del humor tal como se manifiesta en ese género literario. Además, hemos procurado mostrar, en la presentación de las relaciones entre españoles e ingleses dentro de la obra, una cierta complejidad psicológica que, a nuestro ver, no había sido suficientemente destacada. Creemos que las ideas aquí apuntadas pueden contribuir, aunque sea mínimamente, a un mejor enfoque crítico de este libro y de su función en la era barroca de nuestra literatura.

Estuardo Núñez

OLAVIDE Y LAS TENDENCIAS ILUSTRADAS

[En las novelas de Olavide,] la trama está siempre recargada con incidencias un tanto irreales, candorosas o inverosímiles, acumuladas por la casualidad, según las que para la desdicha se acumulan circuns-

Estuardo Núñez, *El nuevo Olavide*, P. L. Villanueva, Lima, 1970, pp. 101-106.

tancias siempre nefastas o para la fortuna se complican aconteceres siempre favorables. Los personajes adoptan modos de ser rígidos, a veces en desacuerdo con el fluir cambiante de la existencia humana, verdad que sólo descubrió la novela realista del siglo XIX o que intuyó Cervantes en el XVI, como genial promotor de la novela, nuevo género de valor universal.

Ya desde el título de sus novelas —*Paulina, Sabina, Lucía, Laura*— Olavide está mostrando la predilección por los caracteres femeninos y en ello es también deudor y seguidor de Richardson, autor de *Pamela* y *Clarissa*.

Aún las tres restantes figuras masculinas de Olavide cuyo nombre titula sus demás relatos —*Marcelo, El incógnito, El estudiante*—, comparten la acción con otros caracteres femeninos (como Rufina, hija del «incógnito» y Martina, esposa de Marcelo) que resultan a la postre dominantes. Todo ello era moda que respondía a la tendencia muy del siglo de la Ilustración, racionalista e igualitaria, y que perseguía reivindicar para la mujer un papel más estimable dentro de las relaciones sociales o una denuncia de la opresión que agobiaba a las mujeres, víctimas de la soberbia masculina, de la expoliación social e individual, del abuso y hasta de la violencia.

Tiene en las novelas especial significado un detalle formal que no debe pasar inadvertido: el uso del título disyuntivo o alterno o sea la referencia al personaje y a continuación por lo general el corolario moral, en el cual se exalta la virtud o la idea ejemplar o se denigra el vicio y se restablece el nivel ético, esto es, «la virtud recompensada», «el fruto de la ambición», «el fruto de la honradez» o «el amor desinteresado». Acaso podríamos hablar de un género mixto entre novela y didáctica, muy propio de una generación racionalista, en que no es usual el vuelo de la imaginación creadora sin el apoyo o el control constante de la facultad intelectual, de la razón que todo lo domina y pretende enseñarlo en aquel siglo de las luces.

Otra característica de este tipo de novelas es el recurso de los autores de disfrazar su paternidad atribuyendo a una circunstancia fortuita el haber hallado un supuesto manuscrito de autor desconocido, cuyo texto alguien se encarga de dictar al que aparece como autor, modestamente relegado a la condición de mero copista. Esto se observa en Voltaire, quien atribuye el *Cándido* a un autor alemán imaginario, o en Mme. de Graffigny o en el propio Olavide que recibe «olvidados» relatos de autores desconocidos, pero en los cuales siempre va impresa la huella de su pensamiento modestamente atribuido a autor distinto y supuesto. ¿Era esto una forma ingenua de despersonalizar la novela? ¿O se pretendía de tal suerte afirmar aun más su valor moralizante, haciéndola aparecer como un producto no personal?

El material «ilustrado» de estas novelas se manifiesta en varios aspectos y sobre todo mediante la transcripción romántica de la naturaleza.

El «tenebrismo» o inclinación a lo macabro está presente en *El incógnito* con el encuentro inicial en el cementerio, a una hora crepuscular, entre lágrimas y gemidos del desconocido anciano. Acaso algún eco de los contemporáneos, el inglés Edward Young y el español José Cadalso, coincidirían en la inspiración de esa escena. Pero al mismo tiempo que sentimentales, las novelas perfilan el manifiesto propósito educativo, la simplicidad de criterio y una ingenuidad en los planteamientos muy propia de la época.

En *El incógnito* como en las otras novelas, y sobre todo en *Marcelo, Paulina, Sabina* y *Lucía,* no sólo es «roussoniano» el tratamiento del paisaje, presentado en su idílica bondad y atractivo, sino la misma materia edificante. La vida social en las ciudades desquicia al individuo y la educación debe impartirse en un medio adecuado, dentro de la simplicidad de la naturaleza. Sigue Olavide, paso a paso, el proceso del *Emilio* de Rousseau, exponiendo la ejemplaridad de costumbres de los campesinos y la dicha y felicidad que ella importa. De otro lado, la vida civilizada y la sociedad corrompen al hombre, lo hacen proclive a seguir sus pasiones innobles, a transgredir los dictados de la «sabia» naturaleza y a violentar las sanas costumbres.

Es dominante en las novelas de Olavide la misma actitud crítica y reformista que había inspirado otros actos de su vida pública y privada anterior. El reformador social sigue rompiendo lanzas en estas novelas dirigidas a señalar los vicios de una sociedad aristocrática y seudocristiana, en la cual el privilegio dominaba sobre la virtud, el convencionalismo sobre la pureza de los sentimientos y de la conducta, la intriga sobre la rectitud, la ambición sobre la humildad, la falsía sobre la verdad, el orgullo y la jactancia sobre la modestia.

Aflora en sus narraciones un liberalismo un tanto encubierto, que corroe las entrañas de la organización social injusta y su juicio crítico se inclina a favorecer al humilde contra el poderoso, al hombre del campo contra el de la ciudad, al noble recto contra el noble envilecido, a la mujer virtuosa cualquiera que sea su origen, contra la sociedad corrompida.

Sus héroes y heroínas constituyen arquetipos definidos y un tanto rígidos, de virtudes ejemplares y de vicios reprochables. El anciano incógnito encarna el arrepentimiento ante el tremendo estrago de la ambición descontrolada por la exigencia de una sociedad injusta; Marcelo representa a la virtud triunfante de la acción disolvente del vicio; Sabina es símbolo de resistencia ante el oprobio. Lucía representa la pureza del alma que vence las conjuras de innobles elementos. Laura es prototipo de la fidelidad y rectitud de espíritu, incomprendida por ligereza del juicio ajeno. Paulina encarna por su parte la capacidad de amar con pureza y sin aparente correspondencia, en alta capacidad de resignación, exenta de flaqueza.

Estos personajes son sintéticos y en verdad un tanto artificiosos, pero hay que juzgarlos sin observar los cánones del realismo posterior. Corresponden a una etapa racionalizada y de esquemas fijos y ejemplares.

En los textos se desarrolla un programa moral muy definido contra los vicios que afectan la sociedad y las buenas costumbres: la ambición, los celos irreflexivos e infundados, el amor ilícito, la intriga y la maldad de los poderosos, el cálculo y el prejuicio de clase social, todo lo cual se incuba dentro del ambiente contrario a la naturaleza humana que domina en las ciudades.

En contraste, propician la vida del campo, la sencillez de las costumbres, la sinceridad de los sentimientos, la honradez, el amor desinteresado, la fidelidad, la modestia, la práctica de las virtudes familiares, la bondad, la caridad y el arrepentimiento, bajo criterios igualitarios y generosos.

De tal suerte, la «ejemplaridad» de las novelas buscada por medios intelectuales e idealistas, corresponde al criterio de un ideólogo racionalista imbuido de las ideas de la Ilustración. Si en su obra de dramaturgo —volcada en piezas originales y traducciones— alrededor de los cuarenta años de su edad, parece dominante la enseñanza de Voltaire, en estas novelas ejemplares escritas en la ancianidad remansada, alrededor de los sesenta años, prevalecen las enseñanzas de Juan Jacobo Rousseau (*Julia o la nueva Eloísa*, 1751, el *Emilio*, el *Contrato social*), esto es, la vuelta al culto de los ideales y a la simplicidad de la vida rústica, pues según éste todo el bien del hombre procede de la naturaleza y todo el mal se genera en el tráfago del vivir en sociedad o sea en los grandes conglomerados sociales.

Podía haber Olavide explicado el sentido o la intención de sus obras narrativas, diciendo de ellas lo que dijo Cervantes de las suyas:

«Heles dado nombre de exemplares, y si bien lo miras, no ay ninguna de quien no se pueda sacar algún exemplo provechoso».

Y no debe olvidarse que cuando Olavide inicia su etapa de creación novelística, venía ya de realizar una intensa y extensa experiencia teatral, en la cual había tenido muy presente la norma aristotélica de que el arte tiene el oficio de proponer verdades ejemplares y universales.

Ha desaparecido en las novelas de Olavide el elemento alegórico, calificado, por un crítico social de nuestra época, como un recurso escapista frente a las anomalías sociales o de clase, actitud de fuga que fue común en la literatura aristocratizante o cortesana de los siglos XVII y XVIII. Pero el racionalismo igualitario de la segunda mitad del XVIII —las ideas reformistas de los «modernos filósofos»— plantea una actitud diferente. El «filósofo» —como se llamaba entonces genéricamente al escritor— debía señalar y formular la crítica de los males sociales y aconsejar a los demás hombres, ofreciendo sus luces para la mejora de las costumbres. La novela resulta así inseparable de una misión de denuncia de males que afectan a la sociedad y a los hombres que la constituyen.

Las novelas de Olavide no están desprovistas de técnica. El «autor omnisciente» preside en todo el relato. Sus personajes se mueven a merced de la decisión de ese autor, como era usual en la época. Las reflexiones están a su cargo lo mismo que el trato de los ambientes. Los personajes son descritos interior y exteriormente con gran acopio de observaciones meticulosas, pero los mismos no tienen libertad de expresión. El autor habla casi siempre por ellos, en tercera persona. Usa el relato en pretérito, pero en determinados momentos, sabiamente escogidos, sobre todo para subrayar los diálogos, pasa bruscamente al presente de indicativo, lo cual comunica animación al relato gracias a la ruptura de la monotonía. Un ritmo agradable se mantiene firme y da la nota estilística estable a la narración.

Transcurrido el momento del diálogo, el relato pasa de nuevo al pretérito. En otras situaciones, el tránsito del pretérito al presente parece ser recurso para acentuar las escenas de fuerte dramatismo y para comunicar intensidad a la acción.

Puede que los personajes olavideanos sean tachados hoy de convencionales y artificiosos. Cabe que así lo sean para el criterio de nuestra época. Pero entonces tal convención o artificio volcado en la técnica del relato era la vigente en la concepción artística de las gentes, pues no hay criterio más variable ni fugaz en el tiempo, el espacio y la moda que el concepto del hombre sobre los demás hombres o las creaciones del ingenio humano.

Noël Salomon

LA CRÍTICA DEL SISTEMA COLONIAL
DE LA NUEVA ESPAÑA EN *EL PERIQUILLO SARNIENTO*

El Periquillo Sarniento fue escrito en los años de la lucha por la independencia de México, hacia 1813-1815. Se sabe que el autor no combatió en las filas de los insurgentes y algunos de ellos se lo reprocharon a pesar de que, en Taxco, les había prestado algunos servicios. Fue sólo en 1821 cuando se adhirió netamente a la causa de la independencia, poco antes de la victoria final. Sin embargo, aunque acudió tardíamente a la «crítica de las armas» no fue lo mismo por lo que atañe a «las armas de la crítica». Éstas sí que las esgrimió desde el principio del esfuerzo acometido por el pueblo mexicano por liberarse de la tutela colonial de España. Lo hizo en cuanto intelectual «ilustrado» y de una manera lo bastante atrevida para acarrear su encarcelamiento varias veces. Por sus escritos satíricos nuestro autor no dejó de poner en duda algunos aspectos importantes de la sociedad colonial. Por lo tanto *El Periquillo Sarniento* merece ser estudiado desde este punto de vista. Tal estudio resulta tanto más útil cuanto que los eruditos que hasta la fecha se interesaron por *El Periquillo Sarniento* tendieron a pasar por alto este significado de la obra y sobre todo se fijaron en sus aspectos formales y rasgos pintorescos. [...]

Por lo común las historias literarias presentan a *El Periquillo Sarniento* como un vástago americano del mismo abolengo que la novela picaresca española. Esto no es cierto más que de una manera formal y externa; J. J. Fernández de Lizardi utiliza algunos moldes tradi-

Noël Salomon, «La crítica del sistema colonial de la Nueva España en *El Periquillo Sarniento*», *Cuadernos Americanos*, 138:1 (1965), pp. 167-179 (167, 169-179).

cionales de los autores picarescos de España (sirva de ejemplo el antiguo procedimiento de la «revista de los Estados»); pero el contenido de su obra se sitúa en el polo opuesto; la novela picaresca de España está marcada por una profunda desconfianza para con el hombre; por lo contrario, de la novela de J. J. Fernández de Lizardi se desprende la confianza en el hombre en cuanto ser de razón y educable. La idea cara a Rousseau de que «el hombre es naturalmente bueno», pero que «la sociedad lo hace malo» (levemente modificada con arreglo a una perspectiva de «cristianismo ilustrado»), constituye el marco en el cual se inscribe la aventura picaresca contada por El Periquillo Sarniento; al revés la idea teológica de que el pecado original precipita al hombre en la sima del mal, alimenta las novelas picarescas de la península como El Buscón o El Guzmán de Alfarache. La gran novedad del mexicano es haber definido las circunstancias y las causas históricas de la conducta «picaresca». De ahí que bajo la pluma de J. J. Fernández de Lizardi, al pasar revista a los distintos medios y tipos sociales, el relato autobiográfico no sea ya la narración en primera persona de un mal «en sí», ineluctable y eterno, sino explicación histórica de las taras de unos hombres que un sistema social dado, el sistema colonial de la Nueva España, hizo como son. Verbigracia la historia del héroe principal, Periquillo, viene a ser como un relato novelesco y vivo del proceso por el cual un individuo de la clase media mexicana puede caer en el pantano social de los vagabundos y «léperos».

Hasta la fecha no se recalcó lo bastante —a mi ver— que J. J. Fernández de Lizardi las emprende con las mismas bases de la sociedad mexicana de su tiempo al poner en duda algunas de sus relaciones económico-sociales. Su sátira no se limita con evocar a lo gracioso unos tipos pintorescos, ridículos, o cínicos, cuyos antecedentes «literarios» (y sociales) existen en la novela picaresca española: médicos, alcaldes, escribanos, rufianes, hampones (léperos), etc....; apunta ella al conjunto del sistema en el cual y por el cual dichos tipos llegaron a ser lo que son. Las afirmaciones de ortodoxia política repetidas prudentemente por J. J. Fernández de Lizardi no deben disimularnos este aspecto profundo de su obra.

El ataque suyo en contra de la nobleza señala a todas luces que el espíritu de la Revolución burguesa de Francia llegó hasta él. [...] J. J. Fernández de Lizardi aborda también el tema de la nobleza desde el punto de vista tradicional: verbigracia al atacar con ironía mordaz lo más externo de los nobles o sea sus títulos; lo mismo que los autores de edificación del Siglo de Oro español, inspirados en la tradición del estoicismo cristiano, plantea la antigua interrogante sobre la naturaleza de la «verdadera nobleza»: ¿es ella un privilegio heredado que se transmite de padres a hijos o es una cualidad humana fundada en el mérito personal de cada quien?

Desde luego J. J. Fernández de Lizardi contesta que sólo cuenta la virtud individual. Pero la novedad de J. J. Fernández de Lizardi —dentro de la trayectoria de la llamada novela picaresca— consiste en añadir a este análisis meramente ético del concepto de «nobleza» una interrogante formulada desde el punto de vista de la *utilidad económico-social* de las clases. Lo propio de la educación aristocrática —proclama el autor mexicano— es producir ciudadanos incapaces y parásitos. El joven noble quien, por desprecio al trabajo, desdeña cualquier oficio se expondrá a una decadencia casi total el día en que desaparezcan sus bienes: es lo que le pasa a Periquillo. La inutilidad, éste es el rasgo más negativo de la «nobleza» para Lizardi. Léase la discusión entre Periquillo y el Chino Limahotón, encargado de proclamar en voz alta —como los Persas de Montesquieu o los Marroquíes de Cadalso— lo que el autor piensa por lo bajo. El joven mexicano expresa la idea aristocrática de que el trabajo físico y manual es vil; en el acto Limahotón se echa a reír y pregunta: «¿De qué sirve uno de éstos, digo, al resto de sus conciudadanos? Seguramente un rico o noble será una carga pesadísima a la república» (III).

Se sabe que la noción feudal de la «nobleza» estaba vinculada con la idea de la división hermética de las funciones y clases en la ciudad; por antonomasia a los «nobles» les correspondía ejercer el oficio de las armas. Una de las novedades introducidas por la Revolución francesa consistió precisamente en llamar a las armas a todos los «ciudadanos» y abolir el privilegio militar de la «nobleza». Esta idea antiaristocrática de la «nación en armas» se encuentra en *El Periquillo Sarniento* y una vez más el encargado de lanzarla es el Chino Limahotón: «... Un millón de hombres que un rey ponga en campaña a costa de mil trabajos y subsidios no equivale a la quinta parte de la fuerza que opondría una nación compuesta de cinco millones de hombres útiles de que se compusiera la misma nación ...» (II).

Al utilizar la palabra «nación» —vocablo antiguo en español pero que tenía, hacia 1813-1815, resonancias revolucionarias— J. J. Fernández de Lizardi no atacaría en una frase como ésta, a los aristócratas que se arrogaban el derecho de defender a México para el beneficio exclusivo de la metrópoli. Uno puede preguntárselo.

Pero la crítica de la «nobleza» por J. J. Fernández de Lizardi no se presenta sólo en la forma de una reivindicación de plena «ciudadanía» para el pueblo mexicano. Nuestro autor las emprende también con las raíces económicas de dicha clase al censurar más particularmente a los terratenientes. Anunciando con esto la campaña de los liberales contra las formas de la propiedad feudal, critica la institución que mantenía y fortificaba la propiedad privilegiada: el mayorazgo. «El mayorazgo es una preferencia injustamente concedida al primogénito, para que él solo herede los bienes que por iguales partes pertenecen a sus hermanos, como que tienen igual derecho» (II). [...]

En términos generales, J. J. Fernández de Lizardi vislumbra los vicios profundos del sistema económico instituido por el dominio colonial. La producción de la Nueva España era más que todo minera (oro y plata) y esto acarreaba consecuencias funestas a la vez para la colonia y la metrópoli.

La posesión de minas de metales preciosos —explica J. J. Fernández de Lizardi —daña a un país porque sustituye fuentes de «riquezas naturales» (agricultura, industria, comercio) por riquezas de ficción. Fue la abundancia del oro y de la plata en las colonias la que, en la misma España, provocó la decadencia de la agricultura y de la industria: «No sólo el reino de las Indias, la España misma, es una prueba cierta de esta verdad. Muchos políticos atribuyen la decadencia de su industria, agricultura, carácter, población y comercio, no a otra causa que la riqueza que presentaron sus colonias» (II). [...]

Notemos que a esta situación colonial (el predominio de la economía minera en la Nueva España) opone el programa de una sociedad fundada en *el trabajo de todos*. Sobre este particular, las ideas de J. J. Fernández de Lizardi se nos antojan bastante representativas de la clase en nombre de la cual hablaba: aquella *clase media* de los años de la independencia que constaba de algunos elementos burgueses (entre sus filas había mercaderes) y constituía una como «preburguesía» mexicana. El *trabajo* que permite la producción es un valor fundamental para J. J. Fernández de Lizardi y su elogio vuelve a repetirse en boca de todas las personas honestas con quienes Periquillo se encuentra. El padre de Periquillo —al revés de su madre encastillada en las quimeras aristocráticas— quiere que su hijo aprenda un oficio y le alaba el mérito de los trabajos manuales. Todos los oficios sirven, afirma él: «También hay artes liberales y ejercicios mecánicos con que adquirir el pan honradamente» (I). La artesanía a menudo escarnecida por los autores picarescos —especialmente por Quevedo— viene a ser para J. J. Fernández de Lizardi un modo honrado de servir a la sociedad. Dedicarse a los oficios humildes —afirma él— no es una decadencia: «... entendido que no hay oficio vil en las manos de un hombre de bien ni arte más ruin, oficio, ni ejercicio ninguno en el mundo» (I). La insistencia lizardiana en dignificar lo que los tratados de principios del siglo XVII llamaban «oficios mecánicos» se explica, desde luego, por la evolución ideológica que se verificó en la propia España durante el reinado de Carlos III; pero es de pensar que también se relaciona con la perduración de artesanías tradicionales de origen precolombino. [...]

Que se eduque al pueblo mexicano, que se cultiven sus capacidades, este es el grito de no pocos artículos de *El Pensador Mexicano*, y el de *El Periquillo Sarniento*. Esta confianza idealista en una «educación» capaz de transformar a México anunciaba por algunos rasgos la que iban a proclamar, casi un siglo más tarde, los intelectuales «positivistas» del período porfirista; empero hay una diferencia: en la época de Porfirio Díaz los «científicos» preconizaban la educación del pueblo para aumentar, merced a ella, una producción de la que se aprovechaban unas sociedades capitalistas extranjeras que regenteaban a México como si fuese una gran casa de comercio; para J. J. Fernández de Lizardi la fe en la «educación», a pesar de su forma idealista, iba cargada de un contenido progresista y se abocaba a la liquidación del dominio colonial y feudal sin olvidar la «promoción humana» del pueblo.

De hecho, J. J. Fernández de Lizardi no razona sólo desde un punto de vista económico; si denuncia la sociedad colonial de la Nueva España es también porque destroza lo humano. No escasean en *El Periquillo Sarniento* los pasajes donde se evocan con emoción y sensibilidad las distintas formas de explotación del hombre por el hombre presentadas en el sistema colonial. El lujo y la corrupción de los ricos se edificaron a base de la miseria popular:

... es constante que los pobres son feudatorios de los ricos, y los que aumentan sus riquezas ... (I).

En una sociedad así el rico vive a expensas del pobre: «¿Vosotros de qué vivís? Tú, minero, tú hacendero, tú comerciante, te murieras de hambre y perecieras entre la indigencia si Juan no trabajara tu mina, si Pedro no cultivara tus campos, y si Antonio no consumiera tus géneros, todos a costa del sudor de su rostro, mientras tú, hecho un holgazán, acaso no sirves sino de peso y escándalo a la república ... (I).

A veces los terratenientes no se limitan a la explotación económica de los que sufren al trabajar en sus propiedades; los maltratan con crueldad: «... a cualquier pobre indio o porque les cobraba sus jornales, o porque les regateaba, o porque quería trabajar con amos menos crueles lo maltrataban y golpeaban con más libertad que si fuera su esclavo» (II).

Con el sistema colonial todo el aparato estatal contribuye a la explotación del pueblo y este mecanismo ha sido descrito con lucidez por J. J. Fernández de Lizardi. En *El Periquillo Sarniento* los letrados (simbolizados por el escribano Chanfaina, personaje odiado y repugnante), los alcaldes, los alcabaleros participan, salvo en contadas excepciones, en esta obra de opresión. [...]

En resumen, aunque J. J. Fernández de Lizardi volvió a repetir esquemas tradicionales de la sátira picaresca, debemos ver que su ironía y su crítica social adquirieron un sentido nuevo. Si se ensaña con este o aquel personaje es porque representa una sociedad bien definida cuyo sistema condena él en nombre de la clase media a la que pertenece. La nobleza incapaz, los abusos del clero, la corrupción de los funcionarios, son para el autor mexicano otras tantas características del régimen de la Nueva España en los albores del siglo XIX. Periquillo, quien declara haber nacido hacia 1771-1773 y se muere en 1813, es el representante simbólico de una generación que vivió en el ocaso de la sociedad colonial. Perteneció al mundo anticuado de los «currutacos», «manojitos» y «petimetres» que a principios del siglo eran el tema de sátiras y cancioncillas.

En el recorrido que lo lleva de los salones a los tugurios, nos bosqueja un colorido fresco de su país en vísperas de la independencia. Sobre un fondo de miseria los funcionarios malos, los terratenientes crueles, los letrados corrompidos, los eclesiásticos escandalosos, en una palabra toda una fauna de privilegiados del sistema colonial, ostentan su lujo, su vanidad e incapacidad. La sociedad así descrita muestra los síntomas históricos de un fin cercano. Las contradicciones surgen en todos los niveles y es por lo que tenemos en la novela algunos personajes de las clases medias semiprivilegiadas capaces de preconizar un cambio: unos sacerdotes que se acuerdan del vicario Saboyano de Rousseau, unos hacendados que tratan de humanizar sus relaciones con los criados, y unos letrados honestos inspirados por un civismo auténtico. Si unos abates proclaman algunas verdades en *El Periquillo Sarniento* (al estilo «filosófico» del siglo XVIII) y si en el movimiento histórico de la independencia representantes del clero bajo y medio (como Morelos e Hidalgo) desempeñaron un papel determinante debió de ser por algo. En fin, la aparición en la novela de personajes «positivos» que pertenecen a las clases medias de la Colonia, indica que el régimen colonial está socavado. Que esta obra no haya podido ser publicada en su totalidad sino en un México ya libre de la tutela colonial (en 1827) tiene un valor simbólico: *El Periquillo Sarniento* es la novela de la independencia mexicana.

Agustín Yáñez

EL PENSADOR MEXICANO

Hijo del siglo XVIII, dentro de los límites de la Nueva España, Fernández de Lizardi es progresista y providencialista; corifeo de la razón y la ciencia; rebelde, sentimental, cristiano. Interesante caso de resonancias y amalgamas doctrinales, nos enseña cómo, entre vicisitudes, llegaban las ideas a la colonia, saturaban la avidez de los espíritus inquietos, conmovían las conciencias, procuraban conciliarse con ideas tradicionales arraigadísimas, interpretábanse favorablemente a las necesidades y circunstancias del virreinato, daban nuevo sentido a la vida, infundían aliento a los teóricos de la emancipación, renovaban el ambiente y estallaban con disfraces varios. De este modo, las ideas iluministas, en consorcio con antítesis románticas y católicas, que a su vez hállanse contrapuestas a ideas positivistas y naturalistas, sirven a Fernández de Lizardi para el análisis, diagnóstico y tratamiento de la vida nacional.

Su fe en el progreso y en la virtud omnipotente de la educación se ve libre del escepticismo iluminista por el contrapeso de su fe católica en una Providencia, rectora del mundo. Su racionalismo se atempera con los influjos, por una parte, del ambiente dogmático a cuyo

Agustín Yáñez, «Estudio preliminar» a J. J. Fernández de Lizardi, *El Pensador Mexicano*, UNAM (Biblioteca del Estudiante Universitario, 15), México, 1940, pp. vii-liii (xiv-xix).

amparo creció el espíritu nacional, y por otra, del romanticismo que,
vindicando la prestancia del sentimiento, casa a perfección con la estructura y con el momento histórico de la vida mexicana, embargada
por las fantasías de «independencia y libertad». El romanticismo aparece encauzado por el realismo, lindante con el naturalismo, y por la
vena satírica; no es el del Pensador un romanticismo bajo el predominio absoluto de lo subjetivo, de la rebeldía anárquica, de lo sentimental melancólico, a la manera de Werther, Atala, René, Oberman
o la nueva Eloísa; por su realismo se emparenta con el romanticismo
que Defoe inicia en Robinson y Juan Jacobo Rousseau define en Emilio; de este romanticismo, Fernández de Lizardi extracta la vivencia
que mejor ajusta a la psicología del mexicano: la *espontaneidad*, y en
este sentimiento compendia los principios románticos: egocentrismo,
retorno a la naturaleza, fe en la bondad innata del hombre, manifestación espectacular de la vida, etc.; en cuanto al humorismo, utilízalo
Fernández de Lizardi como vacuna moral en soluciones diversas, para
prevenir o para atacar directamente las endemias sociales, para des-
pistar o mitigar las represalias del absolutismo contra la libre expresión, para provocar la virulencia de los microbios enemigos de la
ventura general, a fin de que el pueblo los conozca en amplificada
monstruosidad y les aplique rigurosa terapia; no es la sátira fría y
corrosiva de los enciclopedistas, ni el humorismo sombrío de los románticos: su propósito edificante le imprime carácter especial, no exen-
to de cierta melancolía, que hallaremos en todo humorismo de ley.

El esbozo precedente muestra cómo el mecanismo ideológico del
Pensador es idéntico al que advertimos en la vida nacional durante
el siglo XIX y en nuestros días. Las colonias y los países jóvenes nu-
tren su pensamiento con ideas extranjeras, heterogéneas; la originalidad, como en el caso del Pensador Mexicano, estriba en la síntesis
aplicable a la expresión e interpretación de la realidad nacional.

En estas circunstancias el pensamiento propende a hacerse sentencia, *praxis*, máxima de acción que impulsa a la voluntad. Por esto
Fernández de Lizardi es un pensador sentencioso para el que nada
significan las funciones intelectivas si no se funden con las del sentimiento, ambas dirigidas a un fin práctico.

La tendencia a la edificación moral y a la propaganda ideológica que
mueva a la voluntad hacia un fin práctico —reproche mayúsculo endere-
zado contra el Pensador— es una constante que rige las manifestaciones

artísticas de México, sobre todo las de carácter popular, antiguas y modernas; aún más: es una constante de la vida mexicana.

El suceso que conmueve la sensibilidad de grupos sociales extensos o reducidos, conviértese en «ejemplo» a través del «alcance», del «corrido», de las «mañanitas», de las canciones y de los relatos para que el niño se duerma o se esté quieto; ni en estas formas, ni en otras similares, como las «calaveras», los «aguinaldos», los «pasquines», faltan, si no es por excepción, la sentencia, la moraleja, el refrán, las máximas o alusiones religiosas, éticas o políticas; los cantares de ciegos, los coloquios y las pastorelas abundan en igual característica; y para citar nominalmente, en las obras —inmediatas a nosotros— de Guadalupe Posada, de Clemente Orozco, de Diego Rivera, de Carlos Chávez, de Rubén Romero ... hallaremos fácilmente el sermón, en ocasiones de modo tan reiterado como en la obra del Pensador Mexicano.

Fenómeno de tal persistencia y amplitud debe acusar una de las categorías definitivas del alma mexicana y, a nuestro juicio, acusa el sentimiento de la vida, de la realización de la vida, de la actitud personal y colectiva ante la vida, que es el problema superior del mexicano, partícipe de una doble herencia religiosa: precortesiana y católica.

[Fernández de Lizardi fue de los primeros reformadores mexicanos que aplicó un celo religioso —parejo al de los misioneros y demás hombres de iglesia— a la transformación de las ideas e instituciones,] celo en que, como pensamiento, como sentimiento y como voluntad política, incurrirán las gentes del partido liberal, religiosamente impulsivos, tenaces, intransigentes en su empresa reformista.

Enderezar la vida nacional a rumbos nuevos fue la pasión de Fernández de Lizardi. Retrataba, para ello, las miserias actuales del vivir —sustancia inflamable de la novela, del discurso, de la sátira admonitoria, de la polémica—; otras veces acudía su celo a la pintura de situaciones paradisíacas, en las que espíritu y naturaleza conciertan la felicidad del hombre virtuoso: por ejemplo, la descripción del *día alegre y bien aprovechado* al cabo de las *noches tristes*, y los relatos de bodas bienaventuradas en *El Periquillo*, capítulo XXV de la segunda parte y en *La Quijotita*, capítulo XV, motivos de alegres fiestas al aire libre, en huertos confortantes: el sermón emprende el vuelo lírico para arrastrar el entusiasmo de los miserables, llamados a una vida mejor. El realismo grosero, canalla —según la expresión de Terán, criticador contemporáneo de Fernández de Lizardi—, y el idealismo progresista, fijan el camino entre el ser y el deber ser, plantean la norma como estímulo de conducta, señalan el contraste que debió arrancar inefables gestos de edificación y esperanza, como los que ahora sorprendemos en los oyentes de corridos, pastorelas y coloquios de ciegos.

En el sentimiento de la vida encontramos nuevas diferencias y analogías que caracterizan al *Periquillo*; tal es la semejanza con la *Vida* de Torres Villarroel, experiencia real, aventura vivida, obra de un solo sujeto paciente, novela biográfica y no de imaginación; por igual motivo se asemeja *Periquillo* a *Gil Blas*: el ambiente español en la obra de Le Sage, como los procedimientos españoles del Pensador, son apariencias de una fisonomía nacional definida; las transformaciones de Gil Blas, como las de Periquillo, no son capítulos deshilvanados que se proponen mantener la atención del lector, a precio de situaciones extraordinarias, que la literatura hereda de autores antiguos (recuérdese la influencia de Ovidio sobre la picaresca española), y que en muchísimos casos rompen la unidad psicológica y la trama veraz de la obra. Periquillo no choca contra sí mismo cuando viaja por geografías irreales, a la manera de Persiles, ni arrebatado entre una chusma de bandidos, ni converso en el claustro de la Profesa: hay vivencias inmutables a través de las más variadas situaciones: no otra cosa que el mismo sentimiento de la vida, como fisonomía nacional sujeta a múltiples circunstancias, pero siempre bajo un común denominador étnico; ni Gil Blas, ni Periquillo pierden esa identidad, como no pierden la conciencia del mal que realizan y del bien que pueden realizar; ambos terminan sus aventuras en plan de patriarcas; el padre o el abuelo cuentan su pasado, advierten y divierten. Este, sin duda, es el motivo del éxito popular, inmarcesible, del *Periquillo*; su riqueza vital, sus diferencias de contenido y su acoplamiento absoluto con los estilos de vida mexicanos, rechazan el cargo de una imitación picaresca servil: el molde no afecta las íntimas esencias.

8. EL ROMANCERO EN HISPANOAMÉRICA

El romancero es una de las manifestaciones de la poesía popular de mayor importancia y valor que se difunde desde la hora de la conquista en toda la extensión del mundo hispanoamericano. El romance se desarrolla en sus formas tradicionales orales y escritas, tanto de romances viejos como de romances de ocasión y romances nuevos, desde el siglo XVI. Las formas del romancero artístico, que se escriben paralelamente, se cultivarán a lo largo de los tres siglos coloniales y se proyectarán sobre la poesía moderna. Al lado del romance se darán otras formas populares —coplas, glosas, décimas, canciones líricas— que intercambian con aquél algunas peculiaridades temáticas o estilísticas. Todos los pueblos hispanohablantes de América, incluido el suroeste de los Estados Unidos, conservan hasta hoy esta herencia folklórica de origen medieval. Conquistadores y cronistas son los primeros en darnos noticias de la presencia del romancero hispánico tradicional. Bernal Díaz del Castillo nos cuenta cómo Alonso Hernández Portocarrero le dice a Cortés, en 1519, frente a las costas mexicanas: «Cata Francia, Montesinos,   cata París la ciudad, / cata las aguas de Duero   do van a dar a la mar».

A lo que Cortés responde: «Denos Dios ventura en armas   como al paladín Roldán» «que en lo demás, teniendo a vuesa merced y a otros caballeros por señores, bien me sabré entender», versos que corresponden al romance de *Gaiferos*. Más tarde el mismo Cortés, tras la noche triste, recibe el consuelo del bachiller Alonso Pérez, quien dice que de Cortés no se dirá lo que el romance dice de Nerón: «Mira Nero de Tarpeya a Roma cómo se ardía» para destacar el sentimiento del jefe por la pérdida de sus soldados, al contrario de lo asentado por Las Casas sobre la crueldad de Cortés en Cholula: «Mira Nero de Tarpeya / a Roma cómo se ardía, / gritos dan niños y viejos y él de nada se dolía». Como éstos hay otros romances ya no citados expresamente, pero disueltos en su prosa como: «Más vale morir por buenos   que deshonrados vivir», al que alude repetidas veces. Gonzalo Fernández de Oviedo relata, por su parte, el caso del náufrago Alonso de Suazo, quien al ser preguntado por nue-

vas al momento de su rescate respondió con el romance del rey Rodrigo:
«Buenas las traemos, señor,   pues que venimos acá.» Otro tanto acontecía en el Perú, según relata Diego Fernández de Palencia. Diego de Almagro recibe el aviso de peligro con los versos del romance de la *Infanta
seducida*: «Tiempo es, el cavallero,   tiempo es de andar de aquí». El
rebelde Hernández Girón, al ver huir a las fuerzas superiores de Alvarado, dice: «No van a pie los romeros,   que en buenos caballos van», versos del romance *A las armas de Moriscote*.

Aparte de estas muestras claras de la tradición oral en los soldados
que cantan romances de todos conocidos, el arribo del romancero tiene
también fuentes escritas en los numerosos cancioneros y romanceros que
llegaron en abundancia a México y Perú y se difundieron a otras regiones
de América (véase I. A. Leonard [1953]). Entre ellos, romances de Roncesvalles, del marqués de Mantua, del conde Dirlos, etc., siendo los del
ciclo carolingio los preferidos. En los escritores del siglo XVI se encuentran
frecuentes alusiones a romances tradicionales, citando o contrahaciendo romances viejos, entre ellos algunos sobre los cuales no hay otra documentación que la hispanoamericana.

El romance nuevo también se cultivó desde temprano. Bernal Díaz
nos da noticia del primer romance compuesto en el Nuevo Mundo, por los
soldados de Cortés, después de la derrota: «En Tacuba está Cortés
con su escuadrón esforzado; / triste estaba y muy penoso,   triste y con
muy gran cuidado, / la una mano en la mejilla   y la otra en el costado».
En el Perú se escribieron romances de ocasión sobre *El alzamiento de
Hernández Girón* (1554). Francisco de Jerez escribió en décimas un romance *Al Emperador*, que incluye en su *Verdadera relación de la conquista
del Perú* (1534) y, en décimas también está escrito el anónimo *La batalla
de Chupas* (*Revista Histórica*, 4, Lima, 1909). En versos de arte mayor
se escribieron *La muerte de don Diego de Almagro*, incluida en la crónica
de Alonso Henríquez de Guzmán, quien indica que «se ha de cantar al
tono de *Buen conde Hernán González*, y también el anónimo de la crónica rimada de 1538, incluida en la *Conquista de la Nueva Castilla* (Lyon,
1548). Luis de Miranda, en Buenos Aires, escribe su *Romance*, en coplas
de pie quebrado.

En las *Elegías de ilustres varones de Indias* se encuentran reminiscencias y alusiones del romancero tradicional (véase Beutler [1969, 1977]).
Otro tanto puede verse en la *Sátira a las cosas que pasan en el Perú, año
1568*, de Mateo Rosas de Oquendo, que incluye alusiones como las siguientes: «qué de Mudarras traidores / qué de Bellidos leales / qué de
Cavas y Rodrigos / qué de Condes don Julianes»; o ésta que mezcla el
romance tradicional y el romance americano de ocasión: «que en campos
de Arabiana / murieron los siete infantes / y que su yegua cerrera / lleva-
va los atabales / cuando el otro de La Gasca / fue sobre Francisco Her-

nández». De *La constancia* hace la parodia que sigue: «soi una grulla en belar / y un Argos en rezelarme / un Sid en acometer / y una liebre en retirarme». Del romancero morisco del *Moro Gazul* parodia el siguiente fragmento, tomándolo del romancero nuevo con su conocida alusión a Lope de Vega, como ha señalado Menéndez Pidal [1968]: «Mira, Zaide, que te aviso / que no pases por mi calle / ... / La otra bive zelosa / de que el señor Albenzaide / sabiendo que le da pena / pasea por cierta calle». El romance satírico se cultivó de modo importante en Hispanoamérica, no sólo por Rosas de Oquendo, a fines del siglo XVI, sino también en el XVII por Juan del Valle Caviedes, y, en el XVIII, por fray Francisco del Castillo y por Esteban de Terralla y Landa, con referencias a Perú y México.

Los romances nuevos derivados de *La Araucana*, de Ercilla, tratan de los asuntos más novelescos del poema. Han sido estudiados por Medina [1918], Cossío [1952, 1954, 1960], Rodríguez-Moñino [1970, 1976], quien agrega nuevos datos bibliográficos y corrige la cronología, y por Lerzundi [1978]. Reynolds [1967] ha tratado rigurosa y finamente el romancero de Hernán Cortés. Una referencia sucinta merece el desarrollo del romance artístico, aparte la mezclada condición de los romances satíricos ya mencionada. Fernando de Alva e Ixtlilxochitl (¿1568-1648), quien aborda incluso un romance erudito sobre la muerte del rey don Sancho, es autor de romances de temas indígenas. Don Luis de Sandoval y Zapata escribe el largo romance *Relación fúnebre de la degollación de los Ávila*, estudiado por Buxó [1964, 1975]. El neogranadino Hernando Domínguez Camargo (1606-1659) compuso romances profanos y religiosos entre los que destacan el romance «A un salto por donde se despeña el arroyo de Chillo» y el romance «A la Pasión de Cristo», que imita de Paravicino. Su *Invectiva apologética*, en apoyo del romance anterior y en respuesta a quien trató de emularlo, es de interés por las resonancias frecuentes en ella del romancero tradicional. Y sobre todo importa sor Juana Inés de la Cruz, que dio al romance una gran variedad temática y formal que abarca lo filosófico, amoroso, religioso, las formas epistolares y aun cierta variedad métrica, al incluir romances decasílabos, un laberinto endecasílabo y romancillos hexasílabos y heptasílabos (véase Méndez Plancarte [1951]). Un aspecto popular de mayor relieve representan los villancicos que forman una parte esencial de su obra lírica y han sido particularmente destacados por la crítica actual de Méndez Plancarte [1955] y Paz [1982]. Para otros ejemplos del romance artístico Beutler [1969] provee información de interés.

La difusión americana de los romances tradicionales se basa en unos cincuenta textos existentes en más de dos mil versiones. Los tipos más destacados son los de *Las señas del esposo*, *Hilitos de oro*, *Delgadina*, *Mambrú* y *Don Gato*. Menos difundidos que los anteriores son los romances de *Alfonso XII*, mezclados con *La aparición, La adúltera, La dama y el pastor*, principalmente en los Estados Unidos y Sudamérica; *Gerineldo, Bernal Francés, Blanca Flor y Filomena*, desconocidos en México y en los Estados Unidos; *El conde Olinos* —escaso en Norteamérica y el Caribe—; *El marinero* —popular en el Caribe—; *Santa Catalina, Las tres cautivas* —en Sudamérica y Puerto Rico—; *Monja a la fuerza* —poco corriente—; *Isabel* —sólo en Cuba—; *La muerte ocultada*, junto con *El quintado* —en Santo Domingo—; *La mala yerba* —en Chile y Puerto Rico—; *La muerte de Elena* —en Uruguay y Cuba—; *La infantina* —sólo en Venezuela—; *El conde Alarcos* —en Chile solamente—; *El duque de Alba* —en Nuevo México—. *No me entierren en sagrado* es, como dice Catalán, un «comodín» y suele combinarse con los romances que tienen la muerte como motivo. Las modificaciones americanas de los romances suelen tener el carácter de censuras moralizantes para los temas de incesto (*Delgadina*) o venganza (*Blanca Flor y Filomena*), que eliminan determinados motivos del texto. En otras modificaciones se amplían los textos con diversos añadidos con fines de conclusión, equilibrio o creación, cuando no se incluyen moralejas o se combinan romances de motivos cercanos. Entre los rasgos distintivamente americanos se señalan también notas de arcaísmo (véase Menéndez Pidal [1953, II, 351]) por la conservación de los romances más raros que, en España, se encuentran en las regiones más tradicionalistas. A ello se agregan peculiaridades léxicas que las distintas regiones agregan a los textos tradicionales. Este fenómeno implica una modernización de los textos con voces como *sapape, matecito, linda flor de araguaney, güero*, etcétera.

El estudio del romancero tradicional comienza un nuevo capítulo en la crítica hispanoamericana con el viaje americano de Menéndez Pidal [1939], por Perú, Chile, Argentina y Uruguay, en 1906. El gran crítico y estudioso del romancero confirmó en su artículo, contra la opinión de Vergara y Vergara y R. Rojas, la existencia de romances tradicionales en América. A este acontecimiento siguieron las publicaciones de Vicuña Cifuentes [1912], en Chile, quien reúne 95 versiones de unos 20 temas tradicionales y 71 de temas vulgares, entre ellos algunos ejemplos únicos en Hispanoamérica. Otras contribuciones chilenas pertenecen a Laval [1916, 1921]. En Cuba, Chacón y Calvo [1914, 1922] y Poncet [1914, 1972] en su tesis de 1914. El romance en Santo Domingo es abordado por Henríquez Ureña [1913, 1960] y en Puerto Rico por A. M. Espinosa [1918] y Cadilla de Martínez [1933]. El romancero de México es tratado por Henríquez Ureña y B. de Wolfe [1925], que sacan a luz versiones de unos 17 romances. A. M. Espinosa [1925] estudia los romances tradicionales de California y, en un fundamental estudio, el romancero de Nuevo México [1953]. Ciro Bayo [1913] aborda, el primero, el romancero del Plata. A estos investigadores siguen luego los estudios de Vicente T. Mendoza [1939] sobre el romance y el corrido mexicano, que creará toda una nueva área de estudio. En Argentina, J. A. Carrizo desarrolla una extensa recolección de romances al lado de otras manifestaciones populares en sus nutridos y bien preparados volúmenes que abarcan diversas provincias argentinas: [1926], Catamarca; [1933], Salta; [1934], Jujuy; [1942], La Rioja; [1937], Tucumán. Otras regiones argentinas han sido exploradas por Draghi Lucero [1938], Cuyo; y por Di Lullo [1940], Santiago del Estero. I. Moya [1941] ha recogido numerosas muestras de romances tradicionales en su nutrido *Romancero*, que reúne unas 260 versiones de 20 temas tradicionales en Argentina. El romancero nicaragüense ha sido recopilado por Mejía Sánchez [1946, 1976]. El de Santo Domingo por Rodríguez Demorizi [1943] y Garrido Boggs [1946, 1955], que reúne 17 romances, algunos raros en América, y con tendencias a hacerse corridos o cuartetas. En Uruguay, Pereda Valdés [1947] y Faget [1975] han hecho contribuciones al estudio de ésta y otras formas populares. El romancero tradicional en Venezuela ha sido abordado por I. J. Pardo [1943], y luego por Olivares Figueroa [1948] con 5 romances viejos españoles. Vargas Ugarte [1951] y E. Romero [1952] han investigado el romancero en el Perú. A. L. Campa [1946] agrega 22 versiones a las reunidas por A. M. Espinosa, en Nuevo México.

Una nueva etapa de estudios críticos más elaborados se inicia después del *Romancero hispánico* de Menéndez Pidal [1953] y del repertorio de once volúmenes publicados de 1957 a 1978. La investigación realizada hasta este momento se recoge en la notable bibliografía de Simmons [1963] y en las bibliografías parciales sobre Chile, de Pereira Salas [1952], y de Arguedas y otros [1960], sobre el Perú. La historia de la investigación a través de sus momentos fundamentales ha sido hecha espléndidamente por Sánchez-Romeralo [1979] y la bibliografía de los años setenta con útiles anotaciones por Armistead [1979]. Los volúmenes publicados de la Cátedra Seminario Menéndez Pidal con el título de *El Romancero hoy*, por Catalán, Armistead y Sánchez-Romeralo [1979], reúnen un número considerable de contribuciones de importancia para el conocimiento actual del Romancero en muy variados aspectos. En México, el grupo de investigación de M. Díaz Roig tiene en vías de publicación los repertorios recopilados de la tradición oral. Díaz Roig [1982] presenta una bien ordenada visión del conjunto del romance en América. Entre las publicaciones individuales destaca el excelente libro y los trabajos de Beutler [1969, 1977] sobre el romancero colombiano. Mientras sobre el romancero chileno Barros y Dannemann [1970], Dolz Henry [1976], y Dolz Blackburn [1984] han hecho valiosas contribuciones; y, Almoina de Carrera [1975], sobre el venezolano. El *Homenaje a Vicente T. Mendoza* (1971) reúne numerosos trabajos de importancia sobre el romance y el corrido mexicano, al estudio del cual contribuyen también Campa [1976], Paredes [1976] y Robb [1978]. El mismo Mendoza [1954] ha dedicado un estudio especial sobre el corrido; tema sobre el cual Simmons [1957] y Paredes [1971, 1973] han hecho otras publicaciones de importancia. Temas específicos cuya investigación ha sido desarrollada con énfasis son los relacionados a la historia de los *Doce Pares de Francia*, que han sido abordados por Pino Saavedra [1966], Robe [1979], Durand [1979, 1980] y Perea [1980].

Entre las zonas fronterizas del romancero y la lírica popular discurren algunos notables trabajos de Frenk [1978], Díaz Roig [1976 a] y Magis [1969], en los cuales se trata de cuestiones temáticas y aspectos estilísticos que comparten ambos géneros poéticos. La décima ha sido el objeto de estudio especial de Lenz [1919], en Chile; de Mendoza [1947], en México; de glosas y décimas, del mismo Mendoza [1957]; y de valonas y décimas, de Perea [1980], en México; Jiménez de Báez [1964] y Escabí [1976] la han estudiado en Puerto Rico; Santa Cruz [1982], en el Perú.

BIBLIOGRAFÍA

Aguirre, Mirta, «El romance en Cuba y en otros países latinoamericanos», *Islas*, 51 (1975), pp. 217-235.

Almoina de Carrera, Pilar, *Diez romances hispanos en la tradición oral venezolana*, Universidad Central de Venezuela, Facultad de Humanidades y Educación, Instituto de Investigaciones Literarias, Caracas, 1975.

Alzola, Concepción Teresa, *Folklore del niño cubano*, Universidad Central de las Villas, Santa Clara, 1961.

Anaya Monroy, Fernando, y Luz Gorráez Arcaute, *25 estudios de folklore. Homenaje a Vicente T. Mendoza y Virginia Rodríguez Rivera*, UNAM, México, 1971.

Alvar, Manuel, *El Romancero: Tradicionalidad y pervivencia*, Planeta, Barcelona, 1970.

—, *El Romancero viejo y tradicional*, Porrúa, México, 1971.

—, «Transmisión lingüística en los romanceros antiguos», *Prohemio*, 3:2 (1972), pp. 197-219.

—, *El Romancero*, La Muralla, Madrid, 1973.

Aramburu, Julio, *El folklore de los niños: juegos, corros, rondas, canciones, romances, cuentos y leyendas*, El Ateneo, Buenos Aires, 1940.

Arguedas, José María, ed., *Bibliografía del folklore peruano*, Boldó, México-Lima, 1960.

Arias, J. de D., *Folklore santandereano*, Cosmos, Bogotá, 1954.

Arisso, A. M., *Estudio del folklore saguero*, Instituto de Sagua la Grande, Editorial Guerrero, La Habana, 1940.

Armistead, Samuel G., «Romances tradicionales entre los hispanohablantes del Estado de Luisiana», *Nueva Revista de Filología Hispánica*, 27 (1978), pp. 39-56.

—, «A Critical Bibliography of the Hispanic Ballad in Oral Tradition (1971-

1979)», en Samuel G. Armistead, Antonio Sánchez Romeralo, Diego Catalán, eds., *El Romancero hoy: Historia, comparatismo, bibliografía crítica*
(Cátedra Seminario Menéndez Pidal, Romancero y Poesía Oral, IV), Madrid,
1979, pp. 199-310.

Avalle-Arce, Juan Bautista, *Temas hispánicos medievales*, Gredos, Madrid, 1974:
«Los romances de la muerte de don Beltrán», pp. 124-134; «Bernal Francés
y su romance», pp. 135-232.

Baratta, María, *Cuzcatlán típico. Ensayo sobre etnofonía de El Salvador: folklore, folkwise y folkway*, Ministerio de Cultura, San Salvador, 1951.

Barros, Raquel, y Manuel Dannemann, *El romancero chileno*, Editorial Universitaria, Santiago de Chile, 1970.

Bayo, Ciro, *Romancerillo del Plata. Contribución al estudio del romancero rioplatense*, Librería General de Victoriano Suárez (Poesía popular hispanoamericana), Madrid, 1913.

Becco, Horacio Jorge, *El tema del negro en cantos, bailes y villancicos de los
siglos XVI y XVII*, Ollantay, Buenos Aires, 1951.

Bertini, G. M., *Romanze novellesche spagnole in America*, Quaderni Ibero-Americani, Turín, 1957.

—, «Romances novelescos en Hispanoamérica», *Studi de Letteratura Ispano-Americana*, 1 (Instituto Editoriale Cisalpino, Milán-Varese, 1967), pp. 19-30.

Beutler, Gisela, *Studiem zum spanischen Romancero in Kolumbien in seiner
schriftlichen un mundlichen Uberlieferung von der Zeit der Eroberung bis
zur Gegenwart*, Carl Winter, Heidelberg, 1969.

—, «Romanzen (Balladen) in Lateinamerika (Bericht uber Feldforschungen in
Kolumbien 1960-63)», en R. W. Brednich y J. Dittmar, eds., *Arbeitstatung
uber Fragen des Typenindex der europäischen Volksballaden von 13. bis 15.
Juni 1974 in Helsinki/Finnland*, Deutsches Volksliedarchiv, Freiburg im
Breisgau, 1975, pp. 53-59.

—, *Estudios sobre el romancero español en Colombia en su tradición escrita y
oral desde la época de la conquista hasta la actualidad*, Instituto Caro y
Cuervo, Bogotá, 1977.

Buxó, José Pascual, «Sobre la *Relación fúnebre a la infeliz, trágica muerte de
dos caballeros*, de Luis de Sandoval Zapata», *Anuario de Letras*, 4 (1964),
pp. 237-254.

—, *Muerte y desengaño en la poesía novohispana (siglos XVI y XVII)*, UNAM
(Instituto de Investigaciones Filológicas. Centro de Estudios Literarios), México, 1975.

Cadilla de Martínez, María, *La poesía popular en Puerto Rico*, Universidad de
Madrid, Madrid, 1933; otra ed., Biblioteca Enciclopédica del Estado de México, México, 1972.

Campa, Arthur L., *The Spanish Folksong in the Southwest*, University of New
Mexico Press, Albuquerque, 1933.

—, *Spanish Folk-Poetry in New Mexico*, University of New Mexico Press, Albuquerque, 1946.

—, *Hispanic Folklore Studies*, Arno Press (The Chicano Heritage), Nueva York,
1976.

—, *Hispanic Culture in the Southwest*, University of Oklahoma Press, Norman,
1979.

Canino S., M., *La copla y el romance populares en la tradición oral de Puerto Rico*, Instituto de Cultura Puertorriqueña, San Juan, 1968.

Cardozo-Freeman, Inez, «Games Mexican Girls Play», *Journal of American Folklore*, 88 (1975), pp. 12-24.

Carrizo, Juan Alfonso, *Antiguos cantos populares argentinos*, Impresores Silla Hermanos, Buenos Aires, 1926.

—, *Cancionero popular de Salta*, A. Baiocco, Buenos Aires, 1933.

—, *Cancionero popular de Jujuy*, Miguel Violetto, Tucumán, 1934.

—, *Cancionero popular de Tucumán*, A. Baiocco, Buenos Aires, 1937, 2 vols.

—, *Cancionero popular de La Rioja*, A. Baiocco, Buenos Aires, 1942, 3 vols.

—, *Antecedentes hispano-medievales de la poesía tradicional argentina*, Estudios Hispánicos, Buenos Aires, 1945.

—, *La poesía tradicional argentina. Introducción a su estudio*, La Plata, Argentina, 1951.

Castro Leal, Antonio, «Dos romances tradicionales», *Cuba Contemporánea*, 6:3 (1914), pp. 217-244.

Catalán, Diego, *Siete siglos de romancero (Historia y poesía)*, Gredos, Madrid, 1969.

—, Samuel G. Armistead y Antonio Sánchez-Romeralo, *El Romancero en la tradición oral moderna: 1.er Coloquio Internacional*, Cátedra Seminario Menéndez Pidal, Madrid, 1969.

—, Samuel G. Armistead y Antonio Sánchez-Romeralo, *El Romancero hoy: Nuevas fronteras: 2.º Coloquio Internacional*, Cátedra Seminario Menéndez Pidal (Romancero y Poesía Oral, II), Madrid, 1979.

—, Samuel G. Armistead y Antonio Sánchez-Romeralo, *El Romancero hoy: Poética: 2.º Coloquio Internacional*, Cátedra Seminario Menéndez Pidal (Romancero y Poesía Oral, III), Madrid, 1979.

—, Samuel G. Armistead y Antonio Sánchez-Romeralo, *El Romancero hoy: Historia, comparatismo, bibliografía crítica: 2.º Coloquio Internacional*, Cátedra Seminario Menéndez Pidal (Romancero y Poesía Oral, IV), Madrid, 1979.

—, y Jesús Antonio Cid, eds., *Gerineldo: el paje y la infanta*, Gredos, Madrid, 1975-1976, 3 vols.

Colín, Mario, *El corrido popular en el Estado de México*, Biblioteca Enciclopédica del Estado de México, México, 1972.

Cossío, José María, *Poesía española*, Espasa Calpe Argentina (Colección Austral, 1.138), Buenos Aires, 1952.

—, «Romances sobre *La Araucana*», *Estudios dedicados a Menéndez Pidal*, Madrid, 1954, tomo V, 201-229.

—, «Notas a romances», *Studia Philologica. Homenaje ofrecido a Dámaso Alonso*, Gredos, Madrid, 1960, tomo I, pp. 413-429.

Cruz Sáenz, Michele S. de, «El romancero de Costa Rica», en Diego Catalán, et al., *El Romancero hoy: Nuevas fronteras: 2.º Coloquio Internacional*, Madrid, 1979, pp. 191-195.

Custodio, Álvaro, *El corrido popular mexicano (Su historia, sus temas, sus intérpretes)*, Júcar, Madrid, 1976.

Chacón y Calvo, J. M., «Romances tradicionales en Cuba: contribución al estudio del folklore cubano», *Revista de la Facultad de Letras y Ciencias*, 18

(1914), pp. 45-121; reimpreso en *Ensayos de literatura cubana*, Saturnino Calleja, Madrid, 1922.

—, «Nuevos romances en Cuba: Gerineldo, Conde Olinos», *Revista Bimestre Cubana*, 9 (1914), pp. 199-210.

Dannemann, Manuel, «Charlemagne dans le chant folklorique hispano-chilien», *Jahrbuch für Volksliedforschung*, 18 (1973), pp. 74-78.

—, «Situación actual de la música folklórica chilena: según el *Atlas del Folklore Chileno*», *Revista Musical Chilena*, 29:131 (1975), pp. 38-86.

—, «Bibliografía del folklore», *Revista Chilena de Antropología*, 2 (1979), pp. 3-78.

Díaz de Ovando, Clementina, «La novedad de América en los romances», en *Conciencia y autenticidad histórica. Escritos en homenaje a Edmundo O'Gorman*, UNAM, México, 1968, pp. 99-134.

—, «Romance y corrido», en *25 estudios de folklore. Homenaje a Vicente T. Mendoza y Virginia Rodríguez*, UNAM, México, 1971, pp. 171-193.

Díaz Roig, Mercedes, «Un rasgo estilístico del Romancero y de la lírica popular», *Nueva Revista de Filología Hispánica*, 21 (1972), pp. 79-94.

—, *El Romancero y la lírica popular moderna*, El Colegio de México, México, 1976.

—, *El Romancero viejo*, Cátedra, Madrid, 1976.

—, «Lo maravilloso y lo extraordinario en el Romancero tradicional», *Deslindes literarios*, El Colegio de México, México, 1977 (Jornadas, 82), pp. 46-63.

—, «Palabra y contexto en la recreación del Romancero tradicional», *Nueva Revista de Filología Hispánica*, 26 (1977), pp. 460-467.

—, «El romance en América», en L. Íñigo Madrigal, ed., *Historia de la literatura hispanoamericana*. I: *Época colonial*, Cátedra, Madrid, 1982, pp. 301-316.

Di Lullo, Orestes, *Cancionero popular de Santiago del Estero*, A. Baiocco, Buenos Aires, 1940.

—, *El folklore de Santiago del Estero (Material para su estudio y ensayos de interpretación)*, Imprenta López, Tucumán, 1943.

Dolz Blackburn, Inés, *Antología crítica de la poesía tradicional chilena*, Instituto Panamericano de Geografía e Historia (Serie de folklore. Colección Documentos, 8), México, 1979.

—, *Origen y desarrollo de la poesía tradicional y popular chilena desde la conquista hasta el presente*, Andrómeda, Santiago de Chile, 1984.

Dolz Henry, Inés, «Romances y canciones populares en la primera década del siglo XVII en Chile», *Boletín de Filología*, 25-26 (1975), pp. 309-326.

—, *Los romances tradicionales chilenos: temática y técnica*, Nascimento, Santiago de Chile, 1976.

Dougherty, Frank T., «Romances tradicionales de Santander», *Thesaurus*, 32:2 (1977), pp. 242-272 (trad. de «Traditional Ballads from Colombia, Department of Santander»), reimpreso en D. Catalán *et al.*, *El Romancero hoy: Nuevas fronteras. 2.° Coloquio Internacional*, Madrid, 1979, pp. 197-203.

Draghi Lucero, Juan, *Cancionero popular cuyano*, Best Hermanos, Mendoza, 1938.

Durand, José, «Romances y corridos de los *Doce Pares de Francia*», en Diego Catalán *et al.*, *El Romancero hoy: Nuevas fronteras: 2.° Coloquio Internacional*, Madrid, 1979, pp. 159-179.

—, «Los *Doce Pares* en la poesía popular mexicana», *Cuadernos Americanos*, 39:6 (1980), pp. 167-191.

—, «Para un romancero limeño del xviii», en L. Schwartz Lerner e I. Lerner, eds., *Homenaje a Ana María Barrenechea*, Castalia, Madrid, 1984, pp. 397-404.

Escabí, Pedro, y Elsa M. Escabí, *Vista parcial del folklore: La décima. Estudio de la cultura popular de Puerto Rico*, Universidad de Puerto Rico, San Juan, 1976.

Espinosa, Aurelio M., «Romances de Puerto Rico», *Revue Hispanique*, 43 (1918), pp. 309-364.

—, «Romances tradicionales en California», *Homenaje a Menéndez Pidal*, tomo I, Madrid, 1925.

—, *Romancero de Nuevo México*, CSIC (RFE, Anejo, 57), Madrid, 1953.

Faget, Eduardo, «Antiguos romances populares (El Romancero y su aculturación en el Uruguay)», *Revista de la Biblioteca Nacional*, 9 (Montevideo, 1975), pp. 79-114.

Feijóo, Samuel, *Los trovadores del pueblo*, Universidad de las Villas, Santa Clara, 1960.

Ferrero Acosta, Luis, «La poesía folklórica costarricense», en Wilber Alpirez, ed., *Nociones de folklorología: Antología*, Ministerio de Educación Pública, Dirección General de Pedagogía, San José de Costa Rica, 1975, pp. 68-84.

Frenk Alatorre, Margit, *Estudios sobre lírica antigua*, Castalia, Madrid, 1978.

—, ed., *Cancionero folklórico de México. Coplas del amor feliz*, tomo I, El Colegio de México, México, 1975.

—, ed., *Cancionero folklórico de México. Coplas del amor desdichado y otras coplas de amor*, tomo II, El Colegio de México, México, 1977.

García Prada, Carlos, *Baladas y romances de ayer y de hoy*, Instituto Caro y Cuervo, Bogotá, 1974.

Garrido de Boggs, E., *Versiones dominicanas de romances españoles*, Pol Hermanos, Ciudad Trujillo, 1946.

—, *Folklore infantil de Santo Domingo*, Ediciones de Cultura Hispánica, Madrid, 1955.

Gazdaru, Demetriu, «Vestigios de los bestiarios medievales en las literaturas hispánicas e iberoamericanas», *Romanistisches Jahrbuch*, 22 (1971), pp. 259-274.

Granda, Germán de, *Estudios sobre un área dialectal hispanoamericana de población negra: Las tierras bajas occidentales de Colombia*, Instituto Caro y Cuervo, Bogotá, 1977.

Henestrosa, Andrés, *Espuma y flor de corridos mexicanos*, Porrúa, México, 1977.

Henríquez Ureña, Pedro, «Romances en América», *Cuba Contemporánea* (1913); reimpreso en *Obra crítica*, Fondo de Cultura Económica, México, 1960, pp. 579-594.

—, y Bertram D. Wolfe, «Romances tradicionales de México», en *Homenaje ofrecido a Menéndez Pidal*, tomo II, Madrid, 1925, pp. 375-390.

Iribarren Ch., Jorge, *Folklore. Valle del Río Hurtado, provincia de Coquimbo, Chile*, Museo de La Serena, La Serena, 1972.

Jiménez de Báez, I., *La décima popular en Puerto Rico*, Universidad Veracruzana, Xalapa, 1964.

Laval, Ramón A., *Contribuciones al folklore de Carahue*, Primera parte, Victoriano Suárez, Madrid, 1916.

—, *Contribuciones al folklore de Carahue*, Segunda parte, Imprenta Universitaria, Santiago de Chile, 1921.

—, «Nuevas variantes de romances populares», *Archivo del Folklore Chileno*, 3 (1928), pp. 16-26.

—, «Sobre dos cantos chilenos derivados de un antiguo romance español», *Revista Chilena de Historia y Geografía*, 63 (1929), pp. 40-47.

Lenz, Rodolfo, «Sobre la poesía popular impresa de Santiago de Chile: contribución al folklore chileno», *Revista del Folklore Chileno*, 6:2-3 (1919), pp. 1-112.

Leonard, Irving A., *Los libros del conquistador*, Fondo de Cultura Económica, México, 1953.

Lerzundi, Patricio, *Romances basados en La Araucana*, Playor (Nova Scholar), Madrid, 1978.

Leslie, John K., «Un romance español en México y dos canciones de los vaqueros norteamericanos: la influencia del tema "no me entierren en sagrado"», *Revista de Dialectología y Tradiciones Populares*, 13 (Madrid, 1957).

Lida de Malkiel, María Rosa, «El "romance", la *Comedia pródiga*, las *Coplas a la muerte de un su amigo* y la *Carta al rey* (1545), de Luis de Miranda», *Romance Philology*, 26 (1972-1973), pp. 57-61.

Liscano, Juan, *Poesía popular venezolana*, Sume, Caracas, 1945.

List, George, «A Comparison of Certain Aspects of Columbian and Spanish Folksong», *Yearbook of the International Folk Music Council*, 5 (Kingston, Ontario, 1973), pp. 72-84.

Lizana, Desiderio, «Cómo se canta la poesía popular», *Revista Chilena de Historia y Geografía*, 3:7 (1912), pp. 244-310.

Lohmann Villena, Guillermo, «Romances, coplas y cantares de la conquista del Perú», *Mar del Sur*, 3:9 (1950), pp. 18-40; reimpreso en *Estudios dedicados a Menéndez Pidal*, Madrid, 1950, tomo I, pp. 289-315.

Lucero-White, A., *Literary Folklore of the Hispanic Southwest*, The Naylor Company, San Antonio, 1953.

Magis, Carlos Horacio, *La lírica popular contemporánea: España, México, Argentina*, El Colegio de México, México, 1969.

Manrique Cabrera, Francisco, *Historia de la literatura puertorriqueña*, Las Américas, Nueva York, 1956.

McDowell, John H., «The Mexican Corrido: Formula and Theme in a Ballad Tradition», *Journal of America Folklore*, 85 (1972), pp. 205-220.

Medina, José Toribio, *Los romances basados en «La Araucana»*, Imprenta Elzeviriana, Santiago de Chile, 1918.

Mejía Sánchez, Ernesto, *Romances y corridos nicaragüenses*, Imprenta Universitaria, México, 1946; Fondo de Promoción Cultural, Banco de América (Colección Cultural, Serie Ciencias Humanas, 3), Managua, 1976².

Méndez Plancarte, Alfonso, «Introducción» a sor Juana Inés de la Cruz, *Obras completas*, Fondo de Cultura Económica, México, 1951, tomo I, pp. vii-lxviii.

—, «Estudio liminar» a sor Juana Inés de la Cruz, *Obras completas*, Fondo de Cultura Económica, México, 1955, tomo II, pp. vii-lxxviii.

442 ÉPOCA COLONIAL

Mendoza, Vicente T., *El romance español y el corrido mexicano*, UNAM, México, 1939.

—, *La décima en México: glosas y valonas*, Ministerio de Justicia e Instrucción Pública, Buenos Aires, 1947.

—, *El corrido mexicano*, Fondo de Cultura Económica, México, 1954.

—, *Glosas y décimas de México*, Fondo de Cultura Económica, México, 1957.

Menéndez Pidal, Ramón, *El Romancero. Teorías e investigaciones*, Páez, Madrid, 1928.

—, *Los romances de América y otros estudios*, Espasa-Calpe (Colección Austral, 55), Buenos Aires, 1939: «Los romances tradicionales en América», pp. 7-50.

—, *Romancero hispánico. Teoría e historia*, Espasa-Calpe, Madrid, 1953, tomo II, pp. 126-235, 341-356; otra ed., 1968.

Monroy Pittaluga, Francisco, «Cuentos y romances tradicionales en Cazorla (Llanos del Guárico)», *Anales Venezolanos del Folklore*, 1:2 (1952), pp. 360-380.

Moya, Ismael, *Romancero*, Imprenta de la Universidad, Buenos Aires, 1941, 2 volúmenes.

Muñoz, Diego, «La poesía popular chilena», *Anales de la Universidad de Chile*, 113:93 (1954), pp. 31-48.

Nolasco, Flérida de, *La poesía folklórica en Santo Domingo*, El Diario, Santiago, República Dominicana, 1946.

Ochoa de Masramón, Dora, «Los romances en San Luis, República Argentina», *Folklore Americano*, 19-20 (Lima, 1971-1972), pp. 206-218.

Olivares Figueroa, R., *Folklore venezolano. I: Versos*, Ministerio de Educación Nacional, Dirección de Cultura (Biblioteca Popular Venezolana, 23), Caracas, 1948.

Pardo, Isaac J., «Viejos romances españoles en la tradición popular venezolana», *Revista Nacional de Cultura*, 5:36 (1943), pp. 35-74.

Pardo Tovar, Andrés, *La poesía popular colombiana y sus orígenes españoles*, Ediciones Tercer Mundo, Bogotá, 1966.

Paredes, Américo, «El concepto de la "médula emotiva" aplicado al corrido mexicano *Benjamín Argumedo*», *Folklore Americano*, 19-20 (1971-1972), pp. 139-176.

—, «*José Mosqueda* and the Folklorization of Actual Events», *Aztlan*, 4 (1973), pp. 1-30.

—, *A Texas-Mexican «Cancionero». Folksongs of the Lower Border*, University of Illinois Press, Urbana, 1976.

Paz, Octavio, *Sor Juana Inés de la Cruz o las trampas de la fe*, Seix Barral, Barcelona, 1982.

Perea, Socorro, «Valonas y décimas potosinas de los Pares de Francia», *Cuadernos Americanos*, 39:6 (1980), pp. 145-166.

Pereda Valdés, Ildefonso, *Cancionero popular uruguayo (Materiales recogidos en los Departamentos de Montevideo, Cerro Largo, Durazno, Canelones y Lavalleja, y ensayo de interpretación de los mismos con una introducción de la ciencia folklórica)*, Florensa y Lafon, Montevideo, 1947.

Pereira Salas, Eugenio, *Guía bibliográfica para el estudio del folklore chileno*, Instituto de Investigaciones Musicales, Universidad de Chile, Santiago de Chile, 1952.

—, «La poesía enigmística en la Colonia», *Boletín de la Academia Chilena,* 60 (1971), pp. 67-78.

Pino Saavedra, Yolando, «La historia de Carlomagno y los Doce Pares de Francia en Chile», *Folklore Americas,* 26 (1966), pp. 1-29.

Poncet de Cárdenas, Carolina, *El romance en Cuba,* Imp. El Siglo XX, 1914; otra ed., Instituto Cubano del Libro, Edición Revolucionaria, Vedado-La Habana, 1972.

Quevedo, Francisco, *Lírica popular tabasqueña: Cantares yucatecos. Estudios folklóricos (Primera parte),* Tabasco, 1916.

Restrepo, A. J., *El cancionero de Antioquia,* Lux, Núñez, Barcelona, 1930³.

Reynolds, Winston A., *Romancero de Hernán Cortés,* Ediciones Alcalá (Colección Aula Magna, 12), Madrid, 1967.

Robb, John Donald, «A Pocket Without Money (Una bolsa sin dinero)», *Western Folklore,* 33:3 (1974), pp. 247-253.

—, *Hispanic Folk Songs of New Mexico: With Selected Songs Collected. Transcribed and Arranged for Voice and Piano,* The University of New Mexico Press, Albuquerque, 1978³.

Robe, Stanley L., «Charlemagne in America: Formation and Transmission», en Diego Catalán *et al., El Romancero hoy: Nuevas fronteras. 2.° Coloquio Internacional,* Madrid, 1979, pp. 181-189.

Rodríguez Demorizi, E., *Del romancero dominicano,* El Diario, Santiago, República Dominicana, 1943.

Rodríguez-Moñino, Antonio, «Cancionerillo peruano del siglo XVII», *Mar del Sur,* 4:20 (1952), pp. 38-43.

—, «Nueva cronología sobre los romances de La Araucana», *Romance Philology,* 24 (1970), pp. 90-96; reimpreso en *La transmisión de la poesía española en los Siglos de Oro,* Ariel, Barcelona, 1976, pp. 243-251.

Romero, Emilia, *El Romancero tradicional en el Perú,* El Colegio de México, México, 1952.

Sánchez-Romeralo, Antonio, «El Romancero oral ayer y hoy. Breve historia de la recolección moderna (1782-1970)», en Antonio Sánchez-Romeralo, Diego Catalán, Samuel G. Armistead, *El Romancero hoy: Nuevas fronteras. 2.° Coloquio Internacional,* Madrid, 1979, pp. 15-51.

Santa Cruz, Nicomedes, *La décima en el Perú,* Instituto de Estudios Peruanos, Lima, 1982.

Simmons, Merle Edwin, *The Mexican Corrido as a Source for Interpretive Study of Modern Mexico, 1870-1950,* Indiana University Press, Bloomington, 1957.

—, *A Bibliography of the Romance and Related Forms in Spanish America,* Indiana University Press, Bloomington, 1963.

—, «Folklore Research in Spain and Spanish America», *The American Hispanist,* 1:5 (1976), pp. 2, 4-5.

Stark, Richard B., *Juegos infantiles cantados en Nuevo México,* Museum of New Mexico, Santa Fe, 1973.

Terrera, G. A., *Primer cancionero popular de Córdoba. Investigación científica folklórica,* Imprenta de la Universidad, Córdoba, 1948.

Torre Revello, José, «Romances y romanceros en el Nuevo Mundo», *Revista del Instituto Histórico y Geográfico del Uruguay,* 20 (Montevideo, 1953), pp. 323-334.

Uribe Echevarría, Juan, *Cantos a lo divino y a lo humano en Aculeo*, Editorial Universitaria, Santiago de Chile, 1962.

Vargas Ugarte, Rubén, *Nuestro Romancero. Introducción y notas* (Clásicos Peruanos, 4), Lima, 1951.

Vicuña Cifuentes, Julio, *Romances populares y vulgares recogidos de la tradición oral chilena*, Imprenta Barcelona (Biblioteca de Escritores de Chile, 7), Santiago de Chile, 1912.

Villablanca, C., «Estudios del folklore de Chillán», *Anales de la Facultad de Filosofía y Educación*, 3 (1941-1943), pp. 185-223.

Zevallos Quiñones, Jorge, «Un romance español en el siglo XVIII en el Perú», *3*, 7 (1940), pp. 63-70.

RAMÓN MENÉNDEZ PIDAL

NOTAS DE ARCAÍSMO EN LA TRADICIÓN AMERICANA

Comparado lo recogido en América con lo que conocemos en España, es, sin duda, poco; demasiado poco, si se atiende a los vastos territorios de donde procede; así la tradición americana parece enrarecida y débil. Sin embargo, esta escasez es sólo efecto de escasa indagación. Cuando ésta se intensifique, dominando la técnica recolectora, los resultados serán equiparables a los de España. En Cuba, por ejemplo, han descubierto mucho, tanto Chacón [1914] como Carolina Poncet [1914], pero sorprende el ver que en sus colecciones faltan romances de los más sabidos en España. Esto se explica porque aún quedan en la isla importantes regiones que no han tenido persona que las visitase. El mismo Chacón me acompañó en un viaje a la parte oriental, el año 1937, y en Santiago pude recoger y grabar en disco gramofónico versiones del *Gerineldo*, el *Conde Niño, Don Bueso* y otros romances que se echaban mucho de menos en todas o casi todas las colecciones publicadas. Puede, pues, asegurarse que si hoy la tradición americana nos parece poco densa, esto depende de que ha habido pocos folkloristas aplicados a estudiarla en los inmensos territorios por donde se extiende.

Alguna de las noticias recogidas hasta ahora viene a decirnos que en América se conservan romances de los raros, que en España sólo se hallan en las regiones más tradicionalistas. Olivares Figueroa [1948] lo muestra respecto a Venezuela. Vicente T. Mendoza [1939], al hablarnos de aquel indígena mexicano gran cantor de romances, nos dice que uno de los que cantaba era:

Ramón Menéndez Pidal, *Romancero hispánico*, Espasa-Calpe, Madrid, 1968, tomo II, pp. 341-356 (351-356).

> Ya lo llevan, ya lo llevan, preso al conde don Gonzalo,
> porque ha ofendido al rey ...
>   ... y con Bernardo del Carpio ...,

que es el rarísimo romance atribuido al ciclo de Bernardo en la tradición asturiana, y que, sin tal atribución, se conserva también en el noroeste de la península y en Portugal.

Aunque por la escasez de versiones recogidas es muy prematuro calificar la tradición americana, podemos decir que no se halla particularmente desnaturalizada, como algunos creen, sino que, al contrario, ofrece arcaísmos estimables. El romance que allí más ha rodado de boca en boca, el de *Las señas del marido*, nos ofrece cierto pasaje que contiene arcaísmos de lengua y de costumbres bien conservados o fácilmente reconocibles:

> Por las señas que me das, tu marido muerto es,
> en la plaza de los turcos, muerto por un genovés

(versiones de Lima y de Mendoza) lo cual nos permite afirmar que la versión antigua decía: «en la mesa de los trucos». Una versión cubana y otra chilena dicen: «en la mesa de los dados, muerte le dio un genovés», donde se ve una adaptación posterior, pues los dados no exigen ninguna mesa especial, como exige el juego de los trucos, hoy desusado, sustituido por el del billar.

La única versión antigua de este romance es la que recogió Juan de Ribera en 1605, donde se halla el pasaje en cuestión bajo esta forma bien ambientada en la Valencia de entonces, tan relacionada con los negociantes italianos:

> Por esas señas, señora, tu marido muerto es;
> en Valencia le mataron, en casa de un ginovés;
> sobre el juego de las tablas, lo matara un milanés.

No fue ésta la versión que se propagó en América, sino otra que en vez del juego de las tablas mencionaba la mesa de los trucos, según vemos, y lo curioso es que la existencia de esta antigua variante sólo nos la atestiguan las recogidas en América, pues en las muchas versiones peninsulares que he consultado falta toda mención de trucos, turcos o dados.

En el mismo pasaje que examinamos, no es ya tan notable la conservación del arcaísmo *muerto es*, ni la mención del *genovés*, pues también ambos asonantes se conservan en España, pero debe notarse que se conservan allá en mayor número de versiones que acá. Por lo demás, en oposición a estos rasgos conservativos, existen, claro es, en América versiones modernizadas como en España, y algunas más atrevidamente, en que el verso de asonante *genovés* se sustituye por formas varias: «pues lo mataron de un tiro a la puerta de un café» (Cuba); «en una mesa vedada quedó muerto en Chiloé» (Chile); pero esto no quiere decir otra cosa sino que es preciso recoger muchísimas versiones para dar con los arcaísmos más estimables, superiores a los conservados en España. [...]

La tradición americana es, sin duda, de gran interés, en cuanto guarda de la época virreinal fieles recuerdos, que han de ser abundantes, a juzgar por los muchos y excelentes arcaísmos que América conserva en el idioma. Este espíritu conservativo nos dice que el Nuevo Mundo recibió y asimiló en el siglo XVI, no sólo la *actualidad* de la cultura europea perteneciente a la época de la colonización, instituciones sociales, políticas, eclesiásticas, universidades, imprenta, etc., sino que recibió y se apropió también la más profunda *tradicionalidad* informadora de esas organizaciones culturales. El romancero se difunde y arraiga en el mundo nuevo hispanoportugués y sobrevive con más fuerza que las baladas inglesas sobreviven en la América del Norte.

Por otra parte, la tradición de América, en lo que puede tener de más moderno, nos sirve para poner de manifiesto [incluso en los tiempos actuales] la continua transfusión de una banda a otra del Atlántico. El romance de la *Aparición de la esposa difunta*, que es muy cantado en el juego infantil del corro, fue refundido por las niñas de Madrid cuando la sentida muerte de la reina Mercedes (1878), comenzándolo de otro modo: «¿Dónde vas, Alfonso Doce ...», y este arreglo se propagó enseguida, no sólo por Cuba y Puerto Rico, entonces dependientes de España, sino por toda América hasta en Nuevo México.

Aunque el dato cronológico no sea tan evidente, hallamos otros casos de propagación moderna, y mucho más interesantes. La versión de *El Galán y la calavera*, recogida en Chile, en la provincia de Aconcagua, es en todos sus versos tan parecida a otra hallada en España, en Curueña, provincia de León, que la chilena hasta usa el verbo «picar» por 'llamar' a la puerta, dialectalismo propio del noroeste de la península, incomprendido en el castellano común lo mismo que en Chile. Por tanto, un emigrante de la montaña de León debió de llevar el romance al hemisferio opuesto, a las estribaciones del Aconcagua; y el trasplante debió de ser hecho hace poco, pues si el romance hubiese rodado mucho en bocas

chilenas, hubiera perdido el incomprensible verbo «picar». En la Pampa
y en la provincia de Buenos Aires se han hallado otras versiones de este
mismo romance; en una de ellas, única publicada, ha desaparecido ya ese
«picar» dialectal, pero sigue siempre tan semejante a la de Aconcagua y a
la de Curueña, que nos confirma en la idea de que este tema fue importa-
do desde la montaña de León hace poco tiempo. Aunque este problema,
capital para la biología del romancero, estaba ya planteado hacía bastantes
años, es sensible que ni el colector chileno ni el argentino le prestaron
atención, siendo así, que sólo ellos pudieran haberlo dilucidado plenamente, indagando las relaciones sociales y culturales de los varios recitadores
de este romance.

Análogo caso al anterior hallo otro, y mutuamente se apoyan los dos.
Me refiero al romance de *El penitente Rey Rodrigo*, recogido en Chile,
en tres versiones de las provincias de Talca y de Linares. Ese viejo romance no me es conocido hoy en España sino en una porción del mismo
noroeste, en el encuentro de las provincias de León, Zamora, Asturias y
Lugo, donde reviste variantes muy parecidas a las chilenas. Esto, a la vez
que comprueba la intensidad de la emigración étnica y romancística del
noroeste peninsular a Suramérica, muestra cómo la tradición americana
es complemento necesario de la tradición peninsular.

Se puede también dar el caso de que en nuestros días pase a
América un romance, no por vía oral, sino por medio de una publicación impresa. Tal sucede con *El Enamorado y la Muerte*. Éste es
un romance muy poco difundido, raro en el noroeste de España, rarísimo entre los sefardíes (poseo sólo una versión de Grecia) y sólo algo
frecuente en Cataluña, desconocido en todas las colecciones castellanas hasta que lo publiqué, truncado y arreglado, en 1928. Poco después, un anónimo mexicano lo refundió en esa forma, así truncada y
arreglada, cambiándole el asonante: en vez del asonante *-ía*, propio de
todas las versiones castellanas, catalanas y sefardíes, el arreglo mexicano es en *-áa*; es decir, que en México se usa la misma práctica romancística de mudar la asonancia, práctica tan grata a Pérez de Hita
en las *Guerras civiles de Granada*. La refundición mexicana en *-áa*
fue publicada por Vicente T. Mendoza en 1939, recogida en Chapan-
tongo (estado de Hidalgo), cantada con música de un popular corrido,
original del compositor Alfonso Esparza Oteo. La refundición mexicana tiene varios versos demasiado artificiosos; no ha rodado mucho en
la tradición oral.

Giovanni Maria Bertini

ROMANCES NOVELESCOS ESPAÑOLES EN HISPANOAMÉRICA

El romance español entrando en el mundo «americano» pudo perder algo de su primitiva belleza, pero en muchos casos, según afirma Vicuña Cifuentes [1912] ganó «en rapidez y concisión, aligerándose de no pocos versos prolijos y vulgares que retardan a veces su marcha». Claro está que un examen detenido pondría de relieve las razones de estos cortes, de algunos cambios, y sobretodo podría aquilatar la nueva fisionomía que las modificaciones lexicales y morfológicas han impreso a muchos romances.

De aquí tal vez tendrá que empezar su labor el que se proponga trabajar sobre un material tan rico y expresivo. La transferencia de un género literario, propio de un pueblo, a otros pueblos, aunque de la misma lengua (con todas las excepciones que el estudioso de filología y dialectología conoce), supone la solución de muchos problemas, todos interesantes y reveladores de las reacciones y de los cambios que una mentalidad, una espiritualidad y una cultura nuevas provocan. [...]

De todos modos extraña que el romance haya vivido casi cuatro siglos entre las gentes de Hispanoamérica (y los testigos, o mejor dicho los que recitan romances, pertenecen a las varias capas de la vida social), sin que casi nadie se diera cuenta de que se encontraba delante de una creación literaria que procedía de allende el océano.

Hay más todavía, pues en ciertas naciones, me refiero en concreto al Perú, el romance durante cierto tiempo, especialmente en el siglo XVII, se ve utilizado como relato histórico de los acontecimientos que se desarrollaban en aquellas regiones de Hispanoamérica. El clásico peruano Mateo Rosas de Oquendo, todavía en el siglo XVI, emplea el romance como composición libre tratando temas históricos. Igualmente acontece con varios y no siempre conocidos poetas de aquella

Giovanni Maria Bertini, «Los romances novelescos españoles en Hispanoamérica», en *Studi di Letteratura Ispano-Americana*, 1 (Instituto Editoriale Cisalpino, Milán-Varese, 1967), pp. 19-30 (20-30).

nación, quienes nos han dejado unos romances de corte popular que
nos hablan de algunos sucesos históricos. Rubén Vargas Ugarte ha
podido recoger aquellos romances y darnos un verdadero «Romancero
peruano».

Un simple vistazo nos aclarará sin más el carácter de esta manifestación literaria tan distinta por su calidad bastante regular frente
al clásico romance español. Sin embargo esto no cesa de parecernos
indicativo de lo que solemos llamar «fortuna» del romance español
en América.

Ya hemos apuntado que los romances históricos, o épicos que
de España los españoles llevaron consigo a América (Menéndez Pidal
[1939, 1953] en su estudio sobre los romances de América y luego
en su *Romance hispánico* nos traza un breve informe sobre los testigos de las primeras presencias de dichos romances) quedaron al margen de la popularidad que consiguieron los novelescos. De todos modos tenemos noticia de que se conservaron algunos de los romances
viejos, en su mayoría históricos, tal como los tres sobre el Cid, «Victorioso vuelve el Cid de San Pedro de Cardeña»; «Victorioso vuelve
Ercilo» (nombre formado de «el Cid»», pronunciados y transcritos en
dialecto) «de los moros de Valencia», y «Pensativo estaba el Cid, lleno
de pena y cuidado» y otros tres sobre Bernardo del Carpio (éstos los
señala Vicuña Cifuentes entre los romances conocidos en Chile), y tal
vez algunos más. Pero sin duda muy contados.

Era más que comprensible que los pueblos americanos no sintie-
ran inclinación alguna hacia los héroes de la «reconquista» española
contra los moros. Además no olvidemos que el pueblo y las demás
capas sociales se encontraban en una postura de desconfianza, de temor
frente al español dominador. La conciencia nacional de los americanos
iba despertándose y el patrimonio cultural y literario de España les
interesaba siempre menos.

Muy distintamente desde luego se comportaron los pueblos americanos en relación con los romances novelescos españoles. Aquí ya
no se trata de historia de España, sino de historias o mejor dicho de
aventuras del hombre en su plenitud de vida y de alma. Los casos
relatados por los romances novelescos «se avenían mejor con las costumbres de la época, fecunda en aventuras galantes y en dramas de
familia...» (son palabras del ya mencionado folklorista chileno Vicuña
Cifuentes [1912] y «por esto» sigue el crítico santiagués «se olvida-
ron los romances históricos ..., los de asunto clásico y los fronterizos

y moriscos ... y sólo fueron quedando los de asuntos fuertes, a las veces sangrientos y pecaminosos y algunos sobre asuntos bíblicos y devotos ...».

Se incorporaron al mundo cultural y formaron objeto de diversión y entretenimiento y motivo, no pocas veces, de provechosa enseñanza moral. Aquí se puede notar el trabajo de elaboración o mejor dicho de adaptación que los romances novelescos sufrieron por parte del pueblo americano.

El primer reparo que podemos hacer bajo este aspecto es que el romance, sobre todo los que presentaban una trama fuerte, un contenido escandaloso, fueron, en alguna medida, suavizándose. Quedó el fondo. Pero el desarrollo se vio como aligerado, refinado. Nos parece que el proceso de «liricización» (perdóneseme la palabra), que constatamos haber caracterizado el romance épico, continúa en América.

Si todo romance novelesco tiene origen en un episodio real, es natural que una vez que un poeta se ha adueñado de él o mejor dicho unos poetas (cada variante que advertimos en el desarrollo del romance es siempre obra de un poeta, pues la variante sobrentiende siempre una interpretación de toda la composición y esto siempre es obra de poeta), la obra de transfiguración va ampliándose y ahondando cada vez más. El camino, hemos subrayado, que el romance épico ha seguido de una expresión esencialmente narrativa a una interpretación poética y desde luego lírica es el mismo que, por su parte, ha realizado el aludido episodio o hecho de vida corriente que llamó en su tiempo la atención del público y después del «juglar» o sea del poeta. [...]

Era necesario, y lo hemos apenas indicado muy de paso, acercar, un poco más de lo que se suele hacer, el romance novelesco al ambiente en que fue llevado a comienzos del siglo XVI. Los cambios que el romance nos presenta provienen sin más de allí. En relación con una mentalidad distinta, con costumbres, temperamentos, paisajes, acontecimientos históricos y sociales distintos, las reacciones de los que aprendían los romances novelescos españoles para recitarlos, los tenían forzosamente que modificar, con el fin evidente de hacerlos más suyos y, al mismo tiempo, más hispanoamericanos. [...]

Muy notable en este sentido es el romance «Mi marido se fue a viajar. ¿No lo vido por allá?», que pertenece al tema de las «Señas del marido», uno de los temas más conocidos del Romancero novelesco español. Este romance fue recogido por el malogrado folklorista mexicano Vicente Tomás Mendoza en *El romance español y el corrido mexicano*, México, 1939. Llama desde luego la atención que el comienzo de uno de los más antiguos romances de dicho tema «Caballero, de lejas tierras, llegaos acá y pareis, hinquedes la lanza en tierra, vuestro caballo arrendeis», típico por reflejar la vida medieval del caballero, que volvía a su casa después de larga ausencia —Santullano recoge bajo este tema, de «La ausencia», dos composiciones— pasada en guerra, ha podido transformarse en una sencilla alusión a un largo viaje. Se trata evidentemente de un proceso de simplificación y de modernización sumamente indicativo de la naturaleza de [la] mezcla de elementos procedentes de varios romances anteriores. Tanto es así que poco después el recogedor mexicano utiliza los versos de un romance antiguo muy complacido de demorar sobre los detalles del vestuario. «En la punta de la espada tiene un letrero francés» reza el romance mexicano, reduciendo a esta única referencia la alusión al atuendo, que el romance mencionado por Santullano desarrolla así: «En el pomo de su espada armas trae de un marqués, / y un ropón de brocado y de carmesí al envés; / cabe el hierro de la lanza trae un pendón portugués, / que ganó en unas justas a un valiente francés». También aquí aflora un clima popular en donde el mexicano nos dice que su héroe «Se llama Antonio Ramírez, su destino es labrador, / es amigo de los hombres, amigo y no traidor / ... lo mataron en Colima los soldados de Avilés». El personaje ya no se nos presenta como un antiguo guerrero de los tiempos de las Cruzadas o de la guerra de los Cien Años. Tenemos delante un mexicano cabal que ha tomado parte en las luchas de liberación del territorio nacional. Ni aquí acaba nuestra comparación, pues al final de la composición nos encontramos con una situación que raya en burla. La supuesta viuda «vistió de luto con un tápalo café / y miróse en el espejo: ¡Qué buena viuda quedé!». Esta conclusión mucho se distingue de la final, corriente en romances de dicho tema, pues el marido, escondido bajo las apariencias de un soldado que parte para alcanzar los lugares en donde guerreó el marido, se da a conocer por quien es: «que vuestro marido amado delante de vos lo teneis».

El romance ha sufrido una evolución que se puede definir de «vulgarización»: pues no interesa al poeta mexicano la trama conmovedora del antiguo relato; aquí se trata ya tan solamente de «los versos de la viudita». [...]

Un tono algo cómico presenta de su parte el romance que en mi colección sigue al precedente y empieza con una variante de sabor

libre y coloquial: «Catalina, Catalina, la del paño limonés». Al oír
que el soldado le pregunta «¿Qué se te ofrece pa Francia?», ella le
entrega cartas para su marido, diciendo: «Estas cartas que aquí tengo a mi marido las dé». El tono chocarrón estalla sobretodo cuando
el soldado declara: «lo lloraban diez solteras, casadas cuarenta y tres».
Más ejemplos podríamos ofrecer sobre lo que definimos muy sencillamente «divulgador», entendiendo con este término calificar el afán
que el poeta moderno siente de poner al alcance del pueblo la producción de romances que había tenido su origen en capas muy elevadas
de la sociedad medieval española.

Ilustrados estos relieves, nos resulta oportuno subrayar cierta capacidad de hermosear el texto del romance novelesco en algunos casos.
Véase el romance poco difundido «De Francia vengo, señora, de la
tierra del francés, / en el camino me han dicho qué linda hija teneis»,
cuya trama es la petición de mano en nombre del rey de Francia de
la niña más discreta de una señora que tiene tres hijas. Del departamento de Nariño en Colombia procede una briosa y fina versión, que
empieza con un verso que bien podríamos llamar una especie de antí-
fona, pues simbólicamente compendia el contenido del romance entero: «Jilitos, jilitos de oro que están atando mis pies».

Con «Jilitos» o «hilitos» se quiere aludir al vínculo que el matrimonio lleva consigo. Entre las variantes tendremos también: «Alelito,
alelito de oro».

El acierto en formular estas palabras tan delicadas revela un poeta
de calidad. Así sigue el romance: «Galopando mi caballo, vengo de
parte del rey / a decirte, gran señor, que cuantas hijas "tenés"». Esto
formaría parte del antiguo romance clásico, y aquí, como aconteció
en otros casos, se salvaría del olvido. Hace contraste con la sobriedad
del romance español medieval la composición que encontramos tan
desarrollada y bastante comprometida en un juego muy barroco:

> Téngalas o no las tenga, las dejara de tener,
> que tenga las que tuviere, eso no le importa a él.

Siguen otros dos versos que muy seguramente proceden de una
antigua redacción, demostrando una vez más el carácter compósito de
muchísimos de los romances que se han visto sometidos, a lo largo
de los siglos de vida en Hispanoamérica, a una elaboración atenta y
bien medida:

Pues del pan que yo comiere comerán ellas también,
y del agua que beviere de esa misma han de beber.
Del calzado que calzare calzarán ellas también.

Véase como la situación está resuelta en el romance que recogió
el mismo Vicuña Cifuentes [1912] y que pensamos lleva rastro muy
evidente de su antigüedad:

Que las tenga o no las tenga,
yo las sabrá mantener,
con un pan que Dios me ha dado
y un jarro de agua también.

Responde a estas palabras de dignidad y recato la actitud ofendida del mensajero del rey, que en el romance santiagués es un pastorcito, mientras en el romance colombiano es «hijo de conde», de
un auténtico «señor conde». ¿Quién sabe si aquí no se oye una risita
de caricatura?:

Yo me voy muy enojado
a los palacios del rey,
a contárselo a la reina
y al hijo del rey también.

Es curioso como en el romance de Nariño la asimilación de costumbres modernas y locales ha sido total: «No la siente usté en petates»,
recomienda el sentimiento conmovido de la madre al dar su hija al
mensajero para que la entregue al hijo del rey, «sino de seda mordo-
ré» (una deformación graciosa de las dos voces *mauve doré*, el paño
nombrado en un francés humorístico); «no la vista de bayeta sino de
tela de a diez», en esta precisación nos situamos desde la mentalidad
de una buena madre de familia, acostumbrada a dar precio a toda cosa
y a estimar un cualquier regalo bajo la estima económica. «Póngale
candongas de oro», añade en su afán por la hija, «y dele para sus
pies / zampatillas». Sobra que vaya insistiendo sobre detalles de vida
familiar. No nos queda sino medir el camino que el romance novelesco español, dramático, siempre sobrio y hasta tajante en sus expresiones, ha hecho para llegar al clima casero y coloquial del papel que
va desarrollando la madre, en el corrido o romance colombiano
que acabamos de comentar. De verdad, repito, ha sido un camino

largo y sobre todo bien significativo de la cultura de la América Latina, más sencilla y popular en relación con la de la España medieval o renacentista.

Por todo lo que hemos ido apuntando creo que no podemos aceptar la opinión de Vargas Ugarte [1951] quien afirma «que los primeros españoles ... no llegaron a difundirlo (el romance) y a hacerlo popular». En favor de la popularización del romance —hablo, desde luego, del romance novelesco—, tenemos no solamente la cantidad (no pasemos por alto el hecho que en 1912 Vicuña Cifuentes nos ofrece en su antología unos 170 romances recogidos en tierra chilena y Aurelio Macedonio Espinosa unos 250 que aun se cantan en Nuevo México: son dos solos casos los que mencionamos, pero un recuento de los romances o corridos de las demás naciones sudamericanas nos darían sin duda un cuadro más elocuente aun), sino, lo que, conforme nuestro parecer presenta mayor importancia, aludimos, la transformación a que el romance se ve sometido por el pueblo.

El romance español transplantado en América, ya lo hemos dicho, se convierte a poco a poco en un instrumento expresivo del hispanoamericano, como cualquier otra composición poética. Así queda aclarado que de todas las varias familias de romances la que tuvo más suerte fue precisamente la de los romances novelescos por tratar temas de interés general. [...]

La falta, que hemos advertido poco antes, de un panorama completo de la difusión y asimilación del romance novelesco en las veinte naciones hispanoamericanas, no permite establecer una estadística, sobre la mayor o menor divulgación de los temas del romancero novelesco. Esto sugeriría, de haber sido actuado, los datos entorno de la carga de interés que cada tema ha despertado entre el pueblo sudamericano.

Un cuadro de cierta amplitud nos lo da Vicuña Cifuentes [1912] en su recolección de *Romances populares y vulgares* mencionada ya varias veces. Empezando por «El conde Alarcos», y pasando por «Delgadina», «El reconocimiento del marido», «Blanca Flor y Filomena», «La mala mujer», *alias* «La esposa infiel», «La adúltera», «El galán y la calavera», «La dama y el pastor», «Mambrú», «El hilo de oro», o «La busca de la esposa», o «Las tres hermanas» encontramos a muchas voces del romancero novelesco español. Faltan sin embargo dos motivos muy conocidos, «Gerineldo» y «La aparición».

El romance que más versiones nos proporciona en Chile es «Blanca

Flor y Filomena», con once versiones, todas de corte breve y muy esencial.

Leyendo las once versiones de «Blanca Flor y Filomena», romance novelesco que, según informa Menéndez Pidal [1951] «los editores despreciaban y no querían recoger», igual que «Bernal Francés», «Doncella guerrera», «La muerte ocultada», «Don Bueso y la hermana cautiva», nos damos cuenta de cierta repugnancia que el americano siente hacia el elemento disgustoso, asqueroso, o de cualquier manera desequilibrado. Es sabido que el romance del cual hablamos tiene su lejano origen en la fábula mitológica de Procne y Filomena que Ovidio recoge en el libro VI de las Metamorfosis. La venganza de Procne contra Tereo, quien ha violado y mutilado a su hermana Filomena, consiste en que Procne da a comer a su esposo las entrañas de su propio hijo Itio. El horrible relato se encuentra en la redacción española. Santullano en su «Romancero Español» reproduce un texto asturiano, en el cual la narración del macabro episodio así resulta: «Blanca Flor, desque lo supo (alude al crimen cometido por Tereo, cuyo nombre se ha transformado en los romances españoles en Tereno, Turquillo, Tarquino, y en los chilenos Fernandillo, Bernardino, duque de Turquía), con el dolor malpariera; / y el hijo que malparió, guisólo en una cazuela / para dar al rey Turquillo a la noche cuando venga».

El romance chileno se conforma con una alusión muy discreta: «Blanca Flor que la vido (la carta escrita por Filomena con la sangre de la lengua), del susto se desmayó»; «Blanca Flor, des que la vio, con el susto malparió». Algo parecido acontece con el romance tan comentado «Delgadina», en donde, siguiendo el texto conocido en España, el rey solicita el amor de su hija «más chiquita»: «tú has de ser mi enamorada». Tenemos un texto chileno dedicado sobre todo a los niños en el cual el nombre de Delgadina ha sido sustituido con Alfonsina, con el subtítulo de «Inocencia y Envidia». Aquí se dice: «A todas quiere su padre, a todas tiernamente ama, / pero quiere a su Alfonsina sobre todas sus hermanas». Además para poner más de relieve el carácter moral que reviste el final de otra reelaboración chilena nos ofrece esta variante: «Hija mía Delgadina, a vos se te arrancó el alma, / yo me quedo padeciendo abrasado en vivas llamas». El castigo del padre resalta con fuerza dramática. [...]

Hoy, como cuando hace diez años me dediqué a recoger romances novelescos en tierra americana, estoy convencido de que sin el substrato de espíritu y cultura de indios, criollos y emigrados, a través del cual se abrió camino la poesía española, no contaríamos con un patrimonio del romancero español trasladado allende el océano, hecho americano y allá llamado a vivir como una segunda vida. Nos decía el malogrado Alfonso Reyes que la sensibilidad de los pueblos sudamericanos está dividida entre ternura y violencia. [...]

Por esto el americano, nacido de la fusión del indio con el español, supo aprovechar uno de los géneros literarios más expresivos que España había ofrecido a América para llenarlo, con finura y gracia melancólica, de algo de su alma artística, y nos ha proporcionado el romance, que tiene su personalidad, sus maneras de ser.

José Durand

ROMANCES Y CORRIDOS DE LOS *DOCE PARES DE FRANCIA*

Gerineldo aparte, casi ninguna muestra del romancero carolingio o seudocarolingio se ha conservado en Hispanoamérica. Queda algún raro ejemplo como el trocito del *Conde Claros* hallado en la Argentina: tan breve que no basta para representar el texto antiguo de donde proviene. En cambio *Gerineldo,* único sobreviviente conocido, tiene cierta difusión en el Nuevo Mundo. De asunto amoroso y cortesano, poco tiene que ver con hechos de armas y en sus versos no aparecen nombres como los de Oliveros o Roldán. Cierto que en todo el continente hay infinitas referencias a los Pares y a Carlomagno, las más veces en escenas bélicas. Casi nunca son romances, sino más bien décimas, cuya fuente es distinta y bien conocida: un librito caballeresco impreso por primera vez en Sevilla, 1521. Se titula *Historia del emperador Carlomagno... y... de los Doce Pares de Francia.* Circuló como anónimo y bajo el nombre de quien se declara simple traductor, Nicolás de Piamonte; la verdad es que intervino retocando más de un lance. La obra tuvo inmediata fortuna en pliegos de cordel y pronto pasó a Indias, donde ganó arraigo popular, extendidísimo y muy duradero aun entre los más humildes. Su mayor auge en el Nuevo Mundo ocurrió durante el XVIII y XIX, y alcanzó nuestros días. Tales noti-

José Durand, «Romances y corridos de los *Doce Pares de Francia*», en D. Catalán *et al.*, *El Romancero hoy: Nuevas fronteras. 2.º Coloquio Internacional,* Madrid, 1979, pp. 159-179 (159-160, 161-168).

cias suelen conocerse, pero conviene puntualizarlas, pues no consta
que el romancero influyese en esta corriente. De hecho hay un ciclo
americano, con antecedentes en la península, derivado de esa *Historia
del emperador* y sólo de ella, salvo excepciones que ignoro. Para aho
rrar confusiones, el ciclo podría llamarse de los *Doce Pares*, con lo
cual se distinguiría mejor de su remoto e ilustre pariente, el roman·
cero carolingio (*Gerineldo* nada cuenta aquí). En rigor se trata de un
doble conjunto, más bien paralelo que ligado: uno en versos populares, con predominio de la décima y la copla, y otro en danzas habla-
das, cuyos textos llegaron muy estragados: tienen señas de haber sido
en metro, casi siempre romances. Hay testimonios ciertos del XVIII
para las formas escenificadas. Tales versos y representaciones cubren
un área inmensa, que va desde Nuevo México y Puerto Rico hasta
Chile y la Argentina (también alcanza las Filipinas y el Brasil). Han
venido señalándose localmente desde 1895, por Rudolf Lenz [1919]
en Chile; sin embargo, queda por hacer un cuadro digno de tal amplitud.

Esta poesía popular, aunque rica en colorido, no alcanza ni con
mucho el vuelo lírico o la destreza narrativa del romancero. Sorprende
en cambio como fenómeno cultural, sin distinción de castas ni regiones. Indios, mestizos y negros se entusiasman por igual con aquellas
hazañas legendarias, y aun se identifican con ellas.

Es probable que cuando empezaron a componerse versos de los
Pares hubiese decaído ya en América la boga de los romances jugla-
rescos largos, como el *Conde Dirlos*, o bien los de *Don Gaiferos*, ricos
en acción y aventuras. Desdichadamente tampoco sabemos mucho de
la historia del romancero en la época virreinal. Consta, claro está, que
desde el XVII tardío y a lo largo del XVIII fueron llegando de la península composiciones vulgares de calidad muy varia. También se escribieron otras —noticiosas, festivas, políticas, de circunstancias—, rara
vez con prendas de excelencia, pero sí —las mejores— con gracia y
dignidad. Mientras la fortuna del romance tendía a menguar, crecía
el auge de la décima, gustadísima en Indias desde mucho atrás. Se
cultivó en variadas modalidades y combinaciones, llegó a un largo
apogeo y alcanzó más y más a todas las gentes. Esta popularidad resulta muy clara en días de la independencia. Es imposible fijar, sino
a tientas, cuándo los versos de los *Pares*, en décimas e inspirados en
lances de caballerías, fueron tomando el lugar de la tradición jugla-

resca. Literariamente esto se podrá lamentar, pero el hecho histórico parece haberse dado así, durante el xviii.

Para quien conozca el librillo de Piamonte, su influjo es fácil de señalar. Mientras que en el romancero algunos paladines son vistos con malos ojos, en los versos de los *Pares* no ocurrirá igual: Oliveros se presenta siempre bajo la luz más favorable, y también Roldán, salvo en un solo episodio, cuando desobedece al emperador. Ambos se hallarán en compañía de Ricarte, Guy de Borgoña y demás personajes del relato, inclusive los moros: el Almirante Balán, Fierabrás, Floripes, amén de gigantes como Galafre, Amiota y algún otro. En cambio no nos toparemos con Melisendra, ni Baldovinos, ni Gaiferos, ni Reinaldos de Montalván. En cuanto al metro, del romance sólo quedan rastros: reina la décima y con ella la copla; ésta, muy a menudo, glosada.

Otro camino había seguido el librillo en la península, donde su desenvolvimiento fue el normal: ya en el xviii, visto el éxito creciente de la obra, Juan José López la usó para componer ocho pliegos de romances vulgares, que acabaron en el repertorio de Agustín Durán [*Romancero general*]. Los seis primeros refieren el libro II de la *Historia*, que según dice el propio Piamonte es la traducción de un poema francés; como es sabido, se trata del *Fierabrás*. Los dos últimos vienen del libro III, el cual a su vez sigue paso a paso la llamada crónica del Seudo Turpino, según lo anotó Durán. No es inútil dejar en claro que las coincidencias entre la obrita novelesca y el falso Turpín se limitan a la parte final del Piamonte, capítulos 59 a 79. [...]

Los pliegos de López pasaron a América; ya en ella, los dos primeros mudaron de ropas e inspiraron décimas tradicionales chilenas: en 1912 Julio Vicuña Cifuentes publicó una glosa, con *despedida* o *cogollo*, que titula *Desafío de Oliveros y Fierabrás*: procede de Santiago y el informante, Nolasco Dueñas, debió de nacer hacia 1860. Vicuña [1912] prueba que la glosa se basa precisamente en López y no en el Piamonte, aquí fuente indirecta. Esa conversión en décimas era el proceso natural en el Nuevo Mundo, pero también se dio el caso —rarísimo— de que el romance primero de López se conservara como tal, aunque anónimo y llamándose *córrido*. Pino Saavedra [1966] lo descubrió cerca de Valdivia en 1951, con gran sorpresa. No parece que el informante Daniel Sandoval, ni su padre quien se lo enseñó, hubiesen leído el Durán en tomos del Rivadeneyra, sino literatura de cordel. El original español se transmitió con algunos cortes y con las modificaciones propias de la vía oral.

Ese primer texto de López recordado tradicionalmente es, hasta hoy, el único ejemplo que conozco de algo que, dentro del ciclo carolingio americano, pueda llamarse cabalmente *romance*. El caso resulta por demás instructivo. No hay noticia de que el pueblo chileno haya compuesto nuevos romances ni corridos de los *Doce Pares*. La separación de ambas vertientes, la carolingia española y la americana de los *Pares*, se ve más clara de cuanto cabría imaginar. El influjo de aquel librillo cuenta aquí decisivamente. Al cabo esas humildes páginas llenaban un doble vacío, cuando el romancero juglaresco había perdido vigor y los libros de caballerías se leían cada vez menos. Por algo la extraña vitalidad de la *Historia* atrajo al propio Calderón y lo movió a escribir, para bien o para mal, *La puente de Mantible*.

Por mucho tiempo el tema americano de los *Pares* se conoció de manera muy fragmentaria. El toque de atención de Lenz ocurrió en 1895, pero hacia 1930 sólo en dos países, Chile y Puerto Rico, se habían impreso muestras variadas y en número suficiente. En otros lugares sólo aparecieron dos estrofas: una copla en Colombia y una décima, dentro de una glosa, en Nuevo México. Todo ello andaba ya recogido en 1919; un decenio después ningún otro verso se había registrado. Claro que la enorme distancia de Puerto Rico a Chile bastaba para revelar un área enorme. Sin embargo, los vacíos resultaban inexplicables para quien se hubiera detenido a observarlos: ni un solo verso venido de México ni el Perú, cabezas del mundo colonial, ni de las regiones florecientes en tiempos de la independencia, como la Argentina, Colombia, Venezuela. Hacia 1922, sin que ello se asociara, la *Danza de los Doce Pares* empezó a señalarse localmente. Sólo muy tarde, en 1966, y de modo sumario, Pino Saavedra [1966] advirtió su relación con los versos populares. Faltaba, de otro lado, toda indicación cronológica. Dentro del nublado panorama no cabía estudiar los posibles lazos de esos versos con el romancero español, cuyas supervivencias americanas se iban descubriendo por entonces.

Se vivía el entusiasmo que provocaron las revelaciones de Menéndez Pidal. La atención de los estudiosos quedó acaparada, al punto de relegar el buen conocimiento de otros géneros, menos felices en lo artístico pero más difundidos y vivos. La fascinación por el tesoro del romancero llevó a extremos. A muchos les absorbía el tema, cuyo marco folklórico estaba aún por desbrozar. Así por ejemplo, un investigador de intereses variados, Aurelio M. Espinosa [1953] fue ciñéndose más y más al romance, postergando géneros contiguos. Vicuña Cifuentes [1912] cautivado y con razón por esa literatura, miró desdeñosamente las décimas chilenas, que un hombre como Lenz [1919] supo estimar. Otro tanto parece haber sucedido en Cuba con el *punto guajiro*, sobre todo con la tradición antigua popular [Feijoo, 1960], peor ocurrió en el Perú, donde casi nada se ha hecho pese a abundar noticias de todo tipo. La importancia y las peculiaridades de la décima en América tardaron en apreciarse de manera cabal. Estudiosos como Juan Alfonso Carrizo, María Cadilla, Vicente T. Mendoza, Ramón Laval, Juan Liscano y sus continuadores han acarreado y discernido infinitos materiales que ilustran tan vasto campo. Ya en 1956 la situación es otra y Manrique Cabrera [1956] se atreve a afirmar que el metro «preferido del pueblo puertorriqueño» es la décima, al «extremo de desplazar al romance y aun hacer retroceder la copla».

Hacia 1930 esta vieja realidad ni se ignoraba ni acababa de aceptarse. Redescubierto el romancero hispánico, se vivía la esperanza de encontrar en América muestras del ciclo carolingio, o al menos algún romance tomado de la *Historia*. Al cabo allí estaban los de Juan José López, con retoños chilenos. Algo después apareció en Puerto Rico un fragmento brevísimo, pero con una reveladora mención de Fierabrás. Hubiera sido espléndido hallar textos que acompañaran a *Gerineldo*. ¿No se conservan romances de ciclos afines, como el de Bernardo del Carpio?

Una caso merece recordarse. El benemérito Juan Alfonso Carrizo, en sus andanzas por la Pampa y los Andes, procuró descubrir de hecho lo que todo parecía anunciar. En su *Cancionero de Tucumán* [1937] confiesa que tales esfuerzos fueron vanos, pese a contar con notabilísimos informantes, nacidos al promediar el xix: «Siempre he tratado de hacer decir a estos paisanos tucumanos algún romance carolingio, pero no conseguí tal cosa, pues siempre me recitaban una o dos cuartetas de payadas de cantores locales y no de la tradición del romancero español». Sólo se encontraban, pues, huellas del Piamonte. Esas palabras se imprimieron en 1937. Expresan la actitud de la época, aunque a la vez reconocen con total franqueza la realidad del cancionero argentino —e hispanoamericano—.

En 1933 doña María Cadilla de Martínez publicó un importante libro, *La poesía popular en Puerto Rico*. Dentro de los textos que llama «carolingios» (y aquí son de los *Pares*) hay décimas y decimillas hexasilábicas, coloridas y graciosas. La señora Cadilla da también cinco romances, de los cuales uno parece serlo y hoy resulta de particular interés, no obstante su extrema brevedad:

> Yo me encontré este palito
> la mañana de San Juan,
> que se le perdió a Oliveros
> cuando iba con Roldán.

> El gigante Fierabrás
> mucho que lo deseaba;
> pero Dios dispuso que era
> para esta cura y no más.

La asonancia se muestra constante, aunque desordenada; el texto no sólo resulta trunco al fin, sino también al medio. El moro Fierabrás aparece de pronto, y hay una alusión a su célebre bálsamo sin que se hubiera hablado de ello. Un abogado del diablo podría sostener que aquí sólo se trata de dos cuartetas juntas, ligadas al azar por la asonancia; hay razones en contra: por una parte la segunda copla, demasiado incompleta, suelta carecería de sentido; por otra, el comienzo del texto tiene el aire típico del género, lo cual advirtió ya doña María al señalar allí «reminiscencia o contaminación del romance del conde Arnaldos». Es probable pues que, aunque brevísimo, tengamos aquí un trozo de romance de los *Doce Pares*.

Cierto que Oliveros y Roldán no suelen caminar juntos en el librillo caballeresco, pero sería licencia explicable. El comienzo en primera persona resulta poco usual, y el hallazgo de un «palito» que fue de Oliveros, no se apoya en la narración conocida; quizás en algún otro poema. Eso sí: los versos iniciales tienen el encanto de la naturalidad y logran un efecto feliz. En cuanto a la fuente, lo importante será la aparición de Fierabrás, típica de la *Historia*.

Como se sabe, «la mañana de San Juan», o a veces la «mañanita» que aparece en el *Conde Arnaldos*, es típica de otro romance famoso, el del *Conde Niño* u *Olinos*, muy difundido en España, Portugal y América; se le conoce bajo muchos nombres, inclusive el de *Conde Olivos*, y como tal se ha recogido, por ejemplo, en Venezuela. En 1968 Canino Salgado dio a conocer dos versiones de un *Conde Olivos* en el mismo Puerto Rico. Es obvio que cabría la confusión con *Oliveros*, y más tratándose ambos de condes: Oliveros lo fue «de Genés» según la *Historia*. Dice una de las variantes borincanas: «Madrugaba el Conde Olivos, / mañanita de San Juan, / a dar agua a su caballo / a las orillas del mar».

El romance no sólo se ha llamado del *Conde Niño, Olinos* u *Olivos*; en Cuba se recogió como del *Conde Nilo* y *Conde Bejardino*; en Venezuela también será *Conde Lirio, Condolirio* y *Cordelillo*; etc. Merece atención el corrido venezolano hallado por Juan Liscano en los arrabales de Caracas, antes de 1943; se llama del *Pajarillo* y empieza por diez versos ajenos a la tradición que Liscano incluye por su «belleza poética» y porque así los dijo el informante Saturno Cornejo.

Luego sigue: «Ha bajado el Conde Olivo / la mañana de San Juan / a dar agua a su caballo / a las orillas del mar».

El fragmento borincano del palito extraviado plantea más puntos que versos tiene, pero su interés lo justifica. ¿Cómo nació? ¿Se apoyó quizás en alguna danza o escenificación perdida, cuyo metro usual es el romance? Podría ser, aunque ello no pasa de conjetura. ¿Empezó por una confusión de Olivos y Oliveros, con libre desarrollo posterior? En el cancionero hispánico, en piezas poco leídas del romancero vulgar, puede hallarse luz sobre el caso y otros semejantes. Quizá la explicación llegue por caminos inesperados; o nunca.

Si las dos coplas del fragmento pertenecen a un mismo texto, tal como las halló doña María Cadilla, tendremos la rarísima huella de un romancero de los *Doce Pares*, hoy desaparecido.

José M. Chacón y Calvo

LOS ROMANCES EN CUBA

¿Cuáles son los caracteres de los romances que conserva la tradición oral en Cuba? ¿Cómo se encuentran en boca de nuestro pueblo? ¿Qué sabemos de su antigüedad?

Aunque me sea enojoso, tengo que referirme a mi estudio sobre el *Romance de santa Catalina*, para satisfacer estas preguntas. Allí intenté señalar provisionalmente los caracteres de los romances viejos en Cuba. Esperaba que nuevas investigaciones me hicieran rectificar. No ha sido así. Los distintivos principales de nuestros romances siguen siendo:

a) La ausencia de los elementos épico e histórico en los mismos.

b) Su tendencia novelesca.

El único romance histórico que he encontrado, la canción de Alfonso XII, no es sino una *modernización* de un tema tradicional antiguo, ajeno por completo a la epopeya y a la historia. En el mencionado

José M. Chacón y Calvo, *Ensayos de literatura cubana*, Saturnino Calleja, Madrid, 1922, pp. 91-96.

opúsculo intentaba explicar estos caracteres refiriéndolos a la índole de nuestra poesía popular. Lo indígena de nuestro *folklore* es eminentemente lírico. El amor es el centro de nuestras canciones. Hasta las narraciones en prosa, que a veces tienen su origen en una fuente heroica, se revisten de este tinte lírico. [...] Esta tendencia de nuestro pueblo hacia los asuntos líricos, explica la persistencia en nuestra tradición oral de los romances novelescos. Los temas se amplifican, se borran los rastros de poesía histórica, el realismo va siendo menos puro, el estilo pierde en sobriedad, y la opulencia y retoricismo de los cantares típicamente indígenas, pugnan, aunque en vano, por inficionar estas francas y espontáneas manifestaciones de la poesía del pueblo.

Compárese un tema tradicional tal como se conserva en cualquiera región española y según se encuentra en Cuba. Sea, por ejemplo, el popularísimo de la esposa infiel.

La nuestra tiene su más próximo antecedente en la versión andaluza. Como ésta, empieza: «Mañanita, mañanita, / mañanita de San Simón».

El desenvolvimiento es idéntico: la maldición lanzada al caballero, la llegada de éste, las preguntas y respuestas entre el marido y su traidora mujer, etc. Mas vemos un elemento nuevo, un episodio secundario, que revela cierta tendencia a lo fabuloso en nuestro pueblo: la llegada del caballero con un león, con un león vivo de la cacería:

> Estando en estas razones
> el marido ya llegó:
> —Ábreme la puerta, luna:
> ábreme la puerta sol,
> que aquí traigo un león vivo
> de las sierras de Aragón.

La parte de la versión andaluza correspondiente a estos versos, dice así:

> A eso de benir el día;   er marido que yamó:
> —Ábreme la puerta, luna: ábreme la puerta sol,
> que te *traigo un pajarito*   de los montes de León.

Vemos la clara transformación verificada por nuestro pueblo. Aun suponiendo que exista otra versión española que trajese el verso del león, la elección de éste ya implica la tendencia a que me vengo refiriendo. A pesar de conservarse entre nosotros en bocas infantiles los romances españoles, no obstante la ausencia casi absoluta de *indigenismos*, el carácter distintivo de nuestra poesía popular ha tenido que revelarse de alguna manera en estos viejos cantos.

No se crea por lo dicho que sostengo la existencia de ciertas notas originales en nuestros romances. No añaden, al menos los que he recogido hasta ahora, un solo elemento importante al romancero tradicional. Únicamente revelan, ya en la elección de asuntos, ya en algunas leves alteraciones, como la indicada, la índole lírica y la tendencia novelesca de nuestra poesía popular. Hoy, lo mismo que ayer, no vacilo en afirmar que el carácter esencial de los romances castellanos, lo que pudiéramos llamar *realismo histórico*, no existe en los que conserva nuestra tradición.

Es menester una exploración metódica, realizada por toda la isla, para poder señalar con precisión cómo se conservan estos romances entre nosotros. Hasta ahora, dos son las principales formas de transmisión que hemos encontrado: los corros de los niños y las canciones de cuna. Quizá esto explique la extraordinaria vitalidad del romance. Completamente apartado de la poesía artística, va viviendo el romance en boca de los niños, que lo olvidarán mañana. A veces, el juego abandona su monotonía y, compenetrándose con el espíritu del romance que se canta, adquiere cierta animación dramática.

El de «Hilito, hilito de oro ...» puede servir de ejemplo. He aquí la descripción de uno de esos juegos (santa Catalina): varias niñas, sujetas de las manos, forman un corro y dan vueltas alrededor de una que permanece arrodillada, y es Catalina. El romance no se canta dialogadamente, como podía presumirse por la escena del marinero, sino que preguntas y respuestas son dichas por las del corro y Catalina. Catalina se mantiene en el centro arrodillada hasta que elige una de las del corro, mediante esta fórmula: «Cojo ésta por linda y hermosa, / que es una rosa / acabadita de nacer». Entonces la elegida pasa a desempeñar el papel de Catalina.

En las *canciones de cuna*, en las *nanas*, las versiones son menos extensas y abundan más en ellas los *indigenismos* que en los juegos de niños. Son manifiestamente incoherentes, y muy pocas tienen un desenlace. Tengo vagos recuerdos de haber oído en mi primera niñez, a una anciana sirviente de mi casa, mezclar versos del popularísimo romance de *Hilo de Oro*, con otros de una canción moderna. Creo que ella decía así, destruyendo la rima del romance: «Al vapor se fue / la niña del caballero: / No se la dan por el oro, / no se la dan por dinero».

Mezclaba, como se ve, uno de los versos (adulterado ciertamente) de

Hilo de Oro con la canción siguiente: «El vapor se fue, / Almendares se va / a traerle juguetes / al nené de mamá».

Estas formas de conservarse los romances entre nosotros, de transmitirse así a través de las gentes, hace en extremo difícil fijar la antigüedad de los mismos.

Aurelio M. Espinosa

EL ROMANCERO DE NUEVO MÉXICO

Los nuevomexicanos dan a los romances españoles el nombre de *corridos*, como en Andalucía, Chile, México y otras partes de la América española. Pero llaman igualmente *corridos* a otras composiciones poéticas de carácter romancesco, que llevan también el nombre de *cuandos* o *inditas*. Las *inditas*, por su parte, se dividen en dos géneros diferentes: el corrido propiamente dicho o compuesto en estrofas octosilábicas y el canto-danza. [...]

Los romances religiosos, aunque sean tradicionales, y la mayor parte de los cánticos espirituales son llamados *alabados*, *alabanzas* (particularmente aquellas compuestas en series de coplas), o sencillamente *oraciones*. Algunos de los *alabados* encontrados en versiones orales o en los numerosos manuscritos del ritual de la Sociedad de Nuestro Padre Jesús, son verdaderos romances sagrados y tradicionales, si bien en las versiones mismas son llamados a veces *oraciones*.

[El romancero nuevomexicano de 1915 contenía solamente unos diez romances tradicionales en veintisiete versiones, junto con otros vulgares y modernos y algunos cuandos, inditas, etc. y demostraba ampliamente la teoría expresada repetidas veces por don Ramón Menéndez Pidal— que el romance español se halla dondequiera que se habla la lengua española—.]

Nuestro *Romancero de Nuevo México* [1953] reúne seguramente la mayor parte de la tradición romancesca de Nuevo México y desde luego la más importante, pero esto no quiere decir que esté agotada

Aurelio M. Espinosa, *El romancero de Nuevo México*, CSIC (RFE, Anejo 57), Madrid, 1953, pp. 16-19.

la tradición. Los romances religiosos son una rica mina que apareció al examinar los manuscritos de los penitentes o Sociedad de Nuestro Padre Jesús. Las versiones orales de estos mismos romances nos prueban que las versiones encontradas en los manuscritos no son necesariamente las fuentes de las orales. Lo contrario es muy probable: las versiones orales recogidas son las fuentes de las que se hallan en los manuscritos. No todas las versiones, desde luego, porque algunas hay muy largas en los manuscritos de los penitentes y también en manuscritos que no son de los penitentes que denuncian fuentes semieruditas, compuestas tal vez por religiosos que en los siglos XVII y XVIII organizaban y dirigían las numerosas sociedades de penitentes en sus *moradas* o capillas rituales. [...]

Los romances que encontramos en Nuevo México son novelescos tradicionales, novelescos no tradicionales, religiosos tradicionales, vulgares modernos y otros de tipos muy diversos, algunos de los cuales no son propiamente romances. Pero con la excepción de un verso de un romance del Cid, no encontramos romances históricos tradicionales. En nuestro *Romancero nuevomexicano* de 1915 hemos hablado ya de las huellas de la antigua epopeya castellana encontradas en la tradición popular de Nuevo México: el refrán «No se ganó Zamora en una hora», y la expresión usada para indicar arrogancia o bravura extraordinaria «Tú sí eres el Ci Campiador», «Ese sí es el Ci Campiador», etc. La figura del Cid Campeador aparece también en forma femenina: «Esa sí es la Ci Campiadora», etc.

Frank T. Dougherty

ROMANCES TRADICIONALES DE SANTANDER

Por lo mucho que se ha comentado el aspecto conservador de la cultura popular colombiana, sorprende la escasa atención, hasta hace relativamente poco, dirigida hacia su romancero. Si no fuera por el

Frank T. Dougherty, «Romances tradicionales de Santander», *Thesaurus*, 32:2 (1977), pp. 242-272 (242-248).

amplio estudio realizado por Gisela Beutler en [1969], quizá nunca
se habría dado a conocer en su plenitud esta tradición tan arraigada
entre el pueblo colombiano.

Al apreciar la importancia de la obra de la profesora Beutler, decidí
darme a la tarea de complementarla en lo que podía. Armado con *Studien
zum spanischen Romancero in Kolumbien* como bibliografía básica, me lancé
a los campos del departamento de Santander en busca de romances. Duraron mis encuestas de campo desde agosto hasta diciembre de 1975. Radi-
cado en Bucaramanga, encontré informantes sobre todo en los pueblos
cercanos (Girón, Piedecuesta, Socorro). Aunque no todo habitante adulto
de estos pequeños poblados sabía cantar romances, solía provocar por lo
menos una sonrisa de reconocimiento la recitación de la historia de Sildana
o de la suerte de la niña que «bordaba trajes para Madrid». Pese a la
aparente difusión general de los romances, fueron casi exclusivamente
mujeres quienes los dieron de viva voz, mientras era frecuente que los
hombres los desdeñaran por ser «canciones de lavadoras».

Es preciso señalar que los romances más completos de mi colección
fueron recopilados en el Hospital San Camilo de Bucaramanga. Proviene
de las aldeas departamentales la mayoría de los pacientes en este centro
para el tratamiento de enfermedades mentales. [Entre San Camilo y los
pueblos santandereanos logré recoger unos setenta y cinco romances de
tradición oral entre los que se encuentra el siguiente:] *Sildana/Delgadina*
(Beutler, X, textos 114-128), cantada por Rosadelia Escobar, de 70 (?)
años, oriunda de San Joaquín, Santander. Recogida en Bucaramanga el 30
de septiembre de 1975.

Sildanita, Sildanita,
Sildanita en tu ventana,
de los tres hijos que tuve
primero fue rey de Francia,
la segunda Margarita,
la tercera Sildanita.
Sildana se está pasiando
por un corredor arriba,
con su guitarra en la mano,
qué bonito toca y trilla.
Su padre la está mirando
desde un balcón que tenía.
—¡Mal haya, la Sildanita,
mal haya, si fuera mía!
Ya le contestó Sildana:

—En Roma hay un Santo Papa,
en Roma hay un Santo Papa
quen se las dispensaría.
—¿Sí te acuerdas, Sildanita,
lo que te dije en la sala?
—Yo sí me acuerdo, mi padre,
quitarme la vida es nada.
Mamá, váyase pa la sala,
yo me iré pa la cocina.
Que la cama de mi padre
tá esperando compañía.
Ya se delicó su padre:
mandó encerrar a Sildana
en un cuarto muy oscuro
que tenía siete ventanas.

—Y ahí de comer me le dan
carne de la más salada,
y de beber me le dan
agua de la más amarga.
Se quedó la Sildanita
tan triste y apesarada
¡ay! de ver que le tocaban
siete semanas encerrada.
Ya se pasó esa semana
y abrió la primer ventana,
y alcanzó a ver a su madre
en una alberca sentada.
—Mi madre por ser mi madre
dé, por Dios, un vaso de agua
que es más la sed de que el hambre
y a Dios pienso darle mi alma.
—Sildanita, Sildanita,
yo no puedo darte el agua
porque tu padre lo sabe
y quitarme la vida es nada.
Se volvió la Sildanita,
tan triste y apesarada,
de ver que su mamacita
ya hasta el agua le negaba.
Ya se pasó esa semana,
abrió la segunda ventana.
Alcanzó a ver a su abuela,
peinaba su blanca cana.
—Mi abuela, por ser mi abuela,
dé, por Dios, un vaso de agua
que es más la sed de que el hambre
y a Dios pienso darle mi alma.
—Sildanita, Sildanita,
yo no puedo darte el agua
que por vos y tu hermosura
vive mi hija mal casada.
Se volvió la Sildanita,
tan triste y apesarada,
de ver que su misma agüela
hasta el agua le negaba.
Ya se pasó esa semana,
y abrió la tercer ventana.
Y alcanzó a ver a su hermana

por un corredor arriba
bordando fundas de almuada.

—Hermana, por ser mi hermana,
dé, por Dios, un vaso de agua
que es más la sed de que el hambre
y a Dios pienso darle mi alma.
—Sildanita, Sildanita,
yo no puedo darte el agua
que por vos y tu hermosura
tá mi madre mal casada.
Se volvió la Sildanita,
tan triste y apesarada,
de ver que su misma hermana
hasta el agua le negaba.
Ya se pasó esa semana,
y abrió la cuarta ventana.
Alcanzó a ver a su hermano,
con su guitarra en la mano
y en un corredor sentado.

—Mi hermano, por ser mi hermano,
dé, por Dios, un vaso de agua
que es más la sed de que el hambre
y a Dios pienso darle mi alma.
—Quita de ahí, gran so perversa
quita de ahí, gran so malvada.
Yo no puedo darte el agua
porque no quisiste ser
de mi padre enamorada.

Se volvió la Sildanita,
tan triste y apesarada,
¡ay! de ver con la respuesta
que su hermanito le daba.
Ya se pasó esa semana,
y abrió la quinta ventana.
Y alcanzó a ver a su padre
por un corredor arriba
y en las cristalinas de agua.

—Mi padre, por ser mi padre,
dé, por Dios, un vaso de agua

que es más la sed de que el hambre,
yo seré tu enamorada.
—Corran zambos y muletos,
me le traen agua a Sildana.
Que llegares más ligero,
casquillos de oro ganara.
Cuando fueron con el agua,
Sildanita ya expiraba.
San José hizo la taberna (sic),
la Virgen la amortajaba.
La cama de Sildanita,
llena de ángeles estaba,
y en la cabecera estaba

el ángel que la llevaba.
Y la cama de su padre,
llena de diablos estaba,
y en la cabecera estaba
el capataz que mandaba.
Las campanas de Belén
ellas solas repicaban
de gran gusto y alegría
que se había muerto Sildana.
Que dichosa Sildanita
cuando se fue para el cielo,
y el desgraciado su padre
cuando se fue pa'l infierno.

Esta es una versión magnífica del renombrado *romance* panhispánico de *Delgadina*. Nuestro texto denuncia cierta contaminación, ya que el nombre de la protagonista y los versos 7 a 14 pertenecen al romance de *Sildana*, contaminación que se produce frecuentemente, dada la semejanza de los dos poemas de tema incestuoso. De hecho, la geografía parece influir en la difusión de las variantes de *Delgadina* en Colombia: las diez versiones de *Sildana* grabadas por Beutler más las cinco mías fueron recopiladas en los departamentos orientales de Santander y Norte de Santander, y las únicas tres versiones de *Delgadina* publicadas por Beutler se encontraron en la región más céntrica del país (departamentos de Antioquia, Bolívar y Caldas).

Llaman la atención varios aspectos de esta variante, entre ellos la cualidad exacta del diálogo. Las respuestas a las súplicas de Sildana son modelos de precisión, de acuerdo con la identidad del miembro de la familia en cuestión («mi hija vive mal casada», «mi madre vive mal casada»). Se destaca la defensa del padre de parte del hermano. Ni el retrato individual ni la solidaridad varonil se vislumbran en ninguna variante registrada por Beutler: cuando interviene el hermano en estas versiones, sus palabras son idénticas a las de los demás miembros de la familia.

Quedan dos puntos por comentar respecto a esta versión de *Delgadina*. Por un lado interesa el léxico, tanto por sus arcaísmos («llegares», «gran so perversa»), como por sus muestras del español de América («vos», «zambos y muletos (mulatos)», y el diminutivo «mamacita»). Finalmente, hay que reconocer que Sildana no abre sino cinco de las siete ventanas de su cuarto: ¿se habrá perdido más que un poco de este romance?

María Cadilla de Martínez

LA POESÍA POPULAR EN PUERTO RICO

El siglo XVI, en que tanta magnitud tuvo el romance, es el momento culminante de nuestra conquista y colonización. Lástima grande es que entre los cronistas de esa parte de nuestra historia regional no haya habido un Bernal Díaz que dijera de nosotros, como él dijo de México, que sus conquistadores se entendían recitando romances. A pesar de ello, la existencia de una tradición oral en nuestro pueblo que recuerda los romances tradicionales, es una prueba de que también nuestros conquistadores y los que vinieron a poblar la isla, eran de la misma casta gloriosa de héroes y colonizadores.

Deseamos advertir que nuestras investigaciones se han llevado a cabo en el norte y centro de la isla preferentemente. En el resto de ella pueden y deben existir distintos romances u otras versiones de los recogidos por nosotros que al presente ignoramos. Con el tiempo otros investigadores se encargarán de hacerlos conocer.

Como la cronología de cuándo fueron introducidos en la isla esos romances es muy difícil de determinar, nos concretamos a dar algunas conjeturas que sobre el particular nos parecen probables y a comentar la forma de ellos que se ha divulgado en la isla. En lo posible, trataremos de encontrar sus fuentes originarias.

En Puerto Rico, como en Sudamérica, al romance cantado se le llama *romance corrío*. En la primera mitad del XIX y anticipando la restauración del metro, hecha por los románticos, se generalizó su cultivo en la isla. Los de esa época tienen un marcado tinte regional y hasta imitan el dialecto del jíbaro. [...]

El verdadero romance, de forma tradicional, quedó circunscrito a repeticiones refundidas de versiones peninsulares en las cuales a veces

María Cadilla de Martínez, *La poesía popular en Puerto Rico*, Universidad de Madrid, Madrid, 1933, pp. 163-164, 166-169.

se advierte la colaboración local. Ellos fueron legados, de padres a hijos, y figuran en las consejas de abuelo y en los corros infantiles.

De esos romances son las versiones siguientes, que hemos recogido de la tradición oral:

Blanca Flor y Filomena

(Recitado por Julia C. de Pérez, Utuado, P. R.)

Estando Doña María con su labor y su cesta
y sus dos hijas mocitas, Blanca Flor y Filomena,
por allí pasó Turquino y se enamoró de ellas.
No sabía él escoger porque las dos eran bellas.
Se casó con Blanca Flor y miraba a Filomena.
A los treinta meses vino Turquino donde su suegra:
—Buenos días, mi familia; buenos días, buena suegra.
—Dios se los dé a usted muy buenos. ¿Cómo está mi Blanca Flor?
—¿Cómo quiere que ella esté? Preñadita en tierra lejana.
Ella le manda a decir que le mande a Filomena,
para el día de su parto tenerla a la cabecera.
—Mucho es eso, Don Turquino, el pedirme a Filomena;
Que se aliente Blanca Flor, que se vaya Filomena;
pero usted la cuidará como prenda y cosa buena.
A la mañana siguiente montaron a Filomena
en un caballo muy blanco, más blanco que las estrellas.
Comenzaron a alejarse, caminaron siete leguas;
y al llegar a unos barrancos que había dentro la sierra,
Turquino se desmontó y tomó la brida de ella.
Y sin que nadie lo viera hizo lo que quiso de ella;
para que nada dijeran allí le cortó la lengua
y la dejó abandonada en lo alto de la sierra.
Un pastorcito venía pastoreando a sus ovejas.
Ella le pidió papel y tinta para escribirle sus penas.
—Papel y tinta no tengo; no lo hay en esta tierra;
pero yo tengo un pañuelo y la sangre de mis venas.
Ella escribió su desgracia; él la llevó a su tierra ...
Don Turquino va a almorzar, que ya la cena está puesta.
—¡Jesús, qué carne tan dulce! ¡Jesús qué carne tan buena!
—Es la carne de tu hijo, nacido de Filomena.
Y con esto Blanca Flor, con un cuchillo en la diestra
se lo clavó en la garganta al traidor del alma negra.
La mujer que mata a un hombre, mil coronas mereciera.

Otra variante, recitada por Ignacia Carreras, de Adjuntas:

Estaba Doña María en su sala, la primera.
—Buenos días, Don Turquino. —Buenos días, mi querida suegra.
Vengo a pedirle la mano de su hija Filomena.
—Un imposible me pide con pedirme a Filomena;
le daré a Blanca Flor por ser la hija más vieja.
Se casaron, se embarcaron; se fueron a lejanas tierras.
A los ocho o nueve meses Turquino volvió a su suegra.
—Buenos días, Don Turquino. ¿Cómo está mi hija en lejana tierra?
—¿Cómo quiere que ella esté? Preñadita en tierra ajena.
Ella le manda a decir que le mande a Filomena,
para el día de su parto tenerla a la cabecera.
—Un imposible me pide con pedirme a Filomena;
pero usted la llevará como prenda y cosa buena.
A la mañana siguiente montaron a Filomena
en un caballo muy blanco, más blanco que las estrellas;
tenía arneses de plata y un bridón todo de seda:
ella iba muy vestida con un jubón de gorguera.
Caminaron, caminaron; caminaron siete leguas
y ninguno de los dos ni una palabra dijera.
Al bajar por un barranco y al cruzar una vereda,
ella ha sentido la sed y pidió que agua le diera.
Él se apeó del caballó; hizo lo que quiso de ella
y para mejor guardarlo le cortó luego la lengua,
dejándola abandonada para pasto de las fieras.
Un pastorcillo pasaba, pastoreando a sus ovejas.
Ella le pidió papel para contarle sus penas.
—Papel y tinta no tengo; no se usa en esta tierra;
tenga este pañito pobre para que escriba su pena,
y por tinta le daré la sangre que hay en mis venas ...
—Sube, sube, Don Turquino; que ya la mesa está puesta.
—¡Jesús, qué carne tan dulce! ¡Jesús, qué carne tan buena!
—Esa es carne de tu hijo que maté por Filomena;
por haber sido traidor su padre, justo es que él muera.
—¡Demonio de Blanca Flor! ¿Quién te trajo a ti las nuevas?
—Me las trajo el Rey del cielo, el que todo lo gobierna.
Ella cogió un cuchillo y le dio la muerte fiera.
La mujer que mata a un hombre, mil coronas mereciera.

Este romance, que escuchamos muchas veces en la niñez, en versiones que nos es imposible reconstruir totalmente, parece haber sido muy popular en Puerto Rico. Hemos recogido de él cinco versiones, algunas de ellas tan estropeadas y fragmentadas que las hemos desechado para esta colección. [...]

El romance demuestra, en su tema, la influencia de un mito clásico; la leyenda de Procne, hija del rey de Atenas, Pandión, hermana de Filomela, esposa de Tereo, rey de Tracia. Habiendo este último violado a Procne, Filomela mató a Itis, hijo de Tereo y se lo sirvió en la mesa. Encolerizado Tereo persiguió a las dos hermanas, quienes, por intervención de los dioses, se transformaron en golondrina y ruiseñor respectivamente. Itis fue convertido en jilguero y su padre en lechuza.

Algunos creen ver en el romance una alusión a la trágica muerte de Lucrecia, perseguida por el injusto y lujurioso romano Tarquino, cuyo nombre conservan algunas versiones peninsulares.

El romance está muy extendido en España, Portugal y Sudamérica. No sabemos que exista en las demás Antillas, a juzgar por lo publicado hasta hoy. El hecho de encontrarse en Puerto Rico hace conjeturar que probablemente podría encontrarse en alguna de ellas, sobre todo en Cuba, en donde la poesía popular presenta parecidas variantes a las de Puerto Rico.

Vicuña Cifuentes publicó once versiones chilenas en las cuales el protagonista tiene el nombre de *El caballero de Turquía* o *Don Bernardino*. En esas versiones la asonancia es en *o*. Don Ramón Menéndez Pidal recogió en la Argentina una versión que suprime la venganza de Blanca Flor y cambia también el asonante. Cree él que la versión argentina y la chilena tienen mayor antigüedad que las que tienen la asonancia en *e, a*, como la de Puerto Rico. Hay otras versiones de la península, [...] en ellas el protagonista es Turquino o Turquillos. En las versiones catalanas se conserva el nombre de Turquino y en algunas aparece como Turquín. Las versiones andaluzas coinciden con el nombre de Turquino; en las asturianas las doncellas tienen los mismos nombres que en Puerto Rico; pero el protagonista tiene el nombre de Rey Moro o Tereno.

9. EL SIGLO XVIII:
LA ILUSTRACIÓN EN AMÉRICA

La crítica de la Ilustración en América presenta dos vertientes definidas: una, que se refiere al estado de las ciencias y a la aptitud de los hispanoamericanos para ellas, y, otra, que apunta a los antecedentes que el pensamiento ilustrado en sus aspectos económicos, sociales y políticos, filosóficos y literarios presta a la independencia hispanoamericana. La primera vertiente envolvía una crítica de la inferioridad de América en conformidad con las interpretaciones de Buffon y de Corneille de Pauw, que va a desatar lo que Gerbi [1955, 1960] ha llamado la «disputa del Nuevo Mundo». Esta crítica, fundada en estrictas consideraciones naturalistas, atribuía al clima y a la desusada humedad del mundo americano una serie de consecuencias degenerativas que se pretendía probar con la estimación infundada de los indios como intelectualmente inferiores y físicamente degenerados y la de los criollos como herederos degradados de sus progenitores españoles. Otra crítica que corresponde a esta etapa preliminar es la que Raynal y Robertson, sucesivamente, despiertan en los hombres del siglo XVIII, en España e Hispanoamérica, en su crítica de la colonización española. A la primera se responde recontando el pasado para destacar figuras de la ciencia hispanoamericana como Sigüenza y Góngora (véase Leonard [1929]), sor Juana Inés de la Cruz y Pedro Peralta Barnuevo (véase Sánchez [1964]), y otras manifestaciones de la existencia de un saber racional y del sentido común sobre el supuesto irracionalismo y superstición prevalecientes en América. Y, por otra parte, haciendo la historia del desarrollo de las ciencias físicas y naturales acreditadas con los nombres del español José Celestino Mutis (1732-1808) y de su discípulo criollo Francisco José de Caldas (1771-1811), de Félix de Azara y otros, entre los naturalistas; J. I. Bartolache (1739-1790), A. León y Gama (1735-1802), entre los matemáticos, físicos y astrónomos; J. E. Llano de Zapata e Hipólito Unanue (1755-1833), hombres de ciencia y naturalistas peruanos.

Luego los trabajos de Whitaker [1942] y de Lanning [1940] han definido muy clara y positivamente la modernidad de los estudios en las universidades hispanoamericanas y de las lecturas y bibliotecas de los prohombres del siglo XVIII. En las compilaciones de Whitaker [1942] y de Aldridge [1971], una serie de valiosos estudios modifican el cuadro impreciso del siglo XVIII hispanoamericano y definen los términos precisos de la recepción del pensamiento ilustrado y las diversas disciplinas a que se extendió. En ellos se muestra cómo los ilustrados españoles, desde el adelantado Feijoo, y los viajeros Jorge Juan y Antonio de Ulloa, y luego, Campomanes, Jovellanos, Macanaz y otros eran perfectamente conocidos de los hispanoamericanos, y su conocimiento se difundía estimulado por los gobernantes. También queda en claro cómo, por otra parte, las obras de Descartes, Newton, Condillac, D'Alembert, Franklin, Montesquieu, Voltaire, Buffon, Linneo, Raynal y Robertson y la *Enciclopedia* eran conocidas, circulaban y aun eran leídas y comentadas en las universidades. Como una extensión de estos hechos, la prensa periódica alcanza un nuevo desarrollo con la publicación de una serie de órganos que difunden las nuevas ideas y se orientan hacia la divulgación del saber a la sociedad e intentan ilustrarla. (Véase Henríquez Ureña [1947, 1949] y Aldridge [1971].)

Otro aspecto que demuestra la orientación científica del nuevo siglo lo constituyen los viajes o expediciones científicas auspiciados por el gobierno español; las expediciones de La Condamine y de Malaspina, entre las primeras. De estos viajes derivaron los informes de Jorge Juan (1713-1773) y Antonio de Ulloa (1716-1795), y el del propio Malaspina, que van a denunciar los abusos y deformaciones del poder colonial. La serie considerable de expediciones españolas o extranjeras autorizadas por la corona culminan con la expedición de Humboldt y Bonpland y con el impacto de su obra en la visión del Nuevo Mundo para la nueva estimación de América por los europeos y muy en especial para la autoestimación de los americanos.

Con la visión de los españoles americanos de Feijoo y las «noticias secretas» de Jorge Juan y Ulloa, Raynal y otros franceses se configura el horizonte de ideas sobre América que caracteriza la obra de Alonso Carrió de la Vandera (¿1714?-1783), español, que viajó a América a los veinte años y residió en México y Perú, *El Lazarillo de ciegos caminantes desde Buenos Aires, hasta Lima con sus itinerarios según la más puntual observación con algunas noticias útiles a los Nuevos Comerciantes que tratan en Mulas; y otras Históricas. Sacado de las Memorias que hizo Don Alonso Carrió de la Vandera en este dilatado Viage, y Comisión que tubo por la Corte para el arreglo de Correos, y Estafetas, Situación y ajuste de Postas, desde Montevideo. Por Don Calixto Bustamante Carlos Inca, alias Concolorcorvo, Natural del Cuzco, que acompañó al referido Comisionado en dicho Viage, y escribió sus Extractos* (con Licencia, en la Imprenta de la Rovada, Gijón, año de 1773). Se publicó con falso pie de imprenta, seguramente en Lima y hacia 1775. La segunda edición no se hizo sino en el siglo pasado por Martiniano Leguizamón (Buenos Aires, 1803). Hay varias ediciones modernas. La mejor, anotada y con excelente estudio preliminar, es la de Carilla (Labor, Textos hispánicos modernos, 24, Barcelona, 1973; otra ed. con introducción de A. Lorente, Editora Nacional, Madrid, 1980). La obra es una defensa del sistema colonial. Una larga discusión sobre el verdadero autor de esta obra se prolongó hasta 1956, cuando casi simultáneamente Real Díaz [1956] y Bataillon [1960] descubrieron los documentos que permiten resolver la disputada autoría del libro. La cuestión interna que ha atraído a los críticos es principalmente la determinación del género del libro. Éste ha sido considerado como una novela picaresca por Casas de Faunce [1977] y Mazzara [1961]. Castagnino [1971], Carilla [1973], Bastos [1981], Pupo-Walker [1982] han puesto el énfasis sobre la complejidad del libro, desde el punto de vista del género, señalada por el mismo Carrió en su carta de 1776: itinerario o libro de viaje, diario, descripción en el sentido de las relaciones geográficas, tratado e historia de correos, obra de entretención, guía de tratantes de mulas. En la prosa del período es una de las obras destacadas y un indicio de un cambio manifiesto abierto hacia el espíritu de la modernidad.

Una figura sobresaliente de la Ilustración es la del peruano Pablo de Olavide (1725-1803), cuya acción reformista se extendió a la península como organizador de la colonización de Sierra Morena y luego como reformador de los planes de estudio de la Universidad de Sevilla y animador de la actividad teatral en la corte de Carlos III. Estudiamos su obra en el capítulo 7 de este volumen.

Como funcionario le cupo en suerte a Carrió de la Vandera transportar a Europa a los jesuitas expulsados del Perú y Chile en 1767. Llevaba con él a un grupo de notables intelectuales y hombres de letras que en el exilio producirían obras que la cultura hispanoamericana reclama como suyas. Esas obras, salvo algunos casos, trataron de la realidad americana y reflejaron el elevado nivel de su pensamiento. Entre las obras importantes debe mencionarse la *Historia antigua de México*, del padre Francisco Javier Clavijero (1731-1787), escrita originalmente en italiano y traducida al español por José Joaquín de Mora. Clavijero defiende la realidad americana del juicio de C. de Pauw, tanto en relación a los indios como a los criollos, y hace una afirmación novedosa del sentido de las palabras «patria» y «nación», que se pueden ver como antecedentes de la conciencia criolla y americana. Rico González [1949], Grajales [1961], Villoro [1963], Carner de Mateo [1970], León Portilla [1970], Castro Morales [1973], Trabulse [1975], Ronan [1977] y Marchetti [1980] han abordado variados aspectos de la obra de Clavijero y de su significación histórica y cultural. Otro jesuita expulso de notoriedad es Juan Ignacio Molina (1740-1829) autor del *Saggio sulla historia naturale del Cile* (Bolonia,

1782), en quien se ha visto un anticipador de Darwin y del evolucionismo.

Francisco Eugenio Javier de Espejo y Santa Cruz (1747-1794) es una figura extraordinaria de la Ilustración americana. Médico quiteño de origen indio, investigador y divulgador de la ciencia. Funda el periodismo ilustrado con sus *Primicias de la Cultura de Quito*, del cual aparecieron siete números entre el 5 de enero y el 29 de marzo de 1792. Hay edición moderna (Quito, 1944) que los recoge en un volumen. Fue perseguido por sus ideas y desterrado a Bogotá. Sus manuscritos han sido publicados en este siglo. Para la literatura interesa el *Nuevo Luciano o despertador de ingenios*, cuyos manuscritos en diversas copias y versiones circularon extensamente causando escándalo por sus alusiones satíricas. La primera edición del *Nuevo Luciano* fue hecha por González Suárez (*Escritos de Espejo*, Clásicos Ecuatorianos, Quito, 1912, tomo I, pp. 255-569); reproduce el manuscrito de Bogotá, uno de los tres existentes. La segunda edición fue preparada por Espinosa Pólit (Quito, Clásicos ecuatorianos, 4, 1943) siguiendo las normas de Pólit Laso, dadas en 1923, para la edición crítica del texto. La obra está formada por nueve diálogos o conversaciones como efectivamente se las llama, entre dos personajes: los doctores Mera y Murillo; innovador, llano y de sentido común e informado el primero; tradicional, afectado y delirante, el segundo. La sátira lucianesca o menipea afecta a una crítica de los estudios, de la retórica barroca y de la poesía, del buen gusto, de la filosofía, teología y oratoria sagrada, dominantes en la primera mitad del siglo XVIII. Menéndez Pelayo [1913] ve en esta obra la huella de Feijoo y del Barbadinho, el arcediano de Évora Luis Antonio de Vernei. Barrera [1943], Albornoz [1945], Montalvo [1947], Rubio Orbe [1950] y Astuto [1969] han estudiado la vida y obra de Espejo. Falta aún una crítica pormenorizada de la obra de Santa Cruz y Espejo y, por de pronto, un estudio detenido del *Nuevo Luciano de Quito*.

La generación de Santa Cruz y Espejo está envuelta en la crítica del régimen español en América y tiene entre sus miembros a quienes formulan los primeros intentos de independencia política. La historia del siglo XVIII se desprende por completo de las formas de la historiografía renacentista que habían prevalecido hasta Antonio de Solís, con quien esta forma culmina y acaba. El gran historiador que marca el fin de la vieja tradición oficial de la crónica de Indias será Juan Bautista Muñoz (1745-¿1799?), cuya *Historia del Nuevo Mundo* (Madrid, 1793) sólo llegó a publicarse en su primer volumen debido a su crítica de la colonización española. La investigación documental y la historiografía crítica de fuentes escritas ocupa un lugar dominante y se hace acompañar de las disciplinas auxiliares, de la bibliografía y de la investigación de archivos. Algunas magnas obras responden a la necesidad de desvirtuar los cargos de menos valer o de inferioridad que pesan sobre América y los americanos. Las obras de Antonio de Alcedo (1736-1812), *Diccionario geográfico-histórico de las Indias Occidentales o América* (Madrid, 1786-1788), Juan José de Eguiara y Eguren (1695-1763), *Bibliotheca mexicana* (México, 1755), José Mariano Beristáin de Sousa (1756-1817), *Biblioteca hispanoamericana septentrional* (México, 1816-1821, 1897), contribuyen decisivamente al registro y reconocimiento de la cultura hispanoamericana colonial. La *Biblioteca* de Eguiara y Eguren nace en respuesta al deán de Alicante, Manuel Martí. La obra quedó incompleta, publicada sólo hasta la letra *C*, pero quedaron manuscritos cuatro volúmenes, que comprenden de la letra *D* a la *J*. Millares Carlo ha publicado los *Anteloquia* de la *Bibliotheca* en español (prólogos a la *Biblioteca mexicana*, México, 1944) y estudiado su obra (véase Millares Carlo [1957]). El mismo Millares Carlo ha editado modernamente la *Bibliografía mexicana del siglo XVI. Catálogo razonado de libros impresos en México de 1539 a 1600. Nueva edición* (Fondo de Cultura Económica, México, 1954). Las obras históricas del caballero Boturini Benaducci (1702-1750), *Idea de una nueva historia general de la América Septentrional* (Madrid, 1746), y del cardenal F. A. Lorenzana (1722-1804), *Historia de Nueva España* (México, 1770), son claros ejemplos de la historiografía moderna de México. Juan de Velasco (1727-¿1792?), es, al contrario, autor de una imaginativa *Historia del reino de Quito*, cuyo manuscrito ha sido publicado en Quito, en 1841-1842. Hay edición moderna y traducción francesa de esta obra. Una obra singular y de trascendencia superior a las anteriores por su recepción y el número de traducciones es la del padre Manuel de Lacunza (1731-1801) *La venida del Mesías en gloria y majestad* (por D. Felipe Tolosa, Cádiz, 1812). La obra tuvo dos ediciones españolas, después de muerto el autor, en el período de las Cortes de Cádiz y de la prisión del papa; dos ediciones inglesas, de 1816 y 1826; las ediciones mexicanas de 1821-1822 y de 1825; y la de París de 1825. También se hicieron traducciones al latín e italiano, manuscritas, y al inglés, de 1827 y 1833, y al francés, de 1827. Hubo otras ediciones compendiadas o extractadas hasta la reciente de Mario Góngora (Universitaria, Escritores coloniales de Chile, 4, Santiago de Chile, s. f.) y *Tercera venida del Mesías en gloria y majestad* (Editora Nacional, 1.ª serie: Visionarios y Heterodoxos, 23, Madrid, 1972). La obra desarrolla una concepción milenarista mitigada que no llegó a ser aprobada en vida del autor ni lo ha sido hasta el presente por la Iglesia. El tema es abordado ampliamente por Vaucher [1968] y, recientemente, por Góngora [1980], en sus antecedentes y repercusiones actuales. Menos conocido es otro jesuita expulso, mexicano éste, Pedro José Márquez (1741-1820), autor de *Lo bello en general*, tratado de estética que ha sido objeto de una reedición reciente (UNAM, México, 1972).

La segunda vertiente de la Ilustración hispanoamericana se vuelca sobre el período de la independencia. En él las ideas aparecen a la luz de los nuevos estudios no ya como una causa sino como un factor concurrente

en el complejo proceso de la emancipación política. Las causas mismas se
ven ahora, por un lado, en las situaciones políticas concretas derivadas de
la invasión napoleónica de España que dieron lugar a la formación de juntas provisionales de gobierno de acuerdo al estatuto jurídico de los españoles americanos; y, por otro lado, a circunstancias locales de variado carácter, que prestan su singularidad a los movimientos regionales en el
arduo proceso de la emancipación política. En varias de las figuras anteriormente consideradas se ve ahora a precursores de la independencia. Así,
por ejemplo, Espejo ha sido señalado entre los escritores que a partir de
la afirmación de la singularidad y de la identidad de Quito y los quiteños
y su genio artesanal, parecen anticipar la emancipación y vincularse a los
pensadores que, inspirados en las condiciones locales y en las nuevas ideas,
promovieron la independencia y luego la llevaron a la práctica contemplando las condiciones que la realidad y no la teoría dictaban a sus actos.
En la segunda vertiente de la Ilustración en América las nuevas ideas
políticas, jurídicas, sociales y económicas aparecen incorporadas a las antiguas luchas por la justicia y activadas por los acontecimientos nuevos.
Spell [1938], Whitaker [1942, 1963], Levene [1956], Griffin [1963],
Aldridge [1971], Góngora [1975, 1980] se han ocupado extensamente en
el análisis del pensamiento, lecturas e historia de determinadas ideas que
caracterizan los momentos antecedentes y presentes en el movimiento de
independencia.

Entre los precursores americanos de la independencia está el jesuita
expulso Juan Pablo Viscardo (1748-1798), cuya *Carta a los americanos*
(1792) publicó Francisco de Miranda (1750-1816), en 1799. Entre estas
fechas y 1825, se desarrolla una gran actividad teórica y de aplicación política y jurídica. En relación a ella, J. L. Romero [1977] ha seleccionado
dos volúmenes de pensamiento político de la emancipación, presentados
con una excelente introducción. Entre las figuras de la generación de la
independencia ha adquirido relieve la de fray Servando Teresa de Mier
(1763-1827). Su *Historia de la revolución de la Nueva España* y en especial sus *Memorias* (Madrid, 1917; Monterrey, 1946), relaciones autobiográficas extraordinariamente animadas por los sucesos que le tocó vivir en
América y Europa bajo las más notables circunstancias. A. Reyes las elogia
y edita modernamente, y el novelista cubano Reynaldo Arenas ha nove-
lado sus aventuras en *El mundo alucinante* (1969). Es ciertamente uno
de los destacados prosistas del período, así como un ideólogo de la independencia política americana. Otra figura de relieve es la de Juan Egaña
(1768-1836), de origen peruano pero activo en la vida literaria y política
de Chile. Fue poeta y dramaturgo imitador de Metastasio y émulo de Meléndez Valdés, pero esencialmente un jurista. La obra que nos interesa
es *El chileno consolado en los presidios o filosofía de la religión. Memorias de mis trabajos y reflexiones escritas en el acto de padecer y pensar*

(Imprenta Española de M. Calero, Londres, 1926, 2 vols.). Se trata de unas memorias políticas del período de la Restauración española, que constituyen lo más interesante, desde el punto de vista literario, de Egaña. R. Silva Castro ha editado modernamente el libro (Editorial del Pacífico, Archivo de don B. O'Higgins, tomo 20, Santiago de Chile, 1964). Silva Castro [1949, 1958, 1964] ha estudiado su personalidad y su obra y editado también sus *Escritos inéditos y dispersos* (Santiago de Chile, 1949) y *Cartas de don Juan Egaña, 1832-1833* (Santiago de Chile, 1951). Hanisch [1964] aborda su filosofía. Góngora [1980] ha estudiado los rasgos utópicos de su pensamiento político, su filosofía y su obra literaria. Sus *Cartas pehuenches* lo relacionan con la literatura de crítica y de viajes exóticos característica del siglo XVIII. Figura de relieve en el periodismo de la hora naciente de la independencia es fray Camilo Henríquez (1967-1826), chileno, que publica la *Aurora de Chile*, el primer periódico del país en 1810. Fue poeta mediocre y autor de dramas no representables de interés para la historia literaria y política. Su obra ha sido estudiada por Amunátegui [1889] y Silva Castro [1950].

La crítica otorga un lugar en la historia literaria al libertador Simón Bolívar (1783-1830), quien acompañó su acción política y militar con la interpretación de la realidad hispanoamericana y la anticipación de sus posibilidades de futuro y unión. Su carta de Jamaica, «Carta a un caballero que tomaba gran interés en la causa republicana en la América del Sur» (6 de septiembre de 1815) y su «Discurso en el Congreso de Angostura» (1819), son piezas imprescindibles de la literatura de este período. Ediciones modernas de sus escritos son *Discursos y proclamas* (Garnier, París, 1933), *Cartas del Libertador corregidas conforme a los originales* (Lit. y Tip. El Comercio, Caracas, 1929-1930, 10 vols.), al cuidado de Vicente Lecuna. Antologías de su pensamiento son las de L. A. Sánchez, *Doctrina política* (Ercilla, Santiago de Chile, 1941), F. Monterde, *Bolívar* (Secretaría de Educación Pública, El Pensamiento de América, 5, México, 1943) y *El pensamiento vivo de Simón Bolívar* (Losada, Buenos Aires, 1958), de R. Blanco Fombona. Estudios de conjunto sobre Bolívar son los de V. A. Belaúnde [1930, 1960], Trend [1946], Masur [1948], y Madariaga [1959], en un enfoque controvertido. Las ideas políticas han sido abordadas por Caracciolo Parra-Pérez [1928]. Entre los estudios especiales debe destacarse el de la lengua de Bolívar de Hildebrandt [1961]. Las celebraciones del bicentenario del nacimiento del Libertador motivaron un renovado interés en sus escritos e ideas.

Otra figura que ha despertado el interés de los críticos es la de Félix Varela (1787-1853), cuyo pensamiento es la avanzada del espíritu de independencia en Cuba. Otras figuras de la Ilustración hispanoamericana que tienen relieve en los años finales del siglo XVIII y los decenios iniciales del XIX, cuando se imponen maduramente, son José Joaquín Fernández

de Lizardi (1776-1827), el «Pensador Mexicano», tal vez la figura más
importante para la literatura del período (véase el capítulo 7 de este volumen). Al lado de éste se puede mencionar al autor anónimo de *Xicoten-
cal* (Filadelfia, 1926), por la significación de su obra novelística traspasada
de ideología ilustrada. Andrés Bello (1781-1865), cuya importancia tras-
ciende su formación ilustrada y cuya acción literaria y cultural se extiende
más allá de la primera mitad del siglo XIX, será tratado en el segundo
volumen de esta obra (véase vol. II, capítulo 2).

BIBLIOGRAFÍA

Albornoz, Miguel, «El mestizo que venció los prejuicios: a qué precio el ecuato-
riano Eugenio Espejo conquistó la inmortalidad», *Revista Nacional de Cul-
tura* (1945), pp. 63-75.
Aldridge, A. Owen, *The Ibero-American Enlightenment*, University of Illinois
Press, Urbana-Chicago-Londres, 1971.
Álvarez-Brun, Félix, «Noticias sobre Carrió de la Vandera (autor del *Lazarillo
de ciegos caminantes*)», *Caravelle*, 7 (1966), pp. 179-188.
Amunátegui, Miguel Luis, *Camilo Henríquez*, Imprenta Nacional, Santiago de
Chile, 1889.
Arcila Farías, Eduardo, *El siglo ilustrado en América. Reformas económicas del
siglo XVIII en Nueva España*, Ministerio de Educación, Caracas, 1955.
Astuto, Philip L., *Eugenio Espejo (1747-1795), reformador ecuatoriano de la
Ilustración*, Fondo de Cultura Económica, México, 1969.
Atkinson, Geoffrey, *Les rélations de voyages du XVIIIᵉ siècle et l'évolution des
idées*, H. Champion, París, 1925.
Barrera, Isaac J., «Francisco Javier Eugenio de Santa Cruz y Espejo», Prólogo a
Francisco Javier Eugenio de Santa Cruz y Espejo, *El Nuevo Luciano de Qui-
to, 1779*, texto establecido y anotado por el padre Aurelio Espinosa Pólit,
S. J. (Clásicos Ecuatorianos, 4), Quito, 1943, pp. vii-xxvii.
—, «Espejo, Eugenio (1747-1795)», en *Diccionario de literatura latinoamericana.
Ecuador*, Unión Panamericana, Washington D.C., 1962, pp. 20-24.
Bastos, María Luisa, «El viaje atípico y autópico de Alonso Carrió de la Van-
dera», *Lexis*, 5:2 (1981), pp. 51-57.
Bataillon, Marcel, «Introducción a Concolorcorvo y su itinerario de Buenos Aires
a Lima», *Cuadernos Americanos*, 111 (1960), pp. 197-206.
—, «L'unité du genre humain du P. Acosta au P. Clavijero», en *Mélanges à la
mémoire de Jean Sarrailh*, Centre de Recherches de l'Institut d'Études His-
paniques, París, 1966, tomo I, pp. 75-95.
Batllori, Miguel, *El abate Viscardo. Historia y mito de la intervención de los
jesuitas en la independencia de Hispanoamérica*, Caracas, 1953.
Baudot, Georges, «*El Periquillo Sarniento*, livre de reformes ou roman picaresque», *Les Langues Neo-Latines*, 2 (1959), pp. 31-37.
Bedoya Maruri, A. N., *El doctor Francisco Javier Eugenio de Santa Cruz y Espejo*, Quito, 1982.
Belaúnde, Víctor Andrés, *Bolívar and the Political Thought of the Spanish Ame-

rican Revolution, Johns Hopkins University Press, Baltimore, 1930; trad. cast.: *Bolívar y el pensamiento político de la emancipación hispanoamericana*, Caracas, 1960.

Bose, Walter B. L., «El *Lazarillo de ciegos caminantes* y su problema histórico», *Labor de los Centros de Estudios, Publicaciones de la Universidad de la Plata*, 24 (1940), pp. 219-287.

Browning, John D., «The Periodical Press: Voice of the Enlightenment in Spanish America», *Dieciocho*, 3:1 (1980), pp. 5-17.

Caracciolo Parra-Pérez, *Bolívar: Contribución al estudio de sus ideas políticas*, Excelsior, París, 1928.

Carilla, Emilio, «Raíces del americanismo literario», *Thesaurus*, 23:3 (1968), pp. 536-546.

—, «Introducción» a Alonso Carrió de la Vandera (Concolorcorvo), *El Lazarillo de ciegos caminantes*, Labor (Textos Hispánicos Modernos, 24), Barcelona, 1973.

—, «Carrió de la Vandera y Quevedo», *Quaderni Ibero-Americani*, 6:47-48 (1975), pp. 329-335.

—, *El libro de los «misterios»: «El Lazarillo de ciegos caminantes»*, Gredos, Madrid, 1976.

Carner de Mateo, Françoise, «Clavijero, historiador de la cultura», *Historia Mexicana*, 20:2 (1970), pp. 171-198.

Carrera Damas, Germán, *El culto a Bolívar*, Caracas, 1973.

Casas de Faunces, María, *La novela picaresca latinoamericana*, Editorial Planeta-Universidad de Puerto Rico, Madrid, 1977.

Castagnino, Raúl H., *Escritores hispanoamericanos desde otros ángulos de simpatía*, Editorial Nova, Buenos Aires, 1971.

Castro Morales, Efraín, *Documentos relativos al historiador Francisco Javier Clavijero y su familia*, Ayuntamiento de Puebla, Sección de Relaciones Públicas, Puebla, 1973.

Clavery, Édouard, *Trois précurseurs de l'indépendance des démocraties sud-américaines: Miranda, 1756-1816; Nariño, 1765-1823; Espejo, 1747-1795*, Fernand Michel, París, 1932.

Chinard, Gilbert, *L'Amérique et le rêve éxotique dans la littérature française au XVIIᵉ et au XVIIIᵉ siècles*, Hachette, París, 1913.

Davis, Jacke Emory, «Algunos problemas lexicográficos en *El Periquillo Sarniento*», *Revista Iberoamericana*, 46 (1958), pp. 168-171.

—, «Picturesque Americanisms in the Works of Fernández de Lizardi», *Hispania*, 1 (1961), pp. 74-81.

Defourneaux, Marcelin, *Pablo de Olavide ou l'afrancesado*, Presses Universitaires de France, París, 1959.

Fairchild, Hoxie, *The Noble Savage. A Study in Romantic Naturalism*, Columbia University Press, Nueva York, 1928.

Gerbi, Antonello, *La disputa del Nuovo Mondo. Storia di un'idea*, Milán, 1955; trad. cast.: *La disputa del Nuevo Mundo. Historia de una polémica, 1750-1900*, Fondo de Cultura Económica, México, 1960.

Goic, Cedomil, *Historia de la novela hispanoamericana*, Ediciones Universitarias de Valparaíso, Chile, 1972; 1980².

—, «La novela hispanoamericana colonial», en L. Iñigo-Madrigal, ed., *Historia de la literatura hispanoamericana*. I: *Época colonial*, Cátedra, Madrid, 1982, pp. 369-406.

Góngora, Mario, *Studies in Latin American Colonial History*, Cambridge University Press, Cambridge, 1975.

—, *Estudios de historia de las ideas y de historia social*, Ediciones Universitarias de Valparaíso, Chile, 1980.

Grajales, Gloria, «Nacionalismo y modernidad en Francisco Javier Clavijero», *Nacionalismo incipiente en los historiadores coloniales. Estudio historiográfico*, UNAM, México, 1961, pp. 88-117.

Griffin, Charles, *The Enlightenment and Latin American Independence*, Gainesville, Florida, 1963.

Gutiérrez, Juan María, *Escritores coloniales americanos*, Editorial Raigal, Buenos Aires, 1957.

Halperin Donghi, Tulio, «Nacimiento del intelectual revolucionario: el general Manuel Belgrano a través de su *Autobiografía*», en L. Schwartz Lerner e I. Lerner, eds., *Homenaje a Ana María Barrenechea*, Castalia, Madrid, 1984, pp. 447-454.

Hanisch, Walter, «La filosofía de don Juan Egaña», *Historia*, 3 (1964), pp. 164-310.

Haring, C. H., *El Imperio hispánico en América*, Ediciones Peuser, Buenos Aires, 1958.

Henríquez Ureña, Pedro, *Historia de la cultura en la América hispánica*, Fondo de Cultura Económica (Tierra Firme, 28), México, 1947.

—, *Las corrientes literarias en la América Hispana*, Fondo de Cultura Económica, México, 1949.

Hildebrandt, Martha, *La lengua de Bolívar*. I: *Léxico*, Universidad Central de Venezuela, Caracas, 1961.

Lanning, John Tate, *Academic Culture in the Spanish Colonies*, Oxford, Nueva York, 1940.

—, *The Eighteenth-Century Enlightenment in the University of San Carlos de Guatemala*, Ithaca, Nueva York, 1956.

Lavalle, Bernard, «Les péruviens à la recherche de leur XVIIIe siècle», *Bulletin Hispanique*, 81:1-2 (1979), pp. 173-179.

Le Riverend Brusone, Julio, «La *Historia antigua de México* del padre Francisco Javier Clavijero», en *Estudios de historiografía de la Nueva España*, El Colegio de México, México, 1945, pp. 293-323.

León Portilla, Miguel, *Recordación de Francisco Xavier Clavijero. Su vida y su obra*, Ediciones de la Ciudad de Veracruz, Veracruz, 1970.

Leonard, Irving A., *Don Carlos de Sigüenza y Góngora. Mexican Savant of the Seventeenth Century*, University of California Press, Berkeley, 1929.

Levene, Ricardo, *El mundo de las ideas y la revolución hispanoamericana de 1810*, Editorial Jurídica de Chile (Colección de Estudios Jurídicos y Sociales, 46), Santiago, 1956.

Lorente Medina, A., «Introducción» a Concolorcorvo, *El lazarillo de ciegos caminantes*, Editora Nacional, Madrid, 1980, pp. 9-38.

Madariaga, Salvador de, *El ocaso del imperio español en América*, Sudamericana, Buenos Aires, 1959.

Marchetti, Giovanni, *Cultura indigena e integrazione nazionale. La* «*Storia antica del Messico» di F. J. Clavijero*, Piovan Editore (Saggi e ricerche di lingue e letterature straniere, 5), Avano Terme, 1980.

Masur, Gerhard, *Simón Bolívar*, University of New Mexico Press, Albuquerque, 1948.

Maza, Francisco de la, *El guadalupismo mexicano*, Porrúa y Obregón, México, 1953.

Mazzara, Richard A., «Some picaresque elements in Concolorcorvo's *El Lazarillo de ciegos caminantes*», *Hispania*, 44:2 (1961), pp. 323-327.

Menéndez Pelayo, M., *Historia de la poesía hispanoamericana*, Victoriano Suárez, Madrid, 1911-1913, 2 vols.

Millares Carlo, Agustín, *Don Juan José de Eguiara y Eguren y su «Bibliotheca mexicana»*, México, 1957.

Miranda, José, «Clavijero en la Ilustración mexicana», *Cuadernos Americanos*, 5 (1946), pp. 180-196.

Miró Quesada, Aurelio, «Ideas peruanas en Peralta Barnuevo», *Caravelle*, 7 (1966), pp. 145-151.

Monguió, Luis, «Palabras e ideas: "Patria" y "Nación" en el virreinato del Perú», *Revista Iberoamericana*, 104-105 (1978), pp. 451-470.

Monjardin, Federico F., *«El Lazarillo de ciegos caminantes* de Concolorcorvo, ¿Quién fue su autor?»*, Boletín del Instituto de Investigaciones Históricas*, 7:37 (Buenos Aires, 1928), pp. 30-32.

Montalvo, Antonio, *Francisco Javier Eugenio de Santa Cruz y Espejo*, Quito, 1947.

Moses, Bernard, *The Intellectual Background of the Revolution in South America 1810-1824*, Hispanic Society, Nueva York, 1922.

Osorio Romero, Ignacio, «Jano o la literatura neolatina de México (visión retrospectiva)», en I. Osorio Romero, *et al.*, *Cultura clásica y cultura mexicana*, UNAM, México, 1983, pp. 11-46.

Pérez Castro, I. L., «El viaje a América de Carrió de la Vandera con otras aportaciones bibliográficas», *Archivum*, 15 (1965), pp. 358-379.

Pérez Marchand, Monalisa L., *Dos etapas ideológicas del siglo XVIII en México a través de los papeles de la Inquisición*, México, 1945.

Phelan, John L., *The People and the King: The Comunero Revolution in Colombia, 1781*, University of Wisconsin Press, Madison, 1977.

Picón-Salas, Mariano, *De la conquista a la independencia*, Fondo de Cultura Económica, México, 1944.

Pupo-Walker, Enrique, *La vocación literaria del pensamiento histórico en América. Desarrollo de la prosa de ficción: siglos XVI, XVII, XVIII y XIX*, Gredos, Madrid, 1982.

Real Díaz, José J., «Don Alonso Carrió de la Vandera, autor del *Lazarillo de ciegos caminantes*», *Anuario de Estudios Americanos*, 13 (1956), pp. 387-416.

Reyes, Alfonso, *Letras de la Nueva España*, Fondo de Cultura Económica, México, 1948.

Rico González, Víctor, *Historiadores mexicanos del siglo XVIII*, UNAM, México, 1949.

Robertson, William Spence, *The Life of Miranda*, University of North Carolina Press, Chapel Hill, 1929, 2 vols.; trad. cast., Buenos Aires, 1938.

Romero, José Luis, «Prólogo» a *Pensamiento político de la emancipación* (Biblioteca Ayacucho, 23-24), Caracas, 1977, 2 vols.

Ronan, Charles E., *Francisco Javier Clavijero, S. J. 1731-1787. Figure of the Mexican Enlightenment: his life and works*, Institutum Historicum S. I. - Loyola University Press, Roma-Chicago, 1977.

Rubio Orbe, Gonzalo, *Francisco Eugenio Javier de Santa Cruz y Espejo: biografía*, Quito, 1950.

Salomon, Noël, «La crítica del sistema colonial de la Nueva España en *El Periquillo Sarniento*», *Cuadernos Americanos*, 138:1 (1965), pp. 167-179.

Sánchez, José, *Academias y sociedades literarias de México*, University of North Carolina, Chapel Hill, 1951.

Sánchez, Luis Alberto, *El Doctor Océano*, Universidad Nacional Mayor de San Marcos, Lima, 1964.

Sarrailh, Jean, *L'Espagne éclairée de la seconde moitié du XVIIIᵉ siècle*, Imprimerie National, París, 1954.

Savelle, Max, *Empires to Nations: Expansion in America, 1713-1824*, University of Minnesota Press (Europe and the World in the Age of Expansion, V), Minneapolis, 1974.

Silva Castro, Raúl, *Bibliografía de don Juan Egaña, 1768-1836*, Santiago de Chile, 1949.

—, *Fray Camilo Henríquez*, Ediciones de la Universidad de Chile, Santiago de Chile, 1950.

—, *Egaña en la Patria Vieja*, Santiago de Chile, 1958.

—, *Juan Egaña*, Andrés Bello, Santiago de Chile, 1964.

Simmons, Merle E., «Spanish and Spanish American Writer Politicians in Philadelphia, 1790-1830», *Dieciocho*, 3:1 (1980), pp. 27-39.

Spell, Jefferson Rea, *The Life and Works of José Joaquín Fernández de Lizardi*, Filadelfia, 1931.

—, *Rousseau in the Spanish World before 1833. A Study in Franco-Spanish Literary Relations*, University of Texas Press, Austin, 1938.

Stoetzer, O. Carlos, *The Scholastic Roots of the Spanish American Revolution*, Fordham University Press, Nueva York, 1979.

Torre Revello, José, «Viajeros, relaciones, cartas y memorias (Siglos XVII, XVIII y primer decenio del XIX)», en Ricardo Levene, ed., *Historia de la Nación Argentina*, Buenos Aires, 1940, tomo IV, pp. 397-407.

Trabulse, Elías, «Un airado mentís a Clavijero», *Historia Mexicana*, 25:1 (1975), pp. 1-40.

Trend, J. B., *Bolívar and the Independence of Spanish America*, MacMillan, Londres, 1946.

Valjavec, Fritz, *Historia de la Ilustración en Occidente*, Madrid, 1964.

Valle, Rafael Heliodoro, *Rafael de Landívar y Caballero: noticia biográfica y bibliográfica*, México, 1924.

Vargas, José María, *Biografía de Eugenio Espejo*, Editorial Santo Domingo, Quito, 1968.

Vargas Ugarte, Rubén, *De nuestro antiguo teatro. Colección de piezas dramáticas de los siglos XVI, XVII y XVIII*, Universidad Católica, Instituto de Investigaciones Históricas, Lima, 1943.

—, «Don Alonso Carrió de la Vandera, autor de *El Lazarillo de ciegos caminantes* y visitador de Correos», *Revista Histórica*, 26 (1962-1963), pp. 77-112.

Vaucher, Alfred-Félix, *Une célébrité oubliée. Le P. Manuel de Lacunza y Díaz, 1731-1801*, Imprimérie Fides, Collonges-sous-Saleve, 1941; otra ed., 1968.

Villoro, Luis, *La revolución de la Independencia: ensayo de interpretación histórica*, México, 1953; 1967².

—, «La naturaleza americana en Clavijero», *La Palabra y el Hombre*, 28 (1963), pp. 543-550.

Vogeley, Nancy, «José Joaquín Fernández de Lizardi and the Inquisition», *Dieciocho*, 3:2 (1980), pp. 126-134.

Whitaker, Arthur P., ed., *Latin America and the Enlightenment*, Nueva York, 1942; Great Seal Books, Ithaca, Nueva York, 1963².

White, John F., «José Celestino Mutis and the literary societies of Bogotá during the Enlightenment», *Dieciocho*, 2:2 (1979), pp. 144-153.

—, «The Enlightenment in Latin-America: Tradition versus Change», *Dieciocho*, 3:1 (1980), pp. 18-26.

—, «The Inter-American Enlightenment», *Revista Interamericana de Bibliografía*, 30 (1980), pp. 254-261.

Zavala, Silvio, *América en el espíritu francés del siglo XVIII*, El Colegio de México, México, 1949.

Alfonso Reyes

LA ERA CRÍTICA

El siglo XVIII es época de intensa transformación para el orbe hispano. A partir del advenimiento de los Borbones, se perciben cambios profundos. Se liquida una jornada. La era de creación artística entrega sus saldos a la clasificación, la crítica y la historia. En cierto modo, a los atenienses suceden los alejandrinos. La Nueva España ha alcanzado la mayoridad.

Si en el siglo XVII dominaron los intereses poéticos de la cultura, en el XVIII domina el interés social. Los trabajadores del espíritu, varones de laboriosidad increíble, asumen un aire de escritores profesionales y se consagran, por una parte, a poner en orden la tradición; por otra, a edificar una nueva conciencia pública, recogiendo las novedades del pensamiento europeo y dando expresión, a la vez, al sentimiento de un pueblo que se sabe ya distinto de la antigua metrópoli, que ha comenzado a llamarse patria. Los hombres representativos de esta crisis suelen ser a un tiempo teólogos, filósofos, historiadores, anticuarios, cultores de diversas ciencias, humanistas, literatos y periodistas; condición enciclopédica que debe tenerse muy presente, ya que no podemos presentarlos aquí en todas sus facetas.

Son rasgos de la época la adopción de una filosofía de lo inmanente (que no niega lo trascendente), la concepción del filósofo como ciudadano del mundo, la noción revolucionaria de que la autoridad se origina en la voluntad del pueblo, la condenación de la esclavitud negra o indígena, la reivindicación de la cultura prehispánica, el sentido de la nacionalidad mexicana, y por último, el auge de la cultura

Alfonso Reyes, «La era crítica», *Letras de la Nueva España*, Fondo de Cultura Económica, México, 1948, pp. 375-387 (375, 382-387).

clásica; la cual vino a ser, si no la determinante, al menos la noble madrina de la futura independencia.

[La lingüística indígena sigue desarrollándose. El padre Agustín Castro, humanista, poeta y hombre universal, había trazado el plan para una historia de la literatura hispanoamericana que dejó en los comienzos.] La tarea de inaugurar tales estudios estaba reservada a José de Eguiara y Eguren. Éste, con intención polémica comparable a la del joven Menéndez y Pelayo cuando salió en defensa de la ciencia española, se enfrenta con el deán alicantino Manuel Martí, quien se dejó decir que en América —y singularmente citó a México— todo era ignorancia. Aunque Martí había recibido encargo de compaginar para la imprenta la *Bibliotheca Hispana Vetus* de Nicolás Antonio, no parece que se tomara el trabajo de consultar la *Biblioteca Hispana Nova* del propio autor, cuyas constancias hubieran bastado para frenar su desatinado aserto.

Eguiara y Eguren va a refutarlo. Hace traer de España una imprenta *ad hoc*. Emprende, en latín, su *Bibliotheca Mexicana*, nuestra primera bibliografía metódica, que prepara la descendencia de Beristáin, Icazbalceta, Paso y Troncoso, Andrade, León, Estrada, Teixidor, Valle, etc., e inicia los ensayos sobre la historia cultural de la Nueva España. En los prólogos o *anteloquia*, reseña las manifestaciones de la educación, las ciencias y las letras mexicanas, desde la época indígena. Hay en sus páginas una exaltación que lo lleva a exagerar el elogio; pero la base documental es valiosísima y el espíritu de la obra es ya nacional.

Sobresale entre los historiadores, y es el primero en organizar una exposición metódica de la civilización indígena y de la aportación hispánica, el abate Francisco Javier Clavigero, teólogo, sabio, humanista y polígloto, como lo eran casi todos en este fugaz renacimiento mexicano del siglo XVIII. Aparte de cosas secundarias (la *Historia de la Antigua o Baja California*), su libro por excelencia es la *Historia antigua de México*, publicado en el destierro, y completado con unas *Disertaciones* en que refuta los errores difundidos sobre México por Paw, Buffon, Raynal y Robertson. Etnógrafo consumado, que entiende ya la historia como descripción del carácter de un pueblo, su obra es base indispensable, y conserva aún su valor, a pesar de rectificaciones parciales. Su exactitud y su precisión no excluyen la amenidad. Su método es justo; su estilo, claro.

Le siguen en importancia Mariano Fernández de Echeverría y Veytia con su *Historia antigua* (incompleta) que, por referirse a la dinastía tezcuana, sirve de prólogo a la obra de Clavigero, la cual singularmente se contrae a la azteca; el caballero Lorenzo Boturini Benaducci, gran coleccionador de materiales históricos, algunos de los cuales aprovecharía Veytia, pero que se han perdido en gran parte, y el padre Andrés Cavo, con su *Historia civil y política de México*, desenterrada más tarde por Bustamante bajo el título, harto descriptivo del asunto, *Los tres siglos de México durante el gobierno español*, libro que a su vez puede considerarse como la continuación de Clavigero.

Don Julio le Riverend propone una clasificación orientadora: divide a estos historiadores en neoclásicos —en general, los jesuitas: Clavigero, Cavo— y barrocos —Veytia, Boturini—; y me hace notar, en Boturini, cierto carácter de precursor del «Baedeker», así como su intento de aplicar a México el esquema de Vico (edades de los dioses, de los héroes y de los hombres); y en Veytia, la contemplación de los hechos de la historia indígena (muertes de príncipes, etc.) a través del prisma «versallesco» de las cortes de Europa.

Por último, Pedro José Márquez del Rincón, Manuel Fabri y Juan Luis Maneiro contribuyen, cada uno por su estilo, a la conservación del pasado nacional. [...]

Podemos considerar el siglo como dividido en dos etapas, más o menos de sesenta y de cuarenta años. La pugna entre el pasado y la novedad invade los órdenes filosóficos y científicos. La crisis se aprecia, en su movimiento acelerado de una a otra etapa, ante todo en la obra de los pensadores; pero también podemos seguirla hasta cierto punto en los movimientos de la opinión.

La nueva filosofía, mucho más ecléctica que puramente cartesiana, habla para México, aquí mismo o desde la emigración, por boca de Díaz de Gamarra, Clavigero, Guevara y Basoazábal, Campoy, Márquez, Agustín Castro, Manuel Mariano Iturriaga, José Mariano Iturriaga —que ahora resulta también poeta latino—, Maneiro —estimable poeta castellano—, a cuyas campañas por renovar la teología escolástica se une el Br. Miguel Hidalgo, futuro padre de la patria; todos ellos tenidos por «doctores harto modernos». En el diálogo de Clavigero, «Filaletes», el amante de la verdad, vence a «Paleófilo», el amante de lo antiguo. En la filosofía estética, especialmente, se ejercita Pedro José Márquez, autor de un tratado *Sobre lo bello en general*.

[Se desarrollan las ciencias físicas y matemáticas; ímproba tarea realizaron Alzate, Gamboa, Velázquez de León, Gama, Bartolache, Mociño, a quien continúan La Llave, Lejarza, Oteiza.]

El cuadro anterior, diáfano en la obra de los escritores, se completa al investigar lo que acontecía entre la gente media, los vecinos y hasta los «vendedores de pomadas», la opinión y el ánimo públicos, mudos testigos y sujetos de la transformación cultural. ¿Cómo averiguarlo? Poseemos un índice, un termómetro, en los papeles de la Inquisición, propia energía retardataria. El estudio de los respectivos procesos permite ver cómo las restricciones —fuera de los extremos agónicos del último instante— van desvaneciéndose gradualmente en la práctica, aunque sigan vivas en el precepto. Y esto, por una doble causa: la presión externa que ejerce el pensamiento del siglo y que resulta en mil ardides de violación y contrabando; y el aflojamiento interno de la vigilancia inquisitorial, prueba no menor del espíritu dominante.

La censura —relativa o absoluta— se aplica a publicaciones, estampas, barajas y personas. En la segunda etapa o etapa agónica, se atreve ya con virreyes, arzobispos, altos funcionarios, militares y marinos, y con los propios filósofos americanos, como Gamarra, Echeverría, Del Valle, etc.; y, bajo el virrey Branciforte, en quien se supone un excesivo celo de converso, la misma hostilidad exagerada descubre la popularidad creciente de las ideas francesas. Pero al mismo tiempo, se encuentran entonces dictámenes inquisitoriales de suma liberalidad y tolerancia. Explicables contradicciones en el accidentado camino de la modernidad.

El examen de las publicaciones tachadas indica, entre lo extranjero, un máximo de lecturas francesas, al que siguen en menor escala las inglesas, las italianas y, en contados casos, las norteamericanas. Durante la primera etapa, se trata sobre todo de obras piadosas irregulares, herejías, supersticiones, desacatos a la religión, al clero, a la autoridad, y se traslucen ciertas pugnas entre las órdenes militantes. Durante la segunda etapa, aumenta el recelo ante la filosofía, la política y la ciencia, indicios de su mayor difusión. «Hasta las cátedras de oposición de Universidad se han secularizado», exclama en 1756 un agustino. Y en 1781 se oye la queja de que la Inquisición no sea freno suficiente contra las «obras del *buen gusto*», lo que mezcla en uno la causa de la reacción ideológica y la literaria.

Entretanto, de uno u otro modo y con diversa fortuna según su respectivo carácter, se han filtrado en la Nueva España los escritos o las ideas de Descartes, Bossuet, Voltaire, Bayle, Raynal, Condillac, Malebranche, La Bruyère, Fénelon, Rousseau, Montesquieu, D'Alembert, La Mettrie, Maupertuis, Volney, Diderot, Gassendi, Newton, Locke, Adam Smith, el viajero Robertson, Filangieri, Leibniz, Biblias castellanizadas por herejes, Calvino, William Penn; alguna vez, el *Plan* de la República Jesuítica del Paraguay; y aún se tachan páginas de Feijoo y de los *Ocios políticos en poesías* de Torres Villarroel, último destello del Siglo de Oro en España.

Los papeles de la Inquisición esconden todavía un tesoro sobre la poesía satírica censurada en la época. Las tendencias de esta literatura subrepticia saldrán a flor de tierra en el XIX.

Entre el gabinete del pensador y la opinión pública se ha creado un nuevo enlace: es el periodismo. Desde fines del XVII aparecían papeles volantes, cuando llegaban a Veracruz la flota de España o a Acapulco la Nao de China. En la primera etapa del XVIII se publican ya con cierta regularidad las gacetas de Castorena y Ursúa y Juan Francisco Sahagún. En la segunda etapa, el periodismo es más activo, con Arévalo, Bartolache (su *Mercurio Volante* recuerda el título de Sigüenza y Góngora), Valdés, y Alzate en sus cuatro sucesivos periódicos. En 1805, Villaurrutia y Bustamante inician el *Diario de México*. En 1812, cuando las Cortes de Cádiz declaran la libertad de imprenta, Fernández de Lizardi funda *El Pensador Mexicano*.

Naturalmente que la prensa periódica, en cuanto es instrumento político, se condiciona por la libertad del pensamiento. Este mismo hecho acentúa el tono literario y científico de las primeras gacetas. Antes de *El Despertador Americano*, que lanza el grito de rebeldía (Guadalajara, 20 de diciembre de 1810), todo estaba sometido a censura, tanto civil como eclesiástica.

Mario Góngora

LA ILUSTRACIÓN CATÓLICA

Evidentemente, la constelación denominada «Ilustración católica» es difícil de reducir. Es un estilo que no se puede definir demasiado

Mario Góngora, *Estudios de historia de las ideas y de historia social*, Ediciones Universitarias de Valparaíso, Chile, 1980, pp. 121-125.

precisamente. En el fondo, el rasgo más perdurable es la sustitución de la formación de base latino-escolástica por la formación inspirada en la cultura francesa; en este caso, en la cultura eclesiástica francesa. Pero se pueden dibujar, además, ciertos caracteres propios de la tendencia, tanto en los países europeos como americanos. Ellos podrían ser: eclecticismo filosófico; criticismo frente a la constitución y las prácticas actuales de la Iglesia (influjo de Fleury, del galicanismo, crítica de las devociones populares, etc.); biblismo; apologética contra los «filósofos» del siglo XVIII; moralismo (oposición al laxismo, al atricionismo y al probabilismo, adoptando tal oposición ya la forma teológica del probabiliorismo, ya de un moralismo pietista); oposición al barroquismo y churriguerismo en el culto; reforma de la oratoria sagrada; en fin, en cuanto a la doctrina del poder, oscilación entre la doctrina galicana y (después de la guerra de la Independencia) una reinterpretación liberal del tomismo y de la escolástica (Martínez Marina y Villanueva en España, Mier en América). Spedalieri había iniciado en Italia esta versión acentuadamente pactista y antiabsolutista del tomismo político, en 1791.

En las órdenes, los jesuitas «modernos» pueden agruparse fácilmente dentro de las nuevas tendencias, antes o después de la expulsión. Los dominicos, gracias a su general Boxadors, instauran una tendencia crítica en su teología, mediante la creación de la cátedra de Lugares Teológicos, que aparece en los estudios americanos. Dicha enseñanza interesó no solamente a los dominicos, sino también al jesuita cubano Parreño (según su biógrafo Cavo), a Rodríguez de Mendoza (quien redactó en Lima, en colaboración con Mariano Riberos, un manual de Lugares Teológicos) y al deán Funes, quien procuró introducirla en Córdoba. Los franciscanos adoptaron la filosofía moderna.

En el clero secular, sin una tradición común, las grandes figuras se caracterizan más. Los obispos antijesuitas y antiprobabilistas de 1770 (Lorenzana, Fabián y Fuero, y junto a ellos, también, el obispo agustino de Concepción de Chile, Espiñeira, campeón del antijesuitismo en el IV Concilio de Lima) inician la serie. Otros eclesiásticos seculares han sido, desde antiguo, objeto de la historiografía relativa a la Ilustración. El concepto de «Ilustración católica» puede contribuir a matizar su fisonomía intelectual. Es el caso de Caballero y Góngora, Maciel, Pérez Calama, Martínez Compañón, Rodríguez de Mendoza, Funes, José Agustín Caballero, Félix Varela. Las *Cartas a*

Elpidio sobre la impiedad, la superstición y el fanatismo en sus relaciones con la sociedad, publicadas por Varela en Nueva York en 1835-1838, pueden parangonarse con las *Reflexiones* de Gorriti como expresión cabal de todo este movimiento de ideas.

Miguel Hidalgo es otro caso interesante. Pérez Calama le aconseja, en sus años de formación, cuando Hidalgo compuso su *Verdadero método para estudiar la teología escolástica* inspirado en el Barbadiño, que leyese sobre todo el Evangelio y a los teólogos franceses. Le insistía en Pouget, cuyas *Institutiones catholicae* eran una especie de catecismo avanzado. En sus años de profesor en San Nicolás de Valladolid, Hidalgo cultiva la teología positiva y la historia de la Iglesia. Desde entonces viene su prestigio de «jansenista», que saldrá a luz en las denuncias inquisitoriales de 1800, 1807 y 1811. Aparte de las falsedades y contradicciones de dichas delaciones, lo que interesa es la importancia que en ellas se da a su lectura de Fleury, cuya Historia Eclesiástica se considera la fuente de las impías aserciones de Hidalgo.

José Miguel Araujo y Manuel José Mosquera, en su correspondencia de los decenios de 1820 y 1830, nos hacen conocer la cultura eclesiástica de todo el período. La lectura y comentario de Grégoire, Berardi, Torres Amat, Funes, Lacunza, Lamennais, llena las cartas que se han publicado. Ambos amigos representan un matiz moderadamente biblista y favorable a la ilustración religiosa, dentro de la plena fidelidad a la jerarquía.

Hay todavía muchas personalidades de segundo rango (José Ignacio Cienfuegos sería el principal ejemplo en Chile); pero es interesante, además, marcar que la tendencia no está confinada a los eclesiásticos. El *Evangelio en triunfo* del peruano Pablo de Olavide —en cierto modo, un caso de literatura de conversión— abría el camino a una especie de pietismo laico. La circulación de esa obra precisamente entre seglares es considerable. Su experiencia de «filósofo» ilustrado y de revolucionario en Francia, su pathos moralizador y apologético, el tipo de piedad idílica e ilustrada de un terrateniente que allí se expone; su desvío de la teología racional escolástica; su uso de la argumentación apologética histórica, basada en la noción de testimonio (con grandes influjos de Pascal y de la apologética francesa); su inclusión de un plan de educación basado en los conocimientos útiles, todo ello impresionó grandemente en el público español e hispanoamericano. Un tono general parecido tiene el oratoriano portugués Teodoro de Almeyda, igualmente apreciado en ambos públicos. Sus *Recreaciones filosóficas*, sus *Cartas físico-matemáticas* y su *Compendio de la historia de la filosofía* sirvieron de divulgación de la filosofía y la ciencia moderna. *El pastor evangélico* presentó un conjunto de homilías edificantes para los domingos y fiestas del año. *El feliz independiente del mundo y de la fortuna* constituye una especie de poema en prosa cristiano, de tipo moralizador y apologético, a la vez que romanesco.

El influjo de tales obras, entremezclado con el de Rousseau, se halla patente en muchos próceres de la Independencia. Así en Caldas, fervientemente religioso y moralista, cuyos planes de educación patriótica para la niñez insisten en el material evangélico ilustrado y en el aprendizaje del *Catecismo histórico* de Fleury. En algunos de sus relatos de viajes suelen aparecer estampas de «sacerdotes ilustrados», que el naturalista traza con admiración. La obra de Olavide ha dejado una impronta decisiva en la primera parte de *El chileno consolado en los presidios*, de Juan Egaña; y más en general, en sus opiniones sobre religión, donde su influjo se entrecruza con el de Rousseau y Filangieri, sus grandes maestros.

La mentalidad ilustrada en el clero secular es tanto más frecuente en el período que estudiamos, cuanto que la formación en seminarios tridentinos (fundados con gran apoyo de la corona en los reinados de Carlos III y Carlos IV) es común, muchas veces, para los futuros sacerdotes y para laicos. Los seminarios se encargan de buena parte de las tareas educativas vacantes por la expulsión de los jesuitas, que los convictorios carolinos no podían abarcar enteramente. Otras veces (por ejemplo en Chile, durante el régimen juntista, en 1813), el seminario se fusiona con el Instituto Nacional. Esta mezcla de estudiantes contribuye poderosamente a la difusión de las tendencias ilustradas —desde 1810 del liberalismo, en las provincias juntistas o independientes— en el clero secular. A partir de 1830, cuando cambia la orientación general del clero, tienden por eso los seminarios a ser exclusivamente focos de educación eclesiástica.

En suma, la Ilustración católica constituye un importante matiz dentro de la historia general de la Ilustración en América. Sin afán de exagerar su peso, ni siquiera de mantener estrictamente una definición, se puede afirmar que el tipo de hombre y de actitudes que con esa denominación se pretende delimitar no resulta fácil de comprender desde otro punto de vista. Lo decisivo es que una concepción histórica sea fecunda para la investigación. Se trata de un tipo espiritualmente ecléctico, pero no por eso indiscernible dentro de la historia intelectual de la época.

Es curioso que la imagen de esta corriente se haya desvanecido de tal manera en la investigación histórica. Sin embargo, la tradición

del tiempo de Sarmiento la retenía todavía, como puede constatarse
en numerosos pasajes de sus *Recuerdos de provincia* de 1850. El imperio de las corrientes político-religiosas generadas propiamente en
el siglo XIX —imperantes, por lo tanto, a partir del decenio 1830-40;
anteriormente regían todavía los hombres formados en el siglo anterior— elimina toda comprensión hacia un tipo de pensamiento que
no concordaba ya ni con las posiciones estatales ni con las eclesiásticas del nuevo cuadro histórico.

AURELIO MIRÓ QUESADA

IDEAS PERUANAS EN PERALTA BARNUEVO

El tercer centenario del nacimiento del insigne humanista limeño
don Pedro de Peralta Barnuevo, dio motivo a un variado coloquio
organizado por la Academia Nacional de la Historia, del Perú; y con
él a un nuevo esclarecimiento de lo que Peralta representó en su
tiempo (1664-1743) y de lo que queda en él de vivo a los ojos actuales. A Peralta se le exaltó; se le consideró como un símbolo, no sólo
del hombre culto peruano de entonces, sino de la necesidad de salir
del ámbito local para traer la voz del mundo a las letras peruanas; y
por cierto se recordaron los elogios con que le alabaron sus contemporáneos: «portento; cíclope; increíble; prodigioso; el que todo lo
sabe; el que nada ignora». «Echando los ojos por los hombres erudi-
tes que ha tenido España de dos siglos a esta parte —decía el padre
Feijoo en su *Theatro crítico universal*, tomo IV, discurso VI—, no
encuentro alguno de igual universalidad a la de don Pedro de Peralta.»

Pero, para completar con certeza el cuadro, hubo que declarar
también que esa acumulación de elogios y el largo repertorio de sus
obras, paradójicamente, en vez de acercarnos nos alejan. En la nueva
valoración literaria y humana, y en el corte y tanteo de la justicia de

Aurelio Miró Quesada, «Ideas peruanas en Peralta Barnuevo», *Caravelle*, 7
(1966), pp. 145-151.

la fama a que invitan siempre las conmemoraciones centenarias, hubo que reconocer que a Peralta se le ve hoy por lo común como una especie de monumento literario, que todos miran o admiran desde fuera, pero que pocos tienen la decisión de acercarse a observarlo. Gongorino tardío y calderoniano confeso en verso y teatro, con agudeza conceptista y giros de Quevedo y Gracián en la prosa, unas veces prosaico por su interés científico y otras con demasiadas alas en su vuelo poético, más extenso que intenso, y tan ornamentado y retorcido que él mismo tiene que aclarar en las notas marginales sus barrocas imágenes. Peralta reúne en sí todos los perfiles de su tiempo pero concentra también sobre sí todas las cargas.

La mayor limitación, sin embargo, para apreciar hoy a Peralta en el Perú no está en la forma literaria sino en el fondo mismo: a pesar del número portentoso de sus obras, nos conturba la ausencia casi total de los problemas íntimos y de las urgencias del Perú en sus escritos. Como reprochaba «Concolorcorvo» en su *Lazarillo de ciegos caminantes* («Gijón 1773»; en realidad, Lima 1776): «Si el tiempo y erudición que gastó el gran Peralta en su *Lima fundada* y *España vindicada*, lo hubiera aplicado a escribir la historia civil y natural de este reino, sin duda que hubiera adquirido más fama dando lustre y esplendor a toda la monarquía; pero la mayor parte de los hombres se inclinan a saber con antelación los sucesos de los países más distantes, descuidándose enteramente de los que pasan en los suyos». Y esta severa crítica resulta aún más significativa desde que sabemos, en forma que ya no admite duda, que «Concolorcorvo» no fue indio, ni tuvo color de ala de cuervo, sino fue el visitador de correos español Alonso Carrió de la Vandera.

Aclaremos un tanto este reparo extremo del burlón autor del *Lazarillo*.

Ni Peralta se olvidó de pensar en el Perú, ni dejó de ser siempre un reflejo del Perú, ni se descuidó en su vida diaria de participar en los sucesos que en su patria —y particularmente en su ciudad— ocurrían. Casi no hay ceremonia en la que no tome parte, júbilo de Lima o «fúnebre pompa» que no cante en sus versos, recibimiento de virrey al que no acuda, actuación o debate en la Universidad de San Marcos en que no se consulte su criterio, certamen poético al que no se le llame como árbitro. Si se trata de la fortificación de Lima, Peralta no reprime sus críticas a la muralla levantada por el duque de la Palata, que considera inútil por su extensión y por su fábrica y a la que contrapone la idea de un castillo como el de Sant'Angelo en Roma, donde se puedan defender pocos contra muchos. Si se trata de la defensa de la ribera del Callao, inventa un ingenioso sistema dentado, con pilotajes o estacadas, que proteja a la playa de la erosión y que dura en efecto hasta el maremoto de 1746. Para tranquilizar a los limeños, publica año tras año *El conocimiento de los tiempos* y comunica a la Académie Royale des Sciences, de París, sus observaciones sobre los eclipses y sobre el movimiento de los astros; y así como canta a los virreyes, sirve también a su ciudad, con emoción social e interés filantrópico, en todo lo que se refiere a educación, a tradición local, a abastecimiento, a defensa o a higiene.

Se puede argüir —y en parte indudablemente con razón— que todo esto se refiere a lo anecdótico, a lo circunstancial, y en todo caso a la vida privada de Peralta; y no a su obra escrita, en la que el Perú a menudo no aparece sino como un vago fondo escenográfico. En los *Júbilos de Lima y fiestas reales* (1723), por ejemplo, en celebración del matrimonio de Luis I, entonces príncipe de Asturias, con la princesa de Orleans, y de la boda —que resultó frustrada— de Luis XV de Francia con María Ana Victoria de España, los incas sólo surgen como decorativas y exóticas comparsas, entre fiestas de plaza, corridas de toros, «paseos, máscaras, carreras y pompa triunfal». En su *Lima fundada* (1732), junto a la crónica rimada de la conquista del Perú y la exaltación de Francisco Pizarro, desfilan emperadores incas, virreyes y arzobispos, santos, juristas y piratas, hombres de armas y de letras, mineralogía y geografía, flora y fauna peruanas; pero en su descripción general del Perú sólo hay adjetivos anodinos: «claro», «excelso», «poderoso», «vasto», «rico», «abundante» o «ameno».

Para conocer su pensamiento esencial sobre el Perú, aparte de estos ornamentados ditirambos, es necesario recurrir —y es sintomático y curioso— a una obra escrita por Peralta pero apadrinada por nombre distinto: la *Relación de Gobierno*, o *Memoria*, del virrey don José de Armendáriz, marqués de Castelfuerte, quien dirigió los destinos del Perú de 1724 a 1735. De que Peralta redactó la *Memoria* no cabe duda alguna, no sólo por su estilo inconfundible, sino porque se le menciona resueltamente como autor en la pintoresca lista acróstica recogida por Guillermo del Río en sus *Monumentos literarios del Perú*, donde la «R» del nombre de Peralta corresponde a la *Relación del gobierno del señor Castelfuerte*. Guillermo Lohmann ha notado además, en su estudio sobre *Las Relaciones de los virreyes del Perú*, que así lo patentiza una «Advertencia» preliminar del texto manuscrito que se conserva en la Biblioteca Nacional de Madrid: el virrey lo encargó

—se dice allí— «al sabio e incomparable Doctor Don Pedro de Peralta y Barnuevo».

Dentro de la estructura general de las memorias, se percibe un concepto político maduro y una interpretación del problema peruano que, más que a la idea del virrey, corresponden al pensamiento personal de Peralta. Es «el más importante, razonado y vigoroso documento de tal género que puede hallarse en toda la época colonial», decía rotundamente Riva-Agüero en *La Historia en el Perú*. Y añadía que la *Memoria* está sellada con la marca inconfundible de la personalidad y el ingenio de Peralta, «el único criollo capaz en aquel tiempo de formarse y expresar un serio concepto sobre los más arduos problemas políticos y hacendarios».

Como en las estrofas de su *Lima fundada*, no se trata sólo del Perú, sino de la América del Sur en general. Lima es «toda la América en compendio»; el virreinato del Perú comienza «allí donde la tierra le labra un estrecho y acaba allí donde el mar le forma otro» (es decir, desde Tierra Firme o Panamá a Magallanes). A diferencia de las provincias flamencas e italianas, cuya pérdida quedaba compensada para España con la mayor concentración de recursos y esfuerzos, el virreinato del Perú y las posesiones españolas de América son «parte príncipe» de la monarquía y «si no son cabeza de su gobierno, son corazón de su riqueza».

Vista con ojos más concretos, la riqueza material del Perú es caudalosa: «las mayores (minas) que después de los siglos de Ophir y de Tharsis … se han hallado en el mundo han sido las de este Reino». Pero el desarrollo comercial sufre por contingencias internas y externas: sistemas económicos errados, escasez o tardanza de las flotas, comercio ilícito, sordidez de los comerciantes, decaimiento de las ferias. Desde el punto de vista intelectual, la universidad cumple su misión (a pesar de la disminución del número de estudiantes) y hay estímulo para los estudios privados en colegios de religiosos y en casas particulares, pero se necesita ensanchar el ambiente con maestros que vengan de Europa a enseñar el conocimiento de las plantas, los avances en física y mecánica, «el arte de la química, cuyos análisis o extractos son las llaves que abren a la naturaleza sus secretos». Partidario del centralismo económico, considera que la apertura del tráfico comercial por Buenos Aires es «la puerta por donde se huye la riqueza y la ventana por donde se arroja» el comercio del Perú; y partidario de la intervención estatal, en el conflicto entre los vendedores e importadores que se acogen al «libre comercio» y el Cabildo de Lima que quiere fijar los precios, da la razón a éste y sentencia barroca pero sensatamente: «Querer lo que se debe, es libertad; hacer lo que se quiera, es licencia; pero no sabe de estas distinciones la codicia, y así es preciso que las enseñe la justicia». Es preciso sobre todo en las provincias, donde los corregidores y los particulares abusan más por la distancia; por lo que —dice valientemente la *Memoria*— se convierten en «un compuesto de bárbaros y cristianos, que se contenta con lo segundo para el nombre y tienen lo primero para el uso».

Las más importantes de las consideraciones de Peralta son las que se refieren al elemento humano en el Perú. La *Memoria* distingue cuatro grupos de pobladores: españoles peninsulares, criollos, indios y mestizos. Los primeros se subdividen en dos: los de la nobleza o clase alta, o que desempeñan puestos públicos; y los de condición pobre o modesta que, sin embargo, por ser españoles, enferman de presunción y hasta abandonan los oficios cuando entran en ellos «castas inferiores», como sucedió por ejemplo con los sastres de Lima. En cuanto a los mestizos, entre los que Peralta agrupa toda clase de mezclas, su criterio es injusto y anticuado, porque los cree revoltosos, desordenados, «gentes más de embarazo que abundancia». Y en cuanto a los habitantes de la selva o «montañas», quedan casi en la sombra porque pertenecen a regiones «impenetrables a los antiguos Incas» y «tan fecundas de abundancia como de rudeza».

De todos estos pobladores, quienes sustentan en verdad el edificio económico del reino son los indios; ya que —como dice la *Memoria*— no hubiera españoles o clase dirigente «sin riqueza, riqueza sin minas, ni minas sin indios que las trabajasen». Las cédulas reales defienden y favorecen a los indios, pero una cosa es la teoría y otra «la ejecución de lo ordenado»; sobre todo porque la sierra del Perú se halla «tan distante de donde reside la cabeza». Peralta no se pronuncia sobre la justicia o la injusticia del servicio personal en las minas, y aun justifica la mita forzosa por la pragmática consideración de que es difícil encontrar trabajadores voluntarios; pero en cambio es definitivo en la protesta por las condiciones inhumanas de las minas, «donde lo que se anda es horrible y lo que se respira es ofensivo» y cuyos estragos son comunes al trabajo voluntario y al forzoso. La despoblación creciente de los indios no la atribuye además a la mita, como era costumbre desde entonces, sino a algo más hondo y decisivo: al simple hecho de la dominación política; puesto que «como ha sucedido en

todos los Imperios» —afirma— «el traspaso que hacen los conquistadores del mundo, de la estimación, de la riqueza, de la abundancia y
lozanía a la nación conquistadora», ocasiona que disminuyan «la propagación y la crianza de los hijos». Hay asimismo otras razones complementarias; como la bebida del aguardiente, «licor de fuego», por
ejemplo, que ciertos hacendados de la costa (inclusive el obispo de
Arequipa) quieren difundir por interés, pero que el virrey se empeña
en contener porque no es «jamás lícito que por lo particular pierda lo
público».

El acento mayor del pensamiento de Peralta, y lo que se puede
considerar como su verdadera firma estampada en la *Memoria*, está
en lo que se refiere a la defensa y hasta la exaltación de los criollos.
Este ilustre criollo limeño, gloria de la ciudad, consejero de gobernantes, árbitro de problemas y rector de San Marcos, juzga que a los
criollos, o españoles americanos, les corresponde ser el soporte espiritual y material de estos reinos. Los oficios y corregimientos deben
ser para ellos; la educación debe esmerarse en ellos; el conocimiento
de la tierra nadie puede alcanzarlo como ellos; hasta los obispos deben
salir de entre ellos, pues «los prelados que se eligen del Reino aman
y conocen sus súbditos» y son como «pastores que nacen entre la misma grey». En una clara anticipación de la conciencia nacional del Perú,
la *Relación de Gobierno* escrita por Peralta y hecha oficial por el virrey sostiene que a los criollos hay que darles autoridad política, riqueza económica, facilidad de casamiento para sus mujeres, posibilidad
legal de aproximarse —y por la aproximación, de entender— a los
indios. Con ello, además, se cumpliría un deber de gratitud con los
descendientes de los primeros descubridores y pobladores de la tierra;
que no pueden quedar en desamparo, porque un reino como el Perú
no puede ser «un relámpago de lucimiento sin consistencia de esplendor, y un reloj de poder con poca cuerda de manutención».

Se le deformaría, no obstante, si se pretendiera deducir de estas
opiniones de Peralta una actitud de rebeldía o un planteamiento doctrinario emancipador y democrático. Ni la rebeldía ni la audacia fueron sus características, ni es imaginable suponer que lo fueran en una
Memoria oficial de gobierno, que iba a ser firmada por el propio
virrey. Pero es importante señalarlas, no sólo por su valor intrínseco,
sino porque demuestran claramente que, si nos aproximamos a Peralta, tenemos que cambiar mucho la impresión habitual con que, des-

pués de la fama de su tiempo, se le ha ido tergiversando ante la posteridad por incomprensión o por rutina.

La imagen común es la de un intelectual frío, acartonado, burocrático, europeizante exclusivo en sus gustos, cortesano sin taxativas, caballero rico y ostentoso, que entre sorbos de chocolate rimaba sus poemas en las tertulias virreinales o que —como en la escena pintada por J. M. Gutiérrez— dejaba la pluma de cisne o de cóndor en un tintero enorme de plata maciza, para bailar un paspié o un rigodón con una dama. El extremo opuesto —aunque unos años mayor— se suponía que era Juan del Valle Caviedes. Sobre todo después de la biografía de éste inventada por Palma, la contraposición literaria era muy fácil: de un lado Peralta, aristócrata y extranjerizante; y del otro Caviedes, criollo, democrático, pobre, regocijado y malicioso.

Y, sin embargo, los documentos encontrados en los últimos años han destruido totalmente esa estampa. Ni Peralta era en verdad aristócrata; sino un hombre de lo que ahora llamaríamos clase media, hijo de un contador de cuentas y particiones, con limpieza de sangre, con entronques de importancia en América, pero de situación social modesta. Ni Peralta era rico; sino estuvo siempre alcanzado de dinero, compró a plazos la sucesión del oficio del padre y, aunque su mujer le llevó en dote una hacienda en Samanco, terminó sin bienes y sin rentas y en cambio con deudas atrasadas por el arrendamiento de tres de las casas que ocupó. Ni se puede decir tampoco que pasaba una vida muelle en los salones del virrey, porque por lo contrario es un ejemplo de trabajador intelectual infatigable, que a puro esfuerzo fue ganando grados académicos, posiciones, prestigio. Y por otro lado, para que la ingenuidad de la falsa estampa sea más grave, ni el supuesto limeño Caviedes era criollo sino español peninsular, nacido en Porcuna, en la provincia de Jaén, en Andalucía, como descubrió Guillermo Lohmann; ni le faltaron apoyos ni dineros, como los que consiguió más de una vez por su pariente el oidor Tomás Berjón de Caviedes.

Más aún. Las obras teatrales de Peralta, que publicó por primera vez hace treinta años Irving A. Leonard, nos lo presentan desde un ángulo totalmente distinto. Junto a las comedias retóricas y calderonianas (*Triunfos de amor y poder, Afectos vencen finezas*) y junto a la castellanización de la *Rodoguna* de Corneille (coincidente en el tiempo con el *Cina* del marqués de San Juan y la versión de la *Ifigenia* de Racine por Cañizares), hay entremeses y fines de fiesta que nos revelan a un Peralta inesperado. Es un Peralta burlón y costumbrista, antepasado criollísimo de las comedias de Pardo y de Segura, de gracia fresca y de ritmo danzante. Por sus escenas pasan limeños y serranos, mineros ricos, señores presuntuosos, maestros de leer y de danzar, capitanes, sacristanes, mercachifles, poetas. Las mujeres se llaman Chanita, Chepita, Panchita, Mariquita; y se les dice «niñas» a pesar de los años y enamoran con «dengues» y melindres. Los entremeses y bailes se salpimentan, además, con popularismos expresivos —españoles acriollados, o definitivos peruanismos—, como «chino lindo», «tamal», «bausán», «taita», «catay», «vaya pues», «tas con tas» y hasta el limeñísimo y hoy casi olvidado «guá», conque define al amor (flor de capricho) como «el guá de la voluntad».

Y así en lo grande y en lo pequeño, en lo fundamental y lo accesorio, cada nueva lectura de Peralta nos proporciona una sorpresa, un matiz, un hallazgo. No se trata, sin duda, de agregarle guirnaldas panegíricas. Pero si las grandes figuras literarias tienen siempre, a través de los siglos, un aspecto de cuadros de museo hay que bajar a Peralta, respetuosamente, de ese cuadro y ver si, confirmando la fama de su tiempo, bajo su peluca afrancesada hay un cerebro vigoroso y si, bajo su ropa negra y su cuello de encaje, hay un temblor humano y un corazón iluminado.

Marcel Bataillon

EL *LAZARILLO DE CIEGOS CAMINANTES*

El *Lazarillo* está concebido como un itinerario útil a los viajeros, pero aparece sazonado de digresiones técnicas, de chanzas históricas y cuadros costumbristas, y presentado como extraído del diario de Carrió por un personaje irresponsable e ingenuo.

El libro fue impreso clandestinamente en 1775 o a principios de 1776, en una imprenta de Lima, seguramente la de los «Huérfanos». Para enmascarar esta infracción a las ordenanzas de imprenta, don Alonso recurrió a una superchería, capaz quizá de engañar a lectores

Marcel Bataillon, «Introducción a Concolorcorvo y a su itinerario de Buenos Aires a Lima», *Cuadernos Americanos*, 111 (1960), pp. 197-206 (204-205, 207-211).

no avisados, pero no a las autoridades. Al pie del frontispicio inscribió el nombre de una imprenta imaginaria que localizó en Gijón, su ciudad natal, al que añadió la fecha de 1773, difícilmente verosímil para la impresión en España de la relación de un viaje a Lima acabado hacia la mitad de ese mismo año. Esta fecha debía dar a entender que el libro circulaba ya hacía varios años antes de su aparición en el Perú.

Pero Carrió no quería arrostrar complicaciones con sus jefes de Madrid. El 24 de abril de 1776 enviaba su libro a los jueces administradores generales de la Renta de Correos, con las explicaciones siguientes:

Por est navío dirijo a Vuestras Señorías dos paquetes con 12 exemplares de mis Itinerarios, desde Montevideo a esta capital (Lima)... Las continuas ocupaciones en que me hallé hasta fin de el año 1774, no me dieron lugar a pensar en la impresión de mi viaje, hasta que los muchos amigos que tengo en la Sierra me importunaron tanto por manuscritos, que sólo uno, que hice sacar, y con vastantes erratas, me tubo de costo 80 pesos, sin el papel, por lo que resolví hacer una impressión de 500 exemplares, para repartir a todos los Administradores Mayores de la Renta, desde Montevideo a Cartagena con sus travesías, y complacer a algunos amigos, reservando menos de la mitad, en que apenas sacaré el costo de papel, y enquadernación, sacrificando más de 40 pesos de mi corto caudal.

Disfracé mi nombre por no verme en la precisión de regalar todos los exemplares. No ignoran VSS. lo árido de un diario, particularmente en payses despoblados, por lo que me fue preciso vestirle al gusto del pays para que los caminantes se diviertan en las mansiones, y se les haga el camino menos rudo. Yo recelo, que no sean del agrado de VSS. por difuso y en algunas partes jocoso. Lo primero lo executé a pedimento de los tratantes en mulas, que no creo sea desgradable a ninguno, y aun pienso que ahí tendrán mucho la complacencia de saver a fondo la sustancia de este género de trajín.

En lo segundo procedí según mi genio, en que no falté un punto a la realidad— ...

Estas explicaciones, incluso si son sinceras, no encierran sin duda *toda* la verdad sobre esta publicación singular. ¿Por qué, habiendo resuelto disimular su personalidad oficial detrás de un «indio neto», que dice haberle acompañado y explotado su diario de inspección, no se limita Carrió a dotar a este fantoche del burlesco seudónimo de Concolorcorvo? ¿Por qué designarlo con el nombre de un indio de carne y hueso, cuando con ello le expone a persecuciones por infringir las ordenanzas de imprenta? [...]

¿Pierde el *Lazarillo de ciegos caminantes* su sabor e interés una vez descubierta su mistificación? Lejos de ello, ganará indudablemente siendo tratado según sus verdaderos méritos, que no son escasos.

No exageremos su valor artístico. Las gracias literarias con que ha sido adornado apresuradamente no deben obnubilarnos. Carrió, escritor por accidente, sentía suficiente respeto por la literatura como para juzgar su libro árido y mal escrito. Su cultura, como la de todos sus coetáneos de buena familia, era a base de humanidades. De ella había guardado el gusto por las ideas y las observaciones morales, con un pequeño bagaje de citas latinas. El *Telémaco* era el libro moderno que coronaba su cultura clásica. Sus lecturas españolas predilectas eran, con *Don Quijote*, «el ingenioso Gracián» y las poesías festivas de Quevedo. Es capaz de algunos accesos de humor picaresco, de algunas pullas contra el galicismo invasor, de algunos cuadros de costumbres un tanto rebuscados, como la descripción de las elegancias fastuosas y anticuadas del «gachupín» guatemalteco, o como el pasaje de los *gauderios* (antepasados de los *gauchos* del siglo siguiente). Todo esto deja pensar que si hubiera cultivado más de sus dones habría sido, con Torres Villarroel y Cadalso, un sólido eslabón intermedio entre los moralistas picarescos del siglo XVII y los *costumbristas* del XIX.

El verdadero maestro al que él más se asemeja es Feijoo, el lúcido benedictino amante de las ciencias naturales, profesor de espíritu crítico y de alertada atención a las realidades. Si hay un pasaje de su libro que sitúa verdaderamente a Carrió es aquel en que —hacia el final del prólogo— se burla del «gran Peralta», lamentando que este peruano de peluca haya perdido su tiempo y su erudición en una literatura de glorificación del pasado (*Lima fundada, España vindicada*) en lugar de haber escrito la «historia civil y natural» del Perú. No sin irreverencia, le compara a un caballero rústico del Tucumán cuya biblioteca estaba compuesta de los *Viajes* anovelados de Fernão Mendes Pinto por Extremo Oriente, de las *Guerras civiles de Granada* de Pérez de Hita, de una mitología antigua y de un librito popular sobre Carlomagno y sus doce pares; el buen hombre había asimilado estos cuatro libros a su propia substancia, pero ignoraba el nombre del predecesor del rey reinante y era incapaz de describir correctamente las siete u ocho leguas a que se limitaba su horizonte geográfico. Lo que a Carrió le interesa es lo real y lo actual, no lo libresco. La realidad americana más concreta es su objeto preferido. La conoce tanto en su conjunto como en el detalle y siempre por dentro y desde dentro. La forma misma con que hace suyas las consideraciones de Feijoo sobre los «españoles americanos» nos ayuda a precisar en qué sentido participaba él de una conciencia americana, no obstante situarse un poco al margen del mundo criollo. ¡Meras tonterías, lo que se dice entre los criollos acerca de la precocidad de sus espíritus y de su senilidad prematura! Feijoo tiene razón cuando explica la diferencia de ritmo o de nivel intelectual entre la península y América por una diferencia de educación.

Carrió sabe perfectamente cómo el suelo y el clima de Lima y México, sobre todo los de este último, pueden poner a prueba a los organismos. La tópica comparación entre los criollos y los españoles aclimatados en el Perú le parece injusta. «Aquí, dice, raro es el mozo blanco que no se aplique a las letras desde su tierna edad siendo muy raro el que viene de España con una escasa tintura a excepción de los empleados para las letras.» Carrió se cuenta indudablemente entre la minoría llegada «con una escasa tintura». Pero, vuelto a Madrid, es ya un peruano, *perulero*, o sea, tanto como decir criollo; y encuentra natural que los madrileños le confundan «con los demás criollos». Pues es ya un español americano. Pero lo es con menos provincialismo que los *peruleros* nativos de Lima. Sus diez años de permanencia en México, cinco de los cuales en la capital, le permiten dominar la rivalidad entre las capitales de los dos virreinatos y elevarse a un juicio arbitral. A pesar de haber sido adoptado por Lima, no deja de reconocer que México está animado de una vida más intensa, más ardiente por los estudios y las disputas, más en contacto con Europa, menos mezclado de negros y más rico de población indígena. A los que hayan oído la discordante sinfonía de claxon, de gritos y de organillos en las esquinas de la Tenochtitlán moderna no dejarán de llamar la atención las breves líneas en que Carrió concede ya a esta gran ciudad la palma del ruido y de la cultura escolástica: las fórmulas latinas vociferadas por los ergotistas trascienden no sólo de los colegios y de las oficinas sino también de las barberías, sin que logre dominarlas el tumulto de tantos coches, de tantos pregones de almanaques, folletos piadosos o golosinas.

Es necesaria una edición anotada de este libro. La dificultad para el hispanista medio radica en parte en que el autor escribe en americano para los americanos. Carrió está perfectamente familiarizado con el vocabulario indígena que designa las cosas de la vida cuotidiana, y a veces desconcertadamente asimilado al vocabulario castellano; bajo su pluma, *magno* aparece designando una tintura roja y *gato* un mercado al aire libre, una especie de «rastro». Ambas palabras proceden de voces quichuas, *maknu* y *katu*. Pero, esto aparte, si la lectura de Carrió no es fácil, se debe tanto a los descuidos en que abunda su prosa como, sobre todo, al carácter técnico de numerosos pasajes. Emplea frecuentemente el vocabulario noble, un poco pedante, que el decoro impone a todo funcionario, pero, recurre aún más a la terminología de montes y caminos, de Correos o de la administración local. Sus nociones y opiniones de técnico las ha adquirido en calidad de corregidor e inspector de las rutas postales. Así, en largas digresiones, enriquece la geografía humana y la literatura político-económica americana de una época en que el conocimiento de las cosas concretas prevalece sobre las preocupaciones doctrinales o estilísticas.

Carrió se sentía muy satisfecho de su largo estudio sobre la cría, la doma y el comercio de las mulas. Incluso si lo ha insertado en su libro, como él mismo dice, por complacer a los tratantes en mulas del interior, debemos reconocerle el haber analizado con ello una actividad capital para América del Sur. Los tratantes en mulas, su personal y sus recuas eran los principales usuarios de las rutas. Centrado en Córdoba y en Salta, su tráfico cubría un vasto espacio desde los pastizales argentinos hasta las regiones perdidas de la sierra, hasta las ciudades mineras, hasta las capitales del Perú, suministrando a este inmenso país caballerías de carga, de silla y de tiro. Un cuadro así tenía para la época el mismo interés que tendría hoy el de la industria de automóviles y de su mercado interior en un continente recién abierto a la motorización. Carrió evaluaba en unas 500.000 el número de acémilas entradas en diez años en el territorio peruano (que comprendía Bolivia y el Ecuador). Y la mula tiene de análogo con la fabricación industrial que no se reproduce espontáneamente, siendo fruto de un cruce artificial e infecundo. Pero nuestro escritor no observa este tráfico en simple curioso o en economista desinteresado, sino que lo describe en hombre de negocios informado del lado financiero de las cosas. Las páginas consagradas a la remuneración de los convoyantes de mulas son obscuras. No se debe sólo a la familiaridad de Carrió con el antiguo sistema de calcular los porcentajes (40 por 100 significa en su lenguaje 40 sobre 140, y consecuentemente 100 por 100 significa 50 sobre 100), sino también a su identificación con una economía colonial muy apegada a la remuneración en especie, practicando los colonos, patronos y administradores reales el suministro forzoso de mercancías a los peones y a los indios. Sobre este sistema se basa aún, como es bien sabido, la forma actual más generalizada de la servidumbre en América del Sur, la servidumbre por deudas.

Carrió había sido corregidor y deseaba volver a serlo. Él nos explica en dos palabras, como si fuera la cosa más natural del mundo, por qué los corregidores eran los principales y a veces los únicos compradores de mulas. Éstas eran el principal artículo de los suministros forzosos o *repartimientos* que constituían el más seguro ingreso de estos funcionarios. Un tal Villalta, corregidor de Abancay, que se destacó como defensor del orden cuando la rebelión de Tupac Amaru, se hizo también famoso, hacia 1790, por su consumado arte de «repartir» las mulas a los caciques y a las comunidades indias: el comprador contra su voluntad encontraba la bestia atada a su puerta. Una manera, entre otras, de imponer los beneficios de la civilización, interesando en la difusión de ésta a sus difusores.

Este sistema de *repartimientos* de mercancías no coincidía a primera vista con los viejos *repartimientos* o *encomiendas* de indios a los primeros conquistadores sino por el nombre. De hecho, eran dos variantes de un mismo sistema colonial tendente a obligar a los indios al trabajo. Carrió, juez y parte en el asunto, parece hacer de buena fe la apología de los *repartimientos* de su tiempo: nos traza un cuadro idílico de los pueblos que no terminan nunca de pagar sus deudas al corregidor o más exactamente, que no llegan a liberarse de sus deudas hasta el momento en que cesa el corregidor en sus funciones al cabo de cinco años. Gracias a este sistema, estos pueblos son colmenas de trabajo en lugar de verse convertidos en hordas de víctimas de la ociosidad, entregadas a los piojos y a la borrachez. El pueblo en plena actividad está dispuesto a acoger, con el nuevo corregidor, un nuevo *repartimiento* civilizador. Con la misma convicción defiende Carrió el sistema de los *obrajes*, talleres de trabajo forzado en los que los detenidos de derecho común y los prisioneros por deudas son convertidos en tejedores y mantenidos en condiciones de seguridad y de salubridad muy superiores a las de sus miserables alojamientos. Cuando nos habla del Potosí parece que va a escamotearnos el triste tema de la *mita*, esta ruda y obligatoria faena de las minas para la que frecuentemente se obligaba a poblaciones enteras a desplazarse, incluso de muy lejos, pero nos habla luego de ello a propósito de los confines de la provincia de Chucuito. En un croquis lleno de vida y sin patetismo ninguno, evoca esa especie de «feria divertida» en que los *mitayos* se despiden de sus parientes y amigos, unos riendo y otros llorando. Con sus mujeres e hijos, y empleando a las llamas y a los borriquitos como bestias de carga, se dirigen todos al Potosí, alimentándose en su largo recorrido del ganado que matan y de las papas que arrancan de la tierra.

Luis Monguió

«PATRIA» EN EL VIRREINATO DEL PERÚ

La idea setecentista de la América española como una unidad y, para un americano, como una sola *patria*, aparece por las fechas de la introducción en las colonias de las ideas y las reformas promulgadas por los reyes de la casa de Borbón y sus ministros, gobernantes que deseaban racionalizar las instituciones y uniformar el régimen de los virreinatos americanos hasta el punto de superimponer en ellos sobre las venerables estructuras administrativas de la casa de Austria las nuevas intendencias y su mayor eficacia, eficacia que hubo de originar numerosas perturbaciones.

En efecto, a las tradicionales exacciones de los corregidores vino a añadirse en el siglo XVIII la reorganización y el aumento de los impuestos y su más eficiente cobranza, lo cual ocasionó varias rebeliones, algunas de ellas encabezadas en el virreinato peruano por indios de auténtica o supuesta sangre imperial inca.

Así, por ejemplo, Juan Bélez de Córdoba en Oruro y 1739 había preparado una insurrección, abortada antes de estallar, siendo ejecutado su jefe. En el manifiesto de agravios que éste había redactado se decía: «Hallándose en la presente y entre nosotros uno de la Sangre Real de nuestros Incas del Gran Cuzco en quinto grado de parentesco y con el deseo de restaurar lo propio y volver a establecer esta monarquía, se suplica a los criollos y a los caciques y a todos los naturales le den la mano para esta heroica acción de restaurar lo propio y libertar la patria purgándola de la tiranía de los Guampos que nos consumen y cada día va a más nuestra ruina». ¿Con la palabra *patria* quería Bélez indicar Oruro, Charcas, la extensión de la antigua monarquía inca o América?

En los años de 1780, durante la gran rebelión de José Gabriel Condorcarqui, que tomó el nombre de Túpac Amaru, el concepto de que todos los nacidos en las tierras del antiguo imperio inca eran *compatriotas* está claramente expresado en los documentos. Así, en un manifiesto a los moradores de la provincia de Chichas, de 23 de diciembre de 1780, Túpac Amaru decía «haber tomado por acá aquellas medidas que han sido con-

Luis Monguió, «Palabras e ideas: "Patria" y "Nación" en el virreinato del Perú», *Revista Iberoamericana*, 104-105 (1978), pp. 451-470 (454-461).

ducentes al amparo, protección y conservación de los españoles criollos, de los mestizos, zambos e indios, y su tranquilidad, por ser todos paisanos y compatriotas, como nacidos en nuestras tierras, y de un mismo origen de los naturales, y el haber padecido todos igualmente dichas opresiones y tiranías de los europeos». El significado de paisanos y compatriotas era el de gente nacida en el mismo lugar, provincia, reino o país, gente que compartía una común patria, y esta patria común en este texto es el territorio del renaciente estado inca de Túpac Amaru. Sabido es que éste había leído los *Comentarios Reales*. La frase que al principio citamos en la que Garcilaso llamaba *patria* «a todo el imperio que fue de los incas», empieza pues a adquirir realidad política en la tentativa de Condorcarqui en el siglo XVIII. No es de extrañar, por lo tanto, que la Corona ordenara se recogieran discretamente en América los ejemplares de aquel libro.

Es de observar que a partir de estas fechas la idea del Perú como la patria alterna con el concepto de patria como la ciudad nativa y con el concepto de una patria general americana.

El mejor de los varios periódicos publicados en Lima a fines del mismo siglo XVIII, el *Mercurio Peruano*, fue según su *Prospecto* (1790) la obra de «unos hombres estudiosos y verdaderamente amantes de la Patria». Lo fue, en efecto, de un grupo de caballeros que habían organizado primero una tertulia literaria y luego una «Sociedad de Amantes del País» a imitación de las Sociedades de Amigos del País, de la península. Si, a veces, bajo su pluma hallamos el nombre de la ciudad nativa, Lima, como el de su patria, mucho más a menudo por patria en el *Mercurio* se entiende el país, el reino del Perú: «las noticias de este Reino ... serán noticias que emplearemos ... con un gusto igual al que conceptuamos en un público como éste, tan amante de su Patria y tan deseoso de ilustrarla» (*Prospecto*). Cuando el Reverendo padre fray Antonio Olavarrieta, en su *Semanario Crítico*, atacó con poco franciscana intemperancia a los editores del *Mercurio*, éstos replicaron que en alguna otra ocasión vindicarían a «nuestro Perú» contra los sarcasmos de su atacante porque hacerlo en aquella primera justificación «hubiera sido profanar el dulce nombre de nuestra Patria, mezclándolo con el del *Semanario Crítico*, de su autor y de sus asuntos» (*MP*, n.º 50, 23-VI-1791). No cabe duda, «nuestro Perú» es «el dulce nombre de nuestra Patria». Pudiera multiplicarse el número de citas de tal uso de la palabra en esta publicación.

Por otra parte, en otros momentos, los editores del *Mercurio*, al reseñar por ejemplo el *Papel Periódico*, de Santa Fe de Bogotá, se felicitan por «la rapidez con que se va propagando en diversas partes de nuestro continente ese espíritu patriótico que dirige nuestras operaciones» (*MP*, n.º 87, 3-XI-1791). En esta frase parecen referirse a un *espíritu patriótico* no ya solamente peruano sino americano.

Por los mismos años, en el extranjero, encontramos a un peruano que, desde la doble perspectiva de Europa y del destierro, propugna sin ambajes el principio de una patria general americana que debiera ser independiente de España. Juan Pablo Viscardo (1748-1798), uno de los jesuitas expulsados de los dominios españoles en 1767, en una carta publicada después de su muerte, *Lettre aux Espagnols-Américains par un de leurs compatriotes. Vincet Amor Patriae. L'Amour de la Patrie l'emportera* (Filadelfia —i.e., Londres—, 1799), más tarde impresa también en castellano, *Carta derijida a los Españoles Americanos por Uno de sus compatriotas* (Londres, 1801), expresa desde un principio que «el nuevo mundo es nuestra patria», que los descendientes de los españoles en América no conocen «otra patria que ésta» que «es evidente que a nosotros solos pertenece el derecho de ejercerla (su administración) y que solos ("nous seuls", dice el texto francés) podemos llenar sus funciones, con ventaja recíproca de la patria y de nosotros mismos». Por *patria* entiende Viscardo a toda América, y repite, «el nuevo mundo, nuestra patria», una patria en la cual «se verá renacer la gloria nacional en un imperio inmenso». La claridad conceptual y expresiva de Viscardo es admirable y es también de admirar el que enlace la idea de una *patria* continental americana con la de *gloria nacional* «en un inmenso imperio», lo que parece un anuncio de la anfictionía más tarde soñada por Bolívar.

Llegamos así a los primeros años del siglo xix. Los ataques ingleses a Buenos Aires en 1806 y 1807 y su repulsa por las fuerzas locales dieron pie a muchos escritos en prosa y verso que en el Perú se encuentran impresos principalmente en el periódico limeño la *Minerva Peruana*. En estos escritos los «fieles americanos» son llamados por «Dios, el Rey, Patria y hacienda, honor y gloria» a defender el «patrio suelo» o son elogiados en la hora de la victoria. El *patrio suelo* es obviamente el suelo americano. El sentido de *patria* no es tan claro ¿América, España, el imperio español? [...]

Con la península invadida por los ejércitos franceses, envuelta al mismo tiempo en una guerra de defensa de su independencia y en una reforma constitucional, y enfrentada a la vez con insurrecciones en Caracas, Buenos Aires y México, nuevos matices aparecen en el

uso de *patria* hasta por los peruanos más fieles a la corona, Vicente
Morales Duárez (1755-1812), diputado por Lima en las Cortes de
Cádiz, al defender la igualdad de derecho de representación en Cortes
de las provincias americanas y las peninsulares en proporción al número de sus habitantes, declaró que si tal igualdad fuera reconocida
se podría entonces decir a los insurgentes americanos: «Hermanos,
deponed las armas y las penalidades de una vida nueva, militar y vacilante. Recordad el juramento a la gran Patria, las lecciones pacíficas
de vuestros padres y el decoro de vuestros nombres». Al explicar las
cualidades que debieran tener los diputados, el mismo Morales Duárez
opinaba que para serlo hacía falta tener «talentos, probidad, luces y
amor a la Patria» y aunque manifestaba conocer que entre los europeos residentes en América se encontraban las dos primeras calidades (talentos y probidad), «no puedo —añadía— formar el mismo
juicio de las otras calidades si se comparan a los criollos», es decir,
que éstos eran superiores a aquéllos en «luces y amor a la Patria ...
entendiendo por Patria el lugar del nacimiento»; y acababa con esta
pregunta: «¿Qué deberá esperar la Patria política de quien no ama
a su Patria natural?». Comenta don Demetrio Ramos, que ha estudiado bien el pensamiento de Morales, que con estas frases contras-
taba el diputado limeño a la gran patria, los dominios hispánicos, la
monarquía, con las patrias americanas, haciendo de España, la madre
patria, una patria más (para los peninsulares) junto a las patrias americanas, dentro de la gran patria común. Nos encontramos pues aquí
con la teoría de la doble patria, la natural y la política. La patria política era, para Morales Duárez, la monarquía, el imperio, y la patria
natural la provincia o el reino de nacimiento. Para un peruano, para
Morales, la patria natural era el reino del Perú dentro de la monarquía
española. Recordemos de paso que el título del virrey del Perú era
virrey, gobernador y capitán general de los reinos del Perú, Chile, etc.;
e igualmente que en la teoría no había rey de España sino rey de Castilla, León, Aragón, Granada, Navarra, etc. El abogado Morales re-
vertía así a la tradición de los Católicos Reyes don Fernando y doña
Isabel y de sus descendientes de la casa de Austria, la tradición de
la monarquía plural, en la península y en los dominios de Europa y de
Ultramar, cada uno independiente de los demás, unidos en una común
lealtad a la persona del rey.

Este es el principio con el que algunos de los independentistas,
los *patriotas* según se llamaron, justificaron en América su insurrec-

ción contra las autoridades españolas. Si casi toda España estaba ocupada por Napoleón y Fernando VII prisionero en Francia, el rey no podía ejercer su autoridad, quedando por ello anulada también la de los virreyes, capitanes generales y audiencias de las Indias, y las autoridades de la península (juntas, juntas centrales, regencias, improvisadas en esos momentos de crisis) no tenían tampoco poder sobre los reinos y provincias de América. Prueba claramente este punto de vista el *Catecismo Político-Cristiano dispuesto para la instrucción de los pueblos libres de la América meridional por don José Amor de la Patria* (el doctor Juan Martínez de Rosas, de Santiago de Chile), opúsculo manuscrito que los patriotas circularon de contrabando en Lima en 1810: «Los habitantes y provincias de América sólo han jurado fidelidad a los reyes de España, y sólo eran vasallos y dependientes de los mismos reyes, como lo eran y han sido los habitantes y provincias de la península. Los habitantes y provincias de América no han jurado fidelidad ni son vasallos o dependientes de los habitantes y provincias de España. Los habitantes y provincias de España no tienen, pues, autoridad, jurisdicción ni mando sobre los habitantes y provincias de América».

Hasta personaje tan fidelista como Morales Duárez, que deseaba la libertad pero no la separación, predicaba la existencia de patrias naturales libres dentro de la patria política, la monarquía, la gran patria, en la cual los reinos y provincias de América fueran libres e iguales con los reinos y provincias de la península. Hombres menos moderados, menos tradicionalistas y menos legalistas que él iban a dar un paso más allá y proclamar la necesidad de patrias libres en estados separados, independientes.

En Lima, en el *Suplemento a la Introducción del Satélite del Peruano publicada ayer*, suplemento de 22 de febrero de 1812, se decía: «La España libre de franceses es nuestra madre patria; la América es nuestra patria en todo el rigor literal de esta palabra. Ambos dominios, el de España y América, no componen ya sino una sola patria para americanos y españoles». Una semana más tarde el periódico en su número I, de primero de marzo de 1812, p. vii, nota (a), se atrevía a ir más lejos: «Por patria entendemos toda la vasta extensión de ambas Américas ... Todos cuantos habitamos el nuevo mundo somos hermanos ... dignos de componer una nación. De nuestro seno sólo debemos arrojar y no tener por hermanos a aquellos que se oponen a la felicidad de América; éstos, aquellos que desean continúe en ella el antiguo gobierno colonial». No es de extrañar que el virrey Abascal pronto considerara incendiario y subversivo a *El Satélite del Peruano*.

Pronto hasta en el periódico oficial del virreinato se desliza la palabra *patria* aplicada a la insurgencia; por ejemplo, en la *Adición a la Gaceta* (del Gobierno de Lima) número 100, de 24 de noviembre de 1813, se reseñan los solemnes funerales celebrados en el convento de Santo Domingo de la capital «por los que perdieron la vida en defensa del Rey y de la Nación y por los ilusos del ejército de la Patria», es decir, los ilusos *patriotas*, los independentistas.

El fuego de amor de patria, el patriotismo, era mantenido e inflamado por una serie de citas de escritos peninsulares del período liberal anterior al retorno a España de su cautiverio francés del «deseado» Fernando VII, textos que exaltaban el patriotismo español y el amor de la independencia en la lucha contra el invasor. Aparecían en esos escritos frases como las siguientes, reimpresas en *El Investigador*, de Lima, II, número 77, del 15 de setiembre de 1814: «No podemos negarnos el placer de insertar algunos versos (de *La Viuda de Padilla*, tragedia de don Francisco Martínez de la Rosa, representada en Madrid el 29 de marzo) dignos seguramente de ser retenidos en la memoria, no sólo como muestra de poesía, sino también de vigor en los sentimientos de libertad, independencia y amor a la patria», artículo que acababa en un éxtasis exclamatorio: «¡Amor a la patria! ¡Sagrada libertad! Independencia, don del cielo ...». Cualquier lector limeño a ello inclinado podía transponer esas expresiones referentes a España a una referencia peruana: patria, libertad, independencia.

Después de la proclamación de la del Perú el 28 de julio de 1821 pero antes de su triunfo definitivo en Ayacucho el 9 de diciembre de 1824, durante los años de guerra contra los ejércitos realistas, numerosas efusiones fueron publicadas, en prosa y en verso, en hojas sueltas, folletos y periódicos. El Perú es la *patria* en muchos de ellos pero en muchos otros la *patria* es América, el *patriotismo* es un patriotismo americano, no local o regnícola sino continental. Creo que la base de esta idea de una patria americana se halla en la conceptualización setecentista, ejemplificada por Viscardo y aun por Llano Zapata, apoyada vigorosamente en el hecho de que el ejército libertador era en verdad un ejército americano, compuesto de argentinos, chilenos y peruanos, a las órdenes de San Martín primero, con la adición de venezolanos, colombianos y ecuatorianos después, bajo el mando de Bolívar. Muchísimas citas pudieran aducirse para demostrarlo: «A la voz de la América unida / De sus hijos se inflama el valor» o «Desde el día que en este hemisferio / De la Patria la aurora brilló», por ejemplo. Su objeto era, naturalmente, «exaltar más y más el patriotismo de los americanos». [...]

Para cerrar esta reseña histórica de *patria* en el Perú anterior a 1824 quisiera mencionar un manuscrito existente en la Biblioteca Nacional, de Lima. Es un proyecto de ley propuesto al Congreso constituyente por don Mariano José de Arce (1781-1851), diputado por la ciudad de Arequipa, quien cuando la sublevación de Mateo García Pumacahua y ocupación de la ciudad intervino en el cabildo abierto del 12 de noviembre de 1814 en favor de la independencia del Perú lo mismo que en un sermón que pronunció el día siguiente. Arce siguió la suerte de esa insurrección hasta su derrota en Umachiri o Ayaviri, y más tarde fue firmante del Acta de la Independencia en Lima el 28 de julio de 1821. El proyecto de ley va fechado en Lima el 20 de diciembre de 1823, cuando acababa de recibirse la noticia de una nueva invasión de España, esta vez por los Cien Mil Hijos de San Luis, del ejército de Luis XVIII como agente de la Santa Alianza, para derrocar el régimen constitucional impuesto a Fernando VII por el pronunciamiento de Riego y Quiroga en las Cabezas de San Juan y para restablecer al rey en su trono como monarca absoluto. Dice el artículo primero: «El Congreso peruano a vista de las últimas no(ti)cias de Europa, declara por ciudadanos del Perú con opción a todos los empleos a los liberales de España, que manteniéndose firmes contra todo poder absoluto y contra la Santa Alianza quieran emigrar a esta patria de la libertad».

No olvidemos que esta propuesta, que no prosperó porque no podía prosperar en aquellas circunstancias, se hacía en momentos en que poderosos ejércitos del rey operaban todavía en el Perú y cuando las batallas de Junín y Ayacucho no habían sido todavía libradas y ganadas por los patriotas.

El proceso de auto-identificación del Perú y de los peruanos como identidades autónomas empezado en el siglo XVI alcanzó su pleno fruto a comienzos del XIX. El concepto del pueblo o la ciudad nativa como la *patria* sobrevivía pero subordinada al concepto más amplio de la *patria* como el país de nacimiento, el Perú, y con una visión aún más amplia de ella, la de una *patria* continental, América. En la mente idealista de Mariano José de Arce llegó a extenderse el concepto hacia un sentido de solidaridad con todos los hombres amantes de la libertad: el Perú, para él, era no sólo una patria para sus hijos sino una patria para todos los liberales, una patria de la libertad.

José Luis Romero

PENSAMIENTO POLÍTICO DE LA EMANCIPACIÓN

Volcar los contenidos doctrinarios del movimiento emancipador dentro de un marco jurídico que asegurara la independencia, constituyó la preocupación fundamental de quienes recibieron el poder al triunfar el movimiento. Grave problema era crear un Estado nuevo, fundado en nuevos principios, sobre la base de situaciones sociales y políticas confusas e inestables. Muchas veces no se sabía siquiera hasta dónde llegaría la jurisdicción territorial del nuevo gobierno, puesto que no en todas partes era atacado del mismo modo. ¿Subsistiría el viejo orden colonial? Cosa difícil era suplantarlo por otro, sin que existiera experiencia alguna. Había, eso sí, experiencia extranjera. Y a ella se acudió, con la esperanza de que un modelo político ya experimentado, que se ofrecía orgánicamente constituido, sirviera como un molde en el que se pudiera introducir una realidad social confusa que amenazaba con hacerse caótica en muy poco tiempo. Así apareció una decidida vocación constitucionalista, inspirada en los ejemplos de la Francia revolucionaria y de los Estados Unidos.

El constitucionalismo fue casi una obsesión desde el primer momento. Sin que se pudieran establecer principios válidos de representatividad, se convocaron por todas partes congresos que debían asumir la soberanía de la nueva nación y sancionar la carta constitucional que, de arriba hacia abajo, moldearía la nueva sociedad. Los principios parecían sólidos, indiscutibles, universales. Pocas opiniones —ninguna— los objetaban. Sólo los contradecía la realidad social y económica, que desbordaba los marcos doctrinarios con sus exigencias concretas, originales y conflictivas.

Actas, estatutos, constituciones, fueron redactadas, discutidas y sancionadas en número considerable. Teóricos, como Juan Egaña en Chile o Peñalver en Venezuela, discutieron minuciosamente la letra de las normas. Todos parecieron creer que una sabia constitución era el recurso supremo para encauzar la nueva vida de las sociedades, y

José Luis Romero, «Prólogo» a *Pensamiento político de la emancipación* (Biblioteca Ayacucho, 23-25), Caracas, 1977, 2 vols., pp. xxvii-xxxi.

sólo discrepaban los que pensaban que debía ser meticulosa y casuística con los que creían que debía ser sencilla y limitada a las grandes líneas de la organización del Estado. Quizá Nariño fue el más escéptico acerca de la representatividad de los cuerpos colegiados que las aprobaban y acaso también de la verdadera eficacia que podía tener un conjunto de enunciaciones principistas frente a una realidad caótica que, más que desbordar los principios, parecía manifestarse a través de problemas cotidianos y contingentes que no se encuadraban en ellos y que, sin embargo, era menester resolver en cada ocasión. Así, frente al constitucionalismo, se fue delineando poco a poco una mentalidad política pragmática que debía terminar justificando la dictadura de quien tuviera fuerza y autoridad para asegurar el orden y la paz resolviendo autoritariamente los conflictos concretos surgidos de los intereses y las expectativas en pugna.

En el cuadro de esas incertidumbres frente a la conducción del proceso de la emancipación, surgió el designio de romper el círculo vicioso mediante la acción revolucionaria y radicalizada. Muchos querían pactar con el pasado, pero otros quisieron declararlo inexistente y construir a sangre y fuego un nuevo orden político, social y económico. Tal era el sentido del *Plan* atribuido a Moreno, de las decisiones adoptadas por Bolívar en el *Manifiesto de Cartagena* y, sobre todo, en la convocatoria a la «guerra a muerte», del plan político elaborado por Morelos. Lo importante era destruir el pasado, destruyendo a quienes lo representaban, a sus defensores, y también a los tibios que se resistían a sumarse a la acción revolucionaria o que, por omisión, la obstaculizaban. La destrucción era para ellos el principio de la creación, seguros de que sólo su inflexible seguridad podría erigir un nuevo orden basado en principios preestablecidamente perfectos. Un voluntarismo exacerbado —un jacobinismo— parecía la única esperanza para prevenir la derrota o el caos, y se advertía tendencia semejante aun en proyectos menos extremados, como los de la Logia Lautano.

Pero cierto caos, o al menos cierta confusión, se insinuaba a través de las respuestas de la realidad a todas las construcciones teóricas: actas, constituciones, planes políticos radicalizados. La realidad era el mundo viejo; las gentes que seguían viviendo, después del sagrado juramento revolucionario, exactamente como la víspera. Estaban los que esperaban que la revolución fuera hecha para resolver sus propios problemas y los que no querían que se hiciera nada para beneficiar a sus adversarios o competidores. Pero ningún principio solemnemente establecido y filosóficamente fundado podía justificar que los privilegiados de ayer siguieran siendo los privilegiados de hoy. Esta convicción elemental fue la que suscitó el más grave problema posrevolucionario: el enfrentamiento entre las viejas capitales coloniales y las regiones interiores de cada virreinato o capitanía general.

El problema quedó a la vista al día siguiente del triunfo de los movimientos capitalinos. Sedes principales de la actividad económica, sedes políticas y eclesiásticas, las capitales eran también los centros más importantes de cultura. En ellas se constituyeron los grupos políticos más activos y con mayor claridad de miras. Sin duda quisieron éstos conservar el control sobre la región, pero descubrieron muy pronto que necesitaban su consentimiento y convocaron a las provincias para que concurrieran a constituir congresos representativos. Y en las deliberaciones que siguieron apareció de inmediato, en todos los casos, lo que sería la cuestión candente durante muchas décadas. El dilema fue elegir entre un gobierno centralizado, con lo que se consolidaba la situación anterior, y un régimen federal que diera paso a las regiones interiores, antes sometidas administrativa y políticamente, relegadas como áreas económicas, pero que ahora veían la ocasión de desplegar sus posibilidades.

En términos doctrinarios, centralismo o federalismo fueron dos posiciones políticas antitéticas. El modelo político norteamericano sirvió de apoyo a los federalistas, cuyos argumentos esgrimieron sus partidarios en el congreso venezolano de 1811. Circuló en Venezuela la obra de Manuel García de Sena titulada *La Independencia de la Costa Firme justificada por Thomas Paine Treinta años ha*, publicada en Filadelfia en 1811, en la que el autor ofrecía la traducción de fragmentos de Paine y, además, la de los textos constitucionales norteamericanos: la *Declaración de la Independencia*, los *Artículos de Confederación y perpetua unión*, la *Constitución de los Estados Unidos* y las constituciones de varios estados de la Unión. La obra ejerció una enorme influencia y estuvo presente en las mentes de los congresistas que dictaron la constitución de 1811. En Chile, ese mismo año, difundía los mismos principios Camilo Henríquez en un célebre artículo, «Ejemplo memorable», publicado en *La Aurora* de Chile. En Paraguay los hacía valer el doctor Francia contra Buenos Aires. En Uruguay, el más decidido defensor de los principios federalistas, Artigas, se valía también de la obra de García de Sena para sostener su posición también contra Buenos Aires. En Nueva Granada los sostuvo Camilo Torres, siempre apoyado en el ejemplo norteamericano. Todos hacían alarde de abundante doctrina histórica, jurídica y política. Pero su fuerza radicaba, sobre todo, en las tendencias regionalistas que presionaban fuertemente para neutralizar la influencia de las antiguas capitales coloniales, deseosas de mantener su antigua hegemonía.

Se opusieron al federalismo muchos que querían, precisamente, conservar esa hegemonía. Pero muchos también que veían con preocupación el debilitamiento que el federalismo significaba para el gobierno revolucionario, que sólo podían concebir como un instrumento vigoroso y eficaz para consumar el proceso emancipador. Moreno lo señalaba al escribir sobre la misión que esperaba al congreso que la Junta de Buenos Aires había convocado. Bolívar se inclinaba por el centralismo en el *Manifiesto de Cartagena*, sacando conclusiones de la dura experiencia venezolana de 1812, y optaron por el mismo sistema Nariño en Nueva Granada y Monteagudo en el Río de la Plata, también tras un análisis de los resultados prácticos de la dispersión del poder. Fue una polémica que comenzó al día siguiente del triunfo —en algunos casos efímeros— del movimiento emancipador, y que duraría largas décadas en medio de cruentas guerras civiles en las que se disputaba la hegemonía política y el control de la economía de las nuevas nacionalidades.

En muchas mentes lúcidas comenzó a flotar muy pronto, poco después de alcanzar el poder revolucionario, el fantasma de la guerra civil. Asomó en la convocatoria de la Junta de Santa Fe de Bogotá, en las palabras de Nariño en 1813, en las de Artigas. La guerra civil —a veces conflicto entre facciones, a veces enfrentamiento de voluntades colectivas— no sería sino el mecanismo inevitable para decidir cuestiones estructurales de cada nacionalidad, puestas de manifiesto inequívocamente al cesar la administración colonial. Pero, entretanto, los enfrentamientos doctrinarios y las guerras civiles carcomían la fuerza del movimiento emancipador. Otro fantasma, más amenazador aún, apareció en el horizonte.

La emancipación había consistido hasta entonces en un conjunto de actos políticos, declarativos; pero las fuerzas de la metrópoli no estaban derrotadas militarmente y aprovecharon la inexperiencia y la división de los gobiernos revolucionarios para recuperar sus posiciones. La capitulación de San Mateo, firmada por Miranda, devolvió Venezuela a los españoles en 1812; y aunque Bolívar logró recuperar Caracas, volvió a perderla en 1814, hostigadas sus fuerzas en los llanos. Ese mismo año eran vencidos los patriotas chilenos en Rancagua. Y al año siguiente, mientras se perdía en Alto Perú y caía derrotado Morelos en México, el temido ejército de Morillo desembarcaba en las costas venezolanas, robusteciendo allí la dominación española y

extendiéndola a Nueva Granada, donde sitió Cartagena y entró en
Bogotá en 1816. De esa manera terminaba la «patria boba», la experiencia de los primeros patriotas formados políticamente en la ventajosa situación creada por la crisis española. Todo parecía perdido y
todo tenía que recomenzar.

Tres textos singulares reflejan una clara conciencia de la situación
y la maduración de una experiencia. El primero es el *Manifiesto de
Cartagena*, dado por Bolívar en 1812 tras la derrota de Miranda, en
el que analiza las causas del fracaso de la revolución. «Pero lo que
más debilitó el Gobierno de Venezuela —escribía—, fue la forma federal que adoptó, siguiendo las máximas exageradas de los derechos
del hombre, que autorizándolo para que se rija por sí mismo, rompe
los pactos sociales, y constituye a las naciones en anarquía.» Pero antes había expresado un juicio más general: «Los códigos que consultaban nuestros magistrados no eran los que podían enseñarles la ciencia práctica del gobierno, sino los que han formado ciertos buenos
visionarios que imaginándose repúblicas aéreas, han procurado alcanzar la perfección política, presuponiendo la perfectibilidad del linaje
humano. Por manera que tuvimos filósofos por jefes, filantropía por
legislación, dialéctica por táctica y sofistas por soldados». Diestro escritor, Bolívar apuntaba ya como un político realista para quien la
patria nueva no podía ser «boba». El segundo es la *Carta de Jamaica*,
escrita en 1815. Bolívar se muestra en ella aún más categórico. Convencido de la indiferencia de Europa y de Estados Unidos frente a los
altibajos de la lucha por la independencia, trataba de puntualizar los
errores cometidos, gracias a los cuales parecía perderse la lucha emprendida. Los criollos, decía, habían demostrado una total inexperiencia política. Pero lo más grave eran los caminos que habían seguido
tras la conquista del poder, los más inadecuados para consolidarlo y
para resistir los nuevos embates del poder español. Ni los gobiernos
acentuadamente democráticos ni la organización federal del país podían permitir una acción firme, sostenida, precisamente porque las decisiones eran imprecisas y controvertidas y porque los recursos se
dispersaban. Las soluciones opuestas eran las necesarias para triunfar.
Y en un rapto visionario, esbozaba cuál sería el porvenir de cada región americana cuando se sobrepasase la crisis de debilidad que acusaba
entonces el proceso emancipador. Finalmente, el tercero es el *Ensayo*
que escribió Camilo Henríquez en 1815, ya en Buenos Aires, en el
que revisaba sus convicciones radicales y aconsejaba dejar de lado los

principios democráticos. «Por ahora, decía, no hagáis más que elegir a un hombre de moralidad y genio revestido con la plenitud del poder ...» Agudo observador, también él se deslizaba hacia el realismo político, convencido de la impotencia revolucionaria de los gobiernos nutridos con los principios que habían merecido su adhesión en la primera hora. Porque también, para él, la patria nueva no podía ser «boba».

En 1815 todo parecía perdido. Y al recomenzar, una nueva mentalidad política comenzó a predominar, en el marco de las grandes batallas.

10. EL NEOCLASICISMO

La poesía hispanoamericana del siglo XVIII comprende en su primera parte la disolución del barroco que llamamos el Barroquismo tardío. Un período caracterizado por la subsistencia de la dicción gongórica y la temática religiosa, en el cual puede distinguirse a la madre Francisca Josefa del Castillo y Guevara (1671-1742) y al padre Juan José de Arriola (1698-1768). La primera por la normatividad religiosa de su poesía y de su prosa y no por su dicción que, en sus *Sentimientos espirituales*, es sencilla y delicada, y, en la prosa de su *Vida*, recuerda a santa Teresa. Morales Borrero [1968] ha dedicado un libro a su estudio. El segundo es autor de las llamadas *Décimas de santa Rosalía* o *Vida y virtudes de la esclarecida Virgen y solitaria anacoreta santa Rosalía, patrona de Palermo* y de una imitación de la *Canción a la vista de un desengaño*, de Matías Bocanegra. Méndez Plancarte publicó una selección de las *Décimas* (Selección y notas, México, 1955) y Colombí-Monguió [1981] ha estudiado la imitación del *Desengaño*. Lo característico de su Barroquismo tardío es su imitación de Bocanegra y sor Juana, así como de Góngora, Calderón y Quevedo. A este período pertenece también Francisco Ruiz de León, el autor de la *Hernandía*, que publica la *Mirra dulce para aliento de pecadores, recogida en los amargos lirios del Calvario* (por Don Antonio Espinosa de los Monteros, Santa Fe de Bogotá, 1791), escrito en décimas no faltas de inspiración.

Un cambio en la poesía del siglo XVIII hacia una forma más sencilla y más próxima a la lengua hablada, que se aparta de la afectación barroca, aunque en la producción individual de cada poeta los poemas nuevos se mezclen con composiciones de dicción barroquista, se percibe en la poesía de Francisco del Castillo (1716-1770), «el ciego de la Merced», poeta repentista y de humor satírico, cuyo léxico, cuyo ergotismo discursivo y llaneza de tono comunican una desusada naturalidad a la poesía de su tiempo (véase Vargas Ugarte [1948]). Fue autor dramático de cierto relieve. Su obra ha sido estudiada por Reverte [1985] con acopio de nuevos documentos. Otro tanto acontece, aunque en un grado mayor de elevación del lenguaje y del tono poético, con Francisco Antonio Vélez Ladrón de Guevara (1721-después de 1781) y con el padre Juan Bautista Aguirre (1727-1779), jesuita del reino de Quito, que dejó sus poemas manuscritos antes de la expulsión de 1767. El manuscrito de *Versos castellanos, obras juveniles, misceláneas*, de Guayaquil, lo publicó en parte J. M. Gutiérrez [1957], en sus *Estudios biográficos y críticos sobre algunos poetas sudamericanos anteriores al siglo XIX* (Buenos Aires, 1865) y los recogió en su *América poética*, de 1846. Modernamente, han editado sus obras Carilla [1943] y Zaldumbide [1944] y ambos han tratado aspectos de ellas, especialmente Carilla [1946, 1982] y Zaldumbide [1951]. Agrega algo a sus observaciones Sánchez [1957]. Enteramente marginal es la poesía religiosa de Pablo de Olavide (1725-1803), que pone en prosa el salterio con ánimo de popularización, pero falto de toda gracia poética (véase Carilla [1982]). El momento que vive esta generación es importante como consecuencia de la expulsión de los jesuitas, que va a cambiar de la noche a la mañana un aspecto importante de la fisonomía cultural del mundo hispánico.

Un apartado especial en este cuadro merece el grupo de jesuitas expulsos que escribieron en latín: Diego José Abad (1727-1779), autor del poema *De Deo*, publicado parcialmente en 1769, y luego gradualmente aumentado en diversas publicaciones hasta la edición definitiva de 1783. Francisco Javier Alegre (1729-1788), veracruzano, autor de una *Ilíada* y traductor del *Arte poética* de Boileau, al castellano. Y, por último Rafael de Landívar (1731-1793), autor de la *Rusticatio mexicana* (Módena, 1781; 2.ª ed. definitiva, Bolonia, 1782), poema descriptivo de la naturaleza americana. Del poema de Abad hay traducción castellana reciente, *Poema heroico* (edición de Benjamín Fernández Valenzuela. Noticia e introducción de Felipe Terra Ramírez, UNAM, México, 1974). De la obra de Landívar existen numerosas traducciones parciales y totales en verso y en prosa. El valor del poema de Landívar fue destacado elogiosamente por Menéndez Pelayo [1913]. Su vida y su obra han sido objeto de estudio de J. Mata Gavidia en la introducción de *Rusticatio mexicana* (Editorial Universitaria, Guatemala, 1950). O. Valdés [1942], en el prólogo de su traducción *Por los campos de México* (UNAM, Biblioteca del Estudiante Universitario, 34, México, 1942), ha renovado el interés por su obra. Una ordenada visión de conjunto de estos poetas y del humanismo jesuítico puede encontrarse en Picón-Salas [1947], Reyes [1948] y, más recientemente, en Osorio Romero [1983].

En el último grupo, el rococó, en donde los indicios de naturalidad alternan con vestigios de afectación, destaca un par de poetas satíricos de importancia desigual. En la tradición satírica de Lima en que se ordenan las obras de Rosas de Oquendo y de Juan del Valle Caviedes, aparece, a fines del siglo XVIII, Esteban de Terralla y Landa, autor de *Lima por den-*

tro y fuera (Villalpando, Madrid, 1798), con el seudónimo Simón Ayanque. La sátira, escrita hacia 1792, produjo un escándalo considerable y tentativas de recoger sus ejemplares. Logró, sin embargo, numerosas ediciones, en España y América, y una edición de lujo en París, en 1854. Modernamente ha sido editada por I. Merino (Imprimérie A. Rueff et Cie, París, 1924) y por Soons (University of Exeter, Exeter, 1978). Como antología de su obra puede verse la de V. García Calderón *Costumbristas y satíricos* (Desclé de Brouwer, Biblioteca de Cultura Peruana, Primera serie, 9, París, 1938). Lo han estudiado recientemente Meeham y Cull [1984]. Poeta satírico también de quien nos queda una escasa producción es Manuel José de Lavardén (1754-1809). Al lado de su sátira le ha traído renombre su «Oda al Paraná», poema en el cual los aspectos de la naturaleza americana adquieren una proyección utilitaria que anticipa el vigor del neoclasicismo. En su tragedia, parcialmente perdida, *Siripo*, se reconoce la imitación de Alfieri. Gutiérrez [1957], Bosch [1944], Wedovoy [1955], Carilla [1949, 1968, 1969, 1982], Sánchez [1957] han abordado las particularidades de su breve producción. El tono de la poesía y el del lenguaje han cambiado ya definitivamente. Las variedades de la versificación y los temas comienzan a definir las nuevas preferencias neoclásicas en cercanía perceptible a la poesía española de Meléndez Valdés y a la del italiano Metastasio, cuando no a los temas civiles y científicos de Quintana. Los cubanos Manuel de Zequeira y Arango (1764-1846) y Manuel Justo de Rubalcava (1769-1805), el mexicano fray José Manuel Martínez de Navarrete (1768-1809) y el fabulista guatemalteco Rafael García Goyena (1766-1823), son los representantes más destacados de la primera generación neoclásica. Las obras de Navarrete, *Entretenimientos poéticos* (Imp. de Valdés, México, 1823, 2 vols.), se publicaron póstumamente. Hubo una segunda edición (Librería de Lecointe, París, 1835, 2 vols.) y una edición de *Obras. Poesías* (V. Agüeros, editor, México, 1904). C. M. Bustamante editó sus *Poemas inéditos* (Sociedad de Bibliófilos Mexicanos, Antigua Imp. de Murguía, México, 1929). F. Monterde publicó sus *Poesías profanas* (UNAM, Biblioteca del Estudiante Universitario, 7, México, 1939), que completan el conjunto de su obra. Menéndez Pelayo [1913] señaló su deuda con Meléndez Valdés y con la poesía religiosa de fray Diego González. Monterde [1939, 1972], en la introducción a su edición, Urbina [1917] y Carilla [1982], se han detenido en su obra.

Rafael García Goyena (1766-1823) nació en Guayaquil de padre navarro y madre criolla. La educación del niño se desarrolló en Guayaquil, mientras su padre se ausentó para establecerse en Guatemala. A los doce años, en 1778, se le reunió en Guatemala. Emprendió estudios de Derecho en la Universidad de San Carlos de Guatemala. Se casó a espaldas del padre a los veinte años de edad, en 1786. Fue separado de su esposa y recluido en el Colegio de Cristo, bajo una disciplina conventual. Su matrimonio sería anulado. Se le envió a La Habana, pero en el trayecto es detenido y puesto en prisión (22 de enero de 1787), que se prolongó por tres meses. Al cabo de ellos regresó a Guatemala. Reanudó sus estudios y se recibió de abogado, en 1791. Se doctoró en 1804. En 1814 defendió a los autonomistas de la llamada «conjuración de Belén», evitando que cayeran bajo la competencia de la justicia militar. Se casó por segunda vez. Heredó de su padre una fortuna importante, sin embargo acabó en la pobreza y olvidado de sus contemporáneos. Murió en Guatemala, el 9 de noviembre de 1823, a los cincuenta y siete años de edad. Fue autor de más de treinta fábulas, varias letrillas satíricas y algunas poesías anacreónticas. En cuartetas de romance, redondillas, tercetos, octavas reales, décimas, silvas y romancillos hexasílabos escribió sus fábulas y fabulillas. Lo hizo con gracia y variedad de tonos, con el mismo espíritu ilustrado de Iriarte. Agrega a ello las referencias a una fauna regional. García Goyena inicia un género que será largamente cultivado en Hispanoamérica después de él, y todavía necesitado de estudio.

Póstumamente se recogieron sus *Fábulas y poesías varias* (Guatemala, 1826; otras eds., París, 1836; Imp. de «La Concordia», Guatemala, 1859; Imp. de F. N. Silva, Guatemala, 1886; Guatemala, 1894, edición de A. Batres Jáuregui; Viuda de Hernández y Cía, Madrid, 1894). Hay edición moderna de Samayoa Chinchilla [1950] (Ediciones del Gobierno de Guatemala, Col. «Los Clásicos del Istmo», Guatemala, 1950). Bibliografía y datos biográficos pueden verse en Samayoa Chinchilla [1950]. Batres Jáuregui [1899], Arévalo Martínez [1937], Barrera [1944], han estudiado su obra. Fabulistas fueron también sus coterráneos Fr. Matías de Córdova (1768-1828) y Simón Bergaño y Villegas (1784-?).

El punto más alto de la poesía neoclásica se da en la generación de Andrés Bello (1781-1865) y José Joaquín de Olmedo (1780-1847). Del primero nos ocuparemos en el volumen II de esta obra. Con él mantuvo Olmedo una entrañable amistad personal y literaria. Olmedo había nacido en Guayaquil. Hizo sus estudios en esa ciudad y en Quito, y a los catorce años pasó a estudiar a Lima al Convictorio de San Carlos. Allí llegó a enseñar la cátedra de Filosofía, en 1800. En la Universidad de San Marcos obtuvo su grado de doctor en jurisprudencia. En 1810, fue elegido para representar a Guayaquil en las Cortes de Cádiz. Tras la Restauración regresó a América. Cuando Guayaquil declaró la independencia fue elegido jefe político, en 1816. Descontento con la anexión de Guayaquil a la Gran Colombia se estableció en Lima. Fue miembro del primer Congreso Constituyente del Perú y formó parte de la comisión que invitó a Bolívar a tomar la dirección de la campaña emancipadora. En 1825 viajó a Londres como ministro plenipotenciario del Perú. Al concluir su misión, en 1827, regresó a Guayaquil y, desde 1830, sirvió al Ecuador. Su obra es breve, pero de gran valor poético, particularmente en sus dos odas

heroicas, *A la victoria de Junín* y *Al general Flores, vencedor en Miñarica*.
Las obras de Olmedo han sido publicadas por C. Ballén, *Poesías* (Garnier
Hermanos, París, 1896), y modernamente, en la excelente edición de
Espinosa Pólit de las *Poesías completas* (Casa de la Cultura Ecuatoriana,
Quito, 1945; otra ed., Fondo de Cultura Económica, Biblioteca America-
na, 6, México, 1947). Ediciones más recientes son *Poesía-Prosa* (Editorial
J. M. Cajicas, Biblioteca Ecuatoriana Mínima, Puebla, México, 1960), *Epis-
tolario* (Editorial J. M. Cajicas, Biblioteca Ecuatoriana Mínima, Puebla,
México, 1960). En Olmedo hay una directa lectura de los clásicos que bien
se reconoce en su obra (Homero, Horacio, Virgilio, Píndaro, Lucrecio), así
como de los poetas españoles del Siglo de Oro. Sin gran pormenor,
el análisis de su oda *A la victoria de Junín* ha sido abordado por Hills
[1920], Carilla [1964], Espinosa Pólit [1947]. Entre los poetas de la última generación neoclásica está Juan Cruz Varela (1794-1839), epígono de
los grandes poetas de la generación anterior. Pero los poetas que traen un
tono y un lenguaje nuevos a la poesía hispanoamericana son Bartolomé
Hidalgo (1788-1822), iniciador de la poesía gauchesca, y el peruano Mariano Melgar (1790-1815), cuya vena neoclásica es capaz de encontrar la
afinidad entre la anacreóntica y el yaraví indígena. Hidalgo nació en Montevideo el 24 de agosto de 1788 y murió en Morón, Argentina, el 28 de
noviembre de 1822. Luchó contra las invasiones inglesas, en 1807, y par-
ticipó en la lucha por la independencia como soldado de Artigas, entre
1811 y 1814. En 1816 desempeñó el cargo de director de la Casa de Comedias, donde representó diversas piezas. En 1818, se dirigió a Buenos
Aires, donde escribió sus *Diálogos* y su *Relación que hace el gaucho Ramón Contreras a Jacinto Chano de todo lo que vio en las fiestas mayas de
Buenos Aires en 1822*. Es el poeta de los *Diálogos* y de «cielitos», publicados originalmente en hojas sueltas, sin firma, y que fueron recogidos
bajo su nombre en la antología *Lira argentina* (París, 1824), de Ramón
Díaz y Francisco Almeyda. Escrita en cuartetas de romance, esta poesía
de elementos tradicionales y populares se vuelca sobre el contenido noticiero y el debate patriótico de la época, instaurando en la literatura la
lengua gauchesca. De la obra de Hidalgo hay ediciones modernas *Cielitos
y diálogos patrióticos* (Huemul, Buenos Aires, 1936; otra ed., Ciordia y
Rodríguez, Buenos Aires, 1950). Estudios de conjunto de su obra se deben
a Falcao Espalter [1929], Leguizamón [1944] y Fusco Sansone [1952].
(Véase el capítulo 4 del volumen II de esta obra.)

Mariano Melgar nació en Arequipa, Perú, en 1791, y murió fusilado
por los realistas en 1815, después de la batalla de Humachiri. La perfecta
familiaridad con los autores clásicos y los metros y los géneros líricos tradicionales, que domina gran parte de su obra, aparece en Melgar tempe-
rada a un tono desusadamente intenso que anticipa la emotiva exaltación
romántica. Una variedad distinta, delicada y tierna, con marcados rasgos y

motivos de la poesía indígena y popular, que se continúa hasta hoy, caracteriza sus «yaravíes», transferencia a la poesía culta que le pertenece y se corresponde con tendencias propias de la independencia literaria buscada por su generación. Su obra comprende *Cartas a Silvia* (1827), *Poesías* (Tipografía de G. Crépin, Nancy, 1878). Hay edición moderna de su *Obra poética* (Ediciones Durán, Lima, 1944), *Poesías* (Primer Festival del Libro Sur-Peruano, Cuzco, 1958), que reproduce la edición de Nancy, *Yaravíes* (Imprenta Durán, Lima, 1941), *Poesías completas* (Academia Peruana de la Lengua, Lima, 1971), *Antología* (Hora del Hombre, Biblioteca del Pensamiento Peruano, Poesía, 1, Lima, 1948). El estudio de Melgar ha sido abordado por los críticos Wiesse [1939], Carilla [1963], Cisneros [1965] y, especialmente, Miró Quesada [1978], en un excelente libro. Núñez [1971] ha reunido la más completa bibliografía en la edición de las *Poesías completas*. Sobre la significación del yaraví, Cornejo Polar [1966, 1981] y Carpio Muñoz [1976] han hecho importantes contribuciones.

El teatro del siglo XVIII muestra los rasgos marcados de la secularización que la cultura experimenta y, con ella, la literatura en este siglo. Fenómeno que se acompaña de la atención criolla por la realidad local, especialmente por la naturaleza y las costumbres americanas, y por la valoración de las funciones morales y educativas del teatro y de la literatura dramática. El desarrollo económico alcanzado por las provincias de ultramar permitió en este siglo abordar la construcción de coliseos de sólida factura, y a veces magníficos en su construcción, en las principales ciudades americanas. México (1753), Puebla (1761), La Habana (1776), Buenos Aires (1783), Caracas (1784), Montevideo (1793), Bogotá (1793), Guatemala (1794), La Paz (1796), Santiago de Chile (1802), construyen sus nuevos coliseos obedeciendo a la iniciativa regular del poder civil y de la demanda social cada vez más amplia. El proceso no se desarrolla sin la resistencia frecuente de la autoridad eclesiástica, que aparece, por lo demás esporádicamente en toda la historia colonial, a partir del siglo XVI. Las obras que se representaban en estos coliseos eran principalmente españolas y, en segundo término, traducciones de obras extranjeras. En un número reducido se representaron obras americanas originales y estimables. (Véase Lohmann [1945] y Arrom [1967].)

En el período neoclásico surgen dos manifestaciones de carácter diferente. Por un lado la tragedia clásica, que encuentra su modelo en el clasicismo de Alfieri que ilustra Manuel José de Lavardén, con el fragmento de su *Siripo*, que fue representada, en 1789, en el teatro de la Ranchería, y cuyo texto se ha perdido. El interés de la obra y su significación residen, para la crítica, en los indicios claros del neoclasicismo de Lavardén que consta en sus opiniones expresas, y en el asunto americano que desarrolla. El idilio de Lucía de Miranda y el indio Siripo encontrará ecos en el romanticismo ulterior, particularmente en la novela. Bosch [1944], Arrom

[1967], Rojo y Shelly [1982] han definido la importancia de esta obra. Juan Cruz Varela escribió, en la misma línea de Alfieri, las tragedias *Dido* y *Argia*. Por otro lado, el aspecto más novedoso del teatro de este período surge del ámbito costumbrista y popular, con *El amor de la estanciera*, compuesta hacia 1787 o 1792, y atribuida a Juan Bautista Maciel. La obra ha sido editada en 1925 (Instituto de Literatura Argentina, Buenos Aires, tomo IV, 1, 1925) y puede leerse en el *Teatro gauchesco primitivo* (Buenos Aires, 1957), de J. C. Ghiano. T. Carella ha hecho una edición (Hachette, Buenos Aires, 1957) con estudio preliminar y notas. Al mismo género pertenecen las obras del mexicano José Agustín de Castro (1730-1814) *El charro* y la pieza breve *Los remendones*. La primera es un monólogo que describe desde el punto de vista popular la vida de un convento de monjas. La segunda es sainete satírico que ridiculiza valores sociales en liquidación con un costumbrismo de características ácidas. Castro fue autor abundante de loas y autos sacramentales, que no pueden competir con la frescura de las obras citadas. Su producción se recoge en la *Miscelánea de poesías sagradas y humanas* (Puebla, 1797, 2 tomos) un tercer tomo se publicó más tarde (México, 1809). Arrom [1967], Rojo y Shelly [1982] sitúan adecuadamente la significación de estas obras.

Manuel Eduardo de Gorostiza (1789-1851), veracruzano, es la única figura de auténtico relieve del teatro neoclásico hispanoamericano. Su situación en la historia literaria mexicana e hispanoamericana es comúnmente comparada con el caso de Alarcón. Se crió desde los cuatro años en España. A los dieciocho, combatía como capitán de granaderos a las tropas de Napoleón. En 1814 abandona las armas con el grado de coronel. Por entonces inicia su carrera literaria. *Indulgencia para todos* se publicó en 1818, y fue estrenada por Máiquez en el teatro del Príncipe el 14 de septiembre de 1818. *Las costumbres de antaño* (1819), dedicada al rey, *Tal para cual* (1819), *Don Dieguito* (1820), *Contigo, pan y cebolla* (1833) son sus obras originales de mayor relieve. Las tres primeras escritas en verso, la última en prosa. De asunto mexicano es *Don Bonifacio*, obra en un acto que da ocasión a las formas de teatro dentro del teatro. Hacia 1814 se afilió al partido liberal y a poco formaba con los liberales más exaltados y participaba en los movimientos populares contra el Príncipe de la Paz. Apenas subido al trono Fernando VII, debió salir al destierro. En Londres establece relaciones con varias personalidades de su tiempo. En 1824, se pone a las órdenes de su país. El gobierno le asigna tareas diplomáticas en Europa en cuyo servicio permanecerá hasta 1833. En este año retorna por primera vez a México. Volverá a la diplomacia como ministro ante el gobierno de los Estados Unidos y le tocará actuar frente a las violaciones americanas del territorio mexicano y ante la cuestión de Texas. Más tarde debió enfrentar como soldado la invasión norteamericana de México combatiendo en Churubusco (1847), en el batallón de «Bravos» formado por él.

Dedicó sus últimos años a tareas de beneficiencia pública y murió en una gran estrechez. Su obra, representada en Madrid y publicada en ediciones separadas antes de 1820, se reunió en un volumen de *Teatro original* (París, 1822), luego en tres volúmenes de *Teatro escogido* (Bruselas, 1825-1826), seguidos de dos volúmenes como *Apéndice al Teatro escogido* (París, 1826), que incluye algunas piezas nuevas escritas después del destierro de 1823. Finalmente, publicó su comedia, escrita en Londres, *Contigo, pan y cebolla* (Cunningham y Salmon, Londres, 1833), estrenada con éxito en Madrid. Hay ediciones modernas de sus *Obras* (Imprenta de V. Agüeros, Biblioteca de Autores Mexicanos, México, 1899-1902, 4 vols.). Gorostiza continuó escribiendo, traduciendo y adaptando obras durante sus años mexicanos que aún permanecen inéditas y sin estudio. A. L. Owen (Nueva York, 1923) y Mariscal [1942] han editado la que es tal vez su mejor obra, *Indulgencia para todos* (UNAM, Biblioteca del Estudiante Universitario, 37, México, 1942), precedida de un informativo prólogo. A. de María y Campos ha reunido sus tres comedias más importantes en *Teatro selecto* (Porrúa, Colección de Escritores Mexicanos, 73, México, 1957). Las características de la comedia de Gorostiza son las de la obra de Moratín, pero con un apego menos rígido a las normas clásicas que el autor español. Menéndez Pelayo [1913] lo destaca por su amenidad, por la fiel representación de la sociedad de la época y por el talento en la versificación variada de sus obras. Lo ve también como un anticipador de la libertad de las formas métricas que triunfa con la *Marcela*, de Bretón, en 1832. En su tiempo mereció los elogios de Lista y reparos inesperados de Larra. Modernamente han estudiado su personalidad y su obra Aguilar [1932], Mariscal [1942], María y Campos [1959] y Cook [1959], este último en un libro importante.

BIBLIOGRAFÍA

Aguilar, María Esperanza, *Estudio bio-bibliográfico de D. Manuel Eduardo de Gorostiza*, México, 1932.

Arévalo Martínez, Rafael, «Poetas de Guatemala», *Boletín de la Biblioteca Nacional*, 4 (1937).

Arrom, José Juan, *Historia del teatro hispanoamericano colonial*, De Andrea, México, 1967.

Ballén, Clemente, «Prólogo» a J. J. de Olmedo, *Poesías*, París, s. f.

Barrera, Isaac J., *Historia de la literatura ecuatoriana. Siglo XVIII*, Editorial Ecuatoriana, Quito, 1944, tomo II, pp. 218-225.

Batres Jáuregui, Antonio, *Biografías de literatos nacionales*, Tip. «La Unión», Guatemala, 1889, tomo I.

Bosch, Mariano G., *Teatro antiguo de Buenos Aires. Piezas del siglo XVIII: su influencia en la educación popular*, Buenos Aires, 1904.

—, *Manuel de Lavardén, poeta y filósofo*, Argentores, Buenos Aires, 1944.

Carilla, Emilio, *Un olvidado poeta colonial*, Buenos Aires, 1943.

—, *El gongorismo en América*, Universidad de Buenos Aires, Buenos Aires, 1946.

—, «Restituciones a la lírica española», *Pedro Henríquez Ureña y otros estudios*, Buenos Aires, 1949.

—, «El verso esdrújulo en América», *Filología*, 1:2 (1949), pp. 170-175.

—, *La «Sátira» de Lavardén*, Buenos Aires, 1949².

—, *Lizardi, Bartolomé Hidalgo y Melgar*, Buenos Aires, 1963; reimpreso en *BAAL*, 28 (1963), pp. 89-120.

—, *La literatura de la independencia hispanoamericana (Neoclasicismo y prerromanticismo)*, EUDEBA (Biblioteca de América/Libros del Tiempo Nuevo), Buenos Aires, 1964; 1982².

—, *Literatura argentina. Palabra e imagen*, Buenos Aires, 1969.

—, *Cronología de la literatura hispanoamericana: La literatura de la independencia*, Bogotá, 1973.

—, *Poesía de la independencia*, Selección y prólogo (Biblioteca Ayacucho, 59), Caracas, 1979.

—, «La lírica hispanoamericana colonial», en L. Iñigo-Madrigal, ed., *Historia de la literatura hispanoamericana*. I: *Época colonial*, Cátedra, Madrid, 1982, pp. 237-274.

—, «La lírica rococó en Hispanoamérica», *Revista Iberoamericana*, 120-121 (1982), pp. 727-738.

Carpio Muñoz, Juan Guillermo, *El yaraví arequipeño: un estudio histórico-social*, La Colmena, Arequipa, 1976.

Caso González, José, *Los conceptos de Rococó, Neoclasicismo y Prerromanticismo en la literatura española del siglo XVIII*, Oviedo, 1970.

—, *La poética de Jovellanos*, Madrid, 1972.

Castagnino, Raúl H., *Literatura dramática argentina, 1717-1967*, Editorial Pleamar, Buenos Aires, 1968.

Cisneros, Luis Jaime, *Mariano Melgar. José Gálvez*, Editorial La Confianza (Biblioteca Hombres del Perú, 3.ª serie, 27), Lima, 1965.

Colombí-Monguió, Alicia de, «El poema del P. Matías de Bocanegra: trayectoria de una imitación», *Resources*, 36 (1981), pp. 1-21.

Cook, John A., *Neo-Classic Drama in Spain. Theory and Practice*, Southern Methodist University Press, Dallas, 1959, pp. 460-480.

Cornejo Polar, Antonio, «La poesía tradicional y el yaraví», *Letras*, 38:76-77 (Lima, 1966).

—, «Sobre la literatura de la emancipación en el Perú», *Revista Iberoamericana*, 114-115 (1981), pp. 83-93.

Espinosa Pólit, Aurelio, «Prólogo», a J. J. de Olmedo, *Poesías completas*, Casa de la Cultura Ecuatoriana, Quito, 1945; otra ed., Fondo de Cultura Económica (Biblioteca Americana, 5), México, 1947.

—, *Olmedo en la historia y en las letras*, Quito, 1955.

Falcao Espalter, Mario, *El poeta uruguayo Bartolomé Hidalgo. Su vida y sus obras*, Gráficas Reunidas, Madrid, 1929.

Ferro, Hellén, *Historia de la poesía hispanoamericana*, Las Americas Publishing Co., Nueva York, 1964.

Fusco Sansone, Nicolás, *Vida y obras de Bartolomé Hidalgo*, Pellegrini, Buenos Aires, 1952.

Golluscio de Montoya, Eva, «Del circo colonial a los teatros ciudadanos: Proceso de urbanización de la actividad dramática rioplatense», *Caravelle*, 42 (1984), pp. 141-149.

González Peña, Carlos, *Historia de la literatura mexicana*, Porrúa, México, 1963.

Grossmann, Rudolf, *Historia y problemas de la literatura latinoamericana*, Revista de Occidente, Madrid, 1972.

Gutiérrez, Juan María, *Escritores coloniales americanos*, Editorial Raigal, Buenos Aires, 1957.

Henríquez Ureña, Pedro, *Las corrientes literarias en la América Hispánica*, Fondo de Cultura Económica (Biblioteca Americana, 9), México, 1949.

—, y Bertram D. Wolpe, «Romances tradicionales de Méjico», en *Homenaje a Menéndez Pidal*, II, Madrid, 1925.

Hills, E. C., «Introduction» a *The Odes of Bello, Olmedo and Heredia*, Putnam's Sons, Nueva York y Londres, 1920, pp. v-viii.

Kesen, Arnold I., «Francisco Javier Alegre's Translation of Boileau's *Art Poétique*», *Modern Language Quarterly*, 42:2 (1981), pp. 153-165.

Leguizamón, Martiniano, *El primer poeta criollo del Río de la Plata, 1788-1822*, Nueva Impresora, Paraná, 1944.

Leonard, Irving A., *Romances of chivalry in the Spanish Indies with some «Registros» of Shipments of Books to the Spanish Colonies*, Berkeley, 1933.

Lida, Raimundo, y Emma Speratti, «Lacunza en México», *Revista Iberoamericana*, 104-105 (1978), pp. 527-534.

Lohmann Villena, Guillermo, *El arte dramático en el virreinato del Perú*, CSIC, Madrid, 1945.

Macera, Pablo, «Lenguaje y modernismo peruano del siglo XVIII», *Letras*, 68-69 (Lima, 1962), pp. 267-307.

Mancini, Guido, «La *Rusticatio Mexicana* de Rafael Landívar», *Revista de Indias*, 10 (1950), pp. 799-809.

María y Campos, Armando de, *Manuel Eduardo de Gorostiza y su tiempo*, Talleres Gráficos de la Nación, México, 1959.

Mariscal, Mario, «Prólogo» a *Indulgencia para todos*, UNAM (Biblioteca del Estudiante Universitario, 37), México, 1942.

Mata Gavidia, José, «Introducción» a R. Landívar, *Rusticatio Mexicana*, Editorial Universitaria, Guatemala, 1950, pp. 9-109.

Meehan, Thomas C., y John T. Cull, «El poeta de las adivinanzas: Esteban de Terralla y Landa», *Revista de Crítica Literaria Latinoamericana*, 19 (1984), pp. 127-157.

Méndez Plancarte, Gabriel, *Horacio en México*, UNAM, México, 1939.

Menéndez Pelayo, M., *Historia de la poesía hispanoamericana*, Victoriano Suárez, Madrid, 1911-1913, 2 vols.

Minguet, Charles, «Problemes de périodisation de l'histoire littéraire a l'époque du Neoclassicisme latino-américain, 1780-1834», en *Romantisme, réalisme, naturalisme en Espagne et en Amérique Latine*, Presses Universitaires de Lille, Lille, 1978, pp. 117-127.

Miró Quesada, Aurelio, *La poesía de la emancipación*, Recopilación y prólogo, Comisión Nacional del Sesquicentenario de la Independencia, Lima, 1971.

—, *Tiempo de leer, tiempo de escribir*, Lima, 1977.

—, *Historia y leyenda de Mariano Melgar*, Centro Iberoamericano de Cooperación, Madrid, 1978.

Monguió, Luis, «Un rastro del romance de Fontefrida en la poesía gauchesca», *Estudios de literatura hispanoamericana*, De Andrea, México, 1958, pp. 59-61.

—, «La poesía y la Independencia: Perú, 1808-1825», en *Literatura de la emancipación hispanoamericana y otros ensayos* (Memoria del XV Congreso del Instituto Internacional de Literatura Iberoamericana), Universidad de San Marcos, Lima, 1972.

—, «Sobre la "Canción indiana", de Olmedo», en A. P. Debicki y E. Pupo-Walker, eds., *Estudios de literatura hispanoamericana en honor a José Juan Arrom*, North Carolina University Press, Chapel Hill, 1974, pp. 72-86.

Monterde, Francisco, «Introducción» a fray Manuel de Navarrete, *Poesías profanas*, UNAM (Biblioteca del Estudiante Universitario, 7), México, 1939; otra ed., 1972.

Morales Borrero, María Teresa, *La madre Castillo: su espiritualidad y su estilo*, Instituto Caro y Cuervo (Publicaciones del Instituto Caro y Cuervo, 25), Bogotá, 1978.

Muñoz Vicuña, Elías, *Biografías de Olmedo*, Universidad de Guayaquil, Guayaquil, 1980.

Núñez, Estuardo, «Bibliografía», en M. Melgar, *Poesías completas*, Academia Peruana de la Lengua, Lima, 1971, pp. 519-534.

Osorio Romero, Ignacio, «Jano o la literatura neolatina en México», en *Cultura clásica y cultura mexicana*, UNAM (Cuadernos del Centro de Estudios Clásicos, 17), México, 1983, pp. 32-46.

Picón Salas, Mariano, *De la conquista a la independencia*, Fondo de Cultura Económica, México, 1947.

Porras Barrenechea, Raúl, *José Joaquín de Larriva*, Imprenta Sagrados Corazones, Lima, 1919.

Rada y Gamio, Pedro José, *Mariano Melgar y apuntes para la historia de Arequipa*, Imprenta Casa Nacional de Moneda, Lima, 1950.

Reverte Bernal, Concepción, *Aproximación crítica a un dramaturgo virreinal peruano: fray Francisco del Castillo («El Ciego de la Merced»)*, Universidad de Cádiz, San Fernando, 1985.

Reyes, Alfonso, *Letras de la Nueva España*, Fondo de Cultura Económica, México, 1948.

Reyes de la Maza, Luis, *El teatro en México con Lerdo y Díaz, 1783-1879*, UNAM, Instituto de Investigaciones Estéticas, México, 1963.

—, *El teatro en México durante la independencia, 1810-1839*, UNAM, Instituto de Investigaciones Estéticas, México, 1969.

Roa Bárcena, J. M., «Prólogo» a Victoriano Agüeros, ed., *Biblioteca de Autores Mexicanos*, México, tomos I, II y III, 1899; tomo IV, 1902.

Rodríguez Alcalá, Hugo, *Literatura de la independencia*, La Muralla, Madrid, 1980.

Rojas, Ricardo, *Historia de la literatura argentina. Los gauchescos*, Kraft, Buenos Aires, 1957; 1917[1].

Rojo, Grínor, y Kathleen Shelly, «El teatro hispanoamericano colonial», en L. Iñigo-Madrigal, ed., *Historia de la literatura hispanoamericana. I: Época colonial*, Cátedra, Madrid, 1982, pp. 319-352.

Samayoa Chinchilla, Carlos, «De la fábula y de García Goyena», prólogo a R. García Goyena, *Fábulas*, Ediciones del Gobierno de Guatemala (Col. «Los Clásicos del Istmo»), Guatemala, 1950, pp. xiii-lvi.

Sánchez, Luis A., *Los poetas de la revolución (1800-1825)*, Imprenta Sagrados Corazones, Lima, 1919.

—, *Los poetas de la colonia y de la revolución*, Universo, Lima, 1947.

—, *Escritores representativos de América*, Gredos, Madrid, 1957, 2 vols.

—, *La Perricholi*, Universidad Nacional Mayor de San Marcos, Lima, 1963⁴.

Soons, Alan, ed., Esteban de Terralla y Landa, *Lima por dentro y fuera*, University of Exeter (Exeter Hispanic Texts, 19), 1978.

Suárez Radillo, Carlos Miguel, *El teatro neoclásico y costumbrista hispanoamericano. Una historia crítico-antológica*, Ediciones Cultura Hispánica, 1984, 2 vols.

Urbina, Luis G., *La vida literaria en México*, Madrid, 1917.

Valdés, Octaviano, *Poesía neoclásica y académica. Selección e introducción*, UNAM (Biblioteca del Estudiante Universitario, 69), México, 1946.

Vargas Ugarte, Rubén, «Introducción» a fray Francisco del Castillo, *Obras*, Studium (Clásicos Peruanos, vol. 2), Lima, 1948, pp. v-xxxii.

—, «Introducción» a Lorenzo de las Llamosas, *Obras*, Clásicos Peruanos, Lima, 1950, pp. v-xxxi.

Wedovoy, Enrique, «Prólogo» a M. J. Lavardén, *Nuevos aspectos del comercio en el Río de la Plata*, Buenos Aires, 1955.

Wiesse, María, *La romántica vida de Melgar*, Taller Gráfico de P. Barrantes Castro, Lima, 1939.

Zaldívar, Gladys, «El carácter fundador de la poesía de Manuel de Zequeira y Arango», en Alberto Gutiérrez de la Solana, ed., *Festschrift José Cid Pérez*, Senda Nueva de Ediciones, Nueva York, 1981, pp. 187-192.

Zaldumbide, Gonzalo, «Prólogo» a J. B. Aguirre, *Poesías y obras oratorias*, Clásicos Ecuatorianos, Quito, 1944.

—, *Cuatro clásicos americanos*, Cultura Hispánica, Madrid, 1951.

Emilio Carilla

LA LÍRICA ROCOCÓ EN HISPANOAMÉRICA

Las diversas circunstancias que dan perfil al siglo XVIII americano no favorecen, por cierto, la expansión de un arte como el rococó. Recordemos, por un lado, la persistencia muy firme de típicas formas barrocas, y, por otro, los ya visibles anuncios de ideas político-sociales que apuntan con más o menos justeza a la Independencia (es decir, manifestaciones poco afines a lo esencial del Rococó). Ahora sí es justo decir que hay algunas señales de arte Rococó en Hispanoamérica durante el siglo XVIII, con las comprensiones explicadas.

Con otras palabras: lo que ocurre en estas regiones, es la continuidad de lo barroco (más allá de lo que el Rococó muestra como derivación de lo barroco), por una parte, y por otra, particulares condiciones sociales que más bien rechazan la tendencia rococó. En fin, el cuadro se completa con la irrupción neoclasicista (con alguna mayor afinidad del momento que se vive) y, por último, con los indicios —nada más que indicios— prerrománticos.

De esta manera, el florecimiento de la literatura rococó se ve en Hispanoamérica aún más constreñida que en la metrópoli. Todo esto más allá de los elementos comunes y paralelos que encontramos en la época colonial: comunes y paralelos, dentro de un sentido muy amplio. [...]

El arte rococó es en mucho una derivación y particularización de lo barroco. Ya, separación. Coincide con el barroquismo en los límites imprecisos entre clasicismo y anticlasicismo. Veo, por tanto, como

Emilio Carilla, «La lírica rococó en Hispanoamérica», *Revista Iberoamericana*, 120-121 (1982), pp. 727-738 (728-732).

líneas más definidoras su sentido hedonista, su superficie de juego y coquetería. Es notoriamente un arte aristocrático, cortesano, ámbito apropiado donde podía triunfar la galantería y el refinamiento.

Frente a la monumentalidad barroca, el Rococó destaca sobre todo su culto de lo pequeño, la miniatura, la filigrana. Y no menos su especial dedicación a la artesanía o artes menores (espejos, muebles, tejidos, jardinería). Se vuelve, en parte, al exceso ornamental del Manierismo (después del adorno algo más contenido del Barroco). En fin, la abundancia mitológica, la predilección por el arcadismo. Y en otra dirección contactos parciales con el Iluminismo.

[En el momento de dar nombres de autores, verdad es que no tenemos dificultades en establecer una lista, si no nutrida, por lo menos visible. En un primer recuento, que incluye autores de diversos géneros, valen, pues, estos nombres]: Pedro A. de Peralta Barnuevo (barroco y rococó), Eusebio Vela, Juan José de Arriola, Cayetano Cabrera y Quintero, Santiago Pita, Francisco Ruiz de León (barroco y rococó), fray Juan de la Anunciación, Francisco Antonio Vélez Ladrón de Guevara, padre Juan Bautista Aguirre (barroco y rococó), Joaquín Velázquez de Cárdenas y León. En otro plano, fray José Manuel Martínez de Navarrete (rococó y neoclasicista).

Como era corriente en aquellos siglos, la mayor parte de los autores enumerados cultivaron el género lírico. A veces exclusivamente. Y con mayor o menor producción, con mayor o menor importancia, configuran este no muy preciso esquema de la poesía rococó en Hispanoamérica. De la lista separamos a Peralta Barnuevo, Arriola, Cabrera y Quintero, Vélez Ladrón de Guevarra, Ruiz de León, el padre Aguirre, Velázquez de Cárdenas y León, fray Juan de la Anunciación y Martínez de Navarrete.

En la lengua poética del calderonismo había ya muchos elementos válidos que al transformarse rápidamente en fórmulas repetidas dan sensación de precedentes del Rococó. Y esa sensación se confirma en los dramaturgos de su escuela o ciclo (Moreto, Rojas, Zorrilla, Bances Candamo). Además no olvidemos que el calderonismo, como forma lírica, sigue siendo elemento vital en el siglo XVIII, sobre todo a través de las reiteradas imitaciones de monólogos famosos, de desarrollo conceptista cultista o, mejor, de conceptismo cultista.

También encontramos en Hispanoamérica el renovado acento y escenografía del arcadismo. Lo que ocurre es que en América se agudiza posiblemente la paradoja, frente a la diversidad social que carac-

teriza al Nuevo Mundo, tan distinta, como resonancia, a la que el género podía encontrar aún en Europa. Y la paradoja crece al considerar
la riqueza prácticamente inédita del paisaje americano.

Agreguemos en otro plano el regusto por la miniatura poética y el
epigrama por el poema «visual» y el juego ingenioso... Algo menos
frecuente, una lírica musical inspirada en formas nuevas y en ejemplos
famosos del siglo XVIII (en primer lugar, Metastasio). Y menos todavía
reflejos de pensamientos galantes, aún más incomprensibles en estas
regiones que en las refinadas cortes europeas. En fin, la mitología conserva su estricto valor ornamental y su lustre erudito o es sentida
como simple juego o diversión. Y la anacreóntica tiene, si no muchos
cultores, ejemplos muy claros.

Como es explicable, no desaparecen ni el tema del homenaje cortesano, ni el tema religioso, ni el tema amoroso. Aunque no podemos
vincular directamente al segundo con el Rococó, notamos que también
algo se tiñe de los colores que dan las luces de la época. Y en el tema
amoroso, los poemas americanos muestran junto a su contenida sensualidad el cauce que le prestan arcadismo y anacreóntica.

Por último, en el sector especial de la métrica, aparte del uso asiduo de sonetos, romances, octavas reales, redondillas, liras y otras formas aceptadas, destacamos el creciente apego a la décima (Ruiz de
León, Arriola, Vélez Ladrón de Guevara, padre Aguirre...).

Aurelio Espinosa Pólit

LA VICTORIA DE JUNÍN
DE JOSÉ JOAQUÍN DE OLMEDO

La victoria de Junín es esencialmente, como la nombró su autor,
un *canto*, pertenece especialmente a la lírica, aunque sus grandiosas
proporciones y el aliento que lo anima sean genuinamente épicos. No
es que demos importancia ninguna a estas denominaciones, ni encerre-

Aurelio Espinosa Pólit, «Prólogo» a J. J. de Olmedo, *Poesías completas*,
Fondo de Cultura Económica (Biblioteca Americana, 5), México, 1947, pp. xlvii-
liii.

mos el problema crítico en minucias de perspectiva; es únicamente dejar constancia de que el *Canto a Bolívar* es una obra literaria que abiertamente pretende ser poesía y que debe ser juzgada como tal. Ahora bien, los más de los juicios enunciados hasta el día involucran en la apreciación del poema alabanzas y críticas que no atañen al poema como poema, sino como escrito literario, estudiándolo y dictaminando acerca de él como si se tratara de una mera narración descriptiva de las batallas de Junín y Ayacucho o de una oración gratulatoria sobre las mismas.

El primer responsable de esta confusión es el mismo Olmedo. Es indudable que se daba cuenta como el que más del valor estrictamente poético de su obra, por más que en algunos párrafos de sus cartas parezca deprimirlo; pero lo que con mayor empeño defiende y exalta es el plan del *Canto*. Al plan califica de «grande y bello», de «grande y sublime», de «magnífico y atrevido»; del plan con visible complacencia y énfasis recuerda que lo ha hecho «con un trabajo imponderable», como si el valor de una poesía dependiese principalmente del plan y no de la alteza de la ejecución. El plan tiene, a no dudarlo, grandísima importancia, pero en el orden literario, no en el poético: el plan es fruto del trabajo de las potencias de raciocinio, no de las estéticas. Debemos exigirle al *Canto a Bolívar* un plan acertado; pero si no tuviese más que eso, jamás hubiera sido en la literatura americana lo que ha llegado a ser.

A esta misma confusión ha contribuido la crítica, por otra parte tan digna del más cuidadoso estudio, de Bolívar. Reparte censuras y alabanzas indistintamente, como si todas recayesen sobre la misma materia e integrasen, al juntarse, un juicio homogéneo, sin advertir, o al menos sin permitir que se advierta, que unas recaen sobre las condiciones artísticas generales de la obra, y otras sobre su poesía.

La pauta impuesta por Olmedo y Bolívar ha sido seguida por todos los demás críticos. Con todo es indispensable apartarnos de ella y entablar juicio aparte acerca de las cualidades literarias y acerca de las cualidades poéticas de *La victoria de Junín*.

En cuanto a las primeras, el litigio versó desde la publicación de la obra y versa todavía acerca del plan, particularmente acerca de la aparición del Inca. ¿Es o no acertado el plan? ¿Es o no es oportuna la aparición del Inca? El primer fiscal fue Bolívar; el primer defensor, el mismo Olmedo. Ambos tienen derecho a ser oídos. Dice Bolívar:

«El plan del poema, aunque en realidad es bueno, tiene un defecto capital en su diseño. Usted ha trazado un cuadro muy pequeño para colocar dentro un coloso, que ocupa todo el ámbito y cubre con su sombra a los demás personajes. El Inca Huayna Cápac parece que es el asunto del poema: él es el genio, él es la sabiduría, él es el héroe en fin.» Y después de otros cargos que consideraremos luego, hechos a esta gran figura de Huayna Cápac, concluye: «También me permitirá usted que le observe que este genio Inca, que debiera ser más leve que el éter, pues que viene del cielo, se muestra un poco hablador y embrollón, lo que no le han perdonado los poetas al buen Enrique en su arenga a la reina Isabel; y ya usted sabe que Voltaire tenía sus títulos a la indulgencia y, sin embargo, no escapó a la crítica». [Carta del 12 de julio, en *El Repertorio Colombiano*, t. III.]

Resumiendo: desproporción de partes, desviación del interés hacia un personaje secundario, prolijidad y pesadez en el episodio. Olmedo se defiende largamente:

Cuando yo amenacé a usted con arrebatarle parte de su gloria, usted me tendría por un jactancioso; pero como mi jactancia a nadie dañaba, no tengo necesidad de hacer explicaciones sobre este punto. Mas cuando yo dije a usted que el plan que había concebido era grande y sublime, usted quizá lo creería; y como al leer mi poema, usted puede creerme mentiroso, me veo precisado a vindicarme. Mi plan fue éste. Abrir la escena con una idea rara y pindárica. La musa arrebatada con la victoria de Junín emprende un vuelo rápido; en su vuelo divisa el campo de batalla, sigue a los combatientes, se mezcla entre ellos y con ellos triunfa. Esto es la ocasión para describir la acción y la derrota del enemigo. Todos celebran una victoria, que creían era el sello de los destinos del Perú y de la América. Pero en medio de la fiesta una voz terrible anuncia la aparición de un Inca en los cielos. Este Inca es emperador, es sacerdote, es un profeta. Éste, al ver por primera vez los campos que fueron el teatro de los horrores y maldades de la conquista, no puede contenerse de lamentar la suerte de sus hijos y de su pueblo. Después aplaude la victoria de Junín y anuncia que no es la última. Entra entonces la predicción de la victoria de Ayacucho. Como el fin del poeta era cantar sólo a Junín, y el canto quedaría defectuoso, manco, incompleto sin anunciar la segunda victoria, que fue la decisiva, se ha introducido el vaticinio del Inca lo más prolijo que ha sido posible para no defraudar la gloria de Ayacucho, y se ha mentado el nombre del general que manda y vence, y de los jefes que se distinguieron, para dar ese homenaje a su mérito, y para darles desde Junín la esperanza de Ayacucho que debe servirles de nuevo aliento y ardor en la batalla. Concluye el Inca deseando que no se restablezca el cetro del imperio, que puede llevar al pueblo a la tiranía. Exhorta a la unión, sin la cual no podrá prosperar la América; anuncia la felicidad que nos espera; predice que la libertad fundará su trono entre nosotros y que esto influirá en la libertad de todos los pueblos de la tierra; en fin, predice el triunfo de Bolívar. Pero la mayor gloria del héroe será unir y atar todos los pueblos de América con un lazo federal tan estrecho que no hagan sino un solo pueblo, libre por sus instituciones, feliz por sus leyes y riqueza, respetado por su poder. Apenas concluye el Inca, todos los cielos aplauden. De improviso se oye una armonía celestial: es el coro de las vestales del Sol, que rodean al Inca como a su Gran Sacerdote. Ellas entonan las alabanzas del Sol, piden por la prosperidad del imperio y por la salud y gloria del Libertador. En fin, describen el triunfo que predijo el Inca. Lima abate sus muros para recibir la pompa triunfal; el carro del triunfador va adornado de las Musas y de las Artes; la marcha va precedida de los cautivos pueblos, esto es, todas las provincias de España representadas por los jefes vencidos, etc. Este plan, mi querido señor, es grande y bello (aunque sea mío). Yo me he tomado la libertad de hacer este análisis porque temo que, a pesar de la perspicacia de usted, no conociera toda la belleza de la idea, ofuscada con la muchedumbre de los versos, que es el principal defecto de mi canto. Dispénseme usted, pues, porque yo descontento de la ejecución, me contento con la bondad del plan, y quisiera fijar las mientes de todos en esto sólo, para evitar la infamia de cualquier modo. [Carta del 15 de mayo de 1825, en *El Repertorio Colombiano*, t. II.]

La convicción de Olmedo sobre este punto para él fundamental, no puede estar más vigorosamente enunciada. Entre las notas del *Canto*, una de las más largas, la 34.ª [...], hace todos los oficios de un prólogo galeato.

La contienda entre el héroe y el poeta la continuaron dos críticos de talla.

Don Andrés Bello, en el juicio que publicó en el *Repertorio Americano* de Londres, en octubre de 1826, recoge, aduna y refuerza hasta donde es posible la argumentación de Olmedo. Nadie ha logrado añadir nada a esta exposición de Bello; aunque algo larga, citémosla en su integridad:

El título de este poema pudiera hacer formar un concepto equivocado de un asunto, que no es en realidad la victoria de Junín, sino la libertad del Perú. Bolívar es el héroe a cuyo honor se consagra este himno patriótico, y el poeta hubiera dado una idea harto mezquina de la gloria peruana, si se hubiera contentado con ceñir a sus sienes el laurel de aquella jornada inmortal. Mas concebida así la materia, presentaba un grave inconveniente, porque constando de dos grandes sucesos, era difícil reducirla a la unidad de sujeto, que exigen con más o menos rigor todas las producciones poéticas. El medio de que se valió el señor Olmedo para vencer esta dificultad es ingenioso. Todo pasa en Junín, todo está enlazado con esta primera función, todo forma en realidad parte de ella. Mediante la aparición y profecía del Inca Huayna Cápac. Ayacucho se transporta a Junín, y las dos jornadas se eslabonan en una. Este plan se trazó, a nuestro parecer, con mucho juicio y tino. La batalla de Junín sola, como hemos observado, no era la libertad del Perú. La batalla de Ayacucho la aseguró, pero en ella no mandó personalmente el general Bolívar. Ninguna de las dos, por sí sola, proporcionaba presentar dignamente la figura del héroe: en Junín no lo hubiéramos visto todo; en Ayacucho lo hubiéramos visto a demasiada distancia. Era, pues, indispensable acercar estos dos puntos e identificarlos, y el poeta ha sabido sacar de esta necesidad misma grandes bellezas, pues la parte más espléndida y animada de su canto es incontestablemente la aparición del Inca ... Nada hallamos, pues, de reprensible en el plan del *Canto a Bolívar*; pero no sabemos si hubiera sido conveniente reducir las dimensiones de este bello edificio a menor escala, porque no es natural a los movimientos vehementes del alma, que solos autorizan las libertades de la oda, el durar largo tiempo.

Recoge el guante y propugna la crítica de Bolívar con inusitada perspicacia y vigor don Miguel Antonio Caro, en sus célebres artículos del *Repertorio Colombiano* de 1879, de los que seleccionamos los párrafos esenciales:

El poema consta de dos partes: Junín y Ayacucho ... La primera forma una oda completa y perfecta, escrita sin duda conforme al plan primitivo concebido después de Junín y antes de Ayacucho, es decir, conforme a aquellos «planes y jardines» que el poeta cuenta que ideó entonces. Terminantemente confiesa Olmedo que «el fin del poeta era cantar *sólo* a Junín». Pero vino Ayacucho, y «el canto quedaría defectuoso, manco, incompleto, sin anunciar esta segunda victoria que fue la decisiva». Aquí estaba la dificultad ... Ocurrióle a Olmedo resolver el problema cantando desde Junín la victoria de Ayacucho por medio de un vaticinio, y para que haya quien lo pronuncie, evoca la sombra de Huayna Cápac. Quiso dar a su poema la unidad de lugar, una de aquellas que tantos quebraderos de cabeza ocasionaron a rígidos dramaturgos, y que tan malos efectos produjeron en el teatro cuando la violencia las impuso. Y violento fue el recurso de Olmedo, que la procuró, suscitando un *Deus ex machina*. Esta es la parte del plan en que él se deleita por el placer de la dificultad vencida, e imaginando que todo vencimiento es de buena ley; y el «trabajo imponde-

rable» del plan no puede ser otro que el que ocasionaba haber de desarrollar una idea capital absurda, teniendo que disponer y ordenar en boca
del Inca multitud de cosas que el poeta, y no su aparecido, debía decir
sobre Ayacucho, sobre la libertad del Perú y los destinos de América.
Que el poeta, comprometido ya a cantar la victoria de Junín y con ella a
Bolívar, se viese en la necesidad de celebrar también la de Ayacucho, por
decisiva y más ruidosa..., sea todo ello enhorabuena; pero que la aparición del Inca encierre un plan ingenioso y «trazado con mucho juicio y
tino para eslabonar las dos funciones de guerra y obtener el fin propuesto»,
es cosa distinta, y en la que no podemos convenir con el mismo Bello.

Caro propone aquí por remedio el convertir la aparición del Inca
en sueño de Bolívar, pero previendo quizá la fácil refutación de este
arbitrio, añade: «Si éste y cualquier otro medio que se imagine, ofrece
también inconvenientes, debemos deducir que no era hacedero reducir
las dos batallas a la unidad de lugar».

¿Quién podrá contradecir a esta sentencia, si el mismo Pombo, el
más inteligente y el más decidido defensor de Olmedo, se ve forzado
a esta confesión: «Convengamos en que el problema era complicado
y no admitía solución intachable; pero me inclino a aceptar la que le
dio el poeta».

Luis Monguió

UN RASTRO DEL ROMANCE DE FONTEFRIDA
EN LA POESÍA GAUCHESCA

El único caso hasta ahora registrado de existencia del romance
de Fontefrida en Hispanoamérica parece ser el mencionado por Pedro
Henríquez Ureña y Bertram D. Wolfe en *Romances tradicionales en
México* [1925].

Sin embargo, en el *Diálogo entre Jacinto Chano, capataz de una
estancia en las islas del Tordillo, y el gaucho de la Guardia del Monte,*

Luis Monguió, «Un rastro del romance de Fontefrida en la poesía gauchesca»,
Estudios de literatura hispanoamericana, De Andrea, México, 1958, pp. 59-61.

del escritor uruguayo Bartolomé Hidalgo (1788-1822), hallamos los versos 73-80, que dicen:

> ... como tórtola amante
> que a su consorte perdió
> y que anda de rama en rama
> publicando su dolor,
> ansí yo de rancho en rancho
> y de tapera en galpón,
> ando triste y sin reposo
> cantando con ronca voz ...

Estos versos presentan en forma muy parecida, si hacemos abstracción de algunas palabras de color local, el tema de la tórtola viuda del romance de Fontefrida.

Pudiera uno preguntarse si este tema, hallado en el Bestiario y existente en la mayor parte de las literaturas, aparece en Bartolomé Hidalgo procedente del romance español o de un brote local de la tradición común.

El escritor argentino don Ricardo Rojas [1917] al estudiar a Hidalgo dice en nota, como de paso, que los antes citados versos «coinciden, en forma y fondo, con otros de la lírica anónima».

Nos inclinamos a estimar que esos versos son una resonancia, recuerdo o derivación del romance, para sostener lo cual nos parece argumento de suficiente fuerza el hecho de que Hidalgo usara en ellos el asonante en ó que es el mismo del romance de Fontefrida.

Pudiera oponerse a esta opinión el que la no existencia de versiones de Fontefrida en las colecciones de romances recogidos en la América hispana (excepto el caso anotado por Henríquez Ureña) permite dudar de que el de Fontefrida fuera un romance tradicionalmente cantado en el Río de la Plata y que, por lo tanto, no debió ser conocido por Bartolomé Hidalgo.

El hecho de no haber sido recogidas versiones de Fontefrida de la tradición popular argentina y uruguaya en estos últimos años en que, a sugerencia de don Ramón Menéndez Pidal, tal labor ha comenzado a realizarse, nada implica en cuanto a la posible existencia de tal romance como tradicional en esa región hace más de un siglo.

Por otra parte, aun aceptando la inexistencia tradicional de Fontefrida en el Río de la Plata, ello no había de ser obstáculo insuperable para su conocimiento y empleo por Hidalgo. En efecto, en contra de antiguas y románticas ideas acerca de la personalidad de dicho escritor, hoy sabemos —gracias especialmente a los trabajos de Martiniano Leguizamón [1944] y de Mario Falcao Espalter [1929]— que lejos de ser, como se había dicho, un barbero semianalfabeto, Hidalgo fue un hombre culto, escritor neoclásico a la moda de su tiempo en no pocas ocasiones, que por razones de propaganda patriótica y política usó en otras las formas gauchescas. Por lo tanto, su conocimiento del romance de Fontefrida (y de otros materiales del romancero) si no procedía de haberlo oído cantar bien pudiera ser resultado de sus lecturas y aun estimarse un rasgo culto del autor.

¿Dónde pudo Hidalgo, en sus días y en su tierra, leer el romance de Fontefrida, si no lo conocía por tradición? Nada se opone a la existencia en bibliotecas conventuales y escolares y en manos de las antiguas familias rioplatenses de viejos romanceros que, como nos demuestra Leonard, con tanta abundancia habían figurado en los registros de envíos de libros de España a sus posesiones ultramarinas.

El empleo del asonante en *ó* a todo lo largo del *Diálogo* gauchesco a que venimos refiriéndonos parece que había de traer de la mano el uso por Hidalgo de unos versos en el mismo asonante procedentes del romance de Fontefrida, ya le fuera éste tradicional o literariamente conocido.

Antonio Cornejo Polar

LOS YARAVÍES DE MARIANO MELGAR

La «literatura de la emancipación» tiene que remitirse tanto a la realidad del proceso histórico que le corresponde, cuya estructura reproduce, cuanto a la ideología —que expresa con explicitez— de los grupos que lo gobernaron. Este tipo de literatura no cubre, sin embargo, todo el campo de la actividad literaria que tiene que ver con la emancipación. Los yaravíes de Melgar son la otra alternativa; repre-

Antonio Cornejo Polar, «Sobre la poesía de la emancipación en el Perú», *Revista Iberoamericana*, 114-115 (1981), pp. 83-93 (88-93).

sentan, en términos generales, el vértice del subsistema literario que la crítica suele eludir, maljuzgar o —lo que es peor— homologar con la tradición erudita y oficial.

[La poesía patriótica de Mariano Melgar está incorporada al orden neoclásico y reitera los caracteres de la «literatura de la emancipación», aunque en algún caso sea posible detectar algunas desviaciones de esa norma.] Empero, al lado de esta poesía, y esto es lo que ahora interesa, Melgar produjo una apreciable cantidad de breves canciones amorosas que se conocen bajo la denominación de yaravíes. La crítica sobre este género todavía no ha definido suficientemente su historia y caracteres, pero, en todo caso, es posible establecer ya algunos criterios básicos.

Es importante subrayar, por lo pronto, que el yaraví surge de una matriz indígena prehispánica, aunque no haya consenso acerca del tipo concreto de poesía que le da origen y aunque, de otra parte, esté comprobado su temprano mestizamiento y resulte verosímil la influencia de la poesía española culta de su tiempo. En todo caso lo sustancial es que el cultivo del yaraví supone la revalorización y uso de una tradición poética nativa —aun si ésta funciona sólo como eslabón primero y muy transformado— y que en tal reivindicación y empleo subyacen filiaciones y adhesiones absolutamente insólitas en la otra literatura. En este sentido es necesario remarcar que el yaraví no guarda ninguna relación con el paramento indianista que eventualmente aparece en la «literatura de la emancipación».

Es también importante señalar que el yaraví se inscribe dentro del sistema de la literatura popular, pese a que el haber sido cultivado por Melgar ocupó por algún tiempo un lugar dentro de la poesía peruana culta. El carácter popular del yaraví está definido, a todas luces, por su ancestro indígena, pero asimismo, aunque en cada caso habría que hacer algunas precisiones, por su condición de poesía para ser cantada, por realizarse en sus instancias de creación, recreación y consumo como «poesía tradicional», y por la masiva y persistente audiencia que le brindaron las clases media y baja, especialmente en el sur, como se comprueba por la cuantiosa presencia de este género en los cancioneros de la época.

Supuesto lo anterior, es posible reafirmar que los yaravíes melgarianos representan otra opción, harto más significativa, de la literatura de la emancipación —ahora sin comillas. Y esto porque los yaravíes, aunque limitan su ámbito temático al amor, sin contener ninguna alusión a los hechos o ideas de la independencia, realizan en el plano que específicamente les corresponde como obras literarias esa dimensión emancipadora que la «literatura de la emancipación» proclama pero no cumple. No otra cosa significa su doble inserción, en lo indígena y en lo popular, en contraste muy marcado con el canon entonces vigente. Queda entendido que esta transformación, pese a realizarse en el espacio de la forma poética, no es solamente una transformación formal: oponer la raíz indígena a la tradición española y reivindicar en la práctica la creación popular frente al cultismo de una literatura fuertemente elitista, son opciones que remiten de inmediato, y con precisión, al plano social. [...]

Ciertamente no deja de extrañar que el impulso que produjo el yaraví no suscitara también una literatura explícitamente político-social; sin embargo, la escueta existencia del movimiento yaraviísta marca la aparición de una conciencia que interpreta la emancipación de otra manera, tanto, que es la intimidad emotiva la que necesita para expresarse el doble apoyo de lo indígena y de lo popular. En última instancia, y aun considerando sus obvias limitaciones e imperfecciones, el yaraví supone un momento histórico en el que algunos hombres deciden plasmar sus afectos en una nueva forma: ya no la española, tal vez sentida ajena e impostada, sino otra que, a través de resonancias remotas pero actuantes, restauraba una tradición por largo tiempo sepultada y revaloraba el modo popular del canto hecho para uno y para todos.

Es indispensable referir la experiencia del yaraví al horizonte social que le corresponde concretamente. No sería suficiente, en efecto, marcar su positiva desviación con respecto a la norma de la «literatura de la emancipación» y explicar ese hecho en una mayor perspicacia político-social de Melgar o en su heroica militancia en la rebelión de Pumacahua. Este segundo es dato que debe retenerse, sin duda, pero en sí mismo carece de aptitud explicativa.

La historia oficial ha considerado todas las rebeliones anteriores a 1821 como etapas «precursoras» de la independencia lograda en esa fecha. La imagen que así se obtiene: la de un proceso unitario que parece acumular acontecimientos de significación igual o semejante y que finalmente culmina con el triunfo de los patriotas, es notoriamente falsa. De hecho no todas esas rebeliones obedecieron al proyecto criollo que se impuso en 1821, y algunas de ellas representaron, por el contrario, intereses sociales claramente opuestos. Es el caso, sobre todo, de los movimientos genéricamente reconocibles por su raíz indígena y su base campesina, cuya manifestación mayor es por cierto la rebelión de Túpac Amaru (1780) dentro de cuyo rumbo se inscribe, parcialmente al menos, el levantamiento de Pumacahua. No cabe ahora caracterizar en detalle este proceso, pero sí es necesario apuntar su fuerte sentido étnico y el radicalismo de sus propuestas sociales, de manera especial en los momentos en que estuvo impulsado por las masas indígenas.

El yaraví melgariano está profundamente ligado a este otro proceso emancipador —y muy poco, o nada, al proyecto de los criollos. Se explican en él no sólo las opciones claves del yaraví, a favor de lo indígena y lo popular, sino también algunos de sus caracteres formales, como su configuración musical. La preservación de la naturaleza de canción tiene que ver de manera inmediata con la oralidad propia de la cultura popular y repite —salvo por la sustitución de la quena por la guitarra— el modelo indígena tradicional. Es claro que también por esto, que implica un circuito comunicativo sin vínculo consistente con el basado en la lectura, los yaravíes se diferencian sustancialmente de la «literatura de la emancipación».

El énfasis étnico de los movimientos emancipadores predominantemente indígenas podría explicar también, aunque tangencialmente, el intimismo de los yaravíes. En efecto, al reivindicar un sistema cultural oprimido, estos movimientos ponen en juego no sólo intereses políticos, enmarcados dentro de la dinámica del poder por conquistar, sino también, aunque rara vez de manera orgánica, fuerzas espirituales destinadas a ganar legitimidad para formas determinadas de entender la realidad en su conjunto, incluyendo el lado íntimo de la existencia personal. En los yaravíes se expresa una muy peculiar versión del amor, que tiene componentes determinados por la experiencia histórica del pueblo indígena, y no sería excesivo considerar esta manifestación específica como parte del impulso legitimador de una cultura.

Todos los movimientos emancipadores de filiación indígena fracasaron pronto; sin embargo, su sola irrupción generó un clarísimo y no injustificado temor en los grupos criollos, tanto por el radicalismo de sus metas cuanto por la violencia de sus procedimientos. De aquí que en el proceso dirigido por los criollos el elemento popular e indígena fuera mantenido a distancia o en condición fuertemente subordinada, a la par que sus intereses no sólo desaparecieron de la agenda republicana, salvo en una que otra declaración teórica, sino que fueron contradichos y burlados aun con más rigor que durante el régimen colonial. La cultura de estos grupos quedó, por consiguiente, oprimida, desprestigiada y sometida a una intensa presión alienadora. El ciclo del yaraví tiene el mismo diseño: floreció mientras los levantamientos indígenas tuvieron expectativas de triunfo y decayó considerablemente, hasta casi desaparecer, cuando la república consolidó los términos de su dominio oligárquico y antipopular. Sólo muchos años después, en momentos de crisis especialmente agudas, como la desatada por la guerra con Chile y sobre todo la que se sitúa entre los años veinte y treinta de este siglo, volverán a surgir alternativas semejantes, pero, por cierto, dentro de otras y muy distintas circunstancias históricas.

La remisión del yaraví melgariano a un proceso social distinto y opuesto al que culmina en 1821, que a su vez tiene sus propias y peculiares manifestaciones literarias, esclarece las tensiones concretas de una determinada coyuntura histórico-literaria, pero puede servir también para demostrar la no pertinencia teórica de las articulaciones globalizantes entre sociedad y literatura, pues una y otra no son nunca entidades homogéneas, sino estratificadas y fluyentes, hechas de clases y etnias, en un caso, y de sistemas o subsistemas, en el otro, al mismo tiempo que puede servir, igualmente, para confirmar la inconsistencia de las conceptualizaciones de la literatura peruana —y de otras muchas literaturas latinoamericanas— como secuencia unilineal de componentes homogéneos.

Por aferrarse a esta imagen unitaria, que inventa una organicidad a todas luces inexistente, la obra poética de Melgar fue y sigue siendo incomprendida en lo que tiene de mayor valor. Lo normal es, en efecto, situar su poesía patriótica dentro de la «literatura de la emancipación», lo que es correcto, y ubicar los yaravíes como antecedentes del romanticismo, lo que es rigurosamente erróneo, con el fin de inscribir ambas vetas en una sola corriente: la de la literatura peruana culta, en la transición del neoclasicismo al romanticismo. De esta manera, a más de cortar el vínculo entre los yaravíes y la emancipación, porque eso obligaría a hablar de la *otra* emancipación, se mutila o recorta el significado popular-indígena de estas canciones, gracias a la cual se conserva imperturbable el preconcepto de la unidad de la literatura (y de la sociedad) peruana. «Precursor» de la emancipación y «antecedente» del romanticismo, Melgar es asimilado por el sistema literario culto y por los grupos sociales que con él se identifican. Sólo así accede al espacio consagrado de la literatura nacional.

Uno de los retos más urgentes y más inquietantes de la crítica e historia de las literaturas latinoamericanas consiste en repensar el concepto de literatura nacional y su categoría fundante, la de la unidad, que normalmente no es más que la abusiva y excluyente absolutización de un modo de entender, producir y juzgar la literatura, en desmedro de otros que —por lo menos— son igualmente legítimos y valiosos. En este sentido, al criterio unitario y exclusivista es necesario oponer el de la pluralidad contrastante y conflictiva. Como lo prueba la literatura ligada a la emancipación, el ejercicio de este arte resulta punto menos que ininteligible si se oscurece su condición reproductora de una realidad múltiple y desmembrada y su condición paralela de discurso ideológico inscrito raigalmente en la conflictividad de una sociedad estratificada y pluriétnica.

JOSÉ JUAN ARROM

EL TEATRO DE MANUEL EDUARDO DE GOROSTIZA

A los treinta años, no obstante la borrasca política de la época [en la que intervino activamente], Gorostiza había escrito y hecho representar en Madrid sus cuatro primeras comedias, *Indulgencia para todos*, en cinco actos y en verso, que aparece fechada el 1.° de agosto de 1818; *Tal para cual* o *Las mujeres y los hombres*, en un acto y en verso, que fue impresa en 1820; *Las costumbres de antaño* o *La pesadilla*, también en un acto y en verso; y *Don Dieguito*, en cinco actos y en verso; las cuales integraron después el volumen *Teatro original* que publicó en París en 1822, con dedicatoria a Moratín. Mucho se dijo en torno a estas obras. Mariano José de Larra creyó ver en alguna de ellas un tono de irrealidad, un exagerado empleo de hipótesis que «conspiran contra la convicción que debe ser el resultado del arte».

Ya desterrado de España, en 1825, nuestro dramaturgo publicó en Bruselas, edición de Tarlier, dos tomos conteniendo su *Teatro escogido* con las mismas piezas anteriores y dos nuevas: *El jugador*, en cinco actos y en verso, dedicada a la condesa de Regla, y *El amigo íntimo*, en tres actos y en verso, que dedicó a don Vicente Rocafuerte, representante diplomático de México en Inglaterra; esta última co-

José Juan Arrom, *Historia del teatro hispanoamericano colonial*, De Andrea, México, 1967, pp. 56-62.

media lleva la siguiente nota: «Un vaudeville francés intitulado *Mr. Sansgene ou L'ami de colege* dio la primera idea de esta comedia. Los que conozcan aquella bagatela calificarán el grado de originalidad a que puede pretender el autor de *El amigo íntimo*». Al año siguiente, en París, imprenta de Rosa y Compañía, apareció su *Apéndice al Teatro escogido*, dos tomos, que incluían dos obras nuevas: *También hay secreto en mujer*, en cuatro actos y en verso, refundición de la comedia de Calderón de la Barca *Bien vengas mal, si vienes solo*; y *Lo que son las mujeres*, en cinco actos y en verso, que es refundición de otra de Rojas del mismo título; ambas escritas como resultado de una disputa sobre el antiguo repertorio español en la que Gorostiza sostuvo el criterio de que si Lope y Calderón habían pecado alguna vez contra las reglas de la razón, no lo habían hecho ni por ignorancia ni por necesidad, sino porque quisieron trabajar de prisa y porque para ello les incomodaba la menor traba, y que sus defectos, si de alguno podría acusárseles, no hubieran sido peores por haber sido más arreglados sus textos; para conciliar los ánimos alguien propuso que Gorostiza refundiese dos comedias a su modo y que luego las presentase para ser juzgadas y probar así de qué lado estaba la verdad. «Refundiólas efectivamente —cuenta el propio Gorostiza en el prólogo—, leyólas, gustaron, representáronse, aplaudiéronse, y no se imprimieron hasta ahora.»

Contigo pan y cebolla fue reimpresa en tomo aparte, en Londres, edición de Cunningham y Salmon, el año 1833, y ese mismo año el 5 de diciembre, fue estrenada en México, poco después de que otra de sus primeras comedias, *Las costumbres de antaño*, había sido editada de nuevo aquí, imprenta de Miguel González, y refundida por Gorostiza para su representación en el Teatro Principal, con una dedicatoria «Al ciudadano José María Bocanegra» donde antes, en la edición de París de 1822, había puesto la dirigida «Al Rey». El propio Gorostiza advierte en una nota inserta en esta nueva edición de *Las costumbres de antaño* —primera suya aparecida en México— que había escrito la comedia *de orden superior* y que en su estreno hubo «singular aplauso», pero que no se había vuelto a representar porque él no se había atrevido a refundirla; ahora, al fin, prefería «sacrificar *Las costumbres de antaño* a su posición actual». Y concluía: «¿Qué no se hubiera dicho de él, si en beneficio del arte dramático hubiera suprimido en esta edición las alusiones que tiene la comedia a la boda del Rey?».

Al enjuiciar algunas de las obras de Gorostiza, José María Roa Bárcena [1899] parte del supuesto de que su escuela «no es otra que la de Moratín», al que califica como regenerador del teatro español. En Roa Bárcena encontramos el anhelo de comparar el neoclasicismo de Moratín, Bretón y Gorostiza con la escuela romántica que le sucedió. En *Indulgencia para todos* ve el feliz desarrollo de la idea moral que expresa el título, en la intriga que Carlos, don Fermín, don Pedro y Tomasa preparan a don Severo para que éste pierda la rigidez de censor y adquiera sentido del perdón y la tolerancia, y pueda hacer feliz a Tomasa en su proyectado matrimonio. En *Las costumbres de antaño* Gorostiza inventa otro ardid —el de Calderón en *La vida es sueño*, no en la comparación entre el hombre y la naturaleza sino en el contraste entre la realidad y el ideal, entre lo real y el soñar—, mediante el cual Félix e Isabel, sobrinos de don Pedro, tratan de quitarle la manía de echar de menos lo añejo, hacerle aceptar el presente y el matrimonio de ambos; es un juguete cómico en un acto, de muy grata fluidez. Para Roa Bárcena «es la obra que mejor demuestra el genio cómico de Gorostiza».

Contigo pan y cebolla está escrita en prosa y reúne a una idea moral como la de *Indulgencia para todos*, la gracia y el humorismo de *Las costumbres de antaño* o *La pesadilla*. Roa Bárcena cuenta que las relaciones de una hija de Gorostiza, Luisa, con cierto joven español de buena cuna, pero sin recursos para establecerse, llevaron al dramaturgo a escribir esta comedia con la que esperaba hacerla desistir de un matrimonio inconveniente. El juicio de *Fígaro* acerca de ella, al ser estrenada en Madrid, no le es favorable: «Quisiéramos —dice— equivocarnos; pero el carácter de la protagonista nos parece, por lo menos, llevado a un punto de exageración tal, que sería imposible hallar en el mundo un original siquiera que se la aproximase». Lo cierto es que en esta comedia, que en su tiempo fue calificada como la primera entre todas las de Gorostiza, el autor acude al mismo recurso de que sus personajes finjan una intriga para escarmiento de otro: don Pedro de Lara, al ver que su hija Matilde rechaza a Eduardo, que es noble y rico, simula con éste cierto disgusto y conviene en hacerlo aparecer desheredado y repudiado de su familia, para despertar primero la simpatía y luego el amor de la romántica Matilde, que termina fugándose con Eduardo para vivir en un cuchitril; decepcionada de la pobreza, se acoge al fin al perdón paterno; y la comedia concluye con la moraleja, puesta en boca de Eduardo, acerca de que «los placeres de la indigencia» tienen mucho mérito sólo a los ojos de... las jóvenes de diecisiete años que leen novelas.

Con todo, *Fígaro* reconoce las cualidades de Gorostiza y su disposición para desarrollar las escenas cómicas. «Rasgos hemos visto en su linda comedia —anota— que Molière no repugnaría; escenas enteras que honrarían a Moratín...» Y, en efecto, la lectura de *Contigo pan y cebolla* transcurre feliz y deja un grato sabor. Adviértase que sus pasajes denuncian en Gorostiza la afinación de su manera como escritor de comedias.

El jugador y *Don Dieguito*, sus otras dos comedias grandes, están en verso. En la primera hay el mismo anhelo moralizante, pero es otra su manera. Aquí no parte el autor de un supuesto, de una intriga fingida.

Carlos y Luisa se aman y proyectan casarse. Don Manuel el tutor de ella y tío de él, también está enamorado de Luisa; sacrifica su amor a la felicidad de ellos, con la condición de que Carlos abandone el vicio del juego y arregle sus costumbres; éste acepta y ofrece enmendarse, pero cuando llega al extremo de empeñar con cierto usurero un retrato de Luisa que está en un marco guarnecido de diamantes, para satisfacer su vicio, don Manuel y su tutoreada se desencantan del joven y conciertan su matrimonio.

Es cierto que el único carácter de la comedia es el del jugador, bien trazado y con fuerza, y que la acción es débil y lenta, con excesivos parlamentos; pero, no obstante ello, Gorostiza es aquí el maestro de la comedia neoclásica, el mismo conocedor de las reglas y principios teatrales, idéntico espíritu humorístico. Posiblemente no sea, como pretendía el maestro Altamirano en una nota crítica sobre su estreno en México, la más calificada obra de Gorostiza, pero sí de muy estimables cualidades de originalidad y forma, si se atiende a su época. En *Don Dieguito* vuelve a aparecer el recurso del ardid, pero no para escarmiento de nadie sino para abrirle los ojos a un palurdo, a quien en Madrid han enredado.

El asunto es fácil: don Anselmo, hombre rico de la montaña, envía a su sobrino don Dieguito a Madrid, para instruirle y hacer carrera puesto que piensa nombrarle su heredero; éste cae en cierta casa en la que Adelaida lucha por conquistarlo sabiendo lo de la herencia; los padres de ella, don Cleto y doña María, la ayudan, lo mismo que un don Simplicio, que allí vive de parásito; don Dieguito formaliza su compromiso matrimonial con Adelaida, que lo halaga en su vanidad y celebra sus necedades, y don Anselmo viene a apadrinarlo; pero éste advierte las argucias de Adelaida y de sus padres y trata de disuadir a don Dieguito; en vista de que éste no oye razones, emplea un ardid; finge que busca novia y que se ha enamorado de Adelaida, y ella que sólo busca la herencia lo acepta y despide a don Dieguito, que al fin se convence de la burla de que ha sido víctima; don Anselmo simula un descalabro en sus negocios y anuncia su regreso a la montaña y con él se va don Dieguito, que ha aprendido la lección. Hay escenas de gran comicidad, regocijadas y de gran eficacia teatral, ejemplos de trama de comedia más próximos al paradigma molieresco.

Las restantes comedias de Gorostiza, o son refundiciones de otras, ya sea de Scribe como *La madrina*, un acto, y de Calderón de la Barca como *También hay secreto en mujer*, o son piecesillas en un acto como *Don Bonifacio* y *Tal para cual* o *Las mujeres y los hombres*. Todas ellas, menos la última y *El amante jorobado* y *Las cuatro guirnaldas* que Fernández de Moratín atribuye a Gorostiza en su *Catálogo de piezas dramáticas publicadas en España desde principios del siglo XVIII hasta la época presente* (1825) fueron incluidas en los cuatro tomos que Victoriano Agüeros en su *Biblioteca de Autores Mexicanos* consagró a su teatro. Después, sólo hay una edición mexicana de *Indulgencia para todos* [en 1942].

Todo el teatro de Gorostiza rebosa circunstancias que prueban su apego al viejo apotegma del *Teatro como escuela de costumbres*, que con Moratín había vuelto a ser válido. Tales son sus referencias a los preservativos contra los amores románticos y su crítica moralizante contra la antigua educación, del mismo modo que en Martínez de la Rosa se expresarían como lección contra el mal ejemplo y el descuido de las madres. Menéndez y Pelayo compara a estos dos autores. «Quizá en Gorostiza —observa— sea el diálogo más movido; quizá tenga más habilidad para trazar, no caracteres sino caricaturas; de fijo abundan más en él los chistes y son más naturales que en Martínez de la Rosa; pero tiene que cederle la palma en todas las demás condiciones de poeta cómico.» En su estudio que sirvió de introducción al *Edipo* de la colección de *Autores dramáticos contemporáneos* y *Joyas del teatro español del siglo XIX* (Madrid, 1881), el notable crítico se refiere a la pobreza de las intrigas que emplea Gorostiza. Sin embargo, ni le regatea méritos como maestro de la escuela neoclásica ni le niega la influencia que dejó en Bretón de los Herreros y otros. Su obra bien puede leerse, representarse y ser celebrada hoy, no obstante los años corridos y los modernos gustos, porque aparece válida y encendida, con tipos trazados con fuerza y claridad, por la gracia de sus escenas y la maestría de su composición, por lo representativo que es de una manera que hizo surco en el teatro en idioma español.

ÍNDICE ALFABÉTICO

Spell, Lota May, 251, 264
Spencer, 49
Speratti, Emma, 531
Speratti-Piñero, 157
Spingarn, J., 196
Spitzer, Leo, 222, 250
Stark, Richard B., 443
Stavely, Guillermo, 382
Staves, S., 319, 330
Sten, María, 315, 330
Stoetzer, O. Carlos, 47, 486
Suárez, Cipriano, 84, 86, 298
 De arte rhetorica libri tres, 86
Suárez de Figueroa, Cristóbal, 216, 218
 España defendida, 216, 218
Suárez de Figueroa, Gómez, *véase* Garcilaso de la Vega
Suárez de la Vega, Gómez, *véase* Garcilaso de la Vega
Suárez Radillo, Carlos Miguel, 533
Suazo, Alonso de, 431
Succintz adversaires contre l'Histoire (Ruelle), 185
Sueño de sueños (Acosta Enríquez), 380
Sueños (Quevedo), 380
Sueños (Torres Villarroel), 380
suite du Menteur, La (Corneille), 354
Sumaria relación (Dorantes), 198, 243, 246
Sumario de la historia natural de las Indias (Fernández de Oviedo), 95, 118, 119, 395
Summa totius rhetoricae (González), 87
Suplemento a la Introducción del Satélite del Peruano, 513

Tabaré (Zorrilla de San Martín), 36
Tal para cual (Gorostiza), 528, 548, 552
Tallone, A., 93
Tamayo Vargas, Augusto, 255, 264, 321, 330
También hay secreto en mujer (Gorostiza), 549, 552
Tasso, Torcuato, 197, 198, 199, 204, 236

Tauro, Alberto, 30, 47, 165, 246, 249, 254, 255, 264
Teatro escogido (Gorostiza), 529, 548
Teatro gauchesco primitivo (Ghiano), 528
Teatro original (Gorostiza), 529, 548
Teatro selecto (Gorostiza), 529
Tecto, fray Juan de, 56
Teixidor, 489
Tejeda, Luis de, 245
 Coronas líricas. Prosa y verso, 245
 Libro de varios tratados y noticias, 245
 peregrino de Babilonia y otros poemas, El, 245
Telémaco, 505
Temblor de Lima (Oña), 205
tempestad, La (Shakespeare), 51
Tena Ramírez, Felipe, 523
tentación de Cristo, La, 338
Teócrito, 401, 402
Terán, 429
Terencio, 318
Teresa de Jesús, santa, 254, 522
Terralla y Landa, Esteban de, 433, 523, 533
 Lima por dentro y fuera, 523
Terrazas, Francisco de, 198, 202, 209, 243, 246, 247, 316
 Nuevo Mundo y conquista, 198, 202, 243
Terrera, G. A., 443
Terry, Arthur, 264
Theatro crítico universal (Feijoo), 496
Thévet, André, 50, 51
 Singularidades de la Francia antártica, 50
Thomas, sir Henry, 75, 392
Thomasiada al sol de la Iglesia (Sáenz), 199
Tirant lo Blanc (Martorell), 395-396
Tirso de Molina, 49, 159, 375
 burlador de Sevilla, El, 358
 pizarros, Los, 49, 159
Tisseno, Adrián, 379
Tito Calpurnio, 402
Todorv, Tzvetan, 92, 93, 96, 106
Tofail, Abén, 50

ÍNDICE

8. El romancero en Hispanoamérica